ДЖОН ЛЕ КАРРЕ

ДЖОН ЛЕ КАРРЕ

МАЛЕНЬКИЙ ГОРОДОК В ГЕРМАНИИ

СЕКРЕТНЫЙ ПАЛОМНИК

Издательство АСТ
Москва

УДК 821.111-312.4
ББК 84(4Вел)-44
Л33

Серия «Классический остросюжетный детектив»

John le Carré

A SMALL TOWN IN GERMANY

THE SECRET PILGRIM

Перевод с английского *И.Л. Моничева*

Серийное оформление *В.Е. Половцева*

Печатается с разрешения литературных агентств
Curtis Brown UK и The Van Lear Agency LLC.

Ле Карре, Джон.

Л33   Маленький городок в Германии. Секретный паломник :
[романы] / Джон Ле Карре ; [пер. с англ. И.Л. Моничева]. —
Москва : Издательство АСТ, 2017. — 752 с. — (Классический
остросюжетный детектив).

ISBN 978-5-17-098509-8

Каким образом и почему исчез сотрудник британского посольства в ФРГ Лео Хартинг? Неужели и правда, как полагают в Лондоне,
под личиной этого мелкого чиновника, который благодаря своему
обаянию снискал расположение едва ли не всех дипломатов и даже их
жен, много лет скрывался агент КГБ, который теперь просто ушел к
своим? Поначалу эмиссар британских спецслужб Алан Тернер, которому поручено вести дело Хартинга, тоже склоняется к этой версии.
Но постепенно расследование приводит его к шокирующей правде...

Ветеран британских спецслужб времен «холодной войны» Нед,
пригласив на встречу с курсантами легендарного Джорджа Смайли,
вместе с ним вспоминает самые интересные эпизоды, имевшие место
во время их «тайной службы Ее Величеству». Истории, в которых
опасные операции соседствуют с забавными событиями, трагедия
порой обращается в фарс, а мелкие ошибки приводят к самым невероятным последствиям.

УДК 821.111-312.4
ББК 84(4Вел)-44

ISBN 978-5-17-098509-8

МАЛЕНЬКИЙ ГОРОДОК В ГЕРМАНИИ

Пролог

ПРЕСЛЕДОВАТЕЛЬ И ПРЕСЛЕДУЕМЫЙ

Десять минут до полуночи: благочестивая пятница в мае — тончайшая пелена речного тумана окутала рыночную площадь. Бонн напоминал в этот час какой-то балканский город, неряшливый и загадочный, сплошь опутанный сверху трамвайными проводами. Бонн был похож на темный дом, где кто-то умер, дом, по католическому обряду задрапированный в черное и охраняемый полицейскими. Их кожаные плащи поблескивали в свете уличных фонарей, а черные флаги нависали над ними подобно простершим крылья огромным птицам. Такое впечатление, что все, кроме полисменов, услышали сигнал тревоги и поспешили сбежать из города. Промчалась машина, торопливо протопал редкий пешеход, и вновь полная тишина. Прогромыхал трамвай, но где-то очень далеко. В витрине бакалейщика поверх пирамиды из консервных банок написанное от руки назойливое объявление призывало: «Срочно пополняйте запасы только у нас!» Разлегшиеся среди россыпей крошек марципановые свинки, похожие на облысевших мышей, напоминали о давно миновавшем Дне Всех Святых.

Только лозунги на плакатах не заставишь замолчать. Расположенные на одном уровне, как будто по особому указанию, они продолжали вести свою никчемную войну с деревьев и с фонарных столбов. Слова на них были выведены светоотражающей краской, их наклеили на листы фанеры, обтянули по краям тонкой каймой из черной материи, и они таращились на него, как живые, пока он торопливо проходил мимо. «Отправьте иностранных рабочих домой!», «Очистите Бонн от коррупции!», «Объедините сначала Германию, а уж потом — Европу!» Но самый крупный возвышался над всеми — полотнище, растянутое прямо поперек улицы: «Откройте дорогу на Восток, если путь на Запад завел в тупик!» Темные глаза прохожего не обращали на них ни малейшего внимания. Полицейский, постукивая, скорчил ему гримасу, отпустив тяжеловесную шутку по поводу погоды. Другой попытался проверить документы, но быстро отвязался. Третий выкрикнул: «Добрый вечер!» — не получив ответа. Потому что мысли его сейчас занимала одна полная фигура, маячившая в ста шагах впереди и поспешно удалявшаяся по широкому проспекту, то скрываясь под полотнищем очередного черного флага, то снова появляясь в сально-желтом свете фонаря.

Темнота сгустилась бесцеремонно — серенький денек с легкостью уступил ей место, но ночь выдалась неожиданно морозной, и снова пахнуло зимой. На протяжении большинства месяцев Бонн — не место, чтобы отслеживать смену времен года. Здешний климат заключен внутри домов. Это климат головных болей, теплый и безвкусный, как вода в магазинных бутылках, климат постоянного ожидания, климат горечи, которой несет от медленного течения реки, климат усталой природы, где даже растительность пробивается с неохотой, а воздух — бывший ветер, потерявший силу на равнине. Поэтому сумерки превращаются всего лишь в заурядное потемнение дневной дымки, когда вдоль унылых улиц включаются люминесцентные лампы фонарей. Но той весенней ночью зима вернулась с кратким визитом, незаметно проскользнув вдоль долины Рейна под разбойничьим покровом тьмы, и заставила их ускорить движение, обжигая непредвиденной стужей. Глаза невысокого мужчины, напряженно устремленные вперед, от холода начали слезиться.

Проспект описал дугу и привел их к желтым стенам здания университета. «Демократы! Вздерните баронов прессы!», «Мир принадлежит молодежи!», «Пусть отпрыски английских лордов просят подаяния!» «Акселя Шпрингера — на виселицу!», «Да здравствует Аксель Шпрингер!», «Протест — это Свобода!». Здесь плакаты были гравюрами на дереве, отпечатанными в студенческой типографии. Молодая листва над головами сверкала осколками навеса из зеленого стекла. Освещение стало ярче, а полицейские попадались реже. Мужчины прошли дальше, не ускоряя, но и не замедляя шагов. Первый выглядел солидным и деловитым университетским инспектором. Но его походка, хотя и достаточно быстрая, казалась неловкой и скованной, словно ему было привычнее более величественное окружение — походка исполненного чувства собственного достоинства немецкого бюргера. Короткие взмахи рук, спина совершенно прямая. Знал ли он, что его преследуют? Голову он держал высоко и властно, но скорее по привычке. Человек, привлеченный чем-то замеченным впереди? Или же движимый тем, что осталось сзади? Уж не страх ли не позволял ему обернуться? Хотя уважающий себя господин не вертит зря головой. Второй, более мелкого сложения мужчина непринужденно двигался следом. Призрачно легкий в темноте, он проникал сквозь тени, как сквозь сети, уподобляясь королевскому шуту, тайком готовившему пакость одному из придворных.

Они попали в узкий проулок, где стояла вонь прокисшей еды. И снова со стен на них обрушились печатные крики, на этот раз в типичном для немецкой рекламы духе: «Настоящие мужчины пьют только пиво!», «В знании — сила. Читайте книги издательства "Мольден"!». Здесь впервые сдвоенные отзвуки их шагов раздались четко и синхронно, исключая возможность случайности. Здесь исполненный достоинства мужчина впервые словно очнулся, почувствовав позади опасность. Внешне он всего лишь слегка потерял равновесие, чуть сбившись с решительного ритма своей уверенной поступи, но интуиция заставила его теперь держаться ближе к краю тротуара, в стороне от темноты под стенами домов, и ему явно стало уютнее в более ярко освещенных местах, где фонари и полисмены могли уберечь от угрозы. Но преследователь неумолимо продолжал погоню. «Встретимся в Ганновере!» — вопил плакат. «Карфельд выступает в Ганновере!» «Ждем вас в Ганновере в воскресенье!»

Мимо прокатил пустой трамвай с защитной клейкой сеткой на окнах. Одинокий церковный колокол поднял монотонный трезвон — панихида по христианской добродетели в опустевшем городе. Они продолжали идти, держась теперь ближе друг к другу, но мужчина впереди по-прежнему не оглядывался. Снова свернули за угол, и прямо перед ними возник величавый шпиль Мюнстера, словно вырезанный из тонкого металла на фоне пустоты неба. На первый звон с неохотой откликнулись другие колокола, пока весь город постепенно не наполнился ленивой какофонией бессвязных раскатов. Созыв прихожан на молитву Богородице? Предупреждение о налете вражеских бомбардировщиков? Молодой полицейский, стоявший в проеме входной двери спортивного магазина, обнажил голову. В портике среди колонн собора в чаше из красного стекла горела свеча. Рядом располагалась лавка, торговавшая предметами религиозного культа. Толстяк приостановился, склонился вперед, делая вид, что рассматривает витрину, а потом бросил взгляд вдоль улицы, и в этот момент свет из окна обрисовал черты его лица. Более низкорослый мужчина побежал вперед, замер на месте, снова побежал, но было слишком поздно.

Подъехал лимузин, «опель-рекорд», за рулем которого сидел бледный человек, скрытый тонированным стеклом. Задняя дверь распахнулась и захлопнулась, машина медленно и тяжело набрала скорость, оставив без ответа единственный резкий возглас, вопль, полный ярости и обличения, крайней растерянности и отчаянной злости, словно посторонней силой исторгнутый из груди того, кто издал его. Крик коротко огласил пустынную улицу и сразу же затих. Полисмен развернулся и включил фонарик. Попав в его луч, маленький мужчина не двигался, пристально глядя вслед лимузину. Трясясь по брусчатке мостовой, скользя на мокром металле трамвайных путей, не обращая внимания на сигналы светофоров, он скрылся в западном направлении, устремившись к подсвеченным окнами домов холмам в отдалении.

— Кто вы такой?

Луч фонаря задержался на пальто из английского твида, слишком ворсистого для человека столь малого роста, на дорогих и модных ботинках, заляпанных серой грязью, на темных немигающих глазах.

— Кто вы такой? — повторил вопрос полицейский уже громче, потому что колокольный звон доносился теперь отовсюду, отдаваясь неумолчным и чуть зловещим эхом.

Маленькая рука скрылась в складках пальто и достала кожаный бумажник. Полисмен осторожно взял его и открыл застежку, одновременно жонглируя фонариком и черным пистолетом, который неловко держал сначала в левой руке.

— Что случилось? — спросил полицейский, возвращая бумажник владельцу. — Почему вы кричали?

Низкорослый, не отвечая, сделал несколько шагов вдоль тротуара.

— Вы никогда не видели его прежде? — спросил он, все еще глядя вслед автомобилю. — Не знаете, кто это был?

Он говорил медленно и тихо, как говорят в доме, где наверху спят дети, неуверенным голосом человека, предпочитавшего молчать.

— Нет.

Заостренное, морщинистое лицо озарилось умиротворенной улыбкой.

— Прошу прощения за свою глупейшую ошибку. Показалось, я узнал его. — Произношение не было ни чисто английским, ни правильным немецким, а сознательно выбранной для нейтральной территории смесью и того и другого. И, как казалось, он мог немного менять его в ту или другую сторону, если так было удобнее слушателю. — Это все от погоды, — продолжал низкорослый мужчина, явно не собираясь заканчивать разговор. — Когда внезапно холодает, начинаешь чаще всматриваться в других людей. — Он открыл жестянку с короткими и тонкими голландскими сигарами, предложив одну полисмену. Тот отказался, и мужчина закурил сам.

— Нет, это от уличных беспорядков, — так же негромко отозвался полицейский. — Знамена, лозунги. Мы все сейчас нервничаем. На этой неделе в Ганновере, на прошлой — во Франкфурте. Нарушен естественный порядок вещей. — Он был молодым еще офицером, но прошел обучение, чтобы получить звание. — Нужно почаще использовать запреты, — добавил он расхожую фразу. — Как поступают коммунисты.

Потом он небрежно отсалютовал. Незнакомец улыбнулся прощальной открытой улыбкой, выражавшей симпатию, намек на дружелюбие, неохотно сделавшись потом опять серьезным. И стал удаляться. Оставшись на прежнем месте, полисмен внимательно вслушивался в затихавшие шаги. Вот человек остановился, затем пошел снова, уже быстрее и увереннее. Или у него разыгралось воображение?

— В Бонне, — сказал он себе, подавляя вздох и вспоминая легкую походку незнакомца, — каждая муха занимает какую-нибудь высокую должность.

Затем он достал блокнот и тщательно занес в него время и место инцидента, кратко описав суть происшествия. Он не считался особенно сообразительным сотрудником, но его ценили за наблюдательность и аккуратность. Покончив с этим, он добавил в блокнот еще и номер машины, который как-то сам собой удержался в его памяти. Внезапно полисмен замер и уставился на только что написанные строчки. На фамилию, на номер автомобиля. Ему вспомнился полный мужчина с его широкими, маршевыми шагами, и сердце учащенно забилось. Он подумал о секретной инструкции, вывешенной на доске объявлений комнаты отдыха полицейского участка, о небольшой нечеткой фотографии, уже давно попавшейся ему на глаза. И, сжимая блокнот в руке, он помчался к ближайшей телефонной будке так быстро, насколько позволяли тяжелые форменные башмаки.

В одном немецком городке,
Где тишь и глухомань,
Однажды жил сапожник
По имени Шума́н.
«Их бин айн музыкант,
Влюблен в свой Фатерлянд.
Стучу я в барабан,
И в этом мой талант!»

Застольная песня пьяных британских солдат на оккупированной территории Германии, часто исполнявшаяся с непристойными вариациями на мотив «Военного марша»

Глава 1
МИСТЕР МЕДОУЗ И МИСТЕР КОРК

— Почему бы тебе не выбраться наружу и не пройтись пешком? Будь я в твоем возрасте, так и поступил бы. Гораздо быстрее и приятнее, чем торчать среди этого сброда.

— Со мной все будет в порядке, — отозвался Корк, альбинос-шифровальщик, и бросил обеспокоенный взгляд на старшего товарища, сидевшего рядом с ним за рулем. — Поспешать надо медленно, — примирительно добавил он.

Корк был кокни с очень белой кожей, и его тревожило, когда он видел Медоуза в столь взвинченном состоянии.

— Нам надо просто и спокойно воспринимать все, что с нами происходит, верно, Артур?

— А мне так и хочется столкнуть их всех к чертовой матери в Рейн.

— Вы же сами понимаете, что никогда не сделаете ничего подобного.

Субботнее утро, девять часов. Дорога от Фрисдорфа до посольства была забита машинами протестующих, тротуары уставлены портретами лидера Движения, а поперек проезжей части натянули лозунги, как во время митинга. «Запад нас обманул. Германия может без стыда обратиться к Востоку». «Немедленно прекратите навязывать нам культуру кока-колы!» И в самом центре нескончаемой колонны автомобилей застряли Корк и Медоуз. Оба вели себя тихо, хотя вокруг гремел нескончаемый громкий концерт клаксонов. Порой звуки принимали организованный характер. Серия гудков начиналась где-то впереди, а потом медленно продвигалась к хвосту, в итоге напоминая шум низко пролетавшего самолета. В следующий раз сигналили в унисон: длинный гудок, короткий, снова длинный. Тире, точка, тире. Буква «К» в честь Карфельда — их признанного вожака. Но чаще всего сигналы подавали вразнобой, создавая подобие странной симфонии.

— Какого дьявола они хотят добиться? Для чего вся шумиха? Половину этих людей следовало бы сначала покороче постричь, потом основательно выпороть и отправить обратно в школу.

— Это фермеры, — отозвался Корк. — Я же объяснил вам: они пикетируют бундестаг.

— Фермеры? Значит, по-твоему, так выглядят фермеры? Да они помрут, чуть только ножки промочат. Все как один. Непослушные детишки да и только. Взгляни, к примеру, вон на ту группу. Отвратительно. Вот как это называется на моем языке.

Справа от них в красном «фольксвагене» сидели студенты — два парня и девушка. Водитель в кожаной куртке с длинными космами пристально смотрел сквозь лобовое стекло на стоявшую перед ним машину, положив худощавую ладонь на руль и дожидаясь своей очереди подать сигнал. Его пассажиры, крепко обнявшись, целовались взасос.

— А это группа поддержки, — пояснил Корк. — Они здесь просто забавляются. Вам же знаком студенческий лозунг «Настоящей свободы можно добиться только в борьбе»? Ведь у нас дома происходит примерно то же самое, не так ли? Слышали, что они устроили прошлым вечером на Гросвенор-сквер? — спросил Корк, делая новую попытку подстроиться под начальника. — Если это образование, то я бы предпочел ему невежество.

Но Медоуз продолжал кипятиться.

— Немцам надо ввести обязательный призыв молодежи в армию, — заявил он, не сводя взгляда с «фольксвагена». — Это бы их живо приструнило.

— Они его и ввели. Уже лет двадцать назад, если не больше.

Почувствовав, что Медоуз готов спустить пар, Корк переключился на тему, которая могла помочь ускорить процесс:

— Кстати, как прошла вчера вечеринка в честь дня рождения Миры? Наверняка прекрасно. Держу пари, она отлично провела время.

Однако по странной причине его вопрос лишь заставил Медоуза погрузиться в еще большее уныние, и Корк понял, что умнее всего будет помолчать. Он испробовал все, но впустую. Медоуз был вполне приличным, в меру религиозным типом, каких больше уже не производили на свет, и общение с ним обычно не составляло ни для кого особого труда, но даже у дружеской, почти сыновьей привязанности к нему Корка имелся свой предел. Он уже упомянул о новом «ровере», который Медоуз приобрел перед уходом в отставку, — без обложения налогом на продажу и со скидкой десять процентов. До посинения расхваливал красоту машины, ее комфорт, многочисленные дополнительные опции, но в ответ получил лишь кривую ухмылку. Он заводил речь о клубе иностранных автолюбителей в Германии, зная, каким активным его членом был Медоуз. Прошелся по детскому спортивному празднику для выходцев из стран Британского содружества наций, который они собирались устроить сегодня после обеда в обширном саду позади здания посольства. А теперь заговорил о торжественном приеме накануне вечером — они с женой предпочли не принимать в нем участия, поскольку Джанет в любой момент могла родить. Словом, Корк исчерпал повестку, и хотя бы на что-то Медоуз мог бы откликнуться. Это все отпуск, решил Корк. Ему скоро в долгий отпуск где-нибудь под ярким солнцем. Вдали от Карфельда, от переговоров в Брюсселе и даже от дочери Миры. Вот почему Артур Медоуз чувствовал себя не в своей тарелке.

— Кстати, — снова закинул удочку Корк, — акции «Датч шелл» подорожали на шиллинг.

— Зато «Гест кин» подешевели сразу на три.

Корк неизменно делал инвестиции в ценные бумаги иностранных компаний, но Медоуз оставался патриотом, за что часто и расплачивался.

— Не переживайте, после Брюсселя они снова подскочат в цене.

— Смеешься? В таком случае ты выбрал не того человека. Переговоры ведь практически зашли в тупик? Я, быть может, соображаю не так быстро, как ты, но читать еще не разучился.

У Медоуза было достаточно причин для меланхолии (и Корк первым признал бы это), помимо неудачных инвестиций в британские сталелитейные заводы. Он приехал сюда, даже не отдохнув после четырех лет в Варшаве, где у кого угодно могли начать шалить нервишки. Пост в Бонне стал для него последним назначением перед уходом на пенсию осенью, а Корк на собственном опыте убедился, что с приближением дня отставки характер у коллег не улучшался, а все больше портился. Не говоря уж о том, что дочь Артура страдала тяжким неврозом: Мира Медоуз находилась на пути к выздоровлению, это верно, но если правдой была хотя бы половина ходивших о ней историй, окончательной поправки следовало еще очень долго ждать.

Добавьте сюда ответственные обязанности секретаря канцелярии посольства — то есть ведение и содержание политического архива во время самого тяжелого кризиса, какой мог припомнить любой из дипломатов за всю свою карьеру, — и на ваши плечи ложилось невероятное по объему бремя работы. Даже Корк в шифровальном отделе ощущал это на себе — возросший поток сообщений, необходимость трудиться сверхурочно, последние дни беременности Джанет, постоянные упреки «это следовало сделать еще вчера» со стороны канцелярии. Но, как он прекрасно понимал, его увеличившаяся нагрузка показалась бы сущим пустяком, если сравнить ее с той, что выпадала каждый день на долю старины Артура. Причем проблемы сыпались отовсюду, и именно это, по мнению Корка, выбивало людей из колеи. Ты никогда не знал, что и где именно случится в следующий раз. Не успевал ты получить бумагу с пометкой «Обеспечить ответ немедленно» после бунта в Бремене или накануне заварушки в Ганновере, как на тебя тут же обрушивались телексы по поводу резкого роста цен на золото, положения в Брюсселе и создания нового фонда на сотни миллионов долларов во Франкфурте или в Цюрихе. И если шифровальщикам приходилось туго, то насколько же тяжелее было тем, в чьи обязанности входило отыскать нужную папку с делом, разобраться в хаосе документов, внести новые записи и опять пустить досье в работу... Это странным образом напомнило ему о необходимости позвонить своему биржевому маклеру и бухгалтеру. Если у Круппа действительно возник столь серьезный конфликт с рабочими, может, стоило обратить внимание на шведскую сталь, чтобы обеспечить стабильность банковского счета накануне рождения ребенка...

— Вот те на, — произнес Корк и повеселел. — Кажется, намечается легкая драчка?

Двое полицейских сошли с тротуара, направившись с угрожающим видом к водителю большого фермерского грузовика — дизеля фирмы «Мерседес». Сначала шофер опустил стекло и принялся кричать на них, потом даже открыл дверцу, продолжая разговор на повышенных тонах. Но совершенно внезапно полисмены развернулись и удалились. Корк от разочарования даже зевнул.

А ведь было время, с ностальгией вспоминал он, когда паника возникала редко, от случая к случаю. То поднимется скандал из-за «берлинского коридора», то русские вертолеты пролетят в опасной близости от разграничительной полосы, то возникнет перепалка на заседании координационного комитета четырех держав в Вашингтоне. Или начинались занимательные интриги: немецкие дипломаты выступали с нежелательной инициативой в Москве, и их активность следовало задавить в зародыше; вскрывались нарушения наложенного на Родезию торгового эмбарго; возникала необходимость окружить завесой тайны мятеж в одной из частей Рейнской армии, расквартированной в Миндене. Вот и все. Быстро успеваешь поесть, открываешь свою лавочку, остаешься там, пока работа не выполнена до конца, и отправляешься домой свободным человеком. Так обстояли дела, так складывалась жизнь, таким был когда-то Бонн. И считался ты дипломатом, как де Лиль, или же не имел дипломатического статуса, сидя за обитой зеленым сукном дверью, это практически ничего не меняло. Немного остроты, порой небольшая запарка на работе, потом время для безвредных спекуляций с акциями и ценными бумагами, скучища, ожидание нового назначения.

Затем появился Карфельд. Корк с тоской смотрел на плакаты с его фотографиями. Да, потом возник этот Карфельд. Девять месяцев минуло, отметил он мысленно. Черты широкого лица выглядели опухшими и безжизненными, хотя выражение в целом казалось напыщенно искренним. Да, прошло всего девять месяцев с тех пор, как Артур Медоуз пружинистой походкой пришел из канцелярии с новостями о демонстрациях в Киле, о неожиданных результатах стихийных выборов, о студенческой сидячей забастовке и о вспышках насилия, услышать о которых они исподволь были готовы. Кому досталось тогда? Кажется, каким-то социалистам, выступившим против забастовщиков. Причем одного забили до смерти, другого забросали камнями. В те дни такое еще могло кого-то шокировать. Какими же наивными и зелеными они оказались! Боже, подумал он, ощущение такое, словно это было десять лет назад, но ведь Корк запомнил не только дату, но и почти точное время событий.

И понятно: случившееся в Киле совпало с тем самым утром, когда доктор констатировал, что Джанет беременна. С того дня все разительно изменилось.

Клаксоны снова разразились дикой песней. Колонна машин дернулась вперед, но так же резко остановилась со скрежетом тормозов и визгом шин в различной тональности.

— Есть новости по поводу тех досье? — поинтересовался Корк, чуть приободрившись при мысли, что обнаружил наконец причину дурного расположения Медоуза.

— Нет.

— Значит, тележка так и не обнаружилась?

— Нет, тележка *сама* так и не обнаружилась.

Подшипники, внезапно подумал Корк. Найти небольшую шведскую фирму с динамичным подходом к делу, компанию, способную действовать быстро... Сорвать по двести монет на брата и разбежаться в разные стороны...

— Бросьте, Артур! Не позволяйте подобным мелочам отравлять себе жизнь. Вы же больше не в Варшаве. Это все-таки Бонн. Вот вам простой пример. Знаете, скольких кофейных чашечек недосчитались в посольской столовой только за последние шесть недель? Причем не разбитых чашек, а именно пропавших. Двадцати четырех!

Но на Медоуза его аргумент не произвел впечатления.

— Давайте разберемся, — продолжал Корк. — Кому понадобилось воровать посольские чашки? Никому. Люди просто стали рассеянными. Они слишком поглощены делами. У нас разразился кризис, не забывайте об этом. Так происходит повсюду. Та же история и с вашими папками.

— Разница в том, что кофейные чашки не являются секретными материалами.

— Как и тележки для перевозки досье, если на то пошло, — утешая, заметил Корк. — Как и электрический обогреватель из конференц-зала, на пропаже которого свихнулись в административном отделе. Как и пишущая машинка с удлиненной кареткой из машбюро, как и... Послушайте, Артур, никто не может ни в чем винить вас, когда вокруг столько всего происходит. И вы не должны этим терзаться. Вы же знаете, что такое дипломат, которому поручили составить черновик телеграммы. Посмотрите на де Лиля, посмотрите на Гейвстона: чистой воды мечтатели. Не отрицаю их гениальности, но большую часть времени они даже не соображают, где находятся. Витают мыслями в облаках. И в этом нет вашей вины, верно?

— И все же виноват именно я. На мне лежит ответственность.

— Отлично! Тогда продолжайте пытать сами себя, — усмехнулся Корк, окончательно потеряв терпение. — Хотя ответственность лежит вовсе не нас вас, а на Брэдфилде. Он — начальник канцелярии. Обеспечение секретности целиком его прерогатива.

Бросив финальную ремарку, Корк снова принялся изучать не внушавшую оптимизма обстановку вокруг. Этому треклятому Карфельду за многое предстояло держать ответ, вынес вердикт он.

Вид, открывшийся Корку, не порадовал бы никого — даже человека, глубоко озабоченного только собственными проблемами. Погода стояла мерзкая. Тонкий слой тумана из долины Рейна, как испарения, выступившие на зеркале, покрывал всю буйно развивавшуюся и стихийно разраставшуюся инфраструктуру бюрократического Бонна. Огромные здания, все еще недостроенные, угрюмо возвышались среди заросших сорняками полей. Впереди располагалось британское посольство, с ярко освещенными окнами, и оно тоже торчало среди пустоши, как временный полевой госпиталь, наспех устроенный перед кратким сражением. На флагштоке перед главными воротами «Юнион Джек», по таинственным причинам приспущенный, печально нависал над группой немецких полицейских из охраны.

Выбор Бонна в качестве места, где можно переждать освобождение Берлина, с самого начала был аномалией, а теперь это казалось откровенным издевательством. Вероятно, только немцы, избрав себе канцлера, были способны подобострастно перенести столицу к порогу его родного дома. Чтобы разместить огромную толпу «иммигрантов» из числа дипломатов, политиков и государственных служащих, которые прибыли, чтобы обеспечить функционирование новой столицы, местные жители, удостоившиеся столь сомнительной чести, разумно возвели для них отдельный пригородный район за пределами старых городских стен. Это, кстати, заодно помогало старожилам держаться от незваных гостей подальше. И именно через южную оконечность этого района сейчас пытался проложить себе путь транспортный поток. Мимо нагромождения однообразно скучных офисных башен и приземистых жилых времянок, протянувшихся вдоль четырехполосного шоссе, почти достигавшего восхитительного старого санатория в Бад-Годесберге, где прежде занимались главным образом разливом по бутылкам целебной минеральной воды, а теперь перешли к искусству дипломатии. Правда, некоторые министерства

нашли себе пристанище в самом Бонне, замаскировав фальшиво
состаренные стены под древние камни мостовых. Правда и то, что
некоторые посольства умудрились урвать себе куски территории
в Бад-Годесберге. Однако федеральное правительство и подавляющее большинство из девяноста с лишним иностранных предста-
вительств, аккредитованных при нем, не говоря уж о лоббистах,
прессе, политических партиях, благотворительных организациях
для помощи беженцам, официальных резиденциях крупных фе-
деральных чиновников, обществе немецких слепых... Короче, вся
бюрократическая структура временной столицы Западной Германии находилась по обе стороны этой единственной важной транс-
портной артерии, пролегавшей между бывшим дворцом епископа
Кельна и викторианского вида виллами, возведенными когда-то
рядом со спа Рейнланда.

И неотъемлемой частью этой неестественно возникшей де-
ревни-столицы, этого островного государства в государстве, ли-
шенного как политического облика, так и какой-либо социальной
базы, неизбежно находившегося в состоянии постоянного непо-
стоянства, стало британское посольство. Вообразите длинный
и безликий фабричный цех, завод, какие десятками попадаются
на объездных дорогах вокруг городов, на крышах которых обычно
помещают символ, обозначающий основную продукцию предприятия. Нарисуйте сверху угрюмое рейнское небо. Добавьте намек на
классическую нацистскую архитектуру — лишь легкий намек, не
более того. Позади здания расположите неровное футбольное поле
с кривыми воротами для развлечения тех, кому даже негде толком помыться. И у вас получится более или менее точная картина
главного оплота Англии на территории Федеративной Республики
Германии. Одним вытянутым щупальцем этот зверь пытается задавить и удержать от возрождения прошлое, другим сглаживает
противоречия настоящего, а третьим отчаянно копается в сырой
приречной почве, отыскивая нечто, зарытое на будущее. Здание,
построенное ближе к концу преждевременно закончившейся оккупации, точно передавало это настроение внезапной перемены,
отречения от прежних отношений. На бывшего врага все еще смотрело жесткое каменное лицо, но оно уже пыталось неискренне
улыбаться новому союзнику. Когда они наконец сумели въехать на
прилегавшую к посольству территорию, слева от Корка оказалась
штаб-квартира Красного Креста, справа находился один из заводов «Мерседеса», через дорогу обитали социал-демократы и распо-

лагался склад «Кока-колы». От столь пестрых соседей посольство отделял лишь местами заросший щавелем глинистый пустырь, пологой полосой спускавшийся к берегу Рейна. Пустырь почему-то считался частью окружающего Бонн «зеленого пояса» — предмета гордости городских властей.

Однажды, быть может, и наступит день, когда они переберутся в Берлин, хотя о такой возможности даже в Бонне говорят с оглядкой и опаской. Вероятно, придет срок, когда эта огромная серая гора проскользнет по автобану и займет места на сырых автостоянках перед выпотрошенным Рейхстагом. Но пока этого не произойдет, железобетонный палаточный городок никуда не денется. Временный, по мнению мечтателей, и вечный для реалистов. Он будет только продолжать строиться и расширяться, поскольку в Бонне движение стало заменой прогресса, и все, что не стремится к росту, обречено на гибель.

Припарковав машину позади столовой, Медоуз медленно обошел автомобиль вокруг, как делал всегда после продолжительной поездки, проверяя замки и ручки, высматривая на кузове новые царапины, которые могли оставить случайно вылетевшие из-под чужих колес камни. Все еще глубоко погруженный в свои мысли, он пересек двор к главному входу, где два сотрудника британской военной полиции — сержант и капрал — проверяли пропуска. Корк, еще не до конца оправившийся от обиды на своего спутника, шел несколько позади, и к тому времени, когда он поднялся по ступенькам к двери, Медоуз уже ввязался в разговор с охранниками.

— В таком случае кто такой вы сами? — требовательно поинтересовался сержант.

— Медоуз из канцелярии. Он работает у меня. — Медоуз попытался заглянуть сержанту через плечо, но тот прижал список к гимнастерке. — Он заболел, понимаете? И потому я захотел навести справки.

— Тогда почему он значится здесь как работник первого этажа?

— У него там тоже есть кабинет. Он занимает две должности. Одну у меня, вторую — на первом этаже.

— Пусто, — сказал сержант, еще раз сверившись со списком.

Стайка молоденьких машинисток в юбках, длина которых достигала абсолютного минимума, разрешенного послом, вспорхнула по ступенькам вслед за ними.

Но Медоуз топтался на месте, все еще чем-то неудовлетворенный.

— Вы имеете в виду, что этот сотрудник не приходил на работу? — спросил он с мягкой настойчивостью, подразумевавшей желание услышать отрицательный ответ.

— Да, именно это я и имею в виду. Он не появился. В списке его нет. Теперь понятно?

Вслед за группой девушек они вошли в вестибюль. Корк ухватил Медоуза за руку и отвел в сторону, ближе к решетчатой двери подвала.

— Что происходит, Артур? В чем проблема? Дело ведь не только в пропавших папках, верно? Что еще не дает тебе покоя?

— Я совершенно спокоен.

— Тогда что это за разговоры о болезни Лео? Он в жизни не болел ни дня.

Медоуз не отвечал.

— Тогда что могло произойти с Лео? — спросил Корк с нескрываемым подозрением в голосе.

— Ничего.

— Зачем же ты расспрашивал о нем? Неужели и его потерял? Да, Боже ж мой, здесь все хотели бы потерять Лео еще лет двадцать назад!

Корк отчетливо почувствовал, что Медоуз колеблется. Он почти готов был в чем-то признаться, но затем с неохотой передумал.

— Ты не можешь нести ответственности за Лео. Как и никто другой. Нельзя пытаться стать для каждого добрым папашей, Артур. Да он, возможно, как раз сбывает сейчас на черном рынке пачку казенных талонов на бензин.

Корк едва успел произнести фразу, как Медоуз резко вскинулся на него, озлобленный не на шутку:

— Не смей так говорить, слышишь? Ты позволяешь себе непозволительные дерзости! Лео совсем не такой. И ни о ком другом нельзя распускать подобные слухи. Спекулирует казенными талонами! И только потому, что он у нас временный сотрудник.

Выражение лица Корка, когда он на безопасном удалении от Медоуза поднимался по лестнице на второй этаж, говорило само за себя. Если возраст до такой степени сказывался на тебе, следовало уходить на пенсию ровно в шестьдесят и ни днем позже. Сам Корк уйдет в отставку и уедет на какой-нибудь греческий остров.

На Крит, подумал он, или на Спецес. Я могу отойти от дел уже лет в сорок, если операции с подшипниками пройдут удачно. В сорок пять — на самый крайний случай.

Всего в шаге вдоль коридора от канцелярии располагалась комната шифровальщиков, а еще в одном шаге дальше — небольшой, ярко освещенный кабинет Питера де Лиля. Канцелярия, вообще говоря, считалась политическим отделом посольства, а ее молодые сотрудники — дипломатической элитой. Именно здесь, и нигде больше, популярный в народе образ блестящего английского дипломата получал свое реальное воплощение, и никто не соответствовал такому образу более полно, чем Питер де Лиль. Элегантный, стройный, почти красивый мужчина, казавшийся значительно моложе своих сорока лет и обладавший манерами до такой степени томными и изящными, что выглядел почти всегда чуть ли не сонным. И хотя внешняя сонливость не была напускной, многих она вводила в заблуждение, будучи абсолютно ложной. Семейное древо де Лилей основательно обкорнали две мировые войны, а потом его еще более подрезала череда с виду случайных, но весьма сокрушительных катастроф. Его брат погиб в автомобильной аварии. Дядя покончил с собой. Другой брат утонул во время отпуска в Пензансе. Вот как случилось, что сам де Лиль постепенно впитал энергию единственного выжившего, приняв на себя отнюдь не желанные обязанности. Все в его поведении говорило о том, что он предпочел бы не заниматься в жизни вообще ничем, но поскольку мир был так уж затейливо устроен, у него не осталось выбора и пришлось тянуть лямку.

Медоуз и Корк только вошли в свои кабинеты, а де Лиль уже собирал в стопку голубые листки с черновиками документов, прежде в живописном беспорядке разбросанные на его письменном столе. Приведя бумаги в порядок, он застегнул жилет, потянулся и окинул задумчивым взглядом фотографию озера Уиндермир, выданную для украшения кабинета Министерством общественных работ с милостивого разрешения Управления железных дорог Лондона, Мидленда и Шотландии, а потом встал и вполне довольный жизнью вышел на лестничную площадку, чтобы приветствовать наступление нового дня. Встав у высокого окна, он какое-то время наблюдал за перемещением черных машин фермеров и за небольшими островками, откуда исходило сияние проблесковых маячков транспортных средств полиции.

— Поразительно, до чего некоторые просто обожают металл. — Погруженный в свои мысли, он бросил замечание в сторону Микки Краббе, неряшливого мужчины с водянистыми глазами, вечно страдавшего от похмелья. Краббе как раз медленно поднимался по лестнице, одной рукой прочно вцепившись в перила, втянув голову в плечи, словно опасался чего-то. — Вот о чем я напрочь забыл. Про кровь я бы вспомнил, а о стали забыл.

— Верно, — пробормотал Краббе, — так и есть. — И его голос звучал так же уныло, как уныло выглядела разбитая жизнь этого человека.

У него преждевременно не состарились пока только волосы. Маленькую голову Краббе украшала густая темная шевелюра. Похоже, алкоголь служил для нее прекрасным удобрением.

— Спортивные состязания! — воскликнул вдруг Краббе, сделав непредвиденную остановку на лестнице. — Чертов шатер до сих пор не натянули.

— Еще натянут, — добродушно заверил коллегу де Лиль. — Его задержал в пути крестьянский бунт.

— С противоположной стороны дорога пуста, как церковь в будний день, треклятые гунны, — вяло добавил Краббе как будто на прощание и продолжил безрадостное движение к месту своего назначения.

Неторопливо следуя за ним по коридору, де Лиль открывал одну дверь за другой, заглядывал внутрь, либо приветствуя обитателей кабинетов, либо просто окликая по имени, пока не добрался до кабинета начальника канцелярии, в дверь которой он сначала громко постучал и лишь потом открыл, чтобы заглянуть.

— Все в сборе, Роули, — сказал он. — Ждут только вас.

— Уже иду.

— Послушайте, вы случайно не позаимствовали у меня электрический обогреватель? Ну, знаете, эдак мимоходом, сами не заметив. Он как сквозь землю провалился.

— К счастью, я не клептоман.

— Людвиг Зибкрон просит встретиться с ним в четыре часа, — негромко добавил де Лиль. — У него в Министерстве внутренних дел. Зачем понадобилась встреча, не объясняет. Я попытался на него нажать, но он взбеленился. Сказал только, что хочет обсудить организацию нашей системы безопасности.

— С нашей системой безопасности все в полном порядке. Мы говорили с ним об этом всего неделю назад. К тому же он ужинает у меня во вторник. Не представляю, о чем еще нам беседовать. Полиция вокруг и так кишмя кишит. Я не позволю ему превращать посольство в крепость.

Он говорил просто, но уверенно. Скорее тоном ученого, но с вкраплениями военных ноток. В его голосе таилась потенциальная мощь. Это был голос человека, умевшего хранить секреты и отстаивать свою независимость. Голос, чуть склонный к протяжности, намеренно сокращаемой с помощью рубленых фраз.

Зайдя в комнату, де Лиль закрыл дверь и запер на задвижку.

— Как насчет прошлой ночи? Все в порядке?

— Более или менее. Можете прочитать отчет, если хотите. Медоуз составил его для посла.

— Думаю, Зибкрон звонил по этому поводу.

— В мои обязанности не входит обо всем докладывать Зибкрону. Да я бы не стал, если бы и входило. Понятия не имею, почему он позвонил так рано и для чего ему нужна встреча. Вы всегда обладали более живым воображением, чем я.

— Так или иначе, я принял приглашение. Мне это показалось разумным.

— В котором часу нас вызывают на ковер?

— В четыре. Он пришлет собственный транспорт.

Брэдфилд недовольно нахмурился.

— Его беспокоит ситуация с дорожными заторами. Он посчитал, что эскорт облегчит и ускорит наше передвижение, — пояснил де Лиль.

— Понятно. А я-то подумал, он хочет дать нам возможность сэкономить бензин.

Этой шуткой оба насладились в полной тишине.

Глава 2
«Я СЛЫШАЛ ПО ТЕЛЕФОНУ, КАК ОНИ ВОПИЛИ...»

Ежедневное совещание в канцелярии посольства в Бонне обычно начинается в десять часов. К этому времени все успевают вскрыть почту, просмотреть поступившие телеграммы и свежие номера немецких газет, а кто-то, возможно, и слегка подлечиться после утомительных общественных обязанностей, выполненных накануне вечером. В качестве принятого ритуала де Лиль часто любил начинать с утренней молитвы даже в кругу посольских агностиков: это никого не вдохновляло и уж тем более не наставляло на путь истинный, зато задавало рабочему дню необходимый ритм, окончательно разгоняло сон и пробуждало инерцию совместной корпоративной активности. В былые времена по субботам одетые в твид добровольцы близкой к отставке возрастной категории собирались, чтобы вернуть себе утраченную общность интересов и забытое умение отдыхать не поодиночке. Теперь с этим было покончено. Субботы воспринимались на одинаковых для всех кризисных условиях, и на них распространялась дисциплина обычного рабочего дня.

В зал входили по очереди, неизменно начиная с де Лиля. Те, кто привык приветствовать друг друга, так и поступали, а остальные молча занимали места в расставленных полукругом креслах — либо продолжая просматривать пачки разноцветных бланков телеграмм, либо рассеянно глядя в окно. Утренний туман постепенно рассеивался, но черные облака сгущались над железобетонным задним крылом посольского здания, и антенны на плоской крыше вырисовывались подобием сюрреалистических деревьев на фоне уже иной темноты.

— Не слишком доброе предзнаменование для занятий спортом, я бы сказал, — подал голос Микки Краббе, но поскольку в канцелярии он не обладал ни авторитетом, ни достаточно высоким положением, никто не удостоил его реплику ответом.

Сидя за стальным рабочим столом лицом к входящим, Брэдфилд не уделял прибытию сотрудников никакого внимания. Он принадлежал к той старой школе государственных служащих, которые даже читали с помощью авторучки, поскольку ее перо плавно скользило одновременно с глазами от строчки к строчке, чтобы в любой момент задержаться для внесения правки или дополнения.

— Может кто-нибудь мне подсказать, — спросил он, не поднимая головы, — как переводится на английский Geltungsbedürfnis?

— Это значит «желание проявить себя», — предложил вариант де Лиль, наблюдая, как кончик пера поднялся, нанес убийственный укол и поднялся снова.

— Очень точное определение. Что ж, не пора ли нам начинать?

Дженни Паргитер занимала должность советника по вопросам информации и была единственной женщиной среди присутствовавших в конференц-зале. Читала она агрессивно, словно ее слова вступали в противоречие с общепринятой точкой зрения, и читала с некоторой безнадежностью, втайне считая, что никто не примет на веру информацию, полученную от женщины. Пусть это и были рядовые сообщения прессы.

— Помимо заварухи, устроенной фермерами, Роули, основная новость — это вчерашний инцидент в Кёльне, когда студенты-демонстранты с помощью рабочих сталелитейного завода Круппа перевернули автомобиль американского посла.

— Пустой автомобиль американского посла. В этом, знаете ли, заключается существенная разница. — Брэдфилд бегло записал что-то на чистом краю одной из телеграмм.

Сидевший вдалеке у самых дверей Микки Краббе по ошибке решил, что начальник так шутит, и нервно рассмеялся.

— Они также напали на пожилого мужчину, приковали его к ограде на привокзальной площади, наголо обрили ему голову, а на шею повесили табличку с надписью «Я срывал лозунги Движения». Правда, как говорят, он пострадал не слишком серьезно.

— Говорят?

— Утверждают определенно.

— Питер, ты отвечал за ночную рассылку телеграмм. Мы сможем увидеть копию той, которую послал, верно?

— Да. Я вкратце привел в ней основные выводы.

— Какие именно?

Де Лиль был, конечно, готов к вопросу.

— Что союз между бунтующими студентами и Движением Карфельда быстро укрепляется. Что порочный круг остается замкнутым: беспорядки провоцируют безработицу, а безработица ведет к новым беспорядкам. Хальбах — студенческий лидер — провел большую часть вчерашнего дня, совещаясь за закрытыми дверями с Карфельдом. Они заварили эту кашу совместно.

— И тот же Хальбах, если не ошибаюсь, в январе возглавлял антибританскую демонстрацию в Брюсселе? Он еще швырнул комок грязи в Халидэй-Прайда?

— Это тоже отмечено в телеграмме.

— Продолжайте, Дженни, будьте любезны.

— Большинство крупнейших газет опубликовали комментарии.

— Приведите только краткие примеры.

— «Нойе рурцайтунг» и связанные с ней издания сделали основной упор на молодости демонстрантов. Журналисты настаивают, что это не чернорубашечники и не хулиганы, а обычные молодые немцы, крайне разочарованные деятельностью властей Бонна.

— А кто ею не разочарован? — пробормотал де Лиль.

— Спасибо за ремарку, Питер, — сказал Брэдфилд без тени благодарности в голосе, но Дженни Паргитер без особой на то причины покраснела.

— И «Вельт», и «Франкфуртер альгемайне» проводят параллели с недавними событиями в Англии, особо выделяя протесты против войны во Вьетнаме в Лондоне, расовые столкновения в Бирмингеме и выступления членов ассоциации домовладельцев и квартиросъемщиков против обеспечения жильем цветных. Обе газеты отмечают возрастающее отчуждение избирателей к правительствам как в Англии, так и в Германии. Проблема начинается с налогов, пишет «Франкфуртер». Если налогоплательщику приходит в голову, что его деньги расходуются неразумно, он и свой голос считает потраченным зря. Они называют это «новой инерцией».

— Ах вот как! Новый лозунг рождается у нас на глазах.

Утомленный долгим ночным дежурством и самой по себе банальностью поднятых тем, де Лиль слушал отстраненно, воспринимая затертые фразы как некую передачу несуществующей радиостанции: «Усиливающаяся обеспокоенность ростом антидемократических настроений как среди левых, так и среди правых... федеральное коалиционное правительство должно понять, что только по-настоящему сильное руководство, пусть даже за счет некоторых экстравагантных меньшинств, будет способствовать европейскому единству... немцам пора вернуть уверенность в себе, им следует воспринимать политику как сочетание идей и действий...»

В чем причина, лениво размышлял он, что жаргон немецкой политики даже при переводе превращает ее в нечто совершенно нереальное? Налет метафизики — такой термин изобрел он сам в своей телеграмме прошлой ночью и остался им весьма доволен. Стоило немцу заговорить о политике, как его тут же увлекал за собой неудержимый поток нелепейших абстракций... Но разве только абстракции становились иллюзорными? Даже самые очевидные факты странным образом приобретали черты чего-то невозможного, самые трагические события, пока сообщения о них достигали Бонна, казалось, теряли весь драматизм. Он попытался вообразить, каково это — подвергнуться избиению студентами Хальбаха, получать по морде, пока она не начнет кровоточить, быть насильно обритым, прикованным к ограде, продолжая терпеть пинки и затрещины... Все это казалось чем-то настолько далеким. А между тем где располагался Кёльн? Всего в семнадцати милях отсюда? Или в семнадцати тысячах? Следует лучше изучать обстановку, сказал он себе, бывать на митингах и лично наблюдать за происходящим. Да, но как это осуществить, если только он и Брэдфилд занимались сочинением всех важных политических донесений? И постоянно возникало еще множество крайне деликатных и потенциально чреватых неловкостями вопросов, требовавших от них решения именно здесь...

А Дженни Паргитер только вошла во вкус. «Нойе цайтунг» опубликовала аналитическую статью о наших шансах в Брюсселе, как раз говорила она. Ей представлялось насущной необходимостью, чтобы каждый сотрудник канцелярии прочитал этот материал с особым вниманием. Де Лиль громко вздохнул. Не пора ли Брэдфилду уже заставить ее заткнуться?

— Автор отмечает, что мы исчерпали абсолютно все пункты переговоров, Роули. У нас больше не осталось аргументов. Никаких. ПЕВ*, как и Бонн, утратило свою роль: не пользуется поддержкой избирателей совершенно, а сочувствием парламентских партий лишь в самой малой степени. ПЕВ рассматривает Брюссель как некое магическое лекарство от внутренних британских болезней, однако, по иронии судьбы, может добиться успеха только при наличии доброй воли другого правительства, находящегося в аналогичной критической ситуации.

— Верно.

— Но гораздо более глубокая ирония состоит в том, что Общий рынок фактически перестал существовать.

— Тоже верно.

— Статья озаглавлена «Опера нищих». В ней также отмечается, что Карфельд подрывает последние шансы заручиться эффективной поддержкой нашей заявки со стороны Германии.

— Для меня все это звучит вполне предсказуемо.

— А призыв Карфельда исключить из торгового союза между Бонном и Москвой как французов, так и англосаксонские державы привлекает в определенных кругах серьезное внимание.

---

* П Е В — правительство ее величества (королевы) — общепринятая в бюрократических организациях Великобритании аббревиатура. — *Здесь и далее примеч. пер.*

— Любопытно, о каких именно кругах идет речь? — буркнул Брэдфилд, и ручка вновь опустилась на бумагу. — И термин «англосаксонские» я бы не употреблял, — добавил он. — Потому что отказываюсь принимать определение своего этнического происхождения, сформулированное де Голлем.

Эта реплика послужила сигналом для представителей старой школы дипломатии издать понимающий смешок интеллектуалов.

— А что думают русские по поводу оси Бонн — Москва? — подал кто-то голос из центральной части полукруга.

Это мог быть Джексон, человек, прежде служивший в колониях, он любил пускать в ход здравый смысл как средство против перегретой интеллектуальной атмосферы.

— Я хочу сказать, что в этом заключена важнейшая часть вопроса, не так ли? Им уже было сделано официальное предложение?

— Прочитайте наш последний отчет, — посоветовал де Лиль.

Ему казалось, что сквозь открытое окно все еще слышится заунывный хор фермерских клаксонов. Это все-таки Бонн, внезапно пришла мысль. А эта дорога — наш мирок. Сколько названий она имеет на участке всего в пять миль между Мехлемом и Бонном? Шесть? Семь? Вот так и мы. Ведем никому не нужную словесную баталию. Непрестанная, выхолощенная какофония заявлений и протестов. И как бы ни совершенствовались модели машин, как бы ни увеличивалась их скорость, какими бы опасными ни становились столкновения, какими бы высокими ни строились здания вокруг, маршрут остается неизменным, а его конечная точка не имеет никакого значения.

— Давайте побыстрее покончим с остальным. Вы согласны, Микки?

— О боже, конечно, согласен!

И оказавшийся в центре внимания Краббе начал длинную и путаную историю, услышанную им от корреспондента «Нью-Йорк таймс» в Американском клубе, который сам узнал ее у Карла Хайнца Зааба, а тот, в свою очередь, подслушал в разговоре каких-то офицеров ведомства Зибкрона. Суть сводилась к тому, что Карфельд на самом деле успел вчера побывать в Бонне. После участия в беспорядках кельнских студентов он не вернулся, как полагали все, в Ганновер, чтобы подготовиться к завтрашнему митингу, а тайно проник по задворкам в Бонн, где у него прошла секретная встреча.

— По слухам, у него состоялся приватный разговор с Людвигом Зибкроном, понимаете, Роули? — говорил Краббе, но если в его голосе когда-то еще звучала убежденность в собственной правоте, теперь ее почти заглушили бесчисленные выпитые коктейли.

Тем не менее Брэдфилда это сообщение вывело из себя, и он отозвался со злостью:

— Мне постоянно твердят, что он тайно разговаривает с Людвигом Зибкроном. Спрашивается, какого дьявола мы должны придавать этому значение? Почему бы им не побеседовать друг с другом? Зибкрон отвечает за обеспечение общественного порядка, а у Карфельда полно врагов. Впрочем, уведомите Лондон, — устало добавил он, сделав очередную запись. — Отправьте телеграмму с изложением слуха. Большого вреда не будет.

Внезапно на металлическую раму окна обрушились крупные капли начавшегося дождя, и их громкий стук заставил всех вздрогнуть.

— Что-то станется теперь с состязаниями команд стран Содружества? — произнес Краббе, но его озабоченность снова никто не пожелал разделить.

— Теперь к дисциплинарным вопросам, — продолжил Брэдфилд. — Завтрашний митинг в Ганновере начинается в половине одиннадцатого. Странное время для демонстрации, но, насколько я понимаю, после обеда у них намечен футбольный матч. Здесь играют в футбол по воскресеньям. Не могу представить, каким образом это может повлиять на нас с вами, но посол просит всех сидеть по домам после заутрени, если только у кого-то нет срочных дел в посольстве. По настоянию Зибкрона, дополнительный контингент немецкой полиции будет дежурить у главных и задних ворот на протяжении всего воскресного дня. И еще: по каким-то странным соображениям, он хочет разместить своих людей в штатском среди публики во время соревнований сегодня днем.

— Они и в штатском выглядят как сотрудники полиции, — прошептал де Лиль, припомнив старую шутку. — Никогда прежде не видел такого.

— Тихо! О безопасности. Мы получили отпечатанные в Лондоне пропуска в здание посольства. После того как вам их раздадут в понедельник, предъявлять документ по первому требованию охраны — ваша непреложная обязанность. Противопожарные меры. К вашему сведению, в середине дня в понедельник объявят учебную тревогу с последующей перекличкой. Желательно, чтобы вы все оказались на месте, подав тем самым положительный пример младшему персоналу. Оздоровительные процедуры. Состязания команд стран Британского содружества наций состоятся сегодня после обеда на территории сада позади здания посольства. Сократим только беговую программу. И опять-таки я бы хотел видеть там всех вас. С женами, разумеется, — добавил он таким тоном, словно возлагал на них дополнительное бремя. — Микки, вам поручается проследить за поверенным в делах из Ганы. Сделайте так, чтобы он держался подальше от супруги нашего посла.

— Могу я высказать просьбу со своей стороны, Роули? — нервно спросил Краббе, причем жилы у него на шее натянулись под вялой кожей, как на куриных ножках. — Видите ли, супруга посла должна вручать призы победителям в четыре часа. Да, в четыре. Должен просить всех собраться у главного шатра без четверти. То есть без четверти четыре, я имею в виду, простите, — поспешил добавить он. — Ровно без четверти четыре, Роули, еще раз прошу прощения.

Говорили, что во время войны он служил одним из адъютантов самого Монтгомери. А теперь осталось лишь вот это.

— Принято к сведению. У вас все, Дженни?

Ее пожатие плечами означало: ничего, что вам захотелось бы выслушать.

Затем де Лиль обратился ко всем сразу, устремив взор в некую точку перед собой и не обращаясь ни к кому в особенности, что являлось отличительной чертой манер британского правящего класса.

— Хотел бы поинтересоваться: кто сейчас работает с досье по персональным личностным характеристикам? Медоуз постоянно пристает ко мне по этому поводу, но, клянусь, я к нему не прикасался уже много месяцев.

— Кому оно было расписано?

— Мне, я полагаю.

— В таком случае, — отрезал Брэдфилд, — оно где-то у вас и затерялось среди бумаг. Поищите как следует.

— Не думаю, что вообще получал его, в том-то и штука. Я бы с радостью пролистал его, хотя понятия не имею, зачем мне это нужно.

— Что ж, в таком случае, у кого оно сейчас?

Любое заявление Краббе звучало как покаянное признание.

— Оно было расписано и мне тоже, — тихо сказал он из своего темного угла рядом с дверью. — Понимаете, Роули, мне тоже.

Все ждали.

— Предполагалось, что я должен был получить его еще до Питера, а потом вернуть на место. Так распорядился Медоуз, Роули.

Ему по-прежнему никто не желал прийти на помощь.

— Это было две недели назад, Роули. Только я почти не читал его. Прошу прощения. Но Артур Медоуз упорно навязывал мне досье, хотя оно мне ни к чему. В нем нет ничего для меня полезного. Какая-то грязь и сплетни о немецких промышленниках. Не моя сфера деятельности. Так я и сказал Медоузу: лучше передайте досье Лео. Вот кого интересуют персоналии. Это его тема.

Он с намеком на улыбку посмотрел на своих коллег, потом его взгляд переместился ближе к окну, где стоял пустой стул. И внезапно все взгляды устремились в одном направлении — на пустующее место. Без тени тревоги или озабоченности, а лишь с удивлением, как это они прежде не заметили этого. Это был обычный стул из покрытой лаком сосны, отличавшийся от остальных чуть розоватой окраской. Такой несколько неофициальный стул, как из будуара, и к тому же с покрытым вышитой подушечкой сиденьем.

— Где он? — отрывисто спросил Брэдфилд, хотя он один не проследил за взглядом Краббе. — Где Хартинг?

Ему никто не ответил. Никто даже не смотрел на Брэдфилда. Покрасневшая Дженни Паргитер уперла взгляд в свои по-мужски натруженные руки.

— Должно быть, застрял на жутком пароме, — сказал де Лиль, несколько поспешив с предположением, чтобы разрядить атмосферу. — Одному богу известно, что фермеры творят на другом берегу реки.

— Кто-то должен срочно все выяснить, — распорядился Брэдфилд совершенно равнодушно. — Позвоните ему домой, что ли. Ясно?

Стоит отметить, что никто из присутствующих не воспринял распоряжение как адресованное ему лично. И все поспешили до странности беспорядочной толпой покинуть зал, не глядя ни на Брэдфилда, ни друг на друга, ни на Дженни Паргитер, чье смущение, казалось, выходило за разумные пределы.

Завершился последний раунд бега в мешках. Усилившийся ветер швырял со стороны пустыря крупные капли дождя на провисшее полотно. Намокшие подпорки отчаянно скрипели. Внутри большого шатра все еще не разошедшиеся по домам детишки — в основном цветные — столпились вокруг флагштока, с которого уныло свисали основательно помятые при хранении и заметно за последние годы потерявшие в числе флажки стран Британского содружества. Под ними Микки Краббе с помощью шифровальщика Корка выстраивали победителей в ряд для вручения наград.

— М'Буту Алистер, — шептал Корк. — Куда, черт побери, он подевался?

Краббе поднес ко рту мегафон:

— Мистер Алистер М'Буту, сделайте, пожалуйста, шаг вперед. Алистер М'Буту... Боже милостивый, — пробормотал он, — я не в состоянии отличить их друг от друга.

— Тогда вызови Китти Делассус. Она хотя бы белая.

— Та же просьба к мисс Китти Делассус. Шаг вперед, будьте любезны, — сказал Краббе, нервно, но тщательно произнося последнее «эс» в фамилии. Поскольку он давно на собственном опыте убедился, что неправильно произнесенная фамилия могла принести крупные неприятности.

Закутанная в норку жена посла покорно ждала на походном стульчике за столом, заваленным призами в подарочных обертках, доставленными из местного филиала НААФИ*. Налетел новый порыв ветра, особенно злого и колючего. Стоявший рядом с Краббе временный поверенный в делах Ганы крупно задрожал и поднял меховой воротник своего пальто.

— Дисквалифицируй их, — подначивал Корк. — Пусть призы вручат занявшим вторые места.

— Я ему шею сверну, — заявил Краббе, часто моргая. — Просто сверну ему проклятую шею. Застрял, видите ли, на другом берегу. Тоже мне, неженка.

Джанет Корк, находившаяся на последнем месяце беременности, сумела все-таки отыскать пропавших детей и поставила их в общий ряд победителей состязаний.

---

* Н А А Ф И — Британский национальный институт содействия армии, флоту и военно-воздушным силам — созданная в 1921 г. благотворительная организация, занимавшаяся вопросами снабжения семей военнослужащих товарами повседневного спроса.

— Только дождусь понедельника, — шипел Краббе, снова поднося мегафон к губам, — и скажу ему пару ласковых.

Впрочем, если подумать, ничего он ему не скажет. Ни слова не скажет этому мерзкому Лео. Наоборот, будет держаться от Лео подальше, затаится и дождется, когда грянет скандал.

— Леди и джентльмены! А сейчас глубокоуважаемая супруга посла Великобритании приступит к вручению призов нашим чемпионам!

Все принялись аплодировать, но не в ответ на объявление, сделанное Краббе. Просто близился конец мучениям. С бесподобно бездумной грацией, которая одинаково годилась бы как для спуска на воду нового корабля, так и для принятия предложения руки и сердца, жена посла встала, чтобы прочитать свою речь. Краббе рассеянно слушал...

«Почти семейное торжество... Равенство всех наций — членов Содружества... Ах, если бы крупные мировые проблемы можно было решить столь же дружески и полюбовно... Должна высказать слова признательности спортивному комитету посольства в лице мистер Джексона, мистера Краббе, мистера Хартинга, мистера Медоуза...»

Совершенно не тронутый ее проникновенными словами полисмен в штатском, стоявший у полотняной стенки шатра, вытащил из кармана кожаного плаща пару перчаток и посмотрел ничего не выражавшим взглядом на своего коллегу. Хейзел Брэдфилд, жена начальника канцелярии, поймала взгляд Краббе и мило ему улыбнулась. «Такая скучища, — говорила ее улыбка, — но все скоро кончится, и мы наверняка сможем хорошенько выпить». Он быстро отвел глаза. Единственный выход из положения, горячо убеждал он себя, это ничего не знать и ничего не видеть. Затаиться, отсидеться! Вот теперь его девиз. Он посмотрел на часы. Всего час до того, как по морским приметам солнце скроется за нок-реей. Иными словами, опустится за горизонт. Пусть не в Бонне, так хоть в Гринвиче. Начнет он с пива, чтобы еще какое-то время управлять собой, а потом постепенно перейдет на напитки покрепче. Затаиться. Ничего не видеть и выскользнуть незаметно через заднюю дверь.

— Кстати, — вдруг громко произнес Корк ему в самое ухо. — Помнишь ту наводку, которую ты мне дал?

— Прости, старина, какую наводку?

— На южноафриканские алмазы. Консолидированная рента. Так вот, они подешевели на шесть шиллингов.

— Не спеши продавать акции, — посоветовал Краббе без всякой убежденности в голосе и осторожно перебрался к самому краю шатра. Но едва он успел найти темное уединенное местечко, куда естественным образом манил его скрытный и уклончивый характер, как чья-то рука легла ему на плечо и резким движением заставила развернуться. Оправившись от первого изумления, он обнаружил, что стоит лицом к лицу с одетым в штатское полисменом.

— Какого черта... — злобно вымолвил он, потому что, будучи мужчиной мелкого сложения, ненавидел подобное обращение. — Что вы себе позволяете?

Но полицейский уже сокрушенно тряс головой и бормотал извинения. Ему очень жаль, пожалуйста, простите его — он принял уважаемого джентльмена за другого человека.

А де Лиль тем временем окончательно забыл о вежливости, все больше раздражаясь. Дорога от посольства в город вывела его из равновесия и рассердила. Он терпеть не мог мотоциклы, и уж совсем ему не нравилось, когда его сопровождал эскорт из двух мотоциклистов. Шум двухтактных двигателей подверг его терпение немалому испытанию. И он ненавидел преднамеренную грубость, даже когда ее объектом становился не сам, а кто-то другой у него на глазах. Сейчас же они столкнулись именно с преднамеренной грубостью, с какой стороны ни взгляни. Не успела их машина остановиться во дворе Министерства внутренних дел, как ее дверцы распахнули молодые люди в кожаных пальто, окружившие автомобиль и кричавшие практически в один голос:

— Герр Зибкрон примет вас незамедлительно! Скорее, пожалуйста! Да! Извольте поторопиться!

— Я пойду так, как сам того захочу, — огрызнулся Брэдфилд, когда их затолкали в лифт с неокрашенными стальными стенками. — Не смейте мной командовать! — А потом обратился к де Лилю: — Придется сделать внушение Зибкрону. Это обезьяний питомник какой-то.

Но на верхнем этаже они почувствовали себя намного спокойнее. Здесь перед дипломатами уже предстал тот Бонн, с которым они успели близко познакомиться. Функциональные интерьеры в бледных тонах, невыразительные бледные репродукции по стенам коридоров, безликая мебель из блеклого неполированного тика, белые рубашки, серые галстуки и лица, белее самой тусклой луны. Всего их собралось семеро. Двое, сидевшие по обе стороны от Зибкрона, имен не имели, и де Лиль не без ехидства подумал, что это рядовые клерки, приглашенные только ради внушительности и для создания численного превосходства над гостями.

Льефф — пустоголовый парадный конь из протокольного отдела, расположился слева от де Лиля. А напротив и справа от Брэдфилда пристроился старый Polizeidirektor из Бонна, которому де Лиль был готов инстинктивно симпатизировать: покрытый боевыми шрамами человек-монумент с белыми пятнами на коже, напоминавшими заплатки, наложенные на входные пулевые отверстия. На тарелке лежала пачка сигарет. Сурового вида девица предложила всем кофе без кофеина, и им пришлось дожидаться, чтобы она удалилась.

«Что понадобилось Зибкрону?» — наверное, в сотый раз задался де Лиль вопросом с тех пор, как в девять часов этим утром получил лаконичное и не слишком дружелюбное приглашение.

Подобно всем совещаниям, это началось с краткого напоминания о содержании предыдущего. Льефф прочитал протокол маслено-льстивым тоном, как человек, который собирается вручить кому-то медаль. Это было событие, подразумевал он, имевшее огромное значение. Polizeidirektor расстегнул пуговицу зеленого пиджака и раскурил длинную голландскую сигару до такой степени, что она заполыхала нефтяным факелом. Зибкрон раздраженно закашлялся, но старый полисмен не обратил на его реакцию никакого внимания.

— У вас есть возражения по поводу зачитанного только что документа, мистер Брэдфилд?

Зибкрон обычно улыбался, задавая подобный вопрос, и хотя его улыбка казалась холоднее северного ветра, сегодня де Лиля она даже обрадовала.

— На первый взгляд нет, — небрежно ответил Брэдфилд, — но я должен лично прочитать протокол, прежде чем подпишу его.

— А вас никто и не просит его подписывать.

Де Лиль резко вскинул на него взгляд.

— Теперь позвольте мне, — продолжил вещать Зибкрон, — зачитать вам следующее заявление. Его копии будут вам выданы позже.

Речь Зибкрона, впрочем, оказалась краткой.

По его словам, дуайен* уже обсудил с герром Льеффом из протокольного отдела и с послом США вопрос обеспечения физической безопасности территорий дипломатических миссий в том случае, если мелкие пока волнения и демонстрации протеста в федеративной республике перерастут в серьезные акции гражданского неповиновения. Зибкрон мог только сожалеть, что дополнительные меры оказались необходимыми, но ему казалось предпочтительнее предвидеть неблагоприятное развитие событий, нежели потом расхлебывать их последствия, когда будет уже слишком поздно. Зибкрон получил от дуайена заверения, что все главы иностранных миссий окажут всемерное содействие федеральным властям. Посол Великобритании уже высказал готовность принять участие в данном мероприятии. Тон Зибкрона приобрел жесткость, до странности близкую к озлобленности. Льефф и старый полицейский намеренно развернулись в сторону Брэдфилда, и выражения их лиц выглядели неприкрыто враждебными.

— Уверен, вы подпишетесь под этим выражением общего мнения, — сказал Зибкрон по-английски и положил копию заявления на стол перед начальником канцелярии.

Брэдфилд ничего не замечал. Он достал из внутреннего кармана авторучку, отвинтил колпачок, аккуратно надел его на противоположный конец ручки, после чего провел пером вдоль каждой строчки документа.

— Это aide-mémoire**?

— Скорее меморандум. Немецкий перевод прилагается.

— Честно говоря, я не вижу здесь ничего вообще достойного изложения на бумаге, — спокойно произнес Брэдфилд. — Вы же прекрасно знаете, Людвиг, что мы всегда приходим к соглашениям по таким вопросам. Наши интересы здесь полностью совпадают.

Но на Зибкрона эта вежливая формулировка не произвела впечатления:

— Вы должны также понимать, что доктор Карфельд не питает особо добрых чувств к британцам. А потому посольство Великобритании попадает в особую категорию объектов.

Но легкая улыбка не сходила с губ Брэдфилда.

---

* Д у а й е н — неофициальный глава дипломатического корпуса в конкретном государстве. Им обычно избирается посол, дольше других аккредитованный в стране или старший по возрасту.

** Памятная записка *(фр.)*.

— Данный факт не ускользнул от нашего внимания. И мы всецело полагаемся на вас, чтобы чувства герра Карфельда не нашли выражения в практических действиях, как не сомневаемся в ваших способностях обеспечить это.

— Вот и отлично. Тогда вам понятна моя обеспокоенность безопасностью всего личного состава британского посольства.

Голос Брэдфилда стал почти издевательски шутливым.

— Что это, Людвиг? Объяснение в любви?

Остальное было произнесено очень быстро и изложено как ультиматум:

— В соответствии с вышесказанным я обязан потребовать, чтобы до получения дальнейших указаний весь штат посольства Великобритании в ранге ниже советника не покидал района Бонна. Ваша обязанность тактично объяснить своим сотрудникам, что ради собственного благополучия им следует оставаться в пределах своих резиденций, — Зибкрон снова читал бумагу, лежавшую перед ним в папке, — после одиннадцати часов вечера. Время местное. Опять-таки до поступления новых распоряжений на сей счет.

Белые лица уставились на них сквозь облака табачного дыма — примерно так видит больной, которому уже ввели анестезию, хирургические лампы. В наступившем на некоторое время замешательстве только голос Брэдфилда, четкий и решительный, как голос командира в бою, нисколько не дрогнул.

Закономерность общественного устройства, которую британцы усвоили на своем порой горьком опыте во многих странах мира, заявил он, состоит в том, что чрезмерные предосторожности, как правило, только провоцируют неприятные инциденты.

Зибкрон никак на это не отозвался.

Признавая справедливость профессиональной и личной озабоченности Зибкрона положением дел, Брэдфилд чувствовал настоятельную необходимость строго предостеречь его против любых шагов, которые могут быть неверно истолкованы при взгляде на них со стороны.

Зибкрон ждал.

Как и сам Зибкрон, настаивал Брэдфилд, он чувствовал свою персональную ответственность за поддержание высокого морального духа младшего персонала, всемерно укрепив его перед вероятными осложнениями, каких нам всем следовало ожидать. А потому он не мог поддержать на данном этапе никаких мер, которые выглядели бы как отступление перед лицом неприятеля, еще не начавшего свою атаку... Неужели Зибкрону самому хотелось разговоров о том, что он не может справиться с кучкой хулиганов?

Зибкрон поднимался из-за стола. Остальные следовали его примеру. Резкий кивок головой заменил обязательное в таких случаях рукопожатие. Дверь открылась, и кожаные пальто поспешно провели британцев к лифту. Они оказались посреди сырого внутреннего двора. Треск мотоциклов оглушал. По подъездной дорожке им стремительно подали «мерседес». «Какого черта? — размышлял де Лиль. — Что мы сделали такого, чтобы заслужить подобное обращение? Кто-то кинул камень в окно дома учителя?»

— Это не имеет отношения к прошлой ночи? — спросил он у Брэдфилда, когда они уже подъезжали к посольству.

— Не вижу никакой видимой связи, — ответил Брэдфилд. — Он сидел прямо и неподвижно, а на его лице отражалась злоба. — В чем бы ни заключалась причина, — добавил он, скорее напоминая об этом себе, нежели поверяя мысли де Лилю, — связь с Зибкроном — это не та нить, которую я решусь обрезать.

— Понимаю, — отозвался де Лиль, уже выходя из машины. Спортивные состязания как раз близились к концу.

За зданием англиканской церкви на поросшем лесом холме вдоль почти сельской с виду улицы, уходившей от центра Бад-Годесберга, посольство обустроило для себя небольшой уголок, напоминавший пригороды Суррея. Комфортабельные дома, в каких обычно живут преуспевающие биржевые маклеры, с большими каминами и коридорами для слуг, которых обитатели не могли больше себе позволить, прячутся за кустами бирючины и ракитника, создающими превосходную иллюзию уединенности. В воздухе льются мелодии, передаваемые радиостанцией британских вооруженных сил. Собаки несомненно чисто английских пород играют в просторных садах, а тротуары перегорожены небрежно припаркованными малолитражками жен британских дипломатов. На этой улице каждое воскресенье в относительно теплые месяцы года проводится значительно более привлекательный ритуал, нежели совещания в посольской канцелярии. За несколько минут до одиннадцати часов собак и кошек загоняют по домам, а из десятков дверей появляются десятки дам в цветастых шляпках с подобранными в тон сумками. За ними следуют мужья в воскресных костюмах.

Вскоре посреди улицы собирается небольшая толпа. Одни шутят. Другие смеются. Все вместе они дожидаются опаздывающих, с беспокойством поглядывая на некоторые дома. Неужели Краббе опять проспали? Не позвонить ли им? Нет, вот наконец появились и они. Затем все начинают неторопливо спускаться по склону холма в сторону церкви. Женщины держатся чуть впереди, мужчины вразвалочку шагают сзади, глубоко погрузив руки в карманы брюк. Добравшись до ступеней церкви, все останавливаются, обратив улыбчивые взоры на жену старшего по рангу из собравшихся здесь в этот день дипломатов. Она, сделав вид, что немного удивлена, первой поднимается по ступенькам и скрывается за зеленой портьерой. Совершенно случайно, разумеется, остальные следуют за ней в том порядке, который в точности диктовался бы протоколом, если бы они уделяли внимание подобным пустым формальностям.

В то воскресное утро Роули Брэдфилд в сопровождении Хейзел, своей красавицы жены, вошел в церковь и занял привычное место на скамье рядом с Тиллзами, которые в силу всем понятного стихийного порядка вещей двигались в процессии чуть впереди. Брэдфилд теоретически принадлежал к римским католикам, но считал своей непреложной обязанностью участвовать в общих посольских молебнах, и это был вопрос, который он не желал бы обсуждать со священниками и подвергать собственной критике. Они с женой были привлекательной парой. Ирландская кровь отчетливо проявлялась во внешности Хейзел — ее золотисто-каштановые волосы роскошно сияли, когда на них падали лучи солнца, а Брэдфилд нашел способ вести себя с ней на публике так, что казался одновременно и галантным и властным мужем. Прямо позади них сидел с ничего не выражавшим лицом секретарь канцелярии Медоуз, а рядом разместилась его светловолосая, очень нервная дочь. Она выглядела хорошенькой, хотя многие, и жены дипломатов в особенности, часто судачили между собой, как человек, известный высокой нравственностью, допускает использование девушкой столь яркого макияжа.

Пристроившись на скамье, Брэдфилд бегло просмотрел Псалтырь в поисках заранее отмеченных номеров гимнов — некоторые рекомендовал он сам, пользуясь репутацией человека со вкусом, — а потом окинул взглядом церковь, проверяя, всё ли на месте и все ли присутствуют. Отсутствующих не наблюдалось, и он хотел было вернуться к Псалтыри, когда жена советника из голландского посольства и нынешний вице-президент международной женской организации миссис Ванделунг склонилась к нему со своей скамьи и взволнованным, почти истеричным тоном поинтересовалась, где же органист. Брэдфилд бросил взгляд в сторону небольшой освещенной ниши на пустующий стул с вышитым покрывалом на сиденье и в тот же момент, как показалось, кожей ощутил вокруг себя напряженную тишину, которую лишь подчеркнул скрип западной двери, — ее до прибытия органиста поспешил закрыть Микки Краббе, выполнявший сегодня добровольные обязанности служки, поскольку подошла его очередь. Проворно поднявшись с места, Брэдфилд направился вдоль центрального прохода. Из переднего ряда хоров за ним с плохо скрытой тревогой следил Джон Гонт, охранник при канцелярии. Там же совершенно прямо, как невеста перед церемонией, расположилась Дженни Паргитер, глядя прямо перед собой и явно не видя ничего, кроме божественного сияния. Джанет Корк, жена шифровальщика, стояла рядом с ней, целиком сосредоточенная мыслями на своем будущем ребенке. Ее муж находился сейчас в посольстве, отбывая обычную рабочую смену для сотрудников подобной профессии.

— Где же Хартинг, черт бы его побрал? — спросил Брэдфилд, но по выражению лица Краббе понял, что ответа ни от кого не дождется. Выскочив из церкви на дорогу, он быстро преодолел короткий подъем по склону холма к противоположной стороне здания, к небольшим железным воротцам ризницы, куда вошел без стука.

— Хартинг почему-то не явился, — сказал он. — Кто еще умеет играть на органе?

Капеллан, который в посольстве откровенно мучился, но считал, что таким образом может сделать карьеру, принадлежал к сторонникам Низкой церкви*, оставив в Уэльсе жену и четырех детишек. Впрочем, никто не знал, почему они не приехали в Германию вместе с ним.

— Он никогда прежде не пропускал молебнов. Никогда.

— Кто еще умеет играть?

— Возможно, сегодня паром не ходит. Как я слышал, там сейчас большие проблемы.

---

* Низкая церковь — направление в англиканской церкви, отвергающее всякую ритуальность, близкое к евангелистам.

— Он мог приехать кружным путем через мост. Ему и раньше доводилось так поступать. Его хоть кто-то сможет заменить?

— Я никого больше не знаю, — ответил капеллан, ощупывая края золоченой епитрахили и мыслями витая где-то далеко. — Хотя у меня раньше просто не возникало даже необходимости кого-то подыскивать вместо него.

— Тогда что вы собираетесь предпринять?

— Быть может, кто-нибудь сумеет спеть, — задумчиво предположил священник, не сводя глаз с крещенских открыток, торчавших из-под края настенного календаря. — Наверное, это единственный выход из положения. Джонни Гонт — валлиец и обладает неплохим тенором.

— Очень хорошо. Он и возглавит хор как солист. Вам лучше срочно уведомить их об этом.

— Понимаете, загвоздка в том, мистер Брэдфилд, что они не разучили псалмов, — покачал головой капеллан. — Он ведь отсутствовал и на репетиции в пятницу. Тоже не явился. Нам пришлось все отменить.

Снова выйдя на свежий воздух, Брэдфилд столкнулся лицом к лицу с Медоузом, который тихо покинул свое место рядом с дочерью и последовал за ним вокруг церкви.

— Он пропал, — сказал Медоуз пугающе тихо и спокойно. — Я искал везде. В больнице, у частного врача. Побывал у него дома. Его машина стоит в гараже, и он не забрал доставленное ему молоко. Никто его не видел и ничего не слышал о нем с пятницы. Он не приходил в клуб. Мы устраивали прием в честь дня рождения моей дочери, и там его не заметили. Правда, он сказал, что страшно занят, но обещал ненадолго заглянуть непременно. Сулил фен в подарок. Все это на него не похоже, мистер Брэдфилд. Совсем не в его стиле.

На мгновение, всего лишь на мгновение, Брэдфилд утратил самоконтроль. Он в ярости уставился сначала на Медоуза, потом снова на здание церкви, словно решая, что уничтожить в первую очередь. От злости и отчаяния он был готов пробежать по короткой тропинке, ворваться в двери и проорать новости всем тем, кто в полном бездействии дожидался их внутри.

— Пойдемте со мной.

Еще только войдя в главные ворота посольства и задолго до того, как полиция проверила их удостоверения, они уже заметили все признаки кризисной ситуации. Два армейских мотоцикла были припаркованы на передней лужайке. Дежурный шифровальщик Корк дожидался на ступенях, все еще сжимая в руке руководство по выгодным инвестициям Эвримана. Зеленый немецкий полицейский фургон с мерцающим синим маячком на крыше стоял у стены столовой, из него доносились потрескивания рации.

— Слава богу, что вы пришли, сэр, — сказал Макмуллен, начальник охраны посольства. — Я отправил за вами шофера, но он, видимо, разминулся с вами на шоссе.

По всему зданию звенели сигналы тревоги.

— Звонили с рапортом из Ганновера, сэр. Из генерального консульства. Но только я мало что сумел расслышать. Демонстрация превратилась в какой-то безумный шабаш, сэр. Там сейчас настоящий ад. Уже штурмуют библиотеку, а потом собираются маршем отправиться к консульству. Просто не знаю, куда катится этот мир. Там хуже, чем было на Гросвенор-сквер. Я мог слышать по телефону, как они вопили, сэр.

Медоуз поспешил вслед за Брэдфилдом подняться по лестнице.

— Вы сказали, фен? Он собирался подарить вашей дочери фен для сушки волос?

Это были мгновения, когда человеку подсознательно хотелось отвлечься, успокоиться. Нервные секунды перед началом битвы. По крайней мере так воспринял его вопрос Медоуз.

— Да, по специальному заказу, — ответил он.

— Хотя это теперь неважно, — сказал Брэдфилд и уже собрался войти в комнату шифровальщиков, когда Медоуз обратился к нему снова.

— Еще одно досье исчезло, — прошептал он. — Зеленая папка с протоколами особо важных совещаний. Ее нет на месте с пятницы.

Глава 3

АЛАН ТЕРНЕР

Это был день почти полной свободы. День, чтобы, оставаясь в Лондоне, воображать себя за городом. В Сент-Джеймс-парке преждевременно наступившее лето продолжало буйствовать уже третью неделю. По берегам озера девушки лежали, как срезанные цветы в совершенно неестественную для майского воскресенья жару. Один из работников парка даже развел костер, и аромат сгоревшей травы проплывал мимо вместе с отдаленным эхом звуков транспорта на прилегавших улицах. Казалось, только пеликаны, неуклюже ковылявшие вокруг своих павильончиков на искусственных островках, еще хотели двигаться. И Алан Тернер, хрустя большими ботинками по гравию дорожки, мог в кои-то веки идти на все четыре стороны. Даже девушки не отвлекали его от желанной прогулки.

На нем были действительно тяжелые и грубые ботинки из коричневой кожи, уже не раз отремонтированные вдоль рантов и не первой свежести, легкий костюм, а через плечо он перебросил такую же замызганную брезентовую сумку. Это был крупный, немного нескладный мужчина с невыразительным бледным лицом, широкими плечами и сильными, как у альпиниста, пальцами. Двигался он с тяжелой размеренностью груженой баржи, широкой, агрессивной походкой полицейского, намеренно лишенной всякого изящества. Возраст его трудно поддавался определению с первого взгляда. Студентам он казался уже старым, но старым только для того, чтобы тоже быть студентом. Он мог насторожить юнцов своими зрелыми годами и в равной степени не вписывался в компанию стариков в силу явной молодости. Его коллеги давно перестали спорить, сколько же ему на самом деле лет. Знали только, что служить он пошел поздно (многие считали это настораживающим признаком), а учился прежде в колледже Сент-Энтони в Оксфорде, куда принимают кого ни попадя. Официальные публикации Министерства иностранных дел проявляли сдержанность. Они могли проливать безжалостно яркий свет на происхождение всех остальных Тернеров, но в случае Алана Тернера хранили молчание, словно, всесторонне рассмотрев факты, пришли к выводу, что лучше всего не особенно распространяться о нем.

— Тебя тоже вызывают, — сказал Ламберт, догоняя его. — Такое впечатление, что на этот раз Карфельд сумел всех достать даже здесь.

— И какого хрена они от нас ждут? Нам пора строить баррикады? Или начинать вязать теплые одеяла на зиму?

Ламберт был маленьким, энергичным человечком, и ему нравилось, когда о нем говорили: такой везде сойдет за своего. Он занимал солидную должность в Западном отделе и организовал крикетную команду, куда принимали всех независимо от социального положения.

Они начали подниматься по лестнице Клайва*.

— Немцев уже не переделаешь, — сказал Ламберт. — Это моя твердая точка зрения. Нация психопатов. Вечно считают, что им кто-то угрожает. Версаль, враждебное окружение, ожидание удара ножом в спину, мания преследования — вот в чем их проблемы.

Он дал Тернеру время согласиться с ним.

— Мы собираем весь штат сотрудников отдела. Даже девиц.

— Боже милостивый, вот теперь они точно испугаются! Как призыв на службу резервистов и отставников. Действительно похоже на всеобщую мобилизацию.

— А ведь это может окончательно поставить крест на Брюсселе, понимаешь ли. Дать там всем мощный щелчок по носу. Если немецкий кабинет министров переживет такой нервный стресс у себя дома и сорвется, мы все упремся в один и тот же тупик. — Казалось, подобная перспектива его только радует. — В таком случае придется искать совершенно иное решение вопроса.

— А мне чудилось, что другого решения не существует.

— Государственный секретарь уже провел переговоры с их послом. Как говорят, они сошлись на полной компенсации.

— Тогда нам вообще не о чем беспокоиться, верно? Можем спокойно продолжать отдых в выходные дни. А потом безмятежно лечь спать.

Тернер и Ламберт добрались до верхней ступени лестницы.

Покоритель Индии, небрежно уперев ногу в подставку из старинной бронзы, с довольным видом смотрел мимо них на лужайки парка.

— Они держат двери открытыми. — В голосе Ламберта звучали уважительные, даже почтительные нотки. — Перешли на работу без выходных. Готов поклясться, на этот раз у них все серьезно... Что ж, — сказал он, не получив в ответ столь же восхищенного эха, — ступай своей дорогой, а я пойду своей. Но заметь, — добавил он с горячностью, — нам это может принести огромную

---

* Имеется в виду Клайв Роберт (1725–1774 г.) — известный полководец, завоевавший для Британии колонию в Индии. На лестнице в центре Лондона, названной в его честь, установлен его монумент.

пользу. Объединить Европу во главе с нами против нацистской угрозы. Нет ничего полезнее, чем удар сапогом под зад старым союзникам, который заставит их шевелиться.

И, приветливо кивнув на прощание, он исчез в имперском мраке главного входа. Несколько секунд Тернер смотрел вслед Ламберту, словно сравнивая его тощую фигурку с массивными тосканскими колоннами портика вестибюля, и в выражении его лица читалось нечто вроде грусти. Как будто ему самому захотелось сейчас стать таким, как Ламберт: маленьким, опрятным, все понимающим и не знающим сомнений. Но он быстро отбросил эти мысли и направился к совсем небольшой двери в боковой части здания. Дверь была затрапезная на вид, с оконцем, заколоченным изнутри фанерой, и табличкой, запрещавшей вход посторонним.

— Мистер Ламли вас разыскивает, — сказал портье. — Хочет вас видеть. Но только когда у вас выдастся свободная минутка, я уверен.

Это был молодой женоподобный мужчина, который явно предпочел бы находиться по другую, парадную сторону здания.

— Хотя искал он вас весьма настойчиво. Насколько я вижу, все уже пакуют чемоданы в Германию.

На столике рядом с ним был на полную громкость включен транзистор. Кто-то вел прямой репортаж из Ганновера, а на заднем фоне звучал грохот, похожий на шум океанского прибоя.

— Как я понимаю, вас там ждет теплый прием. Они уже разделались с библиотекой и сейчас как раз атакуют консульство.

— С библиотекой было покончено еще к обеду. Передовали в часовых новостях. А консульство полиция окружила тройным кордоном. Черта с два они туда проникнут. Их даже близко не подпустят.

— С тех пор положение заметно ухудшилось! — крикнул портье ему вслед. — На рыночной площади жгут книги. То ли еще будет, только подождите немного!

— Вот это я и собираюсь сделать. Именно подождать, будь я проклят! — Тернер говорил тихо, но его голос разносился далеко — голос жителя Йоркшира, такой же обычный, как лай дворняги на городском пустыре.

— Он подготовил все для вашей поездки в Германию. Обратитесь в отдел командировок! Железной дорогой и вторым классом! А мистер Шоун едет в первом!

Распахнув дверь кабинета, Тернер увидел Шоуна за письменным столом, его китель Гвардейской бригады* висел на спинке стула Тернера. Восемь металлических пуговиц ярко блестели в лучах солнца, которые ухитрялись проникать даже сквозь тонированное стекло окна. Шоун разговаривал по телефону.

— Им следует складировать все в каком-то одном помещении. — Он вещал таким умиротворяющим тоном, который за короткое время мог довести до истерики самого спокойного человека. Эту фразу он явно произнес уже несколько раз, но считал нужным повторить для не слишком сообразительного собеседника на другом конце провода. — Вместе с огнетушителями и шредером. Это пункт номер один. Пункт номер два. Все штатные вольнонаемные сотрудники из числа местных жителей должны разойтись по домам и на время затаиться. Мы также готовы выплатить компенсации всем гражданам Германии, которые могут пострадать из-за связи с нами. Уведомите их об этом, а потом перезвоните мне. Боже правый! — воскликнул он, взглянув на Тернера, когда повесил трубку. — Тебе когда-нибудь приходилось общаться с этим типом?

— Каким типом?

— С лысым клоуном из отдела снабжения. Он отвечает за всякие там болты и гайки.

— Его фамилия Кросс. — Тернер швырнул сумку в угол комнаты. — И он вовсе не клоун.

— У него не все дома, — пробормотал Шоун, но уже без прежнего напора. — Клянусь, он малость того...

— Тогда лучше помалкивай, и его повысят до отдела обеспечения безопасности.

— Тебя разыскивал Ламли.

— Я никуда не поеду, — сказал Тернер. — Не собираюсь, черт возьми, попусту тратить время. Ганновер — это место для служащих отдела «Д». Там нет ни кодов, ни шифров, ничего секретного. И что прикажешь там делать мне? Спасать хреновы бриллианты из королевской короны?

— Тогда зачем ты прихватил с собой сумку?

Тернер взял со стола пачку телеграмм.

_____

* Прежде элитное подразделение британской армии, Гвардейская бригада в 1948 г. была реформирована и исполняла с тех пор исключительно административные функции.

— Об этой демонстрации знали уже несколько месяцев. О ней знали все от Западного отдела до нас самих. Посольство доложило еще в марте. И мы даже умудрились прочитать сообщение, не выбросив его в мусорную корзину сразу. Почему же не эвакуировали часть сотрудников? Почему не отправили на родину хотя бы детей? Отсутствие средств помешало, надо полагать. Не хватило денег для всех на билеты в третьем классе. Так пошли они к дьяволу!

— Ламли сказал отбыть немедленно.

— И Ламли тоже пусть идет к черту, — огрызнулся Тернер, усаживаясь на свое место. — И не подумаю встречаться с ним, пока не прочитаю документы.

— Никого не отправлять домой — это наша осознанная политика, — подхватил Шоун поднятую Тернером тему. Он сам считал, что служит в отделе обеспечения безопасности временно, а не постоянно. Легкий отдых перед более ответственным назначением. А потому никогда не упускал возможности подчеркнуть свою осведомленность о делах в более высоких политических сферах. — Все должно и дальше идти своим чередом, так это формулируется. Мы не можем позволить себе поддаться давлению толпы и дать ей навязать нам свои правила. В конце концов, Движение — это лишь незначительное меньшинство. Британский лев, — добавил он неуверенно-шутливым тоном, — может легко вынести булавочные уколы кучки хулиганов.

— О нет, не может. Бог свидетель, он этого не перенесет.

Тернер отложил в сторону одну телеграмму и взялся за другую. Читал он быстро, без всякого умственного напряжения, как читают ученые, раскладывая затем бланки по отдельным стопкам в соответствии с одному ему понятными критериями.

— Итак, в чем суть событий? Что им осталось терять, кроме чести? — спросил он, не отрываясь от чтения. — За каким дьяволом им вызывать туда нас? Чтобы оправдать компенсационные выплаты сотрудникам Западного отдела, так ведь? Устроить эвакуацию оборудования и техники отдела снабжения. А если их волнует уже внесенная вперед арендная плата за помещения, можно пойти поплакаться в Министерство общественных работ. Так почему бы им не оставить нас в покое?

— Потому что речь идет о Германии, — вяло высказал предположение Шоун.

— О, да брось паясничать!

— Прости, если это как-то нарушает другие твои планы, — заметил Шоун с похабной ухмылкой, поскольку всегда подозревал, что сексуальная жизнь Тернера куда более колоритная и разнообразная, чем его собственная.

Первая более или менее важная телеграмма поступила от Брэдфилда. Она была с пометкой «Молния», отправлена без четверти одиннадцать и получена дежурным клерком ночью — в два часа двадцать восемь минут. Скардон, генеральный консул в Ганновере, вызвал всех сотрудников с членами семей к себе в резиденцию и срочно обратился за помощью к местной полиции. Вторая телеграмма состояла из кратких сообщений агентства «Рейтер», помеченная одиннадцатью часами сорока тремя минутами прошлого вечера: демонстранты ворвались в здание британской библиотеки; сил полиции оказалось недостаточно для их сдерживания; судьба библиотекарши фройлен Эйх (sic)* остается неизвестной.

Вторая волна телеграмм из Бонна началась с гораздо более мрачной: радиостанция «Норд-Дойчер рундфунк» сообщала, что Эйх (повторяем — Эйх) убита толпой хулиганов. Однако эту новость сразу же опровергли, поскольку Брэдфилд через надежные источники в Министерстве внутренних дел герра Зибкрона («с которым я поддерживаю близкие отношения») сумел получить прямую информацию из полиции Ганновера, дававшую более полную и достоверную картину происшедшего. Согласно последним данным, британскую библиотеку действительно захватили и книги сожгли в окружении большой толпы. Появились отпечатанные типографским способом антибританские плакаты. Например, «Наши фермеры не станут оплачивать расходы вашей империи!» и «Выращивайте свой хлеб, а не зарьтесь на наш!» Фройлен Герда Эйх (возраст — пятьдесят один год, проживает по адресу: Ганновер, Гогенцоллернвег, дом 4) получила несколько пинков и пощечин, после чего ее протащили вниз по лестнице и заставили швырять в огонь книги из своей библиотеки. Конная полиция и отряды со специальным защитным снаряжением для борьбы с массовыми беспорядками, из соседних городов направленные, находились в пути.

К сему Шоун скрепкой прикрепил записку, полученную из подотдела, занимавшегося поиском людей, с краткой биографией злосчастной фройлен Эйх. Бывшая школьная учительница, она некоторое время работала на британские оккупационные власти,

---

* Именно так *(лат.)*.

будучи секретарем ганноверского отделения Общества англо-немецкой дружбы, а в 1962 году удостоилась от Лондона медали за заслуги в деле укрепления взаимопонимания между народами.

— Еще одна англофилка огребла по полной программе, — пробормотал Тернер.

Далее следовала длинная, хотя и составленная наспех сводка из сообщений по радио и новостных бюллетеней. Но и их Тернер изучил с тем же пристальным вниманием. Складывалось впечатление, что никто (по крайней мере из тех, кто присутствовал в городе) не мог внятно объяснить, что послужило причиной столь яростного мятежа, как неясным оставалось, почему гнев толпы обрушился в первую очередь именно на библиотеку английской литературы. Разного рода демонстрации теперь стали привычными на улицах немецких городов, но не столь буйная вакханалия насилия. Даже федеральные власти вынуждены были выразить «глубокую обеспокоенность» случившимся. Герр Людвиг Зибкрон, министр внутренних дел, изменил своему обыкновению хранить по любому поводу молчание, чтобы во время пресс-конференции заявить «о наличии повода для очень серьезной тревоги». Сразу же было принято решение предоставить дополнительную защиту всем официальным и полуофициальным британским организациям и их зданиям, как и жилым кварталам, где обитали англичане, на всей территории федеративной республики. После некоторых колебаний посол Великобритании согласился ввести для сотрудников дипломатического представительства добровольный комендантский час.

Отчеты об инциденте полиции, прессы и даже самих участников бунта безнадежно противоречили один другому. Они утверждали, что все началось спонтанно — коллективное возмущение усугубилось и переросло в действия из-за одного только слова «британская» на вывеске библиотеки. Совершенно естественно, подчеркивали они, что по мере стремительного приближения дня принятия решения в Брюсселе, политика противодействия созданию Общего рынка, которой придерживалось Движение, приняла специфически антибританские формы. Другие клялись, что заметили сигнал. Якобы кто-то начал размахивать из окна белым платком, и нашелся даже свидетель, видевший, как из-за здания мэрии была запущена ракета, рассыпавшаяся затем красными и золотистыми искрами. Для одних толпа рванулась под воздействием позитивного импульса, для других она «размеренно потекла», для третьих была охвачена волнением. «Их возглавляли из центра, — докладывал один из старших полицейских чинов. — Периферия не двигалась, пока не пришел в движение центр». «Те, кто находился в центре, — сообщала станция «Вестерн радио», — сохраняли хладнокровие. Все акты вандализма совершала небольшая группа хулиганов, располагавшаяся впереди. Затем и остальные почувствовали себя обязанными последовать за ними». Только в одном сходились все: погром начался, когда музыка зазвучала громче всего. Одна из женщин-свидетельниц предположила, что именно музыка и послужила для толпы призывом к началу действий.

С другой стороны, корреспондент «Шпигеля», выступая по «Северному радио», рассказал никем больше не подтвержденную историю о том, как серый автобус, арендованный таинственным герром Мейером из Люнебурга, доставил в центр Ганновера отряд «из тридцати отборных телохранителей» за час до начала демонстрации. Эта охрана, состоявшая частично из студентов, частично — из фермеров, образовала «защитное кольцо» вокруг трибуны оратора. И те же специально отобранные люди начали беспорядки. Таким образом вся акция была вдохновлена лично Карфельдом. «Это откровенная декларация, — настаивал журналист, — что отныне Движение желает маршировать только под собственную музыку».

— А эта Эйх, — сказал Тернер после паузы. — Какова была последняя информация о ней?

— Она настолько хорошо себя чувствует, насколько можно ожидать после случившегося.

— И насколько же хорошо?

— Это все, что мне сообщили.

— Отлично!

— К счастью, ни сама Эйх, ни библиотека не являются объектами ответственности британских представителей в Германии. Библиотеку основали вскоре после оккупации, но почти сразу передали немцам. Ею не владела и ее никак не контролировала наша администрация. В ней нет ничего британского.

— Значит, они сожгли книги, принадлежавшие им самим.

Шоун отозвался внезапной улыбкой.

— А ведь верно, — сказал он. — Если разобраться, так и вышло. Это полезное замечание. Мы могли бы даже посоветовать отделу по связям с прессой использовать его.

Зазвонил телефон. Шоун снял трубку и поднес к уху.

— Это Ламли, — сказал он, прикрыв микрофон рукой. — Портье сообщил ему о твоем приходе.

Но Тернер, казалось, не слышал его. Он изучал очередную телеграмму. Это была краткая телеграмма — два абзаца, не более. На ней стоял гриф «Лично для Ламли» и пометка «Срочно». Тернеру передали только копию.

— Он хочет переговорить с тобой, Алан. — Шоун протянул ему трубку.

Тернер прочитал текст один раз, потом снова вернулся к началу для повторного изучения. Затем он поднялся, подошел к металлическому шкафу и достал небольшой черный, еще не использованный блокнот, который сунул в один из обширных карманов своего легкого костюма.

— Тупица, — тихо сказал он уже от двери. — Когда ты научишься наконец внимательно читать поступающие телеграммы? Пока ты тут беспокоишься о каких-то дрянных огнетушителях, у нас возникла проблема с перебежчиком. — И он протянул Шоуну розовый листок, чтобы тот тоже прочитал телеграмму. — Это измена. Ясно как божий день. Сорок три папки с досье пропали, причем все как минимум секретные. А одна — зеленая — относилась к совершенно секретным досье. Для строго ограниченного круга сотрудников. Ее нет на месте еще с пятницы. Подозреваю, что дело было тщательно спланировано.

Оставив Шоуна стоять с телефонной трубкой в руке, Тернер громко протопал по коридору в сторону кабинета начальника. У него были глаза пловца — очень светлые, словно все краски из них вымыло морской водой.

Шоун смотрел ему вслед. Вот что получается, решил он, когда слишком сближаешься с подчиненными. Они оставляют жен и детей дома, используют грязные выражения в рабочих помещениях и играют в свои игры по общим правилам. Он положил трубку, но только чтобы тут же снять ее снова и набрать номер отдела по связям с прессой. Это Шоун, представился он. Ш-О-У-Н. У него появилась вроде бы неплохая идея по поводу погрома в Ганновере, которую можно использовать во время пресс-конференции. Если подумать, к нам не имеет никакого отношения желание немцев жечь собственные книги... Ему это показалось хорошим образцом всем известного английского чувства юмора. Да, Шоун. Ш-О-У-Н. Не за что. Быть может, пообедаем как-нибудь вместе?

Перед Ламли на столе лежала открытая папка, а свою стариковскую руку он держал поверх нее, как клешню.

— Мы ничего о нем не знаем. У него нет даже личной учетной карточки. Для нас его просто не существует. Он не прошел самой простой проверки, не говоря уж об особой. Мне пришлось запросить его бумаги из отдела кадров.

— И что же?

— Ничего, кроме дурного душка. Причем душка иностранного. Он из беженцев. Иммигрировал в тридцатых. Сельскохозяйственное училище, добровольческий корпус, военная специальность — минер. В Германию его занесло в сорок пятом. Временно прикомандированный сержант, сотрудник контрольной комиссии. По всей видимости, авантюрист старой закалки. Профессиональный экспатриант. В те дни на оккупированной территории такие попадались сплошь и рядом. Одним удалось зацепиться за должности в посольстве, другие устроились в консульства. Лишь немногие вернулись в Англию. Остальные растворились без следа или взяли немецкое гражданство. Многие вступили на скользкую дорожку. У большинства этих людей не было нормального детства, вот в чем беда. Извини... — неожиданно оборвал свой монолог Ламли и слегка покраснел.

— Есть еще информация?

— Ничего взрывоопасного. Мы отыскали следы ближайшего родственника. Его дядя жил в Хампстеде. Отто Хартинг. Одно время исполнял обязанности приемного отца и опекуна. Другой родни нет. Отто Хартинг занимался фармацевтикой. Хотя, судя по описанию, это больше смахивало на алхимию. Патенты на новые лекарства и все такое. Но он умер. Десять лет назад. Состоял членом хампстедского отделения коммунистической партии с сорок первого по сорок пятый. Однажды привлекался к суду за приставание к малолетним девочкам.

— Какого возраста девочкам?

— А тебе не все равно? Племянничек Лео достаточно долго жил с ним вместе. Так все, должно быть, и началось. Вероятно, тогда старик завербовал его... Проникновение в расчете на долгую перспективу. Подходит по всем признакам. Позже кто-то напомнил ему обо всем. Они никого так просто не отпускают, сам знаешь. Коготок увяз, и так далее. Хуже, чем у католиков.

Ламли ненавидел религию.

— К чему он имел доступ?

— Неясно. По должности значится сотрудником, занимавшимся разбором жалоб и консульскими проблемами, хотя один черт поймет, что это означает. Но имел дипломатический ранг. Почти самый низкий — второй секретарь. Ты знаешь людей такого типа: не подлежит ни повышению, ни назначению в другую страну, не имеет права на пенсионное обеспечение. Даже дешевое жилье ему подобрали люди из канцелярии. Словом, настоящим дипломатом его никак не назовешь.

— Да он просто счастливчик, как я погляжу.

Ламли пропустил шутку мимо ушей.

— Ему полагалась дотация на развлечения. — Ламли снова заглянул в папку. — Сто четыре фунта в год. Имел право пригласить более пятидесяти гостей на коктейли и устроить ужин на тридцать четыре персоны. Строго подотчетные деньги, хотя совсем не густо. Его наняли как местного сотрудника. Временно, разумеется. Но это «временно» растянулось на двадцать лет.

— Стало быть, мне осталось протянуть еще шестнадцать.

— В пятьдесят шестом он обратился за разрешением жениться на девице по фамилии Эйкман. Маргарет Эйкман. Он с ней познакомился во время службы в армии. Но судьба прошения не известна. Мы не знаем, женился он в конце концов или нет.

— Вполне возможно, что потом они попросту перестали обращаться за разрешениями. Что было в пропавших папках?

Ламли ответил после некоторого колебания.

— Всякая всячина, — сказал он небрежно. — Материалы на самые разные темы. Брэдфилд как раз сейчас пытается составить список.

Из коридора до них доносились громкие звуки приемника портье.

Тернер уловил тон начальника и решил тоже придерживаться его.

— Какого рода всякая всячина?

— Политическая, — сказал Ламли. — Совсем не из твоей сферы интересов.

— Вы хотите сказать, мне не следует этого знать?

— Я хочу сказать, тебе это знать ни к чему. — Ламли снова произнес свою фразу легкомысленно. Он понимал, что его срок вышел, и никому не желал зла. — Надо сказать, Хартинг выбрал очень подходящий момент со всей этой заварухой, — продолжал он. — Наверное, сгреб все, что попалось под руку, и дал деру.

— Дисциплинарные взыскания?

— Ничего из ряда вон выходящего. Пять лет назад в Кёльне ввязался в драку. Вернее, сам затеял потасовку в ночном клубе. Дело удалось замять.

— И его не уволили?

— Мы же любим всегда давать людям второй шанс. — Ламли все еще, казалось, был погружен в чтение бумаг из папки, но на этот раз в его голосе отчетливо звучал серьезный подтекст.

Ему было лет шестьдесят или даже больше. Хрипловатый, седой, с серым лицом, одетый в серое человек, похожий на филина, сгорбленный и иссохший. Давным-давно он даже получил назначение послом в какую-то маленькую страну, но не продержался там долго.

— Будешь отправлять мне телеграммы каждый день. Брэдфилд все организует. Но только не надо звонить по телефону, понял? Прямые линии опасны. — Он закрыл папку. — Я все согласовал с Западным отделом. Брэдфилд уведомил посла. Они дают тебе свободу при одном условии.

— Как это мило с их стороны.

— Немцы не должны ничего знать. Ни под каким видом. Они не должны пронюхать о его исчезновении, не должны заметить, что мы разыскиваем его, не должны даже подозревать о случившейся у нас утечке информации.

— А если он утащил секретные материалы НАТО? Это их касается в такой же степени, как и нас.

— Решение подобных вопросов не входит в твою компетенцию. Тебе даны инструкции действовать осторожно. Не высовывайся, где не надо. Понятно?

Тернер промолчал.

— Ты никого не станешь беспокоить, тревожить и тем более оскорблять. Они там сейчас все ходят буквально по острию ножа. Любое лишнее движение может нарушить равновесие. Сегодня, завтра, в любой момент. Существует даже угроза, что гунны решат, будто мы ведем двойную игру с русскими. А если у них возникнет подобная мысль, все может полететь к чертовой матери.

— Кажется, нам достаточно трудно, — решил Тернер позаимствовать фразу из лексикона Ламли, — вести одностороннюю игру даже с самими гуннами.

— В головах у посольских господствует только одна мысль. Не о Хартинге, Карфельде и, вообрази, даже не о тебе. Брюссель! Постарайся помнить об этом. Ради своего же блага. Потому что если забудешь, заработаешь на свою задницу кучу неприятностей.

— Почему бы не отправить Шоуна? Он как раз очень тактичный. Очарует там всех, уверяю тебя.

Ламли подтолкнул к Тернеру через стол меморандум. В нем содержалась вся персональная информация о Хартинге.

— Потому что ты его найдешь, а Шоун — нет. И меня это вовсе не приводит в восхищение. Ты способен вырубить целый лес, чтобы отыскать единственный желудь. Каковы твои мотивы? Чего ты добиваешься? Желаешь совершенства во всем? Так знай: больше всего на свете я терпеть не могу циников, стремящихся обрести священный идеал. Быть может, неудача — как раз то, что тебе сейчас нужнее всего.

— Вот чего мне хватает с избытком.

— Жена давала о себе знать?

— Нет.

— Мог бы и простить ее, знаешь ли. Другие и не такое прощали.

— Богом клянусь, вы нарываетесь! — со злостью выдохнул Тернер. — Что вам вообще известно о моей семейной жизни, будьте вы трижды неладны?

— Ничего. Именно поэтому я лучше всех гожусь в советчики. И еще мне нужно, чтобы ты перестал наказывать нас за наши неизбежные недостатки.

— Что-нибудь еще?

Ламли посмотрел на него пристальным взглядом мирового судьи, всякого повидавшего на своем веку.

— Господи, как же легко ты начинаешь презирать людей, — сказал он после паузы. — Ты меня просто пугаешь. Дам тебе еще один бесплатный совет. Срочно научись любить окружающих, пока не поздно. Мы ведь тебе еще при жизни пригодимся, пусть мы и существа второго сорта. — Он взял папку со стола и вручил Тернеру. — Отправляйся и найди его. Но только не воображай, что тебя спустили с поводка. На твоем месте я бы поехал ночным поездом. Будешь на месте к обеду. — Его глаза с пожелтевшими белками под тяжелыми веками устремились в сторону залитого солнцем парка. — Бонн чертовски туманный город.

— Я бы предпочел самолет. Если вам не все равно.

Ламли медленно покачал головой.

— Вижу, тебе уже невтерпеж. Так и хочется скрутить его в бараний рог. Ты для этого готов хоть всю планету обшарить, верно? Боже милосердный, жаль, мне не хватает твоего энтузиазма.

— Он был у вас в свое время.

— Но только переоденься в нормальный костюм. Постарайся не выделяться из толпы.

— А разве я выделяюсь?

— Ладно, — кивнул Ламли с безнадежным видом. — Купи себе хотя бы кепку, что ли. Черт возьми, — добавил он, — а я-то думал, что типы твоего класса и так уже получили достаточное признание.

— Есть кое-что, о чем вы мне не сказали. Что для них важнее: поймать этого типа или вернуть досье?

— Спросишь об этом у Брэдфилда, — ответил Ламли, избегая встречаться с Тернером взглядами.

Тернер зашел в свой кабинет и набрал номер жены. Ответила ее сестра.

— Ее нет дома, — сказала она.

— Ты хочешь сказать, они все еще валяются в постели?

— Чего тебе надо?

— Только сообщить о своем отъезде за границу.

Когда он дал отбой, его внимание снова привлек звук транзистора дежурного на входе. Приемник работал на полную мощность и был настроен на волну европейской радиостанции. Леди с хорошо поставленным голосом зачитывала краткую сводку новостей. Следующий митинг Движение собиралось провести в Бонне, сообщила она, в пятницу, то есть через пять дней.

Тернер криво усмехнулся. Его словно пригласили к чаепитию. Взяв сумку, он отправился в Фулем — район съемных квартир и мужей, расставшихся с женами.

Глава 4
ДЕКАБРЬСКИЕ ОБНОВЛЕНИЯ

В аэропорту его встретил де Лиль. У него был спортивный автомобиль, годившийся скорее для чуть более молодого человека, и машину эту отчаянно трясло на мокрой брусчатке деревенских мостовых. Хотя автомобиль де Лиль купил недавно, краска на корпусе успела потускнеть от липкой пыльцы каштанов на зеленых проспектах Годесберга. В девять часов утра уличные фонари еще продолжали гореть. По обе стороны от шоссе среди плоских полей дома фермеров и новые пригородные особняки лежали поверх слоя тумана, как туши китов, выброшенные морем на берег. Капли дождя постукивали в узкое лобовое стекло.

— Мы заказали вам номер в «Адлере». Надеюсь, он вас устроит. Мы ведь не знаем, какие командировочные вам выдают.

— Что написано на плакатах?

— О, мы уже почти не обращаем на них внимания. Воссоединение... Союз с Москвой... Антиамериканские... Антибританские...

— Приятно знать, что мы все еще в одной весовой категории с гигантами.

— Боюсь, вы угодили в типичную боннскую погоду. Правда, иногда в туманный день бывает еще прохладнее, — бодро продолжал де Лиль. — Тогда это у нас называется зимой. А порой становится теплее. Значит, наступило лето. Знаете, что говорят о Бонне? Здесь всегда либо идет дождь, либо закрыты железнодорожные переезды. На самом деле, конечно, и то и другое происходит одновременно. Это остров, со всех сторон окруженный туманом. Точное определение. Место весьма метафизическое. Фантазии полностью вытесняют реальность. Мы живем, застряв где-то между совсем недавним будущим и гораздо более отдаленным прошлым, если вы понимаете, о чем я. Но на персональном уровне большинство из нас ощущают себя так, словно проторчали здесь уже целую вечность.

— Вас всегда сопровождает эскорт?

Черный «опель» двигался в тридцати ярдах позади них. Он и не настигал их машину, и не отставал от нее с включенным ближним светом фар. На переднем сиденье расположились двое мужчин с бледными лицами.

— Они нас охраняют. Это в теории. Вы, вероятно, слышали о нашей встрече с Зибкроном? — Он свернул вправо, и «опель» выполнил такой же маневр. — Посол просто в ярости. Но нам теперь с полным правом могут заявить: вот вам последствия Ганновера. Ни один англичанин не может чувствовать себя в безопасности без личного телохранителя. Мы отнюдь не разделяем такую точку зрения. Однако приходится уступать после всех последних событий. Как там дела в Лондоне? Прошел слух, что Стид-Эспри назначен в Лиму?

— Да, и мы все этим заинтригованы.

На желтом придорожном указателе было написано, что до Бонна осталось шесть километров.

— Думаю, нам лучше объехать центр города, если не возражаете. На въезде и на выезде можно угодить в заторы. Теперь у водителей стали проверять документы и все такое.

— Мне показалось, вы упомянули, что Карфельд вас не беспокоит.

— Так говорим мы все. Это часть местного религиозного культа. Нас уже научили воспринимать Карфельда как легкий зуд, а не настоящее заболевание. Вам тоже придется привыкать. Между прочим, у меня есть для вас сообщение от Брэдфилда. Он очень сожалеет, что не может встретить вас лично, поскольку у него как раз сейчас уйма дел. Давление на него неимоверное.

Они резко съехали с основной дороги, перекатили через трамвайные пути и помчались по узкому открытому проулку. По временам перед ними возникал плакат или большая фотография, тут же снова скрываясь в тумане.

— Можете передать мне сообщение Брэдфилда полностью?

— Возник вопрос, что и кому следует знать. Он посчитал, что вы сразу захотите прояснить этот вопрос. *Прикрытие.* Так ведь это у вас называется?

— Можно начать и с этого.

— Вообще говоря, исчезновение нашего друга было замечено *всеми,* — продолжал де Лиль все тем же дружеским тоном. — Избежать этого никак не удалось бы. Но, к счастью, рвануло в Ганновере, и нам за счет беспорядков удалось залатать насколько дыр. Официально Роули отправил его во внеочередной отпуск. Он не распространялся по поводу деталей, а только намекнул, что у Хартинга возникли проблемы глубоко личного характера. И заставил остальных гадать, какие именно проблемы. Младший персонал волен воображать себе все, что заблагорассудится: нервный срыв, нелады в семейной жизни — может выдвигать любые предположения. Брэдфилд кратко упомянул об этом деле во время утренней летучки, и мы поддержали его. Что же касается вашего появления...

— Да, как насчет этого?

— Вы — проверяющий из центра в связи с кризисными событиями. Как вам такая роль? Нам она представляется правдоподобной и убедительной.

— Вы хорошо его знали?

— Хартинга?

— Да. Что вам о нем известно?

— Как мне кажется, — ответил де Лиль, останавливаясь на красный сигнал светофора, — нам лучше будет затронуть эту тему уже при Роули. Согласны? А пока расскажите мне последние новости о наших маленьких лордах из Йорка.

— А это еще кто такие, черт возьми?

— Прошу прощения. — Де Лиль был искренне смущен. — Так мы здесь привыкли называть членов кабинета министров. Глупо с моей стороны употребить подобное выражение при вас.

Они приближались к посольству. Когда их машина миновала эстакаду, ведущую к воротам, черный «опель» неспешно проехал дальше, оставив их в покое, как старая нянюшка, которая убедилась, что поднадзорные дети благополучно перешли улицу.

В вестибюле царила невообразимая толчея. Посыльные и курьеры крутились среди журналистов и полицейских. Стальная решетка, окрашенная в броский оранжевый цвет, преграждала путь к лестнице в подвал. Де Лиль поспешно провел гостя на второй этаж. Видимо, кто-то успел позвонить с телефона дежурного у входа, потому что Брэдфилд уже стоял в выжидательной позе, когда они вошли в кабинет.

— Роули, это Тернер, — сказал де Лиль, словно извиняясь, что не в силах ничего изменить, и плотно закрыл за собой дверь.

Брэдфилд выглядел как крепкий и уверенный в себе человек, тонкий в кости и ухоженный, принадлежавший к тому поколению, которое научилось обходиться самым минимумом сна. И все равно следы напряжения последних двадцати четырех часов уже отчетливо проявились в сгустившихся морщинках в уголках глаз, как и в не совсем натуральной бледности лица. Он молча изучал Тернера: матерчатую сумку, зажатую в тяжелом кулаке, несвежий, палевого оттенка костюм, жесткие черты, по которым невозможно было определить классовую принадлежность. На мгновение даже показалось, что невольный импульс раздражения нарушит сейчас обычное хладнокровие кадрового дипломата, что его эстетическое чувство будет оскорблено при виде столь странного субъекта, явившегося к нему в почти критический момент. Из коридора до Тернера доносился приглушенный гул разговоров занятых своими делами людей, чей-то топот, стремительный стрекот пишущей машинки и фантомный стук кодирующего устройства из кабинета шифровальщиков.

— Крайне любезно с вашей стороны прибыть к нам в столь сложное время. Вам лучше отдать мне это. — Он забрал брезентовую сумку и бросил за кресло.

— Боже, как у вас жарко, — сказал Тернер.

Подойдя к окну, он уперся локтями в подоконник и выглянул наружу. Вдалеке справа от него семь холмов Кёнигсвинтера, обложенные снизу белоснежными облаками, высились готической мечтой на фоне бесцветного неба. У их подножия он мог разглядеть тусклое свечение речной воды и тени неподвижных кораблей.

— Он ведь жил там, верно? В Кёнигсвинтере?

— Да, и у нас еще пара вольнонаемных работников живут на противоположном берегу. Мы стараемся больше людей оттуда не нанимать. Необходимость использовать паром для переправы создает большие неудобства.

На истоптанной лужайке рабочие разбирали шатер под неусыпным наблюдением двух немецких полисменов.

— Как я полагаю, у вас существует общепринятая и заранее разработанная процедура для подобных случаев, — продолжал Брэдфилд. — Только скажите, что потребуется для работы, и мы постараемся сделать все, чтобы обеспечить вас всем необходимым.

— Конечно.

— У шифровальщиков есть комната дневного отдыха, где вас никто не побеспокоит. Им даны инструкции передавать телеграммы вам лично, не упоминая о них больше никому. Там же я распорядился установить для вас письменный стол и отдельный телефон. Кроме того, по моей просьбе референтура готовит список пропавших досье. Если понадобится что-то еще, уверен, де Лиль сумеет выполнить любую вашу просьбу. Что касается чисто внешней и официальной стороны дела, — слегка замялся Брэдфилд, — то мне положено пригласить вас отужинать у нас завтра. — Вы доставите нам большое удовольствие своим визитом. Мы устроим традиционный для Бонна вечер. Де Лиль наверняка сможет одолжить вам один из своих смокингов.

— Общепринятых мер много, — отозвался наконец Тернер, который стоял, опершись на радиатор отопления, и осматривал комнату. — И в такой стране, как эта, они по большей части легко выполнимы. Поставьте в известность полицию. Проверьте больницы, частные лечебницы, тюрьмы, приюты Армии спасения. Распространите его фотографию и словесный портрет, привлеките местную прессу. А затем я займусь его поисками сам.

— Поисками? Но как и где?

— Через других людей. С учетом его прошлого. Выясню возможные мотивы, политические связи, познакомлюсь с приятелями и с подружками, с другими его контактами. Узнаю, кто еще может быть замешан в деле, кто знал все, кто знал половину, кто владел хотя бы четвертью необходимой информации. На кого он работал, с кем встречался, каким образом осуществлялась связь. Явки, тайники. Как долго все это продолжалось. Быть может, выяснится, кто его покрывал. Это я называю поисками. Затем напишу рапорт: укажу виновных, наживу себе новых врагов. — Он продолжал изучать кабинет, и казалось, обычные вещи под его ясным, пристальным взором непостижимым образом изменились. — Это одна из возможных процедур. Но она, разумеется, осуществима только в дружественной нам стране.

— Большинство из того, о чем вы упомянули, здесь совершенно неуместно.

— Само собой. Ламли предупреждал меня об этом.

— Возможно, прежде чем начать действовать, вам лучше выслушать все заново непосредственно от меня?

— Сделайте одолжение, — произнес Тернер таким тоном, словно намеренно хотел вызвать раздражение у собеседника.

— Как я это представляю, в вашем мире секретность превыше всего остального. Она куда важнее прочих составляющих сути дела. Те, кто умеет хранить секреты, для вас друзья, а те, кто их выдает, — ваши противники. Здесь такой подход абсолютно неприемлем. На данный момент для нас куда важнее политические соображения, нежели вопросы соблюдения мер безопасности.

Тернер внезапно широко ухмыльнулся.

— То есть все как обычно, — сказал он. — Это просто поразительно.

— Здесь, в Бонне, перед нами в данный момент стоит только одна важнейшая задача: любой ценой сохранить доверие и доброжелательность к нам со стороны федерального правительства. Содействовать укреплению их позиций против нарастающей волны критики со стороны собственных избирателей. Коалиция крайне слаба здоровьем, и любой случайно занесенный вирус может погубить ее. Наша цель — помочь этому инвалиду. Утешить его, приободрить, иногда напоминая о грозящей опасности, и молить бога, чтобы он дотянул до создания Общего рынка.

— Какая милая картина. — Тернер снова смотрел в окно. — У нас есть всего один союзник, и тот держится лишь на костылях. Двое немощных из Европы поддерживают друг друга.

— Нравится вам такая картина или нет, но в ней заключена правда. Мы здесь словно играем в покер. Вот только наши карты всем видны, и у нас на руках нет никакой комбинации. Наш кредит доверия исчерпан, ресурсы близки к нулевым. И все же в обмен лишь на доброе к себе отношение, на улыбку с нашей стороны партнер делает ставку и вступает в игру. А мы способны лишь улыбаться. Все отношения между ПЕВ и федеральной коалицией держатся сейчас на этой улыбке. Вот насколько деликатно наше положение, оно полно загадок и рисков. Будущее всей Европы может быть решено через каких-то десять дней. — Брэдфилд сделал паузу, явно ожидая, что Тернер бросит ответную реплику. — Ведь отнюдь не случайно Карфельд выбрал следующую пятницу для своего сборища в Бонне. К пятнице наши друзья в немецком кабинете министров вынуждены будут принять окончательное решение, уступить французам или выполнить свои обязательства перед нами и остальными партнерами по Шестерке. Карфельд ненавидит идею Общего рынка и склоняется к сближению с Востоком. Короче, он склонен поддаться влиянию Парижа, то есть в конечном счете — Москвы. Устроив демонстрацию в Бонне и наращивая мощь своей кампании, он намеренно усиливает давление на коалицию в самый напряженный момент. Вы следите за моей мыслью?

— Да, я справляюсь с такими простыми понятиями, — ответил Тернер.

Большая цветная фотография королевы висела прямо над головой Брэдфилда. Ее герб присутствовал повсеместно: на синих кожаных креслах, на серебряном портсигаре и даже на блокнотах для записей, разложенных вдоль длинного стола, за которым проводились совещания. Создавалось впечатление, что монархия прилетала сюда первым классом, а потом забыла забрать полученные в пути подарки и сувениры.

— Вот почему я вынужден просить вас действовать с предельной осмотрительностью и осторожностью. Бонн — это деревня, — продолжал Брэдфилд. — Здесь господствуют манеры, точки зрения и масштабность мышления небольшого церковного прихода. Но эта деревня тем не менее является центром государства. И для нас ничто не имеет большего значения, чем доверительные отношения с хозяевами. Уже есть некоторые признаки, что мы дали им повод для обиды, хотя ума не приложу, каким образом нам это удалось. Их отношение к нам в течение всего лишь последних двадцати четырех часов стало заметно прохладнее. Мы находимся под наблюдением, наши телефонные переговоры постоянно прерываются, и у нас возникли сложности даже при официальных контактах с министерством в Лондоне.

— Хорошо, — сказал Тернер, которому это начало надоедать. — Я принял к сведению вашу информацию. Вы меня предостерегли. У нас под ногами зыбкая почва. И что же дальше?

— А дальше вот что, — резко бросил Брэдфилд. — Мы оба знаем, кем является Хартинг, или лучше сказать — кем он являлся. Бог свидетель, прецеденты уже были. Но чем более крупный акт предательства здесь совершен, тем сильнее вероятная неловкость нашего положения, тем более мощный удар окажется нанесен по доверию к нам со стороны немцев. Давайте рассмотрим худший из сценариев. Если окажется возможным доказать... Заметьте, я не считаю это неизбежным, но существуют все признаки такой вероятности. Так вот, если окажется возможным доказать, что посредством деятельности Хартинга в рамках посольства наши секреты на протяжении многих лет передавались русским — секреты, которые в значительной степени являются общими и для нас и для немцев, — то шок от подобного известия (пусть в долгосрочной перспективе ничего страшного и не произойдет) поставит под угрозу последний кредит доверия к нам. Подождите! — Он сидел за своим столом очень прямо, с выражением тщательно сдерживаемого отвращения на привлекательном лице. — Выслушайте меня до конца. Здесь присутствует нечто, с чем вы в Англии не сталкиваетесь. Это называется антисоветским альянсом. Немцы относятся к нему крайне серьезно, а мы очень рискуем, когда отмахиваемся от него: он все еще может сыграть для нас роль билета в Брюссель. Уже двадцать лет или даже дольше мы рядимся в сверкающую сталью броню их защитников. Причем мы успеваем за это время обанкротиться, сами выпрашиваем у них кредиты, валюту, склоняем к торговым соглашениям. Мы даже порой... несколько вольно интерпретируем свои обязательства перед НАТО, и когда начинают говорить пушки, можем прятать голову под одеяло — наши лидеры способны и на столь низкие поступки.

Что уловил в этот момент Тернер в голосе Брэдфилда? Презрение к самому себе? Безжалостное признание собственного морального падения? Он говорил как больной, который перепробовал все лекарства и больше слышать не хочет о докторах. В эти мгновения пропасть между ними исчезла, и Тернеру почудилось, что слова дипломата доносятся сквозь туман Бонна, а произнес их он сам.

— Тем не менее, если смотреть с точки зрения популистской психологии, мы обладаем величайшей силой, о которой не любим лишний раз напоминать. Если с Востока нагрянут орды варваров, Германия может рассчитывать на нашу поддержку. Пресловутая Рейнская армия поспешно соберется на холмах в графстве Кент, а независимый британский потенциал ядерного сдерживания будет приведен в боевую готовность. Теперь вы понимаете, как Карфельд может воспользоваться делом Хартинга, если узнает о нем?

Тернер достал из внутреннего кармана черный блокнот, который неожиданно резко хрустнул, когда он открыл его.

— Нет. Не понимаю. Пока не понимаю. Вы не хотите, чтобы его нашли. Ваша цель просто потерять его. И будь на то ваша воля, меня сюда никто бы не вызвал. — Он кивнул крупной головой, невольно выдавая восхищение собеседником. — Что ж, могу сказать вам одно: никто еще не пытался убедить меня в трудности выполнения задания столь поспешно. Господи, да я и присесть толком не успел. Мне даже не известно его полное имя. Мы же вообще не слышали о нем в Лондоне. Вы знали об этом? Он не должен был иметь допуска буквально ни к чему. По крайней мере, по принятым у нас правилам. Даже к учебникам начальной военной подготовки. Его могли похитить. Он мог попасть под автобус, улететь со стаей перелетных птиц, если на то пошло. Но вы! О боже! Вы сразу решили сыграть по-крупному, верно? Для вас он — шпион из шпионов, живое воплощение вражеского агента из тех, которых нам удалось разоблачить за многие годы. Так что же он похитил? Расскажите мне, чего я еще не знаю.

Брэдфилд попытался его прервать, но Тернер безжалостно подавил попытку:

— Или, может, мне нельзя даже спрашивать об этом? Я, честное слово, не хотел бы никого здесь расстроить.

Они пристально смотрели друг на друга, словно через века взаимной подозрительности. Тернер — умный, хищный и вульгарный, с жестким взглядом типичного выскочки. Брэдфилд — ошеломленный, но не уничтоженный, сосредоточенный на собственных мыслях, старающийся обрести дар речи, как будто учился говорить заново только что пришитым, сделанным на заказ языком.

— Пропало наше самое секретное досье. И оно исчезло в тот же день, когда неизвестно куда подевался Хартинг. В нем содержатся протоколы наиболее деликатных переговоров с немцами, официальных и неофициальных, за последние шесть месяцев. И по причинам, которые вам знать не обязательно, их публикация окончательно подорвет наши позиции в Брюсселе.

Поначалу Тернеру показалось, что у него в ушах все еще звучит рев самолетных двигателей, но шум транспорта в Бонне величина столь же постоянная, как и густота слоя тумана. Глядя в окно, Тернер вдруг ощутил овладевавший им страх, что с этого момента он уже будет не в состоянии ни видеть, ни слышать отчетливо: все органы чувств окутали жара и этот не имеющий источника громкий звук.

— Послушайте. — Он указал на свою тряпичную сумку. — Я негласный акушер-аборционист. Вам я неугоден, но избавиться от меня вы не сможете. Аккуратная работа без нежелательных осложнений — вот за что мне платят деньги. Хорошо, я сделаю все по мере сил осторожно. Но, прежде чем мы приступим к сложной части операции, давайте-ка для начала произведем несколько простых подсчетов на пальцах. Как вам такая идея?

И они приступили к самому основному.

— Он не был женат?

— Нет.

— Никогда не был?

— Никогда.

— Жил один?

— Насколько я знаю, да.

— Когда его видели в последний раз?

— В пятницу утром на летучке в канцелярии. То есть в этой комнате.

— А потом?

— Насколько мне удалось установить, его позже видел наш кассир, но я могу расспрашивать о нем лишь ограниченный круг лиц.

— Еще кто-либо пропал одновременно с ним?

— Нет.

— Вы всех тщательно пересчитали? Может, не хватает какой-нибудь длинноногой птички из референтуры?

— У нас все время кто-нибудь находится в отпуске. Но отсутствующих беспричинно больше не имеется.

— Тогда почему Хартинг тоже не ушел в отпуск? Знаете, подобные люди обычно так и поступают. Совершают побег с полным комфортом. И вам советую сделать то же самое, если надумаете.

— Я понятия не имею, почему он не подал заявление на отпуск.

— Вы не были с ним близки?

— Разумеется, не был!

— А его друзья? Что говорят они?

— У него не было друзей в полном смысле этого слова.

— А не в полном?

— По моим сведениям, у него не было даже приятелей в нашем сообществе. Лишь немногие из нас вообще поддерживают дружеские отношения. У нас есть знакомые, но друзья среди них попадаются редко. Так складывается во всех посольствах. Сотрудники дипломатических миссий ведут слишком интенсивную общественную жизнь по работе и потому особенно ценят уединение.

— А среди немцев?

— Ничего об этом не знаю. Хотя какое-то время он тесно общался с Гарри Прашко.

— Прашко? Кто это?

— Здесь есть парламентская оппозиция. Так называемые свободные демократы. Прашко — один из их наиболее колоритных представителей. Правда, в свое время он попробовал себя в разных ролях. Даже числился в «попутчиках», о чем стоит упомянуть. В досье есть пометка, что они в прошлом поддерживали дружеские отношения. Познакомились еще в период оккупации, насколько я помню. Мы ведем картотеку потенциально полезных контактов. Я как-то даже расспрашивал его о Прашко формальности ради, и он сообщил мне, что отношения между ними полностью прекратились. Это все, о чем мне известно.

— Он когда-то был помолвлен и собирался жениться на девушке, которую звали Маргарет Эйкман. Гарри Прашко упоминался в заявлении как человек, способный дать положительную характеристику жениху. Как уважаемый член бундестага.

— И что с того?

— Вы даже не слышали об этой Эйкман?

— Боюсь, ее фамилия мне ни о чем не говорит.

— Маргарет Эйкман.

— Да, я вас понял. Но ничего не знал ни о помолвке, ни о самой женщине.

— А хобби? Фотография? Почтовые марки? Возможно, он был радиолюбителем?

Тернер непрерывно что-то писал. Складывалось впечатление, что он заполняет графы какого-то бланка.

— Он занимался музыкой. Играл на церковном органе. Еще, помнится, коллекционировал граммофонные пластинки. Здесь вам полезнее побеседовать с младшим составом. Хартинг больше мог откровенничать с ними, считая себя одним из них.

— Вы никогда не бывали у него дома?

— Был однажды. Ужинал там.

— А он посещал вас?

В ритме этого подобия допроса наступил небольшой сбой, поскольку Брэдфилд задумался.

— Один раз.

— Тоже ужинал?

— Нет. Просто заглянул выпить. Он не принадлежал к числу тех, кого обычно приглашают к ужину. Извините, если невольно задел ваши чувства принадлежности к определенному общественному слою.

— У меня таковых не имеется.

Брэдфилда это, казалось, нисколько не удивило.

— И все же вы навестили его, верно? То есть подали ему какую-то надежду. — Тернер поднялся и вернулся к окну, как огромный мотылек, которого так и тянет к свету. — У вас есть на него досье, не так ли? — Он заговорил чисто официальным тоном, вероятно заразившись бюрократической краткостью речи самого Брэдфилда.

— Да, но там только расписки в получении жалованья, ежегодные отчеты о проделанной работе. И еще характеристика из армии. Написана штампованными фразами. Прочитайте, если хотите. — Тернер не отозвался, и он продолжил: — Мы не держим подробных личных дел на такого рода сотрудников. Они постоянно меняются. Хартинг стал в этом смысле исключением из правила.

— Он прослужил здесь двадцать лет?

— Верно. Но, как я и подчеркнул, он был исключением.

— И не проходил проверок.

Брэдфилд предпочел отмолчаться.

— Двадцать лет в посольстве. По большей части непосредственно в канцелярии. И ни одной проверки. Его имя не фигурирует в списках министерства. Право же, поразительный случай. — Тернер говорил так, словно комментировал свою личную точку зрения.

— Мы предполагали, что он уже прошел все возможные проверки. В конце концов, к нам его перевели из контрольной комиссии. Там обязаны были придерживаться всех стандартных процедур.

— Однако заметьте: подвергнуться проверке — это в какой-то степени привилегия. Далеко не все удостаиваются столь пристального внимания.

Шатер убрали. Оставшись бездомными, двое немецких полицейских мерили шагами посеревшую лужайку, пóлы их намокших кожаных пальто вяло хлопали по ногам над ботинками. Это сон, подумал Тернер. Шумный навязчивый сон. «Место весьма метафизическое, — вспомнился ему приветливый голос де Лиля, описывавшего Бонн. — Фантазии полностью вытесняют реальность».

— Могу я кое-что сказать вам прямо?

— Едва ли я вправе отказаться выслушать вас.

— Ладно: вы обо всем меня предупредили. Это вполне нормально. И даже привычно. Но как насчет всего остального?

— Не пойму, о чем речь.

— У вас нет никакой версии, вот что я имею в виду. Никогда не сталкивался ни с чем подобным. Ни признака паники. Ни намека на объяснение. Почему? Он работал у вас. Вы были с ним знакомы, а теперь утверждаете, что он шпион, похитивший ваши отборные материалы. Он подонок, но похож на никому не нужный мусор. У вас всегда так, если кто-то уходит? Пустое место мгновенно затягивается? — Он подождал. — Позвольте мне дать вам подсказку, если она требуется. «Он проработал здесь двадцать лет. Мы безгранично доверяли ему. И по-прежнему доверяем». Как вам такой вариант?

Брэдфилд ничего не ответил.

— Или попробуем иначе. «Я всегда относился к нему с подозрением. Еще с того вечера, когда мы с ним поспорили о Карле Марксе. Хартинг тогда еще съел оливку, а косточку не выплюнул». Так лучше?

Брэдфилд продолжал хранить молчание.

— Теперь видите, насколько все необычно? Понимаете, к чему я клоню? Он был для вас пустым местом. Вы бы не пригласили его к себе поужинать. Вы просто умыли руки. А ведь он был мерзавцем. Он вас предал. О нем стоило бы основательно подумать.

Тернер наблюдал за Брэдфилдом бесцветными глазами охотника, ждал движения, жеста, наклона головы в ответ на свои слова. Но напрасно.

— Вы даже не даете себе труда объяснить, что он такое. Ни мне, ни себе самому. Не пытаетесь. Вы... Он не вызывает у вас никаких эмоций. Словно вы давно приговорили его к смерти, казнили и похоронили. Ничего, что я перешел на личности? Не возражаете? Вот только у вас совсем не осталось для меня времени. Это следующая фраза, которую вы собираетесь произнести.

— Никак не предполагал, — сказал Брэдфилд с ледяным холодом, — что мне придется выполнять за вас вашу работу. А вам мою.

— Капри. Как вам такая версия? Он завел себе девушку. В посольстве царит хаос. Он хватает несколько папок, сбывает их хоть тем же чехам и сматывается с ней отсюда.

— У него не было девушки.

— Эйкман. Он снова сошелся с ней. И захватил с собой Прашко. Они вдвоем и девица. Невеста, шафер и жених.

— Я же сказал, не было у него девушки.

— О! Значит, хотя бы это вы точно знали? То есть кое в чем вы твердо уверены. Он предатель и не завел себе подружки.

— Насколько известно нам всем, у него не было связи с женщиной. Такой ответ вас удовлетворит?

— Возможно, он голубой?

— Ничего подобного. Вздор.

— Он стал им недавно. Мы ведь все немного безумны в таком возрасте, скажете нет? Мужская менопауза. Назовем это так.

— Совершенно абсурдное предположение.

— Неужели?

— Я никогда ни о чем подобном не слышал. — Голос Брэдфилда дрожал от злости, а Тернер продолжал чуть слышно бормотать:

— Но мы ведь никогда и ничего не знаем наверняка, правда? Пока не становится слишком поздно. Через его руки проходили какие-нибудь деньги?

— Да. Но ничего не пропало.

Тернер резко развернулся к нему.

— Иисусе Христе! — воскликнул он, и в его глазах блеснули огоньки триумфа. — Вот это вы все-таки проверили в первую очередь. Подумали хотя бы о деньгах. У вас все-таки грязный умишко.

— Может быть, он просто утопился в реке, — предложил Тернер успокоительную версию, по-прежнему не сводя глаз с Брэдфилда. — Никакого секса. Жизнь лишена всякого смысла. Как вам такое объяснение?

— Смехотворно, если действительно хотите знать мое мнение.

— Но ведь секс важен для типов вроде Хартинга. Если живешь один, надо как-то получать удовлетворение. Даже не представляю, как такие парни без него обходятся. А вы? Я бы точно не обошелся. Пара недель — максимум, который я могу протянуть. Это ведь единственное, что реально, если ты совсем один. Так мне кажется. Хотя, разумеется, есть еще политика.

— Политика и Хартинг? Не думаю, чтобы он читал газету чаще чем раз в год. В этих вопросах он был совершеннейшим ребенком. Невинным младенцем. Невинным и непрактичным в делах.

— Многие из них непрактичны, — сказал Тернер. — Поистине удивительное дело! — Снова усевшись, он перебросил ногу на ногу и откинулся в кресле, словно хотел предаться долгим воспоминаниям. — Я как-то знавал человека, продавшего свое первородство на аристократический титул, потому что иначе ему не доставалось сидячих мест в подземке. Подозреваю, что с нами происходит много такого скверного, о чем даже не упомянуто в Библии. Не здесь ли корень его проблемы? Недостоин приглашения на ужин, не получает хороших мест в поезде. Да и работа его считалась временной, верно?

Брэдфилд не ответил.

— И это продолжалось очень долго. Он стал постоянным временным сотрудником или кем-то в этом роде. Не слишком выгодное положение. Особенно если речь идет о посольстве. Когда они задерживаются на слишком длительное время, то становятся почти местными жителями. И ведь он действительно был местным, не так ли? Наполовину. Наполовину гунном, как выразился бы де Лиль. Он никогда не разговаривал о политике?

— Никогда.

— А вы не ощущали в нем этого? Смены политической ориентации?

— Нет.

— Никаких надломов? Напряжения?

— Нет. Ничего подобного.

— А как насчет той драки в Кёльне?

— Какой драки?

— Пять лет назад. В ночном клубе. Кто-то его основательно излупил. Он шесть недель провалялся в больнице. Но дело замяли.

— Это случилось еще до меня.

— Он много пил?

— Насколько я знаю, нет.

— Говорил по-русски? Брал уроки языка?

— Нет.

— Как он обычно проводил отпуск?

— Он очень редко уходил в отпуск. А если брал время на отдых, то, по-моему, оставался дома в Кёнигсвинтере. Кажется, его интересовало садоводство.

Долгое время Тернер откровенно изучал лицо Брэдфилда, пытаясь найти в нем нечто, чего не находил.

— Он не волочился за женщинами, — сказал наконец Тернер. — Не был голубым. У него не водилось друзей, но он и не вел образ жизни отшельника. Не прошел проверку. У вас нет на него полноценного личного дела. В политике не разбирался, но умудрился тем не менее завладеть важными для вас досье. Не крал денег, играл на органе в церкви, интересовался садоводством и любил ближних, как себя самого. Это все так? Выходит, он был вообще никаким. Ни положительным, ни отрицательным. Так кем же он был, во имя всего святого? Посольским евнухом? У вас вообще есть о нем хоть какое-то мнение, — перешел на интонацию шутовской мольбы Тернер, — чтобы помочь несчастному следователю-одиночке выполнить его чертову работу?

Поперек жилета у Брэдфилда свисала цепочка от часов. Не более чем тонкая золотая нитка, залог преданности упорядоченной жизни.

— У меня впечатление, что вы преднамеренно тратите время на разговоры, не имеющие к делу прямого отношения. У меня же нет ни времени, ни желания участвовать в ваших изощренных играх. Хартинг мог быть человеком незначительным, мотивы его поступков остаются неясными, но, к несчастью, в последние три месяца он получил почти неограниченный доступ к конфиденциальной информации. Причем получил втайне от всех, украдкой. А потому я предлагаю вам оставить спекулятивные обсуждения его сексуальных наклонностей и уделить хотя бы немного внимания тому, что он у нас похитил.

— Похитил? — тихо повторил Тернер. — Вот это забавное словечко. — И он написал его намеренно кривыми крупными печатными буквами вдоль верхней части листка своего блокнота.

Климат Бонна успел на него подействовать, и темные пятна пота выступили на тонкой ткани его безвкусного и неуместного здесь костюма.

— Хорошо, — сказал он с неожиданным напором. — Я действительно напрасно растрачиваю ваше драгоценное время, черт побери! Теперь давайте начнем сначала и выясним, почему вы так его любите.

Брэдфилд изучал свою авторучку. «Ты тоже мог бы попасть под подозрение, — говорило ему выражение лица Тернера, — но уж слишком дорожишь своей честью».

— А теперь извольте перевести сказанное на нормальный английский язык!

— Поделитесь со мной своей личной точкой зрения о нем. В чем заключалась его работа, каким он был в жизни.

— Когда я только прибыл сюда, его единственной обязанностью считался разбор жалоб представителей гражданского населения Германии на военнослужащих Рейнской армии. Помятый танками урожай в полях, случайно залетевший не туда снаряд со стрельбища, коровы и овцы, убитые во время маневров. С самого окончания войны в Германии это превратилось в своего рода доходный промысел. И ко времени моего назначения в канцелярию он весьма уютно при нем пристроился.

— Вы хотите сказать, он стал экспертом в своем деле?

— Да, если подобное выражение вам больше по вкусу.

— Все дело в эмоциях, которые вы вкладываете в свои слова, понимаете? Они сбивают меня с толку. Когда вы отзываетесь о нем подобным образом, я невольно проникаюсь к нему симпатией.

— Тогда скажу иначе: жалобы стали его métier*. Лучше? Собственно, так он и попал в посольство. Знал тему досконально. Занимался подобной работой в разных формах и прежде, многие годы. Сначала в контрольной комиссии, потом в армии.

---

* Специальность *(фр.)*.

— А что он делал прежде? Он демобилизовался только в сорок пять лет.

— Да, тогда он снял военный мундир, разумеется. В звании сержанта, кажется. Его должность сделали гражданской. Но я понятия не имею, где он служил. Вероятно, в Министерстве обороны вам дадут необходимые сведения.

— В том-то и дело, что никаких сведений там нет. Я также запросил архив контрольной комиссии. Но это не хранилище, а кормушка для будущих поколений моли. У них уходят недели, чтобы разыскать хоть что-то.

— В любом случае он сделал удачный выбор. Пока британские части дислоцированы в Германии, будут проводиться маневры, а немецкое население требовать компенсации убытков. Можно сказать, его работа имела необычную специфику, зато ее надежно обеспечивало наше военное присутствие в Европе.

— И все равно даже под такую работу трудно было бы получить ипотечный кредит, — сказал Тернер с неожиданно приятной, заразительной улыбкой, но Брэдфилд никак на нее не отреагировал.

— Он справлялся со своими обязанностями вполне адекватно. Более чем адекватно: он был хорош на своем месте. Успел где-то получить среднее юридическое образование. Разбирался в законодательстве. И в немецком, и в нашем военном. Имел, так сказать, природные наклонности к приобретению новых познаний.

— Как всякий вор, — заметил Тернер, наблюдая за ним.

— Если у него возникали сомнения, он обращался к атташе по юридическим вопросам. Не каждому понравилось бы возиться с этим, быть посредником между немецкими фермерами и британскими военными, всех успокаивать, улаживать дела миром, чтобы ничто не просочилось в прессу. Здесь требовались особые навыки. И они у него имелись, — заметил Брэдфилд, но снова не удержался от плохо скрытого презрения: — На своем уровне он мог считаться мастером ведения переговоров.

— Но ему было далеко до вашего уровня, не так ли?

— Как и до любого другого, — ответил Брэдфилд, сделав вид, что не заметил намека на иронию. — Профессионально он был особым случаем. Чем-то уникальным. Мой предшественник счел за лучшее предоставить его самому себе, и когда я принял дела, то не увидел причин что-то менять. Его приписали к канцелярии, но только чтобы хоть кто-то осуществлял над ним дисциплинарный контроль, не более того. Он всегда приходил на утренние летучки, был пунктуален, никому не создавал проблем. В целом он всем нравился, хотя, как я предполагаю, не пользовался у сотрудников особым доверием. Его английский язык так и остался далеким от совершенства. Причем, как рассказывали, он считался человеком вполне светским, но в посольствах, где персонал не так разборчив в связях, как у нас. По слухам, он особенно ладил с парнями из Южной Америки.

— По работе ему много приходилось путешествовать?

— Много и часто. Почти по всей Германии.

— Одному?

— Да.

— И при этом он обладал огромным объемом информации о наших воинских частях. Получал отчеты об учениях, имел представление о местах дислокации, численности подразделений — словом, знал очень много, верно?

— О, он знал гораздо больше. Ведь у него имелась возможность подслушивать сплетни в солдатских столовых по всей стране. Многие маневры проводились нами совместно с другими союзными державами. В некоторых использовались новейшие образцы оружия и техники. А поскольку они могли тоже становиться причиной ущерба для гражданских лиц, в его обязанности входило установить размер нанесенного урона. Так что по ходу дела он мог добывать очень много дополнительной информации.

— И о НАТО в том числе?

— Главным образом именно о НАТО.

— И как долго он занимался подобной работой?

— Я полагаю, с сорок восьмого или сорок девятого года. Точнее сказать не могу, не наведя справок, когда британцы начали выплату компенсаций.

— Скажем, двадцать один год. Плюс-минус.

— Это совпадает с моими подсчетами.

— Немалый срок для временного сотрудника.

— Мне продолжать?

— Да. Разумеется. Продолжайте, — любезно сказал Тернер и подумал: «На твоем месте я бы за все это уже выставил меня за порог».

— Такова была ситуация, когда я занял нынешнюю должность. Он работал по договору, который подлежал ежегодному пересмотру и обновлению. Каждый декабрь контракт просматривали заново, и каждый декабрь поступала рекомендация продлить его. Но так было до событий, происшедших полтора года назад.

— Имеется в виду эвакуация Рейнской армии.

— Мы бы предпочли назвать это иначе. До того времени, когда Рейнскую армию сделали стратегическим резервным соединением на территории Соединенного Королевства. Не забывайте, что немцы продолжают вносить средства на поддержание ее боеготовности.

— Постараюсь это помнить.

— Как бы то ни было, лишь небольшой костяк остался в Германии. Эвакуация произошла внезапно. Помнится, нас всех удивила такая поспешность. Было много споров о том, кто заменит ушедшие войска. В Миндене из-за этого даже возникли беспорядки. Движение тогда еще только начинало набирать силу. Особенно много шума подняли студенты. Отвод войск спровоцировал шумиху, словно намеренная провокация. Но решение принималось на самом высоком уровне. Даже с послом не посоветовались. Просто пришел приказ, и через месяц Рейнская армия прямиком отправилась домой. Нам тоже в то время пришлось пойти на значительные сокращения. В Лондоне взяли такую моду: вышвыривать полезные вещи на свалку и называть это экономией.

Тернер опять уловил в словах Брэдфилда внутреннюю горечь. Будто он хотел скрыть семейный позор, о котором не следовало знать посторонним.

— И Хартинг оказался на мели.

— Он, несомненно, заранее предвидел, куда подует ветер. Но, конечно, это не смягчило удара.

— Он продолжал оставаться в статусе временного сотрудника?

— Разумеется. Более того, его шансы когда-либо стать постоянным, если они вообще существовали, быстро улетучились. Как только стало известно об отводе Рейнской армии, он мог отчетливо прочитать роковые письмена на стене. Но для меня этой причины оказалось достаточно, чтобы понять: подписывать с ним постоянный контракт значило совершить ошибку.

— Верно, — сказал Тернер. — Это мне понятно.

— Конечно, кто-то станет утверждать, что с ним поступили несправедливо, — продолжал Брэдфилд. — Дескать, он сполна отрабатывал свое жалованье.

И согласие с такой точкой зрения проступило на лице Брэдфилда родимым пятном, как он ни старался его скрыть.

— Вы упомянули, что он имел дело с деньгами, — сказал Тернер и подумал: «Так обычно поступают врачи. Берут все анализы, пока не поставят окончательный диагноз».

— Время от времени он передавал в армию чеки. Но выполнял роль лишь почтового ящика. Посыльного. Военные обналичивали чеки в присутствии Хартинга и выдавали ему расписки. Я регулярно проверял его финансовую отчетность. Как вы знаете, армейские аудиторы на редкость придирчивы. Но никаких нарушений не обнаруживалось. Система работала безупречно.

— Даже Хартинга она устраивала?

— Это я бы не стал утверждать категорически. Хотя он всегда производил впечатление вполне материально обеспеченного человека. Причем не был скупцом — так мне казалось.

— Но жил он по средствам?

— Откуда мне знать, какими точно средствами он располагал? Если он жил на то, что ему платили здесь, то, надо полагать, этого хватало. Вот только дом в Кёнигсвинтере довольно большой. Он уж точно не соответствует его рангу. Думаю, он стремился в этом к определенному стандарту, который себе сам задал.

— Понятно.

— Прошлым вечером я специально уделил время изучению его личных денежных операций за три месяца, предшествовавших исчезновению. В пятницу после конференции в канцелярии он снял со счета семьдесят один фунт и четыре пенса.

— Чертовски странная сумма.

— Напротив, сумма вполне естественная и логичная. Пятница пришлась на десятое число месяца. Так вот: он снял ровно треть своего месячного жалованья, если исключить налоги, страховку, взносы в амортизационный фонд и плату за личные телефонные переговоры. — Брэфилд помолчал. — Вероятно, это тот аспект его личности, на который я не обратил вашего внимания. Он был очень добропорядочным человеком.

— Нам пока не следует говорить о нем в прошедшем времени.

— Я никогда не ловил его на лжи. А решив покинуть нас, он, как мне представляется, снял лишь те деньги, которые ему причитались за треть месяца, и ни пенни больше.

— Да, многие назвали бы такую щепетильность даже несколько излишней. Образцом достойного поведения.

— Это ничего не украсть-то? Нет, щепетильность здесь ни при чем. Он мог иметь в виду вероятность негативного развития событий, чего стремился избежать. С его знанием законов нетрудно было сообразить, что любое воровство послужит для нас предлогом для обращения в немецкую полицию.

— Господи, — сказал Тернер, наблюдая за собеседником, — вы упорно не хотите поставить ему хотя бы пятерку по поведению.

Мисс Пит, личный помощник Брэдфилда, принесла кофе. Это была женщина средних лет, избегавшая ювелирных украшений, крепко сбитая и вечно чем-нибудь недовольная. Казалось, она уже знала, откуда явился Тернер, и потому окинула его взглядом, исполненным гордого пренебрежения. На нее особенно неприятное впечатление, как не без удовольствия отметил Тернер, произвели его ботинки, и он подумал: «Вот и отлично. Для чего еще нужна подобная обувь?»

Брэдфилд продолжал:

— Таким образом, Рейнская армия эвакуировалась совершенно внезапно, и он остался без дела. В этом вся суть.

— Как и без доступа к военной информации о НАТО, стоило бы добавить вам.

— Да, на этом строится моя гипотеза.

— Вот как, — сказал Тернер тоном человека, которому многое стало понятно, и тщательно занес слово «гипотеза» в блокнот, словно оно было новым в его личном лексиконе.

— В день отбытия Рейнской армии на родину Хартинг пришел, чтобы встретиться со мной. Да, это случилось как раз полтора года назад.

Брэдфилд замолчал, словно пораженный эффектом собственных воспоминаний.

— Он настолько тривиален, — произнес он потом с неожиданной и не характерной для него мягкостью в голосе. — Это вы можете понять? Настолько легковесен. — Он словно сам все еще поражался своим наблюдениям. — Важный момент, который сейчас можно запросто упустить из виду: чрезвычайную ничтожность его личности.

— Больше он ничтожным уже никогда не будет, — вскользь заметил Тернер. — Вам лучше сразу начать привыкать к этой мысли.

— Он тогда просто вошел ко мне. Выглядел немного более бледным, но в остальном — как обычно. Сел вот на тот стул. Между прочим, подушечка на нем его собственная. — Он позволил себе чуть заметную и едва ли уместную улыбку. — Такие вышитые подушечки в местных традициях. Но Хартинг был единственным сотрудником канцелярии, кто обозначил таким образом свое место.

— А теперь станет единственным, лишившимся его. Чьей работы вышивка?

— Не имею ни малейшего понятия.

— У него была домработница?

— Насколько мне известно, нет.

— Хорошо, продолжайте.

— Он ничего не стал говорить о своем изменившемся положении. Отлично помню: в канцелярии слушали тогда репортаж по радио. О том, как полк за полком грузился в железнодорожные эшелоны.

— Памятный для него момент, по всей вероятности.

— Да, скорее всего. Я спросил, чем могу помочь. Он ответил просто: хочу быть вам полезен. Все это без всякой патетики, крайне деликатно. Он отметил, что на Майлза Гейвстона легла большая нагрузка в связи с беспорядками в Берлине, буйствами студентов в Ганновере и прочими осложнениями. Словом, не мог бы он помочь ему? Мне пришлось напомнить об отсутствии у него необходимой квалификации для вмешательства в дела немецкой внутренней политики — это прерогатива штатных сотрудников канцелярии. Нет, сказал он, подразумевалось совсем другое. У него и в мыслях не было переходить границы своей компетентности в дипломатических вопросах. Он лишь подумал о паре общественных обязанностей, возложенных на Гейвстона. Не мог бы он что-то взять на себя? Он имел в виду, например, Англо-германское общество дружбы — организацию к тому времени малоактивную, но все равно требовавшую переписки и оформления прочей документации. И еще дела о пропавших без вести людях. Здесь он тоже способен был кое-что сделать, чтобы облегчить жизнь крайне занятому дипломату. Я вынужден был признать, что в его предложениях присутствует элемент здравого смысла.

— И вы согласились с ним?

— Да, я пошел на это. На чисто временных условиях, разумеется. Нечто вроде промежуточного решения вопроса. Я уже готовился вручить ему уведомление об увольнении в декабре, когда истекал срок очередного договора, а до той поры его можно было занять любой доступной работой. Но где тонко, там и рвется. Я совершил промашку, послушав его, как вы, должно быть, сразу подумали.

— Я ничего подобного не подумал и не сказал.

— А в этом и нет необходимости. Я подал ему мизинец, а он откусил руку по локоть. В течение месяца все подмял под себя. Дела, до которых у сотрудников канцелярии вечно не доходят руки, мелочевку, неизбежно накапливающуюся в крупном посольстве. Пропавших без вести, петиции для королевы, анонимно прибывающих почетных гостей, официальные туры для делегаций, Англо-германское общество, письма с жалобами на злоупотребления, с угрозами и все остальное, что вообще никаким боком не относится к ведению канцелярии. И так же постепенно он распространил свои таланты на сферу нашей общественной жизни. Церковь, хор, комитет по организации семейных ужинов и пикников, спортивный совет. Даже основал кассу взаимопомощи и отделение национального общества «Сбережения народа для блага государства». В какой-то момент попросил разрешения именовать себя «консулом», а я по глупости согласился и на это. Вы же понимаете, что никаких консулов здесь нет и быть не может. Консульство находится в Кёльне. — Брэдфилд пожал плечами. — К декабрю он сделался совершенно незаменимым. Принесли его контракт. — Он взял авторучку и уставился на кончик пера. — И мне пришлось продлить договор еще на год. Да, я решил дать ему еще двенадцать месяцев.

— Вы очень хорошо с ним обошлись, — заметил Тернер, ни на секунду не сводя с Брэдфилда глаз. — Можно сказать, проявили настоящую доброту.

— Но у него не было здесь ни официальной должности, ни страховки. Он уже одной ногой стоял за порогом посольства и сам прекрасно понимал свое положение. Думаю, это сыграло основную роль. Мы с тем большей добротой относимся к людям, чем легче нам от них потом избавиться.

— Вам стало жаль его. Почему вы просто не признаетесь в этом? Бога ради, вполне веская причина, которая вас полностью оправдывает.

— Да. Наверное, я его пожалел. В тот самый первый раз я действительно испытал к нему сострадание. — Брэнфилд снова улыбался, но теперь его развеселила собственная глупость.

— Он хорошо справлялся со всей работой?

— Хорошо. Порой прибегал к необычным методам, но их никак нельзя было бы назвать неэффективными. Разговоры по телефону предпочитал обмену письмами, хотя это вполне естественно — его ведь не обучали правильно составлять документы и послания. К тому же английский не был для него родным языком. — Брэдфилд опять пожал плечами. — Так и вышло, что я дал ему еще двенадцать месяцев, — повторил он.

— Истекшие в минувшем декабре. Это как лицензия, если разобраться. Разрешение оставаться одним из нас. — Он продолжал следить за Брэдфилдом. — Лицензия шпионить. И вы продлили ее во второй раз.

— Да.

— Почему же?

Тернер не впервые ощутил в собеседнике легкое внутреннее колебание, мгновенную нерешительность, которая могла означать желание что-то скрыть.

— Ведь вами двигало не только сочувствие, верно? Присутствовало нечто еще.

— Мои личные эмоции не имели значения. — Брэнфилд с резким стуком положил авторучку на стол. — Причины оставить его превратились в чисто объективные.

— Никто не утверждает, что это не так. Но вы могли по-прежнему чувствовать к нему жалость.

— Нам остро не хватало людей, и все трудились сверхурочно. Инспекторы сократили наш штат на две единицы вопреки моим самым красноречивым возражениям. Премиальные тоже урезали вдвое. А ведь волнения охватили не только Европу. Нестабильное положение складывалось повсеместно. Родезия, Гонконг, Кипр... Британские войска метались то туда, то сюда в попытке затоптать возникавшие лесные пожары. Мы снова оказались отчасти в Европе и отчасти — вне ее. Пошли разговоры о создании какой-то там Нордической федерации. Одному богу известно, какой дурак первым подал эту идею! — Брэдфилд процедил это уже полным презрения тоном. — Мы отправляли агентов прощупать обстановку в Варшаве, Копенгагене и Москве. Только что мы участвовали в заговоре против французов, а через день уже вступали в тайный сговор с ними же. И пока это происходило, мы умудрились кое-как собрать в единый кулак три четверти нашего военно-морского флота и привести в боевую готовность девять десятых независимого потенциала ядерного сдерживания. Для нас это стало самым трудным и самым унизительным периодом. Мы оказались перегружены работой. И в довершение всего как раз тогда Карфельд возглавил свое Движение.

— То есть Хартинг поймал вас на ту же удочку?

— Нет, он действовал иначе.

— В каком смысле?

Пауза.

— Он все делал более целенаправленно. Даже торопил нас с решением. Я понимал это, но ничего не предпринял. Остается только винить самого себя. Я ведь почувствовал его новый настрой, но даже не попытался разобраться в истоках перемены. В тот момент я списал это на чрезвычайно сложную обстановку, в которой оказались мы все. Только теперь до меня дошло, как он разыграл свой главный козырь.

— Как же?

— Начал он с заявления, что по своим ощущениям все еще не выжимал из себя максимума. Год у него прошел хорошо, но он мог бы сделать гораздо больше. У него выдавались тяжелые дни, когда ему хотелось по-настоящему впрячься в работу, чтобы, как он выразился, помочь выровнять наш общий корабль и поставить его на верный курс. Я поинтересовался, что конкретно он имел в виду. Мне-то казалось, что он у нас лишь драил палубу, не более того. Он ответил: снова приближается декабрь — тогда он едва ли не в первый раз сам поднял тему своего контракта, — и его, естественно, волновало состояние персональных досье.

— Что это такое?

— Биографии известных людей Германии. Наше частное издание «Кто есть кто». Мы готовим такие материалы ежегодно, причем в работе принимает участие каждый, добавляя характеристики немцев, с которыми ему приходится иметь дело. Сотрудники коммерческой миссии описывают своих знакомых среди бизнесменов, экономисты пишут об экономистах, атташе по всем вопросам, отдел печати, отдел информации — все вносят посильный вклад. По большей части отзывы весьма нелестны для описываемых субъектов, многие сведения мы добываем из секретных источников.

— А канцелярия их редактирует и сводит в единое целое?

— Да. И здесь он опять-таки сделал очень точный выбор. Это была еще одна нудная обязанность, мешавшая исполнению нами своих основных функций. Мы уже запаздывали с окончательным оформлением досье. Собрать все поручили де Лилю, но тот как раз уехал в Берлин, и для нас персональные досье постепенно превращались в настоящую головную боль.

— И вы дали ему поработать над ним?

— Да, на временной основе. В порядке исключения. Это было разовое поручение.

— Которое могло легко растянуться до следующего декабря, не так ли?

— Могло, не стану отрицать. Теперь мне предельно ясно, зачем ему понадобилось браться именно за эту работу. Компиляция досье открывала доступ в любой отдел посольства. Досье ведь не имеет четко обозначенных границ дозволенного, покрывая весь спектр жизни федеративной республики: промышленные аспекты, военные, административные и так далее. Получив задание завершить работу с досье, он мог, например, звонить кому угодно, не вызывая подозрений. Имел возможность запрашивать нужные ему материалы у всех, из архивов наших подразделений: коммерческого, экономического, военно-морского, армейского. Перед ним открылись все двери.

— И отсутствие в его личном деле сведений о надлежащей проверке не создавало для вас проблемы?

В голос Брэдфилда вернулась интонация самокритики:

— Увы, не создавала.

— Что ж, мы все порой допускаем оплошности, — тихо заметил Тернер. — Значит, так он и получил доступ к конфиденциальным материалам?

— Да, но это еще не все.

— Не все? Но куда уж больше только что вами перечисленного?

— Мы ведь не только архивируем документы. На нас возложена и плановая программа их уничтожения. Она осуществлялась многие годы. Цель заключается в том, чтобы освобождать в канцелярии место для новых досье, избавляясь от устаревших и больше не нужных. Звучит как пустяковая бюрократическая процедура, и во многих отношениях таковой она и является, тем не менее имеет огромное значение. Есть четко определенный лимит на количество бумаг, с которым канцелярия в состоянии справляться, и на объем хранящихся здесь документов. Проблема схожа со сложностями увеличения транспортного потока: мы постоянно создаем больше бумаг, чем позволяет наша пропускная способность. Естественно, это стало одной из разновидностей работ, постоянно откладываемых в долгий ящик. Ею занимались, только когда позволяло наличие свободного времени. И она тоже превратилась для нас в своего рода проклятие. Порой о ней вообще надолго забывали, но потом приходил циркуляр из министерства с запросом последней статистики. — Брэдфилд передернул плечами. — Как я и сказал, это предельно просто. Мы не можем до бесконечности накапливать документацию даже в здании такого размера, не уничтожая ее хотя бы постепенно. Канцелярия буквально трещит от папок с делами.

— И Хартинг предложил поручить ему и эту функцию?

— Точно так.

— И вы согласились?

— Только на какое-то время. Дал ему возможность попробовать и посмотреть, как пойдет дело. Он время от времени занимался этой проблемой в течение пяти месяцев. Я велел ему при возникновении любых сомнений консультироваться с де Лилем, но он ни разу так и не обратился к нему.

— Где осуществлялась процедура? В этом самом помещении?

На этот раз Брэдфилд ответил без малейших колебаний:

— В референтуре канцелярии, где хранятся наиболее конфиденциальные материалы. Он работал в комнате, оборудованной как настоящий сейф. Мог пользоваться чем угодно, если не особенно зарывался. Нет даже приблизительного списка того, с чем он успел ознакомиться. Кроме того, пропало несколько писем. Заведующий регистратурой сообщит вам подробности.

Тернер начал медленно подниматься, протирая одну руку о другую, как будто стряхивая невидимый песок.

— Из сорока с лишним исчезнувших папок восемнадцать изъяты из числа персональных досье и содержат крайне нелицеприятные факты о высокопоставленных немецких политиках. Их тщательное изучение прямо укажет на наш самый осведомленный и глубоко законспирированный источник информации. Остальные помечены грифом «Совершенно секретно». В них хранились копии англо-германских соглашений по широкому кругу вопросов, включая секретные договоры, и не подлежавшие огласке дополнения к официально опубликованным договорам. Если он хотел поставить нас в затруднительное положение, то едва ли смог бы сделать более удачный выбор. Некоторые папки датированы еще сорок восьмым или сорок девятым годами.

— А особая папка? «Протоколы официальных и неофициальных переговоров»?

— Это и есть то, что мы называли в своем кругу зеленой папкой. Для нее предусматривались специальные процедуры хранения и передачи от одного сотрудника другому.

— Сколько всего таких папок в посольстве?

— Была одна. Еще в четверг утром она находилась на своем месте в сейфовой комнате. Глава референтуры заметил ее отсутствие в четверг вечером, но решил, что она просто в работе. Только в субботу утром у него возникла серьезная озабоченность. В воскресенье он доложил о пропаже.

— Расскажите мне, — попросил Тернер, немного помолчав, — что происходило с ним в течение последнего года. И вообще обо всех событиях за этот период, если не считать выдвижения Карфельда в лидеры Движения.

— Ничего особенного не припомню.

— Тогда почему вы изменили к нему отношение?

— Я и не изменял, — высокомерно ответил Брэдфилд, — поскольку никогда не испытывал по его поводу никаких эмоций — ни положительных, ни отрицательных. Вопрос ставить нельзя подобным образом. Просто за тот год я научился разбираться в его методах. Понял, каким образом он воздействует на людей, как добивается своих целей. Я стал видеть его насквозь — вот в чем суть.

Тернер изумленно посмотрел на него:

— И что же увидели?

Ответ Брэдфилда прозвучал четко и определенно. Категорично, как математическая формула:

— Обман. Мне показалось, я уже ясно дал вам это понять.

Тернер теперь окончательно встал из кресла.

— Я начну с его кабинета, — сказал он.

— Ключ у охранника при канцелярии. Вас уже ждут. Обратитесь к Макмуллену.

— Мне нужно осмотреть его дом, встретиться с приятелями, с соседями. При необходимости я переговорю с его иностранными знакомыми, с кем он контактировал. И в случае надобности устрою переполох в вашем курятнике, перебив все яйца. Если возражаете, пожалуйтесь на меня послу. Как фамилия начальника референтуры?

— Медоуз.

— Артур Медоуз?

— Кажется, так.

Что-то в этот момент задело его: неохотный ответ, намек на неуверенность, почти на смирение, неопределенность тональности, не соответствующей тому, как они общались прежде.

— Медоуз прежде служил в Варшаве, верно?

— Верно.

Тернер повысил голос:

— И у Медоуза хранится список пропавших досье, не так ли?

— И писем тоже.

— А Хартинг формально числился у него в подчинении, конечно же.

— Разумеется. Артур ждет вашего визита.

— Сначала я осмотрю кабинет. — Было ясно, что Тернер сразу принял такое решение и ни при каких условиях не отступит от него.

— Как вам будет угодно. Но вы упомянули о желании осмотреть также и его жилище...

— Да, а что?

— Боюсь, в настоящее время это невозможно. Со вчерашнего дня его квартиру взяла под охрану полиция.

— Такое у вас в пределах нормы?

— Что именно?

— Полицейская охрана.

— Зибкрон настоял на этом. А я сейчас не могу ссориться с ним.

— Охрана распространяется на всех сотрудников?

— В принципе, только на старших по рангу. Думаю, Хартинга включили в список просто из-за удаленности его жилья от посольства.

— Вы, кажется, сами в этом не убеждены.

— Не могу представить другую причину.

— А что касается посольств стран по другую сторону «железного занавеса»? Хартинг часто к ним наведывался?

— Он иногда бывал у русских, но я не знаю, насколько часто.

— Этот Прашко. Бывший его приятель из числа политиков. Вы сказали, он в свое время числился в «попутчиках».

— Да, но с тех пор прошло пятнадцать лет.

— И когда Хартинг с ним расстался? Есть точные данные?

— Имеется запись в его досье. Около пяти лет назад.

— То есть как раз после драки в Кельне. Возможно, именно с Прашко он и сцепился.

— Все возможно.

— Еще один вопрос.

— Слушаю вас.

— Речь о его контракте. Если бы срок действия истекал... Скажем, в прошлый четверг...

— В чем суть вопроса?

— Вы бы продлили его? Еще раз?

— Мы находимся под огромным напряжением. Да, я бы продлил его.

— Вам, должно быть, теперь очень его не хватает.

В дверь заглянул де Лиль. Обычно мягкие черты его лица отображали напряжение и крайнюю озабоченность.

— Людвиг Зибкрон звонил. Коммутатору дано указание не соединять его напрямую с вами. Мне пришлось самому переговорить с ним.

— И что же?

— Это по поводу библиотекарши Эйх — той несчастной, которую избили в Ганновере.

— Какие-то новости?

— Да. Боюсь, она час назад умерла.

Брэдфилд молча обдумывал полученную информацию.

— Узнайте, где ее похоронят. Посол должен будет сделать какой-то символический жест. Думаю, не стоит отправлять цветы. Телеграммы родственникам вполне достаточно. Только без крайностей. Просто с выражением глубоких соболезнований. Поговорите с сотрудниками отдела кадров. Они знают все формулировки. И организуйте что-нибудь со стороны Англо-германского общества. Такое нельзя пускать на самотек. Займитесь этим лично. А еще отправьте ответ в ассоциацию библиотекарей — они прислали по поводу нее запрос. Кстати, у меня есть личная просьба: позвоните, пожалуйста, Хейзел и сообщите ей обо всем. Жена очень просила держать ее в курсе.

Он сохранял достоинство и превосходно владел собой.

— Если вам что-то требуется от де Лиля, — добавил он, обращаясь к Тернеру, — лучше скажите сразу.

Тернер пристально наблюдал за ним.

— Что ж, тогда я снова встречусь с вами завтра вечером. Примерно без пяти восемь. Согласны? Немцы — очень пунктуальный народ. У нас сложилась традиция всегда собираться самим еще до их прибытия. И раз уж вы направляетесь в его кабинет, почему бы вам не отнести туда эту подушечку? Не вижу никакого смысла держать ее здесь.

Альбинос по фамилии Корк склонился над шифровальной машиной, снимая с катушек полосы бумаги с набором отпечатанных букв и символов. Он услышал стук, резко поднял розовые глаза и увидел в дверном проеме крупного мужчину.

— Это моя сумка. Оставьте ее пока у себя. Я вернусь за ней позже.

— Бут сделано, не сумлевайтесь, — шутливо, как истинный кокни, ответил Корк, а сам подумал: «Нелепый. Только ему выпадает такое редкостное везение. Когда земля шатается под ногами, когда Джанет может родить в любую минуту, а несчастная женщина протянула ноги в Ганновере, именно ему суждено было оказаться в рабочей комнате лицом к лицу с этим Нелепым. Поистине странный человек». Но его расстраивало, конечно же, не только появление неуклюжей фигуры. Забастовка в немецкой сталелитейной промышленности все еще продолжалась, и конца ей не предвиделось. Ах, если бы он только подумал об этом в пятницу, а не в субботу, его небольшая афера со шведской сталью могла бы уже приносить по четыре шиллинга на акцию прибыли лишних три дня. Пять процентов в день в понимании Корка были чем-то вроде религиозного постулата (хотя сам он давно не верил ни в Бога, ни в черта): именно из этого материала строились потом виллы на Адриатике. «Совершенно секретно, — устало прочитал он. — Брэдфилду в собственные руки. Расшифровать лично». Сколько еще будет все это продолжаться? Капри... Крит... Спецес... Эльба... «Как же нужен мне собственный остров! — запел он высоким голосом, подражая в простенькой импровизации звездам поп-музыки, потому что втайне мечтал еще и о пластинках со своим именем на обложках. — Как же нужен мне собственный остров, дин-дон! Самый маленький остров, но только не Бонн!»

Глава 5

ДЖОН ГОНТ

Толпа в вестибюле заметно поредела. Настенные часы над закрытым и опечатанным лифтом показывали тридцать пять минут одиннадцатого. Те, кто не рискнул отправиться в столовую, собрались у главной стойки. Охранник канцелярии заварил утренний чай, и они пили его, негромко разговаривая, когда услышали звук приближавшихся шагов. Каблуки идущего были снабжены металлическими набойками, их стук эхом отдавался от стен, отделанных фальшивым мрамором, как звуки выстрелов с отдаленного стрельбища. Рядовые клерки подобно солдатам при появлении властного командира поставили чашки на стойку и принялись застегивать верхние пуговицы рубашек.

— Кто здесь Макмуллен?

Вошедший стоял на нижней ступени лестницы, одна рука тяжело лежала на перилах, в другой он сжимал вышитую подушечку. По обе стороны от него расходились в противоположные стороны коридоры, прикрытые стальными решетками, установленными на случай чрезвычайных ситуаций, и временно загороженные хромированными стойками. Казалось, они вели из ярко освещенного центра города в какие-то мрачные гетто. Внезапно важнее всего стала тишина — все, что происходило здесь только что, представлялось теперь откровенной глупостью.

— Макмуллен закончил дежурство, сэр. Отправился в НААФИ.

— А вы кто такой?

— Гонт, сэр. Временно замещаю его.

— Моя фамилия Тернер. Я прислан для проверки соблюдения режима безопасности. Мне необходимо осмотреть кабинет номер двадцать один.

Гонт был мелким и низкорослым мужчиной, истинным валлийцем, в чью память навсегда врезались воспоминания о Великой депрессии, унаследованные от отца. Он приехал в Бонн из Кардиффа, где работал в полиции шофером. Связку ключей он держал в правой руке, опущенной вниз, походку выработал неспешную и осторожную, а потому, когда повел Тернера за собой в темный зев одного из боковых коридоров, очень напоминал шахтера, направлявшегося вдоль штольни к ее началу.

— Жуткое дело, что они там устроили, — говорил Гонт не оборачиваясь, но его голос все равно слышался отчетливо. — Взять, к примеру, Питера Олдока. Это мой напарник, понимаете ли. У него брат живет в Ганновере. Обосновался там после оккупации, женился на немке и открыл продуктовую лавку. Так он, знамо дело, перепугался за брата до смерти. Все же знают, что мой Джордж — англичанин. Что теперь с ним станется? Хуже, чем в Конго, честное слово. О, привет вам, падре!

Капеллан сидел за портативной пишущей машинкой в маленькой белой келье напротив телефонного коммутатора под портретом своей жены. Двери он всегда держал открытыми для желающих исповедаться. Грубо сработанное распятие он сунул за веревку, заменявшую ремень.

— И тебя с добрым утром, Джон, — ответил священник сурово, напоминая им обоим о твердокаменной непреклонности валлийского бога.

— Да-да, привет, — повторил Гонт, но даже не замедлил шагов.

Теперь до них отовсюду доносились звуки многоязыкого сообщества. Одинокое и монотонное гудение по-немецки из отдела по работе с прессой, где кто-то вслух переводил газетную статью. Лающий голос клерка из отдела командировок, оравшего на кого-то в телефонную трубку. Издалека слышалось фальшивое насвистывание, причем явно не английское. Зато английский язык раздавался, казалось, везде, словно его надувало сквозняком из смежных коридоров. Тернер уловил аромат салями и другие запахи позднего завтрака. А еще здесь пахло типографской краской и жидкостью для дезинфекции. Он подумал: «Вот ты и за границей, только без обычной для всех пересадки в Цюрихе».

— Здесь работают по большей части вольнонаемные из местных, — пояснил Гонт сквозь шум. — А поскольку они немцы, выше им хода нет.

В его голосе чувствовалась симпатия к иностранцам, хотя и слегка замаскированная, сдержанная в силу его профессиональной принадлежности.

Слева открылась дверь, и на них обрушился поток белого света, выявивший небрежно оштукатуренные стены и потертую доску для объявлений на двух языках. Две девушки, собиравшиеся выйти из секретариата информационной секции, посторонились, чтобы уступить им дорогу. Тернер машинально посмотрел на них, и невольно пришла мысль: «Это твой мир. Человек второго сорта и чужак». Одна несла термос, вторая держала тяжелую стопку папок. У них за спинами через окно, защищенное ставнями для ювелирных магазинов, виднелась автостоянка, откуда тут же донесся рев двигателя мотоцикла, когда курьер стремительно выехал с нее. Гонт нырнул куда-то вправо вдоль еще одного коридора. Потом остановился, и они оказались перед нужной дверью. Пока Гонт подыскивал ключ, Тернер смотрел через его плечо на табличку, прикрепленную по центру: «Хартинг Лео. Разбор жалоб и консульские вопросы». Она выглядела как случайная примета живого человека или же как не менее случайный памятник покойному.

Буквы первых двух слов достигали добрых двух дюймов в высоту. По краям их обвели каймой и заштриховали красным и зеленым карандашами. Хотя слово «консульские» сделали еще крупнее, кайма была жирно выполнена чернилами явно для того, чтобы придать еще больше значительности и без того такому важному понятию. Чуть наклонившись, Тернер слегка прикоснулся к поверхности таблички. Ее изготовили из наклеенной на картон бумаги, и даже при скудном освещении виднелись тонкие карандашные линии, которыми предварительно наметили верхние и нижние края каждого слова. Какой смысл заключался в этом? Четкое определение границ более чем скромного существования? Или же попытка скрыть обман, окружавший эту жизнь? Обман. Кажется, уж теперь-то вывод стал совершенно очевидным.

— Поторопитесь, — велел он.

Гонт отпер замок. Когда Тернер взялся за ручку и толчком открыл дверь, он снова услышал голос ее сестры по телефону и собственный ответ перед тем, как положить трубку: «Только сообщить ей о своем отъезде за границу». Окна оказались закрыты. От линолеума на них дохнуло жаром. Пахло резиной и воском. Одна занавеска была чуть задернута. Гонт потянулся, чтобы отдернуть ее.

— Оставьте! Держитесь в стороне от окон. Стойте при входе. Если кто-нибудь появится, прикажите немедленно уйти.

Тернер бросил вышитую подушечку на стул и огляделся.

У письменного стола были ручки из хромированной стали. И вообще стол выглядел лучше, чем рабочее место Брэдфилда. Настенный календарь одновременно служил рекламой голландской фирмы, занимавшейся снабжением дипломатического корпуса. Несмотря на свои крупные габариты, Тернер двигался очень легко, все изучая, но ни к чему не прикасаясь. На стене висела старая армейская карта, разделенная на первоначальные зоны военной оккупации. Британскую зону обозначили ярко-зеленым цветом — плодородный оазис посреди иноземных пустынь. Ощущение, что находишься в камере тюрьмы усиленного режима, подумал он. Должно быть, из-за решеток на окнах. Из такого места просто отчаянно хочется сбежать. Отсюда рванул бы на свободу любой. Здесь и пахло более чем странно, но он не мог понять, как появилось это сочетание, просто бившее в нос.

— Что ж, я удивлен, — сказал вдруг Гонт. — Очень многого не хватает, как я погляжу.

Тернер даже не взглянул на него.

— Чего, например?

— Сразу в точности и не определишь. Штуковин разных, приспособлений. Это ведь комната мистера Хартинга, — пояснил он, — а мистер Хартинг обожал всякие штучки-дрючки.

— Какого рода штучки?

— Во-первых, у него был аппарат для приготовления чая. Крепкого и бодрящего, чтобы сразу проснуться поутру. Он готовил прекрасный чай, это точно. Право, жаль, что теперь его нет.

— Что еще?

— Электронагреватель исчез. Новейшего типа, с вентилятором и двумя спиралями. Потом, была лампа. Потрясающая японская лампа. Светила во все стороны, как сейчас помню. Повернешь рукоятку, и свет становился приглушенным, мягким таким. Она была очень экономичная — как он мне рассказывал. Но я не мог себе такую позволить, а теперь уж точно не смогу после того, как урезали премиальные. Но он, вероятно, все увез домой, — добавил он утешительным тоном. — Куда еще все могло переместиться, как не к нему домой?

— Да, верно. Скорее всего, так и есть.

На подоконнике стоял транзисторный приемник. Склонившись, чтобы приборная панель оказалась на уровне глаз, Тернер включил его. И сразу раздался исполненный слащавых эмоций голос диктора радиостанции британских вооруженных сил, читавшего комментарий к побоищу в Ганновере и предсказание относительно перспектив для Великобритании в Брюсселе. Тернер стал медленно перемещать указатель вдоль подсвеченной шкалы с обозначением волн, напрягая слух каждый раз, когда ловил такую же трепотню на французском, немецком или голландском языках.

— Я думал, вас интересуют только проблемы обеспечения безопасности. Так вы сказали.

— Да, я действительно так сказал.

— Но вы едва ли вообще обратили внимание на состояние окон или дверного замка.

— Обращу. Непременно обращу. — Он обнаружил передачу на славянском языке и слушал особенно внимательно. — Вы его хорошо знали, не так ли? Частенько заглядывали на чашку чая, надо полагать?

— Да, был грех. Но это зависело от свободного времени больше, чем от чего другого.

Выключив радио, Тернер выпрямился.

— Выйдите из кабинета и подождите, — распорядился он. — А ключ отдайте мне.

— Что же он такого натворил? — спросил Гонт, медля с исполнением приказа. — Отчего все пошло наперекосяк?

— Натворил? Хартинг? Ничего. Он в отпуске по семейным обстоятельствам. Я просто хочу побыть здесь один, вот и все.

— Но, говорят, у него неприятности.

— Кто говорит?

— Все кому не лень.

— Какие неприятности?

— Не знаю. В аварию попал, что ли. Понимаете, он не пришел на репетицию хора. А потом и в церковь.

— Он плохо водит машину?

— Об этом не мне судить.

Отчасти в знак протеста, отчасти из чистого любопытства Гонт продолжал торчать в дверях, наблюдая, как Тернер открыл деревянный платяной шкаф и заглянул туда. Три фена для сушки волос, так и не распакованные, стояли в коробках внизу рядом с парой резиновых галош.

— Вы ведь его близкий друг, верно?

— Не совсем. Мы приятели только в хоре, вот как оно обстоит.

— Ах да. — Теперь Тернер присмотрелся к Гонту внимательнее. — Вы пели под его аккомпанемент. Я и сам когда-то любил хоровое пение.

— Вот это номер! Ну надо же! И где вы пели?

— Дома, в Йоркшире. — Тернер произнес это с исключительным дружелюбием, не сводя глаз с простоватого лица Гонта. — Как мне сказали, он отличный органист.

— Неплохой. Я бы скорее так выразился, — подтвердил Гонт с оговоркой, довольный, что обнаружил общность интересов с гостем.

— А кто был его особенно близким другом? Кто-то другой из хора, верно? Может, даже леди? — Тернер задавал вопросы все еще уважительным, почти почтительным тоном.

— Он ни с кем близко не сходится, наш Лео.

— Тогда для кого он купил вот это?

Фены были различного качества и сложности устройства. Цены на коробках колебались от восьмидесяти до двухсот марок.

— Для кого? — спросил он еще раз.

— Для всех нас. Для дипломатов и простых сотрудников — все равно. Он взял на себя работу, понимаете ли, обеспечивать персонал товарами по каталогам с дипломатической скидкой. Всегда готов помочь. Он такой, наш Лео. И неважно, что ты ему заказываешь: радиоприемники, посудомоечные машины, автомобили, — он все добывает в два счета.

— Стало быть, хорошо знает систему, верно?

— Это точно.

— И немножко зарабатывает сам. Берет небольшой процент, как я подозреваю. За хлопоты, — предположил Тернер без тени осуждения. — Все по справедливости.

— Я за ним этого не замечал.

— А девушки? Он и ими может вас снабжать, ловкий малый?

— Ни в коем разе! — ответил Гонт, заметно шокированный.

— Тогда чего ради он старается?

— Просто так, наверное. Я даже не знаю.

— Просто добрый человек, готовый всем помогать бескорыстно, так получается? Чтобы все его любили. Должно быть, вот причина.

— А что здесь странного? Мы все хотим нравиться другим.

— Склонны пофилософствовать, как я вижу.

— Да, он всегда готов помочь, — продолжал Гонт, слишком медленно замечая перемену в настроении Тернера. — Взять хоть Артура Медоуза. Вот вам отличный пример. Лео всего день как перевели в референтуру, а он уже снова как простой посыльный спускается вниз за почтой. «Не тревожьтесь из-за пустяка, — говорит он Артуру. — Поберегите ноги. Вы уже не так молоды, как прежде, и у вас других забот полон рот. Я сам все принесу». Вот он какой, Лео. Обходительный, обязательный. Почти святой, если учесть его проблемы.

— О какой почте речь?

— Обо всей. Секретной и обычной. Ему без разницы. Он спускается сюда, расписывается в получении, а потом относит Артуру.

Теперь очень тихо Тернер сказал:

— Это я понял. Но, быть может, по пути он заглядывает сюда? Просто отдохнуть, проветрить помещение, выпить чашку чая?

— Так и есть, — ответил Гонт. — Всегда рад помочь! — Он устремился к двери, собираясь выйти. — Что ж, оставлю вас в покое.

— Нет, побудьте еще немного, — попросил Тернер, уже не сводя с него глаз. — Вы мне не мешаете. Останьтесь и поговорите со мной, Гонт. Мне нравится находиться в компании. Расскажите, кстати, о его проблемах.

Уложив фены обратно в коробки, он снял с перекладины шкафа вешалку с пиджаком из тонкого полотна. Летний пиджак. Такие часто носят бармены. Из петлицы торчала давно увядшая роза.

— Какие это проблемы? — спросил он, бросая розу в мешок для мусора. — Вы же можете мне о них рассказать, Гонт.

Он снова ощутил тот же запах, который уловил еще с порога, но не мог определить, чем именно пахло. Им пропитался гардероб — сладким, знакомым, распространенным в континентальной Европе ароматом мужских кремов и сигар.

— Детские проблемы, только и всего. У него был дядя.

— Вот-вот, расскажите мне о его дяде.

— Рассказывать особенно нечего. Только дядя вел себя чудаковато. Постоянно менял политические взгляды. Он был очень хорошим рассказчиком. Я имею в виду Лео. Помню, вспоминал при нас, как сидел с дядей в подвале в Хампстеде. Вокруг падали бомбы, а он делал сладости типа конфет с помощью специальной машинки. Из сухофруктов. Расплющивал их, потом обваливал в сахаре и раскладывал по жестяным коробочкам. Причем наш Лео часто сплевывал на них назло дяде. Моя жена ужаснулась, когда услышала об этом. Но я ей сказал: «Не будь такой глупой. Это все от отчаяния. Лео натерпелся лишений в жизни. И не знал в детстве любви, как мы с тобой, пойми».

Ощупав карманы, Тернер бережно снял пиджак с вешалки и приложил к собственным широченным плечам.

— Маловат для мужчины, верно?

— Лео любит приодеться, — сказал Гонт вместо ответа. — Всегда опрятный и ухоженный.

— Вашего размера?

Тернер протянул пиджак Гонту, но тот отшатнулся не без отвращения.

— Нет, он меньше меня, — произнес он, помолчав и все еще разглядывая пиджак. — Типа танцовщика. Легкий, как бабочка. Порой казалось, что он носит скрытые высокие каблуки.

— Голубой?

— Нет, конечно, — ответил Гонт, снова заметно шокированный и даже слегка покрасневший при упоминании этого слова.

— Вы-то откуда знаете?

— Он приличный человек, вот откуда, — ответил Гонт с неожиданным пылом. — Даже если сделал что-то плохое.

— Набожный?

— Он ко всему проявлял уважительное отношение. К религии тоже. Не был нахальным и высокомерным, даром что иностранец.

— Что еще он рассказывал о своем дяде?

— Больше ничего.

— Вы упомянули о его политических взглядах. Что-нибудь об этом? — Тернер осматривал письменный стол, изучая замки ящиков. Затем бросил пиджак на спинку стула и протянул руку за ключами. Гонт с неохотой снял их со связки.

— Ничего. Мне ничего не ведомо про его политические взгляды.

— А кто утверждает, что он сделал нечто дурное?

— Да вы на себя поглядите. Устроили здесь, понимаете, настоящий обыск. Измеряете его рост. Мне все это не по душе.

— Что же, интересно, он мог такого натворить? Чтобы я рылся у него в кабинете, а?

— Одному богу известно.

— Да будет благословенна мудрость Господня. — Тернер выдвинул верхний ящик. — Вот например, у вас есть такой ежедневник?

Ежедневник был в обложке из дорогой синей ткани с золотой эмблемой в виде королевского герба.

— Нет.

— Бедный мистер Гонт. Слишком мелкая сошка? — Тернер листал страницы, начав с последней. Один раз задержался на чем-то и нахмурился. Затем снова остановился, сделав запись в черном блокноте.

— Они предназначаются для сотрудников уровня советника или выше. Вот вам и причина, — пояснил Гонт с обидой. — Я сам отказался от такого.

— То есть он вам его предлагал, точно? Еще одна из его приманок, надо полагать. Как это было? Наверняка стащил пачку из секретариата, чтобы раздать приятелям на первом этаже. «Вот вам еще подарки, парни. Там таких полно. Держите на память от своего человека наверху». Так все обстояло, а, Гонт? Но христианская добродетель заставила вас проявить сдержанность, верно?

Закрыв ежедневник, он выдвинул нижний ящик.

— А даже если так, вам никто не давал права рыться в его столе подобным образом. Из-за такой мелочи! Стащить несколько ежедневников — едва ли крупный проступок, не кража века. — Его акцент уроженца Уэльса преодолел все барьеры и вырвался на свободу.

— Вы же праведный христианин, Гонт. Вам все дьявольские козни известны гораздо лучше, чем мне. Мелкий проступок ведет к большим бедам, так ведь сказано? Укради сегодня яблоко, а завтра угонишь грузовик из сада. Вы же знаете порядок вещей, Гонт. Что еще он вам рассказывал о себе? Какие-нибудь другие детские воспоминания были?

Он нашел нож для бумаг с тонким серебряным лезвием и широкой плоской рукояткой, а потом прочитал гравировку на подставке настольной лампы.

— «Л. Х. от Маргарет». Кто такая Маргарет, хотел бы я знать.

— Никогда о ней прежде не слышал.

— А о том, что он однажды был помолвлен и собирался жениться, тоже не слышали?

— Нет.

— Мисс Эйкман. Маргарет Эйкман. Ни о чем не напоминает?

— Ни о чем.

— Теперь что касается его службы в армии. Он вам рассказывал об этом?

— Армию он любил. Говорил, в Берлине часто ходил смотреть, как кавалеристы берут барьеры. Ему это очень нравилось.

— Но сам был пехотинцем, не так ли?

— В точности даже не знаю.

— Ладно, оставим это.

Тернер отложил нож в сторону рядом с синим ежедневником, сделал еще пометку в своем карманном блокноте, а потом взялся за небольшую плоскую жестянку с голландскими сигарами.

— Он курит?

— Да. Любил сигары, что верно, то верно. Только их и курил. Причем, заметьте, у него всегда была в кармане пачка обычных сигарет. Но при мне он сам курил только вот такие сигары. В канцелярии один или два типа даже жаловались на дым, насколько я слышал. Им не нравилась его привычка к сигарам. Но вот только наш Лео бывал упрям, когда ему чего-то хотелось, я бы так выразился.

— Давно вы здесь служите, Гонт?

— Пять лет.

— Он однажды подрался в Кёльне. Это случилось уже при вас?

Гонт колебался с ответом.

— Должен заметить, меня изумляет принятый у вас обычай стараться все замалчивать. У вас вопрос «а кому это нужно знать?» приобретает совершенно иной смысл, понимаете? Осведомлены все, кроме тех, кому положено. Что тогда произошло?

— Обычная потасовка. Говорят, он сам напросился, вот и все.

— Каким образом напросился?

— Не знаю. Просто, если верить слухам, он заслужил взбучку. Я слышал от своего предшественника. Однажды вечером его привезли сюда, измордованного до неузнаваемости, — так он мне рассказывал. И получил поделом. Так ему сказали. Лео вообще был драчливым малым. Не буду отрицать.

— А кто рассказал вашему предшественнику? От кого он получил такую информацию?

— Не знаю. Не спрашивал. Это было бы излишним любопытством с моей стороны.

— Значит, часто дерется наш Лео?

— Так тоже нельзя говорить.

— А не была ли там замешана женщина? Возможно, тоже Маргарет Эйкман?

— Понятия не имею.

— Тогда почему считаете его драчливым?

— Сам не пойму, — ответил Гонт, снова явно разрываясь между подозрительностью к визитеру и природной разговорчивостью. — А вы сами не из драчливых будете? — пробормотал он, выбирая более агрессивный подход, но Тернера это нисколько не смутило.

— Все правильно. Не суй свой нос в чужие дела. И не стучи на приятеля. Богу это не понравилось бы. Уважаю людей принципиальных.

— Мне плевать, что он там натворил, — продолжал Гонт, на глазах набираясь смелости. — Он не был плохим человеком. Резким — да. Но самую малость. Так это свойственно всем, кто родился на континенте, вы же знаете. — Он указал на письменный стол с выдвинутыми ящиками. — Но он не был настолько дурным, чтобы так с ним обходились.

— А таких совсем скверных людей нет вообще. Вас это, возможно, удивит. Личностей, до такой степени плохих, не существует в природе. Мы все на самом деле прекрасные люди. Этому даже посвящен один из псалмов, помните? Один из тех, что вы пели, пока он играл. И я тоже пел, Гонт. Но только потом вырос и стал более сообразительным. Вот что мне особенно нравится в псалмах: мы их уже никогда не забываем. Как и короткие забавные стишки — лимерики. Бог знал, что делал, когда изобрел рифмы. Убежден в этом. Чему Лео научился, когда был еще ребенком? Расскажите мне хотя бы об этом. Что он познал, сидя на дядюшкином колене?

— Он говорил по-итальянски, — неожиданно выдал Гонт, как будто выложил на стол козырную карту, которую до поры придерживал.

— Неужели? Вот это занятно.

— И он выучил его еще в Англии. В обычной сельской школе. Другие дети с ним не общались, справедливо считая немцем, и он стал ездить на велосипеде и разговаривать с итальянскими военнопленными. А потом не забывал язык. У него отличная память, доложу я вам. Не забудет ни единого слова, которое вы ему скажете, зуб даю.

— Просто восхитительно!

— Лео мог бы стать очень образованным человеком, обладай он вашими преимуществами.

Тернер посмотрел на него ничего не выражающим взглядом:

— А кто, черт побери, может утверждать, что у меня были какие-то преимущества?

Он выдвинул очередной ящик, наполненный мелочами, необходимыми для личного пользования любого конторского служащего: степлер, карандаши, круглые резинки, иностранные монеты и использованные железнодорожные билеты.

— Как часто репетировал хор, Гонт? Раз в неделю, я полагаю. У вас происходила славная спевка, вы сообща молились, а потом, идя домой, по дороге выпивали где-нибудь пивка, и тогда он многое успевал вам рассказать о себе. И были еще наверняка совместные выезды на природу. Автобусные экскурсии, вероятно. Нам же с вами это нравится — и мне, и вам. Нечто корпоративное, но в то же время не лишенное известной духовности. Экскурсии, различные клубы и общества, хоры. И Лео присутствовал повсюду, верно? Всех знал, слушал самые незначительные разговоры, когда люди делают мелкие признания, держал их под ручку. Если я правильно понял, он был большим охотником до невинных развлечений.

На всем протяжении своего монолога Тернер составлял в черном блокноте список предметов: походный набор для шитья, пакетик с граммофонными иглами, таблетки разных цветов и размеров. Помимо воли заинтригованный, Гонт переместился поближе.

— Да, вы все правильно подметили, — сказал он. — Но было и другое. На верхнем этаже живу я один — там есть квартира. Она предназначалась для Макмуллена, но только он не смог ее занять. С таким-то количеством детишек! Нельзя же было им позволить носиться там и топать ногами, правда же? Мы сначала репетировали в актовом зале по пятницам. Это по другую сторону вестибюля от кассы, где выдают жалованье. А потом он поднимался ко мне на чашку чая или типа того. Ну, как я потом часто пил чай здесь, в его кабинете. Мне это казалось хорошим способом отблагодарить его за все, что он для нас делал, за покупки и все такое. Хотя бы попить с ним чаю. Он любил чай. — Гонт говорил просто и безыскусно. — И еще любил огонь в очаге. А у меня всегда возникало ощущение, что ему нравился семейный образ жизни, хотя семьи-то у него и не было.

— Он вам сам говорил об этом? Сказал, что у него нет семьи?

— Нет.

— Так откуда вам знать?

— Все выглядело слишком очевидно, даже затрагивать эту тему не надо было. И образования он тоже не получил. Сам выбился из низов, как говорят о таких, как он.

Тернер нашел пузырек с продолговатыми желтыми пилюлями и стал вытряхивать их себе на ладонь, а потом осторожно принюхался.

— И это продолжалось годами. Милое общение после репетиций. Так?

— О нет. Он прежде едва ли обращал на меня внимание, а я не хотел навязываться, поскольку он считался у нас почти дипломатом. Перемена произошла несколько месяцев назад. Я вдруг заинтересовал его. Как и клуб.

— Клуб?

— Да, клуб иностранных автолюбителей в Германии.

— Давно ли это случилось? Когда он сошелся с вами?

— После Нового года, — сказал Гонт, теперь заметно удивленный сам. — Да. Я бы сказал, с января. Именно в январе его отношение ко мне изменилось.

— В январе этого года?

— Да, — кивнул Гонт, словно впервые начав осмысливать этот факт. — Ближе к концу января. С тех пор как начал работать у Артура. Надо сказать, Артур оказал на Лео большое влияние. Заставил его стать более вдумчивым и наблюдательным, понимаете? Привил склонность к размышлениям. Заметное изменение к лучшему, я бы сказал. И моя жена тоже так считает.

— Держу пари, так и есть. Какие еще перемены вы в нем заметили?

— Пожалуй, это было самым главным. Больше вдумчивости, рассудительности.

— И все это только начиная с января. Бах! Приходит Новый год, а Лео Хартинг становится более склонным к медитации и размышлениям.

— Нет. Скорее, это происходило постепенно. Будто он долго болел. Мы не уставали удивляться. Я так и сказал жене... — Гонт понизил голос, словно в почтении к собственной мысли. — Сказал: «Не удивлюсь, если это доктор поработал над ним».

Тернер снова приглядывался к карте на стене. Сначала прямо, а потом сделал шаг в сторону, чтобы видеть ее под углом, замечая отверстия, оставленные булавками, отмечавшими бывшие места дислокации выведенных воинских частей. В старом книжном шкафу на нижней полке лежала кипа сводок опросов общественного мнения, вырезок из газет и журналов. Встав на колени, он принялся просматривать их.

— О чем еще он с вами беседовал?

— Ни о чем серьезном.

— Только о политике?

— Лично мне нравятся разговоры на серьезные темы, — сказал Гонт. — Но с ним мне как-то и в голову не приходило затрагивать их, верь, я никогда не знал, куда нас это заведет.

— Он мог разозлиться, прийти в раздражение, так, что ли?

Вырезки по большей части имели отношение к Движению. Опросы показывали рост популярности Карфельда.

— Напротив, он отличался излишней чувствительностью. Какой-то даже почти женской сентиментальностью. Его можно было очень легко расстроить одним неосторожным словом. Очень уязвимый, но совершенно спокойный. Вот почему я никак не мог взять в толк ту историю в Кёльне, понимаете? Даже сказал жене: «Конечно, ни в чем нельзя быть полностью уверенным, но если драку затеял Лео, значит, сам дьявол вселился в него». Но ведь он успел столько всякого повидать на своем веку, верно?

Тернеру попалась на глаза фотография бунтующих в Берлине студентов. Двое парней держали пожилого мужчину за руки, а третий хлестал его по щекам тыльной стороной ладони. Пальцы у него при этом торчали вверх, и свет обрисовывал костяшки скульптурно четко. Снимок был обведен рамкой красной шариковой ручкой.

— Я хочу сказать, что никогда не знаешь, где рискуешь задеть личные чувства человека или, того хуже, — продолжал Гонт, — где попадешь в самое больное место. Я порой думал и как-то сказал жене, которой не всегда бывало уютно в его обществе: «Знаешь, не хотел бы я видеть те сны, которые видит он».

Тернер поднялся.

— О каких снах вы толкуете?

— Об обычных снах. О воспоминаниях, возвращавшихся к нему по ночам, как я предполагал. Говорят, он вдоволь насмотрелся в свое время всяких зверств и жестокостей.

— Кто говорит?

— Любители сплетен и слухов. Например, Маркус — один из наших водителей, который, правда, больше тут не работает. Он служил с Лео в Гамбурге году примерно в сорок шестом. Просто ужас какой-то.

Тернер открыл старый номер журнала «Штерн», тоже лежавший в книжном шкафу. На целом развороте была помещена подборка снимков беспорядков в Бремене. Было там и фото Карфельда, выступавшего с высокой деревянной трибуны: его молодые слушатели просто заходились в экстазе.

— Думаю, это доставляло ему сильное беспокойство, — возобновил свой рассказ Гонт, заглядывая Тернеру через плечо. — Он то и дело начинал говорить о фашизме. Часто и много распространялся на эту тему.

— Неужели? — тихо спросил Тернер. — Можно об этом подробнее, Гонт? Меня крайне интересуют такие вопросы.

— Иногда, но далеко не каждый раз. — Гонт стал заметно нервничать. — Он приходил почти в неистовое возбуждение. Все может повториться, твердил он, а Запад снова останется в стороне, банкиры же еще больше заработают, как всегда. Вот и все. Больше не имеет значения, говорил он, социалист ты или консерватор, потому что все решения давно принимаются в Цюрихе или в Вашингтоне. Об этом, по его словам, можно судить хотя бы по последним событиям. И мне приходилось соглашаться, поскольку его мнение подтверждалось реальностью.

На мгновение для Тернера все звуки затихли: шум транспорта, стук пишущих машинок, голоса — он не слышал ничего, кроме биения собственного сердца.

— В чем же Хартинг видел выход из положения? — спросил он.

— А он его и не видел.

— Например, он мог что-то предпринять лично. Как насчет этого?

— Таких речей он не вел.

— Надежда на бога?

— Нет. Он был верующим, конечно, но не искренним, не в глубине души.

— Совесть человечества?

— Я же сказал: он выхода из положения не видел.

— Никогда не намекал, что вы сами способны многое исправить? Вы и он вместе?

— Совершенно не в его характере, — нетерпеливо отозвался Гонт. — Он не нуждался в компаньонах. По крайней мере, когда дело... Когда ему казалось, что дело касается его одного.

— Почему вашей жене было с ним некомфортно?

Гонт не сразу сообразил, как лучше ответить.

— Ей нравилось держаться поближе ко мне в его обществе, но не более того. Поверьте, он никогда не задевал ее ни словом, ни делом, но ей все равно хотелось спрятаться от него у меня за спиною. — Он улыбнулся несколько снисходительно. — Вы же знаете женскую натуру. Вполне естественная манера поведения, как мне кажется.

— Он часто задерживался у вас подолгу? Мог сидеть и часами говорить, говорить, говорить. Ни о чем и обо всем сразу. Глазеть при этом на вашу жену? Кокетничать с ней?

— Не надо так отзываться о нем! — резко бросил Гонт.

Покончив с осмотром стола, Тернер опять открыл гардероб и на этот раз заметил номер, напечатанный на стельках обеих галош, подняв их.

— Начать с того, что он никогда не сидел у нас слишком долго. Ему нравилось уходить работать по ночам. То есть, конечно, с недавних пор. Уже в канцелярии. Лео говорил мне: «Джон, — говорил он, — мне хочется вносить свой посильный вклад». И он его вносил. Был по праву горд своим трудом в последние месяцы. Это выглядело достойно и даже красиво, честное слово. Мог работать полночи, понимаете? Иногда всю ночь напролет.

— Вот как?

Тернер уронил галоши на дно шкафа, и их стук странным звуком нарушил тишину.

— Да, у него ведь много работы. Очень много. На Лео лежит столько обязанностей! Прекрасный человек. В самом деле очень хороший. Слишком умный, чтобы работать на этом этаже. Я всегда так считал.

— И это происходило ночью по пятницам начиная с января. После репетиции хора он поднимался к вам, выпивал чашку крепкого чая, болтал, дожидался, пока все разойдутся, а потом возвращался к работе?

— Точно как по часам. Он всегда приходил подготовленный — вот ведь в чем дело. Сначала спевка хора, потом чашка чая и все остальное до того времени, когда в референтуре никого не оставалось, а потом он тихонько возвращался и брался за дело. «Джон, — говорил он, бывало, — я просто не в состоянии работать, когда вокруг суета. Терпеть не могу. Мне нравятся тишина и покой, и от этого никуда не денешься. Наверное, все оттого, что я уже не так молод. Что тут поделаешь? Житейский факт». Всегда приносил с собой сумку, где все уже было готово. Термос. Должно быть, сандвич. Он был организованным работником, умел разумно распределять время.

— Хартинг расписывался в книге сотрудников ночной смены, конечно же?

Гонт опешил. Он, по всей видимости, впервые ощутил всю меру угрозы, таившейся в этом монотонном, тихом голосе. Тернер захлопнул деревянные створки шкафа.

— Или вас ни черта уже не волновало? Вам было наплевать, верно? Вы не могли тут же переходить к формальностям. Он же ваш гость, так? И почти дипломат, если на то пошло. Дипломат, удостоивший своим посещением вашу гостиную. Пусть себе шляется туда-сюда по своему усмотрению даже глубокой ночью. Вы ему это охотно позволяли. Было бы проявлением неуважения устраивать ему проверку. Он же стал вроде как член семьи. Скажите, что я ошибаюсь. Не стоило все портить, опускаясь до своих прямых обязанностей. Как-то не по-христиански вышло бы, вы думали? И вы, разумеется, представления не имеете, в котором часу он покидал здание. В два часа или в четыре?

Гонту приходилось даже напрягать слух, чтобы улавливать все слова, так тихо говорил Тернер.

— Но в этом же не было ничего дурного, правда? — спросил он.

— И эта его сумка, — продолжал Тернер все так же едва слышно. — Было бы странно заглянуть в нее, не так ли? Или, к примеру, отвинтить крышку термоса? Господь не одобрил бы вас в таком случае, так вы рассуждали? Но не надо тревожиться, Гонт. В этом не было ничего дурного в вашем понимании. Ничего, что нельзя исправить молитвой и чашкой крепкого чая.

Тернер уже подошел к двери, а Гонт лишь провожал его взглядом.

— Вы изображали счастливую семью. — Тернер неожиданно начал безжалостно коверкать язык, пародируя валлийский акцент. — «Вы только гляньте, какие мы добродетельные... Как окружаем друг друга любовью... А еще подивитесь: у нас в гостях дипломат, а не кто-нибудь... Славно-то как... Мы — соль земли... Всегда можем подать что-нибудь к столу... Вот только простите, но вам ее не поиметь. Жена принадлежит мне одному». И вы проглотили наживку вместе с крючком, Гонт. Вы зоветесь охранником, а Лео вас убаюкал и ловко обвел вокруг пальца. — Он открыл дверь. — Хартинг в отпуске по семейным обстоятельствам. Не забывайте об этом, или вас припечет по-настоящему. Гораздо жарче, чем сейчас.

— Быть может, таков мир, откуда явились вы, — неожиданно изрек Гонт, словно ему явилось откровение, — но это не мой мир, мистер Тернер, и не надо мне его навязывать, поняли? Я делал для Лео все, что мог, и сделал бы снова, а какие там извращенные мысли засели в вашей голове, меня не касается. Вот только они ядовитые, ваши мысли. Напрочь отравленные.

— Идите к дьяволу. — Тернер бросил Гонту ключи, но тот даже не попытался их поймать, и они упали на пол у его ног.

— Если вам известно о нем что-нибудь еще, какая-то другая сочная сплетня, например, тогда вам лучше все выложить прямо сейчас. Немедленно. Ну же?

Гонт отрицательно помотал головой.

— Уходите.

— О чем еще судачат здешние говоруны? Или кто-то в хоре пустил петуха, Гонт? Можете мне рассказать. Я вас не съем за это.

— Я ничего такого не слышал.

— Что о нем думает Брэдфилд?

— Мне-то откуда знать? Спросите у самого Брэдфилда.

— А он ему нравился?

Лицо Гонта помрачнело, отобразив неодобрение.

— Мне нечего вам сказать, — резко ответил он. — Я не распускаю слухов о руководстве.

— Кто такой Прашко? Вам эта фамилия знакома?

— Ничего не могу больше добавить. Я не владею информацией.

Тернер указал на небольшую горку личных вещей Лео, лежавшую на столе.

— Отнесите все это в комнату шифровальщиков. Они мне позже понадобятся. И вырезки из прессы тоже. Передайте все дежурному клерку и возьмите с него расписку в получении, понятно? Нравится вам это или нет. Кроме того, составьте список пропавших вещей. Всего, что он забрал домой.

К Медоузу Тернер отправился не сразу, а вышел из здания и встал на краю газона рядом с парковкой. Полоса тумана висела над полем, а транспортный поток издавал шум штормового морского прибоя. Корпус, где размещался Красный Крест, одели в темные строительные леса, и над ним высился оранжевый подъемный кран, похожий на нефтяную вышку, намертво привинченную к асфальту. На Тернера с любопытством поглядывал полицейский, но он стоял совершенно неподвижно и, казалось, устремил взгляд куда-то к горизонту, хотя как раз линия горизонта была отсюда почти неразличимой. Наконец — словно по команде, которой никто больше не слышал, — он повернулся и медленно побрел назад к ступеням перед входной дверью.

— Вам нужно получить положенный всем пропуск, — сказал ему сержант с лицом хорька, — если собираетесь весь день ходить туда и обратно.

В референтуре пахло пылью, сургучом для печатей и чернилами принтера. Медоуз ждал его. Он выглядел изможденным и очень усталым. Даже не пошевелился, пока Тернер пробирался к нему между рабочими столами и шкафами с досье, а лишь смотрел уныло и презрительно.

— Почему им понадобилось присылать именно тебя? — спросил он. — Разве нет других сотрудников? Кому ты собираешься сломать жизнь на сей раз?

Глава 6
«ХОДЯЧАЯ ПАМЯТЬ»

Они стояли в небольшом святилище — комнате, целиком отделанной сталью, служившей одновременно и сейфом, и конторским помещением. На окнах стояла двойная защита: первый слой из мелкой проволочной сетки, а снаружи металлическая решетка. Из соседнего офиса доносилось шарканье шагов и шелест бумаги. На Медоузе был черный костюм с булавками по краям лацканов. Стальные шкафы шеренгой стражи выстроились вдоль стен. Каждый был снабжен нанесенным с помощью трафарета номером и наборным кодовым замком.

— Из всех людей, с которыми я зарекся снова встречаться...

— Тернер значился в списке под номером первым. Отлично. Все в порядке. Ты — далеко не единственный в своем роде. Давай приступим к делам, чтобы поскорее покончить с ними.

Оба сели в кресла.

— Она не знает, что ты здесь, — сказал Медоуз, — а я не собираюсь сообщать ей об этом.

— Дело твое.

— Он с ней встречался несколько раз, но между ними ничего не было.

— Буду держаться от нее подальше.

— Вот это правильно. — Медоуз обращался не к Тернеру, а куда-то мимо него в сторону шкафов. — Так ты и должен поступить.

— Постарайся забыть, что я — это я, — добавил Тернер. — У тебя будет достаточно времени.

Выражение его лица мгновенно изменилось. Тени пролегли по светлой коже, и он вдруг постарел под стать Медоузу, сделавшись на вид таким же утомленным.

— Я расскажу тебе все только один раз, — сказал Медоуз. — Расскажу, что мне известно, а потом ты уберешься отсюда. Идет?

Тернер кивнул.

— Это началось с клуба автолюбителей, — продолжил Медоуз. — Там я с ним по-настоящему познакомился. Я люблю машины и всегда любил. Купил себе «ровер» с двигателем объемом три литра. Перед отставкой он...

— Давно ты здесь?

— Год. Да, теперь уже ровно год.

— Приехал прямо из Варшавы?

— В промежутке мы успели провести немного времени в Лондоне. Потом я получил назначение сюда. Мне как раз исполнилось пятьдесят восемь. После Варшавы мне оставалось служить всего два года, и я рассчитывал, что смогу не особенно напрягаться. Мне хотелось как следует ухаживать за ней, помочь ей поправиться...

— Понимаю.

— Как правило, я стараюсь больше бывать дома, но здесь стал членом клуба. В основном там британцы и выходцы из стран Содружества, но публика вполне приличная. Мне показалось, нам обоим это подойдет: один вечер в неделю, летнее ралли, общие вечеринки зимой. Я мог брать Миру с собой. Посчитал, что ей это пойдет на пользу, а я смогу всегда за ней присмотреть. Ей и самой этого хотелось. По крайней мере поначалу. Она чувствовала себя потерянной, нуждалась в обществе. А кроме меня, у нее никого нет.

— Понимаю, — повторил Тернер.

— Когда мы записались в члены, там собралась приятная группа, хотя, как в любом клубе, разумеется, были периоды подъемов и спадов. Все всегда зависит от руководителя. Сумеет подобрать достойных людей, и тогда атмосфера легкая, даже веселая. Наберет дураков, и начинается пустая болтовня и прочая чушь.

— И Хартинг стал там заметной фигурой, верно?

— Позволь мне самому вести рассказ, пожалуйста. — Медоуз держался сурово, словно отец, поучавший сына и исправлявший его ошибки в поведении. — Нет. Он вовсе не был там заметен в то время. Был рядовым членом, не более того, самым заурядным. Мне казалось, за первые полгода он появился на встрече лишь раз. Если разобраться, ему там было не место. Он считался дипломатом, а клуб создавался не для них. В середине ноября у нас проходила ежегодная общая конференция... А где же твой непременный черный блокнот?

— Ноябрь, — отозвался Тернер. — Ежегодная конференция. Стало быть, пять месяцев назад.

— Странная получилась конференция, надо отметить. Проходила в занятной атмосфере. Карфельд уже орудовал вовсю почти шесть недель, и нас всех тревожило, что будет дальше. Мне так показалось. Председательствовал Фредди Лакстон, хотя он уже собирал чемоданы в Найроби. Билл Эйнтри, секретарь, знал о скором переводе своей фирмы в Корею, а остальные пребывали в замешательстве, понимая необходимость выборов новых членов правления, обсуждения наболевших вопросов и составления расписания зимних мероприятий. Вот тогда-то вдруг дал о себе знать Лео и в какой-то степени именно так сделал первый шаг, чтобы оказаться в референтуре.

Медоуз немного помолчал.

— Не пойму, как я свалял такого дурака, — сказал он потом. — Действительно никак не возьму в толк.

Тернер ждал.

— Скажу прямо: мы о нем прежде почти ничего не знали. Он никак не проявлял себя в клубе. И имел, знаешь ли, странную репутацию...

— Какого рода репутацию?

— О нем отзывались как об эдаком цыганистом типе. На все готов. Не совсем чист на руку. И была еще история о происшествии в Кёльне. Мне все это пришлось не по душе, скажу честно, и вовсе не хотелось, чтобы с ним начала общаться Мира.

— Какое происшествие в Кельне ты имеешь в виду?

— До меня дошли слухи, только и всего. Он там ввязался в драку. Сцепился с кем-то в ночном клубе.

— Подробности известны?

— Никаких.

— Кто еще был там с ним?

— Понятия не имею... На чем я остановился?

— На ежегодной конференции автомобилистов.

— Да, на зимних мероприятиях. Точно. «Приступим к обсуждению, — говорит Билл Эйнтри. — Есть предложения из зала?» И Лео тут же вскочил. Он сидел на третьем стуле от моего. Я еще сказал Мире: «Интересно, что у него на уме?» У Лео имелось предложение, как заявил он. Для зимнего отдыха на воде. Он был знаком с одним стариком в Кёнигсвинтере, владельцем нескольких барж. Очень богатым и любившим англичан. Одним из руководителей Англо-германского общества. И этот старикан согласился одолжить нам две баржи с экипажами, чтобы прокатить всех членов клуба до Кобленца и обратно. Для него это как бы долг: ему англичане очень помогли в период оккупации. У Лео неизменно обнаруживались такого рода связи, — добавил Медоуз, и на мгновение почти восхищенная улыбка оживила печальные черты его лица. — Там будут крытые помещения, ром и кофе в пути, а в Кобленце ожидается большой обед в нашу честь. Лео все заранее просчитал. У него выходило, что это обойдется в двадцать одну марку и восемьдесят пфеннигов с каждого, чтобы оплатить напитки и скинуться на подарок для хозяина. — Он прервался. — Прости, но рассказывать быстрее я не умею. Это не в моем стиле.

— Разве я что-то сказал?

— Ты давишь на меня непрерывно, и я это чувствую, — проворчал Медоуз и вздохнул. — Так вот, идея пришлась по душе. Нам всем. И мнение руководства уже никого не интересовало. Сам понимаешь, как такое случается. Если хотя бы один человек хорошо знает, чего хочет...

— А он знал.

— Да. Кое-кто, конечно, подумал, что он метит в председатели, но всем было наплевать. Кроме того, он вполне мог заработать деньжат на этом путешествии. Честно говоря, у многих промелькнула такая мыслишка, но было решено: ну и пусть — он свою долю вполне отработает. А цена казалась достаточно умеренной по тем временам. Билл Эйнтри готовился к отъезду, и ему было не до клуба. Он автоматически поддержал предложение. Идею без дальнейших дебатов утвердили, занесли в протокол, и конференция вскоре закончилась. Как только все стали расходиться, Лео подошел к нам с Мирой, улыбаясь во весь рот. «Мире понравится путешествие, непременно понравится, — говорит он. — Отличная речная прогулка. Поможет немного развлечься, забыть свои огорчения». Словно он все устроил специально для нее. Да, ответил я, должна понравиться, после чего угостил его выпивкой. Мне тогда показалось несправедливым: он так расстарался, а на него по-прежнему никто не обращал внимания. При всей его не слишком лестной репутации. Что бы о нем ни говорили, а мне стало жаль его. И еще я чувствовал благодарность, — добавил он на удивление искренним тоном, — как чувствую до сих пор. Прогулка получилась в самом деле незабываемой.

Он снова замолчал, а Тернеру опять пришлось ждать, пока его более пожилой собеседник внутренне переживал свои личные проблемы. Из-за оконных решеток доносилось неустанное биение железного сердца Бонна: отдаленный грохот со строительных площадок, тщеславный рев двигателей мчавшихся мимо машин.

— Признаться, я тогда подумал, что он решил приударить за Мирой, — сказал Медоуз после долгой паузы. — И не скрою: пристально следил, чтобы этого не случилось. Но не заметил ни намека на попытку сближения. Ни с той, ни с другой стороны. Бог свидетель, у меня на это выработался острый глаз после Варшавы.

— Охотно верю.

— Мне все равно, веришь ты или нет. Такова реальность.

— У него и в этом смысле сложилась известного рода репутация, верно?

— Да, отчасти.

— С кем он крутил романы?

— Если позволишь, я продолжу рассказ по порядку, — сказал Медоуз, разглядывая свои руки. — Не собираюсь распространять грязные сплетни. А меньше всего хотел бы делиться ими с тобой. Здесь и так несут порой столько чепухи, что от этого любого может стошнить.

— Я все равно выясню, — заявил Тернер с помертвевшим лицом. — Просто уйдет больше времени, но это не твоя забота.

— Стоял собачий холод, — продолжал Медоуз. — Льдины плавали по реке. Было так красиво, если ты способен это вообразить. Все организовали, как и обещал Лео: ром и кофе для взрослых, какао для детей. Мы радовались жизни, подобно беззаботным кузнечикам. Отправились мы из Кёнигсвинтера, где сначала зашли к нему в гости и немного выпили на дорожку. А потом поднялись на борт. И с этого момента Лео не оставлял своим вниманием меня и Миру. Он откровенно выделял нас среди прочих и не скрывал этого. Могло показаться, что для него мы были там единственными пассажирами. Мире это понравилось. Он закутал ей плечи шалью, рассказывал анекдоты, шутил... Я ведь не слышал ее смеха ни разу после Варшавы. А она не уставала твердить: «Давно мне не было так хорошо. Уже много лет».

— Какие анекдоты он рассказывал?

— Главным образом истории из собственной жизни. Их у него оказалось великое множество. Например, однажды в Берлине он опрокинул тележку с папками прямо посреди плаца для парадов, где как раз тренировались кавалеристы. И вот картина: старшина гарцует на коне, а внизу Лео возится со своей тележкой... Он мог подражать всем голосам, наш Лео. Вот он говорит как старшина, сидящий верхом, а через секунду — уже кричит басом капрала из охраны. Даже умел изобразить звук горна и все такое. У него просто дар, настоящий талант. Очень занимательный рассказчик Лео... Очень.

Он пристально посмотрел на Тернера, будто ожидал возражений, но лицо Тернера оставалось бесстрастным.

— На обратном пути он отвел меня в сторонку. «На два слова, Артур. Строго между нами», — говорит. В своей обычной манере. Тихо и сдержанно. Ну, ты же знаешь, как у него это получалось.

— Нет, не знаю.

— Всегда сугубо конфиденциально и доверительно. Словно ты для него человек особенный. «Артур, — говорит он мне, — Роули Брэдфилд недавно посылал за мной. Меня хотят перевести в референтуру, тебе в помощь. Но, прежде чем согласиться или отказаться, мне бы хотелось узнать, что ты *сам* думаешь по этому поводу». Сделал вид, что отдает мне право на окончательное решение, понимаешь? Если идея окажется мне не по нраву, он останется на прежнем месте — вот к чему он клонил. Не скрою, для меня такой разговор стал полнейшей неожиданностью. Я не представлял, как следовало отнестись к его переходу. В конце концов, он считался кем-то вроде всего лишь второго секретаря... И моей изначальной реакцией стало отторжение. Мерещилось здесь что-то глубоко неверное. А еще, если начистоту, я не до конца ему поверил. А потому сразу поинтересовался: «У вас есть хотя бы какой-то опыт архивной работы?» Да, отвечает, но очень давний, однако вернуться в архив было прямо-таки его мечтой.

— Так когда же это было?

— Когда было что?

— Когда он успел приобрести архивный опыт?

— В Берлине, надо полагать. Я не стал выяснять деталей. Даже позже не расспрашивал о подробностях. Все знали: не надо задавать Лео слишком много вопросов о его прошлом, потому что неизвестно, на какой ответ напорешься.

Медоуз покачал головой.

— И вот он стоял передо мной в ожидании решения своей судьбы. Мне его перевод представлялся ошибкой, но как я мог ему это подать в мягкой форме? «Предоставим все Брэдфилду, — сказал я через какое-то время. — Если он вас ко мне направит и вы не возражаете, то работы хватит с лихвой». Скажу откровенно, некоторое время проблема нервировала меня. Я даже собирался обсудить ее с Брэдфилдом, но передумал. Самое лучшее, показалось мне, пустить дело на самотек. Возможно, я больше вообще ничего о нем не услышу. И какое-то время так и было. Состояние Миры снова резко ухудшилось, а потому дома возник кризис типа «кто здесь главный?». К тому же в Брюсселе началась свара из-за цены на золото. И Карфельд с барабанным боем маршировал повсюду во главе своих колонн. Приходилось справляться с делегациями, приезжавшими из Англии, акциями протеста профсоюзов, бывшими коммунистами и еще бог знает с чем. Референтура напоминала растревоженный улей, и вопрос с Хартингом начисто вылетел у меня из головы. К тому моменту его избрали общественным секретарем клуба автолюбителей, но больше мы практически нигде с ним не пересекались. Я хочу сказать, для меня он отошел на самый дальний план. Приходилось думать о слишком многих других вещах одновременно.

— Понимаю.

— Но вдруг — гром среди ясного неба. Брэдфилд вызывает меня к себе. Как раз незадолго до праздников — двадцатого декабря. И первое, о чем он меня спрашивает: как мы справляемся с программой уничтожения устаревшей документации? Я оказался в полном замешательстве. В последние месяцы мы были настолько перегружены, что программа избавления от старых бумаг вообще никого не волновала. О ней забыли напрочь.

— С этого места подробнее, пожалуйста. Мне нужны все детали: и крупные и мелкие.

— Я признался, что мы сильно отстаем от графика. Что ж, говорит он, в таком случае буду ли я возражать, если он пришлет мне кого-то в помощь? Человека, который приступит к работе в референтуре и приведет дела с уничтожением старья в порядок? Поступило такое предложение, заявил он, но пока ничего определенного, и он хотел сначала обсудить его со мной. Предложение заключалось в том, что помочь мне мог, например, Хартинг.

— От кого поступило предложение?

— Он не сказал.

Внезапно вопрос стал важен для них, и оба по своим причинам были озадачены и заинтригованы.

— К чьим предложениям когда-либо прислушивался Брэдфилд? — спросил Медоуз. — Здесь что-то не сходится.

— Мне тоже так показалось, — признал Тернер, и снова повисло молчание.

— Значит, ты сказал, что примешь его к себе?

— Нет, я выложил ему правду. Он мне не нужен, сказал я.

— Он не *был* тебе нужен? И ты заявил об этом Брэдфилду?

— Не надо на меня давить. Брэдфилд сам отлично знал, что я ни в ком не нуждаюсь. И уж точно не для программы уничтожения. Я побывал в нашем главном архиве в Лондоне и поговорил с ними. В ноябре, как раз когда Карфельд задал всем взбучку. Сказал, что меня тревожит состояние программы, и мы значительно с ней отстаем, а потом спросил, нельзя ли отложить ее до завершения кризиса. В архиве мне сказали, что спешки нет.

Тернер удивленно уставился на него:

— И Брэдфилд знал об этом? Ты уверен, что знал?

— Я отправил ему запись своей беседы. Но он даже не упоминал о моем рапорте. Позже я поинтересовался у его личной помощницы, и она заверила меня, что совершенно точно передавала ему бумагу.

— А где он сейчас? Где хранится эта запись?

— Пропала. Это была простая служебная записка, и Брэдфилд мог сам решать, сохранить ее или нет. Но о записи беседы знали в архиве и потом очень удивились, что Брэдфилда так волнует программа уничтожения.

— С кем именно ты беседовал в архиве?

— Сначала с Максвеллом, потом с Коудри.

— Ты напомнил об этом Брэдфилду?

— Я хотел напомнить, но он оборвал меня, стоило мне начать. Закрыл тему сразу. «Все уже решено, — говорит. — Хартинг присоединяется к тебе с середины января. Будет отвечать за досье по персоналиям и за программу уничтожения». Словом, хочешь не хочешь, а пилюлю проглоти. «Можешь забыть, что он числится дипломатом, — сказал он. — Обращайся с ним как с любым другим подчиненным. Обращайся с ним по своему усмотрению. Но в середине января он переходит к тебе, и это не обсуждается». Ты же знаешь, как легко он избавляется от ненужных ему людей. Особенно таких, как Хартинг.

Тернер строчил в блокноте, но Медоуз не обращал на это внимания.

— Вот так он и пришел ко мне. Я не хотел с ним работать, не доверял ему (по крайней мере, доверял не полностью) и, по всей видимости, каким-то образом с самого начала дал это понять. Мы по горло погрязли в работе, и у меня не было желания терять время на тактичное поведение с людьми типа Лео. Как еще я мог вести себя с ним?

Девушка принесла чай. Чехол из коричневой шерсти сохранял тепло чайника, а каждый кубик сахара был завернут в отдельную бумажку с эмблемой НААФИ. Тернер улыбнулся ей, но она никак на это не прореагировала. До него донесся чей-то громкий крик — то и дело упоминалось имя Хартинга.

— Говорят, в Англии все тоже обстоит не самым лучшим образом, — сказал Медоуз. — Разгул насилия, демонстрации, протесты по любому поводу. Что не так с вашим поколением? А главное, в чем мы провинились перед вами? Вот чего я не могу понять.

— Начнем с момента его прибытия, — сказал Тернер.

Так и должно было произойти. Вот что значит иметь отца, которому ты безгранично верил, придерживаться его моральных принципов самих лишь принципов ради, но при этом быть разделенным с ним пропастью шириной с Атлантику.

— Когда Лео появился, я сразу сказал ему: «Держись в сторонке, Лео. Не путайся у меня под ногами и не беспокой зря других сотрудников». Он принял это покорно, как овечка. «Будет сделано, Артур. Все как вы скажете». Я спросил, есть ли ему чем заняться. Есть, отвечает. Персональные досье на какое-то время обеспечат его работой.

— Это похоже на сон, — тихо заметил Тернер, отрываясь наконец от своих записей. — Сладкий сон. Сначала он подминает под себя клуб автомобилистов. Переворот, совершенный в одиночку, — чисто партийная тактика. Я возьму на себя всю грязную работу, а вы пока отдыхайте. Затем он обрабатывает тебя, потом Брэдфилда, и уже через пару месяцев вся референтура в его распоряжении. Как он себя проявил? Был дерзким, нахальным? Как мне представляется, он едва ли умел выносить насмешки над собой.

— Он вел себя тихо. Никогда не дерзил. Я бы даже уточнил: проявлял покорность. То есть оказался совершенно не тем человеком, каким мне его описывали.

— Кто описывал?

— О... Даже не скажу сразу. Он многим не нравился, но еще больше было у него обычных завистников.

— Завистников? Чему же они завидовали?

— Во-первых, он имел дипломатический статус, верно? Пусть даже временный. Ходили разговоры, что уже через две недели он здесь будет руководить, забрав себе процентов десять всех досье. Ну, ты знаешь такого типа пересуды. Но он изменился. Всем пришлось признать это. Даже молодому Корку и Джонни Слинго. По их словам, можно было легко определить, с какого времени. Когда разразился подлинный кризис. Он его как-то сразу отрезвил, —

Медоуз покачал головой, словно мысль эта была ему крайне неприятна. — И он оказался действительно полезен.

— Только не говори мне, что он тебя этим изумил.

— Я сам не понимаю, как ему удалось. Он ничего не понимал в архивном деле. По крайней мере, в нашей области. И не припомню, чтобы он просил помощи у кого-то из сотрудников, но к середине февраля папка с персональными досье оказалась готова, оформлена, подписана и отправлена, а программа уничтожения документов вошла в нормальную колею. Мы все трудились, справляясь с Карфельдом, Брюсселем, кризисом коалиции и прочими проблемами. И тут же пристроился Лео, непоколебимый, как скала, решая свои мелкие вроде бы задачи и тоже справляясь с ними. Никому не приходилось ни о чем просить его дважды. Предполагаю, отчасти в этом крылся секрет его успеха. Он обладал поразительной памятью. Усвоит информацию, исчезнет, утащит в свой угол, а через несколько недель явится с готовым решением, когда ты сам об этом и думать перестал. Сомневаюсь, что он забыл хотя бы единственное слово, когда-либо кем-то ему сказанное. Он умел слушать глазами, наш Лео, — Медоуз снова помотал головой, реагируя на пришедшие воспоминания. — Ходячая Память — такое прозвище дал ему Джонни Слинго.

— Важное качество. Для архивного работника, разумеется.

— Ты на все смотришь иначе, — сказал Медоуз после очередной паузы. — Не способен отличить хорошее от дурного.

— Так расскажи мне, в чем я заблуждаюсь, — бросил Тернер, продолжая непрерывно писать. — Я буду тебе только благодарен. Весьма благодарен.

— Программа уничтожения — игра сама по себе странная, — начал Медоуз задумчивым тоном человека, которого попросили сделать обзор своих профессиональных обязанностей. — Только поначалу кажется, что нет ничего проще. Ты выбираешь досье. Причем большое. Скажем, тематическое, разделенное на двадцать пять отдельных папок. Возьмем, к примеру, «Разоружение». Вот уж действительно пухлое дело! Ты начинаешь с последних страниц, проверяя датировку и содержание, так? И что обнаруживаешь? Ликвидацию промышленности Рура, сорок шестой год. Политику контрольной комиссии относительно выдачи лицензий на стрелковое оружие, сорок девятый год. Восстановление германского военного потенциала, пятидесятый год. Некоторые документы устарели так, что просто обхохочешься. Для сравнения ты просматриваешь современные материалы. И что находишь? Боеголовки для ракет бундесвера. Разница словно в миллион лет. Хорошо, говоришь ты, давайте сожжем последние страницы, поскольку они уже не соответствуют реальности. Пятнадцать папок долой! Можно от них избавиться. Однако кто у нас ведет тематику разоружения? Ах, Питер де Лиль? Отправляешься к нему и интересуешься: «Можно уничтожить ваш архив вплоть до шестидесятого года?» «Не возражаю», — отвечает он, и ты можешь браться за дело. Вроде бы. Но не торопись. — Медоуз покачал головой. — Пока ты еще ничего не можешь. Ты еще не проделал и половины необходимой работы. Тебе не дозволено изъять десять самых ранних папок и швырнуть их в огонь. Есть ведь книга регистрации документов: кто-то должен вычеркнуть из нее входящие номера. Существует также картотека для прополки. В папках подшиты старые договоры? Отлично, получи согласие юридического отдела. Затронуты оборонные проблемы? Проконсультируйся с военным атташе. Отправлены дубликаты в Лондон? Нет. Тогда сиди и жди два месяца: запрещено уничтожать оригиналы документов без письменной санкции главного архива. Теперь понимаешь, что я имею в виду?

— В общих чертах, — отозвался Тернер, ожидая продолжения.

— А ведь имеются еще и ссылки на одни документы в других. Они подшиты в папки по смежным тематикам. Как это их затрагивает? Тоже подлежат уничтожению? Или лучше на всякий случай сделать для них исключение? И вскоре ты уже сам перестаешь понимать, что предпринять. Слоняешься по референтуре, стараясь предусмотреть любые возможные ошибки и скрытые подвохи. Стоит лишь начать, и конца-края не видно. Больше нет никакой ясности.

— Как мне кажется, его подобная ситуация устраивала идеально.

— Нет никаких ограничений по доступу, — сказал Медоуз, словно отвечая на заданный ему вопрос. — Для тебя это, вероятно, непостижимо, но это единственная система, в которой я вижу логику. Каждый из нас может просматривать все что угодно — таково мое правило. Если ко мне присылают человека, я обязан ему доверять. Другого способа руководить этим подразделением не существует. Я не могу постоянно устраивать проверки, вынюхивая, кто и чем интересуется, верно? — спросил он, не заметив изумленного взгляда Тернера. — А он оказался здесь как рыба в воде. Я был просто поражен. Выглядел совершенно счастливым, что само по себе казалось странным. Он был доволен новой работой, а вскоре и я сам почувствовал удовлетворение от его деятельности. Он оказался компанейским малым. — Медоуз ненадолго замолчал. — Единственное, что по-настоящему не нравилось нам всем, — продолжил он с нежданной улыбкой, — так это привычка Лео курить свои рыжие сигары. Голландские из яванского табака — его любимый сорт, по-моему. Он провонял ими все вокруг. Мы порой подтрунивали над его пристрастием, но он не обижался и ничего не хотел менять. И знаешь, мне теперь не хватает запаха его сигар, — добавил он тихо. — Он был бы не на своем месте в канцелярии — там работают люди иного сорта, но и первый этаж ему не подходил, по моему мнению. Только здесь он нашел себя. — Медоуз наклонил голову в сторону закрытой двери. — У нас ведь порой атмосфера как в магазине. Есть клиенты, есть свой коллектив обслуживающего персонала. Джонни Слинго, Валери... Они тоже прониклись к нему симпатией, и это многое объясняет. Ведь все приняли его в штыки, когда он только пришел, а в течение недели с ним уже поладили, вот в чем правда. Есть в нем нечто такое, свой подход к людям. Знаю, о чем ты сейчас подумал: он льстил моему эго. И точно, льстил. Каждому нравится, когда его любят, а он любил нас всех. Конечно, я одинок, Мира — источник сплошных тревог, я потерпел поражение в роли отца, и у меня никогда не было сына. Этот аспект тоже, разумеется, нельзя исключать, как я полагаю, хотя у нас с ним разница в возрасте всего десять лет. Возможно, суть заключалась в том, что он такой маленький.

— Но приударить за девушками любил, не так ли? — спросил Тернер скорее для того, чтобы нарушить снова воцарившееся неловкое молчание, а не потому, что заранее заготовил вопрос.

— Только забавы ради.

— Слышал о женщине по фамилии Эйкман?

— Нет.

— Маргарет Эйкман. Они были помолвлены и хотели пожениться. Она и Лео.

— Ничего не знаю об этом.

Они по-прежнему по возможности избегали смотреть друг на друга.

— И работа ему тоже нравилась по-настоящему, — продолжил Медоуз. — Особенно в те первые недели. Думаю, только тогда до меня дошло, как много он знает в сравнении с любым из нас. Я имею в виду о Германии. Лео глубоко врос в ее почву.

Он снова сделал паузу, предавшись воспоминаниям, словно все случилось лет пятьдесят назад.

— И тот мир он тоже хорошо знал, — добавил он. — Снизу доверху. Снаружи и изнутри.

— Какой мир ты имеешь в виду?

— Послевоенную Германию. Оккупацию. Годы, о которых немцы больше не хотят вспоминать. Знал его как свои пять пальцев. «Артур, — однажды сказал он мне, — я видел эти города, когда их почти сровняли с землей. Я слышал, как эти люди разговаривали, хотя сам их язык попал под запрет». Конечно, иногда они поражали его самого. Я порой заставал его за чтением досье, сидевшим тихо, как мышонок, глубоко увлеченным. Или же он поднимал взгляд, осматривал комнату в поисках кого-то в тот момент свободного, чтобы поделиться с ним удивительной находкой. «Только послушай, — говорил он, например. — Разве не поразительно? Мы расформировали эту компанию в сорок седьмом году. И вот во что она уже снова успела превратиться!» А подчас он погружался так глубоко в свои мысли, что ты полностью терял с ним контакт. Он витал где-то очень далеко. Думаю, ему самому часто доставляли неудобства столь обширные познания. Это было странно. Он порой ни с того ни с сего чувствовал себя виноватым. Впрочем, любил поговорить и о своей памяти. «Вы уничтожаете мое детство! — воскликнул он однажды, кода мы рвали папки, готовясь пропустить документы через шредер. — Так вы из меня старика сделаете». Я возразил: «Если я занимаюсь именно этим, то можешь считать себя счастливчиком. Тебе на редкость везет». Мы тогда еще посмеялись вместе.

— Он когда-нибудь обсуждал с тобой политику?

— Нет.

— А что говорил о Карфельде?

— Был обеспокоен его активностью. Вполне естественно. Это лишь усиливало его радость, что он помогает нам.

— Ну разумеется.

— Тут все дело в доверии, — сказал Медоуз почти раздраженно. — Тебе не понять. И в его словах заключалась истина. То старье, от которого мы избавлялись, оно и было его детством. Для нас — хлам. Для него — нечто крайне важное.

— Ладно, не кипятись.

— Послушай. Я ведь вовсе не пытаюсь его защищать. Насколько мне известно, он поставил крест на моей карьере. Уничтожил последнее, что от нее еще оставалось после того, как ее испоганил ты сам. Но все же должен внушить тебе: ты обязан видеть и его положительные стороны.

— А я и не пытаюсь с тобой спорить.

— Она действительно беспокоила его. Память. Взять хотя бы эпизод с музыкой. Он заставил меня слушать граммофонные пластинки. Главным образом для того, чтобы потом продать их мне, как я подозревал. Он провернул сделку, которой очень гордился, в одном из магазинов города. «Остановись, — сказал я. — Ничего путного из твоей затеи не выйдет, Лео. Ты попусту тратишь со мной время. Я слушаю одну пластинку, и она мне нравится. А потом слушаю другую, а предыдущую мелодию успеваю забыть». И он вдруг заявляет мне почти мгновенно: «Тогда вам следует стать политиком, Артур, — говорит он. — Это типичное их свойство». И он говорил вполне серьезно, спешу тебя заверить.

Тернер неожиданно широко улыбнулся:

— Смешно у него получилось.

— Было бы смешно, — возразил Медоуз, — если бы он не выглядел при этом чертовски злым. А в другой раз мы разговорились с ним о Берлине. Коснулись темы кризиса, и я сказал: «Что ж, придется смириться. Никто больше даже не думает о Берлине». Я говорил чистейшую правду. Возьми наши досье. Берлином больше никто не занимается, даже не рассматривает самых фантастических вариантов, как бывало поначалу. То есть в политическом смысле — это полнейший тупик, даже не тема для обсуждения. «Нет, вы не правы, — говорит тогда он. — У каждого из нас есть большая память и маленькие воспоминания. Маленькие воспоминания удерживают впечатления о мелочах, а большая память существует для того, чтобы забывать о главном». Вот как он выразился. И, признаюсь, я был тронут его словами. Ведь именно так мыслят в наши дни многие. Это стало неизбежным.

— Он приходил к тебе домой иногда, верно? И вы устраивали совместные вечера?

— Время от времени. Пока дома не было Миры. А бывало, я ускользал к нему в гости.

— А почему Миры не бывало дома? — Тернер задал этот вопрос с неожиданным напором. — Ты все же не до конца мог ему доверять или я не прав?

— О нем ходили разные слухи, — признал Медоуз, но без тени
смущения. — Всякие сплетни. Мне не хотелось, чтобы Мира оказалась в них замешана.

— Слухи о нем и о ком-то еще?

— Просто о разных девушках. О женском поле вообще. Он ведь
был холостяком и любил радости жизни.

— Так о ком еще?

Медоуз покачал головой.

— Ты снова все понимаешь превратно. — Он играл двумя
скрепками, пытаясь сцепить их.

— Лео когда-нибудь рассказывал тебе о том, что делал в Англии во время войны? О своем дяде в Хампстеде?

— Он рассказывал, как прибыл в Дувр с табличкой на груди.
Это тоже было необычно.

— Что такого необычного...

— Его рассказ о себе. Джонни Слинго сказал, что знал его четыре года до перехода в референтуру, но ни разу не слышал, чтобы
он хотя бы словом обмолвился о своем прошлом. А здесь он наконец раскрылся. Джонни считал это первым признаком старости.

— Продолжай.

— Так вот. У него при себе была только эта табличка с надписью: Лео Хартинг. Ему, конечно, обрили голову наголо, вывели
вшей и отправили в сельскую школу. Кажется, даже дали выбор:
обычное образование или сельскохозяйственное. Он выбрал фер-
мерство, потому что мечтал заиметь свой участок земли. Для меня
это стало сюрпризом, своего рода причудой. Я не мог вообразить
Лео в роли фермера, но так дело обстояло в то время.

— А он не рассказывал о связях с коммунистами? О группах
леваков из Хампстеда? Вообще ничего в таком роде?

— Ничего подобного.

— Ты бы со мной поделился, если бы что-то было?

— Сомневаюсь. Но ничего не было.

— Он упоминал о человеке по фамилии Прашко? Члене бундестага.

Медоуз какое-то время колебался.

— Рассказывал как-то вечером, что этот Прашко перестал
с ним общаться.

— Как? И почему перестал?

— Подробностей он не сообщил. Они вместе с Прашко эми-
грировали в Англию, а после войны вместе вернулись. Прашко

пошел своим путем, а Лео избрал другой: — Он пожал плечами. — Я не особенно допытывался. Зачем мне было знать детали? После того вечера я этой фамилии от него вообще больше не слышал.

— А все эти рассуждения о памяти? Что, как ты думаешь, он имел в виду?

— Он говорил в историческом смысле, насколько я понял. К истории он относился очень серьезно, часто размышлял о ней. Хотя не забывай, я веду речь о том, что происходило уже пару месяцев назад.

— Какая разница, когда это было?

— Разница в том, что потом он напал на нужный ему след.

— На что он напал?

— Нащупал какой-то след, — просто повторил Медоуз. — Я именно об этом хотел тебе рассказать.

— Но мне нужно услышать от тебя о пропавших досье, — настаивал Тернер. — Я хочу проверить все книги регистрации и входящую почту.

— Подожди, дойдем и до этого. Есть вещи, которые важнее обычных фактов, и если ты научишься слушать и концентрировать внимание в нужном направлении, то станешь их замечать. В этом смысле ты очень похож на Лео. Правда. Вы оба всегда хотите знать ответы, даже не уяснив для себя сути вопросов. Я вот пытаюсь втолковать тебе: с первого дня прихода Лео ко мне я знал — он ищет нечто особенное. Мы все почувствовали это. При всей скрытности Лео каждый видел: он выискивает что-то конкретное. Что-то такое, к чему почти можно прикоснуться, настолько важным оно для него было. В нашей конторе такое случается нечасто, уж поверь мне.

Теперь Медоуз взял на раздумье, как показалось, целую вечность, прежде чем продолжить:

— Понимаешь, архивист похож на историка. Всегда есть период времени, на котором он буквально помешан. Или место. Или личность. Короли, королевы. Наши досье косвенно обязательно связаны между собой. Иначе просто быть не может. Назови мне любую тему, которая только придет в голову. И я в соседней комнате найду тебе по цепочке все: от исландского законодательства для судовладельцев до последних инструкций касательно колебаний цены на золото. Вот чем увлекают досье. Они продолжаются, и нигде нельзя поставить финальную точку.

Медоуз больше не замолкал. Тернер всматривался в морщинистое, постаревшее лицо с подернутыми грустью серыми глазами и чувствовал, как в нем самом нарастает волнение.

— Ты думаешь, что руководишь архивом, — говорил Медоуз, — но это не так. На самом деле он руководит тобой. В архивном деле есть аспекты, которые просто захватывают, и ты уже ничего не можешь с этим поделать. Возьми, к примеру, того же Джонни Слинго. Ты видел его, когда впервые попал сюда. Он сидел слева от двери. Пожилой мужчина в куртке. Он принадлежит к числу истинных интеллектуалов. Окончил хороший колледж, имеет блестящее образование. Джонни проработал у нас всего год и перевелся, между прочим, из административного отдела, но теперь его полностью увлек раздел девять-девять-четыре. Отношения ФРГ с третьими странами. Только попроси, и он часами будет рассказывать тебе обо всех аспектах доктрины Хальштейна*, цитировать наизусть целые параграфы, укажет точные даты всех переговоров, когда-либо проводившихся по этому вопросу. Или мой случай. Я же по призванию — механик. Обожаю автомобили, занимался изобретательством и досконально разбираюсь в технических устройствах. Но готов держать пари, что знаю гораздо больше о нарушениях патентных прав в Германии, чем любой сотрудник коммерческого отдела.

— На какой же след напал Хартинг?

— Подожди. То, о чем я тебе рассказываю, крайне важно. За последние двадцать четыре часа я много раздумывал над этим, чтобы ты все услышал предельно ясно, нравится тебе это или нет. Итак, досье захватывают тебя, и здесь ты бессилен что-либо сделать. И они начнут управлять твоей жизнью, стоит им только позволить. Многим они заменяют жену и детей. Я повидал немало таких людей. Порой досье овладевают тобой, ты нападаешь на какую-то тему, на некий след, и уже не в состоянии сойти с него. Так было и с Лео. Не знаю в точности, как такое происходит. Просто обычный документ вдруг привлекает твое внимание. Порой что-то пустяковое, случайное: угроза забастовки работников сахарных заводов Сурабаи — это сейчас стало нашей излюбленной

---

* Доктрина Хальштейна — принята в 1955 г. правительством ФРГ, стремившимся к международной изоляции Германской Демократической Республики; предусматривала разрыв дипломатических отношений с любой страной, признавшей ГДР; действовала до 1970 г.

шуткой. «Минуточку! — говоришь ты себе. — А почему мистер Такой-То списал это в архив?» Проводишь проверку. И оказывается, что мистер Такой-То даже не ознакомился с сутью вопроса. Он не удосужился вообще прочитать телеграмму. Что ж, значит, ему следует вернуться к ней, верно? Но вот только прошло три года, и мистер Такой-То теперь наш посол в Париже. И тогда ты сам начинаешь выяснять, какие действия были предприняты или же не предприняты в этой связи. С кем консультировались? Почему не поставили в известность Вашингтон? Ты отыскиваешь дополнительные материалы, добираешься до самых истоков проблемы. И к этому моменту отступать уже поздно. Ты теряешь ощущение реальных масштабов событий, тема поглощает тебя целиком, а когда избавляешься от наваждения, то оказывается, что ты постарел на десять дней, не став ни на йоту мудрее, зато, быть может, на пару лет у тебя выработается иммунитет к повторению подобного. Одержимость. Вот как это называется. Твое личное путешествие в неизвестность. Это происходит с каждым из нас. Так уж, наверное, мы устроены.

— И с Лео произошла такая же история?

— Да, да, с Лео вышло именно это. Вот только с первого дня его появления здесь у меня возникло ощущение, что он... чего-то ждет. Я просто судил по его манере поведения, по способу обращения с документами... Он постоянно поглядывал поверх страницы. Я смотрю на него и вижу, что его карие глазки устремлены на меня. И так каждый раз. Знаю, ты скажешь, я слишком мнительный, но для меня не имеет значения твое мнение. Я ведь не видел в этом ничего особенного. С какой стати мне было его в чем-то подозревать? У каждого из нас хватало своих проблем, и, кроме того, к тому времени мы тут уже трудились, как рабочие на фабричном конвейере. Я обдумал это и говорю тебе правду. Ничего особенного не происходило. Просто я заметил странность, вот и все. Но затем он постепенно напал на след.

Внезапно раздался громкий звонок. Призывный и настойчивый звук разносился по коридору. Они услышали, как захлопали двери, после чего коридор наполнился шумом торопливых шагов. Какая-то женщина выкрикивала:

— Валери? Где Валери?

— Учебная пожарная тревога, — объяснил Медоуз. — У нас их устраивают два или три раза в неделю. Но не стоит беспокоиться. Для работников референтуры сделали исключение.

Тернер снова сел в кресло. Он выглядел бледнее, чем прежде. Провел пальцами могучей руки по всклокоченной светлой шевелюре.

— Тогда я продолжаю тебя слушать, — сказал он.

— Еще с марта он начал работу над крупным проектом. Взялся за раздел семь-ноль-семь. Это документация по поводу различных статусов и разграничения полномочий. Там папок двести или около того. В основном материалы касаются передачи власти по окончании периода оккупации. Условия вывода войск, права на оставшееся имущество, права возвращения на прежнюю службу, фазы введения автономного управления и Бог весть что еще. Все относится к периоду с сорок девятого по пятьдесят пятый год. К текущей ситуации не имеет никакого отношения. Во время уничтожения документов он мог остановиться на любом другом из десятков разделов, но как только напал на семь-ноль-семь, больше для него ничего уже не существовало. «Я нашел то, что мне нужно, Артур, — сказал он. — В самый раз для меня. На этом я приобрету необходимый опыт. Я ведь отлично знаю, о чем здесь речь. Знакомая тема». Не думаю, чтобы кто-то касался этих папок хотя бы раз за последние пятнадцать лет. Но пусть документы и устарели, они не утратили своей важности. Огромное количество методических описаний, технических деталей. Но не забывай, как много знал Лео. Все термины — и английские, и немецкие — все юридические обороты, — Медоуз восхищенно помотал головой. — Я видел его докладную, направленную атташе по юридическим вопросам с кратким изложением одного досье. Уверен, сам я никогда бы не сумел составить такое. И едва ли смог бы кто-то другой из сотрудников канцелярии. Там говорилось об уголовном кодексе Пруссии и о региональных органах правосудия. Кроме того, текст наполовину был написан по-немецки.

— Он знал больше, чем хотел показать. Ты к этому клонишь?

— Нет, вовсе нет, — ответил Медоуз. — И не надо приписывать мне слова, которых я не произносил. У него все-таки действительно был опыт, вот что я хочу сказать. Он хранил знания и навыки, которыми очень долго не пользовался. И внезапно все это оказалось полезным в работе.

После паузы Медоуз продолжил:

— Семь-ноль-семь, вообще говоря, не подлежал уничтожению. Папки следовало отправить в Лондон, чтобы там избавились от них, но прежде кто-то должен был с ними ознакомиться, как с любыми другими материалами, и он целиком сосредоточился на них последние несколько недель. Я уже упомянул, насколько тих и незаметен он был здесь, — и это в самом деле так. А по мере того как он углублялся в досье по статусам, становился все более и более незаметным. Он пошел по следу.

— Когда это произошло?

На последней странице блокнота Тернера был напечатан календарь, и он открыл его.

— Три недели назад. Он погружался в тему все сильнее и сильнее. Но вел себя в привычной манере, заметь. Мог вскочить, чтобы придвинуть женщине стул или помочь донести пакеты из магазина. Но что-то его уже захватило. Нечто, очень многое для него значившее. Хотя и его излишнее любопытство никуда не делось. Такое не лечится. Он всегда хотел досконально знать, чем занят каждый из нас. А сам хранил свои секреты, причем все тщательнее. Стал относиться к самому себе очень серьезно. А потом в понедельник... Да, в понедельник, неожиданно изменился.

— То есть ровно неделю назад, — заметил Тернер. — Пятого числа.

— Как? Всего семь дней прошло? Всего-то? Господи!

До них донесся острый запах расплавленного сургуча, а потом приглушенный стук печати, наложенной, похоже, на конверт.

— Готовят к отправке двухчасовую почту, — пробормотал Медоуз и посмотрел на серебряные карманные часы. — Все должно быть собрано к двенадцати тридцати.

— Я вернусь после обеда, если так тебе удобнее.

— Мне бы хотелось полностью разделаться с тобой раньше, — сказал Медоуз. — Не возражаешь? — Он убрал часы в карман. — Где он сейчас? Тебе это известно? Что с ним случилось? Сбежал в Россию, верно?

— Ты так считаешь?

— Он мог отправиться куда угодно. Это совершенно непредсказуемо. Он не был похож на нас. Старался стать похожим, но не вышло. Он скорее твоего типа человек, как мне кажется. По крайней мере отчасти. С вывертом. Он был всегда занят каким-то делом, но брался за него с конца, а не с начала. Для него ничто не представлялось простым — вот в чем заключалась проблема. Слишком много детства. Или оно вообще отсутствовало. Если разобраться, то результат один и тот же. Мне же нравятся люди, которые взрослели постепенно.

— Расскажи о прошлом понедельнике. Он изменился. Каким образом?

— Изменился в лучшую сторону. Словно стряхнул с себя одержимость, в чем бы она ни заключалась. След привел его куда-то и оборвался. Когда я вошел в то утро, он улыбался и выглядел очень довольным. Джонни Слинго, Валери заметили перемену, как и я сам. Но мы, конечно, трудились не покладая рук. Я провел здесь бóльшую часть субботы и все воскресенье. Остальные тоже время от времени наведывались.

— А Лео?

— Лео? Он был занят, как и мы все, тут нет сомнений, но при этом мы его почти здесь не видели. Час в этой комнате, три часа в другой.

— В какой другой?

— В своем кабинете внизу. Он иногда так делал. Брал несколько папок вниз, чтобы поработать над ними там. В более спокойной обстановке. «Надо держать кабинет в тепле, Артур, — говорил он мне. — Это моя старая обитель, и я не могу позволить себе выстудить ее».

— Значит, он мог уносить досье из помещения референтуры? — очень тихо спросил Тернер.

— А была еще и церковь. Это занимало у него часть времени по воскресеньям. Игра на органе, разумеется.

— Между прочим, давно ли он начал этим заниматься?

— О, много лет назад. Для него орган тоже служил подстраховкой, — сказал Медоуз со смехом. — Он же хотел быть незаменимым.

— Значит, в понедельник он казался счастливым?

— И при этом возвышенно счастливым. Другого определения не подберешь. «Мне все здесь очень нравится, Артур, — сказал он. — Хочу, чтобы вы знали об этом». А потом сел и взялся за работу.

— И таким он оставался до самого исчезновения?

— Более или менее.

— Как понимать твое «более или менее»?

— Сказать по правде, мы немного повздорили. Это произошло в среду. Он выглядел довольным еще во вторник. Радостным, как мальчишка, играющий в песочнице. А в среду я поймал его.

Он положил руки на колени и разглядывал их, склонив голову.

— Лео пытался заглянуть в зеленую папку. Совершенно секретные материалы. — Чуть нервно Медоуз пригладил волосы. — Он всегда проявлял излишнее любопытство, как я тебе говорил. Люди такого типа ничего не могут с собой поделать. Причем не имело значения, чего это касалось. Я мог случайно забыть на столе письмо от матери. И голову даю на отсечение — появись у Лео шанс, он бы непременно прочитал его. Он почему-то всегда считал, что окружающие замышляют против него заговоры. Поначалу это выводило нас из себя. Он просматривал все, что подворачивалось под руку. Папки, коробки — без разницы. Не проработав у нас и недели, он стал сам забирать почту и расписываться в получении. Лично тащил все из экспедиторской. Я первое время возражал, но он так обиделся, когда мне вздумалось запретить ему это, что в итоге пришлось уступить. — Медоуз беспомощно развел руками. — Затем в марте из Лондона поступили особые инструкции по развитию торговых отношений. Указания относительно создания новых совместных предприятий и перспективного планирования, и я заметил, что вся кипа документации лежит у него на письменном столе. «Взгляни-ка сюда, — сказал я. — Ты читать разучился? Здесь написано, что бумаги распределяются строго по приложенному списку. Ты в нем не значишься». Он и глазом не моргнул. Хотя разозлился всерьез. «Я считал, что имею допуск ко всему!» — воскликнул он. Мне показалось, он был готов чуть ли не ударить меня. «Что ж, ты ошибался», — ответил я. Это было в марте. Нам обоим понадобилась пара дней, чтобы остыть.

— Боже, спаси и сохрани нас, — почти прошептал Тернер.

— А потом случай с зеленой папкой. Доступ к ней крайне ограничен. Я сам не знаю, что в ней, Джонни не знает, Валери не знает. Папка хранится в отдельной металлической коробке. Один ключ есть у посла. Второй — у Брэдфилда. Он у них общий с де Лилем. И каждый вечер эту папку в коробке обязаны доставлять в сейфовую комнату. Расписка обязательна при ее получении и при сдаче, а мне поручен надзор за соблюдением инструкции. Так вот. Дело было в обеденное время в среду. Лео оставался здесь один. Мы с Джонни спустились в столовую.

— Он часто задерживался здесь в обед?

— Да, ему нравилось побыть немного в одиночестве и покое.

— Понятно.

— В столовой образовалась длинная очередь, а я терпеть не могу очередей и потому сказал Джонни: «Оставайся здесь, а я пока пойду немного поработаю и вернусь через полчаса». Вот как получилось, что я вошел неожиданно и почти неслышно. Лео в регистратуре не оказалось, зато дверь сейфовой комнаты оставили открытой. И он стоял там с металлической коробкой в руках.

— Что значит «с коробкой в руках»?

— Он просто держал ее. И разглядывал замок, насколько мне показалось. Словно ему и это было любопытно. Заметив меня, он улыбнулся, но остался совершенно невозмутимым. Находчивый малый, как ты, вероятно, уже понял. «Ну вот, Артур, — говорит, — вы и поймали меня, раскрыли мою тайную вину». Я спросил в ответ: «Какого дьявола ты задумал? Посмотри, что ты держишь в руках!» Что-то в этом роде. «Но вы же знаете меня, — сказал он с совершенно обезоруживающей улыбкой. — Я просто не в состоянии себя сдержать». И поставил коробку на место. «Вообще-то, я искал здесь кое-что из семь-ноль-семь. Вам, случайно, ничего оттуда не попадалось? За март и февраль пятьдесят седьмого». Что-то в таком духе.

— А потом?

— Я процитировал ему закон о государственной тайне. Больше ничего не оставалось, верно? Предупредил, что доложу о его поступке Брэдфилду. Расскажу все. Меня просто распирало от гнева.

— Но ты ничего не предпринял?

— Нет.

— Почему?

— Ты все равно не поймешь, — сказал Медоуз, немного помедлив. — Ты ведь считаешь меня слишком мягкотелым, я знаю. В пятницу у Миры был день рождения, и мы специально для нее устраивали в клубе праздник. Но у Лео была намечена репетиция хора и потом какой-то важный ужин.

— Ужин? Где именно? С кем?

— Он никому не рассказывал.

— В его ежедневнике нет никаких записей по этому поводу.

— Меня это не касается.

— Продолжай.

— Но он пообещал непременно заглянуть ненадолго и вручить ей подарок. Это был фен. Мы его вместе выбирали. — Он снова помотал головой. — Как тебе объяснить, ума не приложу. Я уже говорил: в какой-то степени я чувствовал за него ответственность. Он был человеком такого рода. При желании не только ты, но и я сам мог бы уложить его одной левой.

Тернер смотрел на Медоуза с изумлением.

— И, как полагаю, сыграло роль кое-что еще. — Медоуз решительно посмотрел на Тернера. — Если бы я доложил Брэдфилду, это означало бы конец. Для Лео, разумеется. А деваться ему было некуда. В самом деле, совершенно некуда. Понимаешь, о чем я? Так и сейчас. Я действительно надеюсь, что он сбежал в Москву, поскольку больше его нигде не примут.

— Ты хочешь сказать, у тебя имелись относительно него определенные подозрения?

— Да, вероятно. Где-то в глубине души я его подозревал. Варшава приучила меня к этому, тебе ли не знать. Я же искренне хотел, чтобы Мира обосновалась там со своим студентом. Хотя мне все известно. Его ей намеренно подставили, принудили соблазнить ее. Но ведь он обещал жениться на ней всерьез, правда? Хотя бы ради ребенка. А я бы обожал этого младенца так, что и сказать не могу. Вот что вы у меня отняли. И у нее тоже. В этом вся суть. Ты не должен был делать этого, понимаешь?

Тернер в этот момент испытывал благодарность за шум транспорта на улице, за любые звуки, проникавшие в этот проклятый металлический танк, заменявший комнату, ведь эти звуки чуть заглушали эхо голоса Медоуза, обвиняющего, хотя и такого ровного, негромкого.

— А в четверг коробка пропала?

Медоуз небрежно передернул плечами:

— Из личной приемной ее вернули в четверг около полудня. Я, как обычно, расписался за нее и оставил в сейфовой комнате. В пятницу ее там не оказалось. Вот и все.

Он сделал паузу.

— Я должен был сразу доложить об этом. Бегом броситься к Брэдфилду еще в пятницу после обеда, когда хватился ее. Но не сделал этого. Решил, что утро вечера мудренее. Размышлял над проблемой всю субботу. При этом от злости чуть не откусил Корку голову, набросился на Слинго, устроил им обоим веселую жизнь. Я просто сходил с ума. Но не хотел поднимать панику зря. В кризисное время чего мы только не теряли. У людей словно руки чесались. Кто-то уволок нашу тележку. Не знаю, кто именно, но догадываюсь: один из помощников военного атташе. Стащили одно из наших вращающихся кресел. Из машбюро пропала пишущая машинка с особо длинной кареткой. Кто-то терял свои ежедневники. Даже чашки НААФИ из столовой куда-то деваются. И потом я придумывал разные возможные причины. Кто-то, имевший доступ, мог снова взять коробку: де Лиль или секретарь посла...

— А у Лео ты не спрашивал?

— Он тоже к тому времени исчез, или ты забыл об этом?

Тернер снова вернулся к режиму обычного допроса:

— У него был портфель?

— Да.

— Ему разрешалось проносить его в эти помещения?

— Он приносил термос и сандвичи.

— Значит, разрешалось?

— Да.

— Портфель был при нем в четверг?

— Кажется, был. Да, определенно был.

— Он достаточно велик, чтобы вместить коробку с зеленой папкой?

— Да.

— В четверг Лео обедал здесь?

— Примерно в полдень он куда-то ушел.

— А когда вернулся?

— Я же объяснял тебе: четверг был для него особенным днем. Днем совещаний. Отрыжка его прежней работы. Он посещал одно из министерств в Бад-Годесберге. Что-то по поводу не решенных прежде вопросов с жалобами. Как я предполагаю, в прошлый четверг он сначала с кем-то пообедал, а потом отправился на деловую встречу.

— И у него такие встречи происходили каждый четверг. Всегда?

— С тех пор как его перевели в референтуру.

— У него был свой ключ, не так ли?

— Что ты имеешь в виду? Ключ от чего?

Тернер почувствовал себя уже не так уверенно.

— Чтобы самому входить в референтуру и покидать ее? Или там наборный замок с цифровым кодом?

Медоуз от души рассмеялся:

— Только я и глава канцелярии знаем, как сюда войти и как выйти. Больше никто. Три замка с разными комбинациями и полдюжины устройств охранной сигнализации, а есть еще замок сейфовой комнаты. Кодов не знает ни Слинго, ни де Лиль. Никто, кроме нас двоих.

Тернер быстро делал записи в блокноте.

— А теперь расскажи мне, что еще пропало, — попросил он потом.

Медоуз отпер ящик своего стола и достал оттуда список. Его движения были точными и быстрыми.

— Значит, Брэдфилд не посвятил тебя в детали?

— Нет.

Медоуз подал ему список:

— Можешь сохранить на память. Сорок три единицы хранения. Все из особых папок и ящиков. Они начали пропадать примерно с марта.

— То есть с того времени, когда он, по твоим словам, напал на след.

— Степень конфиденциальности варьируется от «Секретно» до «Совершенно секретно», но большинство бумаг помечены грифом «Строго для служебного пользования». В списке досье из организационного отдела, отчеты о совещаниях, файлы по персоналиям и две копии проектов договоров. Тематика тоже разнообразная. От приказов закрыть предприятия химических концернов Рура в 1947 году до стенографических отчетов о неофициальных англо-германских переговорах на рабочем уровне за последние три года. Плюс зеленая папка — подробные протоколы официальных и неофициальных бесед...

— Об этом Брэдфилд меня как раз проинформировал.

— Можешь мне поверить, каждый документ похож на отдельный фрагмент мозаики... Это сразу бросилось мне в глаза... Я крутил и складывал их в голове так и сяк. Час за часом. Даже спать не мог. И временами... — Он осекся. — Временами мне казалось, что у меня формировалась идея и я вижу своего рода картину. Или хотя бы половину картины, так будет правильнее... — С явной неохотой он закончил мысль: — Но четкого рисунка здесь нет, как нет и очевидной причины. Одни бумаги сам Лео расписал для ознакомления сотрудникам, другие пометил: «Для уничтожения», но большинство просто исчезли. И невозможно сказать ничего конкретного. Нельзя даже точно определить масштаб пропаж. Пока одно из подразделений не запросит у тебя досье, а ты не выяснишь, что у тебя уже такого нет, хотя ты не знал об этом.

— Досье из особых фондов, так я понимаю?

— Да, я же сказал: по большей части секретные документы. Думаю, общий вес не менее ста фунтов.

— А письма? Ведь пропали еще и письма.

— Да, — сказал Медоуз, снова сделав над собой усилие. — Мы недосчитались тридцати трех входящих.

— Никем как следует не зарегистрированных писем, насколько я понял. Они просто лежали здесь и прочитать их мог любой? О чем они были, хотя бы тематика тебе известна?

— Мы ничего не знаем. Правда. Письма были из различных германских ведомств. По крайней мере, это ясно, ведь так их пометили в экспедиторской. На самом деле в референтуру письма даже не успели доставить.

— Но ты проверил и выяснил, что они поступили в посольство? Заметно напрягшись, Медоуз ответил:

— Пропавшие письма, если судить по отметкам при поступлении, имели отношение к пропавшим папкам. Серийные номера те же. Это все, что мы знаем. А поскольку их присылали немецкие организации, Брэдфилд распорядился не запрашивать дубликатов, пока все не прояснится в Брюсселе. Он считает, что так мы можем встревожить немцев и привлечь их внимание к отсутствию Хартинга.

Засунув черный блокнот в карман, Тернер поднялся и подошел к зарешеченному окну, трогая замки, проверяя на прочность проволочную сетку.

— В нем что-то все же было. Нечто особенное. И это заставило тебя наблюдать за ним.

С шоссе до них донеслось завывание сирены в двух тональностях. Тревожный сигнал сначала приблизился, а потом снова затих.

— Да, он был особенным, — повторил Тернер. — Это сквозило в каждой фразе твоего рассказа. Лео то, Лео это. Ты следил за ним. Ты хотел прочувствовать его, я уверен. Зачем?

— Ничего подобного не было.

— А как же слухи? Что из сплетен о нем так пугало тебя? Он был чьим-то сладеньким мальчиком, а, Артур? Например, им увлекся Джонни Слинго на старости лет, так? Лео был частью сообщества голубых и поэтому приводил тебя в такое замешательство, так смущал своим присутствием.

Медоуз покачал головой.

— Ты теряешь чутье, и жало твое притупилось, — сказал он. — Тебе больше не нагнать на меня страха. Я тебя уже хорошо знаю.

Причем с самой дурной стороны. Это не имеет никакого отношения к Варшаве. Он не был таким, как ты описал. Я ведь не ребенок, чтобы легко обманываться в людях. И, кстати, Джонни Слинго не гомосексуалист.

Тернер продолжал пристально смотреть на него.

— Ты явно что-то слышал. Что-то знал. Ты непрерывно наблюдал за ним, теперь я понял. Ты следил за ним из другого угла комнаты, отмечал, как он встает, как берет очередное досье. Он делал под твоим началом самую тупую работу, но ты говоришь о нем, словно о самом после. Здесь царил хаос, ты сам это признал. Все, исключая Лео, разыскивали нужные папки, делали записи, искали связи между документами. Словом, из кожи вон лезли, чтобы дело двигалось даже в кризисные времена. А чем занимался Лео? Лео поручили уничтожение старых бумаг. Его задачи были ничтожными. Это сказал ты, а не я. Так что же делало его особенным? Что заставляло тебя наблюдать за ним?

— Ты витаешь в облаках. У тебя извращенный ум, и потому ты не можешь видеть все просто и четко. Но если бы и существовал мизерный шанс, что ты прав, я бы тебе ни в чем не признался даже на смертном одре.

Записка на двери комнаты шифровальщиков гласила: «Вернусь к трем. В случае острой необходимости заходите в кабинет 333». Тернер постучал в дверь Брэдфилда и подергал за ручку. Заперто. Подойдя к лестнице, с раздражением посмотрел вниз в вестибюль. За стойкой дежурного молодой сотрудник охраны читал учебник по инженерному делу. Были видны схемы на правой странице открытой книги. В приемной с целиком стеклянной передней стеной поверенный в делах Ганы в пиджаке с бархатным воротником внимательно изучал фотографический пейзаж Клайда, сделанный с какой-то очень высокой точки.

— Все ушли обедать, старина, — прошептал кто-то за спиной Тернера. — До трех часов даже гунны пальцем не пошевелят. Ежедневное перемирие. А потом шоу должно продолжаться. — Тощий человек с лисьими повадками стоял возле огнетушителей. — Краббе, — представился он. — Микки Краббе, — повторил потом, словно само по себе имя служило оправданием навязчивости. — Питер де Лиль только что вернулся, если вам это интересно. Ездил в Министерство внутренних дел спасать женщин и детей. Роули велел ему донести до вас нужную информацию.

— Мне необходимо отправить телеграмму. Где комната номер триста тридцать три?

— Комната отдыха для нашего рабочего класса. Там можно даже прилечь после всей суматохи. Тревожные времена. Но вам придется пока потерпеть, — сказал Краббе. — Срочное подождет, а для важного все равно уже слишком поздно — вот вам мое слово.

И он повел Тернера по пустому коридору, как старый слуга, сопровождающий гостя в спальню. Проходя мимо лифта, Тернер снова задержался и осмотрел его. На двери по-прежнему висел крепкий замок и надпись: «Неисправен».

Работу надо уметь разграничивать, сказал он себе. Бога ради, с чего так тревожиться? Бонн все-таки не Варшава. Варшава была сто лет назад. Бонн — это день сегодняшний. Мы делаем то, что требуется, и двигаемся дальше. Он снова живо вспомнил: варшавское посольство, комнату в стиле рококо, потемневшие от пыли канделябры и Миру Медоуз, одиноко сидевшую на странной формы диване. «Когда вы в следующий раз попадете в страну за "железным занавесом", — орал на нее Тернер, — постарайтесь осторожнее выбирать себе возлюбленных!»

«Сообщить ей о своем отъезде за границу», — снова вспомнилась фраза. Он отправился на поиски предателя. Опытного, матерого красного хищника, платного агента.

Давай же, Лео. Мы с тобой одной крови: ты и я. То есть оба люди из подполья. Я гонюсь за тобой через систему канализации, Лео. Вот почему от меня так сладко пахнет. Мы оба вывалялись в грязи: ты и я. Я гонюсь за тобой, ты гонишься за мной, и мы оба гонимся сами за собой.

Глава 7
ДЕ ЛИЛЬ

Американский клуб охраняли не так тщательно, как посольство.

— Это место не мечта гурмана, — предупредил де Лиль, показывая стоявшему на входе американскому солдату свое удостоверение, — зато здесь просто роскошный бассейн.

Он заранее заказал столик у окна с видом на Рейн. Искупавшись, они пили мартини и наблюдали, как огромные коричневые вертолеты с шумом направлялись к посадочной полосе у реки. На одних были начертаны красные кресты, другие же не имели никаких обозначений. Время от времени белые пассажирские суда выныривали из тумана и высаживали группы туристов на землю нибелунгов. На кораблях были установлены громкоговорители, доносившиеся из них звуки напоминали отдаленные раскаты грома. Однажды прошла стайка школьников, кто-то заиграл на аккордеоне песню о Лорелее, которую подхватил божественный, хотя и не совсем стройный хор нежных голосов. Семь холмов Кёнигсвинтера находились отсюда совсем близко, пусть даже туман почти скрадывал их очертания.

Де Лиль с нарочитым напором привлек внимание гостя к Петерсбергу — правильной формы конусу, поросшему лесом, вершину которого венчало прямоугольное здание отеля. Невилл Чемберлен останавливался там в тридцатых годах, пояснил он.

— Как раз в то время, разумеется, когда он отдал немцам Чехословакию. В первый раз, как вы понимаете.

После войны в гостинице устроили резиденцию для Высшей комиссии союзников. А совсем недавно во время государственного визита в Германию ею воспользовалась королева. Справа располагалась гора Драхенфельс, где Зигфрид убил дракона и искупался в его волшебной крови.

— А где находится дом Хартинга?

— Едва ли его видно отсюда, — тихо ответил де Лиль, больше ни на что не указывая. — Он стоит у подножия Петерсберга. Можно сказать, Хартинг живет в тени, оставленной Чемберленом. — И он поспешил перевести разговор на более интересную для него самого тему: — Как я полагаю, проблема пожарного, вызванного издалека, часто заключается в том, что вы прибываете на место, когда огонь уже потушен. Верно?

— Он часто приходил сюда?

— Более мелкие посольства устраивают здесь приемы, поскольку их собственные гостиные не слишком просторны. Его, конечно, привлекали здесь главным образом такие увеселения.

Он снова заговорил сдержанно, хотя в зале ресторана почти никого больше не было. Только в углу, ближе к выходу, за отгороженной стеклом стойкой бара собралась извечно торчавшая в этом месте группа иностранных корреспондентов, пьяных, жестикулировавших и громко разговаривавших, раскачиваясь подобно морским конькам в воде.

— Вся Америка похожа на этот клуб? — поинтересовался де Лиль. — Или еще хуже? — Он медленно обвел зал взглядом. — Хотя он, вероятно, дает правильное представление о масштабах страны. И внушает оптимизм. Ведь в этом и заключается на самом деле сложность, с которой сталкиваются американцы, не так ли? Вечная устремленность куда-то в будущее. Это так опасно. Именно поэтому они стали деструктивной силой. Гораздо спокойнее оглядываться на прошлое, как я всегда считал. В будущем лично я не вижу никакой надежды, а прошлое дает ощущение свободы. Что же до нынешних отношений... Приговоренные к смерти очень добры друг к другу, сидя в соседних камерах, как вы считаете? Впрочем, вы не слишком серьезно воспринимаете меня, как я посмотрю. И правильно делаете.

— Если бы вам понадобились папки из канцелярии поздно вечером, что бы вы сделали?

— Обратился бы к Медоузу.

— Или к Брэдфилду?

— Это было бы сложнее. Роули знает все комбинации, но пользуется ими редко. Впрочем, если Медоуз попадет под автобус, Роули, конечно, все равно доберется до папок. Вижу, у вас выдалось трудное утро, — добавил он, словно утешая. — Вы как будто все еще под воздействием эфира.

— Так как бы вы поступили?

— О, я бы позаботился о том, чтобы взять досье еще после обеда.

— Да. Но ведь вам приходилось работать и по ночам.

— Если канцелярия работает в кризисном режиме, то проблем не возникает. Но если закрывается, то у большинства из нас есть сейфы или стальные коробки для документов, которые разрешено использовать по ночам.

— Но у Хартинга ничего подобного не было.

— Давайте с этого момента называть его местоимением «он», не возражаете?

— Так где же он работал по ночам, если брал досье вечером? Причем секретные досье. И должен был заниматься ими в позднее время. Что ему приходилось делать?

— Как я полагаю, он утаскивал их к себе в кабинет, а перед уходом возвращал охраннику.

— И охранник расписывался в их получении?

— Господи, ну конечно! Мы здесь не до такой степени безответственные.

— Значит, у меня есть возможность проверить книгу расписок охраны ночной смены?

— Есть, конечно.

— Но, как я выяснил, он уходил, даже не попрощавшись с ночным дежурным.

— Боже! — воскликнул де Лиль, искренне удивленный. — Вы хотите сказать, он уносил документы домой?

— Какой у него был автомобиль?

— Малолитражка с универсальным кузовом.

Оба недолго помолчали.

— А не могло у него существовать другого места для работы? Какого-то особого читального зала? Быть может, на первом этаже тоже есть что-то вроде комнаты-сейфа?

— Ничего подобного там нет, — отрезал де Лиль. — И работать ему было негде. А теперь, как мне кажется, вам не повредит еще бокальчик. Чтобы немного охладить голову.

Он подозвал официанта.

— Что до меня, то я провел отвратительный час в Министерстве внутренних дел с безликими людьми Людвига Зибкрона.

— Чем же вы занимались?

— О, мы оплакивали горькую участь бедной мисс Эйх. Жуткое дело. И лично для меня очень странное, — признался де Лиль. — Крайне странное. — Он поспешил сменить тему: — Вам известно, что кровь для переливания перевозится в жестяных банках? В министерстве мне заявили, что собираются складировать плазму в столовой посольства. На всякий случай. Ничего более похожего по стилю на Оруэлла я прежде не слышал. Роули будет вне себя от бешенства. Он уже считает, что они сильно перегнули палку, зашли слишком далеко. И представьте: наша с вами группа крови теперь не имеет значения. Они используют универсальную кровь. Думаю, это надо воспринимать как еще один признак равенства между всеми людьми. Роули беспредельно зол на Зибкрона.

— Почему?

— Из-за его готовности настаивать на самых крайних мерах. Причем он делает все якобы для безопасности несчастных англичан. Ладно. Положим, Карфельд действительно настроен против британцев и против Общего рынка. А Брюссель здесь играет важ-

ную роль. Присоединение Великобритании к рынку затрагивает
националистический нерв и бесит руководство Движения. Пят-
ничная демонстрация действительно внушает тревогу, и мы все
на грани истерики. Любой искренне готов согласиться с этим целиком и полностью. И то, что произошло в Ганновере, тоже омерзительно. Но все же нам не требуется столь повышенного внимания к себе, такой навязчивой заботы, в самом-то деле! Сначала
комендантский час, потом телохранители, а теперь еще их треклятые машины повсюду. У всех такое чувство, что он намеренно
берет нас в окружение. — Потянувшись, де Лиль взял огромных
размеров меню изящной, почти женственной рукой. — Как насчет устриц? Разве не это еда настоящих мужчин? Здесь они есть
круглый год. Насколько я понимаю, поставки из Португалии или
еще откуда-то.

— Я их никогда даже не пробовал, — сказал Тернер с легкой
агрессией в тоне.

— Тогда вам надо брать сразу дюжину, чтобы восполнить про-
бел, — легкомысленно предложил де Лиль и отхлебнул мартини. —
Знаете, очень славно поговорить с кем-то, прибывшим из внешнего мира. Вероятно, вам не совсем понятны причины. Мне так
кажется.

Караван барж направлялся вверх по реке, борясь с течением.

— Наверное, причина недовольства кроется в том, что наши
люди не воспринимают конечной целью всех мер предосторожности именно свою безопасность. Немцы как-то внезапно още-
тинились, словно мы чем-то спровоцировали их, как будто это
мы виноваты в беспорядках. Они теперь с нами даже разговаривают через губу. Какие-то тотальные заморозки в отношениях. Да.
Именно так я бы это назвал, — заключил он. — Они обращаются
с нами как с враждебной им силой. А это вдвойне досадно, потому
что мы буквально умоляем их полюбить нас.

— Он с кем-то ужинал в пятницу вечером, — неожиданно произнес Тернер.

— Неужели?

— Но об этом нет пометки в его ежедневнике.

— Вот ведь растяпа. — Де Лиль оглянулся по сторонам, но
никто не торопился подойти к их столику. — Куда подевался этот
мальчишка-официант?

— Где был Брэдфилд в пятницу вечером?

— Замолчите! — резко шикнул на него де Лиль. — Мне не нравятся такие вопросы. И есть еще, конечно же, сам по себе Зибкрон как личность, — продолжал он затем как ни в чем не бывало. — Всем нам известно его лукавство, все понимают, что он манипулирует коалицией, как всем ясны и его политические амбиции. Кроме того, в следующую пятницу ему предстоит справиться с ужасающе сложной проблемой обеспечения порядка, а многочисленные враги так и ждут случая объявить, что он потерпел неудачу. Щекотливая ситуация... — Он кивнул головой в сторону реки, словно она каким-то образом тоже стала частью сложного положения. — Так зачем было проводить шесть часов у больничной койки бедной фройлен Эйх? Что занимательного в том, чтобы наблюдать за ее предсмертной агонией? И зачем доходить до нелепых крайностей, приставляя охранника к каждому самому мелкому британскому служащему в регионе? Он одержим нами, клянусь! В каком-то смысле он для нас хуже Карфельда.

— Что собой представляет Зибкрон? В чем главный смысл его деятельности?

— О, он плещется в грязных лужах. Это отчасти и ваш мир. Впрочем, простите, мне не следовало так говорить. — Де Лиль покраснел и выглядел искренне смущенным. Лишь внезапный приход долгожданного официанта спас его от полной неловкости. Это действительно был очень юный малый, а де Лиль общался с ним нарочито почтительно, интересуясь мнением по вопросам, в которых мальчик явно ничего не понимал, поскольку они даже не входили в его компетенцию, советуясь, какой сорт мозельского вина предпочесть, и дотошно допытываясь о качестве мяса.

— В Бонне распространена поговорка, — сказал он, когда они опять остались наедине, — и, если позволите, я ее позаимствую у местных острословов. Если Людвиг Зибкрон — твой друг, говорят они, то враги тебе уже не нужны. Людвиг — типичный представитель местной элиты. Вечно чья-то левая рука. Вот он твердит о своем нежелании, чтобы кто-то из англичан пострадал. Но именно поэтому Зибкрон так опасен — он сам в первую очередь и подвергает нас угрозе. Как-то слишком легко забывается, что Бонн, может, и столица демократического государства, но в нем ощущается огромный недостаток, пугающий дефицит демократов. — Он сделал паузу. — И даты тоже имеют нежелательный побочный эффект, — задумчиво продолжил де Лиль. — Проблема дат в том, что они нарезают время на отрезки. С тридцать девятого по сорок пятый. С сорок пятого по пятидесятый. Бонн же находится как бы вне какого-то отрезка. Нет Бонна довоенного, военного или даже послевоенного. Это лишь маленький городок в Германии. Его прошлое нельзя поделить на исторические периоды, как невозможно разделить Рейн. Он плавно протекает мимо тебя, или как там в песне поется? А туман лишает его вообще какого-либо колорита.

Неожиданно покраснев, де Лиль отвинтил колпачок с бутылочки соуса «Табаско» и занялся крайне важным делом — стал добавлять по капле в каждую устрицу. Все его внимание сосредоточилось на этом.

— Мы постоянно извиняемся за то, что Бонн вообще случился. По крайней мере, это отличает обосновавшихся здесь иностранцев. Жаль, я не коллекционирую модели железной дороги, — заговорил он, и его лицо чуть просветлело. — Мне бы очень хотелось постоянно отвлекаться на что-то тривиальное. А у вас есть нечто подобное? Я имею в виду хобби.

— Не располагаю для этого временем, — ответил Тернер.

— Номинально он является руководителем ведомства под названием Министерство внутренних дел. Кроме того, держит под контролем все их внешние связи, будучи председателем соответствующего комитета. Думаю, термин придумал он сам. Однажды я спросил его: внешние связи с кем, Людвиг? Он воспринял мой вопрос как остроумную шутку. Примерно одного с нами возраста, разумеется. Фронтовое поколение минус лет пять, и он даже немного расстраивается, что не успел поучаствовать в войне, как я подозреваю. И еще ему хочется побыстрее состариться. Конечно, заигрывает с ЦРУ, но здесь это символ, подтверждающий твой высокий статус. Его основное занятие — изучение Карфельда. Как только у кого-то возникает желание вступить в сговор с Движением, Людвиг Зибкрон тут как тут. Странная это жизнь, честное слово, — поспешно добавил он, заметив недоуменное выражение лица Тернера. — Но Людвигу она по душе. Невидимое правительство: вот что ему действительно нравится. Четвертая власть. Веймар в этом смысле устроил бы его идеально. А про реальное здешнее правительство вам следует знать: все его структуры созданы совершенно искусственным путем.

Вызванные неким незаметным для других сигналом, иностранные корреспонденты стали выходить из бара и потянулись к длинному, уже накрытому для них столу. Очень крупного телосложения мужчина, заметив де Лиля, натянул длинную прядь черных волос поверх правого глаза и выбросил руку в нацистском приветствии. Де Лиль в ответ поднял в его сторону свой бокал.

— Это Сэм Аллертон, — пояснил он чуть слышно. — Он и в самом деле такая большая свинья, какой кажется. На чем я остановился? На искусственном делении. Точно! Нас здесь совершенно измучили. Всегда одно и то же: в этом сером мире мы отчаянно стремимся к абсолюту. Вот мы только что были против французов, а теперь уже за них, то коммунисты, то антикоммунисты. Чистой воды нонсенс, но мы продолжаем вновь и вновь повторять те же ошибки. Потому и не понимаем истинной сущности Карфельда. Роковым образом не понимаем. Мы спорим по поводу определений, тогда как следовало бы спорить о фактах. Между тем боннские политики сами готовы пойти на виселицу, чтобы определить толщину веревки, на которой им хотелось бы нас повесить. Не знаю, кем вы считаете Карфельда и кто может верно охарактеризовать его. Кто он? Немецкий Пужад*? Глава революции среднего класса? И если это так, то плохи наши дела, настаиваю я, потому что в Германии к среднему классу принадлежат все. Как в Америке: пусть неохотно, но все равны. Они и не хотели бы равенства — никто его не желает. Но приходится принимать. Универсальная кровь, помните?

Официант принес вино, и де Лиль заставил Тернера попробовать его.

— Уверен, ваш вкус еще не так испорчен, как мой.

Когда же Тернер отказался, он снял пробу сам с явным удовольствием.

— Отличный выбор, — сказал он официанту. — Просто прекрасно. К нему применимы все мудреные определения до единого, — вернулся он к прерванному разговору. — И понятно, потому что они применимы к любому из нас. Это как в психиатрии: придумайте симптом — и без труда найдете для него определение. Он изоляционист, шовинист, пацифист, реваншист. И стремится к торговому союзу с Россией. Он прогрессивен, что нравится немецким старикам, но он и реакционер, привлекая этим к себе

---

* П у ж а д   П ь е р (1920—2003) — французский политик крайне правого, популистского толка. Некоторые источники путают его с Пьером Пуйадом — одним из командиров легендарной эскадрильи «Нормандия — Неман».

молодежь. Молодые люди здесь сплошь невероятные пуритане. Им не нужно процветание. Дайте им луки, стрелы и Барбароссу в вожди. — Он вялым жестом указал в сторону семи холмов. — Но только им хочется иметь все это в современном варианте. Старики — гедонисты, и здесь нет ничего удивительного. Но молодые... — Он прервался, а потом продолжил с откровенным отвращением: — Молодые люди обнаружили самую жесткую правду: наилучший способ наказать своих родителей — это стать похожими на них. Вот студенты и сделали Карфельда своим приемным отцом... Простите. Оседлал своего любимого конька. Не стесняйтесь и скажите, чтобы я заткнулся.

Тернер, казалось, не слышал его. Он пристально смотрел на полицейских, которые через равные промежутки расположились на тротуаре. Один из них нашел под скамейкой бумажный кораблик и теперь играл с листом бумаги, сворачивая ее тонким жгутом.

— Из Лондона нас постоянно донимают вопросом: кто поддерживает его? Откуда он берет деньги? Определения, определения. А кто я такой, чтобы им ответить? «Человек с улицы, — написал я однажды, — то есть традиционно самая неопределенная социальная группа». Там обожают подобные ответы, но только пока они не доходят до аналитического отдела. «Разочарованные в жизни, — говорил я, — сироты, оставленные умершей демократией, жертвы коалиционного правительства». Социалисты, считающие, что их продали консерваторам, антисоциалисты, которые полагают, что их продали красным. Слишком интеллигентные люди, чтобы голосовать за кого-либо вообще. И Карфельд представляется единственной шляпой, подходящей по размеру для всех этих голов. Как можно дать определение настроению народа? Боже, до чего же они тупые! Мы больше не получаем никаких указаний. Только вопросы. Я сказал им: «Но ведь наверняка у вас в Англии происходит то же самое? Гнев охватывает людей повсеместно». Но почему-то никто не подозревает, что мировой заговор вызревает в Париже. Зачем же искать его здесь? Тоска... невежество... скука. — Де Лиль склонился через стол. — Вы когда-нибудь голосовали? Уверен, да. На что это похоже? Вы чувствовали, как внутри у вас что-то изменилось? Было похоже на мессу, например? Или вы ушли, проигнорировав всех? — Он проглотил еще одну устрицу. — Я думаю, дело в том, что Лондон бомбили. Разве не в этом разгадка? И вы там ослепли от страха, чтобы немного приободрить нас. Вероятно, только Бонн для этого и остался. Какая пугающая мысль. Мир в изгнании. Но именно это мы собой представляем. Живем в мире, населенном изгнанниками.

— Почему Карфельд ненавидит британцев? — спросил Тернер, хотя ум его был занят чем-то другим, очень далеким от темы разговора.

— А вот это, должен признать, составляет для меня одну из неразгаданных тайн мироздания. Мы все в канцелярии пытались раскрыть этот секрет. Мы разговаривали о нем, читали о нем, спорили до хрипоты. Никто не нашел правильного ответа, — пожал плечами де Лиль. — Да и кто в наши дни верит, что у каждого есть свои мотивы? А менее всего — у политического деятеля. Мы старались определить и это. Вероятно, ненависть объясняется каким-то вредом, который мы однажды ему причинили. Говорят, воспоминания детства наша память способна хранить дольше всего. Между прочим, вы женаты?

— А это здесь при чем?

— Боже, — не без восхищения отметил де Лиль, — каким вы умеете быть колючим!

— Лучше ответьте, что он делает для того, чтобы раздобыть денег.

— Он по профессии инженер-химик. Руководит большим заводом на окраине Эссена. Существует версия, что британцы безжалостно обошлись с ним в период оккупации, демонтировав его предприятие и уничтожив фирму. Не знаю, насколько это правдиво. Мы предприняли попытку исследовать вопрос, но материалов слишком мало, а Роули совершенно правильно сделал, запретив направлять любые запросы за пределы посольства. Одному только Господу известно, — де Лиль даже слегка поежился, — что могло бы взбрести в голову Зибкрону, если бы мы затеяли такую игру. Пресса просто констатирует, что Карфельд нас ненавидит, словно никаких объяснений это не требует. И, может, так и есть.

— Что можете сказать о его биографии?

— В ней все вполне закономерно. Закончил образование перед войной. Был мобилизован в саперные части. Попал на русский фронт как специалист по сносу зданий. Ранен под Сталинградом, но сумел выбраться оттуда живым. Разочарован в наступившем мирном периоде. Тяжкий труд и постепенный подъем к вершине. Все очень романтично. Смерть духа, а потом его медленное возрождение. Конечно, не обошлось без обычных сплетен, что он приходился родней Гиммлеру или что-то в этом духе. Никто не воспринимает этого всерьез. Сегодня стоит человеку переместиться в Бонн, как восточные немцы непременно нароют на него самую невероятную грязь.

— Но слухи полностью лишены оснований?

— Основания есть всегда, но их почему-то вечно недостаточно. И если сплетни не интересуют никого, кроме нас, то зачем вообще обращать на них внимание? Карфельд прошел в политике все ступени, как утверждает он сам. Говорит о годах спячки, а потом о столь же долгом пробуждении. Боюсь, он усвоил почти мессианский тон, когда рассказывает о себе самом.

— Вы никогда с ним не встречались лично?

— Боже упаси! Нет, конечно. Только много читал о нем. Слышал по радио. Во многих отношениях он стал постоянно незримо присутствовать в наших жизнях.

Взгляд светлых глаз Тернера снова устремился на Петерсберг. Косые лучи солнца пробивались между холмами, отражаясь от окон серого здания отеля. Было похоже, что у подножия одного из холмов устроили каменоломню: там копошились какие-то большие машины, поднимались белые облачка пыли, суетились люди.

— Надо отдать ему должное: всего за шесть месяцев он сумел все круто изменить. Кадровую политику, систему организации, даже их жаргон. До Карфельда это была кучка чудаков, цыганский табор, кочующие проповедники, последыши Гитлера и прочая шушера. Теперь они выглядят патрициями, зрелой и сознательной группой. Ему не нужны орды мужчин в рубашках с короткими рукавами, благодарим покорно. И никакой социалистической чепухи, если не считать студентов, — он очень умно поступает, терпя их рядом. Ему известно, насколько тонкая грань отделяет пацифиста, нападающего на полицейского, от полицейского, нападающего на пацифиста. Но для большинства наш новый Барбаросса носит чистую сорочку и имеет ученую степень по химии. Герр доктор Барбаросса — вот как следует к нему обращаться. Экономисты, историки, статистики... Но более всего — юристы, конечно же. Все тянутся к нему. Юристы в Германии считаются великими гуру и всегда считались, хотя вы знаете, насколько извращенной логикой они пользуются. Он принимает всех, кроме политиков. Политиков больше никто не уважает. А для Карфельда к тому же отвратительно их упорное стремление стать его представителями. Карфельд не нуждается в представителях. Спасибо, нам это ни к чему. Власть без правил — вот требование эпохи. Право все знать, но ни за что не нести ответственности. Понимаете, это конец, а вовсе не начало, — сказал де Лиль с пылом, плохо вязавшимся с его обычно летаргическими манерами. — И мы, и немцы уже познали демократию сполна, но никто почему-то не ценит этого опыта. Похоже на бритье. Никто не станет благодарить вас за то, что вы побрились. Точно так же вы не услышите ни слова благодарности за свои демократические взгляды. И тут мы подходим к теме с другой стороны. Демократия была возможна только при классовой системе общества. Она стала уступкой со стороны привилегированных слоев населения. Но у нас больше нет для нее времени. Она оказалась лишь краткой вспышкой между эпохами феодализма и всеобщей автоматизации. А теперь вспышка погасла. И что же осталось? Избиратели отрезаны от парламента, парламент изолирован от правительства, а правительство отсечено вообще от всего и вся. Править молча — вот нынешний лозунг. Править путем отчуждения и отторжения. Впрочем, мне не стоит объяснять такие вещи вам. Ведь это все зародилось именно на британской почве.

Он сделал паузу, ожидая от Тернера новых вопросов, но тот был погружен в собственные размышления. Журналисты за длинным столом затеяли спор, перешедший в ссору. Кто-то грозился набить кому-то морду. Еще один обещал открутить головы обоим.

— Не знаю, что я пытаюсь защитить. Или хотя бы кого представляю. И никто не знает. «Вы джентльмен, готовый лгать ради блага своей страны» — так говорили нам в Лондоне и многозначительно подмигивали. «Охотно, — отвечаю на это я. — Но только сначала сообщите мне самому ту правду, которую я призван скрывать». Они понятия об этом не имеют. Мир за пределами нашего Министерства иностранных дел воображает, что у нас есть некая великая книга в золотом переплете со словом «ПОЛИТИКА» на обложке... Господи, если бы они только знали. — Он допил свое вино. — Но, возможно, хотя бы вы знаете? Я должен извлекать максимальную пользу с минимальными затруднениями. В чем состоит максимальная польза? Вероятно, нам следовало бы тоже пережить кризис. Вероятно, нам тоже нужен свой Карфельд? Новый Освальд Мосли? Но, как я опасаюсь, сейчас мы бы даже не заметили его появления. Ведь противоположность любви — вовсе не ненависть. Апатия. И апатия стала здесь нашим хлебом насущным. Истеричная апатия. Выпейте немного мозельского.

— Вы считаете возможным, — спросил Тернер, не сводя глаз с холмов, — что Зибкрону уже все известно о Хартинге? Это могло вызвать с его стороны враждебность? Не здесь ли причина повышенного к нам внимания?

— Позже, — очень тихо сказал де Лиль. — Когда рядом не будет детей, если не возражаете.

Солнечные лучи ударили вдруг прямо в реку, осветив ее со всех сторон, как будто огромная золотая птица простерла крылья над долиной, выявив быстрое и легкое движение воды в этот весенний день. Распорядившись, чтобы мальчик принес два бокала наилучшего бренди в сад перед теннисными кортами, де Лиль изящной походкой проложил себе путь между пустыми столиками к боковой двери. В центре зала журналисты уже умолкли. Помрачнев от выпитого, грузно опустившись в свои кресла глубже, они безрадостно ожидали повода для новой политической катастрофы.

— Бедняга, — заметил де Лиль, когда они вышли на свежий воздух. — Каким же занудой я себя показал! Вам такое встречается везде, где приходится бывать? Наверное, мы все стремимся излить душу незнакомцу, не так ли? И все считаем себя маленькими Карфельдами, верно? Патриотичными анархистами из среднего класса. Как это, должно быть, для вас ужасно.

— Мне необходимо осмотреть его дом, — сказал Тернер. — Нужно все выяснить.

— Здесь вы потерпите поражение, — спокойно заметил де Лиль. — Людвиг Зибкрон взял его дом под охрану.

Три часа дня. Яркое солнце продолжало пробиваться сквозь облака. Они сидели в саду под пляжными зонтиками, попивая бренди и наблюдая, как на чуть влажных красных земляных теннисных кортах дочки дипломатов перебрасываются мячами и смеются.

— Прашко, как я подозреваю, следует отнести к числу плохих парней, — заявил де Лиль. — Давно пытались наладить с ним контакт, но он повернулся к нам спиной. — Де Лиль зевнул. — В свое время он считался опасным типом. Кем-то вроде политического пирата. Ни один заговор не обходился без его участия. Я с ним несколько раз встречался: англичане все еще ему докучают. Но, как всякий новообращенный, он не слишком сожалеет о тех, кому был предан прежде. В наши дни он стал свободным демократом. Роули уже успел о нем рассказать? Здесь настоящий приют для сбившихся с пути, если такие приюты вообще существуют где-либо еще. Вам встретятся самые странные создания.

— Но он был его другом.

— Вижу, вы предельно наивны, — сонно заметил де Лиль. — Как и Лео. Мы можем быть знакомы с людьми всю жизнь, но так и не стать друзьями. А можем знать всего пять минут, и они уже наши самые верные друзья навеки. Прашко для вас действительно так важен?

— Он — все, что у меня есть, — ответил Тернер. — Мне не за кого больше ухватиться. Как я слышал, Прашко — единственный человек за пределами посольства, с которым Хартинг общался. Он должен был стать свидетелем на его свадьбе.

— На чьей свадьбе? На свадьбе Лео? — Де Лиль резко выпрямился в кресле, и от его сонливости не осталось и следа.

— Уже довольно давно он был помолвлен с некой Маргарет Эйкман. Кажется, они познакомились еще до того, как Лео пришел на работу в посольство.

Де Лиль откинулся назад с откровенным облегчением.

— Если вы хотите встретиться с Прашко... — начал он.

— Нет, не переживайте. На нежелательность подобной встречи мне уже успели указать. — Тернер сделал глоток из бокала. — Но кто-то сумел предупредить Лео. Кто-то явно предостерег его. И он слетел с катушек. Он знал, что время его истекает, и именно поэтому прихватил с собой все подвернувшееся под руку. Брал все подряд. Письма, папки... А когда дошло до дела, не потрудился даже попросить отпуск.

— Роули все равно не дал бы ему отпуска. Только не в нынешней ситуации.

— Отпуск по семейным обстоятельствам. Его он получил легко, хотя и задним числом. Первое, что пришло Брэдфилду в голову.

— А тележку тоже прихватил он?

Тернер не ответил.

— Думаю, он, кроме того, утащил у меня прекрасный электрический обогреватель. Уж в Москве он ему наверняка пригодится. — Де Лиль еще глубже погрузился в кресло. Небо над ними сияло голубизной, солнце жарило так горячо, словно они сидели под стеклом. — Что ж, если это так, то придется купить новый.

— Его кто-то спугнул, — продолжал Тернер. — Единственно возможное объяснение. Он запаниковал. Вот почему я подумал о Прашко, понимаете? У него в прошлом были левацкие взгляды. «Попутчик» — такое слово использовал Роули. И он был старым приятелем Лео. Они всю войну провели вместе в Англии.

Он поднял взгляд к небу.

— Вы готовы выдвинуть версию, — проборматал де Лиль. — Я уже чувствую, как она вертится у вас на языке.

— Они вернулись в Германию в сорок пятом. Одно время служили в армии. Потом разошлись. Выбрали разные пути: Лео остался британцем и взял на себя известную нам работу, а Прашко принял немецкое подданство, занявшись политикой в Германии. Они представляли собой крайне полезную пару как глубоко внедренные агенты, должен отметить. Быть может, они действительно участвовали в одной и той же игре... Завербованные кем-то еще в Англии, когда Россия была нашим союзником. Затем стали постепенно ослаблять связи между собой. Стандартный прием, если хотите знать. Уже не очень безопасно тесно общаться друг с другом... Лучше сделать так, чтобы их не видели больше вместе и забыли об их прежней дружбе. Но тайком они продолжали поддерживать контакты. И вот однажды Прашко получает сообщение. Всего несколько недель назад. Совершенно неожиданную информацию. Причем, быть может, он узнал обо всем случайно. Услышал пересуды боннских сплетников, от которых ничего не укроется, чем вы так гордитесь: Зибкрон напал на след. Какая-то старая ниточка вылезла наружу, кто-то заговорил, их предали. Или, быть может, речь шла об одном только Лео. Пакуй чемоданы, передает он ему, забирай все, что сможешь, и уноси ноги.

— Какой у вас восхитительно извращенный ум, — сказал де Лиль без тени иронии. — Какой отвратительный, но изобретательный способ мыслить!

— Проблема в том, что это пока мало помогает.

— И то верно, мало. Рад, если вы сами это понимаете. Прежде всего Лео не стал бы паниковать. Совершенно не в его характере. Он всегда умел держать себя в руках. И пусть это прозвучит глупо, но он любил нас. Очень сдержанно, но любил. Он был нашим человеком, Алан. Не их, а нашим. От жизни он ждал ужасающе малого. Шахтерская лошадка. Так я воспринимал его, видя в наших проклятых конюшнях на первом этаже. Даже поднявшись наверх, он словно принес с собой оттуда немного мрака. А люди между

тем находили его веселым малым. Душа нараспашку. Таких нынче
принято называть экстравертами...

— Никто, с кем я беседовал прежде, не считал его веселым.

Де Лиль повернулся и посмотрел теперь на Тернера с неподдельным интересом.

— Неужели никто? Меня только что посетила жуткая мысль.
Значит, каждый из нас думал, что другой смеется. Как клоуны, разыгрывавшие трагедию. Это очень прискорбно, — сказал он.

— Хорошо, — согласился Тернер. — Он не был правоверным.
Но мог быть им в молодости, верно?

— Мог.

— А потом он впадает в спячку... То есть его совесть впадает
в спячку, вот что я имею в виду...

— Ну, конечно.

— Пока Карфельд не пробуждает ее снова. Своим возрожденным национализмом... Уничтоженный враг возникает опять...
И он просыпается от громкого стука. «Эй, что здесь происходит?»
И ему кажется, будто все начинается заново. Он не раз говорил
людям: история повторяется.

— По-моему, это фраза из сочинений Маркса: «История повторяется дважды. Первый раз как трагедия, а во второй раз в виде
фарса». Слишком остроумно для немца. Хотя должен признаться:
на фоне Карфельда даже коммунизм выглядит более привлекательной перспективой.

— Каким же он был? — упорствовал Тернер. — Каким он был
на самом деле?

— Лео? Бог ты мой, а что можно сказать о каждом из нас?

— Вы его знали, а я — нет.

— Надеюсь, вы не устроите мне допроса? — спросил де Лиль
лишь отчасти в шутку. — Будь я проклят, если оплачу ваш ленч,
а вы тем временем разоблачите меня.

— Брэдфилду он нравился?

— Назовите мне хотя бы одного человека, который нравится
Брэдфилду.

— Но он достаточно пристально следил за ним?

— За его работой — несомненно. Там, где это имело значение.
Роули — настоящий профессионал.

— Но ведь он еще и римский католик, верно?

— Боже милостивый, — воскликнул де Лиль снова с неожиданной для него горячностью, — какие ужасные слова вы произносите! Нельзя делить людей на группы подобным образом. Это глубоко ошибочно. В жизни не бывает строго определенного числа ковбоев и адекватного количества краснокожих индейцев. И менее всего — в дипломатической жизни. А если вы с этим не согласны, вам лучше сменить занятие. — Он откинул назад голову и закрыл глаза, словно хотел, чтобы солнце вернуло ему силы. — В конце концов, — продолжал он, восстановив душевное равновесие, — именно это вы и пытаетесь поставить Лео в вину, не так ли? Тот факт, что он однажды связал себя с верой в нечто ошибочное, проникся некой глупой религией. Но его бог мертв. Нельзя воспринимать такие вещи двойственно. От этого уже отдает чуть ли не Средневековьем.

И он снова погрузился в молчание человека, довольного тем, как сумел выразить свою мысль.

— У меня, конечно, есть свой взгляд на Лео, — заговорил он после паузы. — Вот вам кое-что для вашего маленького блокнота. Интересно, какие выводы вы сделаете из моего рассказа? Однажды прекрасным зимним днем, но уже ближе к вечеру, я закончил участие в скучнейшей немецкой конференции, и поскольку было только половина пятого, а заняться мне больше оказалось совершенно нечем, то решил прокатиться на машине по холмам позади Годесберга. Солнце, морозец, немного снега, легкий ветер... Так я воображал восхождение на Небеса. И вдруг там оказался Лео. Бесспорно, несомненно, определенно это был Лео, закутанный до ушей в черную балканскую куртку из овчины и в одной из этих ужасных фетровых хомбургских шляп, какие носят члены Движения. Он стоял у края футбольного поля, смотрел, как мальчишки гоняют мяч, и курил маленькую сигару из тех, что вызывали столько жалоб.

— Один?

— Совершенно один. Я хотел остановиться, но передумал. Рядом с ним не было видно никакой машины, а ведь он находился в нескольких милях от цивилизации. И внезапно я подумал: нет, не надо к нему подходить. Он сейчас в своей церкви. Смотрит на детство, которого у него самого никогда не было.

— Он вам все-таки нравился, правда?

Де Лиль мог бы ответить, потому что вопрос, казалось, не доставил ему неудовольствия, но его отвлекло внезапное вторжение со стороны.

— Привет! Завел себе нового подхалима? — Голос прозвучал невнятно, но нахально.

Поскольку говоривший стоял против солнца, Тернеру пришлось напрячь глаза, чтобы разглядеть фигуру как следует, различив венчающую слегка покачивавшийся силуэт растрепанную копну длинных черных волос английского журналиста, приветствовавшего их перед ленчем. Он указывал на Тернера, но вопрос, судя по наклону головы, адресовался де Лилю.

— Кто он такой? — спросил журналист напористо. — Сутенер или шпион?

— Кем бы вы предпочли быть, Алан? — легкомысленно переадресовал де Лиль вопрос Тернеру, но тот не стал отвечать. — Познакомьтесь. Алан Тернер — Сэм Аллертон, — невозмутимо продолжал де Лиль. — Сэм представляет здесь множество разных газет, верно, Сэм? Он очень влиятельный человек. Хотя на влияние ему наплевать. Журналисты никогда не стремятся к власти.

Аллертон продолжал пялиться на Тернера.

— Так откуда он здесь взялся?

— Из города Лондона, — сказал де Лиль.

— Из какой части города Лондона?

— Оттуда, где занимаются сельским хозяйством и рыболовством.

— Лжец.

— Из Министерства иностранных дел, конечно же. Разве трудно было догадаться?

— И надолго он в наши края?

— С кратким визитом.

— Я спросил, надолго ли.

— Ты же знаешь, сколько продолжаются такие визиты.

— Нет. Зато я знаю цель его визита, — заявил Аллертон. — Он — борзая. Ищейка.

Его словно мертвые желтые глаза медленно оглядели Тернера: тяжелые ботинки, костюм, ничего не выражающее лицо и бледный, немигающий взгляд.

— Белград, — произнес он. — Вспомнил. Кто-то в посольстве попался в постель к шпионке, где и был сфотографирован. Нам всем пришлось помалкивать о той истории, потому что посол грозился перестать угощать нас своим отличным портвейном. Служба безопасности, Тернер. Вот кто ты такой. Один из мальчиков Бевина. Ты еще провернул дельце в Варшаве, верно? Это я тоже запомнил. Там тебе пришлось тяжко. Какая-то девица пыталась покончить с собой. Потому что ты с ней слишком жестоко обошелся. Но и этот сор нас заставили замести под ковер.

— Проваливай-ка отсюда, Сэм, — сказал де Лиль.

Аллертон засмеялся. Это был жутковатый звук: грустный и болезненный. Причем, как показалось, он ему самому причинил боль, потому что, усаживаясь, Сэм оборвал себя, пробурчав чуть слышные проклятия. Его черная сальная шевелюра тряслась, как плохо пришпиленный парик. Живот, нависавший над ремнем брюк, чуть заметно дрожал.

— Что ж, Питер, как поживает Людди Зибкрон? Собирается обеспечить нам полную безопасность, не так ли? Спасти нашу империю.

Не говоря больше ни слова, Тернер и де Лиль поднялись с мест и пересекли лужайку в сторону автостоянки.

— Между прочим, слышали новость? — выкрикнул им вслед Аллертон.

— Какую новость?

— Вы, парни, все всегда узнаете последними. Федеральный министр иностранных дел только что отбыл в Москву. Переговоры на высшем уровне по поводу советско-германского торгового соглашения. Они собираются войти в СЭВ и стать членами Варшавского договора. А все для того, чтобы успокоить Карфельда и нагадить всем в Брюсселе. Британия уходит, Россия является ей на замену. Неагрессивный пакт типа Рапалло. Что думаете по этому поводу?

— Мы думаем, что ты мерзкий врунишка, — ответил де Лиль.

— А разве не приятно пофантазировать на такую тему? — сказал Аллертон, нарочито пародируя шепелявость гомосексуалиста. — Но только не зарекайся, что этого никогда не произойдет, мой миленький. В один прекрасный день они все сделают, как я сказал. Им просто придется. Дать мамочке пощечину. Найти для Фатерлянда нового папочку. Запад их больше не привлекает. Тогда кого же им избрать? — Он повышал голос по мере того, как они удалялись. — Вот чего вы никак не поймете, тупые лакеи! Карфельд — единственный немец, способный огласить истину: «холодная война» закончилась для всех, кроме хреновых дипломатов вроде вас!

Его парфянская стрела угодила в уже закрытую дверь их автомобиля.

— Но нет оснований для тревоги, дорогуши, — было последним, что они успели услышать. — Мы все можем спать спокойно, если Тернер здесь.

Маленькая спортивная машина медленно ползла под оздоровительными зелеными аркадами американской колонии в Бонне. Церковный колокол, заметно усиленный громкоговорителем, приветствовал окончание солнечного дня. На ступенях часовни в стиле архитектуры Новой Англии жених и невеста обратили лица в сторону сверкавших вспышками фотоаппаратов. Но стоило им выехать на Кобленцерштрассе, как шум ударил по ним градом. Над головой мигали, сменяя цифры, электронные индикаторы, что в теории означало проверку на скорость движения. Количество портретов Карфельда резко возросло. Два «мерседеса» с египетской вязью на номерах промчались мимо, подрезали их, вильнули и улетели далеко вперед.

— Этот лифт, — внезапно заговорил Тернер. — Лифт в посольстве. Давно он уже не работает?

— Господи, разве вспомнишь, когда и что случилось? По-моему, с середины апреля.

— Вы уверены?

— Вам не дает покоя мысль о тележке? Она тоже пропала в середине апреля.

— А вы умеете мыслить логически, — заметил Тернер. — Очень неплохо умеете.

— Зато вы совершите непростительную ошибку, начав считать себя экспертом, — сказал в ответ де Лиль с тем же непредсказуемым напором, какой Тернер уже испытал на себе прежде. — Не надо видеть себя эдаким ученым в белом халате, а нас воспринимать как лабораторных мышей, вот и все, что я хочу отметить.

Он резко свернул, чтобы обогнать грузовик с прицепом, и тут же позади послышались яростные сигналы других водителей.

— Я ведь спасаю вашу душу, хотя вы, быть может, даже не замечаете этого. — Он улыбнулся. — Извините. Просто Зибкрон продолжает действовать мне на нервы. Вот в чем причина.

— Он записывал букву «П» в своем ежедневнике, — неожиданно сменил тему Тернер. — После Рождества. Встретиться с П. Устроить ужин для П. Потом буква уже не встречается. Наверное, так он обозначал Прашко.

— Возможно.

— Какие министерства базируются в Бад-Годесберге?

— Строительства, науки, здравоохранения. Только три, насколько я помню.

— Каждый четверг после обеда он отправлялся на конференцию. В какое именно министерство?

Де Лиль остановился перед светофором, где на них хмуро смотрел Карфельд, похожий на циклопа, — один глаз оторван рукой диссидента.

— Не думаю, что он вообще посещал какие-либо совещания, — осторожно сказал де Лиль. — По крайней мере, в последнее время.

— Что вы подразумеваете?

— Ничего больше.

— Бога ради, объясните!

— Кто вам сказал, что он в них участвовал?

— Медоуз. А Медоузу докладывал сам Лео. Говорил, ему необходимо регулярно бывать на еженедельных встречах и вопрос согласован с Брэдфилдом. Что-то связанное с жалобами.

— О мой бог! — чуть слышно воскликнул де Лиль.

Он продолжал держаться в левом ряду, несмотря на яростные сигналы фарами сзади, подаваемые белым «порше».

— Что означает ваше «о мой бог!»?

— Даже не знаю. Но не то, о чем вы, вероятно, подумали. Не было никаких совещаний или конференций для Лео. Ни в Бад-Годесберге, как и нигде больше. Ни в четверг, ни в другие дни недели. Верно, пока к нам не пришел Роули, он участвовал в каких-то незначительных совещаниях в Министерстве строительства. Они обсуждали частные подряды на восстановление немецких домов, поврежденных во время проведения союзными войсками учений. Лео должен был утверждать принятые решения.

— До прихода Роули?

— Да.

— И что произошло потом? Конференции перестали проводиться, верно? Он лишился и этого задания.

— Более или менее так.

Вместо того чтобы свернуть направо, в ворота посольства, де Лиль прижался к левой обочине, готовясь отправиться на второй круг.

— Что значит «более или менее»?

— Роули все это прекратил.

— Его участие в совещаниях?

— Я думал, вы уже поняли. Эти встречи носили чисто формальный характер и ничего не значили. Все вопросы можно было решать путем переписки.

Тернер, казалось, был близок к отчаянию.

— Почему вы так неясно выражаетесь? Что происходит? Он наложил запрет на проведение совещаний или нет? Какую роль в этом сыграл Брэдфилд?

— Поосторожнее, — предупредил де Лиль, даже приподняв с руля руку в предостерегающем жесте. — Не давите там, где не надо. Роули стал отправлять на совещания вместо него меня. Ему не нравилось, что посольство представлено там таким человеком, как Лео.

— Каким человеком?

— Временным сотрудником. Вот и все! Временным наемным работником без полноценного статуса. Он считал это неправильным, и потому я занял место Лео. После этого Лео вообще прекратил со мной общаться. Он думал, я против него интриговал. А теперь хватит об этом. Не задавайте мне больше подобных вопросов. — Они снова направлялись на север мимо арабской автомастерской и заправки. Работник узнал машину и приветливо помахал де Лилю рукой. — Вы переходите все границы. Я не стану обсуждать с вами Брэдфилда, даже если вы посинеете от попыток продолжить тему. Он мой коллега, мой начальник и...

— И ваш друг! В таком случае прошу прощения. Вот только кого вы здесь представляете? Себя лично или наших несчастных налогоплательщиков? Что ж, скажу вам сам кого. Клуб. Ваш собственный клуб. Треклятое Министерство иностранных дел, и даже если бы вы увидели, как Роули Брэдфилд стоит на Вестминстерском мосту и торгует секретными досье, чтобы добыть побольше денег к пенсии, вы, черт возьми, посмотрели бы на это сквозь пальцы.

Тернер не повышал голоса. Но сама по себе тяжеловесная размеренность каждой фразы придавала напряженность его речи.

— Меня от вас блевать тянет. От всех вас. От вашего омерзительно цирка. Никто из вас и пенса не дал бы за Лео, пока он был здесь. Заурядный, как грязь. Таким он вам виделся, верно? Ни прошлого, ни детства — ничего. Запихнем его на другой берег реки, где его не будет видно и слышно! Упрячем в катакомбы вместе с вольнонаемными немецкими служащими! Можно разделить с ним стакан выпивки, но он не достоин приглашения к ужину! И что же происходит потом? Он исчезает, прихватив кипу секретных материалов, и тут вами овладевает чувство вины. Вы краснеете, как целки, зажимая ручками промежности и не желая вступать в разговоры с посторонними мужчинами. Все: вы сами, Медоуз, Брэдфилд. Вам известно, как он прорыл себе ход к вам, как обвел людей вокруг пальца, как воровал и обманывал. Но вы знаете теперь и другое: надо делать вид, что вы с ним ладили, подчеркивать его особые качества, делавшие его очень интересной персоной. Он жил в собственном мире, но никто из вас не знает, в каком и что это за мир. Кем он был? Куда, черт возьми, отправлялся после обеда каждый четверг, если не в немецкое министерство? Кто стоял за ним, направлял его? Кто его защищал? Кто отдавал ему приказы и снабжал деньгами в обмен на информацию? Кто толкал его под руку? Он же шпион, ради всего святого! И добрался до самого сокровенного! Но едва вы узнали об этом, как дружно встали на его сторону!

— Нет. Все не так, — сказал де Лиль.

Они въехали в ворота посольства, остановились, и полицейские окружили машину, стуча в окна. Он заставил их подождать.

— Вы превратно истолковали события. Понимаете, вы с Лео образовали как бы свою команду. Находитесь от нас по другую сторону ограды. Вы оба. Вот в чем проблема. Какие ни давай определения, какие ни навешивай ярлыки. Вот почему вы впустую молотите кулаками по воздуху.

Они добрались до стоянки, и де Лиль направил машину вокруг столовой к той точке, где утром находился Тернер, вглядываясь в противоположный конец поля.

— Мне нужно осмотреть его дом, — сказал Тернер. — Настоятельно необходимо.

Они оба смотрели вперед через лобовое стекло машины.

— Вы уже говорили мне об этом.

— Ладно. Оставим пока все как есть. Забудьте.

— Забыть? Но я же не сомневаюсь, что вы все равно отправитесь туда. Рано или поздно.

Они вышли наружу и медленно побрели по асфальту. Курьеры разлеглись на траве лужайки, прислонив свои мотоциклы к флагштоку. Посаженные военным строем герани выглядели крохотными охранниками, размещенными вдоль обочины.

— Он любил армию, — сказал де Лиль, когда они поднимались по ступенькам. — Действительно любил.

Задержавшись на входе, чтобы показать пропуска все тому же сержанту с лицом хорька, Тернер случайно обернулся в сторону шоссе.

— Посмотрите! — воскликнул он. — Это та же парочка, что увязалась за нами в аэропорту.

Черный «опель» встал у въезда на территорию посольства. На переднем сиденье расположились двое мужчин. Со своей выгодной точки обзора на вершине ступеней Тернер отчетливо различал рефлекторы длинного зеркала заднего вида, отражавшие солнечные лучи.

— Людвиг Зибкрон доставил нас к обеду, — сказал де Лиль с кривой улыбкой, — а теперь благополучно сопроводил домой. Я же предупредил: не считайте себя ученым в белоснежном халате.

— Скажите, а где а пятницу вечером были вы сами?

— В лесной сторожке, — ухмыльнулся де Лиль. — Поджидал там леди Анну, чтобы убить и завладеть ее бесценными бриллиантами.

Комната шифровальщиков снова открылась. Корк валялся на раскладушке, а на полу рядом с ним лежал каталог бунгало на островах Карибского моря. На столе в комнате дежурных обнаружился синий посольский конверт, адресованный Алану Тернеру, эсквайру. Имя и фамилию напечатали на машинке. Стиль послания был лаконичным и не слишком внятным. Есть некоторые моменты, сообщал автор, которые могут заинтересовать мистера Тернера в связи с делом, приведшим его в Бонн. Если время его устраивало, ему могли бы предложить бокал хереса по вышеуказанному адресу в половине седьмого вечера. Адрес относился к Бад-Годесбергу, а автором была мисс Дженни Паргитер, сотрудница отдела прессы и информации, временно прикомандированная к канцелярии. Она расписалась под письмом, а потом печатными буквами для полной ясности повторила свою фамилию. Причем заглавное «П» вышло на редкость крупным, как показалось Тернеру. И, открыв ежедневник в синей обложке из искусственной кожи, он позволил себе улыбку, в которой сквозило предвкушение. П — Прашко, П — Паргитер. И «П» значилось в ежедневнике. «Давай же, Лео, приоткрой для меня хотя бы один из секретов своей больной совести!»

Глава 8
ДЖЕННИ ПАРГИТЕР

— Как я полагаю, — начала Дженни Паргитер заранее заготовленной фразой, — вы привыкли заниматься делами весьма деликатного свойства.

Бутылка хереса стояла между ними на покрытом стеклом журнальном столике. Квартира выглядела темной и неуютной: викторианские плетеные кресла, немецкие портьеры на окнах — чересчур плотные и тяжелые. В алькове, где расположился обеденный стол, висела репродукция картины Констебля.

— И подобно врачу вы обязаны сохранять доверенную вам информацию в секрете?

— О, разумеется, — подтвердил Тернер.

— Сегодня утром во время совещания в канцелярии упоминалось, что вы расследуете исчезновение Лео Хартинга. Но нас предупредили не обсуждать этого даже между собой.

— Вам ничто не мешает обсудить дело со мной, — заверил ее Тернер.

— Несомненно. Но мне, естественно, хотелось бы выяснить, насколько далеко можно заходить, сообщая вам конфиденциальные сведения. Например, насколько тесно вы общаетесь с отделом кадров?

— Тут все зависит от характера полученной мной информации.

Она подняла бокал с хересом до уровня глаз и, как казалось, внимательно изучала содержавшуюся в нем жидкость. Ее манеры выдавали желание продемонстрировать жизненный опыт и остроту мышления.

— Предположим, некто... То есть давайте предположим, что я повела себя не совсем разумно. Это касается личной жизни.

— Для меня важно, *с кем именно* вы повели себя не совсем разумно, — ответил Тернер, и Дженни Паргитер внезапно покраснела.

— Я вовсе *не это* имела в виду.

— Послушайте, — сказал Тернер, наблюдая за ней. — Если вы придете и сообщите мне совершенно конфиденциально, что оставили в автобусе пачку досье, мне придется уведомить об этом отдел кадров. Но если вы лишь расскажете, что время от времени встречаетесь со своим возлюбленным, то от этого я в обморок не упаду. Если честно, — продолжал он, придвигая к ней свой бокал, чтобы она вновь наполнила его, — отдел кадров предпочел бы не знать, что мы вообще существуем.

Он держался так раскованно, так свободно развалился в кресле, словно тема разговора вообще его мало трогала.

— Но здесь возникает проблема защиты интересов других людей. Тех, например, которые сами не пожелают высказаться в свое оправдание.

— Не забывайте при этом, что важнее всего проблема обеспечения безопасности, — возразил Тернер. — Если бы вы не считали свою информацию важной, то едва ли пригласили меня к себе. Решение за вами. Никаких гарантий я вам дать не могу.

Она прикурила сигарету резкими, порывистыми движениями. Ее нельзя было назвать некрасивой, но она явно намеренно одевалась либо слишком в молодежном стиле, либо в близком к старушечьему. И потому возраст Тернера не имел значения — они никак не могли выглядеть ровесниками.

— Хорошо, я принимаю ваши условия, — сказала она и какое-то время мрачно смотрела на него, как будто оценивая, сколь многое способен Тернер правильно усвоить. — Но вы, однако, неправильно интерпретировали причину, заставившую меня пригласить вас. Дело вот в чем. Поскольку вы наверняка скоро наслушаетесь всяких грязных сплетен о Хартинге и обо мне, я сочла за лучшее изложить вам правду сама.

Тернер поставил на столик бокал и достал блокнот.

— Я прибыла сюда из Лондона буквально накануне Рождества, — начала Дженни Паргитер. — До этого работала в Джакарте. В Лондон я вернулась с намерением выйти там замуж. Вам, возможно, попадалось объявление в газетах о моей помолвке.

— Боюсь, я его не заметил, — признался Тернер.

— Но человек, с кем я была помолвлена, в последний момент решил, что мы не подходим друг другу. Это было очень смелое решение с его стороны. Я к тому времени уже получила назначение в Бонн. Мы с ним познакомились сто лет назад. Изучали одни и те же предметы в университете, и, как я всегда считала, у нас было много общего. Но этот человек рассудил иначе. Впрочем, для того и существуют помолвки. Я осталась вполне довольна таким исходом. Так что ни у кого нет *ни малейших оснований* меня жалеть.

— Стало быть, вы приехали сюда под Рождество.

— Я специально попросила позволить мне прибыть на новое место перед праздниками. В предыдущие годы мы всегда отмечали

Рождество вместе. Конечно, за исключением того времени, которое я провела в Джакарте. А потому... Разлука в тот момент ощущалась мной достаточно болезненно, и я стремилась сгладить дурное настроение, оказавшись в совершенно иной атмосфере.

— Понятно.

— Одинокая женщина, служащая в посольстве, зачастую просто завалена рождественскими приглашениями. Почти все сотрудники канцелярии хотели, чтобы я провела праздники с ними. Брэдфилды, Краббе, Джексоны, Гейвстоны — все зазывали меня к себе. Медоузы тоже прислали приглашение. Вы уже, несомненно, познакомились с Артуром Медоузом, верно?

— Да.

— Медоуз — вдовец и живет вместе с дочерью Мирой. Вообще-то он принадлежит к категории «Б3», хотя мы уже отказались от подобного деления на ранги. Меня даже тронуло приглашение от представителя младшего дипломатического персонала.

У нее был легкий акцент. Скорее провинциальный, нежели региональный. И несмотря на все ее попытки скрыть его, он то и дело предательски вылезал наружу.

— В Джакарте мы неизменно придерживались такой традиции: много общались с людьми независимо от их постов и должностей. В более крупных посольствах, как здесь, в Бонне сотрудники держатся отдельными группами по ранжиру. Я вовсе не предлагаю полного объединения. Мне оно даже кажется нежелательным. К примеру, дипломаты из категории «А» имеют порой совершенно иные вкусы и интеллектуальные запросы, чем представители категории «Б». Я хочу лишь отметить, что в Бонне разделение уж очень *строгое и жесткое*, причем оно сказывается почти во всем. «А» общаются только с «А», «Б» только с «Б» даже внутри своих отделов: экономисты, атташе, работники канцелярии — все сформировали некие внутренние кружки по рангам. Вот это мне не по душе. Не хотите ли еще хереса?

— Спасибо.

— И я приняла приглашение Медоузов. Другим гостем оказался Хартинг. Мы провели у них приятный день, задержались до раннего вечера, а потом вынуждены были их покинуть. Мира Медоуз собиралась на вечеринку. Одно время она очень сильно болела, если вы еще не знаете. У нее была любовная связь в Варшаве с одной из местных, нежелательных для нас персон, и все кончилось чуть ли не трагедией. Лично я теперь настроена против заранее спланированных браков. Так вот, Мира Медоуз собиралась продолжить праздник в компании молодежи, самого Медоуза пригласили Корки, а потому задержаться мы никак не смогли бы. Когда собрались уходить, Хартинг подал идею прогуляться. Он знал одно местечко неподалеку, и было бы здорово поехать туда, чтобы немного подышать свежим воздухом после чересчур обильного обеда и выпитого вина. Я всегда любила бывать на природе. Мы прошлись немного, а потом он предложил поехать к нему и поужинать. Причем проявил изрядную настойчивость.

Она смерила Тернера долгим взглядом. Ее пальцы были сплетены вместе на коленях, а руки образовали подобие корзинки.

— Я посчитала себя не вправе отказываться. Хотя это было одно из тех решений, которые каждой женщине даются не без труда. На самом деле мне хотелось пораньше лечь спать, но я в то же время не могла обидеть Лео отказом. В конце концов, все происходило в рождественский вечер, а его поведение во время прогулки было безупречным. С другой стороны, необходимо отметить, что я едва успела с ним познакомиться. Поэтому я согласилась, но предупредила о своем желании вернуться домой не слишком поздно. Он принял мое условие, и тогда я в своей машине последовала за ним в Кёнигсвинтер. К своему удивлению, я увидела, что он загодя подготовился к моему визиту. Стол был накрыт на двоих. Он даже убедил сантехника прийти и включить обогреватель. После ужина он сказал, что влюблен в меня... — Взяв из пепельницы сигарету, она глубоко затянулась. Ее рассказ превратился в нечто вроде отчета — некоторые вещи она должна была произнести вслух. — Он говорил, что за всю прежнюю жизнь ни разу не испытывал подобных чувств. И с первого дня, когда увидел меня на совещании в канцелярии, стал сходить по мне с ума. Он показал на огни барж, проплывавших по реке. «Я часто стою у окна своей спальни, — сказал он, — наблюдаю за ними и так порой провожу целую ночь. И почти каждое утро вижу рассвет над рекой». Ему все это виделось проявлением одержимости мной. Я же сидела как громом пораженная.

— Что вы ему сказали?

— У меня не было возможности что-то сказать. Он хотел сделать мне подарок. Даже если мы никогда больше вот так не встретимся, он хотел, чтобы рождественский презент стал для меня залогом его любви и напоминанием о ней. Он зашел в свой кабинет и вернулся со свертком, аккуратно упакованным и надписанным:

«Моей любимой». Естественно, я совершенно растерялась. «Я не приму этого, — сказала я. — Мне придется отказаться от вашего подарка. Не могу позволить вам делать мне подношения. Это поставит меня в зависимое положение». Мне пришлось объяснить ему, что хотя во многих отношениях он и сам был англичанином, подобные вещи в Англии принято делать иначе. На континенте у мужчин вошло в обычай завоевывать женщину приступом, но в Англии процесс ухаживания длится долго и дает время на размышления. Нам сначала надо было лучше узнать друг друга, сравнить наши взгляды на жизнь. Между нами существовала разница в возрасте, и я не могла не принимать во внимание свою будущую карьеру. Я не знала, как поступить, — беспомощно добавила она. Горечь пропала из ее голоса, но она стала потерянной и немного жалкой. — Он продолжал твердить: все-таки сегодня Рождество, и я должна воспринимать это как обычный рождественский подарок.

— Что было в том пакете?

— Фен для сушки волос. Он сказал, что ему особенно нравилась моя прическа. По утрам он любовался, как солнце играет в моих локонах. То есть во время совещаний в канцелярии, как вы понимаете. Но он, должно быть, выражался фигурально. Зима-то выдалась холодной и облачной. — Она коротко вздохнула. — Фен, вероятно, обошелся ему не меньше чем в двадцать фунтов. Никто, даже мой бывший жених в самый разгар наших близких отношений, не дарил мне ничего столь же дорогого.

Она вновь повторила ритуал с портсигаром, резко протянула к нему руку и, внезапно дернув пальцами, выбрала сигарету разборчиво, словно это была шоколадная конфета — нет, не эту, а вот ту, — и прикурила ее с хмурым видом.

— Мы сидели вместе, и он поставил на проигрыватель пластинку. Боюсь, сама я не любительница музыки, но мне подумалось, что она поможет ему отвлечься. Мне стало его очень жалко и не хотелось оставлять его в таком состоянии. Он пристально смотрел на меня, а я не знала, куда деть глаза. Наконец он подошел и попытался обнять меня, но я сказала, что мне пора домой. Он проводил меня до машины. Вел себя предельно корректно. К счастью, у нас оставались еще два праздничных выходных дня. У меня было время решить, что делать. Он дважды звонил, снова приглашая на ужин, но я отказывалась. К концу каникул я приняла решение. Написала ему письмо и вернула подарок. Я чувствовала, что не могу поступить иначе. Пришла на работу пораньше и оставила сверток у охранника канцелярии. В письме я объясняла, что обдумала его слова и убедилась в своей неспособности испытать ответное чувство к нему. Потому было бы неправильно с моей стороны поощрять его ухаживания, а поскольку мы являлись коллегами и поневоле часто виделись друг с другом, я поняла, что для меня разумнее всего с самого начала сказать ему все до того, как...

— До чего?

— До того, как о нас распустят сплетни, — ответила она с внезапной горячностью. — Мне еще никогда не доводилось бывать в местах, где так много сплетничают. Ты и пальцем не можешь пошевельнуть, чтобы о тебе не начали рассказывать самых нелепых и вздорных историй.

— И какой же слух пустили про вас?

— Не знаю, — сказала она грустно. — Одному богу известно.

— У какого охранника вы оставили пакет?

— У молодого Уолтера. Сына Макмуллена.

— Он рассказывал об этом кому-нибудь?

— Я настоятельно попросила его сохранить все в секрете.

— Думаю, на него ваша просьба произвела большое впечатление, — заметил Тернер.

Она зло посмотрела на него, еще сильнее покраснев от смущения.

— Хорошо. Вы вернули ему подарок. Как он повел себя дальше?

— В тот день он пришел в канцелярию как обычно и пожелал мне доброго утра, как будто ничего не случилось. Я улыбнулась ему, и на этом все закончилось. Он выглядел бледным, но воспринял все мужественно... Был печален, но хорошо владел собой. Я поняла, что худшее позади... Так удачно сложилось, что ему как раз предложили поработать в референтуре, и, как я надеялась, это поможет ему выбросить из головы другие мысли. За следующую пару недель мы едва ли с ним и словом перемолвились. Я встречала его либо в посольстве, либо во время общественных мероприятий, и он казался вполне довольным жизнью. Не позволял себе даже намека ни на рождественский вечер, ни на историю с подарком. Порой на приемах с коктейлями он мог подойти и встать поближе ко мне, и я чувствовала... Он все еще хотел сойтись со мной. Иногда ловила на себе его взгляды. Женщина всегда чувствует такое, и я понимала: он не полностью утратил надежду. Он так смотрел на меня, что... Короче, у меня не оставалось сомнений. Просто не могла себе объяснить, почему не замечала таких взглядов прежде. Но я, однако, по-прежнему не давала ему повода на что-либо рассчитывать. Я приняла решение, и хотя порой меня посещало желание утешить его, я знала, что в конечном счете ничего путного из этого не выйдет, если я... дам ему хотя бы шанс. Кроме того, во мне жила уверенность: столь внезапно и... необъяснимо вспыхнувшее чувство столь же быстро пройдет.

— И оно прошло?

— Так продолжалось примерно две недели. И это начало действовать мне на нервы. Казалось, куда бы я ни отправилась, к кому бы меня ни пригласили, я непременно встречалась там с ним. Он даже не пытался со мной заговаривать. Просто все время смотрел. Стоило мне сдвинуться с места, и его взгляд следовал за мной... Эти его глаза! У него были очень темные глаза. А взгляд... Мне он представлялся исполненным духовности. Темно-карие глаза, как считают многие, способны навязать вам свою волю, сделать зависимой... Кончилось тем, что я стала почти бояться бывать где-либо. Должна признаться, мне тогда приходили в голову постыдные мысли. Я гадала, уж не читает ли он адресованных мне писем.

— А сейчас что вы об этом думаете?

— В канцелярии у каждого есть своя ячейка для телеграмм и писем. Сотрудники поочередно раскладывают входящую почту. А как и в Англии, здесь принято отправлять приглашения в незаклеенных конвертах. Так что он мог легко заглядывать в них.

— Почему вы считаете такую мысль постыдной?

— Потому что я ошибалась, вот почему, — резко ответила она. — Я прямо спросила его, и он заверил меня, что ничего подобного, конечно же, не делал.

— Понятно.

У нее появились почти наставительные интонации педагога, она заговорила тоном, не допускавшим возражений:

— Он бы никогда не пошел на такое. Это было противно его натуре, и он даже не рассматривал самой возможности. Словом, он категорически отрицал, что... преследовал меня. Я сама употребила подобное выражение, о чем сразу пожалела. Не представляю, как сумела выбрать столь неудачный термин. Он сказал, что просто соблюдал обычный распорядок общественной жизни, но если это беспокоит меня, готов все изменить. Отклонять впредь любые приглашения, не получив моего согласия на его присутствие. Ему менее всего хотелось как-то обременять меня.

— Значит, после выяснения отношений вы снова стали лишь друзьями?

Он заметил, как она отчаянно подыскивает лживые слова, наблюдал это неловкое балансирование на грани правды и вранья, потом решение признаться.

— После двадцать третьего января он больше ни разу не разговаривал со мной, — выпалила она наконец. Даже при тусклом освещении Тернер заметил, как по ее слегка обветренным щекам покатились слезы, когда она склонила голову, но тут же проворно прикрыла лицо ладонью. — Не могу продолжать. Неотвязно думаю о нем.

Тернер поднялся, открыл створку бара в буфете и налил половину большого стакана виски.

— Вот, — сказал он, — напиток, который вам действительно нравится. Выпейте до дна и прекратите притворство.

— Это все от чрезмерной нагрузки на работе. — Она взяла стакан. — Брэдфилд не умеет расслабляться. И не любит женщин. Он их просто ненавидит. Ему хотелось бы избавиться от всех нас.

— А теперь расскажите, что случилось двадцать третьего января.

Она села, прижавшись к краю кресла и спиной к нему, а голос сделался высоким помимо ее желания.

— Он стал игнорировать меня. Сделал вид, что целиком погрузился в работу. Я заходила в референтуру за своими бумагами, а он даже голову не поднимал. Не смотрел на меня. Больше вообще не смотрел. На других мог бросить взгляд, но только не на меня. О нет! А ведь на самом деле работа никогда его не интересовала. Вам стоило понаблюдать за ним во время летучки в канцелярии, и вы бы тоже это поняли. В глубине души он был бездельником, хотя ловко скрывал свою лень. Однако стоило мне появиться, как он весь уходил в свои занятия. Смотрел сквозь меня, когда я здоровалась с ним. Даже если я лицом к лицу сталкивалась с ним в коридоре, все происходило точно так же. Он не замечал меня. Я для него не существовала. Мне стало казаться, что я схожу с ума. Это было глубоко неправильно: в конце концов, он всего лишь «Б», да и то временный. Пустое место, если разобраться. Не обладает ни малейшим влиянием. Вы бы послушали, как о нем все отзывались... Мелочь — вот его прозвище. Сообразительный, но совершенно без толку. — На мгновение она явно ощутила свое превосходство, но потом продолжила: — Я писала ему письма. Звонила домой в Кёнигсвинтер.

— И все об этом знали, верно? Вы не сумели ничего скрыть от коллег.

— Сначала он гоняется за мной... Буквально засыпает объяснениями в любви... Как какой-то жиголо, ей-богу. Конечно, в глубине души я все прекрасно понимала, можете быть уверены. Любовная горячка, а потом полное охлаждение. Но кем, черт побери, он себя возомнил?

Она оперлась на подлокотник кресла, уронив голову на сгиб локтя, ее плечи сотрясались в такт рыданиям.

— Вы должны рассказать мне все. — Тернер, встав над ней, положил ладонь ей на руку. — Послушайте, вы просто обязаны рассказать мне подробно, что произошло в конце января. Нечто очень важное, не так ли? Он вас о чем-то попросил. Вынудил сделать для него. И речь шла о политике. О чем-то, чего вы теперь особенно страшитесь. Для начала он вас хорошенько подготовил. Поработал над вами, чтобы потом застать врасплох... И в результате добился чего хотел. Чего-то очень простого, но недоступного для него самого. Когда же цель оказалась достигнута, вы стали ему не нужны.

Рыдания возобновились с новой силой.

— Вы сообщили ему, что он хотел знать. Вы оказали ему услугу. Причем услугу, в которой он крайне нуждался. Не сомневайтесь, многие другие так или иначе совершали подобные ошибки. Так что это было? — Он встал на колени рядом с ней. — В чем состоял ваш неразумный поступок? И об интересах каких лиц вы упомянули в самом начале? Говорите же! Это было нечто, напугавшее вас до полусмерти! Рассказывайте, что именно!

— О господи! Я одолжила ему ключи. Одолжила ключи, — сказала она.

— Только не надо медлить! Рассказывайте быстрее!

— Ключи дежурного сотрудника. Всю связку. Он пришел и принялся умолять... Хотя нет. Ему даже умолять не пришлось. — Она выпрямилась в кресле, ее лицо побледнело до полной белизны. — Я как раз дежурила. Ночной дежурный дипломат. В ночь на двадцать третье января. Четверг. Лео не дозволялось исполнять обязанности дежурного. Есть вещи, к которым временных не допускают: особые инструкции... указания на случай чрезвычайных ситуаций и все такое. Я как раз с трудом справлялась с потоком поступавших телеграмм. Было это в половине восьмого или в восемь. Я вышла из комнаты шифровальщиков и вдруг увидела его. Он явно меня дожидался. «Дженни, — сказал он, — какой приятный сюрприз». Мне так понравились его слова!

Рыдания снова помешали ей говорить. Справившись с ними, она продолжила:

— Я была просто счастлива. Мне ведь так хотелось поговорить с ним снова. И он ждал меня. Я знала, он ждал, хотя сделал вид, что встретились мы случайно. И я сказала ему: «Лео...» — хотя никогда не обращалась к нему просто по имени прежде: Лео. И мы стояли, разговаривая в коридоре. «Какой *поистине чудесный* сюрприз, — не уставал повторять он. — Возможно, мы могли бы поужинать вместе?» Мне пришлось напомнить ему: он, вероятно, забыл, что я на дежурстве. Но это нисколько не смутило его. «Жаль, — сказал он только. — Тогда, может, завтра? Или в выходные?» Он позвонит мне в субботу утром, как мне такой вариант? «Это было бы прекрасно, — ответила я. — Идея хорошая». «Мы могли бы сначала отправиться на прогулку, — предложил он. — До самого футбольного поля». Я была в восторге. Между тем я все еще держала в руке пачку телеграмм, и пришлось сказать: «Извини, но мне надо доделать работу, чтобы потом отнести все на стол Артуру Медоузу». Он предложил сделать это вместо меня, но я отказалась. Справлюсь сама, ничего особенного. И я повернулась, чтобы уйти... Понимаете, я хотела уйти первой, чтобы это не выглядело так, будто он меня покидает. Я уже удалялась, когда он произнес: «Да, между прочим, Дженни, задержись на секунду...» Это было сказано в свойственной ему небрежной манере. «У нас случилось забавное происшествие. Внизу собрался хор, но нам никто не может открыть дверь конференц-зала. Ее заперли, а ключа нигде не видно. Вот мы и подумали, что, быть может, он есть у тебя». Мне это показалось несколько странным. Прежде всего, зачем кому-то понадобилось запирать дверь конференц-зала? Но я сказала: «Хорошо, я скоро спущусь и открою замок. Только сначала разложу телеграммы для дальнейшего распределения». Он прекрасно знал, что у меня есть такой ключ, вот что я хочу подчеркнуть. Ведь у дежурного под рукой ключи от всех помещений в здании посольства. «Тебе не стоит отвлекаться и спускаться самой, — сказал он. — Просто дай ключ мне. Я все сделаю сам. Это не отнимет и пары минут». Я колебалась, и он не мог не заметить моих сомнений.

Она закрыла глаза.

— Он выглядел таким маленьким, — внезапно громко произнесла она. — Его очень легко было бы обидеть. А я уже обвиняла его в просмотре своих писем. Я полюбила его... Клянусь, я никого не любила прежде... — Постепенно ее рыдания унялись.

— Значит, вы отдали ему ключи? Всю связку? Ключ от референтуры, от комнаты-сейфа...

— Ключи от всех столов и металлических коробок для хранения документов. От парадной и задней дверей посольства. Как и ключ, с помощью которого отключалась сигнализация в канцелярии и в референтуре.

— А ключ от лифта?

— Лифт в то время еще вообще не закрывался. Даже решетки не было. Ее установили только в следующие выходные.

— Как долго связка находилась у него в руках?

— Пять минут. Или даже меньше. Это же очень мало, верно? — Теперь она ухватила его за руку, заглядывая в глаза. — Скажите мне, что очень мало.

— Чтобы сделать слепок? Он мог успеть снять пятьдесят слепков, если хорошо знал, что именно ему требуется.

— Но ему понадобился бы воск, пластилин или что-то подобное. Я спрашивала. Читала специальную литературу.

— У него все было заготовлено в кабинете, — почти равнодушно заметил Тернер. — Он же базировался на первом этаже. Но не стоит пока так переживать, — добавил он уже мягче. — Он мог действительно всего лишь впустить в здание хор. Не позволяйте воображению заводить вас слишком далеко.

Дженни теперь совсем не плакала. И голос стал более ровным. Она произнесла с оттенком обреченности, решительно делая признание:

— В тот вечер хор не собирался на репетицию. Они репетируют по пятницам. А дело было в четверг.

— Вы это выясняли, верно? Поинтересовались у охранника канцелярии?

— Я сама знала об этом! Знала, отдавая ключи! Пыталась себе внушить, будто мне ничего не известно, однако напрасно. Но мне пришлось довериться ему! Это был акт самопожертвования. Неужели вы не видите очевидного? Символ самопожертвования, который равнозначен символу любви. Но разве мужчина способен понять такое?

— А после принесенной ради него жертвы, — сказал Тернер, поднимаясь с коленей, — вы ему оказались больше не нужны.

— Но разве не все мужчины поступают так же?

— Он позвонил вам в субботу?

— Вы же догадались, что не позвонил. — Она снова уткнулась лицом в сгиб локтя.

Тернер закрыл блокнот.

— Вы меня слушаете?

— Да.

— Он никогда не упоминал при вас имени другой женщины? Некой Маргарет Эйкман? Он был с ней помолвлен. И она тоже знала Гарри Прашко.

— Нет.

— Не говорил о каких-либо других женщинах?

— Нет.

— Разговаривал с вами о политике?

— Нет.

— Давал ли он вам когда-нибудь основания считать, что в значительной степени придерживался левых взглядов?

— Нет.

— Вы замечали его в компании подозрительного вида типов?

— Нет.

— Он заводил речь о своем детстве? О своем дяде? О дяде, который жил в Хампстеде? О воспитавшем его коммунисте?

— Нет.

— О дяде Отто?

— Нет.

— О Прашко он упоминал? Упоминал или нет? Прашко. Вы слушаете меня?

— Он как-то сказал, что Прашко был в его жизни единственным другом. — Дженни снова прервалась, и ему пришлось ждать.

— Он говорил о политических взглядах Прашко?

— Нет.

— Они с Прашко и сейчас оставались друзьями?

Она помотала головой.

— В прошлый четверг Хартинг с кем-то обедал. За день до исчезновения. В «Матернусе». Это были вы?

— Но я же вам уже все сказала! Клянусь, это правда!

— Это были вы?

— Нет!

— Но он пометил встречу в своем ежедневнике как обед с вами. Он написал большую букву «П». Таким же образом он обозначал вас в других случаях.

— Это была не я!

— Тогда Прашко, верно?

— Откуда мне знать?

— Потому что вы вступили с ним в любовную связь, вот откуда! Вы сообщили мне только половину фактов, а об остальных умолчали! Вы спали с ним до самого дня его бегства!

— Это неправда!

— Почему Брэдфилд защищал его? Он ненавидел таких, как Лео. Почему же столь внимательно присматривал за его благополучием? Дал ему работу у себя? Платил ему жалованье?

— Пожалуйста, уходите, — сказала она. — Уходите и никогда сюда не возвращайтесь.

— Почему вы меня прогоняете?

Дженни резко выпрямилась в кресле.

— Убирайтесь! — повторила она.

— Вы ужинали с ним в пятницу. В тот вечер, когда он пропал. Вы с ним спали, но не хотите признаться в этом!

— Нет!

— Он расспросил вас о зеленой папке. А потом заставил добыть для него коробку с ней.

— Нет, он не делал ничего подобного! Ничего подобного! Убирайтесь!

— Мне нужно такси.

Он ждал, пока она звонила.

— Sofort, — сказала она, — sofort* приезжайте и заберите отсюда пассажира.

Он уже стоял в дверях.

— Что вы с ним сделаете, когда найдете его? — спросила она упавшим голосом, сменившим горячо эмоциональный тон.

— Это уже не мое дело.

— И вам все равно?

— Мы никогда его не найдем. Так какая разница?

— Тогда зачем вообще его искать?

---

* Немедленно, сейчас же *(нем.)*.

— А почему бы и нет? Каждый из нас проводит жизнь по-своему, но в чем-то мы все схожи. Ищем людей, которых никогда не найдем.

Тернер медленно спустился по лестнице в парадное. Из соседней квартиры доносился веселый шум вечеринки. Группа арабов — все очень пьяные — протиснулась между ними, на ходу снимая пальто и что-то крича. Он ждал на ступенях перед входом. На противоположном берегу реки узкая полоска света окон столь любимого Чемберленом Петерсберга висела в темноте, как ожерелье. Прямо перед ними стоял новый многоквартирный жилой дом. Создавалось впечатление, будто его строили сверху: начали с установки крана и крыши, продвигаясь вниз. Чуть дальше проспект пересекал железнодорожный мост. И когда по нему загремели колеса экспресса, Тернер даже смог разглядеть посетителей вагона-ресторана, жевавших свой ужин.

— В посольство, — сказал он. — В британское посольство.

— Englische Botschaft?

— Не в английское, а в британское. И я очень тороплюсь.

Шофер выругался и начал шипеть что-то злобное о дипломатах. Он вел машину на огромной скорости и в какой-то момент чуть не врезался в трамвай.

— Эй, поосторожнее там, черт возьми! — прикрикнул на него Тернер.

Он потребовал от водителя счет. Тот держал в «бардачке» специальную печать и красную чернильную подушечку, но штамп поставил с такой силой, что чуть не порвал бумагу. Здание посольства, светясь всеми окнами, напоминало океанский лайнер. В вестибюле двигались темные фигуры, медленно кружа, как пары в бальном танце. Автостоянка была переполнена. Тернер выкинул расписку, полученную от таксиста. Ламли все равно не оплачивал такие расходы. Ему некому было предъявить счет. Кроме Хартинга, чьи долги увеличивались на глазах.

У Брэдфилда совещание, сообщила мисс Пит. Вероятно, еще до наступления утра они с послом улетят в Брюссель. Она на время отложила свою бумажную работу и взялась за синюю папку с карточками размещения гостей, расставляя их вдоль обеденного стола в определенном порядке, а с Тернером разговаривала так, словно считала своим долгом вывести его из себя. Де Лиль находился в бундестаге на слушаниях по вопросу введения закона о чрезвычайном положении.

— Мне нужно осмотреть ключи дежурного.

— Боюсь, вы сможете сделать это только с согласия мистера Брэдфилда.

Он начал спорить с ней, чего ей как раз хотелось. И победил в споре, что ее тоже вполне устроило. Она выдала ему письменное разрешение, подписанное в административном отделе старшим советником в ранге посланника (политические вопросы). Он отнес разрешение к главной стойке вестибюля, за которой дежурил Макмуллен. Это был крупный солидный мужчина, когда-то сержант полиции Эдинбурга, и то, что он узнал о Тернере, явно не расположило его к гостю.

— А еще мне понадобится книга ночных дежурств, — сказал Тернер. — Покажите мне книгу ночных дежурных начиная с января.

— Пожалуйста, — отозвался Макмуллен, но все время стоял у него над душой, словно опасался, что он украдет книгу. Было уже половина девятого, и посольство почти полностью опустело.

— До завтра, старина, — тихо сказал Микки Краббе по пути к выходу.

Никакого упоминания о Хартинге в книге регистрации не значилось.

— Отметьте меня, — попросил Тернер, двигая книгу обратно через стойку. — Я задержусь здесь на всю ночь.

Как сделал Лео, подумал он.

Глава 9
ПРОЩЕНЫЙ ЧЕТВЕРГ*

В связке насчитывалось не менее пятидесяти ключей, но лишь с полдюжины из них были помечены. Тернер стоял в коридоре там, где прежде стоял Лео, чуть скрытый тенью колонны, и смотрел на дверь шифровальной комнаты. Только Лео расположился здесь в половине восьмого, и он представил себе Дженни Паргитер, выходящей с пачкой телеграмм в руке. Сейчас в коридоре стоял

---

* Прощеный четверг — аналог прощеного воскресенья у православных.

неумолчный шум, и стальная решетка на входе в комнату шифровальщиков поднималась и падала, как нож гильотины, когда девушки из референтуры приносили новые телеграммы и забирали поступившие. Но в ночь того четверга все было спокойно. Затишье перед надвигавшейся бурей, и Лео разговаривал с ней там, где сейчас стоял Тернер. Он посмотрел на часы, затем снова на связку ключей и подумал: пять минут.

Затем прошел по коридору до самого вестибюля, глянул вниз вдоль лестницы и увидел, как вечерняя смена машинисток вышла из здания в темноту, словно спасаясь с горящего корабля, сбегая в спасительную прохладу наступавшей ночи. Он наверняка шел быстрой, но беспечной походкой, потому что Дженни могла наблюдать за ним сзади, а Гонт или Макмуллен тоже видели, как он спускается по ступеням — поспешно, но без намека на радость триумфатора.

Он постоял в вестибюле. И все же какой это был огромный риск, внезапно пришла мысль. Какая опасная игра. Толпа на входе расступилась, чтобы дать войти двум немецким чиновникам. С черными портфелями в руках они двигались величаво, как хирурги, прибывшие для проведения сложной операции. Под плащи они повязали серые шарфы, широко и плоско распластав их, как часто делали русские. Какой риск! Дженни могла передумать, пойти за ним следом и выяснить все через минуту, если только действительно не знала заранее, что Лео ей солгал. Она бы все поняла, добравшись до вестибюля и не услышав пения из конференц-зала, заметив, что никого из десятка певцов не отметили в книге регистрации, а на вешалках рядом с дверью, у которых сейчас снимали плащи немецкие визитеры, нет ни пальто, ни шляп. Она бы догадалась, что Лео, вечный изгой, никудышный любовник и способный лишь на самые заурядные трюки обманщик, откровенно солгал ей, чтобы получить ключи.

«Символ самопожертвования, который равнозначен символу любви. Но разве мужчина способен понять такое?»

Прежде чем вернуться в коридор, Тернер задержался и осмотрел лифт. Покрашенная золотистой краской дверь была заперта на замок. Чернела стеклянная панель по центру, заколоченная изнутри фанерой. Два крепких стальных прута образовывали подобие дополнительной горизонтальной решетки.

— Давно все это в таком виде?

— Со времени событий в Бремене, сэр.

— А когда случилась завaруха в Бремене?

— В январе, сэр. В конце января. Сделано по рекомендации из министерства, сэр. Оттуда даже специально прислали человека. Он установил решетки на двери подвалов и запер лифт, сэр. — Макмуллен делился информацией так, словно давал свидетельские показания в суде Эдинбурга — размеренно, в такт дыханию произнося фразы отрывочными сериями. — Он работал здесь все выходные, — добавил он почти восхищенно, поскольку сам принадлежал к числу мужчин, слишком любивших себя, чтобы утомлять физическим трудом.

Тернер медленно пошел сквозь полумрак в сторону кабинета Хартинга: вот эти двери были тогда закрыты, здесь свет не горел, в той комнате никого не было и царила тишина. Мог ли свет луны пробиваться сквозь решетки на окнах? Или вдоль стен мерцали синие ночники, привезенные из вечно экономной Британии, а в сводах потолка отдавались только его шаги?

Мимо прошли две девушки, нарочито одетые так, чтобы уместно выглядеть в любой ситуации. На одной из них были простые джинсы, и она смерила его прямым взглядом, явно оценивая, сколько может весить столь массивный человек. «Господи, — подумал он, — очень скоро мне захочется прижать к себе такую девицу», — после чего открыл дверь кабинета Лео и встал посреди темной комнаты.

«Что же ты задумал? — задавался он вопросом. — Что ты затеял, наш маленький воришка?»

Жестянки! Да, жестянки из-под сигар подошли бы идеально, если заполнить их постепенно отвердевающим веществом. Годился даже детский пластилин из большого универмага «Вулворт» в Бад-Годесберге. Плюс немного талька, что обеспечить четкость отпечатка. Три положения ключа. Одна сторона, другая, прямой слепок ребра. Надо только убедиться, что все зазубрины отобразились. Копия, быть может, не стала совершенной — это зависело от качества болванок и слепка, — но хороший мягкий металл сам примет нужную форму, оказавшись в материнском чреве замка, сам себя подгонит под внутреннюю конструкцию... Все верно, Тернер, продолжай в том же духе. Как любил говаривать сержант, ты найдешь что угодно по единственному волоску. Значит, у Лео все было готово. Пятьдесят жестянок? Или только одна?

Всего один ключ. Но тогда который из многих? В какой пещере Аладдина, в какой потайной комнате этого скрипучего английского дома хранились необходимые Лео сокровища?

Ты вор, Хартинг. И Тернер начал с двери кабинета Хартинга вполне сознательно, чтобы досадить ему, показать вору, пусть того и не было рядом, что с его собственной дверью тоже можно играть по своему усмотрению. А потом Тернер медленно двинулся вдоль коридора, проверяя ключи в замках. И каждый раз, подобрав подходящий, снимал его с кольца, совал в карман, но думал при этом: чего путного ты добьешься подобным образом? Большинство дверей вообще никогда не запирались, и ключами от них никто не пользовался: от створок буфетов, от туалетов и умывальников, от помещений для отдыха, от кабинетов, от медпункта, где пахло спиртом, и от щитовой, скрывавшей электрические кабели.

Установить микрофоны? Не это ли представляло для тебя технический интерес, а, воришка? Все эти подарки, мелкий подхалимаж, фены и прочая чепуха. Разве не прекрасные места, чтобы поместить не слишком сложные подслушивающие устройства?

— Чушь, — произнес он и с десятком ключей, уже утяжеливших карман и бивших по бедру, поднялся наверх, где чуть не попал в объятия личного секретаря посла — напыщенного хлыща, присвоившего себе изрядную долю власти хозяина.

— Его превосходительство через минуту уезжает. На вашем месте я бы пока растворился, — посоветовал он с покровительственной холодностью. — Он не слишком жалует вашего брата.

В большинстве коридоров было светло как днем. В коммерческом отделе праздновали неделю Шотландии. Лиловое чучело, задрапированное в клетчатую шерсть цветов клана Кэмпбеллов, и с остальными причиндалами костюма горца болталось на стене рядом с портретом королевы. Коллажи из миниатюрных бутылочек виски на фоне фотографий танцоров и волынщиков оформили фанерными рамками. В открытом общем зале под бодрыми призывами покупать товары, произведенные на севере, побледневший клерк упрямо сражался с машинами для внесения и снятия денег. Сверху плакат предупреждал: «Решающий день в Брюсселе приближается!», но на машины это не производило никакого впечатления. Тернер поднялся этажом выше и попал в филиал Уайтхолла. Здесь базировались атташе по разнообразным вопросам, причем каждый руководил как бы своим маленьким министерством, обозначив присвоенный ему титул на двери.

— Какого хрена тебе здесь понадобилось? — потребовал ответа дежурный в ранге сержанта, и Тернеру пришлось посоветовать ему поглубже заткнуть в глотку поганый язык.

Где-то дальше по-военному командный голос с некоторым трудом диктовал текст. В машбюро девушки сиротливо сидели рядами, как в школьном классе. Две самые младшие, надев зеленые рабочие халаты, возились с громадным копировальным аппаратом, пока третья раскладывала разноцветные бланки телеграмм с нежной аккуратностью, словно они были тончайшими кружевами, предназначенными на экспорт. Над ними возвышалась начальница смены, дама лет шестидесяти с синим отливом в седых волосах, разместившаяся на отдельном помосте, проверяя трафареты. Она одна, почуяв появление врага, резко подняла взгляд и направила нос в его сторону. Стена у нее за спиной была сплошь покрыта поздравительными рождественскими открытками от начальниц машбюро дипломатических миссий в других странах. На некоторых попадались изображения верблюдов, но преобладал все же королевский герб.

— Я вот проверяю замки, — пробормотал Тернер, а в ее взоре читался ответ: «Делайте что хотите, только не смейте трогать моих девочек!»

«Боже, мне бы сейчас очень пригодилась одна из них, уж поверьте. Неужели вы не можете выделить мне спутницу для быстрого совместного посещения райских кущ? Хартинг, ты вор во всех смыслах!»

Пробило десять часов. Он уже побывал во всех комнатах, куда Хартинг имел официальный допуск, но не получил ничего, кроме разыгравшейся головной боли. Того, что хотел заполучить Хартинг, здесь явно больше не было. Либо вещь надежно спрятали и потребуются недели поисков, либо она настолько естественно вписывалась в интерьер, что становилась как бы невидимой. Он ощущал легкую тошноту — следствие перенапряжения, а в его сознании беспорядочно метались никак не связанные воспоминания. Господи, и все это за единственный день! От горячего энтузиазма до полного разочарования всего за день. От самолета до стойки дневного дежурного. Все улики на руках, но в то же время — ни одной. «Я прожил целую треклятую жизнь, а прошел только понедельник». Он смотрел на чистые строки телеграфного бланка, размышляя, что, черт побери, ему написать. Корк спал, его роботы застыли в молчании. Ключи грудой лежали перед Тернером. Один за другим он принялся снова нанизывать их на кольцо. «Сложи все в единое целое, *конструируй*. Ты не уляжешься в постель, пока не обнаружишь след, по которому обязан будешь пойти дальше». Задача интеллектуала состоит в том, поучал его толстозадый наставник, чтобы создавать порядок из хаоса. «Определи, что есть анархия. Это сознание, работающее бессистемно. Тогда объясните мне, пожалуйста, учитель, что есть система вне сознания?» Взяв карандаш, он лениво изобразил диаграмму дней недели, а затем поделил каждый день на отрезки из часов. Затем открыл синий ежедневник. «Переформируй отдельные фрагменты, слепи из них нечто общее, но единое. Ты найдешь его, а Шоун не смог бы. Хартинг Лео. Жалобы и консульские вопросы, вор и охотник. Но теперь на тебя начну охоту я».

— Вы, случайно, не разбираетесь в акциях компаний? — спросил Корк, резко проснувшись.

— Нет, не разбираюсь.

— Понимаете, меня гложет вопрос, — продолжал альбинос, протирая розовые глаза. — Если наступит спад на Уолл-стрит и такой же спад на бирже во Франкфурте, а мы не сумеем поставить на ноги Общий рынок, как это скажется на шведской стали?

— На вашем месте, — отозвался Тернер, — я бы поставил все фишки на красное и забыл об остальном.

— Но у меня есть твердое намерение, — объяснил Корк. — Мы прикупили небольшой участок на Карибах...

— О, заткнитесь, ради всего святого.

«Конструируй. Изобрази свои мысли на грифельной доске и посмотри, как они будут выглядеть, во что превратятся. Давай же, Тернер! Ты философ. Расскажи нам, вокруг чего вращается мир. К примеру, какой маленький абсолют мы можем вложить в уста Хартингу? Факты. Конструирование. Разве ты не по доброй воле, мой дражайший Тернер, променял созерцательную жизнь ученого на функциональную деятельность государственного служащего? Так конструируй. Заставь свои версии работать, и де Лиль назовет тебя подлинной личностью».

Сначала понедельники. Понедельники предназначены для приглашений на приемы в рестораны. Причем предпочтение отдается шведскому столу, как сказал ему по секрету за обедом де Лиль. Потому что тогда не приходится возиться с проблемой правильной рассадки гостей. По понедельникам играются матчи на выезде.

Англичане играют против всяких цветных и черномазых. Новая разновидность рабства. Хартинг по сути своей был человеком из второго дивизиона. Малые посольства. Посольства со слишком тесными гостиными. Но команда класса «Б» тоже по понедельникам играла на выезде.

— ...А если будет девочка, как полагаю, нам придется нанять няню из числа цветных. Своего рода аму*. Она сможет дать ребенку хотя бы основы начального образования.

— Вы никак не можете помолчать?

— Конечно, если у нас будет достаточно средств, — добавил Корк. — Даром никто работать не станет, сами понимаете.

— А вам лучше бы понять, что я работаю.

«То есть стараюсь работать», — подумал он, и его мозг переключился на совсем другую тему. Он был в коридоре с маленькой девушкой, чьи полные, ненакрашенные губы плавно переходили в бархатистую кожу лица. Он представил себе ее долгий оценивающий взгляд на свое только начавшее намечаться брюшко, услышал ее смех. Точно так же сама жизнь смеялась над ним. «Алан, милый, ты должен просто взять меня, а не бороться со мной. Здесь все дело в ритме. Это похоже на танец, пойми, наконец. А Тони такой прекрасный танцор. Алан, дорогой, я немного задержусь сегодня вечером, а завтра меня не будет вообще, потому что в понедельник у меня матч на выезде с другим возлюбленным. Алан, остановись. Прекрати! Алан, не надо меня бить! Я даже не прикоснусь к нему больше, клянусь. До самого вторника».

— Хартинг, ты вор.

Вторники отводились для домашних развлечений. Да, вторник означал дом и людей, пришедших в него. Тернер составил список по записям Лео и подумал: да это хуже, чем на окраине Лондона — в Блэкхите. Хуже, чем ее тупая мать, цеплявшаяся за остатки своей власти над ней. Хуже, чем Борнмут и священник, пожиравший булочки с тмином. Хуже, чем черные воскресенья в Йоркшире и свадьбы, назначавшиеся ко времени шестичасовых чаепитий. Это устоявшаяся привычка, словно превентивный арест и задержание для пустопорожнего общения. Ванделунги (голландцы)... Канарды (канадцы)... Обитусы (ганцы)... Кортецанисы (итальянцы)... Аллертоны, Краббе и (только однажды, как и было сказано) Брэдфилды. А к этой группе счастливчиков до-

---

* А м у — няня или кормилица в Индии и странах Юго-Восточной Азии.

бавлялось не менее сорока восьми безымянных зануд, определявшихся только своим количеством: Обитусы плюс шесть человек... Аллертоны плюс двое... Брэдфилды сами по себе. Ты уделял им все свое внимание, не так ли? «Как я понимаю, он умеет держаться определенных стандартов». В тот вечер подавали шампанское и два овощных блюда. Тут Тернера перебивает жена: «Дорогой, почему бы нам не покормить гостей вне дома? Уиллоуби не станут возражать. Они знают, как я ненавижу готовить, а Тони обожает итальянскую кухню. Да-да, конечно. Что угодно, если Тони получит от этого удовольствие».

— ...А родится мальчик, — говорил Корк, — им я займусь лично. Должны же быть какие-то заведения для мальчишек даже в таких местах, как это. В сущности, для учителей здесь настоящий рай.

Среда — день благотворительности. Пинг-понг и песни по вечерам. В сержантской столовой: «Добавьте чего-нибудь в свой джин или виски, мистер Тернер, чтобы сделать аромат приятнее. Парни в один голос отзываются о вас, сэр, и, уверен, вы не будете возражать, если я повторю их слова, сэр. Тем более под Рождество. Мистер Тернер, говорят они... Всегда зовут мистером именно вас, но далеко не каждого прочего... Мистер Тернер суровый. Мистер Тернер требовательный. Но мистер Тернер всегда справедливый. А теперь я хотел спросить насчет своего отпуска, сэр...» Вечер для изгнанников с родины. А для Лео — повод прорыть ход внутрь посольства еще на пару дюймов. «Вернись ко мне, маленькая девчонка, и вылезай скорее из этих своих джинсов. Вечер исключительно для дела». Он изучил записи в ежедневнике детально и подумал: «Ты не жалел сил, чтобы добыть необходимые секреты. Надо отдать тебе должное. Действительно из кожи вон лез, верно? Шотландские танцы, клуб любителей «Скиттлс», иностранные автолюбители, спортивный комитет. Ты бы везде поспел раньше меня, держу пари. Потому что по-настоящему во что-то верил — это тоже надо признать. Ты неуклонно шел к своей цели. Завладел мячом и прорвался сквозь них всех, хотя ты и обыкновенный вор».

А поскольку выходные не были помечены никак, если не считать заметок по садоводству и напоминаний о двух поездках в Ганновер, оставались только четверги.

Прощеные четверги. Или греховные четверги.

Обведи слово «четверг» прямоугольником, позвони в «Адлер» и узнай, когда они запираются на ночь. Не запираются вообще?

Прекрасно! Обведи первый прямоугольник вторым, размерами полдюйма на дюйм, и укрась поле между двумя прямоугольниками изображениями свившихся в кольца змей, а потом заставь их раздвоенные язычки хищно лизать изящные готические изгибы буквы «Ч». И дождись, чтобы пульсацию в мучительно болящей голове поглотил барабанный бой оживших шифровальных машин. И каков результат?

Молчание. Проклятое молчание.

В результате получался четверг, окутанный завесой сексуальной тайны, только усугублявшейся при этом полным половым воздержанием. Четверг был заполнен тщательно выполненными записями, выведенными округлым и тоскливым почерком майора, человека, которому нечем заняться, но зато очень много свободного времени для ничегонеделанья. «Помни о кофемолке для Мэри Краббе», — предупреждал всеми уважаемый майор из родного городка Тернера в Йоркшире будущего исследователя своего жизненного пути. Не забудь стереть в порошок Мэри Краббе, ты, ворюга! «Поговорить с Артуром о дне рождения Миры», — благожелательным шепотом напоминал мистер Крейл, известный всему Йоркширу священник, прославившийся совершенно бессмысленными проповедями. «Обед в Англо-германском обществе для членов Ассоциации друзей вольного города Гамбурга». «Ленч с пожертвованиями для международного женского совета. Костюмированный вечер в клубе "Всех наций" по 1500 марок, вкл. вино», — заявлял организатор церемоний, впихивая крупные, несколько по-ночному неряшливые буквы между линовкой страниц. И сделать зарубку в памяти, чтобы не забыть поставить крест на карьере Дженни Паргитер. А еще помнить об уходе в отставку Медоуза. И о Гонте? И о Брэдфилде? И кто там еще стоит на пути? О Мире Медоуз? Ты опасный вредитель, Хартинг.

— Вы не можете выключить эти свои сволочные штуковины?

— При всем желании никак не могу, — ответил Корк. — Что-то происходит, но не спрашивайте, что именно. «Лично для Брэдфилда, расшифровать собственноручно. Передать Брэдфилду только через дежурного...» Черт побери, должно быть, Брэдфилд нынче именинник. Или это его день рождения.

— Скорее день его похорон, — рыкнул Тернер и вернулся к просмотру ежедневника.

Однако по четвергам у Хартинга все же находилось занятие, нечто вполне реальное, но все же пока не доведенное до конца. Нечто, о чем он помалкивал. Нигде не упоминал. Что-то срочное и требующее конструктивных усилий. Что-то сугубо секретное. Нечто, оправдывавшее его существование в остальные дни, предмет его глубокой веры. По четвергам Лео Хартинг занимался темными делами, но хранил молчание по этому поводу. Даже не пытался делать ложные записи в ежедневнике. Только на страничке самого последнего четверга обнаружилась единственная заметка, и она гласила: «"Матернус". Час дня. П.». Остальные листы оставались чистыми, невинными и молчаливыми, как маленькие девицы в коридорах первого этажа посольства.

Или такими же виновными.

Настоящая жизнь Хартинга происходила в этот день. Он и жил от четверга до четверга, как другие проживают из года в год. Как же происходили встречи Хартинга с его куратором? Как складывались их отношения после стольких лет сотрудничества? Где они встречались? Где распаковывал он все эти папки и письма, чтобы поспешно просмотреть добытые разведывательные данные? В башенке над покрытой черепицей крышей виллы? На постели вместе с девушкой, словно сотканной из шелка, чьи джинсы висели на спинке кровати? Под мостом, пока по нему грохотали вагоны поезда? Или в запущенном здании другого посольства с покрытыми пылью люстрами, где старый папаша Медоуз держал его маленькую ручку, сидя рядом на позолоченном диване? В приятной обстановке спальни в стиле барокко одного из отелей Годесберга? В уютном бунгало с названием из кованого железа и с витражом в дверном оконце? Он пытался вообразить их себе Хартинга и его хозяина, затаившихся, но уверенных в себе. Шутки шепотом, сдавленный смех. Вот, это действительно стоящая вещь, шепчет продавец порнографии, с удовольствием оставил бы себе, даже жаль расставаться. Вам нравятся неразбавленные напитки? «Что ж, каждому приятно, когда к нему вожделеют», — прошепелявил голос Аллертона. Должно быть, они сиживали за бутылкой, неспешно обсуждая план следующей атаки на цитадель, пока в другом углу комнаты щелкал фотоаппарат, и помощник шуршал, бережно переворачивая страницы документов. «Сделай мне так еще раз, милый, но нежнее, как Тони. Тебе не хватает навыков, дорогой мой. Ты не прочитал инструкции и не знаешь, из каких частей состоит винтовка».

Или это был торопливый обмен на ходу? Краткая встреча в темном закоулке. Быстрая совместная поездка по узким улочкам, когда молишь Бога, чтобы случайно не угодить в аварию? Или на вершине холма? Или у футбольного поля, где Хартинг появлялся в своей балканской куртке и серой шляпе, какие носят члены Движения?

Корк разговаривал по телефону с мисс Пит, и в его голосе звучали почти торжествующие нотки:

— Ожидайте семьсот групп цифр из Вашингтона. Из Лондона примите все, пожалуйста, и расшифруйте сами. Вам лучше сразу предупредить его: ведь человеку предстоит провести здесь всю ночь. Послушайте, моя дорогая, мне все равно. Пусть он совещается хоть с самой английской королевой. Шифровки имеют неоспоримый приоритет. Моя задача дать ему знать об этом, и если вы не поставите его в известность, придется мне самому. О-о-о! Ну и сучка!

— Рад, что вы тоже так считаете, — сказал Тернер с редкой для него кривой улыбкой.

— Она, как я погляжу, считает себя чуть ли не капитаном команды.

— Да, причем в матче Англии против всего остального мира, — согласился Тернер, и оба рассмеялись.

Стало быть, именно с Прашко он обедал в «Матернусе»? Если да, то Прашко едва ли встречался с Хартингом регулярно, потому что в таком случае тот не обозначал бы его красноречивой буквой «П», умея тщательно заметать за собой следы. И не стал бы обедать с Прашко в публичном месте после стольких усилий, приложенных, чтобы всем казалось, что их отношения прерваны. Значит, должен был существовать некто третий, посредник, связник между Прашко и Хартингом. Или как раз в тот день система дала сбой? «Держись этой линии, Тернер, не теряй здравого смысла, потому что его потеря станет для тебя провалом». Создай порядок из хаоса. Означало ли это «П», что Прашко настоял на личной встрече. Возможно, хотел предупредить: на его след напал Зибкрон? И дать ему приказ (как раз подворачивался шанс) любой ценой, рискуя головой, украсть перед побегом зеленую папку.

Четверг.

Он приподнял связку ключей и стал медленно раскачивать ее на пальце. Четверг был днем встречи... напряженным днем... днем, когда он получил предупреждение накануне бегства... день ежедневной явочной встречи с обменом информацией и с отчетом о работе... день, когда он одолжил у Паргитер ключи.

Боже, неужели он действительно спал с Паргитер? Но ведь есть определенные жертвы, генерал Шлободович, на которые даже Лео Хартинг не способен ради матушки России.

Бесполезные ключи. Чего он добивался с их помощью? Хотел вскрыть металлическую коробку для документов? Чепуха! Он бы просто придерживался принятой процедуры, которой его обучил сам Медоуз. Он бы прекрасно знал, что в связке дежурного запасных ключей от таких коробок просто нет. Намеревался проникнуть в помещение референтуры? Снова ерунда получается. Ему было отлично известно, что референтуру снабдили гораздо более надежными замками.

Так чего же он хотел?

Какой ключ понадобился ему до такой степени, что он был готов поставить под угрозу свою карьеру шпиона, лишь бы добыть копию? Какой ключ он так желал получить, что обратился к Дженни Паргитер, рискуя нарваться на гнев руководства посольства, что легко могло произойти, если бы Медоуз или Гонт оказались где-то рядом? Какой из ключей? Ключ от лифта, чтобы спрятать украденные досье где-то в тайнике наверху, а потом спокойно, никого не опасаясь, спустить на лифте вниз и переложить в свой портфель? Не поэтому ли внезапно исчезла тележка?

Воображение рисовало фантастические картины. Он представил маленькую фигурку Хартинга, бежавшего по коридору и толкавшего перед собой тележку к открытому лифту. Видел, как дрожит на верхней полке пирамида коробок с досье, а на нижней — случайно прихваченные вещи: чистые бланки, печать, ежедневники, машинка с удлиненной кареткой из машбюро... Он видел микроавтобус, дожидавшийся у бокового входа, безымянного хозяина Хартинга, придерживавшего дверь со словами: «Чего ты тут натащил всякой дряни, дурачок?», как нашкодившему школьнику...

В этот момент мисс Пит лично пришла в шифровальную за телеграммами, причем она громко вздохнула, что говорило о ее сексуальной неудовлетворенности.

— Ему еще понадобится книжка с кодами, — напомнил ей Корк.

— Спасибо, но процедура расшифровки ему хорошо знакома.

— Ладно, что происходит, как там дела в Брюсселе? — спросил Тернер.

— Сплошные слухи.

— О чем?

— Если бы они хотели, чтобы вы знали об этом, не стали бы напускать таинственности и заставлять вас работать с каждым из нас индивидуально, не так ли?

— Вы не знаете, как мыслят в Лондоне, — сказал Тернер.

Когда же мисс Пит удалялась, то даже своей походкой — чуть подпрыгивающей, очень английской походкой бесчувственной недотроги («секс — развлечение для низших слоев общества») — ухитрилась передать презрение к Тернеру и ко всему, чем он занимался.

— Я иногда готов просто убить ее, — доверительно сообщил Корк. — Перерезал бы ее мерзкую глотку и не испытал при этом ни капли сострадания. Она здесь уже три года, но за все это время улыбнулась только однажды: когда старик посол помял свой «роллс-ройс».

Все казалось абсурдным. Как ни посмотри, безусловно абсурдным. Шпионы калибра Хартинга ничего не крадут. Они записывают, запоминают, фотографируют. Шпионы калибра Хартинга действуют тонко и расчетливо, никогда не поддаются импульсивным соблазнам. Они заметают следы, чтобы выжить и на следующий день снова пуститься в обман.

И еще они не прибегают к слишком откровенной лжи.

Они бы не сказали, например, Дженни Паргитер, что хор репетирует по четвергам, поскольку через пять минут она бы узнала: спевки проходят по пятницам. Они бы не заверяли Медоуза, что по четвергам участвуют в совещаниях в Бад-Годесберге. Ведь и Брэдфилду, и де Лилю была известна правда. Ни в каких совещаниях он не участвовал уже два года или даже дольше. А перед бегством они не снимают деньги, четко придерживаясь причитающихся им сумм, насторожив любого, кто не поленился бы заглянуть в платежную ведомость. Они не привлекали бы к себе любопытства Гонта, задерживаясь на работе допоздна, — тоже риск немалый.

На работе? Но где именно он работал?

Ему было необходимо уединение. Ночью он делал то, чего не мог сделать днем. Что именно? Использовал фотоаппарат в какой-то угловой комнате, где прятал досье? Где мог запереться изнутри. Куда подевалась тележка? Где та пишущая машинка? И была ли пропажа этих вещей, как не сомневался Медоуз, действительно связана с действиями Хартинга? На данный момент напрашивалось лишь одно объяснение: днем Хартинг прятал досье, а ночью, оставшись в одиночестве, фотографировал документы, чтобы утром вернуть на прежнее место... Вот только он их не вернул. Зачем же было красть?

Шпионы ничего не крадут. Это для них правило номер один. Любое посольство, обнаружив пропажу, могло поменять планы, заново подписать или расторгнуть секретные соглашения, принять десятки прочих профилактических мер, чтобы свести к минимуму нанесенный урон и предотвратить его последствия. Самая лучшая девушка всегда та, которая для тебя недоступна. Самый эффективный обман — это обман, который никто не может обнаружить. Так зачем было красть? Причина вроде бы напрашивалась сама собой. Хартинг попал в стрессовую ситуацию. Какими бы расчетливыми ни выглядели его приемы, на них в то же время лежит отпечаток действий человека, время у которого стремительно истекает. Отчего такая спешка? Чем определялся крайний срок?

«Медленнее, Алан, нежнее, Алан, будь как Тони, Алан. Будь похож на милого, неторопливого, гибкого, ритмичного, хорошо знающего анатомию, приветливого Тони Уиллоуби — личность, известную в лучших клубах, прославившуюся несравненной техникой совокупления».

«На самом деле я бы предпочел сначала завести мальчика, — сказал Корк. — Когда уже имеешь парня, можно продолжать плодиться и размножаться дальше, вот что я имею в виду. Но заметьте, я вовсе не сторонник больших семей. Если только вы не располагаете средствами, чтобы держать прислугу. Между прочим, вы сами-то женаты? О, простите, если задал бестактный вопрос».

Предположим на мгновение, что этот яростный тайный налет на референтуру был совершен под влиянием внезапно проснувшихся, хотя долго спавших прежде симпатий к коммунистам, а их пробуждению содействовали события прошлой осени. Предположим, именно это руководило его поступками. Тогда почему ярость вылилась в столь поспешные действия? Просто потому, что так велел жадный до информации хозяин? Начало первой стадии вычислить несложно. Карфельд приобрел влияние в октябре. С того времени популярная националистическая партия стала реальностью, как не исключалась даже возможность формирования националистического правительства. Месяц, два месяца Хартинг проводит в мрачных размышлениях. Он видит портреты Карфельда на каждом углу, слышит до боли знакомые прежние лозунги. В сравнении с ним коммунизм выглядит предпочтительнее — примерно так выразился де Лиль... Пробуждение происходит медленно, неохотно. Старые ассоциации и симпатии залегли глубоко и не торопятся всплывать на поверхность. А потом — момент истины, поворотная точка, принятие решения. Либо самостоятельно, либо под давлением Прашко он готов отважиться на предательство. Прашко находит к нему подход: зеленая папка. Достань для нас зеленую папку — и окажешь огромное содействие нашему общему делу... Добудь зеленое досье до дня окончания дебатов в Брюсселе... Документы из той папки, по словам Брэдфилда, способны полностью подорвать британские позиции в Брюсселе...

Или же его шантажировали? Не здесь ли заключена причина безумной спешки? Не был ли он поставлен перед жестким выбором — удовлетворить аппетиты хозяина или оказаться скомпрометированным с помощью неких неизвестных пока никому проступков в прошлом? Взять тот же инцидент в Кёльне, например. Мог он дискредитировать его? Связь с недостойной женщиной или участие в сомнительном бизнесе? Не мог ли он красть деньги из кассы Рейнской армии? Или торговать беспошлинными сигаретами и виски? Быть может, оказался втянут в круг гомосексуалистов? Не поддался ли он еще десятку классических соблазнов, всегда служивших причиной для последующего дипломатического шпионажа? Девочка, надень джинсы немедленно!

Но это было совершенно не в его характере. Де Лиль прав. В действиях Хартинга просматривался напор, мощная движущая сила, значительно превосходившая необходимую для самосохранения. Агрессия, безжалостность, злость, определенно не нужные человеку, просто боявшемуся потерять работу. И в той другой жизни, которую сейчас изучал Тернер, Хартинг исполнял роль не слуги, а руководителя. Им никто не управлял. Он сам осуществлял свое предназначение. Не на него давили, а он сам давил, охотился, вел преследование. По крайней мере в этом заключалось его сходство с Тернером. Вот только объект охоты Тернера имел имя, оставил за собой до известных пределов отчетливые следы. Зато все остальное, что связывало их, терялось в рейнском тумане. Но самым загадочным представлялось другое: хотя Хартинг вел охоту один, как обратил внимание Тернер, у него не было недостатка в покровителях...

Неужели Хартинг шантажировал Брэдфилда?

Вопрос возник в уме у Тернера внезапно, но во всей своей простоте и прямоте. Не здесь ли заключалась причина, почему Брэдфилд с очевидным нежеланием, но все же защищал его? Не потому ли он нашел ему работу в канцелярии, позволял исчезать после обеда по четвергам и бесконтрольно разгуливать по коридорам посольства со своим портфелем?

Он снова посмотрел на ежедневник и подумал: найди ответы на фундаментальные вопросы. Мадам, дайте этому утомленному школьнику основы своего предмета, пусть изучит их по частям, но обязательно прочтет учебник с самого начала. Таков был метод, предложенный его школьным куратором, а кто он такой, чтобы пренебрегать советами куратора? Не спрашивай, почему Христос появился на свет именно в день Рождества. Задайся лучше вопросом: а появлялся ли он на свет вообще? Если Богу было угодно дать нам мозги, дорогой Тернер, то заодно он снабдил нас способностью видеть Его крайнюю простоту. Итак, почему все-таки четверги? Почему послеобеденное время? Зачем эти регулярные совещания? Как бы важны ни были встречи, почему Хартинг вступал в контакт только днем, в рабочие часы и в Годесберге? Хотя сами по себе его отлучки из посольства основывались на ложных предлогах. Это было абсурдно. Чушь, Тернер, полная ерунда. Хартинг мог встречаться со своим связником в любое время. Ночью в Кёнигсвинтере, на поросших лесом склонах чемберленовского Петерсберга, в Кёльне, в Кобленце, даже в Люксембурге или по другую сторону голландской границы в выходные, когда не требовалось ни для кого искать никаких предлогов вообще — ни истинных, ни выдуманных.

Он уронил карандаш и громко выругался.

— Проблемы? — поинтересовался Корк.

Роботы дико клацали, как голодные дети зубами, и Корк усердно ухаживал за ними.

— Хорошая молитва поможет решить любые проблемы, — сказал Тернер, вспомнив нечто похожее из утреннего разговора с Гонтом.

— Если хотите отправить телеграмму, — предупредил Корк, никак не отреагировав на сентенцию, — то лучше поторопиться. — Он проворно передвигался от одной машины к другой, натягивая плотнее ленту и помогая катушкам вращаться, словно это он приводил все в движение и заставлял работать. — Дела в Брюсселе близки к развязке. Гунны угрожают окончательно покинуть зал переговоров, если мы не согласимся увеличить свой взнос в совместный сельскохозяйственный фонд. Правда, Халидэй-Прайд считает это не более чем отговоркой. Если все продолжится такими темпами, через полчаса мне придется начинать принимать заказы на расшифровку телеграмм в июне.

— Для чего им отговорка?

Корк стал зачитывать текст вслух:

— «Для них это удобная дверь, чтобы покинуть Брюссель до того, как ситуация в федеративной республике вернется к норме».

Зевнув, Тернер отодвинул от себя пустой бланк.

— Отправлю завтра.

— Завтра уже наступило, — мягко напомнил ему Корк.

«Если бы я курил, то высадил бы сейчас одну из твоих маленьких сигар. Мне, конечно, гораздо полезнее было бы немного секса, — подумал он, — но раз уж никак не поиметь одну из этих девиц, то я хотя бы покурю». Причем он понимал, что от начала и до конца идея выглядела совершенно вздорной.

Ничто не сходилось, ничто не вязалось друг с другом, ничто не объясняло, откуда бралась энергия, ничто не объяснялось вообще. Он сконструировал цепочку, у которой ни одно звено не цеплялось за соседнее. Зажав голову руками, он выпустил фурий на свободу и стал наблюдать за их гротескно медленным кружением в его фантазии. Он видел безликого Прашко, ловкого шпиона, который, заручившись парламентским иммунитетом, руководил сетью, состоявшей из агентов-беженцев; Зибкрона, самозваного защитника общественной безопасности, подозревавшего британское посольство в массовом заговоре с целью предать всех России, поочередно то охраняя, то наказывая людей, на кого он возлагал мнимую ответственность. Брэдфилда, требовательного к себе и другим выходца из высших академических кругов, ненавидевшего шпионов, но оказывавшего им покровительство, хранившего шифры от замков референтуры, ключи от лифта и от коробки для зеленой папки, который собирался вскоре улететь в Брюссель после бессонной ночи на работе. Прелюбодейку Дженни Паргитер, втянутую в зловещую историю из-за иллюзорной страсти, уже давно запятнавшей ее репутацию в глазах всех сотрудников посольства. Медоуза, слепого от отцовской любви к малышу Хартингу и беспечно уложившего последние сорок папок с досье на тележку практически собственными руками. Де Лиля с его извращенной этикой, отстаивавшего право Хартинга предавать друзей. Каждый из этих образов, увеличенный и искаженный, смотрел на него, исполнял свою гротескную роль, извивался и исчезал вопреки издевательским протестам самого Тернера. Факты, которые всего несколько часов назад привели вплотную к решению задачи, теперь снова отбрасывали его в темную чащу сомнений.

Однако как еще, говорил он себе, запирая вещи в металлический шкаф и оставляя Корка наедине с завывавшими агрегатами, как еще, спрашивал толстый священник, ломавший на блюдце булочку с тмином огромной, но мягкой рукой, как еще множатся в нас идеи, откуда берется мудрость и в итоге — решение всякой проблемы путем истинно христианского действия, если не через сомнения? Ведь совершенно очевидно, моя дорогая миссис Тернер, что сомнения есть величайший дар Господа для тех, кто особенно нуждается в вере. Выйдя в коридор, чувствуя головокружение и тошноту, он снова задался вопросом: какие же все-таки тайны хранились в загадочной зеленой папке? И кто ответит на этот вопрос мне? Мне — Тернеру, временному сотруднику?

Утренняя роса легла на поля, докатившись вместе с туманом до самого шоссе. Покрытие дороги поблескивало под набрякшими сыростью серыми облаками, а покрышки машинных колес шелестели по влажному асфальту. «Снова возврат к серости, — устало подумал он. — Сегодня никакой больше охоты. Не найдется и ангелочка для этой старой безволосой человекообразной обезьяны. Пока конец хоть какой-то ниточки не приведет к абсолюту. Ничего важного, ничего настолько значительного, чтобы сделать, например, перебежчика и из меня тоже».

Ночной портье в «Адлере» посмотрел на него сочувственно.

— Вам хотя бы было весело? — спросил он, подавая ключ.

— Не слишком.

— Для этого нужно отправиться в Кёльн. Это как Париж.

Смокинг де Лиля был аккуратно повешен на спинку кресла с конвертом, подколотым к рукаву. Бутылка виски из запасов НААФИ стояла на столе. «Если Вы хотите осмотреть тот объект недвижимости, — прочитал Тернер, — я заеду за Вами в пять часов утра в среду». В постскриптуме содержалось пожелание приятно провести время у Брэдфилдов. И шутливая приписка с просьбой не заляпать кетчупом лацканы, поскольку де Лилю не хотелось, чтобы его политические взгляды были истолкованы неверно, особенно потому, что среди гостей ожидался сам герр Людвиг Зибкрон, федеральный министр внутренних дел.

Тернер пустил воду в ванну, взял стакан и налил в него виски почти до половины. Почему передумал де Лиль? Из сострадания к его заблудшей душе? Боже, спаси и сохрани. А уж поскольку ночь дурацких вопросов подошла к концу, то стоило задать еще один: зачем его хотели познакомить с Зибкроном? Затем он лег в постель и проспал с перерывами почти до вечера следующего дня, видя во сне Борнмут и островерхие, неприступные сосны, росшие вдоль голых скал в Брэнксоме. Причем опять слышал, как жена говорила, упаковывая в чемодан детские вещи: «Я найду свою дорогу, а ты ищи свою, а потом посмотрим, кто из нас первым доберется до Небес». А еще до него донесся плач Дженни Паргитер, не перестававшей рыдать, призывая пустой мир пожалеть ее. «Не волнуйся, Артур, я и близко не подойду к Мире, даже ради спасения собственной жизни».

Глава 10
KULTUR У БРЭДФИЛДОВ

— Тебе следует ввести для них больше запретов, Зибкрон, — небрежно заявил герр Зааб огрубевшим от выпитого бургундского голосом. — Это кучка сбрендивших треклятых идиотов, Зибкрон. Турки. — Зааб перепил и переговорил всех, своими репликами заставив остальных погрузиться в неловкое молчание.

Только его жена, миниатюрная кукла-блондинка неясного происхождения, но с соблазнительным открытым бюстом, продолжала окидывать его восхищенными взглядами. Другие гости вели себя как умственно неполноценные люди, не способные возражать, и подыхали от скуки банальных обличительных речей герра Зааба. У них за спинами двое слуг, иммигрантов из Венгрии, двигались вдоль стола, подобно больничным медсестрам между рядами коек, и Тернер сразу мысленно отметил: им внушили, что герр Людвиг Зибкрон заслуживает больше внимания, чем все остальные вместе взятые. И он не только заслуживал внимания, но и нуждался в нем. В его бледных выпученных глазах теплились последние остатки жизни, белые руки, заменяя салфетки, лежали по обе стороны от тарелки, а все его беспокойные манеры говорили о желании, чтобы его скорее переместили отсюда куда-нибудь в другое место.

Четыре серебряных подсвечника (1729 год, работа Пьера де Ламери) на восьмигранных подставках, стоившие, по словам отца Брэдфилда, немалых денег, протянулись вдоль стола между Хейзел Брэдфилд и ее мужем, образуя сверкающую бриллиантовым светом линию. Тернер сидел как раз в центре, между вторым и третьим из них, скованный жесткой, как сталь, узостью смокинга де Лиля. Даже сорочка оказалась ему мала. Главный портье отеля добыл ее в Бад-Годесберге, заплатив гораздо больше, чем Тернер когда-либо в жизни тратил на рубашки, а теперь она душила его, и края накрахмаленного воротника врезались в шею.

— Они уже собираются со всех деревень. Двенадцать тысяч человек хотят впихнуть на рыночную площадь. И знаете, что там возводят? Строят настоящий Schaffott*. — Ему снова на хватило запаса английских слов. — Что, черт побери, означает этот Schaffott? — обратился он ко всей компании сразу.

Зибкрон поморщился, словно ему предложили воду вместо вина.

— Строительные леса, — пробормотал он, а его полумертвые глаза поднялись в сторону Тернера, сверкнули на мгновение и снова погасли.

— Зибкрон превосходно владеет английским! — с довольным видом воскликнул Зааб. — Зибкрон мечтает днем быть Пальмерстоном, а с наступлением темноты превращаться в Бисмарка. Сейчас лишь самое начало вечера, понимаете? Вот он и застрял где-то между ними!

Зибкрону подобный диагноз явно не пришелся по душе.

— Строительные леса? Ха! Надеюсь, на них и повесят этого мерзавца. Ты слишком мягко с ними обходишься, Зибкрон. — Зааб поднял свой бокал в сторону Брэдфилда и разразился длинным тостом, переполненным никому не нужными комплиментами хозяину дома.

— Карл Хайнц тоже прекрасно говорит по-английски, — подала голос куколка. — Ты слишком скромничаешь, Карл Хайнц. Ты говоришь не хуже, чем герр Зибкрон.

---

* По-немецки это слово может означать «эшафот».

Где-то очень низко между ее грудей Тернер заметил нечто белеющее. Носовой платок? Письмо? Фрау Зааб не волновал Зибкрон, как не интересовал ее ни один другой мужчина, чьи достоинства кто-то осмеливался ставить выше талантов ее супруга. Ее вмешательство перерезало нить беседы, и разговор снова замер, как упавший на землю воздушный змей. На мгновение даже у ее мужа не хватило сил, чтобы снова запустить его.

— Ты предлагаешь мне все ему запретить, — сказал Зибкрон, взяв нежной рукой серебряные щипцы для колки орехов и разглядывая их в свете свечей, словно выискивая скрытые изъяны.

Стоявшая перед ним тарелка была вылизана дочиста, как миска кота по воскресеньям. Это был представительного вида бледный мужчина, ухоженный и примерно одного с Тернером возраста, но в его внешности присутствовало что-то от управляющего отелем, от человека, привыкшего ходить по чужим коврам. Черты его лица были округлыми, но суровыми, а губы жили своей жизнью и раскрывались, чтобы выполнить одну функцию, а смыкались, завершая другую. Каждым своим словом он стремился не помочь собеседнику, а скорее бросить ему вызов, превращая разговор в молчаливое подобие продолжения допроса, который только усталость или холодная боль в сердце не давали ему вести вслух.

— Ja. Запретить все, — подхватил Зааб, склонившись далеко над столом в стремлении стать ближе к своим слушателям. — Запретить митинги, запретить марши, прекратить все разом. Как делают коммунисты. Это, черт побери, единственное, что они понимают и делают правильно. Siebkron, Sie waren ja auch in Hannover! Зибкрон, ты же сам был в Ганновере. Почему же не наложил запрет? Там сплошь собралось какое-то зверье. Но они обладают силой, nicht wahr, Siebkron? Бог ты мой, я тоже многое пережил.

Зааб относился к более старшему поколению. Журналист, успевший в свое время поработать в разных газетах, большинство которых после войны перестали издаваться. Никто не сомневался, что именно пережил герр Зааб.

— Но я никогда не опускался до ненависти к англичанам. Ты можешь подтвердить это, Зибкрон. Das können Sie ja bestätigen. Двадцать лет я писал об этой безумной республике. Я мог быть критичен — иногда дьявольски критичен, — но ни разу не позволил себе грубых выпадов против англичан. Никогда не был настроен против них, — он завершил фразу с такой интонацией, что его последние слова могли начисто перечеркнуть смысл утверждения в целом.

— Карл Хайнц фантастический любитель всего английского, — сказала куколка. — Он предпочитает английскую кухню, пьет английские напитки.

Она вздохнула, и создалось впечатление, что и все остальное ее муж тоже делал по-английски. Она много ела и говорила с полным ртом, а ее крошечные ручки уже тянулись к тому, что она собиралась съесть потом.

— Мы в долгу перед вами, — произнес Брэдфилд с натужной приветливостью. — Продолжайте в том же духе как можно дольше, Карл Хайнц.

Он вернулся из Брюсселя всего полчаса назад и почти не сводил глаз с Зибкрона.

Миссис Ванделунг, жена советника голландского посольства, плотнее натянула палантин на широковатые плечи.

— Лично мы посещаем Англию ежегодно, — сказала она просто так, ничего конкретного не имея в виду, желая заполнить паузу. — Наша дочь учится в английской школе. И сын тоже получает образование в Англии...

И ее понесло. Все, что она любила, чем дорожила и владела, непременно имело какие-то черты, заимствованные у англичан. Ее муж, морщинистый и похожий на моряка, прикоснулся к красивому запястью Хейзел Брэдфилд и закивал с чрезмерным пылом.

— Всегда, — прошептал он, и со стороны могло показаться, что он о чем-то ее умоляюще просил.

Хейзел Брэдфилд, выведенная из состояния глубокой задумчивости, улыбнулась ему, сохраняя серьезный вид, с некоторым отчуждением глядя на серые пальцы, все еще лежавшие поверх ее руки.

— Право же, Бернард, — мягко сказала она, — вы сегодня такой душка. Боюсь, другие женщины приревнуют меня к вам.

Но шутка получилась неловкой, и даже ее голос приобрел неприятную тональность. Если она была в семье одной из нескольких дочерей, отметил Тернер, перехватив ее сердитый взгляд, когда Зааб возобновил монолог, то едва ли ладила со своими менее утонченными сестрами. «Уж не сижу ли я на месте Лео? — подумалось ему вдруг. — Не мне ли досталась его порция? Нет. Ведь Лео по четвергам оставался дома... А кроме того, Лео не допускали в этот круг», — вспомнил он, поднимая бокал в ответ на тост Зааба, но не сделав ни глотка.

Между тем, как ни странно, Зааб продолжал развивать британскую тему, но обогатил ее автобиографическими воспоминаниями об ужасах бомбежек и неудобствах, которые они доставляли.

— Вам знаком гамбургский юмор? Вот пример. Вопрос: в чем разница между англичанином и жителем Гамбурга? Ответ: житель Гамбурга говорит по-немецки. И вы даже не представляете, что мы говорили, сидя в тех подвалах, в бомбоубежищах. «Слава богу, что это всего лишь английские бомбы!» Брэдфилд, prosit! Чтобы это никогда не повторилось.

— Вот это верно сказано, — ответил Брэдфилд и утомленно произнес тост в немецком стиле, глядя на Зааба поверх стекол очков. Выпил и посмотрел на него снова.

— Брэдфилд, ты из числа избранных, самых лучших. Твои предки сражались при Ватерлоо, твоя жена красива, как английская королева. Ты лучший во всем британском посольстве, и ты не пригласил сюда сегодня чертовых американцев, как и отвратных французов. Ты прекрасный малый. А все французы — ублюдки, — подытожил Зааб, встревожив своей репликой всех и справоцировав новую паузу — все в изумлении замолкли.

— Мне показалось ваше высказывание не слишком лояльным к нашим союзникам, Карл Хайнц, — заметила Хейзел, и легкий смех пробежал среди сидевших в ее конце стола, начатый престарелой графиней, приглашенной в последний момент в пару для Тернера. Внезапно всю компанию осветил столб яркого света. Это венгерские слуги торжественным маршем явились из кухни и принялись с непрошеной элегантностью убирать со стола посуду и пустые бутылки.

Зааб еще дальше склонился вперед, указывая длинным, хотя и не слишком чистым пальцем на почетного гостя.

— Вы видите здесь Людвига Зибкрона — очень странного человека, чтоб мне провалиться. Все представители прессы восхищены им. Знаете, почему? Потому что до него черта с два когда-нибудь доберешься. А в журналистике мы восхищаемся только тем, что для нас недоступно. А догадываетесь, почему для нас недоступен Зибкрон?

Казалось, вопрос больше всех позабавил самого Зааба. Он с довольным видом осмотрел стол, и его темное лицо прояснилось от радости.

— Потому что он по самое горло занят общением со своим добрым другом и... Kumpan? — Он раздраженно щелкнул пальцами. — Kumpan, — повторил он. — Как перевести Kumpan?

— Компаньоном по выпивке, собутыльником, — предложил варианты сам Зибкрон.

Зааб тупо уставился на него, пораженный тем, что получил помощь там, откуда меньше всего ее ожидал.

— Со своим собутыльником, — пробормотал он, — Клаусом Карфельдом. — И сразу замолчал.

— Карл Хайнц, ты мог бы сам помнить значение слова Kumpan, — сказала его жена чуть слышно, а он кивнул и улыбнулся ей немного напряженно.

— Вы к нам надолго, мистер Тернер? — спросил Зибкрон, обращаясь к щипцам для орехов.

Внезапно все внимание переключилось на Тернера, и Зибкрон, словно очнувшись ото сна, начал проводить сложную хирургическую операцию на новом пациенте.

— Буквально на несколько дней, — ответил Тернер.

Остальная аудитория не сразу уловила смену темы, и несколько секунд двое мужчин смотрели друг на друга, объединенные общим интересом, тогда как прочие еще продолжали свои беседы. Брэдфилд ввязался в бессвязный разговор с Ванделунгом (Тернер уловил лишь упоминание о Вьетнаме). Зааб тут же ухватился за это и решил вернуться в центр поля, ухватившись за новую возможность.

— Янки готовы биться за Сайгон, — заявил он, — но не станут сражаться за Берлин. Даже жаль, что они не догадались построить подобие берлинской стены в Сайгоне.

Он говорил еще громче и агрессивнее, чем прежде, но до Тернера его слова доносились как нечто смутное из темноты, окутавшей все, кроме немигающего взгляда Зибкрона.

— Ни с того ни с сего янки почувствовали необходимость в национальной самоидентификации. Так почему было не попробовать найти ее хотя бы отчасти в Восточной Германии, например? Все готовы драться за треклятых черномазых. Всех тянет воевать в джунглях. Быть может, нам стоит сожалеть, что мы не носим юбки из страусиных перьев?

Казалось, теперь он провоцировал Ванделунга, но ничего не добился: серая кожа старого голландца оставалась ровной и глад-

кой, как крышка гроба, и ничто уже не способно было заставить
ее сморщиться.

— Быть может, это плохо, что в Берлине не растут пальмы? —
Зааб сделал паузу, чтобы выпить. — Вьетнам — это полное дерьмо.
Но хотя бы на этот раз янки не посмеют заявить, что первыми начали мы, — добавил он с заметным оттенком жалости к себе в голосе.

— Война — очень скверная штука, — захихикала графиня. —
Мы лишились всего. — Но она заговорила слишком поздно.

Занавес уже поднялся. И герр Людвиг Зибкрон пожелал взять
главную роль на себя, обозначив свое намерение тем, что отложил
серебряные щипцы в сторону.

— Откуда же вы сами будете, мистер Тернер?

— Из Йоркшира. — И после паузы добавил: — Войну провел
в Борнмуте.

— Герра Зибкрона интересует, из какого вы ведомства, — резко
вмешался Брэдфилд.

— Из Министерства иностранных дел, — ответил Тернер, —
как и все присутствующие с нашей стороны.

И бросил на него через стол совершенно невозмутимый взгляд.
В белесых глазах Зибкрона не читалось ни осуждения, ни одобрения.

— А можем ли мы поинтересоваться, какой отдел министерства имеет счастье держать у себя на службе мистера Тернера?

— Отдел исследований.

— Он, кроме того, известный альпинист, — вставил словечко
откуда-то издалека Брэдфилд, а куколка зашлась от приступа
почти сексуального удовлетворения.

— Die Berge!*

Краем глаза Тернер заметил, как одна из фарфоровых ручек
тронула край декольте, словно дама готова была от восторга сорвать с себя платье.

— Карл Хайнц...

— В будущем году, — шепотом заверил ее Зааб. — В будущем
году мы непременно отправимся в горы. — А Зибкрон улыбнулся
Тернеру, как будто приглашая вместе посмеяться над этой шуткой.

_____

* Горы (нем.).

— Однако мы сейчас на равнине, мистер Тернер. Вы ведь остановились в Бонне?

— В Годесберге.

— В отеле, мистер Тернер?

— Да, в «Адлере». Номер десять.

— И какие же, интересно знать, исследования можно проводить из десятого номера отеля «Адлер»?

— Людвиг, друг мой любезный, — снова вмешался Брэдфилд с напускной, но не лишенной основания веселостью. — Ты же с первого взгляда умеешь распознавать шпионов. Алан — наша Мата Хари. С ним в постели развлекается весь кабинет министров.

Выражение лица Зибкрона говорило, что слишком долго смеяться не стоит, но он дождался, пока оглушительный хохот за столом улегся.

— Алан, — повторил он негромко. — Алан Тернер из Йоркшира, сотрудник исследовательского отдела британского Министерства иностранных дел и знаменитый альпинист, остановившийся в отеле «Адлер». Вы должны простить мое любопытство, мистер Тернер. Мы все сейчас в Бонне находимся в постоянном нервном напряжении. А я грешным делом взял на себя ответственность за охрану британского посольства и потому питаю естественный интерес ко всем, кого защищаю. О вашем прибытии сюда было, несомненно, доложено куда следует, не так ли? Я, видимо, пропустил эту сводку.

— Мы занесли его во временный штат как технического работника, — вмешался Брэдфилд, теперь уже откровенно раздраженный допросом, устроенным при его гостях.

— Весьма разумное решение, — сказал Зибкрон. — Это гораздо проще, чем сотрудник исследовательского отдела. Он занимается исследованиями, а числится простым техником. Впрочем, разве не все ваши техники в той или иной степени участвуют в исследованиях? Предельно простая организация дела. Но, как я полагаю, ваши исследования носят сугубо практический характер. Вы статистик? Или настоящий ученый?

— Исследования общего характера.

— Общие исследования. Поистине миссия для настоящего католика. Так вы к нам надолго?

— На неделю. Быть может, чуть дольше. Все зависит от того, насколько быстро удастся завершить проект.

— Исследовательский проект? А! Стало быть, определенный проект у вас все-таки имеется. А я уже вообразил, что вы приехали кому-то на смену. К примеру, Эвану Уолдеберу. Он занимался исследованиями в области коммерции. Верно, Брэдфилд? Или Питеру Маккриди, изучавшему развитие науки. Или Хартингу. Вы случайно не замещаете Лео Хартинга? Такая жалость, что он уехал. Один из ваших старейших и наиболее ценных сотрудников.

— О, кстати, о Хартинге! — встрепенулась миссис Ванделунг, услышав знакомое имя, и сразу стало ясно: ей есть что сказать по этому поводу. — Вы знаете, какие о нем ходят слухи? Хартинг беспробудно пьет в Кёльне. Будто бы он *запойный*, понимаете?

Ей доставляло удовольствие таким образом привлечь к себе наконец общее внимание.

— Всю неделю он носит почти ангельские крылья, играет на органе и поет как истинный христианин, но по выходным отправляется в Кёльн и дерется там с немцами. Он в точности как Джекил и Хайд, уверяю вас. — Она снисходительно рассмеялась. — Да, он очень порочен. Роули, вы помните Андре де Хоога? Должны помнить. Он слышал эту историю от местных полицейских: Хартинг устроил в Кёльне страшное побоище. В ночном клубе. А причиной была какая-то женщина легкого поведения. О, Хартинг — весьма загадочная личность, скажу я вам. Но только теперь больше некому играть на органе.

Откуда-то из тумана донесся вновь заданный Зибкроном вопрос.

— Нет, я никого не замещаю, — ответил Тернер и услышал слева от себя голос Хейзел Брэдфилд, уверенный, но чуть вибрировавший от невозможности выплеснуть злость.

— Миссис Ванделунг, вы же знаете наши глупые английские традиции? Когда начинаются чисто мужские разговоры и шутки, женщинам положено удалиться.

С огромной неохотой дамы покинули столовую. Маленькая миссис Зааб особенно расстроилась, расставаясь с мужем, поцеловала его в шею и взяла слово не пить без нее слишком много. Графиня заявила, что в Германии после плотной еды непременно подают коньяк: он способствует пищеварению. Только фрау Зибкрон вышла, ни на что не жалуясь. Это была тихая, молчаливая красавица, вскоре после замужества понявшая, что за любые возражения приходится слишком дорого платить.

Брэдфилд у стойки бара возился с лафитниками и серебряным подносом для бокалов. Венгры принесли кофе в кувшине работы Эстер Бейтман, украсившем своим неброским великолепием конец стола, где прежде сидела Хейзел. Тщедушный мистер Ванделунг, погрузившись в воспоминания, расположился у французского окна, глядя вдоль уходившей вниз темной лужайки на огни Бад-Годесберга.

— А теперь я бы не отказался от портвейна, — сказал Зааб, обращаясь сначала ко всем сразу. — У Брэдфилда он всегда превосходного качества. — Затем он избрал в собеседники Тернера. — Только здесь мне довелось отведать портвейна, который оказался старше моего отца. Чем ты нас попотчуешь сегодня, Брэдфилд? «Кокберном»? А может, достанется немного «Крафтса»? Брэдфилд прекрасно разбирается в сортах. Ein richtiger Kenner: Siebkron, как будет Kenner по-английски?

— Connoisseur*.

— О, только не надо мне французских слов! — раздраженно отреагировал Зааб. — Неужели у англичан нет своего термина в значении Kenner? И они прибегают к французскому? Брэдфилд. Срочно отправьте телеграмму! Сегодня же. Sofort an Ihre Majestät! Ваша личная и совершенно секретная рекомендация ее величеству королеве, будь она неладна! Всякие connoisseurs отныне запрещены. Разрешается употреблять только немецкое Kenner! Вы женаты, мистер Тернер?

Брэдфилд занял кресло Хейзел и передал портвейн влево по кругу. Поднос был тоже изделием необычайной конструкции — двойной, но искусно соединенный стяжками из серебряной проволоки.

— Нет, — ответил Тернер, и слово упало таким тяжелым звуком, что это уловил бы всякий внимательный слушатель, но Зааб вникал только в музыку собственного голоса.

— Безумие! Вам, англичанам, следует размножаться активнее! Иметь много детей. Ваш удел — создание новой культуры. Союз Англии, Германии и Скандинавии! И к дьяволу французов, американцев, пусть горят в аду африканцы. Klein-Europa. Вы меня понимаете, Тернер? — Он воздел сжатый кулак, от чего напряглись даже мышцы предплечья. — Крепкая и приятная для жизни маленькая Европа. Где люди умеют думать и излагать свои мысли. Я ведь еще

---

* Знаток, специалист *(фр.)*.

не сошел с ума. Kultur. Вам знакомо понятие Kultur? — Он сделал глоток из бокала и воскликнул: — Фантастика! Самый лучший за все годы! Номер один. — Он поднес бокал к свече. — Лучший портвейн, будь я проклят, какой мне доводилось пить. В нем как будто видна кровь твоего сердца. Что это, Брэдфилд? Уверен, что «Кокберн», но он всегда опровергает мое мнение.

Брэдфилд колебался, явно спасовав перед сложной дилеммой. Он посмотрел сначала на бокал Зааба, потом на графин и снова на бокал.

— Очень рад, что доставил тебе удовольствие, Карл Хайнц, — сказал он. — Но дело в том, что сейчас мы пьем мадеру.

Все еще стоя у окна, Ванделунг засмеялся. Это был надтреснутый, мстительный смех, который продолжался долго, и все его тело сотрясалось в такт, легкие вздувались и опадали в груди.

— Что ж, Зааб, — сказал он, медленно вернувшись к столу, — быть может, настало время, чтобы вы привнесли немного своей культуры и к нам в Нидерланды.

Он снова засмеялся как школьник, прижав узловатую ладонь ко рту, чтобы скрыть отсутствие некоторых зубов, но Тернеру почему-то стало жаль Зааба, и чувства юмора Ванделунга он отнюдь не разделял.

Зибкрон от мадеры отказался.

— Ты сегодня ездил в Брюссель. Очень надеюсь, что поездка прошла успешно, Брэдфилд. Хотя, как слышал, возникли новые затруднения. Крайне жаль. Коллеги сообщили, что теперь в серьезную проблему превратилась Новая Зеландия.

— Овцы! — воскликнул Зааб. — Кто сейчас ест баранину? Англичане сделали из острова сплошную чертову ферму, но никто не хочет покупать овец.

Брэдфилд ответил спокойно и продуманно:

— Никаких новых проблем в Брюсселе не возникло. Вопрос о Новой Зеландии и общем сельскохозяйственном фонде рассматривается нами уже несколько лет. И он не создает затруднений, которые нельзя было бы уладить между истинными друзьями.

— Между старыми, добрыми друзьями. Верно. Будем надеяться, что вы правы. Будем надеяться, что дружбы окажется достаточно, а сложности действительно не так уж велики. Будем все надеяться на это. — Зибкрон вновь перевел взгляд на Тернера. — Значит, Хартинг уехал, — заметил он, складывая ладони вместе молитвенным жестом. — Такая потеря для местного общества! Особенно, конечно, для церкви. — И пристально вглядываясь в Тернера, добавил: — Мои коллеги информировали меня, что вы знакомы с Сэмом Аллертоном, видным британским журналистом. Насколько я знаю, вы с ним сегодня беседовали.

Ванделунг налил себе в высокий стакан мадеры и теперь пробовал ее с напускным удовольствием. Зааб погрустнел, померк и переводил взгляд с одного из собравшихся на другого, явно ничего не понимая.

— Какая странная мысль, Людвиг. Что значит «Хартинг уехал»? Он просто ушел в отпуск. Не представляю, откуда взялись все эти вздорные слухи о нем? Бедняга. Но его единственная вина в том, что он не предупредил капеллана. — Смех, которым разразился при этом Брэдфилд, прозвучал бы совершенно неестественным, если бы сам по себе не стал проявлением смелости. — Отпуск по семейным обстоятельствам. Очень не похоже на тебя, Людвиг, пользоваться недостоверной информацией.

— Понимаете, мистер Тернер, как трудно мне приходится? Ведь на мне, грешном, лежит ответственность за соблюдение общественного порядка во время демонстраций. И отвечаю я непосредственно перед премьер-министром. Причем располагаю весьма ограниченными возможностями, но ответственности с меня тем не менее никто не снимает.

Его скромность граничила почти со святостью. Наденьте на него стихарь, белый воротничок и хоть сейчас ставьте петь в церковном хоре.

— Мы как раз ожидаем небольшую демонстрацию в пятницу. Боюсь, в данный момент среди некоторых составляющих меньшинство группировок англичане крайне непопулярны. И, как вы понимаете, мне бы очень не хотелось, чтобы хоть кто-то пострадал. Никому не должен быть причинен вред. А потому естественно мое желание знать, где находятся конкретные люди. Чтобы суметь их защитить. Но мистер Брэдфилд часто настолько занят, что забывает держать меня в курсе. — Он прервался и снова посмотрел на Брэдфилда, чтобы продолжить: — Поймите, я ни в коем случае не обвиняю Брэдфилда в сокрытии от меня чего-либо. Зачем ему это? — Белые руки разошлись в стороны, подчеркивая смысл слов. — Но, разумеется, есть множество мелочей, а также пара весьма важных дел, в которые он меня не посвящает. И это тоже понятно. Чрезмерная откровенность несовместима с его дипломатическим статусом. Я верно все излагаю, мистер Тернер?

— Это не в моей компетенции.

— Да, зато в моей. Позвольте объяснить, что происходит. Мои коллеги — очень наблюдательные люди. Они смотрят по сторонам, пересчитывают людей и замечают, когда кого-то не хватает. Они начинают наводить справки, разговаривают с прислугой и, возможно, с некоторыми из своих друзей, и им сообщают, что некая персона пропала. Мне сразу же становится тревожно за этого человека. Как и моим коллегам. Мои сотрудники — люди, исполненные искреннего сочувствия. И им становится некомфортно, если кто-то исчезает. Разве чисто по-человечески их трудно понять? Хотя многие из них еще очень молоды, совсем юнцы. Так Хартинг отправился в Англию?

Последний вопрос он задал напрямую Тернеру, но Брэдфилд принял удар на себя, за что Тернер мог только мысленно поблагодарить его.

— У него возникли семейные проблемы. Понятно, что мы не слишком хотим распространяться об этом. Лично я не имею желания выкладывать перед вами на стол подробности частной жизни человека, чтобы вы пополнили свое досье.

— Вы придерживаетесь весьма достойных принципов, которым нам всем следовало бы подражать. Вы все слышали, мистер Тернер? — Его голос неожиданно стал на редкость выразительным. — Какой смысл во всех этих расследованиях ради заполнения лишних бумаг? Никакого, верно?

— Какого дьявола вас так беспокоит этот Хартинг? — тоже повысив голос, спросил Брэдфилд, словно услышал уже старую и изрядно надоевшую ему шутку. — Меня удивляет, что вы вообще осведомлены о его существовании. Давайте лучше перейдем с кофе в гостиную.

Он встал, но Зибкрон не двинулся с места.

— Но как мы можем не знать о его существовании? — декларативно спросил он. — Мы восхищены его работой. В самом деле — искренне восхищены. В таком ведомстве, как мое, изобретательность мистера Хартинга имела многочисленных поклонников. Мои коллеги часто обменивались мнениями о нем.

— О чем вы здесь толкуете? — Брэдфилд побагровел от злости. — Что это значит? О какой его работе идет речь?

— Он какое-то время провел у русских, знаете ли? — объяснил Зибкрон Тернеру. — Еще в Берлине. Это было давно, конечно, но я уверен, что они его многому обучили. А вам так не кажется, мистер Тернер? Кое-каким техническим приемам. Провели небольшую идеологическую обработку, верно? И взяли его в оборот. А, как всем известно, русские потом никому не дают так просто от них уйти.

Брэдфилд поставил два лафитника на поднос и встал в дверях, ожидая, чтобы остальные вышли из комнаты прежде него самого.

— Какую же работу он выполнял? — мрачно поинтересовался Тернер, когда Зибкрон с очевидным нежеланием все же покинул удобное кресло.

— Исследования. Обычные исследования самого общего характера, мистер Тернер. В точности как вы, понимаете? Занятно думать, что между вами и Хартингом так много общего. Кстати, именно поэтому я и спросил, не заменить ли его вы приехали. От мистера Аллертона мои коллеги узнали, что вас многое роднит с Хартингом, если говорить о сфере ваших интересов.

Хейзел Брэдфилд посмотрела на вошедших мужчин с тревогой, а их безмолвный обмен взглядами с мужем красноречиво говорил о создавшейся крайне напряженной ситуации. Все четыре гостьи разместились на одном диване. Миссис Ванделунг нюхала духи из пробного флакончика. Фрау Зибкрон, одетая почти как для посещения церкви во все черное, сложила руки на коленях и думала о чем-то своем, сосредоточенно глядя на огонь в камине. Графиня, чтобы утешиться, вынужденно находясь в компании людей, не имевших ни титулов, ни знатного происхождения, с хмурым видом то и дело прикладывалась к большому бокалу с бренди. Ее обычно бледное лицо покрылось мелкими красными пятнами, похожими на маки, которые, как говорят, вырастают на полях минувших сражений. Только фрау Зааб, успевшая заново чуть припудрить свой роскошный бюст, встретила их широкой улыбкой.

Наконец все разместились, готовые полностью отдаться скуке остатка вечера.

— Бернард, — сказала Хейзел Брэдфилд, похлопывая по диванной подушечке рядом с собой, — сядьте сюда. Мне как-то особенно уютно с вами сегодня. — С лисьей ухмылкой старик послушно сел подле нее. — А теперь вы расскажете мне, каких ужасов нам следует ожидать в пятницу.

Она разыгрывала из себя избалованную вниманием красавицу и справлялась с ролью отменно, но в голосе подспудно проскальзывали взволнованные нотки, которые даже на полученных у Брэдфилда уроках она не научилась подавлять полностью.

Зибкрон уселся за отдельный стол, как пассажир, путешествовавший классом выше остальных. Брэдфилд разговаривал с его женой. Нет, призналась она. Ей никогда не доводилось бывать в Брюсселе. Она вообще нечасто сопровождала мужа в поездках.

— Но вам надо быть настойчивее! — заявил он и пустился в описание своего любимого отеля в Брюсселе. «Амиго». Там следует останавливаться непременно в «Амиго». Лучшее обслуживание, чем в любой другой гостинице, где ему приходилось жить. Но фрау Зибкрон не любила больших отелей. Она всегда проводила отпуск в Черном Лесу, потому что там очень нравилось детям. Да, конечно же, Брэдфилд и сам обожал Черный Лес, а в соседнем Дорнштеттене жили его близкие друзья.

Тернер с угрюмым восхищением внимал умению Брэдфилда поддерживать пустую светскую беседу. Он ни от кого не ждал поддержки. Его глаза потемнели от усталости, но речь звучала столь же бодро, сколь и бессмысленно, как будто он и в самом деле находился в отпуске.

— Давайте же, Бернард. Вы похожи на старого и мудрого филина, а мне больше никто ничего не рассказывает. Я простая Hausfrau. Считается, что мне целыми днями положено листать «Вог» и готовить канапе.

— Есть старая поговорка, — ответил ей Ванделунг, — что еще должно случиться в Бонне, прежде чем действительно что-то случится? Здесь не может произойти ничего такого, чего бы мы уже не видели прежде.

— Они могут потоптать мои розы, — капризно сказала Хейзел, прикуривая сигарету. — Могут увести от меня мужа в любое время дня и ночи. Поездка на целый день в Брюссель — вот вам пример! Совершенно абсурдно. А вспомните, что они натворили в Ганновере? Вдруг начнут бить окна в нашем доме? Потом придется обращаться в это нудное Министерство общественных работ, так ведь? А нам всем останется только сидеть здесь, закутавшись в пальто, пока там будут решать, кто, за что и сколько должен платить. Все это скверно, действительно очень плохо. Слава богу, теперь есть мистер Тернер, чтобы защитить нас. — Произнеся эту фразу, она остановила на нем взгляд, и он прочитал в нем одновременно и беспокойство, и немой вопрос. — Фрау Зааб, а ваш муж тоже в эти дни ездит по всей стране? Уверена, из журналистов получаются гораздо более удачные мужья, чем из дипломатов.

— Он очень правдивый. — Куколка отчего-то стала грустной и покраснела.

— Жена хотела сказать, что я очень верный. — Зааб с нежностью поцеловал ей руку.

Открыв крошечную сумочку, она достала оттуда палетку с косметикой и по одному выдвинула ее лепестки с пудрами и румянами.

— Завтра ровно год с тех пор, как мы поженились. Это так прекрасно!

— Du bist noch schooner!* — воскликнул Зааб, и разговор сосредоточился на сведениях о финансовых и прочих делах семьи Заабов. Да, они приобрели земельный участок в районе Обервинтера. Карл Хайнц купил его в прошлом году к помолвке, а его цена уже поднялась на четыре марки за Quadratmeter.

— Карл Хайнц, как звучит Quadratmeter по-английски?

— Почти точно так же, — сказал Зааб. — Квадратный метр. — И косо посмотрел на Тернера, словно тот собирался опровергнуть его слова.

Внезапно фрау Зааб разговорилась, и ее уже ничто не способно было остановить. Вся ее жизнь раскрылась перед ними пестрым восточным ковром с узорами из надежд и разочарований. Ее столь прелестно порозовевшие щечки сохраняли цвет, как теплую окраску после сексуального удовлетворения.

Они рассчитывали, что Карл Хайнц возглавит Вюго своей газеты в Бонне. Шеф столичного корпункта — предел их ожиданий. Его жалованье увеличили бы тогда еще на тысячу, а он занял бы действительно важный пост. И что же произошло в реальности? Газета назначила «этого Флицдорфа», а Флицдорф был просто сопливым мальчишкой без всякого опыта за душой и к тому же гомосексуалистом, а Карл Хайнц, отработавший на издание восемнадцать лет и имевший столько полезных контактов, по-прежнему остался вторым номером. Ему даже приходилось подрабатывать внештатными статейками для разных бульварных листков.

— Да, для желтой прессы, — кивнул муж, но она впервые не обратила на него никакого внимания.

---

* Ты еще прекраснее! *(нем.)*

Что ж, когда такое произошло, у них состоялся долгий разговор, и они решили продолжать строительство дома, хотя Hypothek обходилась неслыханно дорого. Но как только они внесли маклеру всю сумму, случилась настоящая катастрофа. В Обервинтере появились африканцы. Вот это был ужас! Карл Хайнц всегда отличался настроем против африканцев, а теперь они купили соседний участок и начали возводить на нем Residenz для одного из своих послов. Дважды в неделю они всей оравой приезжали туда, лазали, как обезьяны, по грудам кирпичей и орали, что им нужны другие материалы. Вскоре там образовалась целая африканская колония с «кадиллаками», детьми и музыкой, орущей ночи напролет. А ведь она оставалась дома одна, когда Карл Хайнц задерживался на работе. Поэтому пришлось поставить решетки на окна и специальные засовы на двери, чтобы она...

— Это какая-то фантасмагория! — почти прокричал Зааб, чтобы заставить резко обернуться к себе Зибкрона и Брэдфилда, поскольку те тихо отошли к окну, где обменивались никому не слышными репликами, растворявшимися в ночи. — Кстати, у нас уже давно опустели бокалы!

— Карл Хайнц, прости, мой дорогой друг. Мы совершенно отвлеклись и забыли о тебе.

Бросив напоследок Зибкрону какую-то фразу, Брэдфилд вернулся к столику, где стоял сиявший серебром поднос с лафитниками.

— Кому еще налить по последнему бокалу на сон грядущий? — спросил он.

Ванделунг хотел было присоединиться, но ему запретила пить жена.

— И вы тоже будьте со спиртным поосторожнее, — предупредила она фрау Зааб заговорщицким шепотом, который услышали все. — Не ровен час, хватит вашего супруга сердечный приступ. Столько есть, пить, волноваться, кричать — это очень вредно для сердца. А с молодой женой, которую не так-то просто удовлетворить, — добавила она самодовольно, — и помереть недолго.

После чего, крепко ухватив своего маленького и сеньенького супруга за руку, фрау Ванделунг потащила его в прихожую. В тот же момент Хейзел Брэдфилд склонилась через опустевшее кресло.

— Мистер Тернер, — тихо сказала она, — есть одно дело, с которым вы сумеете мне помочь. Позвольте отвести вас в сторонку буквально на минуту?

Они вышли в зимний сад. Здесь на подоконниках разместились растения в горшках, валялись теннисные ракетки. На покрытом кафелем полу рядом с пружинистой палкой для прыжков и набором садовых инструментов стоял игрушечный трактор. Непонятно откуда доносился запах меда.

— Как я понимаю, вы наводите справки о Лео Хартинге, — сказала она.

Голос звучал резко и повелительно: она была воистину достойной женой своего мужа.

— Вы так считаете?

— Роули безумно волнуется, и, как я догадываюсь, Лео Хартинг тому причиной.

— Понимаю.

— Он почти не спит по ночам, но не желает обсуждать этого даже со мной. За последние три дня он едва ли хоть словом со мной перемолвился. Дошло до того, что мне передают от него записки посторонние люди. Для него ничего не существует, кроме работы. И он на грани срыва.

— Странно, но у меня не сложилось такого впечатления.

— Да, но он — мой муж.

— Ему очень повезло.

— Что забрал с собой Хартинг? — У нее от ярости и решимости буквально горели глаза. — Что он похитил?

— А с чего вы взяли, будто он что-то похитил?

— Послушайте, не вы, а именно я несу ответственность за благополучие и здоровье мужа. И если у Роули неприятности, я имею полное право знать, что происходит. Расскажите мне, что натворил Хартинг. Где он сейчас? Об этом постоянно шепчутся. Все как один. Эта нелепая история про драку в Кельне, любопытство Зибкрона. Почему я одна ни о чем не ведаю?

— Меня самого это отчасти удивляет, — сказал Тернер.

Ему показалось, что она может ударить его, и он твердо знал: если на него поднимут руку, он ответит ударом на удар. Она была красива, но в изогнутых уголках ее рта читались раздражение и высокомерие ребенка богатых родителей, а в голосе и манерах ему чудилось нечто до ужаса знакомое.

— Уходите. Оставьте меня.

— Мне наплевать, кто вы такая. Но если хотите выяснить то, что официально засекречено, найдите, черт побери, другой источник информации, — сказал Тернер, ожидая, что она снова начнет злиться, набросится с упреками.

Но Хейзел лишь протиснулась мимо него в холл и взбежала вверх по лестнице. Он еще немного постоял на месте, рассеянно осматривая валявшиеся вокруг игрушки для детей и взрослых — удочки, набор для крокета и другие странные, бессмысленные предметы из того мира, которого он никогда не знал. Все еще погруженный в размышления, Тернер медленно вернулся в гостиную. Когда он вошел, Брэдфилд и Зибкрон стояли рядом у французского окна. Они одновременно повернулись к двери и посмотрели на него как на неодушевленный предмет, вызывавший одинаковое презрение у обоих.

Наступила полночь. Графиню, вдрызг пьяную и почти лишившуюся дара речи, погрузили в такси. Зибкрон тоже уехал, попрощавшись только с Брэдфилдом. Его жена, должно быть, уехала вместе с ним, хотя Тернер не заметил ее исчезновения, только на диванной подушке, где она сидела, виднелась едва заметная вмятина. Отправились домой Ванделунги. Оставшиеся пятеро расположились вокруг камина в состоянии послепраздничной депрессии. Заабы устроились на диване, откуда, держась за руки, завороженно смотрели на догоравшие угли. Брэдфилд, погрузившись в размышления, молча потягивал сильно разбавленное виски. Хейзел в длинной юбке из зеленого твида напоминала русалку, устроившись с ногами в кресле и поглаживая кошку голубой русской породы в подсознательной имитации сцены из далекого восемнадцатого века. Она редко смотрела на Тернера, но не пыталась делать вид, что игнорирует его присутствие, и по временам даже обменивалась с ним репликами. Да, этот чинуша мог быть слишком дерзким, но не изменять же ей из-за него своим обычным светским манерам?

— В Ганновере творилось нечто невообразимое, — тихо попытался завести разговор Зааб.

— О нет, Карл Хайнц, — взмолилась Хейзел. — Думаю, мы уже достаточно наслушались историй о Ганновере. Я сыта ими по горло.

— Почему они побежали? — задал он вопрос. — Ведь там был и Зибкрон. А они побежали. Начали с головы толпы. Помчались словно умалишенные к той библиотеке. Зачем им это понадобилось? Все сразу — alles auf einmal.

— Зибкрон постоянно донимает меня таким же вопросом, — сказал Брэдфилд в момент откровенности, ставшей следствием усталости. — Почему они побежали? Но если кто-то и может понимать причину, то именно он: Зибкрон дежурил у постели умиравшей Эйх. Не я. Что, черт побери, его гложет? Твердит и твердит: «В Бонне не должно повториться случившееся в Ганновере». Разумеется, не должно, но он, кажется, считает виноватым во всем меня. Я еще никогда не видел его таким.

— Тебя? — переспросила Хейзел Брэдфилд с неприкрытым презрением. — Какого дьявола ему о чем-то спрашивать тебя? Ты даже не поехал в Ганновер.

— Но он то и дело донимает меня этим вопросом. — Брэдфилд поднялся и выглядел в этот момент таким инертным и вялым, что Тернер невольно задумался об истинном характере его отношений с женой. — Спрашивает несмотря ни на что. — Он поставил пустой стакан на стойку бара. — Нравится тебе это или нет. Он повторяет один и тот же вопрос: «Почему они вдруг побежали?» Как задал его только что Карл Хайнц. «Что заставило их побежать? Что именно в той библиотеке привлекло их внимание?» Я могу лишь ответить: библиотека считалась британской, а мы все знаем отношение Карфельда к британцам. Все, Карл Хайнц, хватит. Вам, молодые люди, пора отправляться спать.

— И еще серые автобусы, — продолжал бормотать Зааб. — Вы же читали описание автобусов для охраны? Они были серые, Брэдфилд. Серые!

— Разве это имело хоть какое-то значение?

— Имело, Брэдфилд. Прошла тысяча лет, но это имело значение, мой дорогой Брэдфилд.

— Боюсь, я не в силах чего-то понять, — заметил Брэдфилд с утомленной улыбкой.

— Как всегда, — бросила его жена, и никто не принял ее слова за шутку.

Из пары венгерских слуг осталась теперь только девушка.

— Ты был очень добр ко мне, Брэдфилд, — сказал на прощание Зааб. — Быть может, я слишком много треплю языком, чересчур разговорчив. Nicht wahr, Marlene*: да, я говорлив не в меру. Но я не доверяю Зибкрону. Я — старая свинья, понимаешь? А Зибкрон — молодая. Заруби себе на носу!

— Почему мне не следует доверять ему, Карл Хайнц?

_____

* Не правда ли, Марлен *(нем.)*.

— Потому что он никогда не задает вопросов, если уже не знает на них ответы. — Выдав эту загадочную фразу, Карл Хайнц Зааб пылко поцеловал руку хозяйки дома и вышел в темноту, поддерживаемый молодой женой.

Тернер сидел на заднем сиденье, пока Зааб вел машину по левой полосе улицы. Жена спала, положив голову ему на плечо, маленькой ручкой инстинктивно поглаживая черные волосы, густо покрывавшие шею супруга.

— Почему они побежали в Ганновере? — повторил вопрос Зааб, с довольным видом успевая уклоняться от встречных автомобилей. — Зачем этой толпе недоумков понадобилось бежать?

В «Адлере» Тернер заказал в номер чашку кофе к половине пятого, портье сделал для себя пометку с понимающей улыбкой, словно именно в такую рань типичный англичанин и поднимался с постели. Когда же он улегся, то постарался отключиться от мыслей, от пренеприятного и по большей части загадочного допроса, устроенного ему герром Людвигом Зибкроном, чтобы сосредоточиться на более интересной для него личности Хейзел Брэдфилд. Тоже ведь загадка, размышлял он, уже засыпая. Как столь красивая, желанная и очень, судя по всему, интеллигентная женщина могла выдерживать безмерную тоску дипломатической рутины Бонна. Попадись она под яркое обаяние аристократических манер милого Энтони Уиллоуби, подумалось ему, Брэдфилду пришлось бы несладко. Но почему, — хор усыплявших его голосов был тот же, что не давал заснуть во время долгого, невеселого и бессмысленного вечера, — зачем его вообще туда пригласили?

И кто его пригласил? «Мне положено устроить для вас ужин во вторник», — что-то в этом роде сказал ему Брэдфилд. «Положено, но я не отвечаю за последствия», — подразумевал он.

«И еще Брэдфилд! Я же слышал! Слышал, как ты поддался под давлением. Я впервые почувствовал в тебе слабину и уязвимость. Я сделал шаг тебе навстречу, я видел нож в твоей спине и слышал, как ты говоришь моим собственным голосом. Хейзел, сучка ты эдакая! А ты, Зибкрон, свинья. Хартинг! Ты — вор. Если ты, Брэдфилд, так воспринимаешь жизнь, нашептывал ему своим странным голосом на ухо де Лиль, то почему сам не станешь перебежчиком? Бог мертв. Нельзя воспринимать такие вещи двойственно. От этого отдает чуть ли не средневековьем...»

Он поставил будильник на четыре часа, но звонок, как показалось, раздался чуть ли не сразу же.

Глава 11
КЁНИГСВИНТЕР

Еще в полной темноте де Лиль заехал за Тернором, и тому пришлось просить ночного портье открыть запертую на замок дверь гостиницы. На улице было холодно, неуютно и пусто. Клочья тумана то и дело обволакивали их, взявшись словно ниоткуда.

— Нам придется добираться долгим кружным путем через мост. Паром в такую рань еще не ходит. — В манере де Лиля говорить появилась краткость, граничившая с резкостью.

Они выехали на шоссе. По обеим сторонам новые здания, покрытые облицовочной плиткой и армированным стеклом, высились, как жутковатые ночные растения посреди заросших травой полей, подсвеченные лампами подъемных кранов. Они миновали посольство. Мрак окутывал влажные бетонные стены подобно черному пороховому дыму недавней битвы. «Юнион Джек» вяло трепыхался на флагштоке единственным цветком у солдатской могилы. При бледном свете фонаря у входа лев и единорог на гербе страны, почти утратившие четкие очертания под несколькими слоями краски красных и золотистых тонов, продолжали отважно рваться в бой. На пустыре покосившиеся футбольные ворота пьяно накренились в предрассветных сумерках.

— Дела в Брюсселе пошли заметно лучше, — заметил де Лиль тоном, не подразумевавшим продолжения беседы на эту тему.

Дюжина машин была припаркована на стоянке у передней лужайки. Белый «ягуар» Брэдфилда занимал на ней особо почетное место.

— Для кого лучше? Для нас или для них?

— А вы как думаете? — И он все-таки добавил: — Мы обратились к немцам с предложением провести двусторонние переговоры в частном порядке. Французы немедленно сделали то же самое. Им это вовсе ни к чему, зато они обожают играть, перетягивая канат на свою сторону.

— И кто побеждает?

Де Лиль не ответил.

Пустынный город окутывало нереальное розовое сияние, характерное для любого города перед восходом солнца. Мостовые безлюдных улиц были влажными. Дома, казалось, были испещрены пятнами, как грязные солдатские мундиры. Под аркой уни-

верситета трое полицейских блокировали путь подобием баррикады и остановили их машину. С мрачными видом полисмены
принялись обходить по кругу маленький спортивный автомобиль,
записали номер, проверили подвеску, встав на задний бампер,
всмотрелись сквозь слегка запотевшее лобовое стекло в лица сидевших в салоне мужчин.

— О чем они орали? — спросил Тернер, как только машина
тронулась дальше.

— Предупреждали об улицах с односторонним движением. —
Де Лиль свернул налево, следуя предписанию синего дорожного
знака. — Интересно, куда мы таким образом попадем?

Электрокар прочищал сточную канаву. Еще двое полицейских
в плащах из зеленой кожи и со сдвинутыми набок пилотками с подозрением наблюдали за их маневрами. В витрине магазина моло-
денькая девушка надевала на манекен пляжный халат, держась за
пластмассовую руку и натягивая на нее рукав. На ней самой были
плотные войлочные сапоги, и она шаркала, как заключенная на
прогулке в тюремном дворе.

Они оказались на привокзальной площади. Черные транспа-
ранты украшали столбы и навес над входом на станцию. «Добро
пожаловать, Клаус Карфельд!», «Приветствуем тебя, Клаус!»,
«Клаус, ты один сможешь отстоять нашу честь!». Фотография,
более крупная, чем все, что Тернер видел прежде, была водружена
на только что установленную новую доску. «Freitag!» — виднелось
слово под ней — пятница. Но лучи прожекторов светили куда-то
в темноту, оставляя лицо на фотографии в тени.

— Они приезжают сегодня. Тильзит, Мейер-Лотринген, Карфельд. Прибывают из Ганновера, чтобы подготовить почву.

— С Людвигом Зибкроном в роли гостеприимного хозяина.

Они какое-то время двигались вдоль трамвайных путей, продолжая подчиняться указаниям знаков. Дорога повела их сначала
влево, затем направо. Проехали под небольшим мостиком, развернулись в обратном направлении, попали на другую улицу, остановились перед временным светофором, а потом одновременно
подались вперед на узких сиденьях, в изумлении созерцая то, что
открылось им на покатой рыночной площади, плавно опускав-
шейся к зданию мэрии.

Прямо перед ними рядами выстроились пустые лотки, похожие
на казарменные койки. Позади них высились на фоне темного
неба фронтоны домиков, похожих на имбирные пряники. Но де

Лиль и Тернер смотрели еще выше на единственное в своем роде здание в розовых и серых тонах, доминировавшее над площадью. К нему были приставлены лестницы, балконы обтянули черными полотнищами, а на мостовой рядом стояло довольно много «мерседесов». Слева, напротив аптеки, залитые со всех сторон светом прожекторов, торчали белые строительные леса, очертаниями напоминавшие средневековую передвижную штурмовую башню. По высоте они достигали мансардных окон соседних домов. Мощные опоры, похожие на оголенные корни деревьев, выраставших из тьмы, отбрасывали зловещие тени и как бы раздваивались. У основания даже в такой ранний час возились рабочие. До Тернера доносилось трубное звонкое эхо стука молотков и завывание цепных мотопил. На перекинутой через шкив веревке вверх поднималась связка досок.

— А почему флаги приспущены?

— Траур. Это их пропагандистский трюк. Они якобы в трауре по утрате национального достоинства.

Затем они пересекли длинный мост. Проехали одну деревню, потом другую. Уже скоро пошла сельская местность, через которую на восточном берегу реки недавно проложили новое шоссе. Справа вершина Годесберга, разделенная на части слоями тумана, мрачно возвышалась над еще спавшим городком. Они объехали обширный виноградник. Хвойные деревья, видневшиеся в темноте, напоминали куски ткани, обрезанные зигзагами и сшитые затем по краям. Над виноградниками начинался лес Семи холмов, а еще выше, на фоне линии горизонта, чернели развалины причудливых готических замков. Съехав с главной дороги, они попали на более узкую аллею, которая вела к обширному полю, окруженному по периметру столбами с выключенными фонарями и постриженным кустарником. Ниже протекал Рейн, его вода лишь смутно поблескивала вдалеке.

— Следующий дом слева, — хрипло произнес де Лиль. — Предупредите, если заметите охранника.

Перед ними возник большой белый дом. И, хотя окна первого этажа прикрывались ставнями, ворота стояли нараспашку. Тернер выбрался из машины и быстро прошел вдоль тротуара. Затем он подобрал камень, чтобы сильно и точно бросить им в стену дома. Звук искаженным эхом отдался над долиной реки, повторившись выше, на черном склоне Петерсберга. Всматриваясь в туман, они ждали окрика или шагов. Но ничего не последовало.

— Припаркуйтесь выше по улице и возвращайтесь сюда, — сказал Тернер.

— Думаю, мне лучше просто припарковаться чуть подальше и посидеть в машине. Сколько времени вам потребуется?

— Вам знаком этот дом. Пойдемте со мной.

— Не имею права. Извините, я был не против, чтобы доставить вас сюда, но внутрь проникать не стану.

— Тогда зачем вам понадобилось самому привозить меня? Де Лиль не ответил.

— Ладно. Боитесь ручки испачкать, так и скажите.

Держась края газона, Тернер пошел по подъездной дорожке к дому. Даже при столь скудном освещении он ощущал во всем тот же порядок, которым отличался кабинет Хартинга. Просторная лужайка выглядела очень ухоженной, клумбы с розами прополоты и окучены. Каждый кустик обрамлен травой, а сорт обозначен на металлической табличке. У входа в кухню на бетонной площадке стояли три разных контейнера для мусора, пронумерованные и помеченные в соответствии с местными правилами. Уже готовясь вставить ключ в замок, он услышал шаги.

Безусловно, это были чьи-то шаги. Один, другой, третий — тихие, едва различимые шаги человека. Вот на гравий ступил носок, и только потом — каблук. Очень осторожная походка. Как жест, начатый, но затем сдержанный, как сообщение, уже почти отправленное, а потом возвращенное в карман владельца. Но все же шаги узнавались безошибочно.

— Питер?

Он наверняка снова передумал, мелькнула мысль у Тернера. Этот человек легко отказывался от принятых решений.

— Питер!

Ответа так и не было.

— Питер, это вы?

Он чуть склонился, быстро достал из мусорного контейнера пустую бутылку и стал ждать, стараясь уловить теперь любой, даже самый легкий звук. Но услышал лишь крик петуха откуда-то со стороны Семи холмов. Доносился шелест по влажной земле, как шуршание хвои в сосновом бору. У берега реки плескались мелкие волны. Да и сам Рейн словно пульсировал, что напоминало вращение невидимого механического колеса, — единый звук, возникавший от слияния многих, порожденных рекой. Где-то проплывала баржа. Потом совсем далеко зазвенела цепь опущенного якоря. Застонало животное, как отбившаяся от стада и потерявшаяся среди пустоши корова, и стон тоже отдался эхом в прибрежных скалах. Но шагов Тернер больше не различал, как не услышал и размеренного голоса де Лиля. Решительно провернув ключ в замке, он с силой толкнул дверь, а затем снова замер и вслушался, крепко держа бутылку за горлышко, вскоре почувствовав, как в ноздри проникает успокаивающий аромат застоявшегося сигарного дыма.

Тернер выжидал, пока комната нарисуется перед ним в холоде темноты. Постепенно он уловил новые звуки. Сначала со стороны сервисного люка донесся вроде бы звон стекла. В холле потрескивали доски паркета. А в подвале как будто кто-то протащил по полу огромную пустую картонную коробку. Раздался сигнал гонга — однотонный, но мелодичный и отчетливый. А потом уже отовсюду вокруг него стали слышны то вибрирующие, то гулкие шумы — их неясного происхождения источник находился тем не менее совсем близко, навязывая ему себя, делаясь громче с каждой минутой. Словно весь дом перенес тяжелый внешний удар и задрожал. Вбежав в прихожую, Тернер бросился затем в гостиную, включив в ней свет одним движением ладони по стене и дикими глазами осматриваясь по сторонам, чуть пригнувшись, поджав плечи, еще крепче вцепившись в бутылку сильными пальцами.

— Хартинг! — воскликнул он. — Хартинг?

Ему послышалось торопливое шарканье и щелчок закрывшейся раздвижной двери.

— Хартинг! — выкрикнул он снова, но ответом ему стал лишь шум угля, сыпавшегося в топку, и постукивание плохо закрепленной ставни.

Он подошел к окну и посмотрел через лужайку в сторону реки. На противоположном берегу расположилось американское посольство: все в огнях, напоминая чуть ли не электростанцию, оно просвечивало туман, окрашивая его в желтый цвет до самой неразличимой середины Рейна. А потом ему стало ясно, кто так пытал и мучил его непостижимой чередой звуков. Караван из шести связанных между собой барж с флагами на реях, с мерцавшими подобно синим звездам, прибитым к мачтам над рубками, сигнальными огнями и с вращавшимися радарами медленно растворялся в мареве. Когда последняя пропала из вида, затих и странный оркестр, словно музыканты, засевшие в доме, разом отложили инструменты. Никакого больше звона стекла, ни скрипа половиц, грохота угля, падающего в огонь, мерещившейся прежде вибрации стен. Дом окончательно затих, успокоившись, но, как чудилось, был готов в любую минуту ожить от новой атаки извне.

Поставив бутылку на подоконник, Тернер распрямился во весь рост и принялся медленно переходить из одной комнаты в другую. Дом оказался нелепо спланированным, чересчур просторным казарменного типа зданием, явно возведенным для какого-то полковника на деньги от полученных репараций в то время, когда стоявший на вершине Петерсберга отель заняла Высокая комиссия союзников. Они собирались здесь жить одной маленькой колонией, как рассказывал де Лиль, но только колония оказалась недолговечной, постройки даже не завершили. Потому что вскоре было принято решение об окончании оккупации и все подобные проекты свернули. Остался заброшенный дом для заброшенного человека. Причем жилище делилось на светлую и темную половины в зависимости от того, выходили окна комнат на реку или на гору. Внутренние стены грубо отделали той же штукатуркой, которая покрывала их снаружи. Мебель подобрали разномастную, словно никто до конца так и не понял, чего заслуживал Хартинг. И если здесь что-то действительно привлекало внимание, то только очень хороший проигрыватель. Провода от него разбегались по всем направлениям, а динамики по обе стороны камина закрепили на шарнирах, чтобы музыка могла качественно звучать в любом углу комнаты.

Обеденный стол был накрыт на двоих.

В центре четыре фарфоровых херувима танцевали, взявшись за руки. Весна держалась за Лето, Лето отстранялось от Осени, и только Зима не давала им разомкнуть круг. По противоположным концам разложили приборы, необходимые для интимного ужина. Все подготовили заранее: новые свечи, коробок спичек, бутылку бургундского вина в специальной корзинке, еще не откупоренную, букет роз в серебряной вазе. Но эта роскошь успела покрыться тонким слоем пыли.

Тернер быстро сделал записи в блокноте и вернулся в кухню. Ее можно было бы сфотографировать для публикации на обложке любого популярного женского журнала по домоводству. Никогда он не видел столько всевозможных приспособлений для совершенствования в искусстве кулинарии. Миксеры, резаки, тостеры, открывалки и консервные ножи всех видов. На стойке он заметил пластмассовый поднос с остатками одинокого завтрака. Он поднял крышку чайника. Заварка была на травяном настое и имела густой красный цвет. Чаинки попали на дно чашки и на ложечку. Вторая чашка стояла вверх дном в сушилке для посуды. Транзисторный приемник, точно такой же, какой Тернер видел в рабочем кабинете Хартинга, хозяин разместил поверх холодильника. Вновь отметив длину волны настройки радио, Тернер на всякий случай подошел к двери и вслушался, а затем принялся открывать створки буфета и шкафчиков, доставая оттуда жестяные банки и бутылки, внимательно осматривая каждое отделение. По временам он пополнял список обнаруженных вещей. В холодильнике пол-литровые картонки с молоком, поставлявшимся НААФИ, ровной шеренгой выстроились вдоль одной из полок. Вынув баночку с паштетом, Тернер принюхался, пытаясь выяснить степень его свежести. На белой тарелке лежали два куска говядины для бифштексов. Дольки чеснока уже вдавили внутрь мяса. Он явно приготовил все это в четверг вечером, внезапно понял Тернер. То есть в четверг вечером он еще не знал, что в пятницу сбежит.

Коридор второго этажа был застелен тонкими ковриками, сотканными из кокосовой копры. Мебель из сосны выглядела старой и шаткой. Один за другим Тернер вынимал из гардероба костюмы, запуская руку в карманы, а потом швыряя за ненадобностью в угол. Их покрой, как и планировка дома, имел отчетливые приметы стиля милитари: приталенные пиджаки были снабжены дополнительными небольшими карманами по центру правой стороны, зауженные брюки заканчивались внизу отворотами. Продолжая поиски, он по временам доставал то носовой платок, то обрывок бумаги, то огрызок карандаша. Все это внимательно изучалось, заносилось в реестр, после чего костюм летел в сторону, а следующий извлекался из старого и скрипучего платяного шкафа. Дом снова завибрировал. Откуда-то — причем снова казалось, что непосредственно из самого дома, — донесся скрежет металла и клацанье, словно тормозил товарный поезд, сначала в одном месте, потом в другом, передаваясь сверху вниз. А как только эти звуки затихли, он опять услышал шаги. Уронив очередной костюм на пол, Тернер бросился к окну. И услышал их еще раз. Дважды. Дважды он различил чью-то тяжелую поступь. От-

крыв окно и ставни, склонился в темноту ранних сумерек и вгляделся в подъездную дорожку.

— Питер?

Сам по себе мрак создавал иллюзию движения внизу или там
все же находился человек? Тернер оставил включенным свет
в прихожей, и он отбрасывал перед домом узор из причудливых
теней. И не ветер раскачивал верхушки буков. Значит, все-таки человек? Мужчина, торопливо прошедший вдоль задней стены дома.
Мужчина, очертание фигуры которого промелькнуло по гравию
дорожки.

— Питер?

Ничего. Ни машины, ни охранника. Соседние дома все еще
стояли погруженные в темноту. Наверху любимая гора Чемберлена медленно оживала перед рассветом. Тернер закрыл окно.

Теперь пришлось действовать быстрее. Во втором гардеробе он
обнаружил еще полдюжины костюмов. Более небрежно, чем прежде, он срывал их с вешалок, ощупывал карманы и отбрасывал,
но затем некое шестое чувство подсказало: сбавь обороты, работай без спешки. Ему попался костюм из темно-синего габардина.
Костюм, но весьма официальный, помятый сильнее остальных
и висевший отдельно от них, словно его либо собирались отдать
в химчистку, либо наметили надеть с утра. Он тщательно взвесил костюм на руке. Потом положил на кровать, изучил карманы
и вынул коричневый конверт, аккуратно сложенный пополам.
Обычный конверт, какими пользовались многие государственные
учреждения. В таких же конвертах присылали, например, бланки
налоговых деклараций. Всякие надписи на нем отсутствовали, но
он был прежде запечатан, а потом небрежно вскрыт. Внутри оказался ключ тускло-свинцового оттенка от йельского замка. Отнюдь не новый, а явно побывавший в употреблении, старомодный
и сложный ключ для глубокой и сложной замочной скважины, совершенно не похожий на стандартные ключи, входившие в связку
дежурного в посольстве. Ключ от металлической коробки для
досье? Вложив его обратно в конверт, Тернер поместил его между
листками своего блокнота и скрупулезно осмотрел остальные
карманы. Три палочки для размешивания коктейлей с темным
пятном на конце той, с помощью которой он вычищал грязь из-
под ногтей. Оливковые косточки. Немного мелочи, четыре марки
и восемьдесят пфеннигов, все монетами. И счет за выпивку из бара
отеля «Ремаген» без обозначения даты.

Кабинет Тернер оставил напоследок. Это была неопрятная комната, заставленная картонными коробками с виски и консервированной едой. Рядом с плотно занавешенным окном стояла гладильная доска. На старом столе для игры в карты лежали в нехарактерном для хозяина беспорядке кипы каталогов, рекламных буклетов и прейскурантов на товары по выписке по сниженным для дипломатов ценам. В небольшой тетрадке содержался список вещей, которые, по всей видимости, Хартинг должен был приобрести по заказам своих клиентов. Тернер бегло просмотрел тетрадь, а потом сунул в карман. Жестянки с голландскими сигарами лежали в деревянном ящике — их Лео закупил в огромном количестве.

Застекленный книжный шкаф оказался заперт. Тернер наклонился, чтобы просмотреть названия книг, затем выпрямился, снова вслушиваясь. Из кухни он принес отвертку и одним сильным движением оторвал деревянную планку, после чего медный замок с неожиданной легкостью поддался, и створки шкафа распахнулись. Первые попавшиеся несколько томов были немецкими довоенными изданиями в толстых и крепких переплетах с множеством позолоты на обложках. Названия он не мог перевести точно, но смысл некоторых угадывался. «Leipziger Kommentar zum Strafgesetzbuch»* Штундингера, «Verwaltungsrecht»** и что-то еще по вопросам об ограничении сроков давности преступлений. Причем на каждой книжке было написано имя Лео Хартинга, как название бренда на вешалках для пальто из фирменных магазинов, а в одной книге ему попалась надпись, сделанная поверх напечатанного медведя — герба Берлина — остроугольными немецкими буквами, характерно утонченными на изгибах и очень плотными на прямых линиях: «Für meinen geliebten Sohn Leo»***. На нижней полке расположилась смесь из разнородной литературы: «Кодекс поведения британского офицера в Германии», немецкий справочник в мягкой обложке с объяснением символики сигнальных флажков на Рейне, англо-немецкий разговорник с подробными комментариями, опубликованный в Берлине тоже еще до войны, очень потрепанный. Добравшись до самой задней стенки, Тернер вынул из шкафа кипу тонких, переплетенных клеенкой бюлле-

---

* Лейпцигский комментарий к Уголовному кодексу *(нем.)*.
** «Административное право» *(нем.)*.
*** «Моему блудному сыну Лео» *(нем.)*.

теней Контрольной комиссии по Германии с сорок девятого по пятьдесят первый год. Когда он открыл первый из них, раздался треск ссохшегося клея, и в ноздри ударила струйка пыли. «Подразделение полевых расследований № 18, Ганновер» значилось на первой странице, причем каждое слово заглавия было выведено тем же хорошо поставленным почерком церковного писца с жирными прямыми линиями и утонченными изгибами с помощью черных зернистых чернил, доступных только для государственных ведомств. Впрочем, первое название было зачеркнуто и вместо него добавлено другое: «Подразделение по запросам общего характера № 6, Бремен». Еще ниже (поскольку Бремен тоже перечеркнули) Тернер прочитал: «Собственность генерального управления судебной адвокатуры, Менхенгладбах». А совсем внизу было добавлено еще: «Комиссия по амнистии, Ганновер. Только для служебного пользования». Выбрав страницу наугад, Тернер с неожиданным интересом стал читать ретроспективный анализ операции по доставке грузов в изолированный от остальной Западной Германии западный сектор Берлина с помощью авиации. Соль следовало размещать только под крыльями самолета и ни в коем случае не перевозить внутри фюзеляжа. Транспортировка бензина представляла особую опасность при взлете и при посадке. Выяснилось, что предпочтительнее в интересах повышения морального духа населения (пусть это не оправдывалось экономически) доставлять в Берлин уголь для пекарен и кукурузную муку, нежели хлеб готовой выпечки. Доставка не свежего, а сушеного картофеля помогала снизить ежедневную потребность жителей города в этом продукте с девятисот до семисот двадцати тонн. Как завороженный, он медленно листал пожелтевшие страницы, задерживаясь взглядом на фразах, уже почему-то ему знакомых. «Первое заседание союзнической Высокой комиссии состоялось 21 сентября в Петерсберге близ Бонна...» Германское туристическое бюро планировалось открыть в Нью-Йорке... Проведение ежегодных фестивалей в Байройте и Обераммергау следовало возобновить в самые короткие сроки, насколько позволяло время... Он просмотрел список вопросов, которые рассматривала Высокая комиссия в ходе своих совещаний: «Способы расширения возможностей и зон ответственности Федеративной Республики Германии в области международной политики и торговли подверглись обсуждению... Более обширные возможности для внешнеэкономической деятельности Федеративной Республики Герма-

нии, чем обозначенные в период оккупации, были определены...
Прямое участие ФРГ в еще двух международных организациях
получило одобрение...»

Следующий бюллетень сам открылся на странице, посвящен-
ной освобождению немецких военнопленных, разделенных при
задержании на определенные категории. И Тернер ощутил жадное
желание читать.

Три миллиона немцев в настоящее время находятся в плену,
писал автор. Причем военнопленные зачастую размещены
в лучших условиях, чем те, кто остался на свободе. Союзники
сталкиваются с проблемой отделения зерен от плевел. Программа «Угольщик» предусматривает отправку пленных на работу в шахтах. Программа «Ячменное зерно» — использование
их труда на сельскохозяйственных работах. Один абзац был ярко
выделен и подчеркнут синей шариковой ручкой: «Таким образом, 31 мая 1948 года был принят акт милосердия, и амнистия
с последующим освобождением от наказания, предписанного
ранее Указом 69, дарована тем бывшим офицерам СС, которые
не попали в категорию подлежащих незамедлительному аресту,
за исключением лиц, активно проявивших себя как охранники
в концентрационных лагерях». Слова «акт милосердия» подчеркнули особо, и сделано это было явно совсем недавно, судя по
состоянию чернил.

Изучив все бюллетени, Тернер стал брать их по одному и с оже-
сточением отрывать обложки, словно обрывал крылья у хищной
птицы. Потом перетряхнул, пытаясь обнаружить нечто спрятан-
ное между страницами, поднялся и направился к двери.

Клацанье металла возобновилось и стало громче, чем прежде.
Он замер, склонив голову, а его бесцветные глаза напрасно пытались хоть что-то разглядеть во мраке, но он услышал негромкий
свист, протяжный и монотонный, призывный, успокаивающий
и до странности жалобный. Ветер поднялся. Наверняка свистел
ветер. До него снова донесся стук ставни по штукатурке стены.
Но ведь он закрыл все ставни, разве нет? И все же это был ветер.
Рассветный ветер, подувший со стороны речной долины. Просто
очень сильный, от которого звучно заскрипели деревянные ступени лестницы. Причем скрипы и трески в доме стали напоминать
скрип корабельных канатов, когда надуваются паруса. И стекло,
обычное стекло в столовой, зазвенело до абсурда громко, гораздо
громче, чем раньше.

— Поторопись, — прошептал Тернер, разговаривая сам с собой. Он стал выдвигать ящики письменного стола. К счастью, они не запирались. Некоторые были совершенно пусты. В других он нашел электрические лампочки, обрывки проводов, набор для шитья, носки, запасную пару запонок и не оформленную в рамку гравюру с изображением галеона, летевшего по волнам на всех парусах. Он перевернул картинку и прочитал: «Милому Лео от Маргарет, Ганновер, 1949 год. С чувством глубокой привязанности». Почерк явно принадлежал жительнице континентальной Европы. Кое-как сложив гравюру, он тоже сунул ее в карман. А под ней лежала коробочка. Квадратной формы, твердая на ощупь и завернутая в черный шелковый носовой платок, оформленный в виде свертка с помощью булавок. Вытащив их, он развернул платок и осторожно достал жестянку из матового серебристого металла. Прежде коробочка была покрашена, поскольку ее тусклая поверхность сильно потерлась, а местами краску попросту отскребли каким-то острым инструментом. Открыв крышку, он заглянул внутрь, а потом бережно, даже почтительно, все выложил из нее на платок. Перед ним лежали пять пуговиц, каждая примерно диаметром в дюйм. Деревянные пуговицы, сделанные вручную и даже украшенные каким-то узором, грубым, но выполненным с чрезвычайной тщательностью. Мастеру явно не хватало инструментов, а не умения. В каждой пуговице проделано по два отверстия, способных пропустить очень толстую нитку. Под коробкой лежал учебник на немецком языке, собственность библиотеки в Бонне, проштампованный и подписанный библиотекарем. Тернер не разобрал названия, но ему показалось, что это был научный трактат о применении отравляющих газов в военных целях. В последний раз его брали из библиотеки в феврале прошлого года. Некоторые абзацы были отмечены, а на полях мелким почерком сделаны записи: «Токсическое воздействие наступает немедленно... Симптомы могут несколько замедлиться в холодную погоду». Направив свет лампы на книгу, Тернер сел за стол, обхватив голову руками, и стал изучать трактат с величайшим вниманием, а потому только интуиция заставила его в какой-то момент резко обернуться и увидеть в дверном проеме высокую фигуру.

Это был уже очень пожилой мужчина. Его блуза и фуражка с высокой тульей напоминали те, что носили немецкие студенты или моряки торгового флота во время Первой мировой войны.

Лицо потемнело от угольной пыли, поперек тела он держал ржавую кочергу, словно некий трезубец, хотя в его старческих руках она заметно дрожала. Но при этом покрасневшие глуповатые глаза уставились вниз на груду оскверненных обложек брошюр, и выглядел он до крайности разозленным. Очень медленно Тернер встал из-за стола. Старик не двигался, но кочерга в его руках от тряски просто ходила ходуном, а белые костяшки сжатых пальцев от напряжения проступили даже сквозь слой сажи. Тернер отважился на шаг вперед.

— Доброе утро, — сказал он.

Черная рука оторвалась от железки и автоматическим движением поднялась к краю фуражки. Тернер быстро направился в угол, где стояли коробки с виски. Он разорвал ленту крышки самой верхней из них, вытащил бутылку и открыл пробку. Старикан что-то бормотал, покачивая головой и по-прежнему не сводя взгляда с обложек на полу.

— Вот, — мягко сказал Тернер, — выпейте, если хотите. — И протянул бутылку, чтобы она попала в поле зрения старика.

Тот выпустил из рук кочергу, ухватился за бутылку и поднес к тонким губам, а Тернер тем временем проскочил мимо него в кухню. Открыв дверь, он заорал что было мочи:

— Де Лиль!

Его голос диким эхом прокатился по пустынной улице, а потом еще дальше — к самой реке.

— Де Лиль!

И не успел он вернуться в кабинет, как в окнах окрестных домов начал загораться свет.

Тернер открыл деревянные ставни, чтобы впустить в комнату лучи восходящего солнца, и теперь они втроем стояли, образовав странную группу: старик все еще косился на изуродованные брошюры, но крепко держал бутылку в дрожавшей руке.

— Кто он такой?

— Истопник. Мы все держим истопников.

Старик не сразу подал голос, но, словно только что заметив бутылку, отпил из нее еще глоток, передав ее затем де Лилю, которому инстинктивно был склонен доверять больше. Де Лиль поставил бутылку на стол рядом с носовым платком, а Тернер тихо повторил уже заданный прежде вопрос, пока старикан поочередно оглядывал то их с де Лилем, то книги.

— Спросите его, когда он в последний раз видел Хартинга.

Наконец истопник заговорил. Такой голос мог принадлежать человеку любого возраста. Это была тягучая крестьянская речь, исповедальное бормотание, грубоватое, но в то же время покорное, как будто он попал в затруднительное положение, из которого безнадежно искал выход. Потом он протянул руку и дотронулся до взломанного книжного шкафа. Затем закивал головой в сторону реки, словно именно там находился его дом. Но продолжал мямлить, даже жестикулируя, отчего создавалось впечатление, что говорит за него кто-то другой.

— Он продает билеты на прогулочные катера, — прошептал де Лиль. — А сюда заходит в пять часов вечера по пути домой и рано утром, когда отправляется на работу. Кидает в печь уголь, высыпает мусорные корзины и контейнеры. Летом успевает помыть катера до прибытия автобусов с туристами.

— Спросите его еще раз: когда он в последний раз видел Хартинга? — Тернер достал купюру, пятьдесят бундесмарок. — Покажите ему это. Пусть знает, что получит деньги, если расскажет мне все, что знает.

Увидев деньги, старик внимательнее присмотрелся к Тернеру сухими красными глазами. У него было морщинистое, с впалыми щеками лицо человека, которому в свое время довелось голодать. Кожа в одних местах дряблая и обвисшая, в других туго обтягивала кости, а сажа въелась в нее, как краска въедается в полотно. Он сложил банкноту ровно пополам и добавил к пачке денег, уже лежавшей в кармане брюк.

— Когда? — требовательно спросил Тернер. — Wann?

С крайней осмотрительностью старик принялся подбирать нужные слова, словно вынимая их по одному и складывая вместе, поскольку они стали товаром, который он продавал. Он снял с головы фуражку. Угольная пыль покрывала и его коричневый лысый череп.

— В пятницу, — тихо переводил де Лиль, смотревший куда-то в сторону окна и казавшийся растерянным. — Лео заплатил ему в пятницу после обеда. Пришел к нему домой и отдал деньги прямо на пороге. Сказал, что уезжает в долгое путешествие.

— Куда именно?

— Он не сказал куда.

— Он обещал вернуться? Спросите у него об этом.

Снова, когда де Лиль переводил, Тернер ловил знакомые слова: kommen... zurück*.

— Лео вручил ему плату за два месяца. Говорит, он может нам что-то показать. Что-то стоящее еще пятьдесят марок.

Старик быстро переводил взгляд с одного на другого с опаской, но и с надеждой, одновременно длинными пальцами нервно ощупывая свою рубашку. Это была моряцкая роба, утратившая первоначальные форму и цвет. Она висела на нем, никак не очерчивая скрытого под ней тощего тела. Обнаружив то, что искал, он аккуратно закатал нижний край, сунул вверх руку и снял что-то с шеи. Проделывая все это, он снова начал бормотать, но быстрее, более взволнованно и более многословно, чем прежде.

— Вот это он нашел в субботу утром среди мусора.

В руках у старика была кобура армейского образца из зеленой плотной ткани, подходящая для пистолета тридцать восьмого калибра. Внутри пустой кобуры было написано чернилами: «Лео Хартинг».

— В мусорном контейнере прямо наверху. Первое, что он увидел, когда снял крышку. Он больше никому ее не показывал, хотя те, другие, кричали на него и грозились набить морду. Те, другие, напомнили ему, что сделали с ним во время войны, и пообещали повторить это снова.

— Другие? Кто это был? Кто?

— Подождите.

Подойдя к окну, де Лиль быстро выглянул наружу. Старик же продолжил свой рассказ.

— Он вспоминает, как во время войны распространял антифашистские брошюры, — перевел де Лиль все еще от окна. — По ошибке. Он думал, что на самом деле раздавал обыкновенные газеты, но те, другие, поймали его и повесили за ноги головой вниз. Вот о каких других он ведет речь. Говорит, что ему англичане нравятся больше, чем остальные иностранцы. Он считает Хартинга настоящим джентльменом. Просит оставить ему бутылку виски. И дать сигар. Лео всегда угощал его сигарами. Маленькими голландскими сигарами, каких не купишь в местных магазинах. Лео специально выписывал их. А на прошлое Рождество подарил его жене фен для сушки волос. И он просит еще пятьдесят марок за кобуру, — успел добавить де Лиль, но как раз в этот момент на

---

* Приезжать... назад *(нем.)*.

подъездную дорожку въехали машины, и маленькая комната наполнилась воем полицейских сирен и мерцанием вспышек синего цвета.

Они слышали поданную криком команду и топот, когда зеленые фигуры подошли к окнам, направив оружие внутрь дома. Дверь была не закрыта. В нее вошел молодой человек в кожаном плаще и тоже с пистолетом в руке. Истопник заплакал, тихо подвывая, ожидая, что его могут ударить, а голубой маячок крутился, как фонарик на танцах.

— Ничего не предпринимайте, — шепнул де Лиль. — Никаким приказам не подчиняйтесь.

Он заговорил с юнцом в кожаном плаще, предъявив для проверки свое красное дипломатическое удостоверение. Голос его оставался ровным, но твердым. Голос человека, привыкшего вести переговоры: не дерзкий, но и не робкий. В нем звучали властные нотки и намек на нарушение его привилегий. Лицо молодого следователя оставалось таким же невыразительным, как у Зибкрона. Но постепенно де Лиль, как показалось, стал одерживать верх над собеседником. Его тон становился все более возмущенным. Он начал сам задавать вопросы, и молодой полисмен отвечал примирительно, порой даже уклончиво. Не сразу, но до Тернера дошла основная идея жалоб де Лиля. Он указывал на блокнот Тернера и на старика. Список, объяснял он, они составляли список. Разве дипломатам это запрещено? Им необходимо оценить амортизацию имущества, проверить наличие на месте инвентаря, предоставленного посольством. Что может быть естественнее в то время, когда британская собственность в Германии подвергается угрозе уничтожения? Мистер Хартинг уехал в продолжительный отпуск. Представлялось необходимым выполнить некоторые его поручения. Например, заплатить за работу истопнику положенные ему пятьдесят марок. И с каких это пор, желал знать де Лиль, британским дипломатам запретили посещать жилые помещения, принадлежавшие посольству Великобритании? По какому праву, требовал де Лиль ответа, столь крупный отряд полиции ворвался на территорию дома лица, обладавшего статусом экстерриториальности?

Они некоторое время продолжали обмен аргументами, предъявили друг другу еще какие-то документы, записали имена и номера телефонов. Детектив извинился. Сейчас наступили трудные времена, сказал он в свое оправдание и долго всматривался в лицо Тернера, явно узнавая в нем коллегу. В трудные времена и в обычные, таким показался ответ де Лиля, но права дипломатов следует все же уважать. И чем выше степень угрозы, тем важнее дипломатический иммунитет. Они обменялись рукопожатиями. Кто-то отсалютовал. Постепенно все разъехались. Пропали зеленые мундиры, померк вдали свет синих проблесковых маячков, когда микроавтобусы покинули двор дома. Де Лиль нашел стаканы и налил всем троим понемногу виски. Старик не переставал хныкать. Тернер положил пуговицы в жестянку и сунул ее в карман, где уже лежала небольшая книжица о применении газов в военных целях.

— Кто были другие люди? — требовательно спросил он потом. — Те, кто допрашивал старика раньше?

— Он говорит: похожие на этого детектива, но постарше. Седовласые, из местных толстосумов. Думаю, мы оба знаем, кого он имеет в виду. А потому вам следует держаться настороже.

Затем, вытащив из складок своего коричневого плаща кобуру, де Лиль без особой охоты и гордости собой сунул ее в ожидающе протянутую руку Тернера.

Паром был увешан флагами земель и городов, входивших в германскую федерацию. Герб Кёнигсвинтера прибили прямо к капитанскому мостику. Полицейские столпились на носу. Их стальные шлемы имели почти квадратную форму, а лица выглядели бледными и печальными. Для столь молодых людей вели они себя очень тихо, а их ботинки на каучуковых подошвах неслышно ступали по металлической палубе. Все они смотрели на реку, словно получили приказ хорошенько запомнить ее. Тернер стоял в стороне, наблюдая за работой экипажа, и воспринимал все особенно отчетливо из-за усталости, волнения, а еще потому, что утро едва наступило: вибрацию корпуса парома, когда на него по аппарели въезжала очередная машина и водитель пытался подобрать самое удобное место, завывание двигателей и звон якорной цепи, крики матросов перед отходом от причала и пронзительный перезвон колоколов городских церквей, постепенно затихший в тумане. Водители выглядели одинаково враждебно, когда выбирались из кабин автомобилей и начинали выгребать мелочь из кошельков свиной кожи. Они вели себя как члены тайной организации, которым не следовало узнавать друг друга на глазах посторонних. Пешие пассажиры, кто побогаче, кто победнее, держались в стороне от машин, хотя каждый явно не прочь был бы заиметь свои колеса. Берег медленно отдалился. Шпили и крыши маленького городка стали вырисовываться на фоне холмов, как сценический задник в опере. Паром лег на курс, описывая вдоль по течению широкую дугу, чтобы избежать столкновения с таким же паромом, отчалившим от противоположного берега. А потом моторы почти заглохли, и паром отдался течению реки, потому что огромная баржа под названием «Джон Ф. Кеннеди», заполненная одинаково ровными пирамидами угля, стремительно надвигалась на них по центру реки: детская одежда сушилась на веревке, протянутой вдоль борта, хотя воздух был пропитан сыростью. Вскоре паром начало сильно раскачивать на волнах, поднятых баржей, и некоторые пассажирки от волнения не сдержали вскриков.

— Он сказал вам что-то еще. О женщине. Я слышал слова Frau и Auto. Нечто о женщине и машине.

— Извините, приятель, — холодно отозвался де Лиль. — Это все местный рейнский диалект. Порой я совершенно его не понимаю.

Тернер снова вгляделся в сторону берега, где расположился Кёнигсвинтер. Он прикрыл глаза, как козырьком, рукой в перчатке, потому что даже не очень яркий свет весеннего утра резко отражался от воды. Наконец он нашел то, что искал: по обе стороны от Семи холмов Зигфрида стояли виллы с башенками, построенные на деньги, заработанные в Руре, а между ними белой вспышкой на фоне деревьев и лужайки виднелся дом Хартинга, тоже постепенно скрывавшийся за пеленой тумана.

— Я гоняюсь за призраком, — пробормотал он. — Преследую проклятую неуловимую тень.

— Свою собственную, — не преминул заметить де Лиль с заметным неодобрением.

— О, конечно-конечно.

— Я отвезу вас в посольство, — продолжал де Лиль. — А потом, если понадобится транспорт, ищите себе другую машину.

— Так какого дьявола вы взялись доставить меня туда, если вам это так претит? — Но потом он рассмеялся. — Ну разумеется. Как же я глуп! Или все еще не до конца проснулся! Вы боялись, что я найду зеленую папку, вот и решили подождать в сторонке. Слишком большой дом для временного сотрудника. Боже милостивый!

Корк только что прослушал восьмичасовой выпуск новостей. Вчера вечером германская делегация покинула Брюссель. Официально представители федерального правительства желали «пересмотреть некоторые чисто технические вопросы, возникшие в ходе дискуссии». Неофициально, как выразился бы сам Корк, они, словно школяры, сбежали с уроков. С равнодушным видом он наблюдал, как обрывок цветной бумажной ленты сорвался с катушки рулона и упал в специально подставленную корзинку для телеграмм. Но прошло еще десять минут, прежде чем сообщение, видимо, кому-то понадобилось. В дверь постучали, и мисс Пит заглянула в маленькое оконце. Мистер Брэдфилд хотел видеть мистера Тернера немедленно. Ее злобные глазки сияли от удовольствия. Раз и навсегда, читался скрытый подтекст ее слов. Выходя вслед за ней в коридор, он заметил буклеты о продаже участков земли на Багамах и подумал: «Когда он со мной закончит, именно это мне понадобится больше всего».

Глава 12
«И ТАМ БЫЛ ЛЕО. ВО ВТОРОМ КЛАССЕ»

— Я уже разговаривал с Ламли. Вы сегодня вечером возвращаетесь домой. Отдел командировок обеспечит вас билетом. — Письменный стол Брэдфилда был буквально завален кипами телеграмм. — И я от вашего имени извинился перед Зибкроном.

— Извинились?

Брэдфилд закрыл дверь кабинета на задвижку.

— Могу я все высказать вам прямо? Подобно Хартингу, вы в политике похожи на дилетанта. Вы находитесь здесь, имея временный дипломатический статус, и если бы не это, сидеть бы вам уже за решеткой. — Он побледнел от злости. — Одному богу известно, о чем только думал де Лиль. С ним я поговорю отдельно. Вы намеренно нарушили мое распоряжение. Впрочем, у людей вашей профессии, по всей вероятности, свои правила, и для вас я такой же подозреваемый, как все остальные.

— Вы себе льстите.

— Но в данном случае вас особым приказом передали мне в подчинение. Ламли, посол и сама специфика обстановки здесь продиктовали нам строгое указание, чтобы вы не совершали шагов, которые могли бы вызвать отзвуки за пределами посольства. Сидите тихо и слушайте меня! Но вместо того, чтобы хотя бы в малой степени учесть то, о чем вас просили, вы направились в дом Хартинга в пять часов утра, напугали до полусмерти его слугу, перебудили соседей, оглушительными криками вызывая де Лиля, а под конец спровоцировали крупномасштабный полицейский рейд. И он уже скоро, несомненно, станет предметом пересудов во всем нашем сообществе. Но этого вам показалось мало, и вы нагородили полиции глупейшую ложь о мнимой инвентаризации. Представляю себе, что даже Зибкрон не сдержит улыбки, когда вспомнит, как занятно вы описали ему вчера вечером свой род занятий.

— У вас ко мне что-то еще?

— И очень много, учтите. Каковы бы ни были подозрения Зибкрона относительно исчезновения Хартинга, вы преподнесли ему недостающие доказательства. Вы же сами видели его настрой. А теперь вообще неизвестно, что он думает о происходящем у нас.

— Так расскажите ему, — предложил Тернер. — Почему бы и нет? Разрешите его умственные затруднения. Боже, да он знает гораздо больше, чем мы с вами. Зачем мы делаем тайну из того, о чем они прекрасно информированы? Они уже подготовились. Хуже не будет, если мы смажем эффект от удара, который они собираются нанести.

— Я никогда не произнесу ни слова об этом вслух! Что угодно представляется мне более удачным выходом из положения. Любые сомнения, какие угодно подозрения с их стороны. Все лучше прямого признания в такой момент, что один из наших дипломатов в течение двадцати лет являлся советским агентом. Вам нужны еще объяснения? Я ни за что не произнесу этого вслух! Пусть думают и поступают как им будет угодно, но без нашего содействия они могут лишь строить догадки, не более.

Он сидел неподвижно и прямо, как стражник, приставленный охранять национальную святыню.

— Вы закончили?

— Предполагается, что ваши люди всегда соблюдают режим секретности. И тот, кто вас вызывает, неизменно рассчитывает на определенный уровень сдержанности. Я многое хотел бы высказать по поводу вашего здесь поведения, если бы вы сразу не дали мне ясно понять, что слова «хорошие манеры» считаете совершенно бессмысленными. Теперь потребуется немало времени, чтобы свести на нет следы разгрома, который вы устроили в нашем посольстве. Вы, кажется, считаете, что мне ни о чем не доносят. А мне уже пришлось беседовать с Гонтом и Медоузом. Не сомневаюсь, успокаивать придется и других тоже.

— Лучше мне уехать, не дожидаясь вечера, — предложил Тернер, не сводя взгляда с лица Брэдфилда. — Я взбаламутил ваше болото, не так ли? Прошу прощения. Извините, если мои услуги не соответствуют вашим запросам. Я принесу извинения в письменном виде позже. Ламли очень любит, когда я это делаю. Письмо, сладкое, как мед. Я составлю именно такое. Напишу непременно. — Он вздохнул. — Чувствую себя немного Ионой, извлеченным из чрева кита. Вы совершенно правы. Лучший выход из положения — избавиться от меня. Хотя вам это причинит некоторое беспокойство. Вы ведь не любите избавляться от людей, верно? Предпочитаете продлевать с ними договоры.

— На что вы намекаете?

— Только на то, что у вас есть очень веские основания просить меня проявить сдержанность! Я еще в Лондоне спросил Ламли — боже, я ведь просто шутил тогда... Так вот, я спросил Ламли: чего больше хочет Брэдфилд — найти пропавшие бумаги или исчезнувшего человека? Какого же дьявола вы задумали? Что сами натворили? Повремените с возражениями! В какую-то минуту вы предлагаете ему работу, но уже в следующую даже слышать о нем не хотите. Если бы его труп доставили сейчас сюда, вы бы и слезинки не пролили. Зато тщательно обыскали бы его карманы, от души надеясь, что вам повезло и документы еще при нем!

Совершенно непроизвольно его взгляд упал на ботинки Брэдфилда. Это была заказная обувь ручной работы, отполированная до того оттенка темного красного дерева, какой умеют различать только слуги или люди, воспитывавшиеся в их окружении.

— Что, черт возьми, вы имеете в виду?

— Не знаю, кто оказывает на вас давление, хотя мне это безразлично. Зибкрон, как я догадался, увидев, как вы стелетесь перед ним. Зачем вы вообще свели нас вчера вместе, если так опасались его обидеть? В чем был смысл? Начнем с этого. Или он вам приказал устроить встречу? Не торопитесь с ответом, моя очередь говорить. Вы же для Хартинга ангел-хранитель. Сами-то осознаете свою роль? Ваши уши торчат здесь отовсюду, их видно за милю, и я напишу об этом шестифутовыми буквами, когда вернусь в Лондон. Вы продлили его договор, так? Вполне достаточно для отправной точки. Хотя от всей души презирали его. Но вы не просто дали ему работу, а сделали все, чтобы он работал именно у вас. Вы прекрасно знали, черт побери, что в лондонском Министерстве иностранных дел всем глубоко плевать на программу уничтожения старых документов. Как и на досье по персоналиям — не удивлюсь, если к нему отношение такое же. Но вы сделали вид, притворились и создали для него обширный фронт работ. И не надо уверять меня, будто вы исходили из чистого сострадания к человеку, совершенно здесь, вообще говоря, чужому.

— Что бы то ни было, теперь от этого почти ничего не осталось, — заметил Брэдфилд с намеком на тревогу или самоуничижение в голосе, что Тернер временами уже улавливал прежде.

— Тогда как насчет встреч по четвергам?

Вот теперь на лице Брэдфилда отразилась подлинная боль.

— Господи! Да вы совершенно невыносимы, — произнес он больше как мысль вслух, как глубоко частное суждение, нежели намеренное оскорбление.

— Совещания по четвергам, которых никогда не было! И вы сами лишили Хартинга возможности участвовать в мнимых конференциях, официально перепоручив их де Лилю. Но только Хартинг продолжал преспокойно уезжать из посольства по четвергам после обеда. Вы остановили его? Ни хрена вы его не остановили! Предполагаю, вы даже знали, куда именно он отправлялся, угадал? — Он показал изготовленный из оружейного металла ключ, который нашел в одном из костюмов Хартинга. — Потому что существует некое особое место, видите ли. Что-то вроде укрытия, тайника. Или я сейчас рассказываю о том, что самому прекрасно известно? С кем он там встречался? Вы и об этом осведомлены? Я сначала думал, это был Прашко, пока не вспомнил, кто подкинул мне такую идею, — вы сами и подкинули. А потому я отношусь к личности этого странного типа Прашко, будь он трижды неладен, с большой настороженностью.

Тернер склонился над столом и в прямом смысле выкрикивал фразы, глядя на понурившего голову Брэдфилда.

— А что до Зибкрона, то он и управляет всей разветвленной сетью. Станете это отрицать? Десятками агентов, насколько я успел понять. Хартинг был лишь одним из звеньев в длинной цепочке. Вы сами давно потеряли контроль над тем, что Зибкрон знает или еще не успел узнать. Мы ведь имеем дело с реальностью, а не с дипломатией. — Он указал в окно на размытые очертания холмов за рекой. — Вот где творятся настоящие дела! Агенты облазили там все, разговаривали с друзьями, ездили куда хотели. Они не прячутся в лесу, потому что хорошо ориентируются в том мире!

— От интеллигентного человека не требовалось большой сообразительности, чтобы все понять, — сказал Брэдфилд.

— Именно это я собираюсь рассказать Ламли, когда вернусь в Лондон. Хартинг работал не один! Он имел наставника и контролера, причем, насколько мне известно, это был один и тот же человек! А известно мне, будь я проклят, что Лео Хартинг был любимчиком Роули Брэдфилда! Вы даже готовы были простить ему неоконченное среднее образование в дешевой общественной школе. Верно?

Брэдфилд медленно поднялся на ноги, его с лицо исказил гнев.

— Можете рассказывать Ламли что угодно, — прошипел он, — но только немедленно убирайтесь отсюда и не смейте возвращаться.

И в этот момент Микки Краббе просунул красную, вечно опухшую физиономию в дверь из приемной, где сидела мисс Пит.

Он выглядел озадаченным и слегка рассерженным, бессмысленно покусывая кончики имбирного оттенка усов.

— Ну и дела, Роули! — выпалил он, но потом начал снова, словно музыкант, взявший не ту октаву: — Извините за внезапное вторжение, Роули. Я пробовал дверь из коридора, но она заперта на задвижку. Еще раз прошу прощения, Роули. Но у меня новости о Лео... — Остальное он произнес торопливой скороговоркой: — Я только что видел его на вокзале. Он преспокойно пил пиво в буфете, провалиться мне на этом месте!

— Докладывайте, как все было, — распорядился Брэдфилд.

— Я оказывал услугу Питеру де Лилю, только и всего. — Краббе говорил, словно желая оправдаться. Тернер уловил запах спиртного, который тот пытался заглушить мятной жвачкой. — Питеру понадобилось уехать в бундестаг. Дебаты по вопросу о принятии чрезвычайного законодательства. Важная тема, второй день обсуждения, а потому он попросил меня проследить за весельем на вокзале. Лидер Движения, прибывающий в Бонн из Ганновера. Понаблюдать за происходящим, присмотреться, кто явится его встречать. Я часто и прежде выполнял поручения Питера. — Он снова как будто извинялся. — Главным действующим лицом шоу стал лорд-мэр. Пресса, телевидение со своими софитами, множество машин на прилегающих улицах. — Краббе с тревогой посмотрел на Брэдфилда. — Даже для такси места не осталось, вот как, Роули. И толпы народа. Все поют хором: та-та-та. Размахивают старыми черными знаменами. Оркестра почти не было слышно. — Он помотал головой, снова удивляясь. — И вся площадь опутана лозунгами.

— И вы заметили Лео? — спросил Тернер с напором. — В огромной толпе?

— Типа того.

— Что вы имеете в виду?

— Сначала заметил только его затылок. Голову и плечи. Мельком. Не успел подобраться ближе — он пропал среди народа.

Тернер вцепился в него большими и очень твердыми пальцами.

— Но вы сказали, что видели, как он пьет пиво.

— Отпустите его, — сказал Брэдфилд.

— Да, не надо так, успокойтесь! — На мгновение Краббе показался всерьез раздраженным. — Понимаете, я действительно увидел его снова немного позже. Столкнулся чуть ли не лицом к лицу.

Тернер разжал пальцы.

— Поезд прибыл, и все стали громко приветствовать лидера, возникла толкотня, каждому хотелось хоть одним глазком увидеть самого Карфельда. С краю даже начали драться из-за удобных мест, как мне показалось, но потом я понял, что это схватка между репортерами. Козлы! — добавил он со вспышкой острой ненависти в голосе. — Этот говнюк Сэм Аллертон тоже там объявился, между прочим. Думаю, он и затеял потасовку.

— Да переходите же к сути, Христа ради! — заорал Тернер, но Краббе лишь смерил его прямым взглядом, в котором не читалось ничего хорошего.

— Первым показался Мейер-Лотринген, и полицейские организовали для его прохода коридор из дубинок. Затем Тильзит, потом Хальбах, и все загалдели, как цыгане. «Биттлы» чертовы, — добавил он невпопад, но пояснил: — Потому что там преобладали молодые парни, длинноволосые, типа всех нынешних студентов. Перегибались через полицейский кордон, пытаясь дотронуться хотя бы до плеча одного из прибывших. А Карфельда никто так и не увидел. Какой-то тип, стоявший рядом со мной, предположил, что он вышел с противоположной стороны и скрылся в пассаже, чтобы избежать напора толпы. Ему не нравится, когда слишком много людей приближаются одновременно к нему. Так о нем говорят. Вот почему он повсюду требует строить для него эти нелепо высокие трибуны. Словом, половина толпы рванула в другую сторону, рассчитывая еще застать его там. Остальные топтались на месте, не зная, как поступить, но потом через громкоговорители передали объявление: всем расходиться по домам, потому как Карфельд остался в Ганновере. К счастью для Бонна, подумал я. — Краббе усмехнулся. — А вы как считаете?

Ответа он не дождался.

— Журналисты просто обезумели от ярости, а я решил позвонить Роули и доложить, что Карфельд так и не приехал. В Лондоне ведь обожают следить за перемещениями Карфельда. — Это было адресовано специально Тернеру. — Им нравится знать, где он и что он, не потерялся ли, не ввязался ли в неприятности. — Выдержав паузу, Краббе возобновил рассказ: — В привокзальном зале ожидания круглосуточно работает почтовое отделение, и я как раз выходил оттуда, когда мне пришло в голову, что, быть может, стоит выпить чашечку кофе, собраться с мыслями. Вот я и посмотрел сквозь стеклянную дверь зала. Там рядом расположены две другие двери, понимаете? Одна ведет в ресторан, другая — в зал со скамьями, где тоже есть буфет с несколькими столиками. Слева места для пассажиров первого класса, справа — для второго. И двери тоже прозрачные.

— О, ради всего святого! — застонал Тернер.

— И там был Лео. Во втором классе. Устроился за столиком. Одетый во что-то типа шинели. Вроде пальто, но военного покроя. Выглядел он неважнецки.

— То есть был пьян?

— Даже не знаю. Напиться в такой час? Немного рановато. В восемь-то утра, — заметил он с самым невинным видом. — Вот только лицо у него было изможденное, одежда потрепанная. Словом, далеко не тот щеголь, каким мы привыкли его видеть. Весь лоск как рукой сняло. Конечно, — добавил он с глуповатой интонацией, — с кем из нас не случалось сорваться некстати?

— Вы с ним разговаривали?

— Нет уж, благодарю покорно. Я знаю, какой он в дурном настроении. Наоборот, обошел его стороной и помчался сюда, чтобы сообщить обо всем Роули.

— При нем были какие-нибудь вещи? — быстро спросил Брэдфилд. — Чемодан, например? Или портфель? Что угодно, куда он мог сложить документы?

— Я не заметил, — признался Краббе. — Уж извините, Роули, старина, не обратил внимания.

Все трое некоторое время стояли молча, лишь Краббе беспокойно переводил взгляд с Брэдфилда на Тернера и обратно, часто моргая.

— Вы все сделали правильно, — тихо произнес Брэдфилд. — Все в порядке, Краббе.

— Правильно? — взвился Тернер. — Он все испортил к чертовой матери! Лео не схвачен и не изолирован. Почему он не поговорил с ним? Боже Всемогущий, вы оба, как я вижу, вообще ничего не соображаете! Правильно? Он ведь мог снова исчезнуть. Это был наш последний шанс. Он, вероятно, ждал продления своего договора, но его нарочно подставили, чтобы он сбежал! С ним был кто-нибудь еще? — Тернер открыл дверь. — Я спросил, был ли с ним кто-нибудь еще? Ну, отвечайте!

— Ребенок, — выдавил из себя Краббе. — Маленькая девочка.

— Кто?

— Шести или семи лет. Чья-то дочка. Он разговаривал с ней.

— Он заметил вас, узнал?

— Сомневаюсь. Он смотрел, но не меня видел.

Тернер схватил с вешалки плащ.

— Я бы не стал этого делать, — сказал Брэдфилд, скорее реагируя на жест, чем предостерегая. — Уж простите.

— А вы? Почему вы стоите как вкопанный? Идемте со мной!

Брэдфилд даже не шелохнулся.

— Бога ради, надо действовать!

— Я останусь здесь. У Краббе есть машина. Пусть он отвезет вас. Прошел почти час с тех пор, как он видел его или подумал, что видел. А с транспортными заторами... Вы его там уже не застанете. Вот почему я не хочу понапрасну тратить время. — Не обращая внимания на полный изумления взгляд Тернера, он продолжил: — Посол попросил меня не покидать здания. Мы ждем сообщения из Брюсселя в любую минуту. И тогда он немедленно пожелает вызвать к себе главу канцелярии.

— Иисусе Христе! Вы, кажется, считаете, что мы ведем здесь очередные трехсторонние переговоры. А он может сидеть там с чемоданом, набитым секретными документами! Ничего удивительного, что вид у него не слишком радостный! Да что с вами такое? Вы хотите, чтобы Зибкрон обнаружил его раньше нас? Вам нужно, чтобы его поймали с уликами на руках?

— Я уже объяснял вам: секреты не есть для нас нечто святое. Верно, мы бы хотели сохранить их в тайне. Но в сравнении с моими обязанностями здесь...

— Значит, секреты для вас не так уж важны? Что же это за секреты такие? Как насчет пресловутой зеленой папки?

Брэдфилд колебался.

— Я не имею над ним никакой официальной власти, — с горячностью продолжал Тернер. — Даже не знаю, как он выглядит! И что прикажете делать, если я увижу его? Вы же босс Хартинга, не так ли? И вы хотите, чтобы Людвиг Зибкрон схватил его? — Нелепейшим образом слезы навернулись ему на глаза. В его голосе звучала теперь нескрываемая мольба. — Брэдфилд!

— Он был один, — пробормотал Краббе вновь, не глядя на Брэдфилда. — Сам по себе, старина. И еще рядом чей-то ребенок. Я в этом уверен.

Брэдфилд посмотрел на Краббе, потом на Тернера, и его лицо снова исказилось от какой-то внутренней боли, которую он почти не пытался скрывать.

— Это верно, — признал он с очевидным нежеланием. — Я его начальник. И потому несу за него ответственность. Мне лучше тоже поехать туда.

Тщательно заперев дверь кабинета на два замка, он передал через мисс Пит, что Гейвстон должен временно заместить его, и первым спустился по лестнице.

Новые огнетушители, только что доставленные из Лондона, красными стражами выстроились в шеренгу вдоль коридора. На лестничной площадке ожидали сборки части новых металлических кроватей. Тележка для досье стояла, доверху наполненная одеялами. В вестибюле двое мужчин, стоявшие на стремянках, устанавливали стальную перегородку. Темнолицый Гонт с удивлением пронаблюдал, как Тернер, Брэдфилд и Краббе вышли в стеклянную дверь и направились к автостоянке, причем теперь первым шел Краббе. Брэдфилд вел машину с наглой самоуверенностью, что оказалось для Тернера сюрпризом. Он в последний момент проскакивал на желтые сигналы светофоров и даже выехал на встречную полосу, чтобы побыстрее свернуть на улицу, ведущую к вокзалу. У полицейского патруля, проверявшего документы, он едва ли вообще остановился: они с Краббе просто заранее высунули в открытые окна свои красные дипломатические удостоверения.

На мокрой брусчатке и на трамвайных путях машину заносило, но Брэдфилд хладнокровно возвращал автомобиль в нормальное положение. Они подъехали к перекрестку, перед которым висел знак, повелевавший уступить дорогу, но проскочили буквально перед капотом летевшего наперерез автобуса. Впрочем, машин было совсем мало. Улицы полнились людьми.

Одни несли знамена, другие были одеты в серые габардиновые плащи и черные фетровые шляпы, что стало почти форменной одеждой для члена Движения. Люди очень неохотно расступались перед машиной дипломатов, хмуро разглядывая ее номера и блеск явно иностранного происхождения краски кузова. Брэдфилд не сигналил и даже не переключал передачи, дожидаясь, чтобы автомобиль заметили и уклонились от него в сторону. Только однажды ему пришлось затормозить перед пожилым мужчиной, который был либо глух, либо пьян. Какой-то мальчишка ударил ладонью по их крыше. Брэдфилд заметно напрягся и побледнел. Конфетти густым слоем покрывало ступени здания, а колонны были увешаны лозунгами. Какой-то таксист принялся орать, словно ему повредили машину, когда они припарковались на стоянке для такси.

— Налево! — выкрикнул Краббе первым побежавшему вверх по ступеням Тернеру.

Через высокие двери они попали в главный зал.

— Держитесь левее, — услышал Тернер повторный оклик Краббе.

Три прохода, образованных барьерами, вели к платформам, три билетных контролера сидели в стеклянных будках. Объявления на трех языках предупреждали, что справок они не дают. Группа священников, перешептываясь, смотрела на него неодобрительно: спешка, читалось в их взглядах, не принадлежит к числу христианских добродетелей. Светловолосая девушка с сильно загорелым лицом небрежно протиснулась мимо него с рюкзаком и парой старых горных лыж, но он успел обратить внимание на соблазнительное колыхание у нее под свитером.

— Он сидел там, — сказал Краббе, но к этому моменту Тернер уже распахнул пружинистые стеклянные двери на шарнирах и оказался в помещении ресторана, рассматривая сквозь густой табачный дым каждый столик буфета поочередно. Громкоговорители передали объявление: что-то о пересадке в Кельне.

— Удрал, — констатировал Краббе. — Упорхнул наш поганец.

Туман с улицы проникал и сюда, клубясь вокруг длинных люминесцентных светильников под потолком, еще больше затемняя углы помещения. Пахло пивом, копченым мясом и муниципальным химикатом, повсеместно применявшимся для дезинфекции. Стойка бара в отдалении, покрытая белым голландским кафелем, мерцала в дымке, как айсберг в океане. В отделанной коричневым деревом кабинке расположилась бедная с виду семья путешественников. Женщины находились уже в почтенном возрасте и были одеты во все черное. Их чемоданы были перевязаны веревками. Мужчины читали греческие газеты. За отдельным столиком маленькая девочка сворачивала салфетки для какого-то пьяницы. Именно на этот столик указывал Краббе.

— Там, где сейчас сидит ребенок, видите? Он пил пильзенское пиво.

Не обращая внимания ни на пьянчугу, ни на девочку, Тернер поднял пустые кружки и стал бесцельно рассматривать их. Три крошечных сигарных окурка лежали в пепельнице. Один все еще дымился. Ребенок смотрел на Тернера, когда он наклонился и принялся изучать пол, а затем распрямился, ничего не обнаружив. Девочка не сводила с него глаз, пока он переходил от столика к столику, вглядываясь в лица, порой хватая кого-то за плечо, отводя в сторону развернутую газету, дотрагиваясь до рук людей.

— Это он? — выкрикнул Тернер.

Одинокий священник читал «Бильдцайтунг» в углу. Рядом с ним совсем уже полускрытый во мраке темнолицый цыган ел жареные каштаны, доставая их из сумки.

— Нет.

— А этот?

— Простите, старина, — сказал Краббе, начав заметно нервничать, — но нам не повезло. А потому успокойтесь и не дергайтесь.

У окна с цветным витражом двое солдат играли в шахматы. Бородатый мужчина проделывал челюстями жевательные движения, хотя никакой еды перед ним не было. К платформе прибывал поезд, и от вибрации на столах задрожала посуда. Краббе разговаривал с официанткой. Он чуть навис над ней, что-то шепча и пальцами ухватив за локоть. Она в ответ лишь мотала головой.

— Попробуем побеседовать с другой, — сказал он, когда Тернер подошел к ним.

Они вместе пересекли зал, и вторая женщина утвердительно закивала, довольная своей хорошей памятью, а потом пустилась в долгий рассказ, указывая на девочку, повторяя слова «der kleine Негг», то есть «маленький джентльмен», иногда ограничиваясь одним лишь «kleine», словно определение «джентльмен» приберегала для задававших ей вопросы, не расходуя понапрасну на Хартинга.

— Он был здесь еще буквально несколько минут назад, — перевел Краббе, явный сбитый с толку. — По крайней мере, так утверждает она.

— Он ушел один?

— Она не заметила.

— Он произвел на нее хоть какое-то впечатление?

— Помедленнее. Она не слишком сообразительна, старина. Так можно и спугнуть ее.

— Что заставило его уйти? Он кого-то увидел? Может, ему подали сигнал от дверей?

— Вы слишком многого от нее хотите, сынок. Она не видела, как он уходил. Ей не о чем было беспокоиться, ведь он заранее расплатился сполна. Словно мог сорваться в любой момент. Чтобы успеть на поезд, например. Он выходил из здания, когда те политики прибыли, но потом вернулся, выкурил еще сигару, выпил кружку пива.

— Тогда в чем дело? Почему у вас такой странный вид?

— Все выглядит чертовски необычно, — пробормотал Краббе, по непонятным причинам хмурясь все больше.

— Что именно выглядит необычно?

— Он провел здесь всю ночь. Один. Пил, но не пьянел. Некоторое время играл с ребенком. С девочкой-гречанкой. Казалось, ему это доставляло удовольствие — возиться с малышкой.

Он сунул женщине монету, за что та радостно поблагодарила его.

— Я даже доволен, что мы с ним разминулись, — заявил Краббе. — В таком состоянии мерзавец мог стать для нас опасным. Он способен на все, если шлея попадет под хвост.

— Вы-то откуда знаете?

Краббе скроил гримасу при воспоминании.

— Видели бы вы его той ночью в Кёльне, — сказал он, глядя вслед удалявшейся официантке. — Господи, спаси и сохрани!

— Во время драки? Значит, там с ним были вы?

— Скажу вам одно, — продолжал твердить Краббе, причем говорил веско, от всего сердца. — Когда этот парень съезжает с катушек, от него лучше держаться подальше. Взгляните на это. — Он вытянул руку и раскрыл ладонь. На ней лежала деревянная пуговица — точная копия тех, что хранились в поцарапанной металлической коробке в Кёнигсвинтере. — Официантка подобрала это со стола. Подумала, что пуговица может ему еще понадобиться. И решила сохранить на случай, если он вернется, понимаете?

В дверь вошел Брэдфилд. Его лицо казалось напряженным.

— Как я понял, его здесь нет.

Все молчали.

— Вы настаиваете, что видели его?

— Никакой ошибки быть не могло. Уж извините, старина.

— Что ж, видимо, нам придется поверить вам на слово. А сейчас предлагаю вернуться в посольство. — Он посмотрел на Тернера. — Или, может, вы предпочтете задержаться? Если у вас еще остались версии, нуждающиеся в дальнейшей проверке. — Он оглядел помещение буфета. Лица присутствующих были обращены в их сторону. За стойкой бара хромированная кофеварка, за которой никто не присматривал, испускала струйки пара. Никакого движения. — Как я заметил, и здесь вы успели так или иначе наследить. — А когда они медленно шли к машине, Брэдфилд добавил: — Можете зайти в посольство, собрать свои пожитки, но к обеду вам следует покинуть здание. Если остались какие-то документы, доверьте их Корку, и они будут отправлены дипломатической почтой. Есть рейс в семь вечера. Воспользуйтесь им. Если свободных мест уже нет, отправляйтесь поездом. Но только убирайтесь.

Им пришлось подождать, пока Брэдфилд разговаривал с полицейским, показывая тому красное удостоверение. В его немецком языке проскальзывали английские интонации, зато грамматика была безукоризненной. Полицейский кивнул, отсалютовал, и они тронулись в путь. Все так же медленно вернулись они в посольство, пробиваясь сквозь угрюмую, потерявшую всякую цель толпу.

— Крайне необычное место нашел Лео, чтобы провести ночь, — пробормотал Краббе, но Тернер не слушал его, ощупывая пальцами в кармане ключ из серого металла, найденный в конверте какого-то официального государственного учреждения, и хотя им уже владело безнадежное ощущение человека, потерпевшего неудачу, продолжал гадать, какая все-таки дверь открывалась этим ключом.

Глава 13

КАК ТРУДНО БЫТЬ СВИНЬЕЙ

Он сидел за столом в комнате шифровальщиков, так и не сняв плаща, упаковывая бесполезные трофеи, добытые в ходе расследования: армейскую кобуру, сложенную пополам гравюру, нож для бумаг с дарственной надписью от Маргарет Эйкман, ежедневник в синей обложке (для чиновников в ранге советника и выше), небольшую тетрадку для записи скидок на товары для дипломатов и потертую жестянку с пятью деревянными, одинакового размера пуговицами. Правда, теперь добавилась шестая пуговица и три сигарных окурка.

— Не беспокойтесь, — попытался утешить его Корк. — Он где-нибудь непременно обнаружится.

— О да, разумеется. Он же похож на ваши инвестиции в мечту о Карибах. Лео — всеобщий любимчик. Один на всех блудный сын — вот кто такой Лео. Мы все обожаем Лео, хотя он мог легко перерезать нам глотки.

— Имейте в виду: последнего слова он еще не сказал. — Корк сидел на раскладушке в рубашке с короткими рукавами, натягивая ботинки для прогулок. Повыше локтя он носил металлические пружинки, а рисунок на его рубашке напоминал рекламный плакат из лондонской подземки. — И это раздражает больше всего. Тихий, спокойный, но законченный подонок.

Машина вдруг застучала, и Корк посмотрел на нее с хмурым упреком во взгляде.

— Лесть, — продолжал он. — Этим искусством он овладел в совершенстве. Довел до уровня магии. А потому мог рассказать насквозь лживую историю, и ему верили, черт побери.

Тернер сложил все в папку для ненужных уже документов. На ней четко было написано: «СЕКРЕТНО. Подлежит уничтожению только в присутствии двух уполномоченных свидетелей».

— Мне нужно, чтобы это запечатали в пакет и отправили Ламли, — сказал он.

Корк оформил расписку в получении.

— Помню, как впервые встретился с ним, — сказал он бодрым тоном, который у Тернера ассоциировался с голосами людей, собиравшихся на поминальный завтрак перед похоронами. — Я тогда был зеленым. Действительно совсем еще зеленым. Женился всего за шесть месяцев до того. Если бы я вовремя не разобрался в нем, мне бы не пришлось...

— Вы пользовались его советами относительно инвестиций? А еще с легкостью давали ему книжки с кодами, чтобы почитал перед сном.

Сложив пакет вдвое, он скрепил один край скобой степлера.

— Нет, не книжки с кодами. Джанет. Ее он читал перед сном в постели. — Корк улыбнулся вполне счастливый. — Мерзавец хренов! Вы просто не поверите! Впрочем, ладно. К черту все! Пора обедать.

Тернер в последний раз с грубой силой свел вместе челюсти степлера.

— Де Лиль знает?

— Сомневаюсь. Лондон прислал нам меморандум толщиной с вашу ладонь. Свистать всех наверх! Мобилизовать всех дипломатов до единого. — Он рассмеялся. — Им поручили разобраться с появлением старых черных флагов. Лоббировать депутатов. Удвоить усилия на всех уровнях. Заглянуть под каждый камень. Но при этом они еще хотят получить новый заем. Порой я теряюсь в догадках, где фрицы берут столько денег. Знаете, что мне однажды сказал Лео? «Помяни мое слово, Билл, мы одержим крупную дипломатическую победу. Мы явимся в бундестаг и предложим им миллион фунтов. Только мы двое. Ты и я. Думаю, они там все в обморок попадают». И он был прав, черт побери!

Тернер набрал номер де Лиля, но никто не снял трубку.

— Передайте ему, что я звонил попрощаться, — попросил он Корка, но тут же передумал. — Впрочем, не стоит. Обойдется.

Он связался с отделом командировок и спросил о своем билете. Его заверили, что с этим все в порядке: мистер Брэдфилд распорядился лично, и билет уже готов. Казалось, на них подобный подход произвел неизгладимое впечатление.

Корк взял свой плащ.

— Хорошо бы вам послать Ламли телеграмму с уведомлением о времени моего возвращения, — произнес Тернер.

— Боюсь, глава канцелярии и об этом уже позаботился сам, — сказал Корк, причем отчего-то слегка покраснел.

— Что ж. И на том спасибо. — Тернер встал в дверях и оглядел комнату так, словно осознавал: он здесь в последний раз. — Надеюсь, с вашим младенцем все будет хорошо. Надеюсь, ваши мечты сбудутся. Надеюсь, что сбудутся мечты каждого. Надеюсь, все получат то, чего добиваются.

— Послушайте. Лучше думать об этом иначе, — отозвался Корк с симпатией. — Есть вещи, от которых ты просто не можешь отказаться, верно?

— Пожалуй.

— Я хочу сказать, невозможно устроить все чистенько и красиво. Только не в этой жизни. Невозможно. Подобные мысли для сопливых девчонок. Всякая там романтика. Иначе есть угроза превратиться в такого, как Лео, а он никого не мог оставить в покое. А теперь лучше подумайте, как распорядиться своим временем до вечера. В американском кинотеатре как раз идет отличный фильм... Нет. Не подходит. Слишком много орущих подростков.

— Что вы имели в виду, когда сказали, что Лео никого не мог оставить в покое?

Корк перемещался по комнате, проверяя работу машин, свой рабочий стол и корзину для секретного мусора.

— Он был злопамятный и мстительный. Однажды поссорился с Фредом Энгером. С Фредом из административного отдела. Говорят, они были в ссоре пять лет, пока Фред не получил новое назначение.

— Из-за чего?

— Из-за пустяка. — Корк поднял с пола обрывок ленты и прочитал текст. — Какая милашка эта Фанни Адамс... Так вот. Фред спилил лаймовое дерево в саду у Лео. Сказал, что оно грозило сломать его забор. И это была чистая правда — грозило. Фред так мне и сказал: «Понимаешь, Билл, это дерево осенью все равно рухнуло бы».

— У Лео был пунктик по поводу земельного участка, — заметил Тернер. — Ему хотелось полной свободы на своей земле, ничем не ограниченной свободы.

— Хотите знать, что сделал Лео? Из листьев того дерева он заказал траурный венок, принес в посольство и прибил к двери кабинета Фреда. Чудовищной длины двухдюймовыми гвоздями. Почти как при распятии. Наши немецкие сотрудники решили, что Фреду даже нравился запах лайма. Но Лео вовсе не собирался просто посмеяться над ним. Он не шутил. Для него все обстояло очень серьезно. Он имел склонность к насилию, понимаете? Нынешние дипломаты ничего не знали. Для них он был податливый, угодливый, «как вы поживаете?» тип. И всегда готовый помочь. Не хочу сказать, что он никому действительно не помогал. Но если Лео точил на кого-то зуб, то не хотел бы я оказаться на месте этого человека. Вот о чем я.

— Он спал с вашей женой, не так ли?

— Я быстро положил этому конец, — сказал Корк. — Но с него как с гуся вода. Он только и ждал новой возможности. Года два назад посольство стало устраивать благотворительные вечера танцев. Он являлся туда регулярно. Заметьте, не позволял себе никаких грубых выходок. Просто хотел подарить ей фен для сушки волос, вот и все. Решил обвести меня вокруг пальца, наш птенчик. Только я сказал ему: «Ищи для своего фена кого-нибудь другого. А она — моя». Но ведь его трудно даже винить. Вы же знаете, что говорят про беженцев: они теряют все, кроме своего акцента. И это точно, по-моему. Проблема с Лео заключалась в том, что он стремился все себе вернуть. А потому, как я считаю, он рассудил просто. Хватай самые ценные досье и уноси ноги. Сбагри их потом тому, кто больше заплатит. И это не перевешивает того, что мы все ему задолжали, если уж на то пошло. — Удовлетворенный результатами проверки состояния безопасности шифровального кабинета, Корк собрал в стопку свои буклеты и подошел к двери, где стоял Тернер. — Вы же сами с севера, верно? — спросил он. — Сужу по вашему произношению.

— Насколько хорошо вы успели узнать его?

— Хорошо ли я знал Лео? О, как мы все, не больше и не меньше. Покупал у него кое-что время от времени, чтобы поддержать материально. Делал с его помощью заказы в «Датчмене».

— В «Датчмене»?

— Голландская фирма по снабжению дипломатического корпуса. Базируется в Амстердаме. Там все дешевле, если вам не безразлично. Пришлют что угодно: сливочное масло, мясо, радиоприемники, автомобили — только выбирайте.

— Фены тоже?

— Говорю же: что угодно. Их представитель звонит каждый понедельник. Заполните бланк заказа на этой неделе, передайте его через Лео, и получите товар на следующей. Подозреваю, что ему чуток перепадало от каждой сделки. Это же очевидно. Но заметьте, поймать его никому не удавалось. То есть вы могли все проверять до посинения, но обнаружить, где именно заложена его доля, не получалось никак. Хотя есть мысль, что все дело в проклятых сигарах. Они были действительно ужасны, поверьте! Не думаю, что даже он сам получал от них удовольствие. Курил, поскольку получал бесплатно. И еще нам назло: мы постоянно донимали его из-за них. — Он искренне рассмеялся. — Что ж, мне пора на выход. Всего хорошего.

— Вы начали рассказывать о своей первой встрече с ним.

— Неужели? Ах да, верно. — Корк снова рассмеялся. — Все здесь теперь кажется не совсем реальным. Так вот, мой первый день на новой работе. Микки Краббе вместе со мной спускается на первый этаж. Мы уже почти закончили с ним обход здания посольства. «Да, есть еще один порт, где можно сделать остановку в пути. — И он ведет меня к Лео. — Знакомьтесь, это Корк. Только что стал у нас шифровальщиком». И тут Лео показал себя во всем блеске. — Корк уселся во вращающееся кресло рядом с дверью и откинулся в нем, как богатый владелец фирмы, каким всегда мечтал стать. — «Стаканчик хереса?» — предложил он. Формально у нас сухой закон, вот только Лео никогда не соблюдал его. Но, конечно, сильно не напивался. Чего не было, того не было. «Мы просто обязаны отметить приход новичка в команду. Между прочим, вы поете, Корк?» «Только когда моюсь в душе», — ответил я, и мы все посмеялись. Сразу принялся вербовать меня в свой хор, как и всех остальных: это производило впечатление. Очень набожный джентльмен, этот мистер Хартинг, подумал я. На самом деле ничего подобного, конечно. «Хотите сигару, Корк?» Нет, спасибо. «Значит, из некурящих? Но уж позвольте мне самому подымить, хорошо?» И вот сидим мы там, как три настоящих дипломата, попиваем херес, а я размышляю: «Должен заметить, что ты здесь себя ощущаешь маленьким корольком». Роскошная мебель, карты на стене, ковер — все дела. Вот только Фред Энгер основательно почистил его кабинет, прежде чем уйти от нас. Оказалось, что добрую половину вещей Лео беззастенчиво присвоил. Освободил от них настоящих хозяев, как во времена оккупации. «Ну, что нового в Лондоне, Корк? — спрашивает Лео. — Все по-прежнему?» Хотел, чтобы я расслабился и разговорился, старый проныра. «Тот наш старый портье на главном входе так же хамит иностранным послам, а, Корк?» Здесь он попал в самую точку. «И уголь... Там все еще жгут уголь в каминах по утрам?» «Да, — отвечаю. — Хотя все обстоит совсем неплохо, для перемен всегда требуется время». Несу чушь, одним словом. «О, как странно! — говорит он. — Потому что несколько месяцев назад Эван Уолдебер прислал мне письмо, в котором рассказывал, что им вроде бы уже устанавливают центральное отопление. И старина Эван, который так упорно обивал порог на Даунинг-стрит, десять, все еще стелется там в своих молитвах?» Вот только нам от его усилий никакого толка, согласны?» Скажу честно: я почти трепетал перед ним в тот момент. Готов был обращаться к нему «сэр». Потому что Эван Уолдебер уже стал главой Западного отдела МИДа и ему прочили блестящее будущее. Но Лео сменил тему. Снова заговорил о хоре, о «Датчмене» и о разных других вещах. «Обращайтесь в любое время, помогу чем смогу». А когда мы от него вышли, я посмотрел на Микки Краббе: он буквально с ног валился от смеха, от хохота чуть не намочил брюки. «Лео! — сказал он. — В этом весь наш Лео! Он никогда в жизни не бывал в Министерстве иностранных дел. Он и в Англию-то ни разу не возвращался с самого сорок пятого года!»

Корк сделал паузу и покачал головой.

— И все же его трудно в чем-то винить, правда? — Он снова поднялся. — Мы же видели его насквозь, но попадались на лживые россказни и истории. Возьмите того же Артура... Да что там! Это касалось каждого. Похоже на мою виллу, — добавил он чуть более грустно. — Я ведь знаю, что никогда у меня ее не будет, но продолжаю верить в мечту. Нельзя... Никто не может обойтись в жизни совсем без иллюзий. А уж тут — и подавно.

Тернер вынул руку из кармана плаща. Он посмотрел сначала на Корка, а потом на ключ из оружейного металла, который держал на широкой ладони. Его явно одолевали сомнения.

— Какой номер у Микки Краббе?

Корк не без тревоги наблюдал, как Тернер снял трубку, набрал номер и начал говорить.

— Никто уже не просит вас разыскивать Лео, — заметил Корк в волнении. — Никому больше не нужны ваши услуги, как мне кажется.

— А я больше и не разыскиваю его. Обедаю с Микки Краббе, а вечерним самолетом улетаю, и никакая сила не способна удержать меня в вашем сонном царстве пустых мечтателей на час дольше, чем нужно мне самому.

Он бросил на рычаг телефонную трубку и стремительно вышел из комнаты.

Дверь кабинета де Лиля оставалась открытой, но хозяина за столом не было. Он оставил записку: «Заходил, чтобы попрощаться. До свидания. Алан Тернер». Причем его рука дрожала, настолько он был зол и унижен. В вестибюле формировались небольшие группы, чтобы съесть сандвичи на залитой солнцем лужайке или пообедать в столовой. «Роллс-ройс» посла стоял у главного входа, и полицейский эскорт на мотоциклах терпеливо дожидался его. Гонт шептался у стойки с Медоузом, но мгновенно умолк при появлении Тернера.

— Вот, — сказал он, протягивая конверт. — Здесь ваш билет.

В выражении его лица отчетливо читалось: «Возвращайся поскорее туда, откуда тебя к нам занесло».

— А я уже вас поджидаю, старина, — неожиданно послышался тихий голос Краббе, который, как обычно, нашел для себя самый темный угол.

Официанты держались почтительно и сдержанно. Краббе заказал улиток, которые, по его словам, были здесь особенно хороши. Небольшая гравюра, висевшая в нише, где располагался их столик, запечатлела танец пастушков с нимфами, причем в сценке угадывался определенный намек на эротику.

— Вы были с ним в ту ночь в Кёльне. Когда он ввязался в драку.

— Да, нечто совершенно из ряда вон выходящее, — сказал Краббе. — В самом деле. Кстати, воды не желаете ли? — спросил он между делом и добавил понемногу в стакан себе и Тернеру. — Понять не могу, что на него тогда нашло.

— Вы часто сопровождали его?

Краббе безуспешно попытался улыбнуться. Оба отпили по глотку.

— Понимаете, с тех пор прошло уже пять лет. Мать Мэри сильно недомогала. Жене приходилось то и дело уезжать в Англию, а я оставался, как говорится, соломенным вдовцом.

— И потому по временам увязывались за Лео. Чтобы основательно выпить и приударить за парой барышень?

— Нечто вроде того.

— И всегда в Кёльне?

— Не торопитесь так, старина, — отозвался Краббе. — Вы ведете себя как какой-то адвокат, черт бы их всех побрал! — Теперь он приложился к бокалу с вином и, почувствовав вкус напитка, содрогнулся с запозданием, как плохой комик. — Боже, ну и денек выдался сегодня. Ну и денек.

— В Кёльне лучшие ночные клубы, верно?

— Не в том дело. Здесь просто нельзя предаваться таким развлечениям, — нервно сказал Краббе. — Рискуешь напороться на половину немецкого правительства. В Бонне приходится вести себя дьявольски осторожно, — добавил он ненужное объяснение. — Дьявольски осторожно! — У Краббе даже голова дернулась как бы в подтверждение его слов. — В Кёльне гораздо лучше.

— Девушки красивее?

— Меня это давно не занимает, старина. Уже много лет.

— Но уж Лео был до них большой охотник, правильно я понял?

— Да, ему девчонки нравились, — кивнул Краббе.

— Значит, тем вечером вы отправились в Кёльн. Ваша жена была в Англии, и вы решили гульнуть с Лео.

— Мы просто сидели за столиком и выпивали, понимаете? — Краббе развел руками. — Лео рассказывал об армии. Вспоминал то одного приятеля, то другого. Для него это было приятной игрой. Любил армию. Я говорю о Лео — он армию очень любил. Ему следовало бы остаться служить, так я еще подумал. Хотя его все равно бы не оставили. Только не в регулярных частях. Ему не хватало дисциплины — вот вам мое мнение. Уличный хулиган по сути. Как и я сам. Это ничего, пока молодой. Тебе на все плевать. Вот потом становится хуже. Из меня всю душу вытрясли в Шерборне. Сущий ад. Окунали головой в полную раковину и держали, пока хренов старшина лупил по ребрам. Но тогда я все сносил легко. Думал: что ж, значит, так уж жизнь устроена. — Краббе положил руку на ладонь Тернеру. — А теперь скажу вам, старина, — прошептал он. — Я их всех ненавижу. Раньше не догадывался, что во мне это засело. Но проявилось постепенно. Как бы я хотел сейчас вернуться туда и расстрелять мерзавцев. Глазом бы не моргнул. Правда.

— Вы с ним встречались в армии?

— Нет.

— Тогда кого же вы вспоминали вместе?

— Познакомился с ним в контрольной комиссии по Германии. В Менхенгладбахе. Четвертый отдел.

— Когда он занимался разбором жалоб?

Реакция Краббе на некоторые вопросы оказывалась непредсказуемо нервной. Подобно крабу — своему почти что тезке, — он непостижимым образом умел скрываться под защитным панцирем и лежать неподвижно, выжидая, чтобы угроза миновала. Вот и сейчас он, склонившись к бокалу, понурил плечи и поглядывал на Тернера покрасневшими глазами навыкате.

— Значит, вы просто сидели и разговаривали?

— Да, тихо и мирно. Ждали начала представления труппы кабаре.

Но тут же Краббе сбился на какую-то нелепую историю о том, как в последний раз пытался поиметь девчонку во Франкфурте, когда там проходил конгресс партии свободных демократов.

— Полное фиаско, — объявил он чуть ли не с гордостью. — Она залезла на меня, как маленькая обезьянка, а у меня ничего не получилось.

— Стало быть, драка возникла после кабаре?

— Нет, до. Там в баре собралась группа гуннов. Они страшно шумели, распевали свои песни. Лео воспринял это как личное оскорбление. Начал пялиться на них. Постепенно распалялся. Внезапно попросил принести нам счет. Zahlen! Одним щелчком пальцев. И чертовски громко. Я спросил: «Эй, парень, что случилось?» Но он не обращал на меня внимания. «Не хочу уходить так рано, — сказал я. — Еще девочки в шоу сиськами потрясут». Мне все казалось ерундой какой-то. Но я разорялся напрасно. Официантка принесла счет, Лео взял его, смял, сунул руку в карман и положил на поднос пуговицу.

— Какую пуговицу?

— Простую пуговицу. Точно такую же, какую малышка нашла потом на вокзале. Деревянная пуговица с двумя дырками. — Он теперь сам начал закипать от негодования. — Но нельзя же оплачивать счета пуговицами, верно? Я сначала решил, что он так шутит. Даже посмеялся немного. «А что еще осталось от той девицы?» — спросил я. Думал подхватить шутку, понимаете? Но он и не думал шутить.

— Продолжайте.

— «Вот вам плата за все, — сказал он. — Сдачу оставьте себе». И спокойно так встает из-за столика. «Пойдем, Микки. Здесь отвратительно смердит». И тут они навалились на него. Боже милостивый! В страшном сне не привидится. Никогда бы не подумал, что он на такое способен. Он уложил троих, и оставался последний, когда кто-то врезал ему бутылкой по голове. Удары сыпались со всех сторон. Чисто как у нас в Ист-Энде бывало. Он держался очень достойно. Но потом его одолели. Перекинули через стойку бара лицом вперед и обработали как следует. Никогда не видел ничего подобного. Причем никто даже слова не вымолвил. Никаких вам «здрасте, как поживаете?». Ничего. Избивали по своей системе. Очухались мы уже на улице. Лео стоял на четвереньках, а они тоже выскочили и добавили ему еще на дорожку, пока я все внутренности чуть не выблевал на тротуар.

— Перепили?

— Если бы! Я был трезв как стеклышко, старина. Просто меня крепко били под дых.

— А вы что же?

Он горестно помотал головой и снова уставился на бокал.

— Я пытался его выручить, — пробормотал он. — Отвлек на себя пару недоносков, чтобы дать ему уйти от них. Но проблема в том, — пояснил он, приложившись к стакану только что принесенного виски, — что я уже давно не тот бравый боец, как в былые времена. А Прашко почти сразу исчез. — Краббе захихикал. — Он едва заметил пуговицу на подносе, как сразу рванул к выходу. Видать, знал, чем дело кончится. Впрочем, я не виню его.

Следующий вопрос Тернер задал так, словно говорил об их общем старом друге.

— Прашко часто присоединялся к вам? Я имею в виду — в те времена.

— Нет. Я тогда вообще впервые встретился с ним. В первый и последний раз, старина. Прашко перестал общаться с Лео после того инцидента. И, должно быть, правильно сделал. Он же член их парламента. Вредно для репутации.

— А вы что предприняли?

— Господи, не гоните лошадей, ладно? — Краббе заметно содрогнулся. — Мне светила досрочная отправка домой. Посадили бы в какой-нибудь клоповник типа Буши или еще похлеще. Вместе с Мэри. Только этого мне не доставало.

— Что же вышло в итоге?

— Как я догадываюсь, Прашко вовремя позвонил Зибкрону. И их легавые доставили нас к посольству. Охранник поймал такси. Мы отправились ко мне и вызвали врача. Затем Эван Уолдебер вмешался. Он был еще здесь политическим советником. После него притащился сам Людвиг Зибкрон на своем треклятом громадном «мерседесе». Одному богу известно, что тогда происходило. Зибкрон устроил Лео взбучку. Сидел в моей гостиной и без конца орал на него. Я не возражал, надо признать. Дело-то было весьма серьезное. Какой-то мелкий дипломат пытается надрать всем задницы в немецком ночном клубе, нападает на местных граждан. Словом, наломал он дров!

Официант принес почки, приготовленные в соусе из вина и фруктового уксуса.

— Боже, — сказал Краббе, — вы только взгляните на это! На вид — объедение. Лучшее блюдо, если не считать улиток. Давайте попробуем.

— Что Лео говорил Зибкрону?

— Ничего. Играл в молчанку. Вы не знаете Лео. Замкнутый — это не то слово. Ни Уолдеберу, ни мне, ни Зибкрону ни звука не удалось из него вытянуть. А ведь они для него расстарались. Уолдебер выписал ему фальшивое отпускное удостоверение. Новые зубы вставили, одних швов сколько наложили! И черт знает чего еще не сделали! Всем сказали, что он отправился позагорать в Югославию, нырнул в незнакомом месте и напоролся лицом на камни. Да, то еще незнакомое место, прости господи!

— Почему это с ним произошло, как вы считаете?

— Понятия не имею, старина. Больше никуда с ним не ездил. Слишком опасно, как выяснилось.

— И никаких предположений?

— Нет, уж простите, — ответил Краббе, снова замкнувшись.

— Видели прежде вот этот ключ?

— Нет. — И усмехнулся приветливо. — Один из ключей Лео, верно? Он еще недавно трахал все, что шевелится. Имел ключи от многих квартир. Только недавно немного угомонился.

— А с этим ключом кто мог быть связан?

Краббе снова посмотрел на ключ.

— Попытайте счастья с Мирой Медоуз.

— Почему с ней?

— Она будет не против. Уже родила одного ребеночка. Еще в Лондоне. Ходят слухи, что половина наших водителей балуются с ней каждую неделю.

— Лео когда-нибудь упоминал о женщине по фамилии Эйкман? Он на ней вроде бы даже собирался жениться.

Лицо Краббе приняло выражение глубокой, но озадаченной задумчивости.

— Эйкман, — сказал он потом. — Забавно. Это одна из его старых подружек. Еще по Берлину. Он вспоминал о ней. Как они вместе работали с русскими. Но это все. Она была для него одной из многих возлюбленных. Он их заводил и в Берлине, и в Гамбурге. Везде одни и те же игры. Они вышивали для него смешные подушечки. Он же сполна пользовался их заботой, ласками и вниманием.

— А чем он занимался вместе с русскими? — спросил Тернер после паузы. — Какая там была работа?

— Разбирался с лицами, у которых было два или даже четыре гражданства... Как и у него самого. Берлин ведь статья особая, понимаете? Другой мир, особенно в те дни. Остров. Хотя совершенно необычный остров. — Краббе покачал головой. — Но только восточный сектор оказался не для него, — добавил он. — Вся это коммунистическая пропаганда. Его она совершенно не трогала. Он слишком много всего повидал, чтобы клюнуть на подобную чушь.

— А эта Эйкман?

— Мисс Брандт, мисс Этлинг и мисс Эйкман.

— Что имеется в виду?

— Три его куколки. В Берлине. Он вместе с ними прилетел из Англии. Хорошенькие, как картинки в журналах, так мне говорил Лео. Я сам никогда с такими девушками не встречался. Эмигрантки, возвращавшиеся в Германию, чтобы поработать на оккупационные войска. Как и сам Лео. Сидит он в аэропорту Кройдона на своем сундучке, дожидается самолета, как вдруг появляются эти три красотки в мундирах. Мисс Эйкман, мисс Брандт и мисс Этлинг. Все получили назначение в одну воинскую часть. После этого ему больше уже и вспоминать ни о чем особо не хотелось. Ни ему, ни Прашко, ни их третьему приятелю. Все прибыли одним рейсом из Англии в сорок пятом. И куколки с ними. Они даже песенку сочинили про них: мисс Эйкман, мисс Этлинг и мисс Брандт... Хорошо пелась под выпивку. Сочные, пикантные рифмы. Они начали петь ее уже в первый вечер, пока ехали в машине, довольные дальше некуда. Господи! — Он, казалось, готов был затянуть ту песенку прямо сейчас, за ресторанным столом. — Девушкой Лео стала Эйкман. То есть первой девушкой. Он всегда был готов вернуться к ней, так он говорил. «Никогда уже не будет другой, похожей на ту, самую первую». Вот его слова: «Все остальные — лишь подделки под нее». В точности как он выразился. Вы же знаете манеру говорить, свойственную этим гуннам. Только и делают, что занимаются самокопанием, бедняги.

— Как сложилась ее судьба?

— Без понятия, дружище. Она испарилась. Это случается с ними всеми, не так ли? Они стареют, увядают. Теряют свою прелесть. О дьявол! — Кусок почки сорвался у него с вилки, и соус забрызгал галстук.

— Почему он не женился на ней?

— Она сама избрала для себя другую дорогу, старина.

— Какую еще другую дорогу?

— Ей не нравилось, что он стал англичанином. Так он мне объяснял. Она хотела снова вылепить из него гунна и заставить не отрекаться от родины. Здесь есть немало от метафизики.

— А не мог он уехать, чтобы разыскать ее?

— Да, он часто повторял, что однажды так и поступит. «Я испил свою чашу до дна, Микки, — говаривал он, бывало, — и понял: мне больше не найти другой такой девушки, как Эйкман». Но только многие из нас говорят нечто подобное. Он пытался утопить свое горе в мозельском. Буквально погрузился в вино, словно в нем действительно можно обрести утешение.

— А разве нельзя?

— Вы женаты, старина? Это я так, между прочим. Если да, то держитесь от спиртного подальше. — Он покачал головой. — Вот и со мной все могло быть иначе, годись я на что-то в постели. Но у меня ничего не получается. Я барахтаюсь как в болоте, а все без толку. — Краббе ухмыльнулся. — Всем даю совет: женитесь после того, как вам стукнет пятьдесят пять. На шестнадцатилетней пташке. Она хотя бы какое-то время не будет понимать, чего лишена.

— Прашко тоже был с ними? В Берлине. С Эйкман и с русскими.

— Друзья — неразлейвода.

— Что еще он вам рассказывал о Прашко?

— Прашко тогда был большевиком. И это, пожалуй, все.

— И Эйкман тоже была коммунисткой?

— Вполне возможно, дружище. Но я ничего от него не слышал. Меня такие вещи мало волнуют.

— А сам Хартинг?

— Только не Лео. Нет. В политике он вообще не смыслил... Что ж, почки пришлись мне по вкусу. Но это лишь закуска, — заявил он. — Форель. Теперь я хочу форель. Давайте устроим тайное голосование.

Собственная шутка так развеселила Краббе, что он пребывал в отличном настроении до конца трапезы. Но только однажды его удалось заставить снова вернуться к разговору о Лео, когда Тернер спросил, часто ли Краббе имел с ним дело в последние месяцы.

— Почти не имел, — прошептал Краббе в ответ.

— Почему же?

— Он ушел в себя, старина. Уж я-то сразу сумел это заметить. Готовил какую-то пакость еще кому-то. Злопамятная маленькая сволочь, — вдруг сказал Краббе, обнажив зубы в пьяном оскале. — Он начал повсюду оставлять эти свои дерьмовые пуговицы.

Тернер вернулся в отель «Адлер» к четырем. Он был пьян, но не слишком. Лифт оказался занят, и ему пришлось подниматься по лестнице. Вот и все, думал он. Наступает счастливая развязка. Он теперь пропьет весь остаток дня, потом продолжит в самолете, и если повезет, то ко времени встречи с Ламли уже языком не сможет ворочать. Решение, предложенное Краббе: улитки, почки, форель, много виски и пригнуть голову пониже, когда сверху прокатятся большие колеса. Добравшись до своего этажа, он краем глаза заметил, что дверям лифта не давал закрыться нарочно поставленный между ними чемодан, и предположил, что портье забирает из какого-то номера остальной багаж. «Мы — единственные здесь счастливые люди, потому что уезжаем», — подумал он. Тернер попытался открыть дверь своей комнаты, но замок отчего-то заело, и, как ни сражался он с помощью ключа, ничего не получалось. Он поспешно подался назад, когда услышал шаги, но на самом деле у него не оставалось никаких шансов. Дверь открыли изнутри. Он успел рассмотреть очертания бледного круглого лица, светлые, зачесанные назад волосы и тонкие брови, хмуро сдвинутые от предчувствия опасности. Он видел швы на коже, надвигавшейся на него словно в замедленном изображении, и успел задаться вопросом, покрывают ли такие же швы скальп под прической, как покрывали они лицо. Приступ тошноты овладел им, и его желудок сам собой свернулся, а под коленями ощущалась вся тяжесть дерева массивного стола для закусок в клубе. Он услышал ласковый голос врача, окликавшего его в темноте, пока теплая трава йоркширских долин щекотала ему детское лицо. Он услышал дразнящий голос Тони Уиллоуби, мягкий и бархатный, прилипчивый, как руки любовника, увидел его пальцы пианиста, скользящие по ее белым бедрам. Он услышал музыку в исполнении Лео, обращенную к Богу и звучавшую в каждом дощатом красном домике, среди которых прошло его детство. Он ощутил запах дыма голландских сигар, и снова раздался голос Уиллоуби, предлагавшего ему фен для сушки волос. «Я лишь временный сотрудник, Алан, старый дружище, но даю скидку в десять процентов для друзей семьи». Снова пришла боль, когда его начали избивать, и он вспомнил влажный черный гранит сиротского приюта в Борнмуте, а потом телескоп на холме Конституции. «Больше всего на свете, — заметил Ламли, — я терпеть не могу циников, стремящихся обрести священный идеал». Момент подлинной агонии он испытал после удара, нанесенного в пах, а когда боль медленно утихла, снова увидел девушку, бросившую его медленно проплывать по темным улицам в невыносимом, но упрямом одиночестве. Он слышал визг Миры Медоуз, после того как поломал ее жизнь, ложь за ложь. Крики, когда ее лишали возлюбленного поляка, вопли, когда заставили бросить ребенка, а затем подумал, что, вероятно, кричит сам, но понял, что это невозможно, поскольку рот ему заткнули скомканным полотенцем. Он ощутил сильный удар по затылку чем-то холодным и стальным, чем-то, что осталось потом лежать на голове глыбой льда. Услышал звук захлопнувшейся двери и осознал: его оставили одного. Он увидел длинную череду людей. Обманутых, но ко всему безразличных. Потом разнесся глуповатый голос английского епископа, восхвлявшего и Бога, и войну одновременно. И заснул. Он лежал в гробу, в гладком и холодном гробу, стоявшем на отполированной мраморной плите. Где-то в дальнем конце длинного туннеля что-то сверкало хромом. До него донесся голос де Лиля, бормотавшего какие-то добрые и умиротворяющие фразы. Всхлипывание Дженни Паргитер, рыдавшей и стонавшей, подобно тем женщинам, которых он когда-то бросал. Отцовским наставительным тоном Медоуз склонял его заняться благотворительностью. Весело насвистывали какие-то не ведавшие забот люди. Потом Медоуз и Паргитер исчезли, помчались на чьи-то еще похороны, и остался только де Лиль, только голос де Лиля, который не уставал шептать слова утешения.

— Друг мой любезный, — говорил он, с любопытством склонившись над Тернером, — я заглянул, чтобы попрощаться, но если вы собираетесь принять ванну, вам лучше снять с себя эти жуткие окровавленные тряпки.

— Сегодня четверг?

Де Лиль снял с вешалки салфетку и смочил ее под горячей водой.

— Сегодня среда. Обычная среда. И самое время для коктейлей.

Потом снова склонился над ним и принялся осторожно смывать кровь с лица.

— То футбольное поле. Где вы его видели. Куда он водил гулять Паргитер. Скажите, как я там оказался?

— Лежите тихо. И не разговаривайте, чтобы не разбудить соседей.

И как можно более нежными движениями он продолжил смывать запекшуюся кровь. Высвободив правую руку, Тернер тщательно ощупал карман куртки в поисках ключа. Он оказался на прежнем месте.

— Вы видели это прежде?

— Нет. Нет, не видел. Как не было меня и в парнике в три часа ночи второго числа. Однако насколько же это в духе нашего министерства, — сказал де Лиль, отстраняясь и критически осматривая результаты своих усилий, — направить быка, чтобы перехватить матадора. Надеюсь, вы не будете возражать, если я заберу одолженный вам смокинг?

— Зачем Брэдфилд позвал меня?

— Позвал куда?

— На ужин. Чтобы я встретился с Зибкроном. Зачем он пригласил меня к себе во вторник?

— Из чувства братской любви. Почему же еще?

— Что находится в коробке для досье, чего Брэдфилд так боится?

— Ядовитые змеи.

— Этот ключ откроет ее?

— Нет.

Де Лиль присел на край ванны.

— Вам не следовало этого делать, — сказал он. — Знаю, вы ответите: кому-то же нужно выполнить и грязную работу. Только не ждите от меня выражение радости по поводу того, что за нее взялись именно вы. Для меня вы не посторонний — вот в чем проблема. Предоставьте это людям, уже родившимся с шорами. — В его серых, добрых глазах читалась искренняя озабоченность. — Все это совершенно абсурдно, — заявил он. — Люди погибают каждый день от перенапряжения, потому что стараются стать святыми. Вы же перенапрягаетесь, стараясь стать свиньей.

— Почему он не уезжает? Почему все еще крутится здесь?

— Завтра точно такой же вопрос начнут задавать про вас самого.

Тернер вытянулся на длинном диване де Лиля. В руке он держал стакан с виски, а его лицо было намазано желтым антисептиком из обширной аптечки Питера. Брезентовая сумка валялась в углу комнаты. Сам де Лиль сидел за клавесином, но не играл, а лишь трогал клавиши. Это был инструмент восемнадцатого века из атласного дерева, но уже выгоревший сверху от лучей тропического солнца.

— Вы повсюду возите эту вещь с собой?

— Когда-то у меня была скрипка. Но она развалились в Конго, в Леопольдвиле. Клей просто растаял. Ужасно трудно, — сухо сказал он, — предаваться занятиям чем-то высоким, когда даже клей тает.

— Если Лео так умен, почему он не уезжает?

— Возможно, ему здесь нравится. Но в таком случае он уникален, должен подчеркнуть.

— И если они настолько умны, почему не увезут его отсюда?

— Существует вероятность, что они пока не знают о его бегстве.

— О чем вы?

— Я лишь высказал предположение. Возможно, им пока неизвестно о его побеге. Боюсь, мне далеко до шпиона, но я все же хорошо знаю Лео. Он личность до крайности извращенная. Не могу даже на минуту допустить, чтобы он в точности выполнял их приказы. Если «они» вообще существуют, в чем я сомневаюсь. По натуре он не был рожден прислуживать кому-либо.

— Я все время стараюсь впихнуть его в какие-то рамки, подогнать под шаблон. Но он никуда не вписывается.

Де Лиль раздвинул пальцы и взял аккорд.

— Скажите мне, каким вы желали бы его видеть? Хорошим или плохим? Или вам лишь необходима свобода для расследования? Вы же чего-то хотите, верно? Поскольку хоть что-то лучше, чем ничего. Вы похожи на тех же бунтующих студентов: они не терпят вакуума и стремятся его заполнить.

Тернер закрыл глаза и предался размышлениям.

— Опасаюсь, что он уже мертв. Вот это было бы по-настоящщему зловеще.

— Но еще сегодня утром он оставался жив и здоров, не так ли? — заметил Тернер.

— Но вам претит неопределенность. Она вас бесит. Вы хотите, чтобы он либо появился, либо сбежал. Вы не признаете полутонов, угадал? Допускаю, что в охоте за преступниками есть нечто увлекательное. Вы стараетесь их поймать и привлечь к ответу. Так все обстоит?

— Но он все еще в бегах, — сказал Тернер. — Вот только от кого он бежит? От нас или от них?

— Он может быть сам по себе.

— С почти пятьюдесятью похищенными папками? Конечно, он сам по себе, как же иначе?

Де Лиль внимательно посмотрел на Тернера поверх клавесина.

— Вы с ним прекрасно дополняете друг друга. Я гляжу на вас и думаю о Лео. Вы — саксонец. Крупные руки, большие ступни, огромное сердце, а это достаточная причина, чтобы бороться за идеалы. С Лео все наоборот. Он притворщик, артист. Носит одинаковую с нами одежду, говорит на одном с нами языке, но он цивилизован только наполовину. Думаю, я сам нахожусь по одну с вами сторону: я и вы — аудитория на концерте. — Он закрыл крышку клавесина. — Мы те, кто видит цель, тянется к ней, но отступает. Лео сидит в каждом из нас, но он отмирает, когда мы минуем двадцатилетие.

— А к какой роли вы бы хотели стремиться?

— Я? О, не очень-то нравится в этом признаваться, но к роли дирижера. — Поднявшись, де Лиль запер клавиатуру маленьким медным ключиком, висевшим на цепочке. — Я ведь даже не умею на нем играть, — продолжил он, постукивая по поблекшей крышке изящными пальцами. — Не устаю повторять себе, что однажды непременно научусь. Либо по книгам, либо стану брать уроки. Но на самом деле для меня это не так уж важно. Я научился жить недоучкой. Как большинство из нас.

— Завтра четверг, — сказал Тернер. — Если они не знают, что он сбежал, то будут ожидать его появления, как всегда, верно?

— Должно быть, верно. — Де Лиль зевнул. — Но им известно, куда идти, кто бы они ни были. А вам это неизвестно. Это большое затруднение.

— Может статься, не такое уж и большое.

— О! Неужели?

— Мы, по крайней мере, знаем, где вы видели его в тот четверг после обеда, когда он должен был находиться в министерстве. В том месте, куда он водил Паргитер. Кажется, его охотничьи угодья расположены именно там.

Де Лиль стоял совершенно неподвижно, все еще держа цепочку с ключиком в руке.

— Думаю, не стоит даже пытаться вас отговаривать ходить туда?

— Не стоит.

— Но если я вас попрошу? Вы нарушаете все указания Брэдфилда.

— Пусть так.

— И вы нездоровы. Но хорошо. Отправляйтесь и посмотрите на свою еще нецивилизованную, неприрученную половину. Если действительно найдете досье, мы будем рассчитывать, что вы вернете их, даже не попытавшись открыть и прочитать.

И совершенно неожиданно это прозвучало как приказ.

Глава 14
ВСТРЕЧИ ПО ЧЕТВЕРГАМ

Погода на плато была словно похищена у другого времени года и из другого места. Явно мартовский ветер с моря завывал в переплетении сетки проволочного забора, пригибал к земле жесткие стебли травы и врезался в расположенный за футбольным полем лес. И если бы еще какая-нибудь свихнувшаяся тетушка додумалась посадить здесь в песчаную почву чилийскую араукарию, подумал Тернер, то он с легкостью добрался бы по тропе и вышел на дорогу, чтобы сесть на троллейбус до самой Борнмут-сквер. Ноябрьский морозец сковал листву папоротника инеем, потому что холод умело прятался от ветра и обжигал лодыжки, как будто они были погружены в арктическую воду. Мороз укрывался в каменной расщелине с северной стороны, где только страх мог бы заставить руки взяться за любую работу, а жизнь казалась особенно драгоценной, поскольку ты отвоевал ее у природы. Последние лучи оксфордского солнца отважно погибали посреди пустого игрового поля, а небо напоминало вечерний осенний свод в Йоркшире — почерневший, вздыбленный тучами и окаймленный тьмой. Деревья своими изгибами живо возрождали память о детстве, искривленные мощью ветра, и о юности Микки Краббе с головой в раковине умывальника. Как только порывы чуть ослабевали, стволы даже не выпрямлялись, ожидая новой атаки.

Порезы на лице жестоко горели, а светлые глаза светились болью от давней бессонницы. Он ждал, глядя вдоль склона холма. Далеко внизу справа протекала река, и то был редкий момент, когда ветер заставил ее затихнуть, а баржи понапрасну растрачивали свои гудки. К нему медленно поднималась машина, черный «мерседес», кёльнские номерные знаки, женщина за рулем, но она даже не притормозила, миновав его. По другую сторону проволочного заграждения стоял новый домик с закрытыми ставнями и замком на двери. На крышу сел грач, и ветер безжалостно трепал перья птицы. «Рено», французская дипломатическая регистрация, снова женщина-водитель и мужчина в роли пассажира. Тернер занес номер в свой блокнот. Его почерк стал скованным и детским. Буквы получались совершенно неестественных очертаний. Вероятно, он все же успел нанести ответный удар, поскольку на пальцах правой руки остались заметные ссадины, как будто он угодил кому-то кулаком в рот и попал в передние зубы. Почерк Хартинга отличался аккуратностью и ровной округлостью, а Тернер выводил крупные угловатые знаки, выдававшие характер, склонный к коллизиям.

«Вы оба люди движения, ты и Лео, — сказал ему прошлым вечером де Лиль. — Бонн есть нечто неподвижное, но вы стремитесь перемещаться... Вы вроде бы боретесь друг против друга, но на самом деле вдвоем сражаетесь против нас... Противоположностью любви является не ненависть, а равнодушие, апатия... Вы должны смириться с апатией».

«Оставьте меня, бога ради», — недовольным тоном отозвался Тернер.

«Да вот и ваша остановка, — сказал де Лиль, открывая дверь машины. — И если не вернетесь к завтрашнему утру, я оповещу береговую службу спасателей».

В Бад-Годесберге Тернер купил разводной гаечный ключ с тяжеленной головкой, и теперь он свинцовым грузом оттягивал карман брюк. Микроавтобус «фольксваген», темно-серый. Буквы на номере «Эс-Ю». Полный детишек, он остановился у хижины, служившей раздевалкой. Шум обрушился на него внезапно, криками птиц, стаей прилетевших с ветром: гвалт, смех, жалобы. Кто-то дунул в свисток. Солнце подсвечивало их почти от линии горизонта, как луч фонарика вдоль коридора. Затем всех поглотила хижина.

«Я еще не встречал человека, — в отчаянии выкрикнул де Лиль, — который так наслаждался бы собственными недостатками!»

Он поспешно подался назад за ствол ближайшего дерева. «Опель-рекорд», двое мужчин, боннские номера. Гаечный ключ натирал ему бедро, пока он делал запись. Мужчины были в плащах и шляпах, с профессионально ничего не выражавшими лицами. Боковые стекла машины затонированы. Автомобиль двигался, но в темпе пешехода. Он видел их плоские лица, повернутые к нему, как две луны среди искусственно созданной ночи. «Ваши зубы? — мелькнула мысль у Тернера. — Не одному ли из вас я вышиб пару резцов? На вид вас не отличить друг от друга, но, кажется, вы приехали на футбол». До самого верха холма они добрались, ни разу не превысив десяти миль в час. Проехал еще микроавтобус, за ним два грузовика. Где-то стали отбивать время часы, или то был школьный колокольчик? Созыв на молитву Богородице или к вечерне? Или овца, отставшая в долине от стада? Или сигнал с парома на реке? Он больше никогда не услышит такого же звука, но, как любил повторять мистер Крэйл, нет истины, которую невозможно установить с полной достоверностью. О нет, сын мой, но грехи других людей — это жертвы Богу. Твои жертвы. Грач вспорхнул с крыши. Солнце полностью закатилось. Зато появился маленький «ситроен». Две лошадиные силы, грязный, как туман, с помятым крылом, с единственным неразборчивым номером, с одним водителем, невидимым в тени, с единственной фарой, то вспыхивающей, то гаснущей, с единственным гудком клаксона, чтобы привлечь к себе внимание. «Опель» между тем куда-то пропал. Торопитесь, лунолики, или вы пропустите Его приезд. Колеса дернулись, как вывихнутые конечности, когда крохотная машинка свернула с дороги и, покачиваясь, поползла прямо к нему по замерзшим и покрытым землей корням деревьев, пересекавшим тропу, задняя часть залихватски сотрясалась на единой оси. Он услышал громкую танцевальную музыку, когда дверь открылась. Во рту пересохло от принятых таблеток, и порезы на лице ощущались как налипшие на него веточки. Настанет день свободы в мире, подсказывало ему лихорадочно работавшее сознание, когда облака столкнутся и громыхнет взрыв, а на землю посыплются ошеломленные ангелы Господни, чтобы все увидели их. Он молча отпустил рукоятку гаечного ключа, дав ему опуститься на дно кармана.

Она стояла не более чем в десяти ярдах от него, повернувшись спиной, не обращая никакого внимания на ветер, как и на детишек, высыпавших из раздевалки на поле.

Она пристально смотрела на склон холма. Мотор ее машины все еще работал, сотрясая малолитражку и явно причиняя ей внутреннюю боль. Стеклоочиститель бесцельно скреб по замызганному лобовому стеклу. Почти за час она едва ли вообще пошевелилась.

Целый час она ждала с истинно восточным терпением, и ее не интересовало ничто, кроме того, кого она по-прежнему не видела. Женщина стояла, уподобившись статуе и зримо делаясь все выше, по мере того как темнота сгущалась вокруг.

Ветер развевал полы ее плаща. Лишь однажды рука поднялась, чтобы поправить выбившуюся прядь волос. И лишь однажды она сама дошла до конца тропы, чтобы взглянуть на долину реки в направлении Кёнигсвинтера. А потом медленно вернулась, погруженная в свои мысли, а Тернер припал на колени позади деревьев, молясь, чтобы тени от стволов прикрыли его.

Ее терпение лопнуло. Она с шумом снова уселась за руль машины, прикурила сигарету и с силой нажала на клаксон ладонью. Дети забыли о своей игре, потешаясь над жалким хриплым стоном, который издало сигнальное устройство, подключенное к маломощному аккумулятору. Потом вновь воцарилась тишина.

Щетка «дворника» остановилась, но двигатель работал, и женщина поддавала газу, чтобы заставить обогреватель давать больше тепла в салон. Окна начали запотевать изнутри. Она открыла сумочку, достала зеркальце и губную помаду.

Потом откинулась на спинку сиденья, закрыла глаза, слушая все ту же танцевальную музыку и пальцем тихо отбивая ритм убегавшего времени по рулевому колесу. Уловив звук приближавшейся машины, она открыла дверь и снова посмотрела вдоль склона, и хотя теперь две луны отчетливо видели ее, она проявила к их интересу полнейшее равнодушие.

Футбольное поле опустело. В домике-раздевалке снова закрыли ставни. Включив лампочку под потолком машины, она проверила время по наручным часикам, но к этому моменту первые окна засветились в домах вдоль долины, а сама река окончательно затерялась в туманной дымке. Тернер грузно прошел по тропе и открыл пассажирскую дверцу.

— Ждете кого-то? — спросил он и сел рядом с ней, как можно быстрее закрыв за собой дверцу, чтобы лампочка в салоне снова погасла. Потом выключил радио.

— А я-то думала, вы уехали, — с жаром сказала она. — Надеялась, что мужу удалось от вас избавиться. — Страх, злость, унижение полностью завладели ее эмоциями. — Вы шпионили за мной! Прятались в кустах, разыгрывая сыщика. Как вы посмели? Вульгарный, гнусный, ничтожный человечишка! — Она сжала пальцы в кулак и отвела руку назад, но, вероятно, ее смутил вид его израненного лица, хотя это не имело значения, потому что в тот же момент сам Тернер с силой стукнул ее по губам и она с треском ударилась затылком о подголовник сиденья. Открыв дверь, он обошел машину, вытащил женщину наружу и снова ударил плашмя открытой ладонью.

— Мы отправимся на прогулку, — сказал он, — а заодно обсудим вашего треклятого вульгарного любовничка.

И он повел ее по неровной, покрытой корнями тропе к вершине холма. Она шла совершенно покорно, держась за него обеими руками, опустив голову и чуть слышно плача.

Они смотрели вниз на русло Рейна. Ветер почти стих. У них над головами проплывали ранние звезды, похожие на фосфоресцирующие вспышки на морских волнах ночью. Вдоль реки огни загорались сразу целыми цепочками, нерешительно мигая в момент зарождения света, но потом чудесным образом обретая жизнь, превращаясь в подобие костров, раздуваемых темным вечерним бризом. До них доносились только звуки с реки: пыхтение самоходных барж да бой склянок у них на борту, отмечавший каждые прошедшие четверть часа. И еще они улавливали запах Рейна, ощущали его холодное дыхание на руках и щеках.

— Это началось потому, что казалось дерзким и рискованным.

Она стояла в стороне от него, глядя на долину и обхватив плечи руками, словно куталась в полотенце.

— Он больше не приедет сюда. Для меня все закончилось. Знаю наверняка.

— Почему же не приедет?

— Лео никогда не произносил ничего вслух. Для этого он был слишком большим пуританином. — Она прикурила сигарету. — Потому что он никогда не прекратит искать — вот почему.

— Что именно?

— А что ищет любой из нас? Родителей, детей, женщину. — Она повернулась к нему. — Продолжайте же! — сказала с вызовом. — Выведывайте остальное.

Но Тернер ждал.

— Когда между нами возникла интимная близость? Это вы хотите знать? Я бы переспала с ним в первую же ночь, попроси он меня, но он не стал этого делать, поскольку я жена Роули, а хорошие мужчины встречаются редко. Я имею в виду: он знал, что обязан выжить. Он был подонком, разве вы еще не поняли? Но мог своим обаянием заставить гуся общипать себя самого. — Она прервалась. — Я дура. Мне не стоит вам этого рассказывать.

— Было бы еще глупее не рассказать. У вас большие неприятности, — добавил Тернер, — если вы еще сами не поняли.

— Уже не помню, когда в последний раз я обходилась без неприятностей. А как еще отомстить этой системе? Мы были двумя старыми проститутками и влюбились друг в друга.

Она сидела на скамье и крутила в руках перчатки.

— Это был какой-то прием с фуршетом. Мерзкий прием, как и всё в Бонне, с жареной уткой в глазурном соусе и с жуткими немцами. Кажется, праздновали чей-то приезд. Или чей-то отъезд. Хозяевами, по-моему, были американцы. Мистер и миссис Такие-То Третьи. Некий династический праздник. Все выглядело до дикости провинциально.

Теперь к ней вернулся ее собственный голос, резкий и нарочито самоуверенный, но вопреки всем усилиям в нем по-прежнему слышался отзвук с трудом достигнутой легкости, которую Тернер замечал в разговорах с женами британских дипломатов по всему миру; голос, призванный нарушить молчание, сгладить неловкость, умиротворить обиженных. Голос женщины не слишком высокого культурного уровня, не особенно умудренной жизненным опытом, но пытавшейся, как хорошая гувернантка или учительница, возродить утерянные традиции общения и упорно к этому стремившейся.

— Мы прибыли сюда прямо из Адена и уже успели пробыть в Бонне ровно год. До этого был Пекин. А теперь вот — Бонн.

Поздний октябрь: октябрь Карфельда. Атмосфера только начала накаляться. В Адене нас бомбили, в Пекине атаковали разгневанные толпы, а сейчас собирались заживо сжечь на рыночной площади. Бедняга Роули: такое впечатление, что он создан для постоянных унижений. Он ведь успел и в плену побывать, если вы не знали. Для таких, как Роули, есть подходящее название: поколение вечно униженных.

— Он бы еще сильнее полюбил вас, услышав такое, — заметил Тернер.

— Он в любом случае любит меня. — Она помолчала. — Самое забавное, что я отчего-то никогда не обращала на Лео внимания прежде. Мне он казался скучным, маленьким... временным. Жеманный и пустой человечек, игравший на органе в церкви и куривший вонючие сигары во время коктейлей... Ничего в нем особенного... Пустое место. Но в тот вечер, стоило ему войти, стоило лишь появиться в дверях, я почувствовала, что он остановил свой выбор на мне, и подумала: «Внимание! Угроза атаки с воздуха!» Он подошел прямо ко мне: «Привет, Хейзел». Он никогда раньше не обращался ко мне по имени, и у меня промелькнула мысль: «Ну, держись, наглец! Тебе придется основательно попотеть».

— Хорошо, если вы всегда так смело идете на риск.

— Он завел разговор. Не помню о чем. Никогда не обращала внимания на то, что он говорил, как и он на мои разглагольствования. О Карфельде, как мне кажется. О бунтах. Обо всех неистовствах и буйствах. Но по крайней мере я заметила его. Впервые по-настоящему заметила. — Она снова примолкла. — И подумала: «Господи, где же ты был раньше, во имя всего святого?» Ощущение создалось такое, как бывает, когда заглядываешь в старую чековую книжку и обнаруживаешь, что у тебя не только нет по ней долга, но и остались еще деньги. Он оказался живым! — Она рассмеялась. — Нисколько не похожим на вас. Вы — самое яркое воплощение ходячего мертвеца, какое я когда-либо встречала.

Тернер мог ударить ее снова, если бы прозвучавшая дразнящая фраза не показалась ему уже настолько знакомой.

— Первое, что вы замечали в нем, — это чрезмерное напряжение. Он словно патрулировал и охранял самого себя. В языке, в манерах... Во всем чувствовалась фальшь. Он держался настороже. Слушал собственный голос так же, как прислушивался к вашему, управлял модуляцией, расставлял наречия в правильном порядке. Я попыталась определить, откуда он мог взяться: кем же ты мог быть таким, чтобы мне не удалось тебя вычислить? Немцем из Южной Америки? Бывшим аргентинским торговым представителем? Что-то в этом духе. Лощеный латинизированный гунн. — Она замолчала, погрузившись в воспоминания... — В его речи слышались эти бархатистые окончания в словах, и он использовал их, чтобы придать равновесия каждой фразе при завершении. Я заставила его заговорить о себе самом. Где он жил, кто готовил, как он проводил выходные дни? Но совершенно внезапно он стал давать мне советы. Чисто практического свойства. Например, где купить мясо подешевле. Заказы по почте. «Датчмен» был лучше, чтобы купить одно, в НААФИ выгоднее приобретать другое, масло через «Экономат», орехи выписывать в «Комиссари». Чисто по-женски. Его коньком оказались чаи на травах — немцы буквально одержимы правильным пищеварением. Затем предложил мне купить у него фен. Почему вы смеетесь? — спросила она, внезапно рассердившись на Тернера.

— Разве я смеялся?

— Он знал, как получать крупные скидки: до двадцати пяти процентов, заверял он. Сравнивал цены, досконально разбирался в моделях.

— И при этом разглядывал ваши волосы.

Но она оборвала его:

— Знайте свое место. — Это было сказано жестко. — Вам до него слишком далеко. Невозможно даже сравнивать.

Он нанес ей еще один удар, хлесткую пощечину, и она произнесла:

— Вы настоящая мразь. — И заметно побледнела даже в темноте, задрожав от ярости.

— Лучше продолжайте свою историю.

Через какое-то время она заговорила снова:

— И я сказала ему: да. Мне все успело осточертеть до смерти. Роули тогда похоронил себя где-то в углу в беседе с советником французского посольства. Остальные сражались у шведского стола за лучшие куски лакомств. «Да, — сказала я, — мне бы хотелось купить фен. Со скидкой двадцать пять процентов». Но у меня не оказалось с собой достаточно наличных. Принимал ли он чеки? С таким же успехом я могла бы сказать: «Да, я лягу с тобой в постель». И тогда я впервые увидела его улыбку. Он вообще-то улыбался крайне редко. Все его лицо словно осветилось изнутри. Я отправила его к столу с просьбой принести чего-нибудь и наблюдала за ним неотрывно, гадая, как у нас с ним все получится. У него была этакая осторожная походка... Здесь такую называют Eiertanz... Как в церкви, но немного тверже. Немцы столпились у блюда со спаржей, а он ловко поднырнул под них, а потом снова появился уже с двумя тарелками, полными деликатесов, с ножами и вилками, торчавшими из нагрудного кармана смокинга. И ухмылялся при этом очень самодовольно. У меня есть брат Эндрю, который играл за нападающего в регби, уклонявшегося от защитников соперника. У Лео получилось очень похоже. И с той минуты я уже не отвлекалась и ни о чем не беспокоилась. Какой-то тупой канадец стал зазывать меня на лекцию по сельскому хозяйству — так я его отшила очень грубо. По-моему, они едва ли не последние, кого все это еще интересует. Канадцы. Они очень похожи на англичан в Индии.

Уловив какой-то звук, она резко повернула голову и посмотрела назад на тропинку. Стволы деревьев чернели на фоне низкой линии горизонта. Ветер окончательно утих, но одежда стала влажной от ночной росы.

— Он не приедет. Вы же сами сказали. Лучше продолжайте, и побыстрее.

— Мы сели на ступень лестницы, и он снова начал говорить о себе. Мне не приходилось даже задавать ему вопросов. Речь его лилась сама собой... И это оказалось увлекательно. Он рассказывал о Германии в первые годы после войны. «В целости остались только реки». Я не могла понять, переводит он что-то из немецкой литературы, использует собственное воображение или просто повторяет чужие слова. — Она замолкла в нерешительности, но потом опять посмотрела в сторону тропы. — Как по ночам женщины осторожно разводили костры, а потом поспешно гасили их. А он научился спать в полом корпусе полуторатонной бомбы, подкладывая под голову огнетушитель вместо подушки. Даже изображал, как лежал с головой, повернутой набок, отчего затекала шея. Такие вот постельные игры. — Она порывисто поднялась на ноги. — Мне пора возвращаться к машине. Если он застанет ее пустой, то сразу сбежит. Пугливый, как котенок.

Тернер проследовал за ней до дороги, но плато теперь совершенно опустело, если не считать припаркованного у обочины «опеля» с выключенными габаритными огнями.

— Сидите в машине, — сказала она. — А на них не обращайте внимания.

Затем она словно впервые заметила следы побоев на его лице при свете лампочки в салоне и удивилась:

— Кто это вас так?

— Точно так же отделают Лео, если доберутся до него первыми.

Она снова откинулась на спинку сиденья и закрыла глаза. Кто-то оборвал лоскут матерчатой крыши, и он свисал, как лохмотья на нищем. На полу валялся детский руль на пластмассовой трубке, и Тернер отбросил его в сторону ногой.

— Иногда я думала: «Ты же совершенно опустошена. Просто делаешь вид, что живешь». Но ведь женщина не осмелится думать так о своем возлюбленном. Он был умелым говоруном, актером, так мне теперь кажется. Он сам запутался в бесконечных словах: Германия и Англия, Кёнигсвинтер и Бонн, церковь и скидки, второй этаж и первый. Трудно ожидать, чтобы кто-то бился со всем этим и остался в живых. Порой он просто и откровенно прислуживал нам, — бесхитростно пояснила она. — Или даже мне одной. Как какой-то метрдотель. Когда он хотел, мы все становились его клиентами. Он не жил. Выживал. Он всегда только и делал, что выживал. До самого последнего дня. — Она прикурила очередную сигарету.

В машине было очень холодно. Она попыталась завести мотор, чтобы включить печку, но зажигание не сработало.

— После того первого вечера между нами все было как бы безмолвно решено. А тогда Роули разыскал меня, подошел, и мы покинули ресторан самыми последними. Он поссорился из-за чего-то с этим французом Лесером, но был очень доволен, потому что одержал в споре верх. Мы с Лео сидели на лестнице и пили кофе. Роули подошел и просто чмокнул меня в щеку... Что это было?

— Ничего.

— Я заметила огонек у склона холма.

— Велосипедист пересек шоссе. Его больше не видно.

— Он знает, как я ненавижу его поцелуи на людях, но понимает: я бессильна помешать ему. Наедине от него поцелуя не дождешься. Никогда. «Вставай, дорогая, нам нужно уезжать». Лео поднялся на ноги, как только заметил его приближение, но Роули словно и не заметил его. Муж подвел меня к Лесеру. «Вот перед кем тебе следует извиниться в первую очередь, — сказал он. — Из-за тебя она весь вечер одна просидела на лестнице». Мы вышли в холл, и Роули потянулся за своим плащом, но оказалось, что Лео уже держит его, чтобы помочь надеть. — Она улыбнулась, и в этой улыбке сквозила подлинная любовь, радость при воспоминании. — Меня он, казалось, теперь не видел вообще. Роули повернулся к нему спиной и сунул руки в рукава, а я заметила, как при этом напрягся Лео, как сжались его пальцы. Знаете, мне все это доставило огромное удовольствие. Мне хотелось, чтобы Роули повел себя именно так. — Она пожала плечами. — Я попалась на крючок. Хотела поймать мушку, вот и заглотила на наживку. На следующий день я поискала сведения о нем в красном дипломатическом справочнике. Но вы, надо полагать, уже успели узнать, что это за книга. Совершенно пустая. Тогда я позвонила Мэри Краббе и расспросила ее о нем. Просто так. Забавы ради. «Прошлым вечером я познакомилась с совершенно необычным маленьким мужчиной», — сказала я. Мэри чуть удар не хватил. «Милочка, учти, что он — чистейшая отрава. Лучше держись от него подальше. Он однажды затащил Микки в ночной клуб, и у него возникли потом крупные неприятности. К счастью, срок его контракта в декабре истекает и он отсюда уедет». Тогда я попыталась поговорить с Салли Аскью. Она может быть в таких случаях очень полезна. Я просто умирала от смеха. — И она действительно захохотала, а потом широко открыла рот, чтобы воспроизвести густой бас жены советника посольства по экономическим вопросам: «Полезный холостяк, если тебе не хватает гуннов». Таково уж положение. Нас в посольстве больше, чем их. Как и в городе. Целая армия дипломатов гоняется за кучкой немцев. Это же Бонн. Проблема в том, сказала Салли, что немцы снова становятся старомодны, как и наш Лео. А потому они с Обри неохотно, но поставили на нем крест. «Он из тех, кто подсознательно раздражает тебя, если ты меня понимаешь, дорогая». Я же была совершенно заинтригована. Даже возбуждена. Положив трубку, кинулась в гостиную и написала ему длиннющее письмо совершенно ни о чем.

Она снова попытала счастья с двигателем, но стартер даже не кашлянул. Ей пришлось плотнее завернуться в плащ.

— Дьявол! — прошептала она. — Где же ты, Лео? Зря ты так испытываешь мое терпение.

У черного «опеля» вспыхнули и погасли подфарники, словно подавая кому-то сигнал. Тернер молчал, но пальцами ощупал рукоятку гаечного ключа в кармане.

— Письмо вышло как у школьницы. Спасибо, что уделили мне столько внимания. Прошу прощения за отнятое у вас время, и, пожалуйста, не забудьте про обещанный фен. А потом изложила долгую, на ходу придуманную историю, как я отправилась за покупками в универмаг «Спанишер Гартен», а там одна старушка уронила монету в две марки. Она куда-то закатилась, и никто не мог найти ее, а пожилая леди настаивала, что расплатилась, поскольку деньги остались в магазине. Письмо я доставила в посольство сама, и в тот же день ближе к вечеру он мне позвонил. Есть две модели, сказал он. Более дорогая имела несколько скоростей, и к ней не требовался адаптер.

— Трансформатор.

— Что по поводу цвета? А я просто слушала его. Он сказал, что мне будет нелегко самой сделать выбор относительно скоростей и цвета. «Быть может, встретимся и все обсудим вместе?» Это было в четверг, и встретились мы здесь. Он сказал, что все равно приезжает сюда каждый четверг подышать свежим воздухом и посмотреть на игру ребятишек. Я ему, конечно, не поверила, но ощущала себя безмерно счастливой.

— И это все, что он сказал по поводу именно этого места? И вообще отлучек из посольства в рабочее время?

— Как-то обмолвился о том, сколько сверхурочных часов они ему задолжали.

— Кто?

— Да посольство же! Кроме того, Роули что-то у него отнял и передал другому сотруднику. Какую-то работу. И он стал использовать свободное время, чтобы приезжать сюда. — Хейзел почти восхищенно покачала головой. — Он ведь упрямее любого осла, — изрекла она. — «Они в долгу передо мной, — сказал он, — а я сам возвращаю долг себе. Только так я и умею жить».

— Мне показалось, вы упомянули о его нелюбви к высказыванию своих мыслей вслух.

— Это касалось более сокровенных мыслей.

Он ждал.

— Мы просто погуляли, полюбовались рекой, а на обратном пути держались за руки. И уже собрались уезжать, когда он вспомнил: «Я совершенно забыл, что должен был взять с собой фены и показать их вам». «Ничего, — ответила я. — Жаль, конечно. Значит, придется встретиться здесь снова в следующий четверг, согласны?» Это трудно себе представить, насколько шокировало его мое предложение.

Она умела подражать и голосу Лео: он звучал в ее исполнении то насмешливо, то властно, но она тем самым скорее исключала Тернера из общего круга, нежели делала третьим в их обществе.

— «Моя уважаемая миссис Брэдфилд...» — начал он, но я прервала: «Если приедете в следующий четверг, я разрешу вам звать меня просто Хейзел». Вела себя как настоящая шлюха. Так вы, вероятно, считаете.

— Что было потом?

— Каждый четверг. Здесь. Он парковал машину на дорожке, а я оставляла свою у шоссе. Мы стали любовниками, но не ложились вместе в постель. Хотя все было очень серьезно. Иногда он много говорил, иногда больше молчал. Он часто показывал мне свой дом по другую сторону реки, будто хотел и его мне продать. Мы бродили по тропинкам от одной вершины пологого холма до другой, откуда дом был хорошо виден. Однажды я принялась поддразнивать его: «Вы — подлинный дьявол. Покажите же мне свое подземное царство!» Но ему моя шутка не понравилась. Понимаете, он никогда и ни о чем не забывал. Именно эта черта помогала ему выживать. Ему не хотелось, чтобы я затрагивала темы зла, боли или чего-то подобного. Потому что он знал об этом не понаслышке. Испытал на себе.

— Но вы же зашли дальше в своих отношениях?

Он заметил, как ее лицо помрачнело, а улыбка пропала.

— Да, в постели Роули. Как-то в пятницу. Ведь в Лео сидит мститель, который почти и не таится. Он всегда был информирован об отлучках Роули: проверял в отделе командировок, просматривал заказы билетов, сделанные клерками. И заранее предупреждал меня: твой на будущей неделе отправляется в Ганновер. А потом в Бремен.

— Зачем Брэдфилд ездил туда?

— О боже. Видимо, у него были дела в консульстве... Лео, кстати, задавал мне такой же вопрос. Но откуда мне было знать? Роули никогда со мной ничем не делится. Порой у меня создавалось впечатление, что он следует по всей Германии за Карфельдом. Почему-то всегда оказывался в том городе, где проходил очередной митинг.

— То есть вы продолжали и потом?

Она пожала плечами:

— Да, продолжали. Как только подворачивалась возможность.

— Брэдфилд знал?

— О господи. Знал ли он? Понятия не имею. Вы хуже немцев в каком-то смысле. Вам нужно, чтобы слово непременно было произнесено, не так ли? Но есть то, что не подлежит обсуждению. Ведь правда — только то, в чем ты сам признаешься. И Роули это понимает лучше всех.

— Иисусе Христе, — прошептал Тернер. — Вы для всего сумеете найти оправдание, готовы простить себе что угодно.

И вспомнил, как дня три назад говорил примерно то же самое Брэдфилду.

Она смотрела прямо перед собой сквозь лобовое стекло.

— Чего на самом деле стóят люди? Как их правильно оценить? Дети, мужья, карьеры. Стоит вам пойти ко дну, и все называют это жертвой с вашей стороны. Но если вам удается выжить, то вы становитесь мерзавцем. Хоть вырвите сердце из своей груди. Только во имя чего? Я не Господь Бог. Мне не вынести всех грехов на своих плечах. Я живу для людей, а люди живут для кого-то еще. Мы не святые. Мы все идиоты. Почему бы нам не жить для себя, в свое удовольствие, и считать именно такую жизнь жертвенной? Хотя бы для разнообразия.

— Так он знал или нет? — Тернер ухватил ее за руку. — Знал или нет?!

Слезы медленно поползли по лицу Хейзел. Она поспешно вытерла их.

— Роули прежде всего дипломат, — ответила она наконец. — Искусство возможного, вот вам весь Роули. Ограниченная цель, отточенный ум. «Давайте не будем слишком горячиться. Давайте не станем навешивать ярлыков. Давайте не вступать в переговоры, пока не поймем, чего хотим добиться». Он не умеет... Он не способен даже разозлиться как следует. В его характере чего-то не хватает. Ему и жить-то не для кого. Разве что для меня.

— Но он знал.

— Думаю, да, — сказала она устало. — Мы не разговаривали об этом. Но да, он определенно знал.

— Потому что это вы заставили его продлить контракт с Лео, верно? В прошлом декабре. Вы обработали его в нужном направлении.

— Да. Это ужасно. То есть было ужасно, но требовалось сделать, — заявила она, как будто существовала некая причина, наполненная особо высоким смыслом, о которой знали они оба. — В противном случае он бы уволил Лео.

— Таким образом вы помогли Лео добиться его цели. Для чего он, собственно, и сошелся с вами.

— Роули женился на мне главным образом из-за денег. Опять-таки только из-за того, чего мог от меня в то время добиться, — горько заметила она, — но жил со мной, потому что любил. Это вам ничего не объясняет?

Тернер не ответил.

— Он никогда ничего не облекал в слова, как я вам и сказала. Не говорил о чем-либо действительно важном. «Все, что мне требуется, — еще один год. Только один год, Хейзел. Год, чтобы любить тебя, год, чтобы получить от них все, что они мне задолжали. Один год, начиная с декабря, а потом я уеду. Они ведь сами не понимают, насколько я им нужен». Нет, я тогда сама догадалась пригласить его выпить с нами. Когда Роули был дома. Это случилось еще на ранней стадии. До того, как о нас стали распускать сплетни. Мы собрались втроем: я попросила Роули пораньше приехать с работы. «Роули, ты знаешь Лео Хартинга, он работает вместе с тобой и играет на органе в церкви». «Конечно же, мы знакомы», — ответил муж. Мы некоторое время вели пустую светскую беседу. Про орехи из «Комиссари». Про весенний отпуск. Как жилось в Кёнигсвинтере летом. «Мистер Хартинг приглашает нас к себе поужинать, — сказала я. — Разве это не мило с его стороны?» На следующей неделе мы отправились в Кёнигсвинтер. Но он угостил нас достаточно скудно. Мы пили ратафию, ели сладкие бисквиты и халву под кофе. Но это было все, что нужно.

— Как это мало, но все, что нужно?

— Боже мой, как вы не понимаете? Самое главное: я показала его мужу! Я показала Роули то, что он должен был купить для меня!

Стало совсем тихо. Грачи стражами расселись на слегка покачивавшихся ветках деревьев, но ветер больше не тревожил их оперение.

— Эти птицы чем-то напоминают лошадей, правда? — неожиданно сказала Хейзел. — Тоже спят стоя.

Она повернула голову, чтобы посмотреть на Тернера, тот молчал.

— Он ненавидел молчание, — в задумчивости произнесла она. — Тишина пугала его. Вот почему ему нравилась музыка, и потому, думаю, он любил свой дом... Его дом полнился разными звуками и шумами. Там бы и мертвец не заснул. Не говоря уж о Лео. — Она улыбнулась воспоминанию. — Он и не жил там, а управлял домом. Как капитан кораблем. Всю ночь слонялся вверх и вниз, поправляя то окно, то ставню, то что-нибудь другое. Так проходила и его жизнь в целом. Тайные страхи, секретные воспоминания, что-то, о чем он сам ничего не говорил, но ожидал: ты сама все поймешь. — Она зевнула. — Теперь он точно не приедет. Темноту он тоже ненавидел.

— Где же он? — с тревогой спросил Тернер. — Что сейчас делает?

Она ничего не ответила.

— Послушайте, но он же делился с вами чем-то, пусть даже шепотом. Ночью он хвастался перед вами, рассказывал, как заставил мир вращаться вокруг него. Какой он умный, какие ловкие трюки проделывал, как обманывал людей!

— Вы совершенно в нем не разобрались. Не поняли, какой он на самом деле.

— Так объясните мне!

— А нечего объяснять. Мы, если хотите, только переписывались с ним по-дружески. И он присылал мне послания из другого мира.

— Из какого мира? Мира Москвы, чтоб ей провалиться, где все якобы борются за мир?

— Я была права. Вы вульгарны и примитивны. Вам необходимо, чтобы все линии в точности сошлись и краски имели сочный цвет. Вам не хватает смелости разглядеть полутона.

— А ему хватало?

Но она, казалось, уже выбросила все мысли о Лео из головы.

— Поехали же отсюда, наконец, ради бога! — приказала она, словно только Тернер задерживал ее.

Ему пришлось долго толкать машину по дороге, прежде чем мотор завелся. Когда они спустились с холма, он заметил, как «опель» отъехал от обочины и поспешил занять позицию в тридцати ярдах позади них. Она поехала в «Ремаген» — один из крупных отелей, стоявших вдоль берега, которым управляла престарелая леди, похлопавшая ее по руке, как только она села в фойе.

— А где же ваш маленький мужчина? — спросила она. — Der nette kleine Herr. Всегда такой веселый, куривший сигары и говоривший на немецком.

— Он говорил с акцентом, — пояснила Хейзел Тернеру. — С легким английским акцентом. Этому ему тоже пришлось специально научиться.

Они перебрались в зимний сад, где никого не оказалось, не считая расположившейся в углу молодой пары. У девушки были светлые длинные волосы. Оба посмотрели на них немного косо, заметив порезы на лице Тернера. От столика у окна Тернер видел, как «опель» припарковался на лужайке внизу. Номерные знаки сменили, но луны оставались все теми же. У него сильно разболелась голова. Еще не успев выпить и половины своей порции виски, он ощутил приступ тошноты. Попросил принести воды. Старушка принесла бутылку целебной воды местного ро́злива и сообщила ему обо всех ее полезных свойствах. Ее применяли во время двух мировых войн, рассказала она, когда отель превратили в медпункт первой помощи для тех, кого ранили при переправе через реку.

— Он собирался встретиться со мной здесь в прошлую пятницу, — сказала Хейзел, — а потом отвезти ужинать к себе домой. Роули как раз отправлялся в Ганновер. Но в последний момент Лео все отменил.

— Накануне в четверг он опоздал на встречу. Я не особенно тревожилась. Порой он не являлся вообще. Иногда ему приходилось работать. Все изменилось. Стало иначе в последний месяц или чуть раньше. Они сам изменился. Я даже сначала подумала, что он завел другую женщину. Он постоянно неожиданно уезжал куда-то...

— Куда же?

— Однажды в Берлин. Потом в Гамбург, Ганновер, Штутгарт. Почти как Роули. По крайней мере, так он мне говорил, я ни в чем не могла быть уверена. Он не отличался желанием говорить только правду. В отличие от вас.

— Значит, в прошлый четверг он опоздал? Ну же, рассказывайте!

— Он сначала пообедал с Прашко.

— В «Матернусе», — выдохнул Тернер.

— Между ними прошла дискуссия. Это еще одно любимое словечко Лео. Не поссорились, а вступили в дискуссию. Он не сказал, по какому поводу. Но выглядел озабоченным. Мрачно-задумчивым. Я знала, что совершенно бесполезно даже пытаться вывести его из такого состояния, а потому мы просто прогулялись. А они следили за нами. И я поняла, что это все.

— Что — все?

— Истек год, который был ему необходим. Он нашел, что искал, чем бы это ни оказалось, но теперь не знал, как поступить с находкой. — Она пожала плечами. — Но к тому моменту я сама многое поняла. Он даже не подозревал. Помани он меня пальцем, я бы уехала с ним. — Она смотрела в сторону реки. — И ни дети, ни муж, ни черт, ни дьявол не смогли бы меня остановить. Впрочем, ему вовсе этого не хотелось.

— Что же он нашел? — шепотом спросил Тернер.

— Я не знаю. Но нашел и сообщил Прашко, а Прашко ни на что не годился. Причем Лео давно понял, что Прашко ему не поможет, но пожелал встретиться и все окончательно выяснить. Ему требовалось удостовериться: он остался совершенно один.

— Откуда вам известно? Что-то же он вам рассказал?

— Даже меньше, чем, вероятно, сам хотел рассказать. Он привык считать меня чуть ли не частью себя самого, и не видел необходимости ничем делиться. — Она снова пожала плечами. — А я была ему другом. Друзья не задают лишних вопросов, верно?

— Продолжайте.

— Роули сказал, что уезжает в Ганновер. То есть в пятницу вечером он туда отправлялся. А потому Лео решил устроить для меня ужин в Кёнигсвинтере. Особый ужин. Я спросила: «Мы будем что-то праздновать?» «Нет-нет, Хейзел, вовсе не праздновать». Просто теперь все становилось особенным, сказал он, и времени у нас осталось очень мало. Его контракт больше не продлят. Не будет еще года, начиная с декабря. Так почему бы нам теперь не устраивать себе хорошие ужины хотя бы иногда? И он смотрел на меня, пугая, избегая встречаться взглядом, а потом мы вернулись на тропу, причем он ушел от меня далеко вперед. Мы встретимся в «Ремагене», сказал он. И мы встретились. А потом вдруг неожиданно: «Послушай, Хейзел, какого дьявола задумал Роули? Зачем ему понадобилось в Ганновер? Всего за два дня до большого митинга?»

Хейзел могла даже имитировать выражение лица Лео — хмурое, чисто по-немецки мрачное выражение с преувеличенной искренностью во взоре, из-за чего она, разумеется, поддразнивала его, когда они оставались наедине.

— В самом деле, что там понадобилось Роули? — в свою очередь спросил Тернер.

— Как выяснилось, ничего. Он никуда не поехал, а Лео, наверное, узнал об этом, потому что отменил ужин.

— Когда?

— Он позвонил в пятницу утром.

— И что сказал? Повторите в точности его слова!

— Он сказал, что вечером ничего не получится. Причины не объяснил. Подлинной причины. Ему крайне жаль, но появилась работа, которую ему обязательно требовалось выполнить. Дело внезапно стало срочным. Он говорил официальным тоном: «Я весьма сожалею, Хейзел».

— И все?

— Я ответила: «Хорошо. — Она старалась избегать трагического тона. — Удачи тебе». И больше мы с ним не разговаривали. Он исчез, это беспокоило меня всерьез. Я звонила ему домой и днем и ночью. Вот почему вас пригласили на ужин. Мне казалось, вы можете что-то знать. Но вы ничего не знали. Это поняла даже такая дурочка, как я.

Светловолосая девушка поднималась из-за столика. На ней был удлиненный костюм из обработанной плотной замши, а потому ей пришлось потянуть полы пиджака и разгладить образовавшиеся складки на талии. Старушка хозяйка выписывала счет. Тернер подозвал ее, попросил еще воды, и она поспешно вышла, чтобы принести ее.

— Вы когда-нибудь видели этот ключ?

Неловкими движениями он вынул его из канцелярского конверта и положил перед ней на скатерть. Она взяла ключ и бережно положила на ладонь.

— Откуда он у вас?

— Из Кёнигсвинтера. Он лежал в кармане синего костюма.

— Того самого, который он надевал в четверг, — заметила она, рассматривая ключ.

— Его дали ему вы сами, не так ли? — спросил Тернер с нескрываемым отвращением. — Ключ от вашего дома?

— Вот как раз этого я ему не давала, — ответила она после паузы. — Пожалуй, единственное, что я бы отказалась дать ему.

— Продолжайте.

— Предполагаю, именно это ему понадобилось от Паргитер. Сучка Мэри Краббе нашептала мне об их романе.

Она посмотрела на лужайку, на затаившийся в тени между фонарными столбами «опель», а потом через реку, в сторону дома Лео.

— Он говорил, что в посольстве хранилось нечто, принадлежавшее ему. Какая-то вещь из давнего прошлого. «Они должны вернуть мне все, Хейзел». Но не рассказывал, что именно. Воспоминания, так он это называл. Речь шла о чем-то имевшем отношение к далекому прошлому, и я действительно могла дать ему ключ, чтобы он забрал свою вещь. Но я сказала: «Поговори с ними. Откройся Роули. Он все-таки неплохой человек и добрый». Нет, ответил он. Роули — последний на этой земле, к кому он мог бы обратиться. Причем вещь не была какой-то драгоценностью. Она лежала у них под замком, а они даже не подозревали о ее существовании. Вы хотите меня перебить, я вижу. Не надо. Просто слушайте. Я рассказываю вам гораздо больше, чем вы заслуживаете.

Она отхлебнула немного виски и продолжила:

— Приблизительно в третий раз... У нас дома. Он лежал в постели и непрерывно говорил об этом. «Ничего плохого, — объяснял он, — ничего связанного с политикой, но они должны мне это вернуть». Если бы ему разрешали выходить на ночные дежурства, то все было бы просто, но, учитывая временную должность, дежурить по ночам его не допускали. А ключ был только один. Его бы никогда не хватились. И вообще, никто не знал, сколько всего ключей в той связке. Единственный ключ, но столь необходимый ему. — Она помолчала. — Но при этом Роули всегда интересовал его. Ему нравилась, например, личная гардеробная моего мужа. Все эти мелочи — атрибуты истинного джентльмена. Ему было любопытно там все разглядывать. И, как догадываюсь, порой именно так он рассматривал и меня: как принадлежность Роули, как его жену. Как его запонки, его книжку стихов Эдварда Лира... Он хотел знать мельчайшие подробности. Кто начищал Роули ботинки, где он заказывал себе костюмы. И уже одеваясь тогда, он решил раскрыть карты. Словно вспомнил, о чем говорил всю ночь. «Эй, Хейзел, послушай меня! Ведь ты легко могла бы достать для меня нужный ключ. Когда Роули задерживался на работе по вечерам. Верно? Например, ты можешь приехать туда, сделав вид, будто забыла что-то в конференц-зале. Это же до ужаса просто! Ключ не похож на остальные, — продолжал он. — Его легко отличить в связке, Хейзел». Да, именно этот ключ, — сказала она, возвращая его на открытой ладони Тернеру. — Но я ответила: «Ты и сам достаточно ловок и умен, чтобы достать его».

— Это было еще до Рождества?

— Да.

— Боже, до чего я глуп! — прошептал Тернер. — Господи! До чего глуп!

— Почему вы так говорите? Что это было?

— Ничего. — В его глазах уже блеснули искры предвкушения успеха. — Просто на какое-то время я позволил себе забыть, что он — вор. Вот и все. Я-то думал, он скопировал ключ, а на самом деле он его украл. Разумеется, только так ему и следовало поступить!

— Никакой он не вор! Он настоящий мужчина. Он в десять раз лучше, чем вы.

— О да, конечно-конечно. У вас с ним была настоящая любовь, разумеется. Поверьте, я наслушался немало подобного вздора. Вы жили полной жизнью, о какой даже не хочется говорить вслух, не так ли? Вы были настоящими артистами, а Роули выступал как несчастный статист. Вы одни обладали душой, вы и Лео, слышали голос судьбы, а Роули лишь уловил нечто, поскольку слишком сильно любил вас. А я-то думал, все подобные слухи касаются только Дженни Паргитер. Боже милостивый! Вот бедолага! — воскликнул он, глядя в окно. — Несчастный придурок. Признаюсь, мне никогда не нравился Брэдфилд, это точно. Но сейчас я преисполнен к нему самого искреннего сочувствия.

Оставив на столе деньги, он последовал за ней вниз по каменным ступеням. Она была испугана.

— Предполагаю, он никогда не упоминал при вас о Маргарет Эйкман, так? Понимаете, он собирался на ней жениться. Она была единственной женщиной, кого он любил по-настоящему.

— Он никогда никого не любил, кроме меня.

— Но о ней и словом не обмолвился? Зато другим рассказывал о ней, понимаете? Почти всем, кроме вас. Именно она была самой большой любовью в его жизни!

— Я вам не верю! Не верю!

Он открыл дверь машины с ее стороны и склонился над ней:

— С вами ведь все в порядке, верно? Вас же не разубедить. Он любил только вас. Пусть весь мир провалится в тартарары, только никто не должен отнимать у вас этого маленького мальчика!

— Да, я уверена. Его любовь ко мне была подлинной. Я сама сделала ее подлинной. И он искренен во всем, чем бы ни занимался. То время принадлежит нам, и я не позволю вам все испортить. Ни вам, ни другим. Он нашел меня.

— А что еще он нашел?

Самым чудесным образом мотор ее машины сразу завелся.

— Он обрел меня, а то, что обнаружил там, стало лишь дополнением, второй частью, необходимой, чтобы он снова начал жить.

— Там? Там — это где же? Куда он отправился? Скажите мне! Вы знаете! Что он вам сказал?

Она уехала, ни разу не оглянувшись, но ехала медленно, поднимаясь вверх по лужайке перед отелем, и скоро скрылась в мареве ночных огней.

«Опель» тоже тронулся с места, всегда готовый следовать за ней. Тернер подождал, пока он не проедет мимо, а потом бегом бросился к шоссе и поймал такси.

Стоянка перед посольством оказалась переполнена. Охрану у ворот удвоили. И снова «роллс-ройс» посла был припаркован перед входом, как старинный корабль перед отплытием в самый разгар шторма. Взбегая по ступенькам с развевавшимися полами плаща, Тернер уже держал ключ в руке.

Глава 15

«СВЯЩЕННАЯ НОРА»

Два королевских курьера замерли перед стойкой, их черные кожаные сумки свисали, как парашюты, закинутые сзади поверх кителей.

— Кто из дипломатов сейчас на дежурстве? — порывисто спросил Тернер.

— А я-то думал, вы уже уехали, — сказал Гонт. — Вчера в семь часов вечера, так мне...

Кожа заскрипела, когда курьеры потеснились у стойки, чтобы дать ему подойти ближе.

— Мне нужна связка ключей.

Только сейчас Гонт разглядел раны на лице Тернера, и его глаза расширились.

— Позвоните ночному дежурному. — Тернер сам снял трубку и протянул ее Гонту через стойку. — Попросите его спуститься вниз с ключами. Быстро!

Гонт пытался возражать. Вестибюль чуть покачнулся, но быстро обрел равновесие. Тернер немного послушал тупое валлийское нытье, в котором жалобы перемешались с попытками грубой лести, а потом грубо схватил Гонта за воротник и затащил в темный коридор.

— Если не сделаете то, что вам приказано, я устрою, чтобы вы получили назначение в такое место, где еще при жизни будете гореть в аду.

— Но ключи никто не уносил, послушайте же меня.

— Где они?

— У меня. В сейфе. Но только я не могу выдать их вам без письменного разрешения, и вы прекрасно это знаете!

— Мне не нужны сами ключи. Я хочу, чтобы вы пересчитали их, только и всего. Пересчитайте эти треклятые ключи, понятно?

Курьеры, привыкшие вести себя профессионально сдержанно, беседовали, понизив голоса, смущенные неловкой ситуацией, но возглас Тернера обрубил их разговор, как острое лезвие топора:

— Сколько ключей должно быть в связке?

— Сорок семь.

Подозвав к себе более молодого охранника, Гонт открыл сейф, встроенный в угол, и достал оттуда уже знакомую Тернеру связку ярко блестевших медных ключей. Поневоле привлеченные любопытством, королевские гонцы смотрели, как крупные пальцы шахтера с прямоугольными ногтями отщелкивали каждый ключ, как косточку на бухгалтерских счетах. Он пересчитал их один раз, а потом — второй, передав затем молодому человеку для проверки. Тот произвел собственный подсчет.

— Ну, так что же?

— Сорок шесть, — угрюмо сказал Гонт. — Без сомнений.

— Сорок шесть, — эхом повторил юнец. — Одного не хватает.

— Когда их пересчитывали в последний раз?

— Едва ли кто-то сейчас вспомнит, — пробормотал Гонт. — Ими просто пользовались изо дня в тень, вот и все.

Тернер указал на новую, свежепокрашенную решетку, закрывавшую дверь на лестницу, которая вела в подвал.

— Как мне туда попасть?

— Я же вам уже сказал. Ключ есть только у Брэдфилда. Это решетка на случай чрезвычайных ситуаций. Охранники не отвечают за нее и не могут открыть сами.

— Как же туда приникают, например, уборщицы? Или тот же истопник?

— Вход в бойлерную расположен в другом месте. Но после событий в Бремене там тоже установили решетку. До печи можно добраться по внешней лестнице, но дальше оттуда не попасть — все заперто. — Гонт выглядел теперь явно испуганным.

— Но должна же быть пожарная лестница или служебный лифт.

— Задняя лестница действительно есть, но и она теперь на запоре. Замок висит.

— А где ключ от него?

— У Брэдфилда. Как и ключ от лифта.

— И куда ведет та лестница?

— До верхнего этажа.

— То есть до вашей квартиры?

— Даже если и так, что с того?

— Спрашиваю еще раз: она ведет до вашей квартиры или нет?

— Почти до нее.

— Покажите мне.

Гонт посмотрел в пол, переведя взгляд на молодого охранника, потом на Тернера и снова на юнца в мундире охраны. Затем с большой неохотой вложил связку ключей в руку молодого коллеги и, не сказав курьерам больше ни слова, быстро повел Тернера вверх по лестнице.

Дело вполне могло происходить и днем. Все светильники были включены, двери распахнуты. Секретари, клерки и дипломаты метались вдоль коридоров, не обращая на них никакого внимания. Все только и говорили о Брюсселе. Название города произносилось громко и шепталось как пароль. Оно срывалось с каждого языка, выстукивалось пишущими машинками, как будто даже читалось, выведенное по трафаретам на стенах, и звучало в телефонных звонках. Они поднялись пролетом выше к короткому коридору, где пахло как в плавательном бассейне. Порыв холодного сквозняка налетел откуда-то слева. На двери перед ними висела табличка: «Охрана канцелярии. Частное помещение», а ниже прикрепили другую: «Мистер и миссис Дж. Гонт, посольство Великобритании, Бонн».

— Нам же не обязательно заходить внутрь, верно?

— Значит, здесь он бывал, чтобы повидаться с вами? Вечерами в пятницу после репетиций хора? Поднимался этим путем?

Гонт кивнул.

— А что происходило, когда он от вас уходил? Вы выводили его наружу?

— Он мне не позволял. «Оставайся дома, дружище, и смотри телик. Я сам найду обратную дорогу».

— А вот эта дверь на заднюю лестницу? Та самая? — Он указал влево, откуда сквозило.

— Но вы же видите — она заперта. Ее годами уже никто не открывал.

— И это пожарная лестница? Единственная?

— Да, по ней можно попасть прямо в подвал. Здесь хотели устроить еще и мусоропровод, да деньги кончились. И оставили просто лестницу.

Дверь казалась прочной и неподатливой с виду, снабженной двумя большими замками, которых никто, по всей вероятности, уже давно не касался. Достав тонкий карманный фонарик и направив его вдоль косяка, Тернер проверил деревянные планки, прибитые по обе стороны, а потом решительно взялся за ручку.

— Подойдите сюда. Вы с ним примерно одного роста. Попробуйте. Положите пальцы на ручку. Но не надо ее крутить. Просто толкайте, толкайте как можно сильнее.

Дверь открылась совершенно бесшумно.

Воздух внезапно стал холодным, но затхлым, каким бывает в американских домах, когда ломаются кондиционеры. Они оказались на узкой лестничной площадке. Уходившие вниз ступени казались очень крутыми. Небольшое окошко смотрело на здание Красного Креста. Прямо под ними подсвеченный дымок вился из накрытой крышкой трубы столовой и исчезал в темноте. Штукатурка на стенах топорщилась крупными волдырями. Доносился звук капавшей воды. С противоположной стороны двери стояк оказался аккуратно перепилен. Освещая путь тонким лучом фонарика, они стали спускаться. Ступени были каменные, покрытые по центру циновкой из кокосовой копры. «Здесь расположен клуб посольства, — гласил очень старый плакат. — Всем добро пожаловать!» Они услышали звук чайника, подвешенного на крючке к стене, а потом отчетливо послышался голос девушки, диктовавшей:

— В то время как официальное заявление федерального правительства объясняет причины отказа с чисто технической точки зрения, даже самые трезвомыслящие комментаторы сходятся во мнении...

Инстинктивно оба от внезапного испуга остановились, вслушиваясь в слова, громко разносившиеся так, словно их читали прямо на лестнице.

— Это лишь вентиляция, — прошептал Гонт. — Звук проходит по этой трубе, понимаете?

— Замолчите.

Они услышали, как де Лиль мягко внес поправку в текст.

— Сдержанные, — сказал он. — «Сдержанные» будет правильнее. Замените слово «трезвомыслящие» на «сдержанные», хорошо, дорогая моя? Мы же не хотим заставить их думать, будто мы топим свои печали в вине?

Девушка хихикнула.

Вероятно, они достигли уровня первого этажа, потому что перед ними возник заложенный кирпичами дверной проем перед ним, на линолеуме пола валялись ошметки влажной отслоившейся штукатурки. Объявления зазывали на развлечения давно минувших дней: самодеятельные актеры посольства осуществили постановку «Ревизора» Гоголя. Большой вечер для детей из стран Содружества наций состоится в помещении резиденции посла. Имена гостей с их краткими биографиями и возможными особыми пожеланиями относительно диеты должны быть представлены непосредственно в приемную до 10 декабря. Год значился 1954-й, а подпись под объявлением поставил Хартинг.

В какое-то мгновение Тернеру пришлось бороться с ощущениями потери ориентировки во времени и пространстве. Он снова слышал звуки с барж, звон стекла, шорох угля, засыпаемого в топку, и скрип такелажа. Тот же стук, ту же пульсацию, перекрывавшую все остальные шумы.

— Что вы сказали? — спросил Гонт.

— Ничего.

Немного сбитый с толку, с легким головокружением, он слепо первым шагнул в ближайший коридор. В ушах стоял неумолчный звон.

— Вижу, вам нехорошо, — сказал Гонт. — Кто это вас так?

Они попали в помещение, где не было ничего, кроме старого токарного станка, у станины которого лежала успевшая заржаветь металлическая стружка. В дальней стене виднелась еще одна дверь. Тернер толчком открыл ее и на секунду потерял контроль над собой, отшатнувшись с чуть слышным криком отвращения, но перед ними оказалась лишь новая металлическая решетка от пола до потолка. А на веревке по другую сторону висел мокрый рабочий халат, капли воды, стекая с него, стучали по бетонному полу. Только и всего. Пахло прачечной и недогоревшим топливом. Красные отсветы из очага плясали по кирпичным стенам, новенькая сталь сверкала мелкими огоньками. Ничего сверхъестественного, сказал он себе, пока они двигались дальше, к следующей двери. Как в солдатском эшелоне во время войны. Переполненные вагоны, но все крепко спят.

Дверь оказалась стальной, ярко выделявшейся на фоне штукатурки — люк для затопления, расположенный гораздо ниже ватерлинии, с надписью «Проход запрещен», сделанной очень давно местами уже осыпавшейся краской из государственных запасов. Стена с левой стороны в свое время была окрашена в белый цвет, и он легко разглядел на ней царапины там, где проталкивали тележку. Светильник над головой защищался каркасом из толстой металлической проволоки, отчего на лицо Тернера легли длинные, похожие на пальцы тени. Он не без труда старался мыслить ясно. Подвешенные к потолку водопроводные трубы стонали и бурлили, а оставшаяся позади печь по другую сторону стальной решетки плевалась белыми искрами. Господи, да этой топки было бы достаточно, чтобы двигать океанский лайнер «Куин Элизабет», она могла согреть целую армию заключенных, но попусту использовалась для этой одинокой фабрики, порожденной сном, фантазией.

Тернеру пришлось основательно повозиться с ключом и с силой упереться в ручку, прежде чем механизм замка провернулся. Но внезапно в нем что-то хрустнуло, как сломавшаяся щепка, и они услышали звонкое эхо этого звука, словно оно резонировало по самым отдаленным комнатам. «Только оставь меня здесь, боже, только оставь мне сознание, — подумал он. — Ничего не меняй в моей натуре или в моей жизни. Не позволяй этому месту исчезнуть, а мне сбиться с пути, по которому я следую...» Под дверью, видимо, скопился толстый слой грязи, потому что она скрипнула, чуть приоткрылась и застряла. Тернеру пришлось навалиться на нее всем телом, чтобы открыть шире, действительно будто преодолев сопротивление воды, пока валлиец Гонт стоял позади, наблюдая, явно желая тоже что-то сделать, но не осмеливаясь ни к чему прикасаться. Поначалу, пытаясь нащупать выключатель, Тернер ничего не видел во тьме, но затем единственное маленькое, покрытое паутиной окошко проступило впереди и напугало его, потому что он ненавидел тюрьмы. Оно располагалось высоко в стене, было выложено в виде кирпичной арки, как горнило печи, и закрыто в целях безопасности наружной решеткой. Сквозь узкую полоску стекла в самом верху он мог различить лишь мокрый гравий стоянки. Пока он стоял на пороге, покачиваясь и осматриваясь, луч автомобильной фары медленно прополз по потолку. Тюремный прожектор, выискивавший тех, кто пытался совершить побег. А потом все это подземелье наполнилось громким шумом мотора отъехавшего от стены автомобиля. Армейское одеяло лежало на подоконнике, и он подумал: «Ты помнил, что надо прикрывать окно, помнил затемнение в бомбоубежищах Лондона».

Наконец его пальцы нащупали выключатель куполообразной формы, схожий с женской грудью, а когда он им щелкнул, то почувствовал, точно его самого опять ударили в грудь — по каменному полу прокатилась в его сторону волна пыли.

— Это помещение называют «Священная нора», — прошептал Гонт.

Тележка стояла в нише рядом с письменным столом. Папки с досье лежали сверху, пустые бланки снизу — разных размеров, но все четко помеченные красивым гербом. Тут же хранились подходящие конверты. Все готово, каждая вещь под рукой. В центре стола рядом с лампой для чтения Тернер увидел пропавшую пишущую машинку с удлиненной кареткой — на квадратной войлочной подложке, аккуратно накрытую целлофановым чехлом. Там же валялись три или четыре жестянки голландских сигар. На отдельном столике расположились термос, чашки с эмблемой НААФИ в большом количестве, аппарат для приготовления чая с таймером. На полу притулился электрический обогреватель с корпусом из пластмассы двух цветов, умело направленный в сторону стола, чтобы помочь бороться с проникавшей повсюду сыростью. На новеньком кресле с сиденьем из искусственной кожи лежала подушечка, украшенная вышивкой мисс Эйкман. Все это Тернер узнал, лишь окинув взглядом, и мысленно с ленцой поприветствовал, как приветствуют старых и поднадоевших друзей, а потом сразу забыл, устремившись к огромному архиву, составленному у стены комнаты от пола до потолка, к тонким глянцевым черным папкам с проржавевшими крепежными пружинами. Одни покрылись серым слоем пыли, другие смялись или покорежились от влаги. Колонна за колонной в черных мундирах. Хорошо обученные ветераны, ожидавшие нового призыва.

Должно быть, он спросил, что это такое, потому что Гонт уже шептал ему ответ. Нет, он даже не догадывался ни о чем, не мог высказать никаких предположений. Нет. Совершенно не его сфера деятельности. Нет. Этот архив находился здесь с незапамятных времен. Хотя ходили разговоры, что материалы принадлежали ГУСА, то есть Генеральному управлению судебной адвокатуры, уточнил он. Об этом судачили любители поговорить. Утверждали, что все доставили сюда из Миндена на грузовиках и просто бросили тут за отсутствием другого хранилища. Прошло, должно быть, лет двадцать, так считали наши говоруны. Да, не меньше двадцати лет. С тех пор, как закончился период оккупации. Вот и все, что ему известно, честное слово. Слышал от сплетников. Вернее, подслушал их разговоры чисто случайно, поскольку сам Гонт к говорунам никогда не принадлежал: вам это всякий подтвердит. Нет, это было даже больше, чем двадцать лет назад... Грузовики приехали однажды летним вечером... Макмуллен и кто-то еще из парней полночи помогали разгружать их... Конечно, в те дни кто-то еще думал, что посольству все это может понадобиться... Нет, доступа ни у кого не было. Особенно в последнее время. Никому не нужный хлам, если разобраться. О нем все забыли, да и как не забыть? Давным-давно какой-нибудь сотрудник канцелярии еще мог попросить ключ, но действительно очень давно. Гонт уже и не помнил, когда в последний раз такое случалось. Здесь никто не бывал долгие годы, хотя Гонт ни в чем не мог быть полностью уверен. Он научился выражаться крайне осторожно, беседуя с Тернером, — этот урок он успел прочно усвоить... Какое-то время ключ держали отдельно от других, а потом добавили в связку ночного дежурного... Но и это произошло очень давно. Гонт не мог припомнить, когда именно. Он только улавливал слухи. Маркус — шофер, который уже здесь не работает, утверждал, что это вовсе не архив ГУСА, а групповые досье, составленные специальным подразделением, прибывшим из Англии... Он говорил и говорил приглушенным заговорщицким тоном, похожим на бормотание старух в церкви. Тернер уже не слушал его. Он только что заметил карту.

Обычную карту, отпечатанную в Польше.

Ее прикололи кнопками над столом, причем прикололи недавно к отсыревшей штукатурке. В таком месте, где кто-то мог бы разместить портреты своих детишек. На ней не были помечены особыми знаками ни крупные города, ни границы государств. Никто не изобразил на них стрелками перемещение войск. Только места, где располагались концлагеря. Нойенгамме и Бельзен на севере, Дахау и Маутхаузен на юге. К востоку — Треблинка, Собибор, Майданек, Бельзек и Освенцим. В центре Равенсбрюк, Заксенхаузен, Кульмхоф, Гросс-Розен.

«Они должны мне, — вспомнил он внезапно. — Они должны мне». «Боже Всемогущий, каким же дураком, каким законченным тупицей я было все это время! Лео, вор несчастный! Ты приходил сюда, чтобы припасть к истории своего жуткого детства!»

— Уходите. Если понадобитесь, я вас позову. — Тернер смотрел на Гонта невидящим взглядом, крепко опершись рукой о полку. — Никому ни о чем не рассказывайте. Ни Брэдфилду, ни де Лилю, ни Краббе... Никому. Понятно?

— Не расскажу.

— Меня здесь нет. Меня не существует. Я вообще не появлялся в посольстве сегодня вечером. Это вы тоже понимаете?

— Вам нужно обратиться к врачу, — сказал Гонт.

— Проваливайте!

Выдвинув кресло, он сбросил подушечку на пол и уселся за стол. Положив подбородок на скрещенные ладони, дождался, чтобы стены перестали вращаться перед глазами. Он остался один. Один, как Хартинг. Тайно пробрался сюда. Жил подобно Хартингу на уже не принадлежавшее ему время. Охотясь, как Хартинг, на пропавшую, затерявшуюся истину. У окна располагался кран с раковиной. Тернер наполнил чайный аппарат, а потом потыкал во все кнопки подряд, пока машинка не заработала, начав издавать шипение. Возвращаясь к столу, он едва не споткнулся о зеленую коробку. Размером с узкий портфель, она была прямоугольной формы и очень жесткая, изготовленная из особо прочной кожи, из какой делали ножны и футляры для винтовок. Инициалы королевы виднелись прямо под ручкой. Углы укрепили набойками из тонкой стали. Замки кто-то грубо вскрыл, и коробка оказалась пуста. «Именно этим занимаемся мы все, не так ли? Ищем нечто, чего не существует».

Тернер остался в одиночестве. В окружении архивных папок. Вдыхая неприятный запах нагревшейся сырости, нагнетаемой вентилятором обогревателя, слыша потрескивание чайного аппарата. Очень медленно он начал переворачивать страницы. Некоторые досье были из числа старых, снятых с полок архива. Половина текста написана по-английски, а другая — жесткими готическими немецкими буквами, очертаниями напоминавшими колючую проволоку. Персоналии значились как в списках спортсменов на соревнованиях: сначала фамилия, потом имя. Лишь несколько строк добавили поверх страницы, а внизу виднелась небрежная подпись, подтверждавшая необходимость и дававшая разрешение списать документ в архив. Зато папки на тележке оказались совсем новыми. В них лежали материалы, напечатанные на дорогой, гладкой бумаге, а в подписях узнавались знакомые фамилии. Некоторые представляли собой всего лишь списки отправленной и полученной почтовой корреспонденции, где темы писем подчеркнули, а поля выровняли.

Он остался один в самом начале пути, проделанного Хартингом, и только оставленный им след служил ему подсказкой, только бурление в водопроводных трубах из коридора — звуковым фоном. «Эти птицы чем-то напоминают лошадей, правда? — вспомнился голос Хейзел Брэдфилд. — Тоже спят стоя». Он был один. «То, что Лео обнаружил там, стало лишь дополнением, второй частью, необходимой, чтобы он снова начал жить».

Медоуз спал. Но ни за что не признался бы, что спит. А Корк милосердно никогда бы не обвинил его в этом. Прежде всего потому, что формально, как у лошадей Хейзел Брэдфилд, его глаза оставались открытыми. Он откинулся на низко опущенную, покрытую чехлом спинку библиотечного кресла с видом человека, заслужившего отдых, а сквозь окна между тем доносились звуки, принесенные наступившим рассветом.

— Я передаю работу Биллу Сатклиффу, — говорил Корк громко и намеренно небрежно. — Вам от меня ничего не нужно до того, как я удалюсь? Мы завариваем чай. Если захотите, можете выпить чашечку.

— Ничего, обойдусь, — едва слышно отозвался Медоуз, но тем не менее резко выпрямился в кресле. — Мне нужна всего минута, и я буду в полном порядке.

Корк с готовностью уставился в окно на стоянку, давая ему время встряхнуться.

— Мы готовим чай, если есть желание, — повторил он. — Валери только что поставила чайник на плитку. — Он держал в руке пачку телеграмм. — Такой ночки у меня не выдавалось со времен Бремена. Сплошные разглагольствования. Пустые словеса. Вот и все, что здесь есть. К четырем часам утра они начисто забыли о правилах обеспечения безопасности. Его превосходительство и государственный секретарь запросто разговаривали по незащищенной телефонной линии. Фантастика! Послали к черту все, подумал я: коды, шифры и прочую музыку из этой оперы.

— А кому они теперь нужны? — спросил Медоуз, обращаясь скорее к себе самому, нежели к Корку. Потом встал и тоже подошел к окну. — После бегства Лео.

Рассветы никогда не бывают окончательно и бесповоротно зловещими. Все-таки наша планета сама себе хозяйка. Голоса, крики, краски и запахи никогда не навевают с восходом солнца особо дурных предчувствий. Даже охранники у ворот, число которых удвоили со вчерашнего вечера, как-то по-домашнему расслабились и не выглядели угрожающе. А утренний свет, отражаясь в их кожаных плащах, смягчался и придавал им совершенно безвредный вид. Их поступь, когда они по очереди совершали обход периметра вверенной им территории, казалась неспешной и размеренной, словно они были погружены в какие-то свои мудрые мысли. На Корка все это навевало оптимистическое настроение.

— Мне кажется, сегодня мой день, — сказал он. — Стану отцом еще до обеда, как считаете, Артур?

— Дети так быстро не рождаются, — ответил Медоуз. — Особенно первенцы.

И оба занялись подсчетом автомобилей на стоянке.

— Забита почти под завязку, как я погляжу, — заявил Корк, и он нисколько не преувеличивал.

Белый «ягуар» Брэдфилда, красная спортивная машина де Лиля, маленький «уолсли» Дженни Паргитер, универсал Гейвстона с детским сиденьем, закрепленным со стороны пассажира, потрепанный «двухтысячник» Джексона и даже сильно побитый «опель-капитан» Краббе, который уже дважды изгонял с общей парковки сам посол, в дни кризиса прокрался внутрь двора с крыльями, вывернутыми наружу подобием уродливых клешней.

— Ваш «ровер» смотрится более чем достойно, — заметил Корк.

В почтительном молчании они положенное время любовались красотой обводов кузова машины Медоуза, стоявшей на фоне ограды напротив столовой. Ближе всех на почетном месте разместился «роллс-ройс», охраняемый специально выделенным для этой цели армейским капралом.

— Встреча состоялась, не так ли? — спросил Медоуз.

— Разумеется.

Корк лизнул палец, вытащил нужную телеграмму из пачки, которую зажимал под мышкой, и начал вслух зачитывать шутливо-нравоучительным тоном отчет посла о состоявшейся у него беседе с федеральным канцлером, подготовленный для министра иностранных дел в Лондоне: «Я отметил, что, как член кабинета министров Великобритании, ответственный за нашу политику на международной арене, Вы полностью поддерживаете те многочисленные предложения, которые были выдвинуты лично господином канцлером, и пребываете в твердой уверенности по поводу незыблемости его позиции, состоящей в том, чтобы не поддаваться давлению со стороны шумных и настойчивых сторонников меньшинства на конференции в Брюсселе. Я был также вынужден напомнить ему о мнении нынешнего руководства Франции относительно вопроса о воссоединении Германии, описав его не только как крайне неразумное, но и откровенно антиамериканское, антиевропейское, но прежде всего — антигерманское...»

— Слушай, — внезапно прервал его Медоуз. — Помолчи немного и вслушайся.

— Что вы имеете...

— Тихо же!

Из дальнего конца коридора до них донесся размеренный гул, словно автомобиль взбирался по склону крутого холма.

— Это невозможно, — резко сказал Медоуз. — Только у Брэдфилда есть ключ, а он...

Они услышали стук сложившихся дверей, а потом вздох гидравлических тормозов.

— Это кровати! Вот оно что! Еще кровати. Его открыли, чтобы доставить их сюда в еще большем количестве. — И в подтверждение выдвинутой Корком версии раздалось клацанье металла о металл и скрип пружин.

— К воскресенью посольство превратят в настоящий Ноев ковчег, поверьте мне. Дети, девушки, весь этот штат работающих у нас немцев: Вавилон — вот что здесь будет. Нет, лучше сравнить с Содомом и Гоморрой. Но меня больше тревожит другое. Вдруг у нас все случится во время их чертовой демонстрации? Вот повезет так повезет, что скажете? Мой первый ребенок, новорожденный Корк, появится на свет в окружении врагов, чуть ли не в плену!

— Ладно. Читайте, что там дальше.

— «Федеральный канцлер принял к сведению обеспокоенность британской стороны, но посчитал неверной ее направленность. Он заверил меня, что проведет консультации с министрами и они примут меры для восстановления спокойствия и порядка. Я, со своей стороны, высказал предположение, что своевременное политическое заявление со стороны правительства может оказать крайне полезное воздействие. Однако мнение канцлера сводится к нежелательности повторения уже однажды предпринятого действия, поскольку оно продемонстрирует скорее слабость властей, нежели силу. После чего он попросил меня передать Вам свои наилучшие пожелания, давая понять, что считает беседу законченной. Я спросил его, не рассмотрит ли он вопрос о заказе новых номеров в отелях Брюсселя для членов немецкой делегации, чтобы положить конец всевозможным инсинуациям и спекуляциям, поскольку Вы выразили личную тревогу при появлении сообщений, что германская делегация расплатилась по гостиничным счетам и отменила бронирование комнат на будущее. Канцлер ответил: определенные шаги в этом направлении будут непременно сделаны».

— Пустая болтовня. Зеро, — рассеянно прокомментировал Медоуз.

— «Затем канцлер поинтересовался состоянием здоровья королевы. До него дошел слух, что она слегла с инфлюэнцей. Я подтвердил эту информацию, но намекнул на легкую степень заболевания. Худшее уже позади, уверил его я, но обещал все равно навести необходимые справки и прислать ему свой отчет. Канцлер высказал надежду, что ее величество будет впредь проявлять больше заботы о себе в такое болезнетворное время года. Я ответил: мы все искренне надеемся на благоприятную перемену погоды уже к понедельнику, и господин канцлер со свойственным ему чувством юмора изволил рассмеяться. Мы расстались, сохранив хорошие личные отношения». Ха-ха-ха. Они также немного поболтали о сегодняшней демонстрации. Канцлер сказал, что у нас нет оснований для беспокойства. МИД в Лондоне передаст копию этой информации во дворец. «Аудиенция, — продолжил

Корк чтение с широким зевком, — по принятому обыкновению, завершилась взаимным обменом комплиментами в двадцать два часа двадцать минут. Совместное коммюнике было подготовлено для передачи в прессу». А тем временем в экономическом отделе все на стенку лезут от отчаяния, а в коммерческом делают неутешительные прогнозы курса фунта, цены на золото и прочее. Мы, быть может, подошли к крупному спаду. Но никому нет до этого дела.

— Тебе было бы лучше присутствовать при очередном медицинском обследовании, — сказал Медоуз. — Чтобы тебе объяснили: не надо торопить события.

— Я бы не против заиметь даже близнецов, — заметил Корк, а Валери в этот момент внесла поднос с чаем.

И Медоуз даже успел поднести чашку к губам, когда услышал звук двигавшейся тележки, знакомый скрип одного из ее разболтавшихся колесиков. Валери поставила поднос на стол с грохотом, чуть не выронив его, отчего немного заварки из чайника выплеснулось в сахарницу. На ней был зеленый пуловер, и Корк, которому нравилось смотреть на нее, когда она повернула лицо в сторону двери, увидел у нее на шее чуть заметные красные пятна. При этом Корк среагировал быстрее всех. Сунув пачку телеграмм Медоузу, он подошел к двери и выглянул в коридор. Да, это была их тележка, доверху нагруженная папками в красных и черных обложках, а толкал ее Алан Тернер. Он был в рубашке с короткими рукавами, а под глазами у него красовались синяки и ссадины. На сильно рассеченную губу поспешно наложили шов. Не брился он уже давно. Коробка для секретных документов венчала груду досье. Позже Корк, делясь впечатлениями, вспоминал, что Тернер выглядел как человек, сумевший в одиночку пробиться с тележкой через линию фронта, преодолев сопротивление неприятеля. Пока он двигался вдоль коридора, вслед за ним одна за другой открывались все двери: Эдна из машбюро, Краббе, Паргитер, де Лиль, Гейвстон — они сначала выглядывали из кабинетов, а потом выходили. Ко времени прибытия Тернера к референтуре, где он откинул вверх стальную поперечную стойку и бесцеремонно вкатил тележку в самый центр помещения, закрытым оставался только кабинет Роули Брэдфилда, начальника канцелярии.

— Пусть все остается здесь. Ни прикасайтесь ни к чему.

Затем Тернер вернулся назад, пересек коридор и без стука вошел к Брэдфилду.

Глава 16
«ЭТО ВСЁ ФАЛЬШИВКИ»

— Я думал, вы уехали. — В тоне Брэдфилда звучала скорее усталость, чем удивление.

— Опоздал на самолет. Разве она вам не сказала?

— Что, черт побери, с вашим лицом?

— Зибкрон послал своих молодчиков обыскать мой номер в отеле. Видимо, хотели узнать что-нибудь новенькое по поводу Хартинга. Мне пришлось прервать их работу. — Тернер сел в кресло. — А они все здесь англофилы. Как Карфельд.

— Дело Хартинга закрыто. — Роули нарочитым движением отложил в сторону какие-то телеграммы. — Я уже отправил все бумаги по его поводу в Лондон вместе с письмом, в котором дал оценку ущербу, нанесенному нашей национальной безопасности. Остальным будут заниматься уже там. Не сомневаюсь, что в положенные сроки они примут решение, ставить ли нам в известность партнеров по НАТО.

— Тогда можете зачеркнуть все, что вы там понаписали. И забудьте о всяких оценках.

— Я шел ради вас на большие уступки, — злобно отозвался Брэдфилд, к которому вернулась свойственная ему обычно строгость тона. — Всевозможные уступки. Учитывая вашу пренеприятную профессию, невежество в дипломатических делах и сугубо личную грубость вашей натуры. Ваше пребывание здесь не принесло ничего, кроме проблем. Вам, видимо, на роду написано становиться у всех бельмом на глазу. Какого дьявола вы все еще торчите в Бонне, если вам было дано указание покинуть город? И кто дал вам право врываться сюда в таком виде? Вы что, понятия не имеете о происходящем? Сегодня пятница. День большой демонстрации. Говорю на тот случай, если вы забыли об этом.

Поскольку Тернер даже не пошевелился в кресле, ярость Брэдфилда постепенно унялась, что стало проявлением чрезмерного переутомления.

— Ламли сразу сказал, что вы — неотесанный мужлан, но работаете эффективно. До сих пор я видел только проявления неотесанности. И меня ничуть не впечатляет, что вы столкнулись с насилием, потому что сами на него напрашивались. Я предупреждал вас, сколько вреда вы можете принести, изложил причины, которые заставляют меня прекратить здесь любые расследования, и даже старался не замечать бессмысленной жестокости, проявленной вами к моим подчиненным. Но теперь с меня хватит. Отныне вам запрещено находиться на территории посольства. Убирайтесь.

— Я нашел досье, — сказал Тернер. — Все папки до единой. А заодно и тележку, и пишущую машинку, и кресло. Как и электрический обогреватель с вентилятором, пропавший у де Лиля. — Он говорил довольно невнятно и неубедительно, а его взгляд был устремлен на что-то, находившееся вне пределов этой комнаты. — Кроме того, чашки из столовой и прочие вещи, которые он стянул в разное время. Письма, взятые им из экспедиторской, но так и не переданные Медоузу. Потому что они, видите ли, были адресованы самому Лео. Являлись ответами на посланные им запросы. Он ведь в некотором смысле руководил собственным департаментом: отдельным подразделением канцелярии. Только вы об этом не догадывались. Он докопался до правды о Карфельде, и теперь на него ведут охоту. — Тернер коснулся пальцами лица. — Те, кто сотворил это со мной, на самом деле разыскивают Лео. А он сбежал, поскольку слишком много знал и задавал чересчур много вопросов. Насколько мне известно, его уже могли схватить. Извините, что говорю о столь скучных вещах, — добавил он бесстрастно, — но таково положение дел. Я бы не отказался от чашки кофе, если можно.

Брэдфилд не шелохнулся.

— А что по поводу зеленой папки?

— Вот ее не оказалось на месте. Только пустая коробка.

— Он забрал ее с собой?

— Не знаю. Это мог сделать Прашко. Не знаю. — Тернер помотал головой. — Уж простите. — И продолжил: — Вам необходимо найти его раньше их. Потому что они его убьют. Вот что я пытаюсь вам втолковать. Карфельд — самозванец и убийца, а Хартинг располагает доказательствами этого. — Он наконец заговорил громко и уверенно: — Надеюсь, я все изложил достаточно ясно?

Брэдфилд продолжал рассматривать его внимательно, но без тени обеспокоенности.

— Когда именно Хартинг заинтересовался им? — Тернер словно задал вопрос самому себе. — Поначалу он ничего не хотел замечать. Отвернулся от всего. Он отвернулся от очень многого, стараясь ни о чем не вспоминать. Пытаясь не замечать очевидного.

Он вел себя как все мы, придерживаясь дисциплины, ни во что не вмешиваясь и не считая это жертвой со своей стороны. Садоводство, вечеринки. Выполнял свои обязанности. Чтобы просто выжить. Никуда не влезал без спроса. Низко склонял голову, чтобы внешний мир прокатывался сверху, не замечая его. Но так было до октября, когда Карфельд обрел реальную власть. Понимаете, он знал Карфельда. И Карфельд многое задолжал ему. А для Лео это было очень важно.

— Что именно задолжал?

— Не подгоняйте меня. Подождите. Постепенно, шаг за шагом он начал... оттаивать. Позволил себе снова начать чувствовать. Карфельд причинял ему мучения. А мы ведь с вами знаем, каково это, когда тебя подвергают мучениям, не правда ли? Он видел лицо Карфельда повсюду. Такое, каким оно стало сейчас. Ухмыляющееся, хмурящееся, угрожающее... Его имя звенело у Лео в ушах: Карфельд мошенник, Карфельд не тот, за кого себя выдает, Карфельд — убийца.

— Бросьте! О чем вы говорите? Это все до смешного глупо.

— Но теперь Лео не мог больше такого выносить. Ему претили самозванцы. Он хотел докопаться до правды. Мужская менопауза: вот что это такое. Он стал отвратителен самому себе... Потому что ничего не предпринял, взял на себя грех умолчания, который равнозначен греху соучастия. Его тошнило от собственных мелких уловок, от повседневной рутины. Нам всем знакомо это ощущение, верно? Вот и Лео познал его в полной мере. И он решил добиться того, что ему задолжали: правосудия над Карфельдом. Вы же знаете, каким он мог быть злопамятным и ничего не забывавшим. Но насколько я понял, такие люди никому не нравятся в наши дни. И потому ему пришлось затеять тайный заговор. Для начала проникнуть в канцелярию, потом продлить договор с посольством, затем добыть нужные досье: персоналии... старые папки, обреченные на уничтожение... и совсем уже забытые дела, хранившиеся в «Священной норе». Он снова завел дело, возобновил расследование...

— Понятия не имею, о чем вы говорите. Вы просто больны. Больны и окончательно запутались. Вам лучше пойти и прилечь. — Рука Брэдфилда дернулась к телефону.

— Сначала он раздобыл ключ, и это оказалось достаточно легко. Положите трубку! Оставьте телефон в покое! — Рука Брэдфилда снова дернулась, но тут же легла поверх рабочего блокнота.

Тренер продолжил: — А затем он начал трудиться в «Священной норе», устроил там небольшой кабинет, составлял собственные досье, вел записи и протоколы, занимался перепиской... Он практически поселился там. И крал из канцелярии все необходимое. Он был вором, как вы сами сказали. Вам виднее. — На мгновение голос Тернера зазвучал как будто даже мягко, понимающе. — Когда вы закрыли вход в подвал? После Бремена, так? В выходные дни. Тогда он запаниковал по-настоящему. Единственный раз. Именно тогда он похитил тележку. Слушайте! Я ведь на самом деле продолжаю говорить о Карфельде. О его ученой степени, военной службе, ранении под Сталинградом, о химическом заводе...

— Подобные сплетни распространяются уже несколько месяцев. С тех самых пор, как Карфельд превратился в серьезную политическую фигуру, мы только и слышали, что истории о его прошлом, но каждый раз он успешно опровергал домыслы. Вы не найдете в Западной Германии ни одного мало-мальски влиятельного политика, которого коммунисты не пытались бы в свое время облить грязью.

— Лео не коммунист, — просто констатировал Тернер с бесконечной усталостью. — Вы мне сами говорили: он примитивен. Годами он старался держаться подальше от политики, опасаясь того, что может услышать или узнать. И я не о сплетнях. Я веду речь о конкретном факте, причем факте, имеющем британские корни. Об эксклюзивном факте. Все это хранится в нашем британском досье, запертом в нашем британском подвале. Вот откуда он получил сведения, и даже вам не удастся теперь снова похоронить все среди моря бумаг. — В его голосе не было ни триумфа, ни враждебности к собеседнику. — Вся информация вернулась в референтуру. Проверьте, если пожелаете. Вместе с пустой коробкой. Кое-что я не до конца понимаю — моего знания немецкого языка для этого недостаточно. Я отдал распоряжение, чтобы никто не прикасался к материалам. — Он усмехнулся при воспоминании, но усмешка получилась горькой, поскольку он, вероятно, вспомнил в первую очередь о собственном сложном положении. — А вы ведь, черт возьми, почти сорвали его планы и непременно нарушили бы их, если бы только всё знали. Он спустил тележку вниз в те же выходные дни, когда вы поставили решетки на двери и опечатали лифт. Лео пришел в ужас при мысли, что не сможет продолжать, что ему перекроют доступ в «Священную нору». До тех пор все выглядело для него почти детской игрой. Ему нужно было только спуститься на лифте с пачкой документов. Он ведь имел доступ повсюду: работа над персональными досье давала ему такое право. И он попадал прямиком в подвал. Но вы почти положили всему конец, сами не зная этого. Решетки на случай возникновения кризисных ситуаций перекрывали ему все пути. Вот он и свалил груду документов, которые могли ему понадобиться, на тележку и просидел выходные в подвале, пока рабочие не закончили свой труд. Чтобы выбраться наружу, ему оставалось только сломать дверь на задней лестнице. После этого он уже целиком полагался на Гонта, постоянно приглашавшего его к себе наверх. Ни о чем не подозревая, разумеется. Если разобраться, то никто ни в чем не виноват. И я прошу прощения, — добавил он смиренно. — Мне нужно извиниться за все, что я наговорил о вас. Я ошибался.

— Сейчас едва ли подходящее время для извинений, — огрызнулся Брэдфилд, а потом позвонил мисс Пит и попросил принести кофе.

— Я собираюсь рассказать вам все так, как изложено в досье, — продолжал Тернер. — Дело против Карфельда. Вы окажете мне большую услугу, если не станете перебивать. Мы оба устали, и времени в нашем распоряжении совсем мало.

Брэдфилд положил поверх блокнота лист голубой бумаги для черновиков. Его авторучка зависла над ним. Мисс Пит налила им кофе и удалилась. Хотя выражение ее лица, единственный исполненный брезгливости взгляд, которым она окинула Тернера, стал красноречивее любых слов из ее богатого лексикона, так и не произнесенных.

— Я расскажу вам, что мне удалось выяснить и сложить в единое целое. Найдите изъяны и неточности в моей версии, но только позже.

— Уж я постараюсь, — кивнул Брэдфилд с мимолетной улыбкой, напомнившей улыбку совсем другого человека.

— Рядом с Данненбергом на самой границе разделительной зоны есть деревушка. Она называется Хапсторф. Там и живут-то всего три человека с собакой, а расположена она в уединенной, поросшей лесом долине. Или, вернее, была расположена. Но в тридцать восьмом году немцы построили там завод. Недалеко находилась старая бумажная фабрика на берегу реки с очень быстрым течением. И при ней стоял деревенский дом, прилепившийся к краю скалы. Фабрику переоборудовали, а вдоль берега реки построили лабораторные корпуса, превратив местечко в глубоко засекреченный исследовательский центр для разработки определенного типа газа.

Тернер отпил глоток кофе, надкусил бисквит, и оказалось, что ему даже есть больно, а потому он склонил голову набок и принялся жевать с крайней осторожностью.

— Отравляющего газа. Преимущества казались очевидными. Разбомбить предприятие в таком месте практически невозможно, стремнина позволяла избавляться от нежелательных стоков, а деревенька была настолько крошечной, что не составляло труда ликвидировать любого, кто мог им помешать. Понятно?

— Понятно. — Пока Тернер говорил, Брэдфилд записывал ключевые пункты его рассказа. Причем, как заметил Тернер, каждый пункт был им пронумерован, и он подумал: какой смысл в нумерации? Ты не сможешь опровергнуть факты, какие номера им ни присваивай.

— Местные жители заявляют, что ничего не знали о происходившем, и это, по всей вероятности, правда. Они видели, что старую бумажную фабрику снесли, а на ее месте построили очень дорогое с виду предприятие. Заметили они и то, как усиленно охранялись склады позади завода. Работникам строго запрещалось общаться с местными. Причем рабочая сила состояла почти целиком из иностранцев: французов, поляков. Им не разрешалось покидать территорию завода, а потому даже случайное общение исключалось. Зато все видели животных. Главным образом обезьян, хотя были там и овцы, и козы, и собаки. Животных привозили на завод, но там они и оставались навсегда. Есть копии писем, полученных местным гауляйтером, с жалобами от любителей животных.

Он посмотрел на совершенно невозмутимого Брэдфилда с некоторым удивлением.

— Лео трудился в подвале ночь за ночью, собирая воедино всю эту информацию.

— Он не имел права ничего там делать. Подвальный архив много лет был закрыт для доступа.

— Но он справлялся со своим делом очень хорошо.

Брэдфилд продолжал делать пометки на листке.

— За два месяца до окончания войны завод был разрушен британцами. Точечными бомбардировками. Взрывы имели колоссальную силу. Предприятие стерли с лица земли, а заодно и соседнюю деревушку. Иностранные рабочие погибли. Говорят, звуки взрывов разносились на многие мили, и постепенно все взлетело на воздух.

Перо Брэдфилда теперь двигалось по бумаге гораздо быстрее, чем прежде.

— Во время бомбардировок Карфельд находился дома в Эссене. В этом тоже нет никаких сомнений. Он утверждает, что как раз уехал на похороны матери, погибшей в ходе налета нашей авиации.

— И что же?

— Он действительно был в Эссене. Вот только не на похоронах матери, которая умерла двумя годами ранее.

— Чепуха! — воскликнул Брэдфилд. — Пресса давно бы...

— В деле есть фотокопия подлинного свидетельства о ее смерти, — спокойно перебил его Тернер. — Не могу сказать, как выглядит новое. И не знаю, кто изготовил для него подделку. Хотя, думаю, мы можем догадаться об этом без особого умственного напряжения и игры воображения.

Брэдфилд окинул его оценивающим взглядом, выжидая.

— После войны британцы, базировавшиеся в Гамбурге, отправили оперативную группу, намереваясь осмотреть то, что осталось от Хапсторфа, собрать сувениры и сделать фотографии. Обычную разведгруппу. Никакого спецназа. Они рассчитывали, что смогут разыскать работавших там прежде ученых, чтобы воспользоваться их знаниями и опытом. Понимаете, куда клоню? Но в результате доложили, что не осталось вообще ничего. Хотя им удалось собрать кое-какие сведения и слухи. Французский рабочий, один из немногих оставшихся в живых, рассказал об экспериментах, проводившихся не на подопытных животных, а на людях. Не на тех, кто там трудился, а на других, привезенных издалека. Животные использовались лишь в самом начале, а потом им захотелось проверить все на наилучшем материале, и была налажена специальная доставка. Он вспоминал, как однажды ночью дежурил в охране при воротах — к тому времени ему уже доверяли — и как немцы приказали ему возвращаться в барак, ложиться спать и не покидать его до утра. У него зародились подозрения, а потому он спрятался неподалеку, став свидетелем странной сцены. Серый автобус, самый обыкновенный автобус проехал сначала через одни ворота, потом через другие, не остановившись для обычной проверки документов. Машина направилась в заднюю часть территории, где располагались склады, и исчезла из вида. Но всего минуты две спустя автобус вернулся на более высокой скорости. Совершенно пустой. — Тернер снова прервался, достал из кармана носовой платок и очень осторожно промокнул лоб. — Француз сообщил также, что один его приятель, бельгиец, получил предложение за особые льготы поработать в новой лаборатории, оборудованной под скалой. На пару дней он куда-то пропал, а когда вернулся, был бледнее привидения. Сказал, что не проведет там больше ни одной ночи за все золото мира. Еще днем позже он исчез. Переведен на другую работу, так им объяснили. Но до своего исчезновения бельгиец успел поговорить со своим другом и упомянул о докторе Клаусе. По его словам, доктор Клаус являлся старшим администратором, то есть человеком, который все организовывал, облегчая задачу ученым. Именно он предложил ему ту работу.

— И вы называете это доказательством?

— Подождите. То ли еще будет. Подождите. Разведгруппа доложила обо всем, и копия рапорта была направлена в местный отдел розыска военных преступников. Они взялись за это дело. Допросили того француза еще раз, сняли с него подробные показания, но им не удалось обнаружить ничего, что подтверждало бы его историю. Одна старушка, владевшая цветочным магазином, будто бы слышала ночью крики, но не могла вспомнить, в какую именно ночь. И разве то не могли быть крики животных? Словом, все выглядело крайне невнятно.

— Более чем невнятно, сказал бы я.

— Послушайте, — вскинулся Тернер, — мы же с вами теперь на одной стороне, верно? Не требуется больше насильно открывать ничьих дверей.

— Зато, возможно, некоторые двери придется закрыть, — бросил Брэдфилд, не переставая писать. — Но это подождет. Продолжайте.

— Короче, отдел был завален работой, людей не хватало, и дело отложили. А если точнее, то зарегистрировали и прекратили расследование. У них тогда на руках оказалось слишком много гораздо более вопиющих случаев, требовавших срочного завершения. На доктора Клауса завели формуляр и благополучно о нем забыли. Француз вернулся на родину, старушка не вспоминала больше про крики, вот и все. Но так продолжалось лишь около двух лет.

— Не спешите.

Перо Брэдфилда перестало поспевать за рассказом. Ведь он выводил буквы тщательно и разборчиво, как всегда, заботясь о тех, кому предстояло в будущем читать написанное.

— А затем произошел непредвиденный инцидент. Хотя отчасти вполне предсказуемый, если иметь в виду рассматриваемые нами обстоятельства. Фермер, обитавший неподалеку от Хапсторфа, приобрел по дешевке у местного совета земельный участок. Почва твердая, каменистая и поросшая деревьями, но он решил, что сумеет с ней справиться. Однако стоило ему вскопать землю и пройтись по ней плугом, как он обнаружил захоронение — тридцать два тела взрослых мужчин. Немецкая полиция осмотрела братскую могилу и поставила в известность оккупационные власти. Поскольку преступления против личного состава союзнических армий подпадали под их юрисдикцию. Британцы провели расследование и установили, что тридцать один человек умер в результате отравления газом. Тридцать второй труп был одет в стандартную робу иностранного рабочего, и его убили выстрелом в затылок. Но было еще кое-что... Нечто, действительно их поразившее. Все трупы носили следы грубой работы хирурга.

— Какой работы?

— Их успели вскрыть. Подвергнуть аутопсии. Кто-то сумел добраться до них раньше. И дело открыли вновь. Люди в городке припомнили, как из Эссена приезжал доктор Клаус.

Теперь Брэдфилд пристально наблюдал за Тернером. Он положил на стол авторучку и сплел перед собой пальцы рук.

— Они изучили список химиков, имевших имя Клаус, обладавших необходимой квалификацией для проведения сложных научных исследований, проживавших в Эссене. И не потребовалось много времени, чтобы в поле зрения попал Карфельд. Никакой ученой степени, а тем более докторской, у него не было. Ее он получил позже. Но к тому времени уже установили, что все ученые работали под псевдонимами. Так почему было не присвоить себе еще и звание доктора? Эссен находился в британской зоне оккупации. Карфельда задержали. Он все отрицал. Естественно. Напомню: если не считать тел, материалов для обвинения собрали мало. Но была и совершенно случайно обнаруженная информация.

Брэдфилд предпочел больше не прерывать его.

— Вы слышали о работах в области эвтаназии?

— Да. В Хадамаре. — Брэдфилд кивнул в сторону окна. — Ниже по реке отсюда. В Хадамаре, — повторил он.

— Хадамар, Вайльмюнстер, Айхберг, Кальменхоф — клиники, в которых занимались устранением ненужных людей. Тех, кто своей жизнью обременял немецкую экономику, но не приносил ей никакой пользы. Обо всем этом вы можете многое прочитать в «Священной норе», и достаточное количество документов по теме имеется в референтуре. Среди досье, подлежащих уничтожению. С самого начала ученые выделили категории людей, которых следовало тихо устранить. Вы наверняка слышали об этом: имеющих любые формы уродств или увечий, психически больных, умственно отсталых детей в возрасте от восьми до тринадцати лет. Тех, кто мочился под себя. За крайне редкими исключениями, все жертвы по национальности были немцами.

— Они именовали их пациентами, — добавил Брэдфилд с нескрываемым отвращением.

— Как теперь выясняется, время от времени специально отобранных пациентов использовали для медицинских исследований. Как детей, так и взрослых.

Брэдфилд кивнул, подтверждая, что и это ему известно.

— Когда вскрылись обстоятельства дела в Хапсторфе, американцы и сами немцы уже проделали большую работу, занимаясь программой эвтаназии. Помимо прочего, они получили доказательства, что целый автобус с так называемыми гибридными особями был направлен для «выполнения опасного задания в химических лабораториях Хапсторфа». В таком автобусе помещался тридцать один человек. И они использовали для перевозки автобусы серого цвета, если это вам о чем-то говорит.

— Сразу вспоминается Ганновер, — мгновенно отреагировал Брэдфилд. — Транспорт для телохранителей.

— Карфельд превосходный администратор и организатор. Всех это приводит в восхищение. Он им был тогда, как остался и по сей день. Приятно осознавать, что он не утратил прежних талантов, верно? У него мозг работает словно по заранее заложенной программе.

— Хватит уже ходить вокруг да около. Я хочу увидеть картину в целом и как можно быстрее.

— Так вот, автобусы были серыми. Тридцать одно место плюс отсек для охранника. Окна изнутри замазали черной краской. Когда было возможно, транспортировка осуществлялась по ночам.

— Вы сказали, трупов насчитали тридцать два, а не тридцать один...

— Но ведь был еще тот бельгийский рабочий, помните? Его направили в лабораторию под скалой, а он потом делился впечатлениями с французским приятелем. Это и решило его судьбу. Видимо, он видел больше, чем ему полагалось увидеть. Как сейчас Лео.

— Вот, — сказал Брэдфилд, поднимаясь и поднося ему еще чашку кофе. — Вам лучше выпить еще немного.

Тернер взял чашку, но рука его при этом нисколько не дрожала.

— Пойдем дальше. Взяв Карфельда под арест, его доставили в Гамбург, где предъявили тела и прочие улики, какие у них только имелись, но он лишь посмеялся над следователями. Чушь собачья, сказал он, вся эта история. Он никогда в жизни не бывал в Хапсторфе. Он работал инженером. Специалистом по сносу зданий. Дал подробный отчет о своей службе на русском фронте — ему даже сумели выписать фальшивые награды за участие в боевых действиях и бог знает что еще. Как я предполагаю, здесь ему основательно помогли в СС, и он особенно успешно использовал свое мнимое пребывание под Сталинградом. В его рассказе имелись нестыковки, хотя их оказалось немного. Его допрашивали, но он твердо придерживался своей версии. Он ни разу не посещал Хапсторф. Ничего не знал о расположенном там заводе. Нет, нет и нет — в ответ на все вопросы. Так продолжалось месяцами. «Очень хорошо, — повторял он, — если у вас есть доказательства, предъявите мне обвинение. Пусть я предстану перед трибуналом. Но меня такая перспектива не волнует, потому что я — герой войны. И никогда ничем не управлял, кроме небольшой семейной фабрики в Эссене, а вы, британцы, уничтожили ее, не так ли? Я был в России, а не отравлял каких-то уродцев. С чего вы все это взяли? Я гуманист, готов любить все человечество. Найдите одного живого свидетеля, найдите хоть кого-нибудь». Но в том-то и состояла проблема, что никого не смогли найти. Ученые-химики в Хапсторфе жили в полной изоляции, как, по всей видимости, и вспомогательный персонал. Все записи сгорели при бомбардировках, а те, кто там работал, знали друг друга только по именам, псевдонимам или прозвищам. — Тернер пожал плечами. — На этом все, собственно, и закончилось. Причем Карфельд обнаглел до того, что вставил в свое жизнеописание еще и участие в группе антифашистов на русском фронте, но, поскольку упомянутые им подразделения либо целиком попали в плен, либо погибли до последнего человека, следователи не смогли ничего найти и по этому пункту. Впрочем, с тех пор он почему-то старается больше не упоминать об участии в антифашистском движении.

— Потому что это больше не приносит популярности, — кратко заметил Брэдфилд. — Особенно среди людей, принадлежащих к его сторонникам.

— Таким образом, дело не дошло до суда. По множеству причин. Сами по себе отделы, занимавшиеся расследованиями военных преступлений, уже начинали постепенно расформировываться. Из Лондона и Вашингтона оказывалось мощное давление с призывом зарыть топор войны и переложить всю ответственность за дальнейшие действия на германские юридические органы. Воцарился хаос. Пока полевые следователи старались подготовить и выдвинуть обвинения, их начальство в штаб-квартирах уже готовило массовую амнистию. И существовали другие препятствия чисто технического характера для продолжения расследований. Данное преступление было совершено по большей части против французов, бельгийцев и поляков, но поскольку не существовало способа определить национальность каждой жертвы, возникала проблема юрисдикции. Не материальные затруднения, а чисто косвенные, формальные, но и они мешали принять решение, как действовать, какие принять меры. Хотя вы прекрасно знаете, как это бывает, если сам хочешь создать себе трудности.

— Я помню те времена, — тихо ответил Брэдфилд. — Настоящий бедлам.

— Французы не были ни в чем заинтересованы, поляки заинтересованы чрезмерно, а Карфельд между тем постепенно превращался в солидного промышленника. Он уже работал по крупным контрактам с фирмами из стран бывшего альянса союзников. Причем даже привлекал конкурентов в качестве помощников, чтобы справляться с огромным спросом на свою продукцию. Он ведь остался превосходным управленцем. Весьма эффективным.

— Вы так говорите, словно это тоже преступление.

— Его собственные фабрики подверглись демонтажу, причем дважды, но затем он все сумел организовать на плановой основе сначала на чужих производственных мощностях. Ей-богу, жаль было мешать ему. Упорно ходили слухи, — добавил Тернер, нисколько не меняя тональности голоса, — что он получил заведомое преимущество перед другими промышленниками, поскольку выдал союзникам огромное количество редких газов, которые скопил и сумел поместить в подземные емкости в Эссене под конец войны. Вот чем он занимался, когда Королевские военно-воздушные силы бомбили Хапсторф. Не мать он хоронил, а готовил себе мягкую подстилку, чтобы не упасть после войны слишком больно.

— Если судить по вашему описанию имевшихся доказательств, — заметил Брэдфилд, — то не осталось ничего, связывавшего Карфельда с Хапсторфом, как нет улик для обвинения его в заговоре с целью массового убийства людей. Изложенная им самим автобиография вполне может оказаться правдивой. Что он воевал в России, что был ранен...

— Именно так! И так к этому отнеслись в лондонской штаб-квартире.

— Но ведь нет даже прямых указаний, что это были трупы людей, убитых непосредственно в Хапсторфе. Там могли разработать отравляющий газ, но никто не может утверждать, что применяли его сами ученые, а Карфельд был осведомлен об этом или стал реальным соучастником...

— При доме в Хапсторфе имелся подвал. И он остался не поврежден бомбардировками. Окна заделаны кирпичами, и туда вели трубы из лабораторий, находившихся наверху. Так вот, кирпичные стены подвала оказались разобранными изнутри.

— Как это разобранными?

— Руками, — ответил Тернер. — Пальцами, если так вам понятнее.

— Далее. Как я и сказал, официальные власти приняли аналогичную вашей точку зрения. Карфельд помалкивал, никаких новых доказательств не обнаруживалось. Уголовное дело возбуждено не было, как не было и суда. Вполне предсказуемо. Досье встало на архивную полку. Отдел перевели сначала в Бремен, затем в Ганновер, потом в Менхенгладбах, а архив отправили сюда. Вместе с различными бумагами Генерального управления судебной адвокатуры. Чтобы здесь материалы дожидались окончательного решения по поводу их дальнейшей судьбы.

— И именно эту историю начал расследовать Хартинг?

— Не начал. Он давно занимался ею, будучи сержантом следственного отдела. Как и Прашко. Все досье, меморандумы, протоколы допросов, письма, описания улик — все дело от начала и до конца — а теперь у него появился и конец. — Оформлено почерком Лео Хартинга. Именно Лео арестовал Карфельда, допрашивал, присутствовал при вскрытиях, разыскивал свидетелей. Женщина, на которой он собирался жениться, Маргарет Эйкман, служила в одном с ним подразделении. Тоже опытный следователь. Их прозвали охотниками за черепами. Но в этом для них заключался смысл жизни... Они отчаянно стремились добиться справедливого возмездия для Карфельда.

Брэдфилд погрузился в размышления.

— Это словечко «гибридные», что оно значило? — спросил он.

— Типично нацистский термин. Так называли евреев-полукровок.

— Понимаю. Да, кажется, теперь понимаю. Стало быть, для Лео все носило глубоко личный характер, верно? И ему этот аспект представлялся очень важным. Он воспринимал случай как нечто, направленное против него самого. Лео всегда жил лишь собственными интересами. Только так и следовало жить, считал он. — Перо авторучки пребывало в полной неподвижности. — Но здесь нет уголовного дела с точки зрения любого закона. — И Брэдфильд повторил фразу, словно уверяя самого себя: — Здесь нет уголовного дела, с какой стороны ни подойди. Даже при самом пристрастном, самом простом анализе. Нет дела. Факты, конечно, любопытные: во многом объясняют предвзятое отношение Карфельда к британцам. Но никоим образом не превращают его в военного преступника.

— Верно, — согласился Тернер, к немалому удивлению Брэдфилда. — Но вот только Лео глубоко терзался из-за этого. Он ничего не забыл, но загнал воспоминания как можно глубже и дальше. И все же не мог от них избавиться. Его снедало желание во всем разобраться, еще раз рассмотреть факты и убедиться в своей правоте. Вот почему в январе этого года он проник в «Священную нору», заново перечитав свои записи, перебрав аргументы.

Брэдфилд снова напрягся и сидел совершенно неподвижно.

— Быть может, возраст сыграл определенную роль. Но прежде всего им двигало ощущение не доведенной до конца работы. — Тернер произнес это так, словно речь шла о нем самом, о проблеме, которую он сам не мог решить. — Причастность к истории, если угодно. — Он в нерешительности сделал паузу. — Или к ходу времени. Парадоксы снова завладели его умом, и ему требовалось найти какой-то выход. А еще он был влюблен, — добавил он, глядя в окно. — Хотя сам ни за что не признался бы в этом. Он кое-кем воспользовался, но взял больше, чем ему полагалось и было необходимо... Он вышел из летаргии. В том-то и суть, не правда ли? Противоположность любви не ненависть. Это летаргия. Равнодушие. Пустота. И еще сыграло роль это место. Само по себе посольство. Здесь нашлись люди, позволившие ему причислить себя к игрокам высшей лиги... — Теперь он говорил чуть слышно. — И тем не менее. По той или иной причине он заново открыл дело. Перечитал все бумаги от первой до последней страницы. Вновь изучил исторические данные, сопоставил их с фактами из новейших досье в референтуре и в «Священной норе». Перепроверил информацию с самого начала, а потом принялся наводить справки самостоятельно.

— Какого рода справки? — спросил Брэдфилд.

Оба избегали обмена прямыми взглядами.

— Он устроил для себя собственный офис. Отправлял письма и получал ответы. На бланках посольства. Спешил первым получить входящую почту, чтобы изъять все, адресованное непосредственно ему. Он организовал работу подобно течению собственной жизни: все делалось эффективно и тайно. Никому не доверяя, никого ни во что не посвящая, вынуждая людей, находившихся в разных концах цепочки, действовать друг против друга... Иногда он предпринимал небольшие путешествия, навещал архивы, министерства, изучал церковные приходские книги, знакомился с группами выживших... Везде используя бланки посольства. Он делал подборки вырезок из прессы, снимал копии, сам писал письма и опечатывал с помощью сургуча. Он давал в качестве обратного адреса отдел разбора жалоб и консульских вопросов, а потому по большей части ответы так или иначе попадали прямиком к нему. Он изучал мельчайшие детали: свидетельства о рождении, о браке, о смерти матери, даже охотничьи лицензии — и все время выискивал несовпадения. Что угодно, лишь бы доказать: Карфельд не воевал на русском фронте. И собрал чертовски пухлое досье. Неудивительно, что на его след напал Зибкрон. Не осталось почти ни одного правительственного ведомства, с которым Лео не проконсультировался бы под тем или иным предлогом...

— О мой бог, — прошептал Брэдфилд, снова откладывая ручку в сторону, на мгновение показывая, насколько ошеломлен и раздавлен.

— И к концу января он пришел к единственно возможному заключению. Карфельд откровенно лгал, а кто-то — причем человек высокопоставленный и очень напоминавший Зибкрона — прикрывал его и помогал скрывать ложь. Мне говорили, что Зибкрон имеет собственные далекоидущие амбиции, а потому готов прицепиться к любой восходящей звезде, пока она действительно движется вверх.

— Вот это верное замечание, — признал Брэдфилд, погруженный тем не менее в собственные мысли.

— Как в свое время поступал Прашко... Вы понимаете, к чему нас это приводит, верно? Разумеется, очень скоро, как он прекрасно понимал, Зибкрон обратит внимание, что посольство рассылает странного рода запросы, пусть всего лишь от имени отдела жалоб и консульских вопросов. В ближайшем будущем это грозило кого-то очень разозлить, а возможно, даже заставить прибегнуть к насилию. Особенно после того, как Лео раздобыл доказательства.

— Какие доказательства? С помощью чего он может хоть что-то доказать сейчас, когда после совершения преступления минуло двадцать лет и даже больше?

— Все находится в референтуре, — ответил Тернер с неожиданной неохотой. — Можете пойти туда и посмотреть сами.

— У меня нет на это времени, и у меня выработался иммунитет к рассмотрению сомнительных фактов.

— Как и привычка заведомо считать их сомнительными.

— Я настаиваю, чтобы вы сами мне все изложили. — Но из своего настояния он не пытался устроить драму.

— Что ж, хорошо. В прошлом году Карфельд решил заручиться ученой степенью доктора. К тому времени он уже стал действительно крупной фигурой. Сколотил огромное состояние на своих химических заводах — здесь управленческие таланты пригодились в полной мере — и стал играть заметную роль в политической жизни родного Эссена. Но ему захотелось стать еще и доктором наук. Быть может, в этом он несколько напоминает Лео: у него осталось незавершенным дело, и он стремился покончить с ним для порядка. Или ему показалось, что это пойдет на пользу карьере: «Голосуйте за доктора Карфельда!» В этой стране обожают иметь в роли канцлеров докторов наук... И он, если можно так выразиться, снова уселся за парту, написав диссертацию. Причем ему не пришлось проводить никаких лабораторных опытов, и это произвело на всех особое впечатление — его преподаватели пришли в абсолютный восторг. Просто чудо, говорили они. И как он только сумел найти время, чтобы изучить предмет столь досконально?

— Ну и...

— Тема диссертации «Воздействие некоторых токсичных газов на организм человека». Труд оценили очень высоко — он наделал тогда немало шума.

— Это едва ли убедительное доказательство.

— Ошибаетесь. Вполне убедительное. Ведь Карфельд обосновал все выводы своего трактата, ссылаясь на детальное рассмотрение тридцати одного эпизода с летальным исходом.

Брэдфилд закрыл глаза.

— Это не доказательство, — выдавил наконец он заметно побледнев, но рука снова держала авторучку уверенно и твердо. — Вы сами знаете: это не доказательство. Согласен, определенные вопросы напрашиваются. Вероятно, подтверждается, что он все-таки бывал в Хапсторфе. Но до решающей улики этому очень и очень далеко.

— Жаль, Лео вас не слышит.

— Вся необходимая информация была получена им в ходе обычных промышленных разработок. Вот что заявит Карфельд. Или он взял данные лабораторных исследований из третьих рук — подобное признание он прибережет, конечно же, на самый крайний случай.

— Из рук настоящих мерзавцев и преступников.

— Даже если установят, что источником информации был Хапсторф, можно найти десятки объяснений, каким путем она дошла до Карфельда. Вы же сами сказали, он лично не принимал тогда в исследованиях никакого участия...

— Нет. Он просто сидел за письменным столом. Так оно часто и происходит.

— Вот именно. А сам по себе факт, что он решил публично использовать данные, послужит ему скорее на пользу независимо от способа получения результатов научных экспериментов. Ему никто не сможет поставить это в вину.

— Понимаете, — сказал Тернер, — проблема в том, что Лео только наполовину юрист: то есть как бы гибрид. Нам придется считаться и со второй его ипостасью. Необходимо учитывать, что он — вор.

— Да, — рассеянно откликнулся Брэдфилд. — Он ведь украл зеленую папку.

— И все же в том, что касается Зибкрона и Карфельда, он подобрался к правде достаточно близко, чтобы представлять для них серьезную опасность.

— Да, типичный случай prima facie*, — кивнул Брэдфилд, вновь перечитывая свои записи. — Есть основания для проведения повторного расследования, это точно. В худшем случае прокурор может настоять на возбуждении дела. — Он бросил взгляд на телефонный справочник. — Наш атташе по юридическим вопросам наверняка знает тему глубже.

— Не надо его беспокоить, — успокоительно сказал Тернер. — Совершил преступление или нет, но Карфельд теперь вне досягаемости закона. Он миновал критическую точку. — Брэдфилд уставился на Тернера, и тот непонимающе продолжил: — Против него уже нельзя выдвинуть обвинения, даже если он даст показания, сам во всем признается и все подпишет.

— Ну разумеется! — тихо воскликнул Брэдфилд. — Как же я мог забыть об этом?

В его голосе звучало невыразимое облегчение.

— Отныне сам закон защищает его. Статус ограничения срока давности предусматривает это. Лео сделал себе такую пометку на полях в четверг вечером. Дело закрыто навсегда. И никто уже ничего не сможет поделать.

— Но существует процедура пересмотра срока давности.

— Существует, — подтвердил Тернер, — вот только здесь она неприменима. И виноваты в этом британцы, как ни печально констатировать. Дело об убийствах людей в Хапсторфе расследовали британские подданные. Мы ни на одном из этапов не передавали его в ведение германских властей. Не было суда, не делалось публичных заявлений, а когда немецкая сторона взяла на себя всю ответственность за наказание нацистских военных преступников, мы даже не упомянули об этом случае. Таким образом дело Карфельда исчезло в пустоте, образовавшейся между двумя юридическими системами: нашей и немецкой. — Он сделал паузу. — А теперь в эту же бездонную дыру угодил и Лео.

---

* С первого взгляда *(лат.)*. В юриспруденции это выражение означает наличие совокупности необходимых улик для выдвижения обвинения.

— Что же он собирался предпринять? В чем состояла конечная цель столь тщательно проведенного расследования?

— Ему необходимо было выяснить все до конца. Он считал своим долгом завершить следствие. Незавершенность дела тенью преследовала его, как иного человека преследует исковерканное детство или жизнь, с условиями которой он не в силах смириться. Лео стремился к справедливости. А остальное должно было стать чистейшей импровизацией с его стороны, игрой не по нотам, а на слух.

— Когда он получил это так называемое доказательство?

— Текст диссертации он получил в последнюю субботу перед бегством. Он сохранил конверт с датой. Я же говорил: он все приобщал к делу. Вот почему в понедельник он пришел в референтуру в приподнятом, даже восторженном настроении. Пару дней провел в размышлениях, что делать дальше. В прошлый четверг обедал с Прашко.

— За каким дьяволом ему это понадобилось?

— Не знаю, хотя размышлял над причинами. И все равно не понимаю. Возможно, хотел обсудить последующие шаги. Или проконсультироваться с человеком, более сведущим в юридических вопросах. Наверное, он тогда еще считал, что есть путь для выдвижения обвинений...

— Но такого пути нет?

— Нет.

— Хвала Господу за это!

Тернер не обратил на эту ремарку внимания.

— А еще существует вероятность, что он просто хотел предупредить Прашко: здесь становится очень опасно. Быть может, искал у него защиты.

Брэдфилд пристально посмотрел на Тернера.

— Но зеленая папка пропала, — напомнил он, вновь обретая уверенность в себе.

— Да, коробка оказалась пуста.

— А Хартинг до сих пор скрывается. Или все же сбежал? Вы случайно не установили, по какой причине он предпочел исчезнуть? — Теперь уже Брэнфилд не сводил глаз с Тернера. — Об этом тоже есть запись в его досье?

— В своих записках он постоянно повторял: «У меня осталось очень мало времени». Все, с кем я беседовал о нем, описывали его как человека в вечном цейтноте... Борца против скоротечности времени... Все время спешившего... Могу предположить, что он как раз и имел в виду статус ограничения срока давности.

— Но мы оба знаем, что согласно этому статусу Карфельда уже невозможно было лишить свободы, если бы не нашелся способ приостановить действие закона. Так зачем ему было бежать? И в чем заключалась причина такой спешки?

Тернер не пожелал реагировать на встревоженный и даже испытующий тон вопросов, которые задавал Брэдфилд.

— Значит, и вы не знаете в точности, почему он пропал? И почему избрал для бегства именно тот момент? Или по какой причине прихватил с собой только одну из наших папок?

— Могу только предположить, что люди Зибкрона постепенно замыкали его в круг. Лео добыл доказательства, и Зибкрон знал об этом. С той поры он стал для них мишенью. Но у него был пистолет, — добавил Тернер. — Старый армейский пистолет. И ему было достаточно страшно, раз он прихватил его с собой. Вероятно, он впал в настоящую панику.

— Понятно, — сказал Брэдфилд все с той же интонацией заметно спавшего напряжения. — Это понятно. Несомненно, здесь-то мы и находим объяснение всему.

Тернер в недоумении уставился на него.

Не менее десяти минут Брэдфилд не двигался и не произносил ни слова. В углу кабинета стояло подобие пюпитра со старой коробкой для хранения Библии. Сооружение на уродливых металлических ножках, изготовленное по заказу Брэдфилда в одной из слесарных мастерских Бад-Годесберга. И теперь он использовал его, чтобы подойти, опереться локтями и смотреть в окно на реку.

— Неудивительно, что Зибкрон взял нас под такую плотную охрану, — произнес он наконец, хотя точно таким же ровным голосом мог описывать туман в долине. — Неудивительно и его отношение к нам как к источнику угрозы. Едва ли во всем Бонне сыщется теперь министерский чиновник или даже обычный журналист, не осведомленный, что британское посольство затеяло охоту на Карфельда, роется в его прошлом, жаждет его крови. Интересно, какие предположения они строят относительно наших намерений? Думают, мы собираемся публично шантажировать его? Хотим в париках и мантиях судить его под эгидой союзнической юрисдикции? Или же считают нас попросту мстительными, желающими воздать по заслугам человеку, который мешает осуществиться общеевропейской мечте?

— Вы ведь найдете Лео, я не сомневаюсь. Прошу, будьте с ним помягче. Ему сейчас прежде всего необходима любая помощь, которой он сможет заручиться.

— Как и нам всем, — сказал Брэдфилд, по-прежнему глядя на реку.

— Он не коммунист, не предатель. Он считает Карфельда очень опасным. Для нас. Мыслит он очень просто. Если судить по его записям в досье...

— Мне хорошо знакома такого рода простота.

— В конце концов, мы отвечаем за него. Ведь именно мы в свое время заложили в его сознание понятие о высшей и абсолютной справедливости. Мы дали ему слишком много обещаний: Нюрнберг, денацификация Германии. Мы заставили его поверить в это. И теперь не имеем права превратить его в жертву только потому, что нарушили свои прежние обещания и решения. Вы ведь сами не видели тех старых досье... Не имеете преставления, как относились к немцам в то время. А Лео не изменился. Он человек, отставший от времени. Но ведь это не преступление, верно?

— Я прекрасно знаю, что они думали о немцах. Я сам тогда здесь находился. Видел то же самое, что видел он. Достаточно многое. Но ему следовало перечеркнуть прошлое, как сделали все остальные.

— Я хотел объяснить вам другое: он заслужил нашу защиту. В его личности присутствует целостность, которую я ощутил, сидя там, в подвале. Его не отпугивают никакие противоречия. Для нас с вами всегда найдется десяток причин, чтобы ничего не делать. Но Лео слеплен из другого теста. Для него всегда существовала только одна причина, и она призывала его к действию. Эта причина — чувство долга. Более чем достойно.

— Надеюсь, вы не предлагаете нам всем принять его за образец для подражания?

— Но существовало еще кое-что, не дававшее ему покоя, тревожившее своей загадочностью.

— Что именно?

— В подобных случаях никогда не было недостатка во всевозможных дополнительных документах. В бывшей штаб-квартире СС, в клиниках или в транспортных организациях. Приказы о передислокации, распоряжения, прочие бумаги, связанные с любым вопросом. Эти бумаги могли о многом поведать следствию. А тут ничего не удалось обнаружить. Лео постоянно делал карандашные пометки. Почему не сохранилось ничего о Кобленце? Почему нет того, отчего нет этого? Он явно подозревал, что все косвенные улики были кем-то уничтожены... Тем же Зибкроном, например. Мы не можем хотя бы официально поблагодарить Лео, поощрить за усердие? — спросил Тернер почти умоляюще.

— В этом деле нет ничего, на что можно твердо опереться. — Взгляд Роули продолжал упираться во что-то очень далекое. — Все сомнительно. Все туманно. А туман имеет свойство уничтожать краски. Теперь уже нет прежних различий — об этом позаботились социалисты. Они всех уравняли. Каждый вроде бы важен, но в то же время никто ничего не значит. Удивляйтесь потом появлению таких личностей, как Карфельд, — тоскующих по былым временам.

Что именно Брэдфилд пристально разглядывал в долине реки? Небольшие лодчонки, пробивавшиеся сквозь туман? Или красные подъемные краны среди плоских полей, или совсем уже отдаленные виноградники на склонах холмов к югу отсюда? Или призрачную вершину горы Чемберлена и удлиненную коробку из железобетона, в которой он однажды провел ночь?

— О «Священной норе» не стоит даже упоминать, — сказал он, прежде чем снова сделать паузу. — Вот Прашко... Вы сказали, он обедал с Прашко в четверг?

— Брэдфилд!

— Да, слушаю вас. — Он уже направился к двери.

— Мы ведь с вами совершенно по-разному относимся к Лео. Мне почему-то так кажется.

— Разве? Впрочем, я действительно думаю, что он может все-таки оказаться коммунистом. — В голосе Брэдфилда отчетливо звучала ирония. — Не забывайте: он похитил зеленую папку. А у вас, по-моему, создалась иллюзия, что вы сумели заглянуть в его чистую душу.

— И все же почему он украл ее? Что в ней было такого?

Но Брэдфилд уже вышел в коридор и пробирался между грудами разобранных на части кроватей и нагромождения прочего скарба. Повсюду появились новые таблички. «Пункт первой медицинской помощи находится здесь», «Комната для срочного размещение вновь прибывшего персонала», «Дети не допускаются за пределы данной черты». Когда они проходили мимо канцелярии, оттуда внезапно донеслись радостные крики и аплодисменты. Корк с совершенно белым лицом выскочил им навстречу.

— Она родила, — почему-то прошептал он. — Только что позвонили из больницы. Она сама не разрешала тревожить меня, пока не закончится мое дежурство. — Его розовые глаза широко округлились от страха. — Я оказался ей совершенно не нужен. Она даже не хотела, чтобы я туда приезжал.

Глава 17
ПРАШКО

За зданием посольства протянулась асфальтовая дорожка. Она вела от восточного угла посольской территории на северо-восток, через поселок, состоявший из новых вилл, слишком дорогих, чтобы быть по карману британцам. При каждой вилле разбили небольшой сад, представлявший дополнительную ценность с точки зрения качества недвижимости. Дома отличались один от другого лишь мелкими архитектурными деталями, ставшими наглядной приметой современного конформизма. Если при одной вилле имелся сложенный из кирпича очаг для барбекю и патио, вымощенное искусственно состаренной брусчаткой, то следующую отделял забор, отделанный синим кафелем или сложенный из огромных булыжников, по дерзновенному вдохновению зодчего оставленных совершенно не приукрашенными. Летом молодые хозяйки загорали рядом с крошечными бассейнами. Зимой черные пудели рылись в снегу, и каждый день с понедельника по пятницу черные «мерседесы» привозили домой хозяев, чтобы те могли пообедать в домашней обстановке. В воздухе почти неизменно витал аромат кофе, пусть и очень легкий.

Утро оставалось еще холодным, но земля светилась свежестью после прошедшего дождя. Они ехали очень медленно, опустив стекла в машине. Миновав больницу, оказались на более невзрачной дороге, где еще сохранились приметы пригорода с лохматыми хвойными деревьями и черно-синими кустами лавра. Крыши с серыми, под свинец, шпилями, отражавшие вкусы времен Веймарской республики, торчали пиками на фоне неопрятного редколесья. Перед ними показалось здание бундестага, скучное, неуютное и словно брошенное. Огромный мотель с черными флагами, с фасадом, окрашенным под цвет топленого молока. Позади него высился мост Кеннеди и концертный зал имени Бетховена. Тут же Рейн нес свои коричневые воды. Река региона с извечно изменчивой культурной принадлежностью.

Полицейские дежурили повсюду. Редко встретишь колыбель демократии, которую бы столь ревностно защищали от самих демократов. У главного входа стайка школьников выстроилась в неровную беспокойную очередь, а полицейские охраняли детишек как своих собственных. Телевизионная группа устанавливала осветительные приборы. Перед камерой молодой человек в костюме из багрового вельвета выделывал искусные пируэты, положив руку на бедро, пока коллега наводил по нему фокусировку. Полиция смотрела на все это с неодобрением, явно считая опасным проявлением излишней свободы. Вдоль тротуара отмытая и опрятная серая толпа, состоявшая из людей, похожих на обычных членов жюри присяжных, послушно дожидалась чего-то, выставив знамена строго и прямо, как древнеримские штандарты. Лозунги претерпели изменения: «Сначала единство Германии, а только потом — единство Европы!», «Мы тоже не потеряли национальной гордости», «Верните нам нашу страну!». Полицейские выстроились перед ними в шеренгу и контролировали ситуацию столь же внимательно, как присматривали за детворой.

— Я припаркуюсь у реки, — сказал Брэдфилд. — Одному богу известно, что здесь будет твориться, когда мы снова выйдем на улицу.

— Что произойдет сегодня?

— Дебаты. О внесении поправок в чрезвычайное законодательство.

— Мне казалось, они давно разобрались с этой проблемой.

— В этом здании никогда и ничто не доводится до конца.

Вдоль набережной, насколько хватало взгляда, тоже были видны серые толпы, расположившиеся в пассивном ожидании, как солдаты, которым еще не раздали оружие. Самодельные плакаты обозначали, откуда они сюда прибыли: Кайзерслаутерн, Ганновер, Дортмунд, Кассель. Люди стояли в полнейшем молчании, но готовые по команде начать громко протестовать. Кто-то взял с собой транзисторный приемник, включив его на полную мощность. Увидев белый «ягуар», люди с любопытством вытягивали шеи, чтобы рассмотреть его получше.

Держась рядом как можно ближе друг к другу, они медленно вернулись вверх в сторону от реки. Прошли мимо киоска, который, казалось, не торговал ничем, кроме раскрашенных вручную портретов королевы Сорайи*. Студенты выстроились в две колонны, образовав проход к главному входу. Брэдфилду теперь пришлось идти первым с прямой, явно напряженной спиной. При входе охранник не желал впускать Тернера, и Брэдфилду пришлось уладить вопрос после краткого спора. В вестибюле царила ужасающая жара, пахло дымом сигар и отовсюду доносились звуки сдержанных разговоров. Журналисты, по большей части вооруженные фотоаппаратами, бросали на Брэдфилда вопрошающие взгляды, но он лишь отрицательно мотал головой и спешил отвести взгляд в сторону. Образовав небольшие группы, депутаты тихо беседовали между собой, понапрасну глядя поверх плеч собеседников в поисках кого-либо более для них интересного. Внезапно перед ними возникла знакомая фигура.

— А вот и лучший из лучших! Я всегда так и говорю, уж поверьте мне, Брэдфилд, что вы лучше всех. Пришли, чтобы полюбоваться на закат демократии? Хотите послушать дебаты? Боже, вы все так же хорошо работаете? И, как вижу, секретная служба по-прежнему при вас. Вы редкостно лояльны, мистер Тернер. Но что, черт возьми, у вас с лицом?

Не услышав ответа, он сам продолжил, понизив голос для вящей секретности:

— Мне необходимо с вами поговорить, Брэдфилд. Вопрос крайне срочный, уверяю. Я пытался застать вас в посольстве, но для Зааба вас никогда нет на месте.

— Извините, но у нас здесь назначена встреча.

— Надолго? Скажите, когда вы рассчитываете освободиться. Сэм Аллертон тоже заинтересован в беседе. Мы хотели бы поговорить с вами вместе.

Зааб склонил черноволосую голову почти к самому уху Брэдфилда. Шея его оставалась по обыкновению темной — он не удосужился даже побриться.

— Пока не могу сказать ничего определенного.

---

* С о р а й я (1932–2001) — королева Ирана, вторая жена свергнутого шаха Мохаммеда Пехлеви. По всеобщему мнению, была женщиной редкостной красоты.

— Послушайте! Я вас непременно дождусь. Дело чрезвычайной важности. Скажу Аллертону, и мы будем вас ждать. Есть сроки сдачи материалов, конечно. Но они для мелкой рыбешки. А Брэдфилд — другое дело. Мы непременно должны поговорить с Брэдфилдом!

— Никаких комментариев не будет. Вы прекрасно это знаете. Мы опубликовали заявление для прессы еще вчера вечером. Думаю, вы получили экземпляр. Мы полностью приняли объяснения, предложенные канцлером. И теперь в течение нескольких дней ожидаем возвращения немецкой делегации в Брюссель.

Они спустились по лестнице в ресторан.

— А вот и он. Говорить буду я. Вы должны целиком и полностью предоставить это мне.

— Я постараюсь.

— Вы не просто постараетесь, а будете держать рот на замке. Он — чрезвычайно скользкий тип.

Прежде чем разглядеть что-либо еще, Тернер увидел сигару. Она была очень маленькой и торчала, напоминая черный градусник. Сразу стало ясно, что сигара голландская, а поставщиком был Лео, причем доставались они Прашко бесплатно.

Выглядел Гарри так, словно ему пришлось почти всю ночь редактировать газету. Вошел он из двери, ведшей в ресторан со стороны торгового центра. Руки держал глубоко в карманах брюк, и пиджак топорщился, широко распахнувшись на груди. Прашко натыкался на чужие столики, но ни перед кем не извинялся. Это был крупный, неопрятный мужчина с коротко стриженными сальными волосами и широкой грудью, уступавшей объемом только животу. Очки он сдвинул на лоб, подобно пилоту или автогонщику. За ним следовала девушка, которая несла портфель. Девица выглядела невыразительно, но казалась немного нервной. Она то ли смертельно скучала, то ли по молодости лет слишком серьезно относилась к своим обязанностям. Украшала ее только копна густых черных волос.

— Суп! — выкрикнул Прашко через весь зал, пожимая им руки. — Принесите мне суп, и ей тоже дайте чего-нибудь съесть.

Официант слушал выпуск новостей по радио, но стоило ему заметить Прашко, как он приглушил звук и поспешил к депутату, готовый услужить. Подтяжки Прашко с медными зубчатыми зажимами с силой впивались в грязноватый пояс его брюк.

— Вы, я вижу, тоже прямо с работы. Она не понимает ни слова, — добавил он. — Не знает ни одного иностранного языка. Nicht wahr, Schatz?* Ты, тупая корова. Так в чем проблема?

Он говорил по-английски бегло, причем маскировал реальный акцент, подпуская в речь типичные американские интонации.

— Уж не назначили ли вас новым послом, старина?

— Боюсь, пока нет.

— А кто этот парень?

— Гость посольства.

Прашко внимательно посмотрел на Тернера, потом на Брэдфилда и снова на Тернера.

— Вижу, вы разозлили какую-то девушку и она вас основательно исцарапала, верно?

При этом двигались только его глаза. Прашко имел привычку втягивать голову в плечи, а в манере его поведения сквозила постоянная, словно инстинктивная настороженность.

— Это просто прекрасно, — сказал он, положив левую руку на предплечье Брэдфилда. — Отлично. Обожаю перемены. Мне нравится сводить знакомство с новыми людьми. — Его голос звучал однотонно, отпуская резкие, рубленые фразы. Голос заговорщика, привыкшего к сдержанности, часто произносившего слова, не предназначавшиеся для посторонних ушей.

— С чем вы, друзья мои, пришли ко мне? Желаете выяснить личное мнение депутата Прашко? Услышать глас оппозиции? — И он объяснил специально для Тернера: — Когда правительство коалиционное, оппозиция превращается в идиотское подобие закрытого клуба.

И он громко расхохотался, напрасно стараясь развеселить Брэдфилда.

Официант принес ему венгерский суп-гуляш. Осторожными, мелкими, но при этом нервными движениями руки мясника он взял ложку и отведал блюдо.

— Так зачем вы здесь? Эй! Уж не хотите ли послать телеграмму королеве? — Он ухмыльнулся. — Записочку от ее бывшего подданного? Хорошо. Так отправляйте свою телеграмму. Впрочем, ей плевать на то, что имеет сообщить какой-то там Прашко. Всем мое мнение до лампочки. Я ведь старая проститутка. — Последняя реплика тоже была адресована Тернеру. — Вы уже слышали разго-

_____
* Не правда ли, дорогая? *(нем.)*

воры об этом? Я побыл англичанином, побыл немцем, я, дьявол меня возьми, почти американец. А в этом борделе пробыл дольше всех прочих шлюх. Вот почему я стал никому не нужен. Меня каждый уже поимел во всех позах. Вам рассказывали? Левые, правые, центристы.

— А кто вас имеет сейчас? — спросил Тернер.

Не отрывая взгляда от ран на лице Тернера, Прашко поднял левую руку и потер кончиком указательного пальца о большой.

— Знаете, что в политике имеет реальное значение? Наличные. Умение продать себя. Все остальное — чушь для простаков. Договоры, группировки, альянсы — чепуха! Вероятно, мне следовало оставаться марксистом. Стало быть, теперь они хлопнули дверью в Брюсселе. Это печально. Конечно же, очень печально. Вам не с кем стало там больше препираться.

Он отломил кусок булочки и окунул его в суп.

— Так что передайте своей королеве: Прашко считает англичан ни на что не годными лжецами и лицемерами. А как ваша супруга? Здорова ли?

— Да, с ней все в порядке, спасибо.

— Давненько я не ужинал в ваших краях. Все еще обитаете в своем гетто, насколько я знаю. Прекрасное местечко, ничего не скажешь. Но я не обижаюсь. Меня никто не любит слишком долго. Вот почему я так часто меняю партийную принадлежность, — пояснил он снова специально для Тернера. — А ведь когда-то считал себя романтиком в вечном поиске синего цветочка. Теперь же, как я чувствую, мне все осточертело. Одни и те же приятели, одни и те же женщины, один и тот же Бог, если на то пошло. И все правдивые и верные. Вот только обманывают тебя на каждом шагу. Кругом одни мерзавцы. Господи! Скажу вам вот еще что: предпочитаю одного нового друга двум старым. Кстати, я недавно женился. Как она вам? — Он приподнял пальцем подбородок девушки и чуть повернул ее голову, чтобы свет падал на ее лицо наилучшим образом, а девушка улыбнулась и шлепнула его по руке. — Я ли не удивительный человек? А ведь было время, — продолжил он, прежде чем кто-то сумел отозваться на его самовосхваление, — было время, когда я готов был ползать на своем толстом брюхе, лишь бы помочь бездарным англичанам проникнуть в Европу. Теперь вы льете слезы на ее пороге, а мне это безразлично. — Он покачал головой. — Я поистине удивительный человек. Хотя, как догадываюсь, моя слава уже в прошлом. Или во всем виноват я сам. Потому что мне нравится только власть. Видимо, я любил вас, потому что вы были сильны, а теперь ненавижу за слабость. Прошлой ночью убили мальчика, слышали? В Хагене. Об этом сообщали по радио.

Он выпил штейнхагера*, взяв рюмку с подноса. Бумажная подставка прилипла к основанию рюмки, и ему пришлось оторвать ее.

— Мальчик, старик, какая-то полоумная библиотекарша. Да, почти футбольная команда, но до Армагеддона нам еще далеко.

За окном были видны серые толпы, дожидавшиеся на лужайке. Прашко обвел рукой зал ресторана:

— Посмотрите на это дерьмо. Все бумажное. Бумажная демократия, бумажные политики, бумажные орлы, бумажные солдаты, бумажные депутаты. Демократия кукольного домика. Стоит Карфельду чихнуть, как мы уже готовы обмочиться от страха. Знаете почему? Потому что он как никто другой близок к правде.

— Стало быть, вы поддерживаете его? Вот в чем все дело? — спросил Тернер, не обращая внимания на злобный взгляд Брэдфилда.

Прашко доел гуляш, неотступно глядя на Тернера.

— Мир в наши дни становится все моложе, — сказал он. — Положим, Карфельд тоже полное дерьмо. Ладно. Но вы должны кое-что понять, друзья мои. Мы стали богаты. Мы вкусно ели и пили, строили дома, покупали машины, платили налоги, посещали церкви, делали детей. А теперь нам понадобилось нечто реальное. Хотите знать, что именно?

Он продолжал смотреть на израненное лицо Тернера.

— Иллюзии. Короли и королевы. Семейство Кеннеди, де Голль, Наполеон. Виттельсбахи**, Потсдам. Теперь это не простая хренова деревенька, верно? Кстати, что там по поводу студенческих волнений в Англии? Как их воспринимает королева? Вы даете им слишком мало денег? Молодежь... Хотите узнать кое-что о молодежи? Так я вам скажу. — Тернер словно стал для него теперь единственным слушателем. — «Немецкая молодежь ставит в вину своим родителям развязывание войны». Вот что вы постоянно слышите. Каждый день какой-нибудь самозваный мудрец тискает статейку в газете на эту тему. А не желаете ли выслушать правду? Они винят родителей в том, что те потерпели в войне поражение,

---

* Ш т е й н х а г е р — сорт немецкого джина.

** В и т т е л ь с б а х и — древний феодальный род, на протяжении многих веков правивший Баварией.

а вовсе не в развязывании войны! «Эй, вы! Что вы сделали с нашей империей? Куда она подевалась?» И, как я догадываюсь, то же самое происходит в Англии. Та же чушь собачья. Такие же юнцы. Они хотят вернуть свое божество. — Он перегнулся через стол, почти упершись носом в лицо Тернера. — Послушайте, а может, нам заключить сделку? Мы снабжаем вас деньгами, а вы продаете нам иллюзии. Проблема лишь в том, что мы однажды это уже проходили. Мы пошли на договор с вами, но получили от вас лишь кучу дерьма. Вы не способны создавать иллюзии. Вот почему мы больше не любим англичан. Они не исполняют условий контракта. Отечество — то есть Фатерлянд — хотело жениться на Отчизне, но вы не явились на свадьбу. — И он снова закатился в раскатах наигранного смеха.

— Возможно, как раз сейчас настало время для создания прочного союза, — предположил Брэдфилд с видом смертельно усталого политика.

Краем глаза Тернер заметил, как двое мужчин, светлолицых, в черных костюмах и замшевых туфлях, тихо пристроились за соседним столиком. Официант поспешил их обслужить, поняв, кто они по профессии. Одновременно группа молодых журналистов вошла в ресторан из вестибюля. Некоторые принесли свои газеты с заголовками на темы Брюсселя и Хагена. Возглавлял группу Карл Хайнц Зааб, годившийся остальным в отцы и смотревший на Брэдфилда с многозначительным волнением. За одним из окон в безжизненном внутреннем дворе ряды пустых пластмассовых стульев вырастали из потрескавшегося бетона, как искусственные цветы.

— Вот вам настоящие нацисты. Эти подонки. — Повысив голос так, чтобы его слышали все, Прашко указал на журналистов презрительным жестом толстой руки. — Они распускают языки, пердят повсюду, но при этом считают, что изобрели демократию. Да где же треклятый официант? Сдох он, что ли?

— Мы разыскиваем Хартинга, — сказал Брэдфилд.

— Ну разумеется! — Прашко было не привыкать к сложным ситуациям.

Рука, в которой он держал салфетку, вытирая потрескавшиеся губы, двигалась по-прежнему ровно и размеренно. Глаза с пожелтевшими белками, окруженные сухой пергаментной кожей, даже не моргнули, когда он снова посмотрел на собеседников.

— Я уже давно нигде его не видел, — почти безразличным тоном продолжил он. — Быть может, он на галерее для дипломматов? У вас же там отдельная ложа. — Он отложил салфетку в сторону. — Наверное, вам стоило бы поискать его там.

— Он исчез с утра в прошлую пятницу. Его нет уже неделю.

— Послушайте, вам нужен Лео? Так он непременно вернется. — Появился официант. — Лео — человек несокрушимый.

— Вы его друг, — продолжал Брэдфилд. — Возможно, единственный друг. Мы подумали, он мог посоветоваться с вами.

— О чем же?

— В том-то и проблема, — сказал Брэдфилд с чуть заметной улыбкой. — Мы рассчитывали на вашу осведомленность об этом.

— Значит, он так и не нашел себе английского друга? — Прашко оглядел их обоих. — Бедняга Лео. — Его голос звучал на сей раз почти искренне.

— Вы занимали в его жизни особое место. В конце концов, вам пришлось вместе поработать. Вы многое пережили. И мы решили, что если бы ему понадобился чей-то совет или даже деньги или нечто другое, необходимое в кризисной ситуации, он инстинктивно обратился бы именно к вам. Может, он видел в вас своего защитника.

Прашко снова занялся изучением лица Тернера.

— Защитника? — Его губы едва двигались, когда он вновь заговорил, и потому складывалось странное впечатление, что он сам предпочел бы не слышать своих слов. — С таким же успехом можно было бы попытаться защитить... — На его лбу внезапно выступила испарина, но, казалось, она появилась извне и опустилась на его кожу, как пар. — Уходи-ка ты отсюда, — сказал он девушке.

Даже не пытаясь возражать, она поднялась, рассеянно улыбнулась всем сразу и поспешно вышла из ресторана. На мгновение отвлекшись в легкомысленном приступе вожделения, Тернер не мог отвести глаз от провокационно соблазнительного покачивания ее бедер, но тут Брэдфилд снова заговорил:

— У нас очень мало времени. — Он тоже склонился вперед и произносил фразы быстро. — Вы были с ним в Гамбурге и Берлине. Наверняка есть что-то, известное только вам двоим. Вы меня слушаете?

Прашко ждал.

— Если вы поможете нам найти его без лишнего шума, если знаете, где он, и сможете вразумить его, если есть хоть что-то в ваших силах, для чего вам пригодится старая дружба, я позабочусь, чтобы с ним обращались корректно и сохранили тайну. Ваше имя не будет фигурировать в деле, равно как и прочие имена.

Теперь настал черед Тернера ждать, посматривая то на одного, то на другого. Только капли пота на лбу выдавали Прашко, как авторучка всегда выдавала подлинные эмоции Брэдфилда. Он и сейчас сжимал ее в пальцах, склонившись над столом. За окнами Тернер видел те же серые толпы. Лунолиние мужчины, сидевшие в углу, со скучающим видом жевали намазанные маслом булочки.

— Я отправлю его в Англию. Я заставлю его навсегда покинуть Германию в случае необходимости. Он уже натворил такого, что вопрос о предоставлении ему новой работы в посольстве совершенно исключен. Он вел себя настолько неподобающим образом, что его кандидатуру отныне никто не станет даже рассматривать. Вы понимаете, что я имею в виду? Любые добытые им сведения являются по праву собственностью короны... — Брэдфилд откинулся назад. — И мы должны найти его раньше, чем они, — с напором произнес он, но Прашко лишь смотрел на него маленькими, жесткими глазками и молчал. — Я, разумеется, имею в виду тот факт, — продолжал Брэдфилд, — что у вас есть собственные особые интересы, которые необходимо принимать во внимание.

Прашко заерзал на стуле.

— Поосторожнее с этим, — прошипел он.

— Я отнюдь не собираюсь каким-либо образом вмешиваться во внутренние дела федеративной республики. Ваши личные политические амбиции, будущее вашей партии в связи с активизацией Движения — все это никоим образом не является для меня приоритетом. Я нахожусь в этой стране, чтобы сохранить наш альянс, а не выступать в роли судьи над одним из наших союзников.

Совершенно неожиданно Прашко улыбнулся:

— Это славно.

— Ваша совместная работа с Хартингом двадцать лет назад, ваша связь с определенными британскими правительственными ведомствами...

— Никто об этом не знает, — поспешно перебил его Прашко. — И вам лучше, черт побери, проявить крайнюю осторожность.

— Я как раз собирался затронуть эту же тему. Осторожность, — отозвался Брэдфилд с ответной ободряющей улыбкой. — Мне самому было бы крайне нежелательно, чтобы о посольстве пошли слухи, будто мы затаили к кому-то неприязнь, намереваемся выдвинуть обвинения против известных немецких политических деятелей, пытаемся рыться в давно забытых делах и льем таким образом воду на мельницу недружественных федеративной республике государств, очерняя ее в глазах мирового сообщества. И, уверен, в ваших личных интересах не слышать таких же домыслов по своему адресу. А это значит, мы на одной стороне, связанные общностью целей.

— Конечно, — сказал Прашко. — Конечно. — Но его морщинистое лицо оставалось непроницаемым.

— У нас с вами общие враги. Мы не должны позволить им встать между нами.

— Верно, — сказал Прашко, еще раз покосившись на покрытое ссадинами лицо Тернера. — Но у нас есть и общие, хотя до странности занятные друзья, не так ли? Неужели Лео сумел вас столь основательно отделать?

— Они сидят за соседним столиком в углу, — ответил Тернер. — Те, кто это сделал. И им не терпится поступить точно так же с Лео, если появится малейшая возможность.

— Хорошо, — сказал наконец Прашко. — Я вам поверю. Мы с Лео пообедали вместе, но с тех пор я его не видел. Что нужно от вас этой старой обезьяне?

— Брэдфилд! — окликнул его Зааб через весь зал. — Ну, скоро вы освободитесь?

— Я же сказал вам, Карл Хайнц. Никаких новых заявлений для прессы у меня нет.

— Мы всего лишь поговорили, вот и все. Я вижусь с ним крайне редко. Он сам позвонил: как насчет того, чтобы как-нибудь пообедать вместе? Давай завтра, ответил я. — И Прашко раскрыл ладони в жесте, показывающем, что ему нечего скрывать.

— О чем вы разговаривали? — спросил Тернер.

Барри пожал плечами:

— Вы же знаете, как часто происходит со старыми друзьями. Лео — хороший малый, но... Что ж, все люди меняются. Или же, напротив, нам не нравится видеть, что они нисколько не изменились. Мы вспоминали давние времена. В общем, все в таком духе.

— Какие давние времена? — упорствовал Тернер, и Прашко метнул в него крайне злобный взгляд.

— Очень давние. Англию. Скверные времена. Знаете, почему мы отправились в Англию: я и Лео? Мы были еще совсем детьми.

А как мы попали туда? Его фамилия начиналась с «Х», а моя с «П».
И я заменил ее на «Б». Хартинг Лео, Брашко Гарри. Вот какие времена. Нам повезло, что мы не звались Вайсс или Закари: W и Z —
слишком далеко расположенные буквы. Англичанам почему-то не
нравилась нижняя часть алфавита. Вот о чем мы вспоминали: отправку в Дувр. Совершенно одни на борту. Те проклятые времена.
Чертову сельскую школу в Шептон-Маллете. Вам знакома эта во-
нючая дыра? Быть может, там теперь хотя бы стены покрасили.
Надеюсь, что подох уже тот старик, который устраивал нам ад-
скую жизнь, потому что мы были немцами, и все твердил, как мы
должны благодарить Англию за предоставленное нам убежище, за
возможность остаться в живых. А знаете, что мы выучили в Шептон-Маллете? Итальянский язык. Общаясь с военнопленными.
Потому что ни один другой подонок не желал с нами разговаривать! — Он повернулся к Брэдфилду. — Что за нациста ты с собой
привел? — спросил он, но тут же расхохотался. — Ладно, я еще не
совсем рехнулся. Так вот, я просто пообедал с Лео.

— И он рассказал о возникших у него проблемах, в чем бы они
ни заключались? — спросил Брэдфилд.

— Ему хотелось уточнить подробности закона о сроке давности, — ответил Прашко, все еще улыбаясь.

— Срока давности для военных преступлений?

— Само собой. Он хотел разобраться в положениях законодательства.

— Применительно к конкретному делу?

— С чего вы так решили?

— Я просто поинтересовался.

— А я уж подумал, что вы действительно имеете в виду конкретное дело.

— Значит, его интересовал закон в целом. Так сказать, важней-
шие пункты?

— Именно.

— Зачем ему это понадобилось, вот что меня занимает. Ведь
в наших общих интересах не дать прошлому восстать из праха.

— Что правда, то правда.

— Это диктует нам здравый смысл, — продолжил мысль Брэдфилд. — Как мне представляется, для вас он имеет гораздо более
важное значение, чем любые заверения с моей стороны. Что
именно он пытался выяснить?

Прашко заговорил медленно, тщательно подбирая слова:

— Ему важно было разобраться в причине. Понять философию, положенную в основу закона. И я сказал ему: «Это ведь далеко не новый закон. Наоборот, один из старейших. Он призван обеспечить, чтобы у всего существовал предел. В каждой стране имеется верховный суд — инстанция, после которой обращаться уже больше некуда, так? Вот и в Германии нельзя обойтись без какой-то финальной точки». Я втолковывал ему все, словно передо мной сидел ребенок — он ведь существо совершенно невинное, чертовски наивное. Вы знаете об этом? Как некоторые монахи. «Приведу тебе пример, — говорил ему я. — Ты едешь на велосипеде ночью, не включив фары. И если в течение четырех месяцев никто не обвинит тебя в этом, то ты чист перед дорожным законом. Если речь идет об убийстве по неосторожности, то требуются уже не четыре месяца, а пятнадцать лет. При предумышленном убийстве — двадцать. В случае с нацистскими преступлениями срок еще дольше, поскольку его специально продлили. Выждали несколько лет, прежде чем начали считать до двадцати. Но вот если уголовное дело вообще не возбудили вовремя, преступление перестает быть таковым». И еще я добавил: «Немцы дурачили нас по полной программе, пока сама тема не исчерпала себя. Они вносили поправки, чтобы угодить королеве и чтобы соблюсти собственные интересы. Сначала отсчет велся с сорок пятого года, потом с сорок девятого, а теперь они опять изменили срок». — Прашко развел руками. — И тогда он начал буквально орать на меня: «Что такого особенного именно в двадцати годах, почему именно этот срок считается чем-то священным?» «Ничего священного в двадцати годах нет, — ответил я. — Как нет ничего священного в любом количестве лет. Просто все мы старимся. Устаем жить. Умираем». Вот что мне приходилось объяснять ему. А еще я сказал: «Не знаю, какие идеи ты вбил в свою дурацкую башку, но это полная чушь. Все имеет свой конец. Моралисты считают это нравственным постулатом, апологеты воспринимают как нечто разумное и целесообразное. Послушай меня. Я твой друг Прашко, и Прашко говорит тебе: ты столкнулся с жизненной реальностью, а потому не старайся ничего изменить. Бесполезно». Вот тогда он разозлился на меня. Вы видели его по-настоящему разгневанным?

— Нет.

— После обеда я привел его сюда. Наш спор продолжался. Всю дорогу в машине. А потом мы сидели за столиком. Именно за этим, за которым сидим сейчас. «Быть может, я сумею раздобыть новую информацию», — сказал он. «Если даже раздобудешь, сразу забудь о ней, потому что даже с ней ни хрена у тебя не получится. Не трать понапрасну время. Ты опоздал. Закон против тебя», — отвечал я.

— Он, случайно, не обмолвился, что уже обнаружил новые улики?

— А он их действительно нашел? — спросил Прашко с необычайной поспешностью.

— Не думаю, что такая информация существует.

Прашко медленно кивнул, пристально глядя на Брэдфилда.

— Что же произошло дальше? — спросил Тернер.

— Ничего особенного. Я констатировал: «Хорошо, пусть ты можешь доказать убийство по неосторожности, но уже опоздал на годы. Если ты способен кого-то уличить в преднамеренном убийстве, то срок минул в декабре прошлого года. Ты потерпел поражение» — так говорил я ему. Но он вдруг вцепился мне в руку и зашептал, как какой-то сумасшедший проповедник: «Никакой закон никогда не перечеркнет того, что они наделали. Мы с тобой прекрасно знаем это. Нам повторяют в церквях: Христос был рожден Непорочной Девой, а вознесся на небеса в столбе света. И миллионы людей верят. Знаешь, когда я играю на органе по воскресеньям, то слышу их». Это правда?

— Да, он действительно играл на церковном органе, — ответил Брэдфилд.

— Боже милостивый! — Прашко, казалось, был изумлен. — Лео этим занимался?

— Причем многие годы.

— А тогда он продолжал взывать ко мне: «Но ведь мы с тобой, Прашко, — ты и я — на своем жизненном пути столкнулись со свидетельствами невиданного прежде зла. Не на горной вершине ночью, а при свете дня посреди ровного поля, где тогда стояли мы все. Нам выпала высокая привилегия. Теперь все это грозит повториться».

Тернер хотел перебить, но Брэдфилд удержал его.

— Тут уж я не на шутку рассвирепел. Говорю ему: «Не надо строить из себя передо мной Господа Бога. Не стоит тут разоряться по поводу тысячелетней справедливости Нюрнбергского процесса, который продлился целых четыре года. Закон дал нам все-таки целых двадцать лет. И кто навязал именно такой срок? Именно вы, британцы, заставили нас изменить условия. Когда вы передавали нам управление страной, могли бы заявить: вот вам, проклятые немцы, все ваши собственные дела, судите преступников сами, выносите приговоры в соответствии со своим уголовным кодексом, но для начала отмените статью о сроке давности. Вы были участниками принятия решений тогда, так что не уклоняйтесь от этой роли теперь. Все кончено. Все к чертовой матери кончено!» Вот какие слова только и нашлись у меня для Лео. А он лишь смотрел на меня, качал головой и все повторял: «Ах, Прашко, Прашко, Прашко...»

Достав из кармана носовой платок, Прашко промокнул лоб и обтер рот.

— Не обращайте внимания на мой темперамент, — сказал он. — Я слишком легко перевозбуждаюсь. Вы же знаете политиков. И пока Лео укоризненно смотрел на меня, мне пришлось увещевать его: «Послушай, здесь теперь мой дом. И если я где-то потерял сердце, то именно в этом борделе. Меня самого удивляло, почему здесь. Почему не в Букингемском дворце? Почему я не поддался культуре кока-колы? А потому, что отныне это моя родина, моя страна. Вот и тебе пора бы обрести настоящую родину. А не считать ею какое-то вшивое посольство». Он продолжал пристально вглядываться мне в глаза, и, буду с вами честен, мне тоже показалось, что я начинаю сходить с ума. И я сказал: «Хорошо, предположим, ты действительно раскопаешь доказательства. Тогда расскажешь мне обо всем. Но только что дальше? Кто-то совершил преступление в тридцать лет, чтобы понести наказание за него в шестьдесят? Какое это будет иметь значение? Мы уже пожилые люди. И ты и я. Ты должен помнить фразу из Гете: «Ни одному человеку не дано любоваться закатом солнца дольше четверти часа». А он мне: «Вот только все происходит снова. Посмотри на их лица, Прашко, послушай их речи. Кто-то должен остановить этого мерзавца, чтобы людям, включая и нас с тобой, не пришлось опять носить лагерные номерки».

Теперь первым паузу прервал Брэдфилд:

— Предположим, он нашел улики, хотя мы и знаем: их не существует в природе. Что он стал бы с ними делать? Как поступил? Если бы поиски завершились успешно — каким образом он бы действовал дальше?

— Боже милосердный! Могу сказать одно: он совершенно свихнулся на этом.

— Кто такая Эйкман? — Настал черед Тернера прервать затянувшееся молчание.

— Простите, какой вопрос вы задали, молодой человек?

— Я спросил про Эйкман. Кто она такая? Мисс Эйкман, мисс Этлинг и мисс Брандт... Он когда-то был даже с ней помолвлен.

— Просто женщина, с которой он жил в Берлине. Или в Гамбурге? И то и другое возможно. Вот ведь черт! Я стал все забывать. Или мне лучше возблагодарить за это Бога?

— Что с ней сталось?

— Ничего о ней больше не слышал, — ответил Прашко.

Его маленькие глазки были едва видны под похожей на древесную кору кожей век.

Из своего угла белые лица продолжали бесстрастно наблюдать за ними — четыре белые руки лежали поверх скатерти, как готовое в любой момент к бою оружие. Через громкоговорители объявили, что депутата Прашко уже ждали в его Fraktion* для совещания.

— Вы предали его, — сказал Тернер. — Навели на него Зибкрона. Продали старого друга. Он рассказал вам все, а вы предупредили Зибкрона, потому что торопитесь снова прицепиться к восходящей политической звезде.

— Тихо! — сказал Брэдфилд. — Не надо поднимать шум!

— Вы мерзкая сволочь, — продолжал шипеть Тернер. — Вы убили его. Он дал вам понять, что обнаружил улики, объяснил, какие именно, и попросил помочь ему, а вы в ответ на доверие натравили на него Зибкрона. Вы были его другом, но все же сделали это.

— Он сумасшедший, — прошептал Прашко. — Неужели вы до сих пор не поняли, до какой степени он свихнулся? Вы просто не видели его в те дни. Не видели допросов Карфельда в подвальной камере. Вы думаете, те парни жестоко избили вас? Так вот: Карфельд не мог даже говорить, а он ему: «Отвечай! Отвечай!» — Глаза Прашко превратились в крошечные бусинки. — После того как мы нашли те трупы в поле... Они были связаны все вместе. Их сначала связали, а потом пустили газ. Лео совершенно обезумел. Я говорил ему: «Послушай, это не твоя вина. Ты не виноват, что остался в живых!» Он не показывал вам, случайно, пуговицы? Они служили деньгами в концлагере. Вы их тоже не видели, как я полагаю. Вам не приходилось проводить с ним вечер за выпивкой в компании пары девиц? И не при вас он затевал игру с деревянными пуговицами, чтобы завязалась драка? Он сумасшедший, го-

---

* Фракция *(нем.)*.

ворю же вам. — Воспоминания привели Прашко в состояние подлинного отчаяния. — И я сказал ему, сидя на этом самом месте: «Брось, оставь свои мысли. Никому еще не удавалось построить Иерусалим в Германии! Не надо выворачивать наизнанку сердце, пожирать самого себя изнутри. Успокойся, поешь, выпей, развлекайся с девушками». Но он — монах. Чокнутый монах, ничего не забывающий. Вы что, думаете, мир создан для таких, как он? Это вам не чертова игровая площадка для кучки очумелых моралистов, верно? И конечно, я сообщил обо всем Зибкрону. Вы, как я вижу, умный молодой человек. Но и вам необходимо научиться вовремя забывать о каких-то вещах. Господи, если британцы не способны на это, то кто вообще способен?

Когда они снова вышли в вестибюль, там раздавались крики. Двое студентов в кожаных плащах прорвали полицейский кордон, проникли в двери и теперь на лестнице дрались с техническими работниками бундестага. Пожилой депутат прижимал платок ко рту, а по кисти его руки текла кровь.

— Нацисты! — кричал кто-то. — Нацисты!

Но указывал почему-то на пробравшегося на балкон студента, размахивавшего красным флагом.

— Вернемся в ресторан, — сказал Брэдфилд. — Оттуда есть выход с другой стороны.

Ресторан мгновенно почти совершенно опустел. Привлеченные или, наоборот, напуганные шумом из вестибюля, депутаты и их гости разбежались кто куда. Брэдфилд не бежал, но шел по-военному быстрыми и длинными шагами. Он направлялся в сторону торговой аркады. Магазин кожаных изделий выставил на витрину черные портфели из отличного качества хромовой телячьей шкуры. В соседней витрине парикмахер намыливал пеной лицо невидимого клиента.

— Брэдфилд, ты должен хотя бы выслушать меня. Боже мой, я обязан передать тебе хотя бы то, о чем они говорят.

Зааб совершенно запыхался. Его плотная грудь высоко вздымалась под замызганным пиджаком, капли пота заполнили глубокие морщины под пожелтевшими белками глаз. Из-за его плеча выглядывало побагровевшее под черной шевелюрой лицо Аллертона. Они миновали другие двери. Сюда не доносился больше гвалт из вестибюля. Царило спокойствие.

— Кто и о чем говорит?

Вместо Зааба ответил Аллертон:

— Весь Бонн, дружище. Все сборище трепачей и сплетников, будь они трижды неладны!

— Послушай. Ходят упорные слухи. Послушай же! То, о чем судачат, это просто фантастика! Ты знаешь, что на самом деле произошло в Ганновере? Знаешь, почему начался погром и бунт? Об этом шепчутся во всех кафе, обсуждают между собой депутаты, даже люди Карфельда не молчат. Весь Бонн бурлит. Хотя им отдали приказ ничего не рассказывать, это слишком невероятная история, чтобы не стать достоянием гласности.

Зааб поспешно оглядел оставшуюся позади аркаду.

— Это самая потрясающая тема за многие годы, — добавил Аллертон. — Особенно для такой столичной деревни, как Бонн.

— Почему они прорвали оцепление впереди и бросились, как бешеные псы, в библиотеку? Те парни, которых привезли в серых автобусах. Потому что кто-то стрелял в Карфельда. Под грохот всей той музыки в него стреляли из окна библиотеки. Какой-то приятель погибшей женщины, библиотекарши. Эйх. Она работала на англичан в Берлине. И была иммигранткой, которая сменила фамилию на Эйх. Она позволила ему стрелять из окна. Потом Эйх во всем призналась Зибкрону перед смертью. Та самая Эйх. Один из охранников успел заметить выстрел. Телохранитель Карфельда. В самый разгар бравурных маршей! Они разглядели в окне стрелявшего мужчину и бросились, чтобы схватить его. Охранники, приехавшие в серых автобусах, Брэдфилд! Слушай же, Брэдфилд! Послушай, что они говорят! Нашли пулю. От английского пистолета. Теперь ты понимаешь? Англичане покушаются на жизнь Карфельда: фантастический слух! Ты должен немедленно положить ему конец. Поговори с Зибкроном. Карфельд в ужасе. Он на самом деле отчаянный трус. Вот почему он сейчас так осторожен, почему и строит повсюду дурацкие Schaffott'ы. Как перевести Schaffott? Опять забыл, будь проклята моя память!

— Эшафот, — подсказал Тернер.

В этот момент из вестибюля в аркаду ворвалась толпа и увлекла их за собой на улицу, на свежий воздух.

— Вот именно, эшафот! Но только это официально пока секрет, Брэдфилд! Информация предназначается только для тебя! — А потом Зааб чуть не заплакал. — И ради всего святого, ты не должен ссылаться на меня! Зибкрон изойдет от ярости!

— Ни о чем не беспокойся, Карл Хайнц, — ответил ему ровный голос, до абсурда официальный посреди окружавшего их хаоса. — Я сохраню полную конфиденциальность относительно тебя.

— Старина... — Аллертон поднес губы почти к самому уху Тернера. Он не побрился, темные волосы слиплись от пота. — Что же произошло с Лео, а? Кажется, он растворился в воздухе? Рассказывают, что в свое время эта Эйх была очень даже ничего себе... Та еще штучка! Работала на охотников за черепами в Гамбурге. Кстати, что у тебя с лицом, приятель? Она некстати сдвинула колени, как я догадываюсь. Верно?

— Я пока не вижу здесь никакой скандальной истории, — сказал Брэдфилд.

— Правильно. Пока не видишь, старина, — отозвался Аллертон. — Но только пока.

— И не будет никакой истории.

— А еще говорят, он почти добрался до него в Бонне в ночь накануне митинга в Ганновере. Просто не был уверен, что перед ним нужный человек. Карфельд как раз возвращался один после какого-то секретного совещания. Шел к месту, откуда его должны были забрать, и Лео, черт побери, чуть не подстрелил его еще тогда. Но шлюхи Зибкрона подоспели, чтобы выручить Карфельда.

Вдоль набережной неподвижные колонны людей выстроились и терпеливо ждали. Знамена едва колыхались под слабым ветерком. На противоположном берегу реки позади ряда иссиня-темных стволов деревьев вдалеке виднелись трубы заводов, пускавшие ленивые струйки дыма в тоскливое утреннее небо. Небольшие лодчонки мазками ярких красок лежали перевернутыми на серой траве вдоль реки. Слева от Тернера располагался старый эллинг, который никто пока не решался снести. Объявление на нем гласило, что он является собственностью факультета физической культуры Боннского университета.

Они стояли на берегу, сомкнув ряды. Бледный туман, как испарина на стекле, замутил коричневый горизонт и почти скрыл ближайший мост. Раздавались не звуки, а всего лишь эхо того, чего как бы и не существовало. Крики заблудившихся в пелене чаек, скрипы с затерявшихся барж, грохот невидимых отбойных молотков. И людей тоже не было — лишь серые тени вдоль линии воды и неизвестно откуда доносившийся топот ног. Дождь не шел, но временами от испарений тумана ощущалось пощипывание, как кровь пощипывает изнутри перегретую кожу. Проплывали не корабли, а нечто вроде похоронных плотов, медленно тащившихся по течению к богам Севера. Отсутствовали даже запахи. Пахло лишь углем и машинным маслом с призрачных промышленных предприятий.

— Карфельда надежно укрыли до сегодняшнего вечера, — сказал Брэдфилд. — Зибкрон позаботился об этом. Они ожидают нового покушения сегодня. И Лео предпримет новую попытку. — А потом он повторил фразу снова, словно репетировал ее или запоминал как формулу: — До начала демонстрации Карфельду предоставили убежище, а после демонстрации спрячут снова. Возможности же Хартинга предельно ограниченны. Ему недолго разгуливать на свободе. Поэтому он точно попытается сделать это сегодня.

— Эйкман мертва, — сказал Тернер. — Ее убили.

— Да, он определенно совершит еще одно покушение сегодня.

— Заставьте Зибкрона отменить демонстрацию.

— Я бы непременно так и поступил, будь это в моих силах. И Зибкрон тоже, если бы только мог. — Он указал на колонны. — Но теперь слишком поздно.

Тернер выразительно посмотрел на него.

— Поймите, я и мысли не допускаю, что Карфельд сам отменит митинг, как бы напуган он ни был, — продолжал Брэдфилд, как будто на секунду у него самого возникли сомнения. — Эта демонстрация призвана стать кульминацией его политической кампании. В столице завершается то, что он начал в провинции. Причем он специально приурочил ее к самому критическому моменту конференции в Брюсселе. Он уже наполовину добился успеха.

Роули повернулся и медленно побрел по дорожке к автостоянке. Серые колонны безмолвно наблюдали за ним.

— Отправляйтесь обратно в посольство. Возьмите такси. С этого момента вводится запрет на всякое передвижение по городу. Никто не смеет покидать посольской территории под угрозой увольнения. Сообщите об этом де Лилю. Расскажите ему обо всем, что произошло, и пусть отложит пока в сторону документы по Карфельду до моего возвращения. Все, что его изобличает: рапорты следователей, текст диссертации... Словом, любые материалы из «Священной норы», в которых изложена эта история. Я приеду вскоре после обеда.

Он открыл дверь своей машины.

— В чем смысл вашей сделки с Зибкроном? — спросил Тернер. — Что в подтексте?

— Нет никакой сделки. Либо они устранят Хартинга, либо Хартинг убьет Карфельда. В любом случае я должен от него отмежеваться. Это единственное, что сейчас по-настоящему важно. Или есть нечто иное, чего вы от меня ожидали? Вы видите другой выход из положения? Я проинформирую Зибкрона о нашем желании восстановить нормальный порядок вещей. Дам ему любую клятву, что мы не имели никакого отношения к деятельности Хартинга, даже не подозревали о ней. Вы способны предложить альтернативное решение? Был бы вам весьма признателен.

Он завел двигатель. Серые колонны ненадолго ожили и зашевелились, привлеченные видом белого «ягуара».

— Брэдфилд!

— Что?

— Умоляю вас. Задержитесь на пять минут. У меня тоже есть карта, которой я могу сыграть. Нечто, о чем я никогда прежде не упоминал. Брэдфилд!

Не вымолвив ни слова, Брэдфилд открыл дверь и выбрался из автомобиля.

— Вы утверждаете, что мы не имели ни к чему никакого отношения. Но это не так. Имели. Он наше с вами порождение, и вы все прекрасно понимаете. Именно мы сделали его таким, какой он есть, раздавив его между этими разными мирами... Мы породили его самосознание, заставили видеть то, что ни один человек не должен был видеть, слышать то... Мы словно отправили его в одиночное плавание... Вы не были у него внизу, зато я там побывал! Брэдфилд, послушайте! Мы в долгу перед ним. И он глубоко проникся этой мыслью.

— Нам всем кто-то что-то должен. Очень немногие получают сполна то, что им причитается.

— Но вы хотите уничтожить его! Вы страстно желаете превратить его именно в ничтожество! Вы стремитесь отмежеваться от Лео, потому что он был ее любовником! Потому что...

— Бог ты мой, — тихо сказал Брэдфилд, — если бы я действительно руководствовался таким мотивом, то убил бы не тридцать два человека, а гораздо больше. И это все, что вы хотели мне сообщить?

— Постойте! Брюссель... Общий рынок... Все это. Следующая неделя бесценна. Время на вес золота, потому что потом останется только Варшавский договор. Мы присоединились к бессмысленной Армии спасения, чтобы угодить американцам. И нет никакой разницы в названиях, верно? Вы же яснее всех нас видите, куда все сползает. Так почему же даете этому продолжаться? Почему не прикажете остановиться?

— Как еще мне поступить с Хартингом? Скажите, что я могу сделать, кроме как отречься от него? Теперь вы узнали нас немного лучше. Кризисы — сфера академическая, а вот скандалы — нет. Неужели вы до сих пор не усвоили, что только видимость, поверхностное впечатление имеет реальное значение?

Тернер лихорадочно оглядывал его.

— Это неправда! Вы просто не можете быть до такой степени связаны необходимостью соблюдать поверхностные приличия.

— А что еще остается, если под внешней оболочкой все прогнило? Подломится поверхность, и мы все пойдем ко дну. Вот что натворил Хартинг, — продолжал он затем без всякой рисовки. — Я лицемер. Более того, я глубокий приверженец лицемерия. Потому что оно для нас самый близкий эквивалент добродетели. Это идеал, к которому мы должны стремиться. В религии, в искусстве, в законотворчестве, в семейной жизни. И я — служитель внешней видимости вещей. Это наихудшая из систем, но она тем не менее лучше остальных. Здесь заключена сама суть моей профессии и моя жизненная философия. И в отличие от вас, — добавил он, — я не стремлюсь отдать все свои силы ради блага великой нации, а тем более — ради укрепления нации добродетельных людей. Конечно, любая власть развращает. Но только утрата власти развращает в гораздо большей степени. Мы благодарим Америку за преподанный урок. Поскольку нам показали истину. Мы — коррумпированная нация и потому нуждаемся в помощи отовсюду, из любого источника. Что весьма прискорбно, а подчас, вынужден признаться, даже унизительно. И все же я предпочту падение великой державы ее выживанию при полном бессилии. По мне, так лучше потерпеть поражение в борьбе, чем сохранять нейтралитет. Я лучше останусь англичанином, чем превращусь в швейцарца. Но опять-таки, в отличие от вас, я ничего уже не жду. Не жду ни от государственных учреждений, ни от частных лиц. Так у вас нет никаких идей? Я разочарован.

— Брэдфилд, я знаю ее. Я знаю вас и понимаю ваши чувства! Вы ненавидите его! Вы ненавидите его сильнее, чем сами осмеливаетесь себе признаться! Вы ненавидите его за умение чувствовать.

За умение любить и за способность ненавидеть. Вы ненавидите его за лживость не меньше, чем за честность. За то, что сумел разбудить ее. За то, что опозорил вас. Вы ненавидите Лео за время, потраченное ею на него... За ее мысли о нем, за ее сны о нем!

— Но предложить вам нечего. Полагаю, отведенные вам мной пять минут истекли. Он действительно причинил вред, — продолжал Брэдфилд небрежным тоном, словно снисходительно соглашался еще раз рассмотреть затронутую тему. — Да. Причинил. Но не в такой степени мне лично, какая вам мерещится. Он нанес урон тому порядку, который порожден хаосом, умеренности, лежащей в самой основе нашего бесцельно существующего общества. Он не имеет никакого права ненавидеть Карфельда, как и... Не имеет права все помнить. Не его ума это дело. И если у нас с вами осталось в этой жизни хоть какое-то предназначение, то наша задача в том, чтобы уберечь мир от столь самонадеянных людей.

— Из вас всех здесь... Нет уж, извольте дослушать меня! Из вас всех здесь он единственный человек, который реален. Он один оказался способен во что-то поверить и начать действовать! Для вас же все это как надоевшая, лишенная всякого интереса игра, как семейная игра в слова. Вот и все. Игра, не более того. Но Лео взялся за дело всерьез! Он глубоко вник в него! Он знает, чего хочет, и делает все для достижения поставленной цели!

— Верно! И одних описанных вами устремлений достаточно, чтобы приговорить его и предать анафеме. — Брэдфилд словно забыл о существовании Тернера. — Для подобных ему в мире больше нет места. Если мы что-то и поняли в жизни, то именно это, хвала Господу. — Он неотрывно смотрел на реку. — Мы увидели, что даже пустота — слишком нежное растение. Вы говорите так, будто люди делятся на тех, кто вносит свой вклад, и на тех, кто не делает этого. Словно мы выполняем никому не нужную работу, с которой мир как-нибудь справился бы и без нашего участия. Вот так — сам по себе. Но никто и не ждет от нас никакого результата. Как нет конца нашим усилиям, не назначен финальный день их завершения. Сама жизнь и есть наша работа. Прямо сейчас. В этот самый момент мы делаем ее. Каждую ночь, укладываясь спать, я говорю себе: вот я завершил еще один день и могу причислить его к своим достижениям. Еще один день прибавился к неестественной жизни в мире, находящемся при смерти. И если я никогда не позволю себе расслабиться, если буду трудиться не покладая рук, мы, быть может, продержимся еще сто лет. Да, — он разговаривал с рекой, — наша политика подобна глубине протока. Три дюйма глубины вверх и вниз по течению. Таково ограничение свободы наших действий. Предел разумного. Зайди дальше, и воцаряется анархия, начинается романтическая трепотня, когда вскипают протесты, начинает говорить совесть, а не разум. Мы все охотно ищем более широкий простор для своей свободы. Каждый из нас. Но никакого простора не существует. И пока мы принимаем этот факт, можем мечтать о чем угодно. Хартинг нарушил предел, спустившись туда, куда не следовало. Начнем с этого. А вы — когда не вернулись в Лондон вовремя, как вам было приказано. Статус ограничения срока давности стал законом, предписывающим забвение. Он презрел закон. Прашко прав: Хартинг нарушил всемирный закон умеренности.

— Но мы же не автоматы! Мы рождены для свободы, и я свято верю в это! Мы не можем контролировать процессы, происходящие в нашем сознании!

— Господи, да кто вам внушил такую ерунду? — Брэдфилд опять посмотрел на Тернера, и в его глазах блеснули чуть заметные слезы. — Я постоянно контролировал процессы, происходившие в моем сознании на протяжении восемнадцати лет женитьбы и двадцати лет дипломатической карьеры. Я половину жизни посвятил тому, чтобы научиться не видеть, а вторую половину — чтобы не чувствовать. Неужели вы думаете, я не способен научиться забывать? Бог свидетель, порой меня пригибают к земле проблемы, о которых мне ничего не известно, потому что я забыл о них. Так какого дьявола он тоже не пожелал научиться забывать? Вы, вероятно, считаете, мне доставляет удовольствие то, что теперь приходится делать? А вы не допускаете, что он и только он сам вынудил меня пойти на это? Именно он заварил кашу, а не я! Его треклятое самомнение...

— Брэдфилд, секундочку! А что вы тогда думаете о Карфельде? Разве Карфельд тоже не переступил черту дозволенного?

— К этому делу можно подходить с нескольких разных сторон. — Судя по тону, створки раковины снова захлопнулись.

— И Лео нашел один из таких подходов.

— Но совершенно неверный, вот в чем беда.

— Почему же?

— Плевать на причины.

Роули снова медленно побрел к машине, но Тернер продолжал говорить ему вслед:

— Что заставило Лео действовать? Нечто им прочитанное. Нечто из того, что он украл у вас. Какие материалы хранились в зеленой папке? Объясните суть туманного определения «протоколы официальных и неофициальных переговоров» с немецкими политическими деятелями. Брэдфилд! Кто с кем беседовал?

— Не кричите так. Нас могут услышать.

— Скажите же мне! Вы ведь вступали в переговоры с Карфельдом? Вот что вынудило Лео отправиться на опасную ночную прогулку. Вот в чем дело, не так ли?

Брэдфилд не ответил.

— Боже милосердный, — прошептал Тернер. — Мы, выходит, такие же, как они. Мы похожи на Зибкрона и Прашко. Тоже стараемся разделить выигрыш со счастливым победителем, с восходящей звездой завтрашнего дня!

— Вот с этим будьте поосторожнее! — предупредил его Брэдфилд.

— Аллертон... Аллертон сказал...

— Аллертон? Он вообще ни о чем знать не знает!

— Карфельд приезжал вечером в ту пятницу из Ганновера. По секрету прибыл в Бонн. Для некоего совещания. Его даже не встречали на вокзале, чтобы сохранить инкогнито, и ему пришлось некоторое время идти пешком. И вы тоже в итоге не отправились в пятницу в Ганновер, как собирались, не так ли? Вы сменили планы, сдали билет. Лео выяснил это в отделе командировок...

— Вы несете несусветную чушь.

— Вы встретились с Карфельдом в Бонне. Зибкрон устроил свидание, а Лео проследил за вами, потому что уже знал о ваших намерениях!

— Вы просто из ума выжили!

— Отнюдь нет. Зато Лео точно спятил, по вашему мнению. Поскольку подозревал вас. С самого начала он начал смутно догадываться, а потом уверился окончательно в том, что вы закулисно способствуете провалу конференции в Брюсселе. До тех пор пока к нему в руки не попала эта злосчастная папка, пока он не убедился в справедливости своих подозрений, он еще рассчитывал действовать в рамках закона. Но после ознакомления с содержимым зеленой папки понял: все действительно начинает повторяться. А поняв это, вынужден был поторопиться. Ему необходимо было остановить вас, остановить Карфельда. Но времени у него почти не оставалось!

Брэдфилд снова предпочел промолчать.

— Так что же хранилось в зеленой папке, Брэдфилд? Что он унес с собой для возможной самозащиты? Почему именно она оказалась единственной похищенной им? Потому что в ней хранился протокол тех ваших встреч, не так ли? И это напугало вас больше всего. Вам было необходимо во что бы то ни стало вернуть зеленую папку! Вы ведь подписали протоколы лично, Брэдфилд, угадал? Своей знаменитой авторучкой. — Его бесцветные глаза пылали гневом. — Когда он украл коробку для хранения досье? Давайте прикинем: в пятницу... В пятницу утром он получил окончательное подтверждение. Увидел все написанным черным по белому: это и была важнейшая улика, которую он искал. И он отнес ее Эйкман... «Они вернулись к своим прежним методам, и мы обязаны их остановить, пока не поздно... Мы с тобой избраны для этой миссии». Вот почему он прихватил зеленую папку с собой! Чтобы показать ее всем! «Смотрите, детишки, — хотел он сказать всем, — история действительно повторяется, но только вовсе не в виде фарса!»

— Там были совершенно секретные документы. Он мог на многие годы сесть в тюрьму только за это.

— Но в тюрьму он не сядет, потому что вам нужно досье, а не человек. Это тоже диктует вам ваш трехдюймовый лимит свободы?

— А вы, разумеется, предпочли бы видеть меня фанатиком?

— То, что он многие месяцы подозревал, ловил в ходивших по Бонну сплетнях и читал в вырезках из газет, которыми снабжала его она, теперь стало неопровержимым фактом. Британцы делали новую ставку. Желая в том числе нагреть руки на экономических выгодах оси Бонн — Москва. В чем смысл предложенной вами сделки, Брэдфилд? Что там напечатано мелким шрифтом? Расскажите же! Ах, так вот почему Зибкрон тоже заподозрил вас чуть ли не в тройной игре! Сначала вы ставите все свои фишки на Брюссель, и это вполне разумно. «Давайте не будем мешать естественному ходу вещей». Но затем переносите ставку на Карфельда с помощью того же Зибкрона. «Устройте мне тайную встречу с Карфельдом, — просите вы его. — Великобритания тоже заинтересована в связях с Москвой». Хотя уж слишком неофициально проявлялась эта заинтересованность, согласитесь. Простые переговоры без свидетелей для взаимного определения позиций. Но в конечном счете торговый союз с Востоком действительно не исключается, герр доктор Карфельд, если вы в будущем станете надежной альтернативой рассыпающемуся на глазах коалиционному правительству! Скажу вам больше, мы и сами настроены сейчас против Америки. Это у нас в крови, как вы сами понимаете, герр доктор Карфельд...

— Вы ошиблись в выборе профессии.

— Но что происходит потом? Не успевает Зибкрон уложить Карфельда к вам в постель, как он выясняет такое, от чего у него кровь стынет в жилах. Оказывается, британское посольство составляет досье на преступное прошлое Карфельда! В распоряжении посольства уже имеются все документы — причем уникальные документы, Брэдфилд, — а теперь они втихаря готовятся шантажировать его. Но и это еще не все!

— Неужели?

— Зибкрон и Карфельд едва оправились от первого шока, как получают второй удар, еще более мощный. Такой, что они потрясены до глубины души. Даже от всем известного своим коварством Альбиона они не ожидали ничего подобного. Британцы предпринимают попытку физического устранения Карфельда. В этом предположении нет никого смысла, само собой. Зачем стрелять в человека, которого собираешься шантажировать? Они, вероятно, с ума сходили, теряясь в догадках. Теперь понятно, почему Зибкрон выглядел переутомленным и почти больным в четверг вечером!

— Хорошо, вы все установили. Вам отныне тоже известен наш общий секрет. Сохраните же его.

— Брэдфилд!

— Ну, что еще?

— Кому вы желаете победы? Сегодня днем в Бонне на кого вы ставите? На Лео или на дешевого и ненадежного союзника?

Брэдфилд снова запустил двигатель.

— Дешевого и ненадежного! Неужто это единственный союзник, которого мы можем себе позволить! И только с ними у нас хватило смелости договориться. Мы же гордая нация, Брэдфилд! Но зато вы можете заполучить сейчас Карфельда на двадцать пять процентов дешевле, чем завтра, так? Ничего, что он нас ненавидит. Ему придется смириться. Люди меняются! И он постоянно размышляет о возможном союзе с нами. Вы отлично начали! Еще чуть подтолкни, и он на все согласится. Либо вы с нами, либо сами по себе. Либо принимаете участие в наших делах, либо выбываете из игры, — Брэдфилд сделал паузу, немного поколебавшись. — Или предпочтете стать швейцарским подданным?

И не удостоив собеседника больше ни словом, ни взглядом, он повел машину вверх по склону холма, свернул направо, и «ягуар» исчез на дороге, которая вела в старую часть Бонна. Тернер дождался, чтобы он скрылся из вида, и пошел назад вдоль берега реки к стоянке такси. И пока он шел туда, у него за спиной вдруг послышался невообразимый гвалт и топот. Возможно, это были самые тревожные и печальные звуки, какие он слышал в своей жизни. Колонны пришли в движение. Толпа медленно, настороженно, но угрожающе двинулась вперед — лишенное мозга серое чудовище, которое уже никакими силами невозможно было бы удержать на месте. За спинами демонстрантов, почти полностью скрытый туманом, высился любимый холм Чемберлена.

Эпилог

Брэдфилд шел впереди. Де Лиль и Тернер следовали за ним. Вечер только наступал, но улицы были практически свободны от транспорта. Казалось, в городе никто не двигался, кроме безмолвных, одетых в серое приезжих, группами шагавших по переулкам в сторону рыночной площади. Черные знамена, почти не колышась, двигались поверх этих приливных волн.

Бонн никогда прежде не видел таких лиц. Старые и молодые, растерянные и разгоряченные, сытые и голодные, умные, скучающие, управляемые и своенравные — все это были «дети Республики», которые на время объединились в единый легион, чтобы овладеть ее хлипкими бастионами. Среди них выделялись пришедшие из деревень в горах: темноволосые, непривычные к городским мостовым, принаряженные к случаю. Попадались клерки, эдакие диккенсовские бобы крэтчиты, взбодренные холодным воздухом. Местами толпа напоминала воскресный променад с его непременными пехотинцами — мужчинами в серых габардиновых костюмах и в таких же серых хомбургских шляпах. Некоторые несли флаги как будто стыдливо, словно давно стали слишком взрослыми для таких игрушек. Другие гордо вздымали над головами боевые знамена. Третьи просто влекли своих громадных черных воронов на рыночную площадь. Бирнамский лес пошел на Дунсинан*.

Брэдфилд приостановился, чтобы остальные поравнялись с ним.

---

* Ссылка на трагическое пророчество из пьесы У. Шекспира «Макбет».

— Зибкрон забронировал для нас места. Но мы должны выйти на площадь с верхней стороны. Надо пробиться сквозь толпу вправо.

Тернер кивнул, хотя с трудом расслышал сказанное. Он осматривался по сторонам, вглядывался в лица, в каждое окно, в витрины магазинов, в боковые улицы и аллеи. Однажды ему что-то померещилось и он уже вцепился в руку де Лиля, но тот человек уже успел затеряться в огромной массе людей, постоянно менявшей очертания толпе.

Не только сама площадь, но и все балконы, окна, магазины, любой участок, каждый уголок пространства был заполнен серыми плащами и белыми лицами, зелеными мундирами солдат и полицейских. Но они продолжали прибывать. Теперь уже и прилегавшие к площади улочки, даже темные проулки были забиты людьми, вытягивавшими шеи, чтобы разглядеть заготовленный для главного оратора помост, стремились увидеть своего лидера — безликие, они страстно выискивали единственное лицо, а в это время Тернер отчаянно искал среди них самих лицо человека, с которым никогда не встречался. Впереди перед установленными прожекторами на фоне неба, так за весь день и не определившего свою окраску, угрожающе свисали на проводах громкоговорители.

Он ничего не сможет сделать, с тоской подумал Тернер. Ему ни за что не пробиться достаточно близко сквозь такую плотную толпу. Но потом ему вспомнился голос Хейзел Брэдфилд: «У меня был младший брат. Когда он играл в регби, мог пробиться сквозь любую защиту». Примерно так звучала сказанная ею однажды фраза.

— А сейчас держитесь левее, — сказал Брэдфилд. — Надо добраться до гостиницы.

— Вы англичане? — послышался женский голос, словно дружески приглашавший к домашнему чаепитию. — У меня дочка живет в Ярмуте.

Но толпа увлекла ее дальше за собой. Частокол из свернутых и торчавших вверх копьями знамен преградил им путь. Знамена образовывали узкий круг, внутри которого собрались цыганским табором студенты, разведшие небольшой костер.

— Сожжем Акселя Шпрингера! — выкрикнул один из юнцов не слишком эмоционально, но другой разорвал на части какую-то книжку и бросил ее в пламя. Книга горела плохо, закашлявшись от удушливого дыма, прежде чем сгинуть в огне. Не стоило бы начинать жечь книги, подумал Тернер. В следующий раз на их месте могут оказаться люди. Группа девушек разлеглась на матрацах, и отсветы костра сочиняли из их красивых лиц настоящие поэмы.

— Если вдруг разминемся, встречаемся на ступенях перед входом в «Штерн», — раздавал инструкции Брэдфилд.

Его слова услышал какой-то мальчишка и бросился к ним, подначиваемый приятелями. Две девушки уже кричали по-французски:

— Вы англичане!

И паренек тоже завопил, хотя его подростковое лицо нервно кривилось:

— Английская свинья!

Вновь услышав девичьи голоса, он неловким жестом просунул маленький кулачок сквозь частокол знамен. Тернер успел проскочить. Удар пришелся в плечо Брэдфилду, но он не обратил на него никакого внимания. Толпа внезапно и самым таинственным образом поредела перед ними, расступилась, и показалось здание мэрии в дальнем конце площади. Оно выглядело как сцена из первого сна в рождественскую ночь. Волшебное нагромождение в стиле барокко, окрашенное в конфетно-розовые и купечески золотые тона. Магическое видение стиля и элегантности, смешение шелка и филиграни, залитое почти реальным солнечным светом. Образ латинской блестящей роскоши, место, где так никогда и не сыгранные де Лилем менуэты заставили бы растаять сердца всех этих бюргеров. Слева возвышался помост, погруженный во мрак за световой завесой прожекторов, направленных на мэрию. И эшафот ждал своего часа, как палач дожидается появления короля, чтобы только потом взяться за свое черное дело.

— Герр Брэдфилд? — спросил детектив с очень бледным лицом.

Он по-прежнему оставался в том же кожаном плаще, который был на нем тем утром в Кёнигсвинтере, но во рту у него зияла пустота там, где прежде были два передних зуба. Луноподобные лики его коллег невольно повернулись при звуке названного имени.

— Да, я — Брэдфилд.

— Нам приказано освободить для вас проход по ступеням. — Он явно отрепетировал английскую фразу заранее: небольшая реплика для начинающего актера.

Рация, лежавшая в кожаном кармане, прохрипела какие-то отрывистые команды. Он поднес ее к губам. «Да, дипломаты прибыли, — сказал он, — и находятся в безопасном месте». Да, джентльмен из исследовательского отдела тоже с ними.

Тернер намеренно не сводил глаз со рта, где недоставало зубов, и улыбался.

— Ты педик, — сказал он, не скрывая удовлетворения.

Губа полисмена тоже пострадала, хотя не так сильно, как у самого Тернера.

— Простите, не понял.

— Педик, — объяснил Тернер, — то есть голубой, педераст.

— Заткнитесь! — рявкнул на него Брэдфилд.

С вершины ступенек открывался вид на всю площадь. Уже начали постепенно сгущаться сумерки. Зажглись праздничные арочные лампы, разделив бесчисленные головы на белые пятна, плававшие отдельными льдинами посреди темного моря. Дома, магазины, кинотеатры растворились и стали не видны совсем. Только их фронтоны торчали вверху, вырезанные сказочными силуэтами на фоне уже почти почерневшего неба. И это был второй сон, выпиленный из дерева мирок «Сказок Гофмана», продлевавших детство для каждого немца. Высоко на одной из крыш красовалась реклама «Кока-колы», то загораясь, то исчезая, ненадолго подсвечивая окружавшую ее черепицу в космически розовый цвет. В какой-то момент случайно пущенный луч прожектора пробежал по фасадам, заглянул влюбленным взглядом в темные витрины магазинов. На нижней ступени детективы продолжали ждать, повернувшись к англичанам спинами, заложив руки в карманы, — черные фигуры в контровом зареве подсветки.

— Карфельд появится сбоку, — внезапно заговорил де Лиль. — Из того проулка слева.

Проследив направление, куда указывала рука де Лиля, Тернер впервые заметил прямо под опорами помоста узкий проход между аптекой и мэрией шириной не более десяти футов, но похожий на глубокий колодец из-за высоты двух соседних зданий.

— Мы остаемся здесь, это вам понятно? На этих самых ступенях. Что бы ни происходило. Мы тут в статусе наблюдателей. Просто наблюдателей, и не более того. — Строгие черты лица Брэдфилда заметно напряглись, когда он, вероятно, обдумывал возможную дилемму. — Если его поймают, то приведут к нам. Таково общее понимание ситуации. И мы сразу же заберем его в посольство, где поместим в заключение, но в условиях безопасности.

Музыка, вспомнилось Тернеру. В Ганновере он совершил свое первое покушение, когда музыка зазвучала особенно громко. Предполагалось, что марши заглушат выстрел. Вспомнил он и фены для сушки волос, подумав: Лео не из тех, кто варьирует свою тактику. Если сработало раньше, сработает снова. Здесь в нем сказывается немецкое происхождение, как пристрастие Карфельда к серым автобусам.

Его мысли никак не распространялись на разговоры в толпе, на общий радостный гул нетерпеливого ожидания, который лишь усилился, превратившись в подобие озлобленной молитвы, когда погасли прожектора. Осталась лишь мэрия подобием алтаря, служившего источником света себе самому, а на ее балконе показалась небольшая группа людей. Их имена тут же зазвучали из тысяч уст повсюду. Доносились обрывки почтительных комментариев. Тильзит. Тильзит был здесь. Тильзит — старый генерал. Он третий слева. И гляньте-ка, он надел ту медаль. Единственную, которую ему запрещалось носить. Особую медаль за заслуги во время войны. А он нацепил ее через ленточку на шее. Отважный человек наш Тильзит. Мейер-Лотринген, экономист! Да, крупный, высокорослый мужчина. Как элегантно он машет рукой толпе! Всем известно, что он из очень знатной семьи. Говорят, он наполовину Виттельсбах, а благородная кровь всегда видна. И он выдающийся ученый. Уж он-то все понимает. И еще священник! Епископ! Смотрите, сам епископ благословляет нас! Следите за движениями его святой руки! Сейчас он смотрит вправо! Вот он протянул руку! И Хальбах — молодой и горячий. Поразительно: на нем простой пуловер! Фантастика! Какой оригинал! Надеть обычный свитер по такому поводу! В самом Бонне! Halbach! Du toller Hund! Но ведь Хальбах из Берлина, а все берлинцы — народ высокомерный. Наступит день, когда он возглавит нас всех. Такой молодой, но уже многого добился в жизни.

Гул постепенно стал перерастать в рев, нутряной, голодный, влюбленный рев, вырывавшийся как из единой глотки, набожный, как единая душа народа, любящий с общей страстью тысяч сердец. А потом он затих до шепотов при первых аккордах музыки. Здание мэрии померкло, и перед всеми возник высокий помост. Кафедра проповедника, капитанский мостик, место для дирижера? Детская колыбель, простой гроб из обычных досок, грандиозный, но исполненный святости, деревянная чаша Грааля, где хранилась вся правда немецкого народа. А на ней стоял мужественный в своем одиночестве, единственный подлинный носитель правды, простой человек по фамилии Карфельд.

— Питер! — Тернер неброским жестом указал в узкий проход. Его рука дрожала, но взгляд стал как никогда острым. — Там какая-то тень, верно? Возможно, охранник занял свой пост?

— На вашем месте я бы не стал сейчас никуда указывать пальцем, — прошептал в ответ де Лиль. — Вас могут неправильно понять.

Но в этот момент на них никто не обращал ни малейшего внимания. Все видели только Карфельда.

— Der Klaus! — бушевала толпа. — Наш Клаус здесь!

Помашите ему ручками, детишки. Клаусу, магу и чародею. Он наверняка дошагал до Бонна на ходулях из немецкой сосны.

— Он ведет себя очень по-английски, — донесся шепот де Лиля, — хотя ненавидит нас самой лютой ненавистью.

Стоя наверху, он казался совсем маленьким. А ведь говорили, что он высок ростом, и было бы совсем просто с помощью нехитрых приспособлений прибавить ему фут или чуть больше. Но он, видимо, сам пожелал выглядеть приниженным, словно для того, чтобы подчеркнуть: великую правду можно услышать и от человека рядового телосложения. И Карфельд выглядел вполне рядовым, но очень похожим на англичанина своей манерой держаться.

Но он тоже нервничал. Ему явно мешали очки, которые не хватило времени протереть. Слишком занят для такой мелочи. А потому он снял их и принялся полировать линзы, будто не знал, сколько людей следят за каждым его движением. «Ждите от других политиков особых церемоний», — говорил этот жест. Слова пока излишни. «Мы все — и вы и я — знаем, для чего собрались здесь. Давайте предадимся молитве».

— Освещение слишком яркое для него, — произнес кто-то. — Нужно, чтобы приглушили свет.

Он был одним из них, этот одиноко стоявший доктор наук. Конечно, у него мощный интеллект, ума ему не занимать, но все равно — он всего лишь один из них, если разобраться, готовый в любой момент покинуть вершину, если найдется другой, более достойный этого места. И вовсе не похож на политика. Никаких личных амбиций. Более того, не далее как вчера он пообещал немедленно уступить лидерство Хальбаху, если такова воля народа. По толпе пробежал беспокойный шепот. Мнения разделились.

Карфельд выглядит усталым, нет, он смотрится свежим и бодрым. У него больной вид. Он постарел, помолодел, стал выше, нет, ниже ростом... Ходят слухи, он собирается уходить. Нет, все наоборот: он бросил все дела на своем заводе, чтобы целиком заняться политической деятельностью. Он не сможет себе этого позволить. Сможет легко — он ведь миллионер.

Очень тихо он начал свою речь.

Никто не представил его публике, и он сам даже не счел нужным назвать свое имя. За музыкальным аккордом, предшествовавшим его появлению, других не последовало, потому что Клаус Карфельд оставался наверху один, совершенно один, и никакая музыка не была способна скрасить это одиночество. Карфельд не какой-нибудь пустозвон из Бонна. Он один из нас, хотя превосходит интеллектом любого: Клаус Карфельд, доктор и гражданин, порядочный человек, по понятным причинам обеспокоенный будущим Германии. Он видит свой долг в том, чтобы обратиться к группе своих друзей. Для него это большая честь.

Произнесено все было настолько мягко и негромко, что, как показалось Тернеру, огромная масса собравшихся «друзей» с готовностью напрягла слух, чтобы избавить Карфельда от необходимости говорить громче.

Позднее Тернер не смог бы сказать, многое ли он понял, или объяснить, каким образом понял столь многое. Поначалу у него сложилось впечатление, что Карфельд целиком собирается сосредоточиться на истории. Он начал с причин возникновения войн, и Тернер улавливал знакомые ключевые слова старой немецкой религиозной догмы: Версальский мир, хаос, экономическая депрессия, враждебное окружение, ошибки, допущенные политиками с обеих сторон, поскольку немцы, разумеется, никоим образом не могли снять ответственности и с себя в первую очередь. Потом последовала маленькая панихида по бессмысленным жертвам: слишком многие погибли, но при этом совсем малое количество знало истинную причину своей участи. Это не должно повториться. Карфельд заверял, что таково его убеждение. Из Сталинграда он вернулся больше чем только с ранением. Он привез с собой воспоминания, неизгладимые воспоминания о человеческом горе, об искалеченных жизнях и о предательстве...

Воистину Клаус перенес невероятные мучения, шептались в толпе. Он страдал там за всех нас.

Пока не слышалось никакой пустой риторики. «Вы и я, — говорил Карфельд, — хорошо усвоили уроки истории, а теперь и вы, и я можем взглянуть на все отстраненно и сказать: этого больше не должно произойти». Следовало признать, однако, что существовала большая группа людей, которые рассматривали войны, начатые в четырнадцатом и в тридцать девятом годах, как часть не прекращавшегося никогда крестового похода врагов Германии, ополчившихся на ее наследие, но Карфельд, — он хотел непременно объяснить это всем своим друзьям, — Клаус Карфельд не принадлежал к их числу, был человеком совершенно иных взглядов.

— Алан! — Это был голос де Лиля, ровный и размеренный, как у капитана большого корабля.

Тернер проследил, куда устремлен его взгляд.

Какая-то легкая суета, перемещение людей, передача друг другу важного сообщения? В обстановке на балконе произошла едва заметная перемена. Он заметил, как старый генерал Тильзит склонил голову, а студент Хальбах что-то шептал ему на ухо, видел, как Мейер-Лотринген перегнулся через филигранные завитушки ограждения, слушая кого-то, находившегося снизу. Полицейского? Агента в штатском? А еще он разглядел отблеск стекол очков и невозмутимое лицо хирурга, когда Зибкрон поднялся со своего места и исчез. А потом вновь воцарилось спокойствие, и остался только Карфельд, человек ученый и здравомыслящий, который заговорил о дне сегодняшнем.

Сегодня, заявил он, как никогда прежде, Германия превратилась в игрушку для своих союзников. Они купили ее, а теперь продавали. И это факт, подчеркнул Карфельд, потому что не желал иметь никакого дела с теориями. Бонн и так уже распирало от всякого рода теорий, а он не собирался вносить свою лепту в сбивавшую людей с толку мешанину всевозможных пустых идей. Это был именно факт, и становилось насущной, пусть крайне неприятной, но необходимостью обсудить в кругу разумных и добрых друзей, как союзники Германии докатились до такого положения вещей. В конце концов, Германия — богатая страна. Богаче Франции, богаче Италии. Богаче и Англии, добавил он небрежно, вот только нам не следует проявлять грубость к англичанам. Они ведь победили в войне и вообще считаются людьми весьма высокой одаренности. Его голос оставался восхитительно лишенным иронии, когда он затем принялся перечислять, в чем же проявилась одаренность британцев: в их мини-юбках, в их поп-музыке, в их Рейнской армии, окопавшейся в Лондоне, в их разваливавшейся у всех на глазах империи, в дефиците национального бюджета... Не преподнеси Англия Европе плодов своих талантов, и Европе пришлось бы очень худо. Карфельд неизменно отмечал это.

Толпа разразилась смехом. В хохоте звучала согревавшая душу каждого немца злость, но Карфельд, казалось, был шокирован и немного разочарован, что все эти столь любимые им грешники, которыми сам Господь призвал его руководить, начали смеяться в храме. Он терпеливо ждал, пока веселье унялось.

Почему же так произошло, что столь богатая Германия, обладавшая самой крупной действующей армией в Европе и способная возглавить так называемый Общий рынок, продавалась на каждом углу, как последняя шлюха?

Отклонившись чуть назад от своей кафедры, он снял очки и сделал рукой жест, призывавший к спокойствию, потому что снизу донеслись громкие возгласы протеста и возмущения, а Карфельду явно не это требовалось от толпы. Немцы должны найти способ решения этой проблемы наиболее благочестивым, разумным и исключительно интеллектуальным путем, заявил он, не поддаваясь слепым эмоциям, а прежде всего — накопившейся в людях злости. Как пристало добрым друзьям. У него была пухлая, округлая рука, и она выглядела связанной, потому что ни при одном жесте он не разделял пальцев, используя сжатый кулак целиком как наконечник булавы.

Стало быть, для рационального объяснения столь странного (а для немцев особо важного) исторического факта во главу угла следовало поставить прежде всего объективность. Для начала давайте разберемся вот в чем, и кулак вновь взметнулся вверх. Мы пережили двенадцать лет фашизма и уже тридцать пять лет антифашизма. А потому Карфельд не в силах понять, почему нацизм был уж настолько плох, что немцев должны вечно карать за него враждебностью к ним со стороны всего остального мира. Да, нацисты преследовали евреев, и это действительно скверно. Он хотел публично заявить свое мнение: да, это было очень плохо. Но разве мог он относиться иначе, например, к Оливеру Кромвелю за его обращение с ирландцами? Разве мог одобрить Соединенные Штаты за отношение к чернокожему населению, за геноцид против индейцев в прошлом, как и ныне против «желтой угрозы» в Юго-Восточной Азии? Точно так же обвинял он церковь за преследование еретиков, а британцев за бомбардировки Дрездена. Да, он осуждал Гитлера за то, что при нем делали с евреями, как и за заимствование опять-таки британского изобретения: впервые появившихся во время Англо-бурской войны концентрационных лагерей.

Прямо перед собой Тернер видел руку молодого детектива, запущенную куда-то в прорезь кожаного плаща, и снова услышал негромкое потрескивание рации. Он опять напряженно стал всматриваться в толпу, разглядывать балкон и проулки. Еще раз пробежал пристальным взглядом по дверным проемам и окнам, но не заметил ничего примечательного. Ничего, кроме охранников, размещенных вдоль крыш домов, и отрядов полиции, ожидавших приказов, сидя в серых автобусах. Ничего, кроме тысяч молчавших сейчас мужчин и женщин, застывших словно перед явившимся миру помазанником Божиим.

Давайте еще раз вспомним, предложил Карфельд, поскольку это поможет прийти к логическому и объективному решению стоящих перед нами вопросов, давайте вспомним то, что происходило после окончания войны.

После войны, растолковывал Карфельд, только к немцам относились как к преступникам, а за то, что немцы практиковали расизм, их детей и внуков тоже считали преступниками. Но поскольку союзники были людьми добрыми, порядочными людьми, они пошли на некоторые шаги для реабилитации немцев. В качестве особого одолжения. Они даже допустили нас в НАТО.

Слушатели поначалу даже оробели. Они не хотели вооружаться вновь. Слишком многие из них были по горло сыты войной. Карфельд сам из их числа: уроки, полученные под Сталинградом, кислотой разъедали сознание молодого тогда еще человека. Но союзники оказались не только добры к Германии, но и весьма решительно настроены. Германия должна создать армию, а британцы, американцы, французы будут командовать ею... И голландцы, и норвежцы... И португальцы. Словом, командовать германской армией сможет любой иностранный генерал, кому не лень. Немцы ведь побежденные!

— Да что там! Бундесвером уже верховодили генералы из Африки!

Некоторые — из числа тех, что стояли ближе к защитному кольцу мужчин в кожаных плащах прямо под помостом, — снова начали смеяться, но он тут же подавил их смех.

— Слушайте! — обратился он к ним. — Вы должны слушать, друзья мои! Это то, чего мы заслужили! Мы проиграли войну! Мы преследовали евреев! А потому мы не годимся в командиры! От нас ждут лишь расплаты, только денег! — Озлобленность толпы постепенно поумерилась. — Вот почему, — объяснил он, — именно мы содержим заодно и британскую армию. Только для этого нас впустили в НАТО.

— Алан!

— Я их заметил.

У аптеки были припаркованы два серых автобуса. Луч прожектора скользнул по их тусклым кузовам, но его сразу отвели в сторону. Окна выглядели совершенно черными, явно закрашенными изнутри.

И немцы еще были им благодарны, продолжал Карфельд. Признательны, что их допустили в столь эксклюзивный клуб. Конечно, немцам стоило их благодарить. Хотя на самом деле никакого клуба фактически не существовало, его мнимые члены единодушно ненавидели Германию. Членский взнос оказался непомерно высоким, а немцы оставались детьми, которым не дозволялось играть с оружием, способным нанести урон врагам Германии. Но немцы все равно благодарили их только потому, что потерпели поражение в войне.

Снова среди собравшихся поднялась волна гневного ропота, и опять он заставил всех умолкнуть резким жестом, красноречивым движением руки.

— Нам здесь не нужны эмоции, — напомнил он. — Мы оперируем только фактами!

Высоко в выступе на фасаде одного из домов расположилась мамаша со своим сыном.

— Смотри вниз, — прошептала она ему. — Ты, быть может, никогда больше не увидишь такого великого человека!

И вся площадь замерла, никто не двигался, только зияли устремленные на оратора темные, запавшие глазницы.

Желая подчеркнуть свою абсолютную беспристрастность, Карфельд опять отстранился от кафедры и, сделав нарочитую паузу, поправил очки, чтобы просмотреть лежавшие перед ним листы бумаги. Покончив с этим, он несколько мгновений как бы пребывал в нерешительности, потом с сомнением посмотрел вниз на лица людей, стоявших ближе к нему, и явно задумался, какой степени понимания того, что он собирался высказать, ему следовало ожидать от своей паствы.

Так какова же тогда функция Германии в этом клубе великих держав? Вот его видение ситуации. Сначала он изложит общую формулу, а потом приведет один или два примера методов, с помощью которых это осуществляется. Функцию Германии в НАТО вкратце он бы определил следующим образом: быть покорной Западу и враждебной Востоку. То есть признать, что среди победоносного альянса есть хорошие победители и плохие победители...

Снова послышался смех, но быстро затих. «Der Klaus, — перешептывались они, — der Klaus обладает редким чувством юмора, умеет отпустить шутку». В самом деле, что это за клуб такой — НАТО? НАТО, Общий рынок — все едино. Они и в Общем рынке станут придерживаться тех же принципов, какие исповедуют в НАТО. Именно такую мысль внушил им Клаус. Вот почему Германии надо держаться подальше от Брюсселя. Там для нас устроили очередную западню, мы снова попадаем во враждебное окружение...

— Это Лезер, — пробормотал де Лиль.

Невысокого роста, седеющий мужчина, почему-то показавшийся Тернеру похожим на кондуктора в автобусе, присоединился к ним на ступенях и непрестанно с довольным видом что-то писал в блокноте.

— Советник французского посольства. Близкий приятель Карфельда.

Собираясь снова перевести взгляд на помост, Тернер случайно взглянул в одну из боковых улиц и там впервые заметил эту безумную, темную, совсем крошечную армию, ожидавшую сигнала.

Прямо с противоположной от них стороны площади в темном переулке молча ожидала небольшая группа мужчин. Они тоже несли знамена, но даже в сумеречном мраке флаги не казались совершенно черными, а перед ними, как почти сразу понял Тернер, стояла часть большого военного оркестра. Косые лучи арочных ламп порой сверкали в меди труб, выхватывали из темноты галуны и бахрому перевязи барабана. Во главе музыкантов виднелась одинокая фигура с рукой, поднятой вверх, призывая пока не начинать.

Снова затрещала рация, но слова, произнесенные по ней, утонули во взрыве смеха, вызванного очередной шуткой Карфельда, на сей раз злобной шуткой, способной возбудить ярость толпы грубым выпадом против пришедшей в упадок Англии и лично против главы ее монархии. Тон тоже изменился на более жесткий. Но все же это был всего лишь шлепок им по задницам, удар, чтобы встряхнуть их, обещавший потом ожог от хлыста, который угодит им в самый хребет, в спинной мозг, где гнездилась вся их политическая ненависть. Стало быть, Англия со своими союзниками взялась переучивать немцев на свой лад. Конечно! Кто же лучше подходил для роли учителя? В конце концов, именно Черчилль позволил варварам первыми ворваться в Берлин, Трумэн сбросил атомные бомбы на беззащитные города, и они оба превратили в руины всю Европу. Так кому же, как не им, объяснять немцам смысл понятия «цивилизация»?

В проулке никто пока не двигался. Рука дирижера оставалась воздетой вверх перед маленьким оркестром, ждавшим сигнала к музыкальному вступлению.

— Это социалисты, — почти выдохнул де Лиль. — Они хотят устроить свою демонстрацию. Кто, черт возьми, допустил их сюда?

И союзники принялись за дело: немцев следовало научить, как правильно себя вести. Нельзя убивать евреев, объясняли они нам. Лучше убивайте коммунистов. Нельзя нападать на Россию, но вот если Россия нападет на вас, мы непременно встанем на вашу защиту. Нельзя затевать войны ради передела границ, но мы целиком поддерживаем ваши притязания на восточные территории.

— Но мы-то знаем, как именно они нас поддерживают! — Карфельд вытянул руки перед собой. — «Не беспокойся ни о чем, мой дорогой! Можешь одолжить у меня зонтик и даже подержать его, но только пока не пойдет дождь!»

Быть может, Тернеру только померещилось, но он уловил в этом фрагменте театральщины вкрадчивый намек на тон, которым когда-то в немецких мюзик-холлах комики пародировали голоса евреев. Толпа зашлась от хохота, и снова смех прекратился по мановению его руки.

В переулке дирижер по-прежнему сдерживал начало. «Неужели он не устает от напряжения своего неестественного жеста?» — подумал Тернер.

— Их всех убьют, — мрачно пророчествовал де Лиль. — Толпа разорвет их на части!

Теперь вы понимаете, что происходит, друзья мои? Наши победители во всей чистоте своих помыслов, в своей бесконечной мудрости научили нас тому, что такое демократия. Да здравствует демократия! Ведь демократия подобна Христу. Нет ничего недозволенного, если ты делаешь это во имя торжества демократии.

— Прашко, — тихо заметил Тернер. — Прашко написал для него этот текст.

— Он пишет многие его речи, — кивнул де Лиль.

— Демократия разрешает стрелять в негров Америки, и она же позволяет африканским диктаторам спать на кроватях из чистого золота! Именно демократия дает тебе право владеть колониальной империей, воевать во Вьетнаме и нападать на Кубу. И демократия использует Германию для очистки совести! Демократия утешает себя: какие бы мерзости ты ни творил, тебе никогда не стать таким гадом, как эти немцы!

Он до такой степени возвысил голос, чтобы подать знак — тот самый сигнал, которого дожидался оркестр. Тернер снова посмотрел поверх толпы в переулок, заметил белую руку, белую, как накрахмаленная салфетка, и теперь она медленно опустилась в тусклом свете фонарей, а потом он различил и бледное лицо Зибкрона, поспешно оставившего командный пост и укрывшегося в тени на тротуаре. Сначала одна, потом другая голова из толпы повернулась в ту сторону, и еще до того, как Тернер услышал отдаленные звуки музыки, стук барабана и поющие мужские голоса, он заметил, что Карфельд смотрит с кафедры вниз и зовет кого-то, стоявшего прямо под ним. Затем он медленно отодвинулся вместе со своим пюпитром в самый дальний конец помоста, продолжая речь. Но в его внезапно исполнившемся гнева голосе, в высоких нотах пророческой проповеди, во всех обличительных словах о несправедливости и необходимости борьбы с ней безошибочно улавливался теперь еще и страх.

— Соци! — воскликнул молодой детектив так, чтобы его услышали во всех углах площади.

Он крепко стоял на ногах, сдвинув каблуки ботинок вместе, отведя одетые в кожу плечи чуть назад, чтобы удобнее было, сложив ладони рупором у рта, орать:

— Соци в том переулке! Социалисты решились напасть на нас!

— Отвлекающий маневр, — совершенно бесстрастно констатировал Тернер. — Зибкрон это умышленно подстроил.

«Чтобы выманить его, — подумал он, — выманить Лео из укрытия и дать ему вожделенный шанс. Вот, кстати, и музыка достаточно громкая. — Она вполне способна заглушить звук выстрела», — добавил он мысленно, когда грянула «Марсельеза». Все так и манит его предпринять попытку покушения.

Поначалу никто не двигался со своих мест. Первые аккорды прозвучали едва слышно, как ничего не значащая мелодия, наигрываемая мальчуганом на губной гармошке. А песня, сопровождавшая ее, более напоминала куплеты в исполнении подвыпивших мужчин из паба в Йоркшире. Такая же далекая и бессвязная, издаваемая глотками, непривычными к пению, а потому толпа не сразу среагировала на нее: весь интерес был еще сосредоточен на Карфельде.

Зато сам Карфельд музыку услышал, и это поразительным образом увеличило скорость окончания его выступления.

— Я уже пожилой человек! — выкрикнул он. — Скоро стану совсем стариком. А что вы скажете сами себе, молодые люди, когда проснетесь утром? Что вы скажете себе, взглянув на ту американскую шлюху, в которую превратился Бонн? А должны вы сказать вот что. Долго ли еще мы, молодые люди, будем жить в бесчестии? Вы посмо́трите на свое правительство, на всех этих социалистов и скажете: быть может, мы обязаны повиноваться и собаке как должностному лицу?

Цитата из «Короля Лира», промелькнула у Тернера совершенно бесполезная и даже абсурдная сейчас мысль как раз в тот момент, когда выключили сразу все прожекторы и на площадь словно опустился огромный черный занавес, погрузив ее во мрак, а звуки «Марсельезы» стали заметно слышнее. Он ощутил в вечернем воздухе едкий запах дегтя, когда в бесчисленных местах вспыхнули искры и тут же пропали. Он услышал заданный шепотом вопрос и произнесенный шепотом ответ, различил какой-то приказ, передававшийся по-заговорщицки тихо из уст в уста. Пение и музыка внезапно перешли в настоящий рев, преднамеренно передаваемый теперь через громкоговорители: безумный, чудовищный, плебейский и грубый рев, усиленный и искаженный до неузнаваемости, оглушающий и ошеломляющий.

«Да, — повторил Тернер мысленно, сохраняя ясность саксонского ума, — это то, что сделал бы я сам на месте Зибкрона. Я применил бы отвлекающий маневр, заставил бы толпу двигаться и наделал достаточно шума, чтобы спровоцировать его на выстрел».

364 Джон Ле Карре

А музыка гремела все громче и громче. Он увидел, как один из полицейских повернулся лицом к нему, а молодой детектив предупреждающе поднял руку:

— Оставайтесь здесь, пожалуйста, мистер Брэдфилд! Мистер Тернер, стойте на месте!

Толпа возбужденно перешептывалась. Повсюду раздавались шипящие, приглушенные голоса.

— Всем достать руки из карманов!

И тут же везде зажглись карманные фонарики — кто-то подал им сигнал. И мрачные лица вдруг позолотились светом безумной надежды, придав даже некоторой романтики невзрачным чертам этих людей, заблестев в тусклых прежде глазах чуть ли не апостольской святостью. Маленький оркестрик продолжал идти в сторону площади. Он состоял не более чем из двадцати музыкантов, а следовавшая за ним «армия» выглядела нерешительной и растерянной, но музыка теперь грохотала отовсюду — террор социалистов, искусственно созданный громкоговорителями Зибкрона.

— Соци! — завопила в один голос толпа. — Соци атакуют нас!

Кафедра опустела, Карфельд исчез с подмостков, но социалисты все еще маршировали за Маркса, за евреев, за войну.

— Бейте их! Бейте наших врагов! Бейте евреев! Бейте красных!

Ищите их в темноте, нашептывали голоса, вытаскивайте их на свет — этих шпионов и саботажников. Социалистам придется теперь держать ответ. Они во всем виноваты.

А музыка звучала все громче и громче.

— Вот и все, — равнодушно сказал де Лиль. — Они его выманили.

Деловитая и молчаливая группа собралась у голых белых опор помоста Карфельда. Кожаные плащи сгрудились вместе, мелькали лунные лики, совещаясь между собой.

— Соци! Убивайте соци! — В толпе назрело и оформилось новое настроение, и она уже не смотрела больше туда, где прежде находился оратор. — Убивайте их!

Все, что вы ненавидите, можно убить прямо здесь и сейчас: евреев, негров, шпионов, заговорщиков, разрушителей и негативистов, родителей, неверных возлюбленных. Хорошие они или плохие, дураки или умные — не имеет значения.

— Убивайте евреев-социалистов!

Они бросались вперед, как пловцы в воду, а голоса все нашептывали: «Марш, марш!»

«Мы должны убить его, Прашко, — мысленно произнес ошеломленный Алан Тернер, — чтобы людям не пришлось опять носить лагерные номерки...»

— Кого они собираются убивать? — обратился он к де Лилю. — Что они творят?

— Они гонятся за своей извечной мечтой.

Музыка стала одной нескончаемой нотой, протяжной, примитивной, оглушительной, как рев, как призыв к сражению, как призыв к ненависти, как призыв уничтожать уродливых, больных, неповоротливых, увечных, презренно ни к чему не способных. Неожиданно при свете фонариков черные знамена поднялись и развернулись, как спавшие прежде гигантские мотыльки, простершие свои крылья. Толпа, прежде бесцельно колыхавшаяся и раскачивавшаяся, с одного из краев разорвалась. Часть ее отделилась и устремилась в переулок, гоня оркестр перед собой, танцуя под его звуки в танце ярости, выбивая стекла в окнах, круша музыкальные инструменты, заставляя красные флаги на мгновение вспыхивать и падать на землю каплями крови, а потом исчезать под ногами неуправляемой массы людей, хлынувших в переулок, ведомых только лихорадочно метавшимися лучами фонариков. Рация потрескивала. Тернер услышал голос Зибкрона. Хладнокровный и отчетливый. Какие-то резкие команды и одно разборчивое слово: Schaffott. А потом он уже сам бежал, пробиваясь через человеческое море, стремясь добраться до помоста. Его плечо обожгло чьим-то ударом, его пытался удержать кто-то из раненых и поверженных, но он вырвал руку, словно избавляясь от назойливого ребенка. Он бежал. Все новые и новые руки цеплялись за него, а он с легкостью стряхивал и стряхивал их с себя. Перед ним возникло лицо, но он одним взмахом кулака устранил его с пути, мчась изо всех сил, чтобы успеть к эшафоту. А затем Тернер увидел его.

— Лео! — выкрикнул он.

Он изогнулся в изломанной позе уличного акробата, едва видимый между чьими-то неподвижными ногами. Его окружили кольцом, но не трогали. Стояли достаточно близко, хотя оставили пространство, в котором ему предстояло умереть. Тернер видел, как Хартинг поднялся, но снова рухнул на мостовую. И он снова крикнул:

— Лео!

Взгляд темных глаз устремился в его сторону, и донесся рыдающий ответ. Ответ Тернеру, миру, Богу. Или то был зов о помощи, мольба о сострадании, жалости, милосердии, обращенная к любому, кто способен был помочь ему избежать подобной участи? Толпа склонилась над ним, окончательно похоронив под собой, и Тернер побежал, чтобы оказаться ближе. Успел заметить, как гомбургская шляпа прокатилась по сырой брусчатке, но продолжал бежать, повторяя имя:

— Лео!

Он тоже достал фонарик, ощутив почему-то запах подпаленной одежды. Он размахивал фонариком, отводил от себя чужие руки и внезапно больше не встретил сопротивления. Он оказался на самом краю под основанием помоста, видя перед собой собственную жизнь, собственное лицо, руки возлюбленной, хватавшиеся за камни, какие-то брошюры, которые наметало поверх маленького тела, как ветер наметает опавшие листья.

Рядом с Лео не было видно никакого оружия. И ничто не указывало на причину его смерти — только на шее два позвонка сместились и больше не составляли единого целого. Он лежал, как игрушечная кукла, которую разорвали на части, а потом тщательно вновь собрали вместе. Лежал, придавленный тяжестью теплого воздуха Бонна. Человек, совсем недавно столь многое и так остро чувствовавший, не ощущал больше ничего. Невинный и наивный, он стремился добиться того, что оказалось свыше его сил. Издали до Тернера донеслись злобные крики. Там бесновавшаяся серая толпа продолжала гнать по переулку уже почти исчезнувший оркестр, следуя за его неслышной теперь музыкой. А сзади загорелся яркий свет и послышался звук приближавшихся шагов.

— Обыщите его карманы, — сказал кто-то голосом, исполненным истинно саксонского спокойствия.

СЕКРЕТНЫЙ ПАЛОМНИК

Глава 1

Позвольте сразу признаться: если бы я не поддался случайному импульсу, не взялся за перо и не нацарапал записку Джорджу Смайли, приглашая его выступить на вечере выпускников моего курса, завершивших программу предварительного обучения, и если бы Смайли, вопреки моим ожиданиям, не принял приглашения, я бы не был сейчас с вами столь откровенен.

В лучшем случае я предложил бы ту же версию основательно «вычищенных» воспоминаний, которую, честно говоря, сам почти всегда склонен рассказывать своим ученикам: истории о подвигах «рыцарей плаща и кинжала», о драматических ситуациях, о чудесах находчивости и отваги. И конечно, непременно об исключительной пользе их деятельности. Я увлек бы вас подробностями ночных десантов на Кавказе, опасных переправ на скоростных катерах, высадок на пляжах с мигающими сигнальными огнями на берегу, тайных сеансов радиосвязи, внезапно обрывавшихся на самом важном месте. Поведал бы о неизвестных героях «холодный войны», внесших в нее с нашей стороны огромный вклад, а потом скромно доживавших свой век рядовыми и незаметными членами того самого общества, которое защищали. Об агентах-перебежчиках, вырванных в последний момент буквально из уже смыкавшихся хищных челюстей противника.

Причем до известной степени именно такую жизнь мы и вели, здесь все без обмана. В свое время мы творили всякое, и некоторым даже удалось благополучно выбраться из опасных переделок. Мы отправляли хороших людей в скверные страны, где они по нашему приказу рисковали жизнью. И, как правило, это были надежные люди, а информация, добытая ими, зачастую оказывалась очень полезной. По крайней мере, хочется верить в это, поскольку величайший в мире шпион ничего не стоит, если его сведения оказываются никому не нужными.

А чтобы увенчать свое повествование, сдобрив его долей юмора за вторым стаканчиком виски в столовой для курсантов на испытательном сроке, я выбрал бы случай, когда разведгруппа в составе трех человек из Цирка*, действовавшая на территории Восточной Германии и по чистой случайности ведомая мной, замерзала, лежа в расщелине гор Гарца, моляясь о бесшумном появлении самолета без опознавательных знаков и с выключенными двигателями, с которого нам бы сбросили на черном парашюте жизненно необходимый груз. И что же мы обнаружили после того, как наши молитвы были услышаны, соскользнув вниз по леднику и подобрав упавшее с неба сокровище? Камни, сообщил бы я своим ученикам, слушавшим меня разинув рты. Куски хорошего аргайлского гранита. Потому что безалаберные снабженцы с нашей авиабазы в Шотландии по ошибке отправили нам контейнер, предназначенный для тренировок.

Во всяком случае, эта история неизменно вызывала подлинный интерес, в то время как многие другие мои воспоминания слушали вполуха уже начиная с середины.

Как я теперь подозреваю, порыв написать Смайли созревал во мне дольше, чем сознавал я сам. Идея зародилась во время одного из регулярных визитов в отдел кадров для обсуждения прогресса, достигнутого моими курсантами. Заглянув в бар для старшего офицерского состава на сандвич и кружку пива, я столкнулся с Питером Гилламом. Именно Питер когда-то играл роль Уотсона при Джордже — Шерлоке Холмсе — во время длительных поисков внедрившегося в Цирк предателя, которым оказался глава нашего оперативного отдела Билл Хэйдон. Питер не получал известий от Джорджа... О, примерно с год или даже дольше. Джордж купил себе коттедж в глуши на севере Корнуолла, сказал он, где в пол-

---

* В ранних романах Ле Карре штаб-квартира британской разведки якобы располагалась на Кембриджской площади в Лондоне, а поскольку слова «площадь» и «цирк» в английском языке созвучны, называя так свое учреждение, его сотрудники не обязательно и далеко не всегда вкладывали в название негативный смысл.

ной мере мог проявить свою нелюбовь к любым телефонным звонкам. Ему предоставили нечто вроде синекуры в виде внештатного преподавателя университета Эксетера, что открывало доступ в их библиотеку. С грустью я мысленно дорисовал картину: Джордж, живущий отшельником среди окрестных пустошей, отправляется на одинокие прогулки, погруженный в размышления. Джордж посещает Эксетер, чтобы ощутить хотя бы немного человеческого тепла, необходимого даже в старости, но уже дожидается момента, чтобы занять свое место в шпионской Вальгалле.

— А где же Энн, его жена? — спросил я у Питера, понизив голос, как делал всякий раз при упоминании имени Энн, поскольку ни для кого не был секретом факт, причинивший Джорджу такую боль. Дело в том, что Билл Хэйдон вошел в число ее многочисленных любовников.

— Энн? Ее ничем не проймешь, — ответил Питер, пожав плечами на галльский манер. — Она поддерживает иллюзию сохранения семьи и владеет большими домами в Хелфорд-Эстуари. Часть времени проводит там, а иногда навещает Джорджа.

Я попросил адрес Джорджа. «Только не говори ему, кто дал тебе адрес», — сказал Питер, пока я его записывал. Почему-то с Джорджем всегда так получалось — ты чувствовал себя виноватым, раскрывая кому-то его местонахождение, причем по совершенно неясным мне до сих пор причинам.

Через три недели к нам в Саррат, графство Хартфордшир, прилетел Тоби Эстерхази, чтобы прочитать свою знаменитую лекцию об искусстве нелегальной работы разведчика во враждебной стране. И, разумеется, остался к обеду, ставшему для него особенно привлекательным благодаря присутствию наших первых трех курсанток. После изнурительной битвы, продолжавшейся все время, пока я находился в Саррате, мной была одержана победа, и отдел кадров наконец принял решение, что девушек тоже можно включать в состав учебных групп.

И я сам упомянул тогда о Смайли.

Бывали времена, когда я не пустил бы Тоби на порог своей хижины в разгар тропического ливня, а порой я благодарил Создателя, что он на моей стороне. Но с годами, замечу не без удовлетворения, начинаешь терпимее относиться к людям.

— О боже мой, Нед! — воскликнул Тоби, так и не избавившийся от неизлечимого венгерского акцента, приглаживая тщательно ухоженную серебристую шевелюру. — Ты хочешь сказать, что ничего еще не слышал?

— Не слышал о чем? — без особого любопытства или нетерпения спросил я.

— Мой дорогой друг, наш Джордж стал председателем Комитета по правам на рыбную ловлю. До вас сюда, как я понимаю, вообще никакая информация не доходит. Кстати, мне, должно быть, следует поднять эту тему в разговоре с глазу на глаз с самим Шефом. Шепну ему словечко на ухо в клубе.

— Но не мог бы ты сначала рассказать мне, что такое Комитет по правам на рыбную ловлю? — попросил я.

— Знаешь, Нед, я вдруг немного занервничал. А тебя не вычеркнули из списка допуска?

— Не исключено, если подумать, — сказал я.

Но он так или иначе все выложил, как я и предполагал. Мне же оставалось лишь изобразить ожидавшееся от меня изумление, от которого его ощущение важности собственной персоны еще более усилилось. Но в известной степени мое удивление оказалось искренним, и, пожалуй, я до сих пор не совсем справился с ним. Комитет по правам на рыбную ловлю, объяснил Тоби для непосвященных, стал неофициальной организацией, состоявшей из офицеров московского Центра и нашего Цирка. Ее задачей, по словам Тоби, который, как мне показалось, окончательно лишился способности чему-то поражаться, было определение разведывательных целей, представлявших интерес для обеих секретных служб, и выработка системы обмена информацией.

— В общем виде идея заключается в том, Нед, чтобы выявлять в мире потенциальные точки напряженности, — продолжал он с невыносимо снисходительной интонацией. — Думаю, в первую очередь внимание сосредоточено на Ближнем Востоке. Но только не вздумай ссылаться на меня, Нед, договорились?

— И ты хочешь сказать, что Смайли назначен председателем этого комитета? — спросил я недоверчиво, все еще пытаясь переварить новость.

— Вероятно, он пробудет им недолго, Нед, все-таки Джордж уже в почтенном возрасте, сам понимаешь. Но русским до такой степени хотелось с ним познакомиться, что мы пригласили его и дали, образно выражаясь, разрезать ленточку. «Почему бы не приободрить старика? — посчитал я. — Не погладить по головке? Не вручить пачку купюр в конверте?»

И я уже не понимал, чему удивляться больше: тому, что Тоби Эстерхази допустили к самому алтарю московского Центра, или же Джорджу Смайли в роли главы столь необычного союза. Несколько дней спустя с разрешения кадровиков я и отправил письмо на адрес в Корнуолле, полученный от Гиллама, застенчиво добавив, что если Джордж ненавидит публичные выступления хотя бы отчасти так, как я, ему ни в коем случае не следует принимать приглашение. Какое-то время я испытывал полнейший пессимизм, пока не прибыла простая открытка, где говорилось, что он с радостью навестит нас. После чего я сам почувствовал себя кем-то вроде практиканта, не в меру разнервничавшись.

Прошло еще две недели, и я в новом костюме, надетом по такому случаю, стоял на Паддингтонском вокзале, наблюдая, как видавшие виды поезда высаживают на перроны немало повидавших пассажиров. Только тогда я в полной мере осознал, до какой степени неброской внешностью обладал Смайли, как умел сливаться с толпой. Куда бы я ни посмотрел, мне начинало мерещиться, что я вижу одну из возможных его ипостасей: невысокий, плотный джентльмен в очках, достаточно преклонных лет. А один из похожих на Джорджа людей даже произвел на меня впечатление, какое мог бы, наверное, произвести он сам, — человека, немного опаздывающего куда-то, где ему не слишком хотелось побывать. А затем совершенно внезапно мы обменялись рукопожатиями, и он расположился рядом со мной на заднем сиденье предоставленного конторой «ровера», еще более коренастый, чем запомнился мне, вполне ожидаемо совершенно седой, но исполненный энергии и в отменном настроении, какого я не замечал за ним с тех пор, как его жена пустилась в безрассудный роман с Хэйдоном.

— Так, так, Нед. И каково вам быть простым школьным учителем?

— А каково быть в отставке? — парировал я со смехом. — Я ведь скоро присоединюсь к вам.

О, ему очень нравилось быть пенсионером, заверил меня Смайли.

— Не устаю наслаждаться, — произнес он с кривой усмешкой. — И вам тоже не стоит опасаться жизни отставника. Немного преподаю, Нед, порой пишу какие-то бумаги, гуляю. Даже завел собаку.

— Но, как я слышал, вас снова вытащили на службу для работы в неком весьма необычном комитете, — сказал я. — Ходят слухи, что вы подружились с Медведем, чтобы поймать Багдадского вора.

Джордж не любил сплетен, но на этот раз его улыбка стала еще шире.

— Вот оно как, значит. А источником информации послужил Тоби, в чем не приходится сомневаться, — заметил он, с довольным видом всматриваясь в заурядный пригородный пейзаж, но тут же увел разговор в сторону, пустившись в рассказ о двух пожилых леди из своего городка, которые ненавидели друг друга. Одна была хозяйкой антикварного магазина, вторая — просто очень богата.

Но пока наш «ровер» катил по равнине прежде густонаселенного Хартфордшира, я поймал себя на том, что мои мысли занимают не столько старушки из деревни Джорджа, сколько он сам. Мне чудилось, будто рядом сидит заново рожденный Смайли. Человек, легко болтавший о каких-то соседках, заседавший в одном комитете с русскими шпионами и смотревший на окружающий мир с жадным любопытством только что выписавшегося из больницы пациента.

Тем же вечером затянутый в старенький смокинг этот новый Смайли занял место подле меня за столом в Саррате, добродушно оглядываясь по сторонам, останавливая взгляд то на отполированных до блеска серебряных подсвечниках, то на старых групповых фотографиях по стенам, сделанных в какие-то незапамятные времена. И конечно же, на пышущих здоровьем лицах молодой аудитории, ловившей каждое слово маэстро.

— Леди и джентльмены, позвольте вам представить мистера Джорджа Смайли, — объявил я строго и немного торжественно, поднявшись со своего стула. — Это воистину легендарная личность в нашей организации. Заранее благодарю за оказанное ему внимание.

— О, я бы не стал причислять себя к легендарным персонам, — возразил Смайли, тоже вставая. — Самого себя я вижу располневшим пожилым мужчиной, случайно заглянувшим сюда между пудингом и портвейном.

Затем легенда заговорила, и я понял, что никогда прежде не слышал, как Смайли выступает публично. Мне он почему-то представлялся заведомо плохим оратором. Ведь ему почти никогда не удавалось вслух навязывать окружающим свое мнение или обращаться к агенту, используя не кодовое, а настоящее имя даже при вполне благоприятных обстоятельствах. А потому властная манера, в которой он обратился к нам, поразила меня еще до того, как я начал вникать в смысл его слов. Слушая первые фразы, я видел лица своих подопечных — далеко не всегда столь почтительных, — которые сначала обратились в его сторону, потом расслабились и озарились интересом. Он быстро завладел их вниманием, затем доверием и, наконец, добился полного одобрения всего им сказанного. И я снова подумал, внутренне посмеявшись над своей замедленной реакцией: да-да, разумеется, сейчас перед нами раскрылась вторая и подлинная сторона характера Джорджа. В нем вдруг проявился прятавшийся до поры актер, подлинный сказочный музыкант-крысолов. Это его полюбила Энн Смайли, его обманул Билл Хэйдон, а мы все слепо следовали за ним, когда ему это требовалось, что всегда поражало сторонних наблюдателей как нечто мистическое.

У нас в тренировочном лагере в Саррате издавна заведена мудрая традиция. Речи, произносимые за ужинами, не записываются, не разрешено также делать кратких заметок, чтобы в дальнейшем не существовало никакого официального подтверждения того, о чем говорил выступавший. Почетный гость мог в таком случае наслаждаться тем, что Смайли, склонный к немецким идиомам, назвал бы «свободой для дурака», хотя сам принадлежал к редкой категории людей, никак не нуждавшихся в подобной привилегии. Однако я не был бы настоящим профессионалом, если бы не умел слушать и запоминать. Смайли не успел еще закончить вступительную часть речи, когда я осознал (как вскоре заметили и мои курсанты), что он обращается в первую очередь к моему сердцу еретика. Я имею в виду другого, не столь легко управляемого человека, затаившегося в недрах моего существа, которого, если не кривить душой, я изо всех сил пытался не замечать с тех пор, как вышел на финишную прямую своей карьеры. Я имею в виду тайного, задававшего слишком много вопросов неудобного компаньона, поселившегося во мне еще то того, как мой агент под псевдонимом Барли Блэйр сначала с такой неохотой ушел на другую сторону начавшего рассыпаться «железного занавеса», а потом, побуждаемый любовью и своеобразным понятием о чести, хладнокровно продолжал идти дальше, к величайшему изумлению всего Пятого этажа*.

---

* В романах Ле Карре нередко ссылается на события, описанные в своих более ранних произведениях. В данном случае речь идет о книге «Русский дом».

Об отделе кадров мы говорим так: чем лучше ресторан, тем хуже новости.

— Для тебя настало время передавать свой опыт новым парням, Нед, — сказал мне главный кадровик за подозрительно вкусным обедом в «Конноте». — И новым девушкам тоже, — добавил он с отвратительной ухмылкой. — Как я догадываюсь, их скоро начнут допускать в наш прежде чисто мужской храм. Ты знаешь дело от и до. Основательно поварился в общем котле. Отлично проявил себя на последней должности, возглавляя секретариат. Теперь нужно извлечь из всего этого максимальную пользу. Мы считаем, ты должен возглавить «детский сад» и, так сказать, передать эстафетную палочку будущему поколению разведчиков.

Насколько я помнил, он использовал тот же набор набивших оскомину спортивных метафор, когда после предательства Барли Блэйра снимал меня с поста главы Русского дома и переводил на «живодерню» — в группу по проведению допросов.

Он заказал еще два бокала арманьяка.

— Между прочим, как поживает твоя Мейбл? — спросил он так, словно только что вспомнил о ее существовании. — Мне говорили, она довела свой гандикап до минус двенадцати или десяти*. Боже! В таком случае мне с ней лучше не тягаться. Так что скажешь? Саррат по рабочим дням и дом в Танбридж-Уэллсе по выходным. Мне это представляется триумфальным завершением карьеры. Как сам считаешь?

А что мне оставалось? Что я мог сказать? Я был как все, уже оказывавшиеся в моем положении. Те, кто способен работать, делают дело. Неспособные становятся учителями. И учат тому, что им уже больше не дано самим, поскольку либо тело, либо дух, либо и то и другое утратили нечто необходимое для реализации своего предназначения. Потому что чересчур много испытали, слишком многое в себе подавляли, излишне часто шли на компромиссы, а в результате полностью утратили чутье и вкус к активной деятельности. И потому эти люди соглашаются попытаться воспламенить своей прежней мечтой другие умы, чтобы, быть может, самим немного согреться рядом с пылкой молодежью.

---

* В гольфе это означает, что игрок проходит все лунки, сделав на двенадцать ударов меньше, чем установлено как норма для конкретного игрового поля.

И это возвращает меня к вступительной части речи Смайли, произнесенной тем вечером, потому что совершенно внезапно его слова затронули меня и запали в душу. Я пригласил его, поскольку он был легендой из прошлого. А он, к величайшей для всех нас радости, оказался иконоборцем и пророком.

Не стану утомлять вас пересказом даже самых интересных мест первой части речи Смайли, ставшей обзором положения в мире. Он говорил о Ближнем Востоке, о котором явно много размышлял, а потом перешел к пределам власти бывшей колониальной державы во времена, когда колониализм почти полностью ушел в прошлое. Он поделился с моими курсантами своим взглядом на Третий мир, на Четвертый мир и на пока не существовавший, гипотетический Пятый мир, причем крамольно подвергал сомнению, что человеческие страдания и нищета действительно всерьез беспокоят богатые и просто более благополучные нации. Впрочем, не подвергал сомнению, а был твердо убежден, что не беспокоят ни в малейшей степени. Он посмеялся над мыслью, что шпионаж становился отмиравшей профессией после окончания «холодной войны». Напротив, настаивал он, с появлением из-под слоя льда каждой новой нации, с созданием новых объединений и союзов, с возрождением уже забытых было конфликтов и страстей, с эрозией прежнего status quo шпионам придется трудиться не покладая рук круглые сутки. Как я потом выяснил, его речь продолжалась вдвое дольше обычной, но за все это время ни один стул не скрипнул, не зазвенел ни один бокал. А потом его уговорили перейти в библиотеку и усадили в почетное кресло — своего рода трон, стоявший у камина, — чтобы опять слушать те же еретические высказывания, те же мысли, подрывавшие, казалось, самые основы бытия человечества. Мои дети (а это уже основательно закаленные детишки, все до единого) влюбились в Джорджа Смайли! И я по-прежнему не слышал ни звука. В библиотеке царил только его голос, порой прерываемый взрывами смеха, если он отпускал шутку, исполненную неизменно свойственной ему самоиронии, или признавал какую-то допущенную им в прошлом занятную ошибку. Старость дается человеку только один раз, пришла мне парадоксальная мысль, когда я вместе со всеми увлеченно и взволнованно слушал его.

Затем Смайли рассказал о нескольких делах, о которых я сам ничего не знал, а он едва ли получил разрешение в главном офисе делиться такими подробностями. Уж точно не у нашего советника по юридическим вопросам Палфри, который в ответ на открытость со стороны бывших врагов стремился и сейчас еще спрятать и запереть за семью замками любой уже давно бесполезный секрет, какой только подворачивался под его тупо дисциплинированные руки.

Смайли особо остановился на будущей роли курсантов как кураторов агентов применительно к изменившейся обстановке в мире. Причем отметил традиционно сложившуюся в нашей службе роль наставника, пастыря, отца и друга, консультанта по вопросам брака и приобретения недвижимости в одном лице, умеющего прощать, развлекать и защищать. Куратор, будь то мужчина или женщина, должен обладать способностью воспринимать самую дикую ситуацию, словно такое происходит каждый день, погружаясь вместе со своим агентом в царство иллюзий. В этом смысле ничего не изменилось, утверждал он, и никогда не изменится. Он даже перефразировал Бернса: «Шпион останется шпионом наперекор всему».

Но едва успев убаюкать курсантов этими прекраснодушными замечаниями, Смайли сразу же предупредил о гибельности для их собственных характеров непрестанной манипуляции другими людьми, об отмирании естественной способности искренне чувствовать, к чему может привести подобная деятельность.

— Становясь для своих агентов всем, ты рискуешь превратиться в ничто для самого себя, — с грустью признал он. — Ради бога, никогда не позволяйте себе воображать, что используемые вами методы не отразятся на вас самих. Цель может оправдывать средства, и не будь это действительно так, осмелюсь предположить, никто из вас не сидел бы сейчас здесь. Но за все приходится расплачиваться, а для вас расплатой станет необходимость растрачивать самих себя. В вашем возрасте еще очень легко продать душу дьяволу. С годами становится намного труднее.

Он небрежно смешивал серьезные вещи с фривольностями, показывая, насколько зыбко и невелико различие между ними. А в подтексте, как казалось, постоянно задавал вопросы, которые мучили меня самого на протяжении всех лет работы, но мне не удавалось так просто сформулировать их. Например: «Хорошо ли то, чем я занимаюсь?» Или: «Какое влияние это оказывает на меня самого?» И еще: «Что станет со всеми нами теперь?» Порой в его вопросах заведомо содержался и ответ. Не зря о Джордже говорили: он никогда и ни о чем не спрашивает, если сам не знает всего заранее.

Он заставлял нас смеяться, пробуждал наши чувства и, держась при этом порой даже чересчур почтительного тона, внезапно шокировал нас неожиданными противопоставлениями и парадоксами. Но ценнее всего оказалось то, что он заставил нас усомниться в собственных устоявшихся предрассудках и предубеждениях. С его помощью я был готов отказаться от позиции человека подчиненного, смиренного и оживить скрытого во мне бунтовщика, который надолго умолк после ссылки в Саррат. Совершенно неожиданно Джордж Смайли самым чудесным образом поверг меня в смятение и снова привел в движение мои мысли, мои поиски себя.

Я где-то вычитал, что испуганные люди не могут ничему научиться. Но если это так, то они также не имеют права учить других. Сам я не слишком пугливый человек — по крайней мере, не более, чем всякий, кто видел смерть и знает, что однажды она придет за ним. И все же жизненный опыт и пережитая боль привили мне несколько настороженное отношение к правде, даже когда речь идет обо мне самом. Джордж Смайли сумел привести меня в порядок. Джордж был для меня больше чем ментором, больше чем просто другом. Пусть он не всегда находился рядом, но ему удавалось направлять течение моей жизни. Порой я начинал воспринимать его как фигуру, призванную заменить мне подлинного отца, которого я никогда не видел. И визит Джорджа в Саррат пробудил самые острые и опасные воспоминания. Сейчас, располагая временем, чтобы вновь оживить все в памяти, я собираюсь сделать это для вас — вы как бы станете моими спутниками в этом путешествии и зададите себе те же вопросы.

Глава 2

— Есть такие люди, — заявил с завидной уверенностью Смайли, одарив милой улыбкой хорошенькую девушку, выпускницу Тринити-колледжа в Оксфорде, намеренно усаженную мной за стол прямо напротив него, — которые, когда их прошлое оказывается под угрозой, боятся потерять все, чем, по их мнению, они владели, и даже, возможно, перестать быть теми, кем, по их мнению, успели стать. Мне это не свойственно ни в малейшей степени. Целью моей жизни всегда было дождаться завершения того периода времени, в который мне выпало жить. А потому, если бы мое прошлое все еще оставалось при мне, вы могли бы сказать, что я потерпел провал. Но его при мне уже нет. Мы победили. Пусть такая победа и не имеет никакого значения. И возможно, это не мы победили. Просто они потерпели поражение. И вполне вероятно, что без ограничений, налагавшихся на нас идеологическим конфликтом, которые больше нас не сдерживают, подлинные проблемы у нас еще только возникают. Но к черту все это! Главное, что затяжная война закончилась. Важнее всего надежда.

Сдернув с носа очки, он принялся рассеянно нащупывать что-то на рубашке в поисках неизвестно чего, как мне показалось сначала, пока я не сообразил: он ищет толстый конец галстука, которым привык протирать линзы. Но небрежно повязанная бабочка не давала такой возможности, и потому ему пришлось довольствоваться носовым платком из кармана.

— Если я о чем-то и сожалею, так это о потерянном времени и понапрасну растраченных силах. Мы часто шли не теми путями, заводили ложных друзей, расходовали энергию без всякой пользы. Мы питали иллюзии относительно того, кем были на самом деле.

Он снова надел очки и, как мне померещилось, адресовал улыбку непосредственно мне. И неожиданно я сам почувствовал себя в роли курсанта. Вернулись шестидесятые годы. Я был начинающим шпионом, едва оперившимся птенцом, а Джордж Смайли — терпимый, терпеливый, мудрый Джордж — наблюдал за моими первыми попытками взлететь.

Мы были отличными парнями в те времена, когда даже дни казались длиннее, чем сейчас. Возможно, мы нисколько не отличались в лучшую сторону от моих нынешних учеников, но наше патриотическое, ничем не замутненное мировоззрение уж точно проявлялось отчетливее. Едва успев пройти подготовительный курс, я рвался спасать мир, даже если бы мне пришлось метаться со шпионскими миссиями по всему земному шару. В группе нас было десять человек, и после двух лет тренировок — в «детском саду» Саррата, в горах Аргайла и на учебных полигонах Уилтшира — мы дожидались первого оперативного задания, как породистые гончие ждут, чтобы их наконец спустили с поводков и отправили в погоню за дичью.

Мы тоже повзрослели и созрели для настоящих дел в переломный исторический момент, пусть ситуация являла собой полную противоположность нынешней. Застой и враждебность таились в каждом уголке планеты. Красная угроза существовала повсюду, не исключая и нашу собственную, священную для нас родину. Берлинская стена стояла уже два года, и складывалось впечатление, что простоит еще двести лет. Ближний Восток напоминал вулкан, как и сейчас, только в те времена излюбленным объектом ненависти со стороны британцев стал Насер. Прежде всего потому, что стремился вернуть арабам чувство собственного достоинства, для чего заигрывал с русскими, не уставая при этом выторговывать для себя самые выгодные условия. На Кипре, в Африке и Юго-Восточной Азии более мелкие народцы, нарушая все установленные законы, восставали против бывших хозяев своих колониальных стран. И если мы, отважные британцы, порой чувствовали, как в результате подобных событий слабеет мощь нашей империи, то всегда находились еще и американские кузены, неизменно готовые всадить нам нож в спину на мировой арене.

Таким образом, только что выпорхнувшие из гнезда тайные герои, мы уже имели все необходимое, чтобы начать: праведную цель, зловещих врагов, ненадежных союзников, женщин, придававших нам мужества, но не допускавшихся к секретам, и унаследованные нами великие традиции, поскольку Цирк в те дни все еще наслаждался славой, заслуженной в годы войны. А мир вокруг бурлил.

Почти все наши руководители добыли себе эполеты, занимаясь шпионажем против Германии. И во время неофициальных встреч с нами они дружно утверждали в ответ на серьезно задаваемые вопросы, что если говорить о защите человечества от крайностей, в которые оно норовило впасть, мировой коммунизм представлял собой даже бо́льшую угрозу, чем гунны.

— Вам, джентльмены, досталась крайне опасная планета, — любил говаривать Джек Артур Ламли, увенчанный лаврами руководитель нашего учебного центра. — И если хотите знать мое мнение, то в этом заключается ваше дьявольское везение.

О, конечно же, мы жадно впитывали каждое слово! Джек Артур считался человеком безрассудной отваги. Он провел три года, постоянно посещая территорию оккупированной нацистами Европы, словно его туда то и дело приглашали радушные хозяева. Он в одиночку взрывал мосты. Попадал в плен, бежал и снова оказывался за колючей проволокой у немцев — никто уже и не брался считать, сколько раз он выбирался из подобных смертельно опасных переделок. Он умел убивать голыми руками, лишившись в схватках пары пальцев, а когда на смену настоящей войне пришла «холодная», Джек едва ли ощутил хоть какую-то разницу. В свои пятьдесят пять лет он еще мог с двадцати шагов буквально изрешетить мишень в человеческий рост из девятимиллиметрового «браунинга», открыть любой замок с помощью канцелярской скрепки, подложить мину-ловушку в туалетный бачок за тридцать секунд и распластать тебя на мате в спортзале одним броском. Это Джек обучал нас прыгать с парашютом через люки бомбардировщиков «стерлинг», высаживаться с надувных лодок на пляжи Корнуолла, а по вечерам в столовой оставался трезвым, когда мы все уже валялись под столом. И если Джек Артур считал планету опасной, мы верили, что так и есть!

Но тем труднее становилось для нас ожидание. И если бы не было рядом Бена Арно Кавендиша, чтобы разделить тяготы бездействия, то мне пришлось бы еще тяжелее. Когда слишком долго торчишь, привязанный к главному офису, где почти нечем заняться, любой энтузиазм может превратиться в желчную озлобленность.

Мы с Беном родились под одной звездой. Одного возраста, одинаковой подготовки, примерно равного телосложения — лишь ростом один на дюйм превосходил другого. Наверняка Цирк направит нас на задание вместе, не уставали мы повторять друг другу, — возможно, и подобрали нас как будущих напарников! У нас обоих матери были иностранками, хотя матушка Арно уже умерла (у него были немецкие корни), а потому, вероятно, чтобы отчасти компенсировать этот «недостаток», мы целенаправленно лепили из себя представителей типично британского среднего класса — спортивных гедонистов, выпускников хороших школ, мужественных во всем и словно рожденных управлять, если не командовать. Хотя теперь, когда я разглядываю групповые фотографии нашего выпуска, то замечаю, что Бен во многом выглядел предпочтительнее меня: в нем уже ощущалась истинная зрелость, пришедшая ко мне позже. У него даже наметилась небольшая залысина клинышком ото лба, а нижняя челюсть упрямо выпирала вперед, делая его на вид старше своих лет.

И, насколько я понимаю, именно потому Бену, а не мне дали задание в Берлине, где он стал куратором важного агента в Восточной Германии, пока я все еще пребывал в томительном ожидании.

— Мы решили на пару недель перевести тебя в группу наружного наблюдения, мой юный друг Нед, — сказал начальник отдела кадров с покровительственной интонацией, которую я уже начал тихо ненавидеть. — Хорошая практика для тебя, да и им не помешает помощь. Работа для настоящего рыцаря плаща и кинжала. Тебе понравится.

Что ж, сойдет для разнообразия, подумал я, внешне спокойно восприняв новость. Весь последний месяц я проявлял чудеса изобретательности, чтобы сорвать проведение конференции Всемирного совета мира в каком-нибудь Белграде, сидя за письменным столом в темном углу кабинета на Третьем этаже. Мной руководил тугодум-начальник, который, отдав распоряжения, мог потом часами просиживать за обедом в баре для старшего офицерского состава. А я лихо путал расписания поездов, доставлявших делегатов, отменял предварительные заявки на номера в отелях и посылал анонимные угрозы о якобы заложенных в конференц-зале бомбах. Предыдущий месяц я провел, отважно прячась в вонючем подвале дома, соседствовавшего с посольством Египта, дожидаясь, чтобы продажная уборщица вынесла мне в обмен на бумажку в пять фунтов мусор из корзины посла — все, что накопилось за день. В сравнении с этим пара недель в компании лучших в мире мастеров слежки представлялась почти как досрочный отпуск.

— Ты примешь участие в операции «Толстяк», — сообщил кадровик, снабдив меня адресом явочной квартиры чуть в стороне от Грин-стрит в Уэст-Энде.

Первое, что я услышал, когда вошел туда, — стук шарика от пинг-понга и надтреснутые звуки старой граммофонной пластинки с записями песенок Грейси Филдс. Мне от этого сделалось так тошно, что я вновь начал исходить завистью к Бену Кавендишу и его героическому агенту в Берлине, издавна слывшем столицей мирового шпионажа. В тот же вечер Монти Эрбак, командир нашей оперативной группы, провел инструктаж.

Позвольте сразу принести вам извинения. В то время я еще очень плохо разбирался в иерархии чинов Цирка. Сам я принадлежал к офицерской касте — в буквальном смысле, поскольку служил во флоте, — и считал совершенно естественной свою принадлежность к высшим кругам общественной системы. Цирк же есть не что иное, как небольшое зеркало, в котором отражается та Англия, которую он призван защищать, а потому мне казалось вполне справедливым относить людей, занимавшихся слежкой, как и смежными занятиями вроде взлома квартир и прослушивания чужих разговоров, скорее, к классу ремесленников. Вы не сможете долго идти по пятам подозреваемого, если наденете шляпу-котелок. А отточенные интонации диктора Би-би-си не сделают вас своим и незаметным за пределами лондонской «золотой мили»*, особенно при попытке выдать себя за уличного торговца, мойщика окон или почтальона. Вот и представьте, как я тогда выглядел. В лучшем случае молодым мичманом, сидевшим среди более опытных, но не столь привилегированных моряков. И видели бы вы Монти, каким увидел его я тем вечером: деревенским увальнем, простым егерем с натруженными руками! Нас было десять человек. То есть три группы по трое, в каждую из которых непременно входила женщина, чтобы можно было проверять дамские уборные. Это считалось принципиально важным. А Монти нами руководил.

— Добрый вечер, студент, — сказал он, садясь перед школьной доской и обращаясь прямо ко мне. — Всегда приятно для поднятия тонуса улучшить свой качественный состав, мне так кажется. Верно?

Грянул смех, и громче всех смеялся я сам, понимая необходимость понравиться его людям.

— Наша цель на завтра, студент, это его королевское высочество Толстяк, более известный как...

Повернувшись к доске, Монти взял кусок мела и тщательно вывел очень длинную арабскую фамилию.

— А суть нашего задания, студент, сводится к СО, — продолжил он. — Надеюсь, вам известно, что такое СО? Несомненно, этому учат в любом шпионском Итоне.

— Связи с общественностью, — выпалил я, поразившись, какое бурное веселье вызвал мой ответ.

Увы, я невольно попал пальцем в небо. На жаргоне профессионалов знакомые две буквы означали совсем иное — «следить и оберегать». Именно этим нам предстояло заняться на следующий день. То есть пока августейший гость Лондона желал пользоваться нашими услугами, нам следовало предотвращать любые попытки причинить ему какой-либо вред и докладывать в главный

_____
* Квартал Сити.

офис обо всех его перемещениях, вызванных общественной или коммерческой деятельностью.

— Вам, студент, предстоит работать с Полом и Нэнси, — сказал Монти, завершив изложение необходимой нам информации. — В группе вы станете третьим номером, и уж будьте любезны, в точности выполняйте то, что вам будет сказано делать, независимо от характера поручения.

С этого места я предпочту изложить вам суть операции «Толстяк» не словами Монти, а собственными, поскольку теперь имею возможность взглянуть на события с расстояния в двадцать пять лет, что дает определенные преимущества. Но даже сегодня я все еще могу покраснеть от стыда, вспоминая, кем я себя тогда мнил и как, должно быть, выглядел в глазах таких людей, как Монти, Пол и Нэнси.

Прежде всего вам следует понять, что лицензированные торговцы оружием в Великобритании считают себя крутой элитой — как считали и в те времена. Причем они пользуются превышающим всякие разумные пределы покровительством со стороны полиции, бюрократии и спецслужб. По причинам, в которых я так и не смог до конца разобраться, не слишком благородный бизнес делает их отношения со всеми этими организациями весьма доверительными. Возможно, все дело в иллюзии глубокого познания грубой реальности, тонкой грани между жизнью и смертью, которую они излучают, продавая свой товар. А быть может, весьма ограниченные умы наших чиновников наделяют их лично той же властью над судьбами людей, какую зачастую приобретают те, кто пускает их товар в ход. Не знаю. Но за прошедшие годы я достаточно близко познакомился с нравами, царящими на наших улицах, чтобы догадываться: в мире гораздо больше мужчин, которым нравится война, чем тех, кому в самом деле доводится воевать, и значительно больше огнестрельного оружия покупается для удовлетворения этого тщеславного чувства, чем с любыми другими целями, порой самыми достойными.

Важно отметить, что Толстяк был для воротил этого бизнеса одним из самых ценных клиентов. А наше задание — следить и оберегать — оказалось лишь малой частью гораздо более крупной политической акции: налаживания и укрепления связей с так называемым дружественным арабским государством. Что подразумевало и подразумевает в наши дни использование любых форм умасливания, подкупа и лести в отношении правящих таким государством особ специфически английскими методами, готовность пойти на всевозможные уступки для удовлетворения наших насущных потребностей в нефти, а заодно возможность сбывать им столько британского оружия, чтобы сатанинские мельницы заводов в Бирмингеме работали в три смены. Этим, по всей видимости, и объяснялось ощутимое отвращение Монти к порученному нам заданию. По крайней мере, мне хотелось бы в это верить. Опытные сотрудники службы наружного наблюдения славятся склонностью к морализаторству. И не без оснований. Они сначала долго и много наблюдают, а потом начинают осмысливать увиденное. Монти как раз достиг тогда стадии раздумий и осмысления.

Что касается самого Толстяка, то он обладал всеми чертами, необходимыми для уважительного обхождения. Это был предельно расточительный брат шейха, правившего очень богатой нефтью страной. Капризный, часто склонный забывать о том, что уже успел у нас купить. Как и положено подобным персонам, он прибыл, воспользовавшись личным «боингом» брата, совершившим посадку на военном аэродроме поблизости от Лондона. Все было специально подготовлено к его прибытию, чтобы немного поразвлечься и кое-что приобрести. Как мы поняли, на сей раз ему требовались сущие пустяки. Например, два бронированных «роллс-ройса» для него самого, половина ассортимента магазина фирмы «Картье» в качестве подарков для многочисленных подружек, обитавших по всему миру, а для его могущественного брата — около сотни наших не самых современных пусковых установок для ракет класса «земля — воздух» и пара эскадрилий боевых истребителей тоже не последней модели. Разумеется, он не забыл подписать с британским правительством долгосрочные и весьма выгодные контракты на поставку запасных частей, техническое обслуживание и обучение пилотов, что позволяло Королевским военно-воздушным силам и производителям вооружений не тревожиться о своем финансовом положении еще многие годы... Да, и, конечно, нефть. Мы получили возможность жечь ее в свое удовольствие.

Его сопровождение, помимо секретарей, включало в себя астрологов, подхалимов, нянюшек, детишек и двух учителей, личного врача и троих телохранителей.

Наконец стоит упомянуть и о жене Толстяка, чье подлинное кодовое имя не имело значения, поскольку с первого дня сотрудники Монти окрестили ее Пандой из-за широких темных кругов вокруг глаз, заметных, когда она не скрывала лица, и манеры изображать грусть и одиночество, придававшей ей сходство с особью, занесенной в Красную книгу. У Толстяка было несколько жен, которых он мог бы притащить с собой в Лондон, но Панда, хотя и старшая из них, получила предпочтение, поскольку наиболее терпимо относилась к развлечениям супруга. А он обожал ночные клубы и азартные игры, за что группа наблюдения от души возненавидела его еще до прибытия. Все знали: он редко отправлялся спать раньше шести утра, причем непременно проиграв до этого сумму, приблизительно в двадцать раз превышавшую годовое жалованье всех членов группы, вместе взятых.

Эта милая компания разместилась в одном из роскошных отелей Уэст-Энда, целиком заняв два этажа, соединенных между собой отдельным лифтом, тоже смонтированным специально для них. Толстяк, подобно многим сорокалетним сластолюбцам, постоянно тревожился за свое сердце. Его также беспокоили скрытые в стенах микрофоны, и он ощущал себя в безопасности только в лифте. Вот почему мастерам прослушки из Цирка пришлось установить микрофон и в лифте тоже, ведь именно там они рассчитывали записать фрагменты разговоров о последних дворцовых интригах, как и вовремя узнать о непредвиденных препятствиях, грозивших сократить список покупок Толстяка.

И все протекало гладко до третьего дня, пока маленький, никому не известный араб в черном плаще с бархатным воротником не появился внезапно и тихо в поле нашего зрения. Впрочем, если быть точным, то появился он в отделе женского нижнего белья «Харродса» — самого знаменитого универмага на Найтсбридже, где Панда и ее помощницы придирчиво рылись в грудах белоснежных, весьма вычурных вещей, выложенных перед ними на стеклянный прилавок. Потому что у Панды имелись свои шпионы. И ей донесли, что днем раньше Толстяк сам с большим удовольствием подбирал предметы дамского туалета, десяток из которых был затем отправлен по адресу в Париже, где в оплачиваемых им шикарных апартаментах жила любимейшая его подружка, всегда готовая распахнуть для него объятия.

Повторяю, произошло это на третий день, а моральное состояние нашего звена, состоявшего из трех человек, уже оставляло желать много лучшего. Пол Скордено был замкнутым мужчиной с рябым лицом и врожденным талантом изощренно ругаться. Нэнси намекнула мне, что он попал в немилость начальства, но не рассказала подробно, по какой причине.

— Он обидел девушку, Нед, — так сформулировала она, но, как понял я позже, обида означала нечто большее, чем, к примеру, словесное оскорбление или даже пощечина.

Сама крошка Нэнси, ростом не более пяти футов, имела внешность типичной уличной побирушки. И чтобы держаться своего образа, объяснила она мне, носила фильдекосовые чулки и удобные туфли на непромокаемой резиновой подошве, которые редко меняла на другую обувь. Все остальное, что могло ей пригодиться, — шарфы, плащ-дождевик, шерстяные шапочки разных цветов — она держала в большом полиэтиленовом пакете.

Заступая на восьмичасовое дежурство, наша троица всегда выстраивалась в одном и том же боевом порядке. Нэнси и Пол двигались впереди, а юный Нед тащился за ними в роли чистильщика. Когда я спросил Скордено, не стоило ли хотя бы иногда менять порядок строя, он посоветовал привыкать к отведенной мне роли. В первый день мы проследовали за Толстяком в военную академию Сэндхерст, где в его честь устроили торжественный обед. Мы втроем уплетали яичницу с картофелем в кафе поблизости от главных ворот, когда Скордено сначала обругал на чем свет стоит арабов, потом эксплуатировавший их Запад, после чего расстроил меня, обрушившись на наш Пятый этаж, обитателей которого он обозвал фашиствующими любителями гольфа.

— А ты сам не из масонов ли будешь, студент?

Я заверил, что не принадлежал к их числу.

— Тогда лучше поспешить присоединиться к ним, верно? Ты не заметил, как небрежно пожимает тебе руку главный кадровик? Ты никогда не попадешь в Берлин, студент, если ты не масон.

Второй день мы провели, болтаясь в районе Маунт-стрит, где Толстяк заказывал для себя особо приспособленные под конкретного стрелка винтовки в фирме «Парди». Ему хотелось заиметь пару. Сначала он поверг всех в ужас, неуклюже размахивая показанным ему заряженным образцом, целясь во все углы помещения, а потом закатил жуткий скандал, узнав, что исполнения заказа придется ждать целых два года. Пока все это происходило, Пол дважды приказывал мне войти в магазин, но почему-то выглядел очень довольным, когда моя в меру скромная назойливость и неуместные вопросы начали вызывать подозрения у продавцов.

— А я-то думал, там для тебя самое место, — заявил он с недоброй ухмылкой. — Охота, стрельба по тарелочкам, рыбалка — им на Пятом этаже все это очень нравится, студент.

Той же ночью нам пришлось сидеть в микроавтобусе рядом с плотно занавешенными окнами борделя на Саут-Одли-стрит, а главный офис был повергнут в состояние, близкое к панике. Толстяк, не успев провести там и двух часов, позвонил в отель и немедленно потребовал к себе личного лекаря. Его сердце! — мелькнула у нас тревожная мысль. Не следует ли сейчас же проникнуть внутрь? А пока начальство мучилось над решением проблемы, мы развлекались, воображая нашего подопечного, умершего от разрыва сердца в объятиях чересчур старательной шлюхи. И это до того, как он успел подписать чек на покупку устаревших истребителей! Только в четыре часа утра прослушка успокоила всех. Как выяснилось, Толстяка просто встревожило проявление импотенции, объяснили нам, и доктор понадобился, чтобы ввести возбуждающее средство путем укола в жирную задницу благородного происхождения. По домам мы разъехались только в пять. Скордено исходил руганью от злости, но всем принесло утешение известие, что завтра в полдень Толстяк отправится в Лутон, чтобы присутствовать при впечатляющей демонстрации действительно почти нового образца британского танка. Это позволяло надеяться на день отдыха. Но, как выяснилось, расслабились мы преждевременно.

— Панда желает купить себе кое-что из модной одежонки, — объявил Монти не без сострадания к нам, когда мы утром явились на Грин-стрит. — Вашей тройке выпало поработать с ней. Уж извините, мистер студент.

Что и возвращает нас в отдел дамского нижнего белья величайшего в мире универмага в Найтсбридже, к моменту, когда мне удалось прославиться. Бен, размышлял я, Бен, я бы обменял один день твоей жизни на пять моих. А затем внезапно я перестал вспоминать о Бене и завидовать. Потихоньку выйдя в пустовавший соседний зал, я начал говорить в микрофон громоздкой рации — лучшего оборудования для связи у нас тогда еще не было. Причем настроился на волну нашей основной базы. Именно ею Скордено категорически запретил мне пользоваться.

— Панде на хвост села какая-то «обезьяна», — информировал я Монти, стараясь сохранять в голосе полнейшее спокойствие и используя узаконенный термин из жаргона группы слежения, обозначавший загадочную фигуру, замеченную рядом с объектом охраны. — Рост пять футов и пять дюймов, черные курчавые волосы, густые усы, возраст — около сорока, в черном плаще и черных ботинках на каучуковой подошве, внешность арабская. Он был в аэропорту, когда приземлился самолет Толстяка. Я запомнил его. Тот же человек.

— Продолжай следить за ним, — последовала лаконичная команда Монти. — Пусть Пол и Нэнси остаются при Панде, а ты не упускай из виду «обезьяну». Какой этаж?

— Второй.

— Держись за ним, куда бы он ни направился, и оставайся на связи со мной.

— Он может что-то вынашивать, — сказал я, искоса бросая взгляд на подозрительного типа и имея в виду, разумеется, опасные планы.

— То есть он беременный?

Шутка не показалась мне смешной.

Теперь попробую описать вам сцену более детально, потому что все выглядело намного сложнее, чем вы могли бы предположить. Мы трое оказались далеко не единственными, кто шел за Пандой во время ее экспедиции по универмагу, проходившей со скоростью улитки. Приезд богатой арабской принцессы в знаменитый универмаг никогда не происходит без предварительного уведомления. Помимо пары обычных администраторов в черных пиджаках и полосатых брюках, в арках двух дверей торгового зала показались мужчины, в которых безошибочно угадывались штатные детективы из самого универмага. Они встали, широко расставив ноги и сжав в кулаки вытянутые по швам руки, готовые в любой момент вступить в схватку с печально известными вращающимися дервишами. И, словно этого было мало, в то утро Скотленд-Ярд проявил инициативу, предоставив своих телохранителей — двух амбалов с каменными лицами в туго подпоясанных приталенных плащах. Они почти не таясь стояли рядом с Пандой, прожигая взглядами насквозь всякого, кто к ней приближался. А ведь были еще Пол и Нэнси, надевшие самые лучшие воскресные наряды. Эти двое, стоя ко всем спиной, делали вид, что разглядывают нижнее белье в витринах, но украдкой наблюдали за объектом, используя многочисленные зеркала.

Происходило все это, повторю, в тихой атмосфере, пропитанной ароматами гарема, среди тонких кружев белья, на устланных ворсистыми коврами полах, уставленных полуголыми манекенами. Не забудем и о добрейших седовласых продавщицах в черном крепе, которые, только достигнув определенного возраста, приобретали достаточно величавый, но не грозный вид, чтобы стать жрицами храма женских интимных принадлежностей.

Мужчины, как я заметил, предпочитали либо вообще не заходить в этот отдел, либо поспешно проскакивали его насквозь, стараясь не глазеть по сторонам. Будь я частным лицом, интуиция подсказала бы мне поступить так же. Но я находился на службе, а теперь заметил еще и этого странного маленького человека с черными усами и исполненными страсти карими глазами, который упрямо следовал за Пандой, держа дистанцию примерно пятнадцать шагов. Если бы Монти не назначил меня чистильщиком, я мог бы тоже не обратить на него внимания или обратить много позже. Но почти сразу стало понятно, что мы оба, хотя и по разным причинам, были вынуждены находиться от своей цели на одном и том же расстоянии. Однако я старался вести себя непринужденно, а его словно что-то влекло за этой женщиной с непреодолимой мистической силой. Он практически не сводил с нее глаз. Даже в тот момент, когда их ненадолго разделяла колонна или другая покупательница, он все равно стремился вытянуть шею или изогнуться всем телом, чтобы она опять попала под его пылкий и (как я теперь уверился) фанатичный взгляд.

А ведь я почувствовал в нем этот жар еще в самый первый раз, когда заметил из зала прибытия аэродрома. Он привстал там на цыпочки по другую сторону длинной стеклянной стены, не допущенный в зал, и прижался к стеклу лицом, чтобы как можно лучше видеть прибытие членов семьи шейха. Тогда он не особенно мне запомнился. Я всмотрелся в него, но не более пристально, чем всматривался в каждого встречавшего. Он мог быть просто одним из слуг, помощников дипломатов или зевак, неизбежных везде, где появляются знаменитости (не совсем понятно, как зеваки проникли на военный аэродром). И тем не менее страсть, заметная в нем уже тогда, затронула во мне какую-то струну: вот он, Ближний Восток, размышлял я, посмотрев на его расплющенное о стекло лицо. Моей службе просто необходимо принимать в расчет подобные откровенные проявления язычества, если мы хотим поддерживать с этими странами мирные отношения и без проблем сбывать им оружие.

Он немного двинулся вперед и стал рассматривать шкафчики с выставленными образцами тесьмы. Его походка, действительно чем-то напоминавшая обезьянью, отличалась сочетанием широты шага и осторожности крадущегося животного. Казалось, двигались при этом только колени и ступни, усиливая странное впечатление. Я пристроился рядом у витрины с подвязками, время от времени исподволь изучая его, особенно стараясь разглядеть предательские вздутия под плащом на боках или ближе к подмышкам. Его черный плащ имел классический покрой, излюбленный наемными убийцами: просторный, не подпоясанный — под такой одеждой без труда можно спрятать пистолет даже с длинным глушителем или полуавтоматическое оружие, если подвесить его на подмышечную петлю.

Потом я переключился на его руки, ощущая нервное покалывание в пальцах. Левую он держал свободно опущенной вдоль тела, зато правая, выглядевшая намного сильнее, то порывалась подняться на уровень груди, то снова опускалась, как будто он никак не мог набраться храбрости для завершения задуманного.

Крестообразная кобура под правую руку, подумал я. Скорее всего в подмышечной области. Наш инструктор по обращению с огнестрельным оружием продемонстрировал нам в свое время все существующие варианты.

И эти глаза... Темные, горящие глаза отчаявшегося фанатика. Даже если смотреть на него сбоку, можно подумать, его взгляд устремлен куда-то в потусторонний мир. Быть может, он дал клятву за что-то отомстить ей самой или членам ее семьи? Ведь мог же какой-нибудь рьяный мулла пообещать ему вечную жизнь в раю, если он решится на такой поступок? Мои познания по части ислама были, мягко говоря, скудными, почерпнутыми лишь из пары лекций и романов Персиваля Рена. Но и этого оказалось достаточно, чтобы я ощутил рядом с собой присутствие на все готового, одержимого одной мыслью человека, для которого собственная жизнь ничего не значила.

А я сам? Увы, никаким оружием я не располагал. Это расстраивало меня больше всего, показывая истинное отношение ко мне сотрудников «наружки». Служба наблюдения даже не думала вооружаться, отправляясь на обычное задание. Но операция по скрытной слежке и охране — здесь совсем другой коленкор, а потому Полу Скордено был все-таки выдан пистолет из личного сейфа Монти.

— Одного вполне достаточно, студент, — сказал мне Монти со своей обычной улыбочкой всезнайки. — Мы же не хотим, чтобы вы развязали третью мировую войну, верно?

А потому все, что мне оставалось, когда я снова последовал за своим подопечным, это прибегнуть к одному из ударов, которым нас обучили на занятиях по рукопашному бою. Беззвучное убийство — так называл свой предмет тренер. Стоит ли мне атаковать его сзади? Или применить «кроличий прием» — одновременный удар ребрами ладоней над ушами? Но тогда он может погибнуть мгновенно, а нам, наверное, надо взять его живым и допросить. В таком случае не лучше ли сначала сломать ему правую руку, чтобы потом завладеть его оружием? Но существовала и другая опасность. Стоило в моих руках оказаться пистолету, как я сам мог пасть под градом пуль, выпущенных другими телохранителями, находившимися в торговом зале.

Она заметила его!

Панда посмотрела прямо в глаза «обезьяне», а он ответил ей выразительным взглядом!

Неужели она узнала его? Я был уверен, что узнала. Но догадывалась ли о его намерениях? И не впала ли женщина в состояние своего рода восточного фатализма, готовая принять неизбежную смерть? Мой ум поспешно перебрал самые невероятные предположения, пока я наблюдал за загадочным обменом взглядами. Когда их глаза впервые встретились, Панда застыла. Ее унизанные драгоценностями проворные маленькие ручки, только что перебиравшие одежду на стойке продавщицы, замерли, а потом, словно подчиняясь безмолвной команде, бессильно опустились вдоль тела. И она стояла неподвижно, лишенная воли, не находя в себе сил даже попытаться избежать устремленного на нее проницательного взгляда.

Наконец со странно обреченным и даже немного приниженным видом она отвернулась, что-то пробормотала сопровождавшим ее женщинам, а потом протянула руку и положила на стойку предмет туалета, который все еще сжимала пальцами. В тот день в ее одежде преобладали коричневые тона, и будь она мужчиной, я бы назвал ее стиль близким к францисканскому: широкие, очень длинные рукава, коричневый платок, туго стягивавший голову.

Я заметил, как она вздохнула, а затем медленно и словно неохотно повела свой эскорт к выходу из зала. Непосредственно за ней следовал личный телохранитель, у него за спиной маячил детектив Скотленд-Ярда. Далее потянулись дамы из ее сопровождения и администраторы универмага. Замыкали шествие Пол и Нэнси, которые, явно пока не понимая, как поступить, оторвались от созерцания неглиже и изображали пару, тоже принадлежавшую к этой большой группе клиентов. Пол, который наверняка слышал часть моего разговора с Монти, не удостоил меня даже беглого взгляда. Нэнси, гордившаяся своим мастерством актрисы-любительницы, притворилась, что между ними возникла супружеская размолвка. Я пытался разглядеть, расстегнул ли Пол хотя бы пуговицу на своем пиджаке, поскольку он тоже пользовался крестообразной кобурой, но мог видеть только его удалявшуюся широкую спину.

— Отлично, студент, а теперь введите меня в курс дела, — весело шепнул мне в левое ухо Монти, возникший самым чудесным образом рядом со мной. Давно ли он находился здесь? Я понятия не имел. Миновал полдень, наша вахта подошла к концу, но сейчас выдался самый неподходящий момент для смены звена. «Обезьяна» была всего в пяти ярдах от нас, легко, но решительно двигаясь за Пандой.

— Мы можем взять его на лестнице, — пробормотал я.

— Говорите громче, — посоветовал мне Монти тем же спокойным тоном. — Разговаривайте нормально. Вас же никто не подслушивает. Но вот стоит вам начать шептаться со мной, как охрана сразу решит, что мы намерены ограбить кассу.

Поскольку мы находились на втором этаже, группа во главе с Пандой наверняка собиралась воспользоваться лифтом, чтобы спуститься или подняться выше. Рядом с лифтом располагалась пара дверей на шарнирах, которая в те дни вела на каменную противопожарную лестницу, довольно сильно запущенную и невзрачную, покрытую линолеумом. Мой план, изложенный Монти в кратком стаккато из фраз, пока мы продолжали преследовать «обезьяну» до выхода из зала, был до крайности прост. Как только группа приблизится к лифту, мы с Монти возьмем его под руки с двух сторон и вытащим на лестницу. Обезопасив крепким ударом в пах, отберем оружие, а затем доставим на Грин-стрит, где ему придется во всем признаться. Во время тренировок мы десятки раз проделывали такой трюк, причем однажды оконфузились, схватив ни в чем не повинного банковского клерка, спешившего домой к жене и детям. Мы по ошибке приняли его за одного из организаторов учебной операции.

Однако Монти, выслушав все это, к моему разочарованию, сделал вид, что не обратил на мое предложение никакого внимания. Он лишь следил, как сотрудники универмага освобождали путь для группы Панды к лифту, чтобы вместе с ними в кабине не оказалось посторонних. При этом с его лица не сходила глупая улыбка простака, внезапно увидевшего перед собой члена королевской семьи.

— Она отправится вниз, — удовлетворенно заметил он. — Ставлю фунт против пенни, что теперь ее заинтересуют искусственные ювелирные украшения для платьев. Трудно поверить, что богатую принцессу с Ближнего Востока привлечет бижутерия, но ведь женщинам побрякушек всегда мало. К тому же там можно совершить выгодную покупку. Иди за мной, сынок. Это будет занятно. Посмотрим вместе.

Мне приятно вспоминать, что даже совершенно сбитый в тот момент с толку, я все же понял и признал истинное мастерство Монти в своем деле. Экзотическая компания Панды, облаченная почти поголовно в восточные наряды, вызывала у прочих покупателей живейший интерес. И Монти выглядел лишь еще одним обывателем, получавшим удовольствие от зрелища. И он, конечно, снова оказался прав, потому что они направились прямиком в ювелирный отдел. «Обезьяна» тоже предвидел это, потому что к моменту нашего появления из лифта он опередил всех и занял стратегически выгодную позицию блестящих витрин, прижавшись левым плечом к стене, что и требовалось от убийцы, готовившегося стрелять с правой руки.

А вот Монти не спешил занять столь же удобное положение для ведения ответного огня. Он просто подошел к нему, встал рядом и знаком приказал мне присоединяться, в результате чего я оказался в ситуации, когда ближе ко мне располагался сам Монти, а не наш противник.

— Вот почему я так люблю бывать в Найтсбридже, сынок, — громко принялся объяснять мне Монти. — Никогда не знаешь, с кем здесь доведется встретиться. Помнишь, в прошлый раз, когда мы вместе с мамой отправились в продуктовый отдел «Харродса». И на тебе! «Привет! А я вас знаю. Вы Рекс Харрисон». Я мог бы протянуть руку и дотронуться до него, но не стал этого делать. Настоящий перекресток центра мира, вот что я тебе скажу о Найтсбридже. Вы согласны со мной, сэр? — И он приветственно приподнял шляпу, обращаясь к «обезьяне», но получил в ответ лишь рассеянную улыбку. — Интересно, откуда прибыли к нам все эти люди? С виду похожи на арабов, богатых, как царь Соломон. И они, осмелюсь предположить, даже не платят налогов. Явно королевские особы. Их никто не осмелится обложить налогами. Ни один монарх в мире не платит налогов самому себе. В этом не было бы никакой логики. Видишь вон того полисмена, сынок? Он точно из особого отдела — сразу понятно, стоит посмотреть на его тупую и мрачную физиономию.

Эскорт Панды тем временем обступил сверкающие витрины, а сама Панда, явно с трудом сдерживая возбуждение, попросила достать для нее планшет с украшениями для более тщательного осмотра. Столь же быстрыми движениями, как в отделе нижнего белья, Панда выбирала какой-нибудь предмет, критически оглядывала, поднеся ближе к свету, а потом бралась за другой. И снова, пока она продолжала оценивать красоту драгоценностей, я заметил, как ее беспокойный взгляд то и дело обращался в нашу сторону — сначала на «обезьяну», затем на меня, словно она уже распознала во мне одного из своих защитников.

Но Монти, когда я посмотрел на него, ожидая объяснений, продолжал улыбаться.

— То же самое происходило в отделе нижнего белья, — прошептал я, забыв его наставление говорить нормальным голосом.

Монти же продолжал свой звучный монолог:

— Хотя стоит лишь копнуть немного поглубже, сынок, — я не устаю повторять это, — короли или не короли, мы все одинаковы от и до. Мы рождаемся голенькими, а потом неуклонно идем каждый своим путем к могиле. Твое богатство в здоровье, и лучше иметь много друзей, чем денег, вот как я считаю. У каждого из нас есть свои аппетиты, маленькие слабости и небольшие пороки.

И он продолжал легкомысленную болтовню в полном контрасте с моим предельным напряжением и тревогой.

Она попросила показать ей другие планшеты. Прилавок уже ломился от невероятно дорогих с виду тиар со стразами вместо камней, браслетов и колец. Выбрав ожерелье из трех ниток поддельных рубинов, Панда приложила его к шее, взяв небольшое зеркальце, чтобы полюбоваться собой.

Была ли то игра моего воображения? Нет, ни в коей мере! Она воспользовалась зеркалом, чтобы мельком понаблюдать за «обезьяной» и за нами! И в ее глазах читалось волнение и нечто вроде мольбы, обращенной к нам, пока она не положила зеркальце на прежнее место, а сама почти раздраженно принялась осматривать

дальний конец витрины, где ее уже ожидала новая партия вещей
для заинтересованного ознакомления.

В тот же момент «обезьяна» сделал шаг вперед, и я заметил, как
его рука потянулась под разрез плаща. Отбросив всякую осторожность, я тоже шагнул вперед, согнув пальцы правой руки, а ладонь
расположив параллельно полу, как нас учили в Саррате. Я решился
на удар локтем в область сердца, за которым должен был последовать второй — ребром ладони поверх губы, где хрящ носа сходится
с челюстью. Как раз там расположен сложный узел чувствительных нервных окончаний, и меткое попадание в нужную точку
способно на некоторое время почти парализовать противника. Рот
«обезьяны» приоткрылся для глубокого вдоха. Я ожидал услышать
воззвание к аллаху или, возможно, лозунг какой-нибудь секты
фундаменталистов (впрочем, сейчас я уже не уверен, насколько
в то время нас беспокоили арабские экстремистские группировки
и много ли мы вообще о них знали). Я и сам приготовился издать
боевой клич, не только чтобы ошарашить его, а потому, что напол-
ненные воздухом легкие насытили бы кислородом кровеносную
систему и увеличили мощь ударов. И я уже втянул воздух, когда
почувствовал, как рука Монти стальным кольцом сжала мне кисть,
а затем с совершенно непредсказуемой силой он обездвижил меня,
притянув вплотную к себе.

— Не надо ничего такого делать, сынок. Этот джентльмен
стоит в очереди перед тобой, — сказал он. — И ему нужно закончить одно весьма щекотливое дело, не так ли, сэр?

Тот кивнул. И Монти не отпускал меня, пока я не убедился сам,
в чем именно состоит суть дела. «Обезьяна» заговорил. Причем обращался он не к Панде и не к одной из ее подружек, а к двум адми-
нистраторам в полосатых брюках, которые слушали его, склонив
головы, сначала несколько недоверчиво, а потом с нарастающим
интересом, чтобы затем с удивлением и недоумением обратить
взоры на Панду.

— Должен с сожалением констатировать, джентльмены, что
ее высочество предпочитает делать некоторые свои приобретения, так сказать, не соблюдая должных формальностей, — говорил он. — Не обременяя никого необходимостью выписывать
чеки и упаковывать покупки. Сформулируем это как можно мягче.
Такой уж настал в ее жизни сложный период. Еще три или четыре
года назад она слыла подлинным виртуозом по части скидок. О да!
Она была способна сбить цену на нужную ей вещь до минимума.

Но сейчас, в этот, повторю еще раз, трудный период жизни она в буквальном смысле взяла все в свои руки, понимаете? А если точнее — чаще пользуется для своих целей рукавами. О, горе нам! Поэтому его светлость поручил мне присматривать за ней, замечать подобные «покупки» и улаживать ситуации так, чтобы слухи о ее необычных наклонностях не стали достоянием гласности или тем более не просочились в прессу. Надеюсь, джентльмены, я понятно изложил существо деликатной проблемы?

После чего он достал из-под плаща, увы, не автоматический «вальтер», и не пистолет-пулемет «хеклер-кох», и даже не столь любимый всеми нами девятимиллиметровый «браунинг», а всего-навсего бумажник из марокканской кожи, набитый купюрами разного достоинства, выданными ему хозяином.

— По моим подсчетам, сегодня речь идет о трех прекрасного качества кольцах, одном искусственном изумруде, двух стразах под бриллианты и также искусственного происхождения рубинах, нанизанных на три нитки бус. Его светлости угодно, чтобы при расчетах были щедро оплачены все моральные издержки, понесенные штатом великолепных сотрудников вашего универмага. Предусмотрена и особая премия касательно уже упомянутой необходимости не допустить какой-либо огласки происшествия.

Хватка Монти на кисти моей руки окончательно ослабла. А когда мы вышли в вестибюль, я осмелился посмотреть на него и, к своему огромному облегчению, увидел на его лице не насмешку, а задумчивое и добродушное выражение.

— Вот в этом и состоит основная проблема нашей профессии, Нед. — Он впервые назвал меня по имени. — Жизнь преподносит сюрпризы, каких ты никак не ожидаешь. Признаюсь, мне и самому нравится порой вступить в схватку с по-настоящему опасным врагом. Хотя их становится все труднее найти. Слишком много развелось на этом свете порядочных людей.

Глава 3

— Учтите к тому же, — увещевательно обратился Смайли к своей молодой аудитории тоном священника, который просит не забыть при уходе бросить в копилку пожертвования, — что воспитанный в частной школе англичанин (как, впрочем, и англичанка, добавлю я теперь) является величайшим в мире притворщиком и лицемером.

Ему пришлось снова дожидаться, чтобы утих смех.

— Он им был, остается и пребудет вовеки, пока не подвергнется радикальным реформам наша безобразная система образования. Никто другой не сможет вас с такой легкостью очаровать, надежнее спрятать от вас свои истинные чувства и мысли, искуснее замести следы своего прошлого и ни за что не выдавит из себя признания, что он хотя бы однажды свалял большого дурака. Никто не проявляет такой храбрости в минуту, когда на самом деле смертельно страшно, никто не бывает счастливее в самые тоскливые моменты своей жизни. И точно так же никто не будет вам слаще льстить, внутренне ненавидя вас, чем общительные англичане или англичанки, пусть они принадлежат к так называемым привилегированным слоям общества. Человек способен пережить сильнейший нервный срыв, просто стоя за вами в очереди на автобус, а вы будете считаться его лучшим другом, но так и не узнаете, до какого состояния он дошел. Вот почему многие наши лучшие офицеры порой оказываются худшими. По той же причине самым трудным агентом из всех, кого вам придется курировать, окажетесь вы сами.

Произнося эту сентенцию, Смайли, несомненно, имел в виду в первую очередь самого известного обманщика и предателя из нашей организации — Билла Хэйдона. Но, с моей точки зрения, он мог вести речь еще и о Бене. И конечно же, хотя в этом труднее признаться, о молодом Неде, как, вероятно, и о старом тоже.

Это случилось в тот же день, когда я по недомыслию чуть не напал на одного из телохранителей Панды. Усталый и в прескверном настроении, я добрался до своей квартиры в Баттерси, но обнаружил, что дверь заперта на замок изнутри, а двое мужчин в серых костюмах роются в бумагах из моего письменного стола.

Когда я сумел ворваться внутрь, они даже не прервали своего занятия. Одним их них оказался начальник отдела кадров, а вторым — похожий на филина неопределенного возраста невысокий крепыш в очках с круглыми стеклами, окинувший меня взглядом, исполненным хмурого сочувствия.

— Когда вы в последний раз получали известия от своего друга Кавендиша? — спросил кадровик, покосившись на меня, прежде чем вернуться к моим документам.

— Он ведь ваш друг, верно? — с грустью в голосе поинтересовался напоминавший ночную птицу мужчина, пока я старался привести чувства в порядок. — Бен? Арно? Как вы предпочитали его называть?

— Да. Он мой друг. Бен. А в чем дело?

— Так когда вы в последний раз разговаривали с ним? — повторил вопрос кадровик, небрежно сдвигая в сторону кипу писем от моей тогдашней возлюбленной. — Он вам звонит? Как вы с ним поддерживаете связь?

— Неделю назад получил от него открытку. Почему вы спрашиваете об этом?

— Где она?

— Не знаю. Я, наверное, порвал ее. Если только ее нет где-нибудь в столе. Будьте все-таки любезны объяснить мне, что происходит.

— Значит, вы порвали открытку?

— Или просто выбросил.

— Порвать — значит преднамеренно уничтожить, вам так не кажется? Как она выглядела? — спросил кадровик, выдвигая очередной ящик стола. — Стойте пока на месте, не двигайтесь.

— На одной стороне было изображение девушки, а на другой — пара строк от Бена. Какая разница, что было в той открытке? Пожалуйста, уходите.

— Но что было написано на оборотной стороне?

— Ничего особенного. Он хвастался своей последней победой. «Дорогой Нед! Это мой очередной улов, и потому я рад, что тебя здесь нет. С любовью, Бен».

— Что он имел в виду? — Выдвинулся следующий ящик.

— Вероятно, радовался, что я не смогу отбить у него девушку, как я понял. Вообще-то, это была шутка.

— Вы часто отбивали у него девушек прежде?

— У нас с ним никогда не было общих знакомых среди женщин. Так что никогда.

— А что же тогда у вас с ним было общего?

— Мы просто дружили, — ответил я раздраженно. — И вообще, какого черта вы здесь роетесь? Что именно ищете? Думаю, вам лучше немедленно покинуть мою квартиру. Вам обоим.

Филин не сводил с меня глаз. Он продолжал разглядывать меня с жалостью и сочувствием, словно хотел сказать: такое может случиться с любым из нас, и тут уж ничего не поделаешь.

— Как была доставлена открытка, Нед? — спросил он.

Его голос, как и манера держаться, отличался некой печальной задумчивостью.

— По почте, как же еще? — Мой ответ мог прозвучать грубовато.

— Вы имеете в виду обычную почту? — Интонация Филина не изменилась. — А не служебную? В сумке курьера, например?

— Через нашу военную почту, — сказал я. — Полевое почтовое отделение. Открытка была отправлена из Берлина с английской маркой в углу. А мне ее принес наш почтальон.

— Вы, случайно, не запомнили номер полевой почты? — спросил похожий на филина мужчина почти застенчиво. — Они обычно значатся на штампах, которыми гасят марки.

— Как мне показалось, это был обычный берлинский номер, — спокойно ответил я, стараясь сдерживать злость в разговоре с человеком, проявлявшим безукоризненную вежливость. — По-моему, сороковое отделение. Но почему это так важно? С меня уже достаточно недомолвок!

— А вы абсолютно уверены, что открытка была отправлена из Берлина? Мне нужно, чтобы вы припомнили, какое первоначальное впечатление она на вас произвела. Какой показалась, если напрячь память? И в берлинском номере у вас тоже нет сомнений?

— Она выглядела так же, как те, что он присылал мне раньше. Я не подвергал их тщательному изучению, — ответил я, и во мне снова начал вскипать гнев, когда кадровик вытащил еще один ящик и все вывалил из него на стол.

— А девушка? Из тех, что позируют для афиш и плакатов? — продолжал любопытствовать Филин с улыбкой, которая могла быть истолкована как извинение за действия кадровика и за его собственные.

— Если вы спрашиваете, была ли она обнаженной, то да. Как я предположил, дорогая проститутка. На фото она повернула голову, глядя назад через голое плечо. Потому я и поспешил избавиться от открытки. Чего доброго, ее могла увидеть моя уборщица.

— Ах, так теперь вы вспомнили точнее! — воскликнул начальник отдела кадров. — Вы ее выбросили, а не порвали. Стоило бы сказать об этом сразу!

— Я не стал бы горячиться, Рекс, — заметил Филин примирительно. — Нед был совершенно ошеломлен, когда вошел. Да и кто не оказался бы сбит с толку на его месте? — Его встревоженный взгляд снова надолго задержался на мне. — Вы ведь сегодня ходили на задание с группой наружного наблюдения, так? Монти отзывается о вас самым положительным образом. Но, между прочим, она была цветная? Я снова вынужден вернуться к той открытке.

— Да.

— Он всегда присылал вам открытки или иногда писал письма?

— Только открытки.

— Сколько их было всего?

— Три или четыре с тех пор, как его туда направили.

— И все цветные?

— Не помню. Да, кажется, все.

— И всегда с изображениями девушек?

— Думаю, да.

— Что значит «думаете»? Вы же должны помнить такие подробности. Итак, всегда с девушками и неизменно обнаженными, как я полагаю?

— Да.

— Где остальные?

— Я, должно быть, выбросил все.

— Из-за уборщицы?

— Да.

— Чтобы не оскорбить ее чувства?

— Да!

Похожий на филина человек некоторое время обдумывал мои слова.

— Стало быть, эти грязные картинки — уж извините, не хочу придать своим словам оскорбительного для вас смысла, — стали для вас обоих дежурной шуткой?

— Да, но только для него.

— А вы сами не посылали ему в ответ ничего подобного? Пожалуйста, не стесняйтесь признаться, если посылали. Не нужно ложной стыдливости. У нас для нее слишком мало времени.

— Мне нечего стыдиться! Я не отправлял ему ничего подобного. Да, эти открытки служили своего рода шуткой. А фото становились с каждым разом все непристойнее. Если хотите знать, мне быстро надоело видеть их на столике при входе в дом, куда их клал для меня почтальон. Как и мистеру Симпсону. Это домовладелец. Он даже предложил написать Бену и попросить его больше не присылать ничего подобного. Сказал, что это создает его дому дурную репутацию. А теперь, пожалуйста, пусть один из вас просветит меня, что за чертовщину вы здесь устроили.

На этот раз ответил кадровик.

— А мы-то надеялись, что вы сами нам обо всем расскажете, — произнес он траурным тоном. — Бен Кавендиш исчез. Как и его агенты, но только несколько иначе. Потому что снимки двоих из их числа появились в сегодняшнем номере восточногерманской коммунистической «Нойес Дойчланд». Сеть британских агентов поймана с поличным! Лондонские вечерние издания тоже успели поместить эти материалы на своих полосах. Его никто не видел уже три дня. А это — мистер Смайли. Он хотел бы побеседовать с вами. И вы расскажете ему все, что вам известно. И когда я говорю «все», то именно это и имею в виду. Мы с вами увидимся позже.

Должно быть, на какое-то время я совершенно растерялся, потому что, когда вновь обратил внимание на Смайли, тот стоял на ковре гостиной и с мрачным видом изучал последствия разгрома, учиненного кадровиком и им самим.

— У меня дом как раз напротив, за рекой. На Байуотер-стрит, — сообщил он так, словно хотел избавиться от тягостной обязанности. — Пожалуй, нам лучше отправиться туда, если не возражаете. Там тоже не образцовый порядок, но все же получше, чем здесь.

Мы ехали в скромном маленьком «остине», принадлежавшем Смайли, так медленно, что со стороны могло показаться: перевозят инвалида. Впрочем, возможно, именно так Смайли меня и воспринимал. Сгущались сумерки. Белые фонари на мосту Альберта наплывали на нас, словно возникая из речной воды. Бен, в отчаянии думал я, что ты наделал? Бен, что с тобой сделали? На Байуотер-стрит машины стояли так плотно, что Смайли с трудом удалось найти место для парковки. Процесс парковки для него выглядел сложнее, чем швартовка к причалу огромного океанского лайнера. Мне запомнилось, как неудобно в тот момент было сидеть рядом с ним, поскольку он орудовал руками, вращая руль, совершенно забыв о моем существовании. Наконец он справился с проблемой, и мы вернулись немного назад по тротуару. Еще мне бросилось в глаза, что ему явно пришлось собираться с духом, прежде чем повернуть ключ в замке двери собственного дома, и настороженность, с которой он вошел в прихожую. Словно дом был для него небезопасным местом, и, насколько я узнал позже, у него имелись основания так думать. В холле до сих пор стояли доставленные утром две бутылки молока, а в гостиной — тарелка с недоеденной свининой и гарниром из фасоли.

Пластинка на проигрывателе бесшумно вращалась. Не требовалось выдающейся сообразительности, чтобы понять, как спешно его вызвали на службу. Вероятно, главный кадровик позвонил ему еще прошлым вечером, когда он ужинал и слушал музыку.

Смайли сразу же отправился на кухню, чтобы принести содовой и разбавить для нас виски. Я неотлучно следовал за ним. Было в Смайли нечто такое, что вызывало неодолимое желание не оставлять его в одиночестве. На кухне валялись вскрытые консервные банки, а в раковине скопилась гора грязной посуды. Пока он смешивал напитки, я невольно принялся мыть тарелки, и тогда он вытащил из какого-то угла полотенце, взявшись протирать вымытое мной и расставлять по местам.

— Вы с Беном считались подходящими друг другу напарниками, не так ли? — спросил он.

— Да. Мы даже в Саррате жили в одной хижине.

— Что за хижина? Кухня, две спальни и туалет с ванной?

— Все так, только без кухни.

— Но вас объединили в пару и для курса тренировок?

— Только в самый последний год. Ты выбирал себе противника, чтобы оба могли отрабатывать друг на друге изученные приемы и методы.

— Выбирали сами? Или это делали за вас?

— Сначала ты делал выбор сам, а потом кураторы либо одобряли такое решение, либо меняли напарника по своему усмотрению.

— И так вы объединились с ним, как обычно говорится по другому поводу, и в горе и в радости?

— Да, подходящее определение.

— На весь последний год обучения? То есть ровно на половину курса, верно? Днем и ночью вместе. Действительно напоминает семейную жизнь.

Я не мог понять, зачем он расспрашивает меня о вещах, заведомо ему известных.

— И вы все делали совместно? — продолжал он. — Простите за наивные вопросы, но сам я проходил обучение очень давно. Письменные уроки, практические задания, физическая подготовка — и всегда он рядом с вами, как и вечерами в хижине. Если разобраться, вы жили с ним одной жизнью.

— Да, мы выполняли порученную работу вдвоем, вместе и мышцы качали. Это подразумевалось само собой. Требовалось лишь, чтобы напарники изначально обладали примерно одинаковым весом и телосложением. — Несмотря на все еще тревожившую меня суть вопросов, я отчего-то ощутил настоятельную потребность поговорить с ним. — А остальное происходило уже самым естественным образом.

— Понятно.

— Иногда пары намеренно разделяли. Например, для занятий особого рода или если возникали подозрения, что один из напарников попал в чересчур сильную зависимость от другого. Но пока сохранялся паритет, никто не имел ничего против того, чтобы мы постоянно держались вместе.

— И вы во всем были первыми, — одобрительно заметил Смайли, протирая очередную мокрую тарелку. — Из вас получилась лучшая пара. Из вас с Беном.

— Думаю, в этом заслуга прежде всего Бена. Он действительно был лучшим из курсантов, — сказал я. — В паре с ним побеждать начал бы любой.

— Да, разумеется. Что ж, нам всем доводилось встречать таких людей. А вы были знакомы до того, как присоединились к секретной службе?

— Нет. Но при этом как бы шли параллельными путями. Мы окончили одну и ту же школу, хотя учились в разных потоках. Оба поступили в Оксфорд — опять-таки в разные колледжи. Оба изучали иностранные языки, но при этом ни разу не встретились. Он какое-то время отслужил в армии, а я во флоте. Объединил же нас только Цирк.

Взяв в руку чашку тончайшего костяного фарфора, Смайли принялся пристально осматривать ее, словно искал место, которое я плохо помыл, не заметив этого.

— Вы бы сами отправили Бена в Берлин?

— Конечно. Почему же нет?

— А почему да?

— У него прекрасный немецкий язык от матери. Он умен. Изобретателен. Люди обычно делают все, о чем он их просит. И у его отца тоже был потрясающий послужной список во время войны.

— Но ваша мать отличилась в не меньшей степени, насколько я помню. — Смайли имел в виду работу моей матери в рядах голландского Сопротивления. — А что особенного сделал он? Я имею в виду отца Бена, — продолжал он, словно ему ничего не было известно.

— Он взламывал вражеские шифры, — ответил я с той же гордостью, с какой рассказывал об отце сам Бен. — Блестящий лингвист и математик. Гений в своей области, насколько я понимаю. Затем он организовал целую систему двойных агентов — обрабатывал пойманных немецких шпионов и заставлял работать на нас. Роль моей матери в борьбе против фашизма выглядит совсем незначительной в сравнении с такими достижениями.

— И Бен находился под большим впечатлением от деятельности отца?

— А кого бы она не впечатлила?

— Я хотел отметить, что он, видимо, часто рассказывал об этом, верно? — упорно задавал банальные вопросы Смайли. — Ведь действительно часто? Отец сыграл заметную роль в его жизни. У вас тоже сложилось такое мнение?

— Он даже говорил, что ему самому следует равняться на отца. И еще подчеркивал, что подвиги отца смягчали неудобства, которые создавала ему мать-немка.

— О боже! — воскликнул Смайли с печальным видом. — Вот бедняга. Вы точно передаете его слова? Ничего не приукрашиваете?

— Конечно, нет! Он говорил, что с такой родословной в Англии ему приходилось бежать в два раза быстрее всех остальных, чтобы быть хотя бы на равных.

Теперь Смайли выглядел совершенно расстроенным и обеспокоенным.

— О боже! — повторил он. — Как же недобро он относился к ней... Но скажите мне вот еще что. Как вы думаете, он обладал выносливостью?

Ему снова удалось немного ошарашить меня. В таком возрасте мы считали свою выносливость поистине неисчерпаемой.

— Выносливостью в каком смысле и для чего? — спросил я.

— Ну, даже не знаю. Много ли выносливости требуется, например, чтобы бегать в два раза быстрее всех в Берлине? Нужен двойной запас нервной энергии, как мне представляется. Ведь живешь в постоянном напряжении. Двойная устойчивость к алкоголю, а уж что касается женщин, то и это намного тяжелее.

— Уверен, он наделен всеми необходимыми качествами, — сказал я, сохраняя преданность другу.

Смайли повесил полотенце на вбитый в стену кухни кривой гвоздь — явно его собственный вклад в обустройство кухни.

— А о политике вы с ним когда-нибудь разговаривали? Наедине, разумеется, — спросил он, когда мы со стаканами виски переходили в гостиную.

— Ни разу.

— Вот теперь я верю, что он — человек разумный. — Смайли издал короткий, не слишком веселый смешок, а я рассмеялся от души.

При первом посещении я сразу же разделяю все дома на типично мужские и характерно женские. Жилище Смайли показалось мне несомненно принадлежавшим к женскому типу, с симпатичными занавесочками на окнах, зеркалами в резных рамах и некоторыми другими признаками участия женщины в создании уюта. Мне стало любопытно, с кем он делит свой кров, если делит вообще. Мы расположились в креслах.

— А есть хотя бы одна причина, в силу которой вы все же могли бы отказаться направить Бена в Берлин? — возобновил ненавязчивый допрос Смайли, улыбнувшись мне поверх ободка стакана.

— Есть. Я сам очень хотел получить туда назначение. Каждому хочется хотя бы недолго поработать в Берлине. В наши дни именно там проходит нечто вроде линии фронта.

— Он действительно просто исчез, — сказал Смайли, откидываясь назад и закрыв глаза. — Мы ничего от вас не скрываем. Расскажу все, что нам известно на сегодняшний день. В прошлый четверг он пересек границу Восточного Берлина, чтобы встретиться со своим основным агентом, господином, которого зовут Ганс Зайдль. Его снимок вы сможете увидеть в утренней «Нойес Дойчланд». Это должно было стать для Бена первым свиданием с ним наедине. Большое событие в жизни разведчика. Начальник Бена в Западном Берлине — некий Хаггарти. Вы знакомы с Хаггарти?

— Нет.

— Но хотя бы слышали о нем?

— Нет.

— Бен никогда не упоминал при вас его фамилию?

— Нет. Говорю же, мне эта фамилия совершено не известна.

— Простите за назойливость. Просто порой ответ может изменяться в зависимости от контекста, если вы меня понимаете.

Я ничего не понимал.

— Хаггарти — второй человек в нашей берлинской резидентуре, и он подчиняется только главе разведывательного подразделения. Об этом вы тоже не осведомлены?

— Нет.

— У Бена есть в Англии постоянная возлюбленная?

— Если и есть, то я ничего о ней не знаю.

— А временные связи?

— Нам стоило только отправиться с ним на танцы, как девушки висли на нем гроздьями.

— Что обычно происходило после танцев?

— Он никогда не бахвалился своими успехами на любовном фронте. Не в его натуре. Даже если он спал с ними, то ничего не рассказывал. Не такой он человек.

— Мне сообщили, что вы с Беном и часть отпусков проводили вместе. Куда вы обычно отправлялись?

— В Твикенхэм или в Лордс. Чтобы порыбачить немного. На побережье мы жили либо у моих, либо у его родственников.

Я никак не мог уяснить, почему слова Смайли так пугали меня. Вероятно, сильно переживая за Бена, я начал страшиться буквально всего. У меня зародилось подозрение: уж не считает ли Смайли и меня в чем-то виновным? Хотя ему самому еще только предстояло определить, в чем именно. По крайней мере, его пересказ событий звучал как перечисление улик.

— Первым номером у нас значится Уиллис, — сказал он так, словно мы сменили тему беседы или направили ее в иное русло. — Уиллис возглавляет берлинскую штаб-квартиру нашей разведки. Затем следует Хаггарти — старший офицер, заместитель Уиллиса и непосредственный начальник Бена. Хаггарти отвечает за повседневную работу сети Зайдля, состоящей (или, если быть точным, — состоявшей) из двенадцати агентов. Девяти мужчин и трех женщин. Все они уже арестованы. Чтобы руководить таким количеством глубоко законспирированных агентов, державших с нами связь либо по радио, либо путем обмена шифрованными письменными сообщениями, в резидентуре должна работать команда, хотя бы равная им по численности. Я уж не говорю о тех людях, которые дают оценку добытой ими информации и распределяют по отделам в Лондоне.

— Это я знаю.

— Уверен, что знаете, но уж позвольте повторить еще раз, ладно? — продолжал он тем же немного занудным тоном. — Тогда вы, быть может, облегчите мне понимание некоторых неясностей в этом деле. Хаггарти — сильная личность. Уроженец Ольстера. Вне службы он пьяница, скандалист и вообще человек крайне неприятный. Но на работе совершенно меняется, не позволяя себе ничего лишнего. Это добросовестный сотрудник, обладающий к тому же совершенно феноменальной памятью. Спрошу снова: вы можете поручиться, что Бен никогда вам о нем не рассказывал?

— Ответ будет тот же: нет.

Я вовсе не хотел быть с ним столь категоричным. Но, как я заметил, есть нечто мистическое в том, сколько раз ты можешь что-либо отрицать и ни разу рано или поздно не сфальшивить, не показаться лжецом даже самому себе, и именно эту мистику использовал Смайли, чтобы вытащить из меня нечто, чего, быть может, до конца не осознавал даже я.

— Да-да, вы мне уже говорили, что не рассказывал, — подтвердил он со своей обычной обходительностью. — И я слышал ваше «нет». Но подумал: вдруг мне удалось что-то всколыхнуть в вашей памяти.

— Нет. Не удалось.

— Хаггарти и Зайдль были настоящими друзьями, — продолжил он, заговорив еще медленнее, если это было вообще возможно. — То есть настолько близкими, насколько допускалось с профессиональной точки зрения. Зайдль был военнопленным в Англии, а Хаггарти — в Германии. И пока в сорок четвертом году Зайдль работал на ферме близ Сиренчестера — в щадящих условиях, созданных нами для немецких пленных, — он завел роман с одной английской провинциалкой. Охранник лагеря по доброте душевной оставлял для него за воротами велосипед, повесив на руль армейскую шинель, чтобы скрыть лагерную робу Зайдля. И поскольку тот всегда успевал вернуться в барак к утренней перекличке, охранник закрывал на его отлучки глаза. Когда же на свет появился ребенок, вся охрана Зайдля, как и товарищи по заключению, пришли на крестины. Очаровательно, правда? Англичане поистине проявили лучшие качества своего национального характера. Эта история вам ни о чем не напоминает?

— Как она может мне о чем-то напоминать? Речь идет о секретном агенте.

— О провалившемся агенте. Об одном из тех, с кем контактировал Бен. То, что пережил Хаггарти в нацистском концлагере, далеко не столь идиллично. Но не в этом дело. В сорок восьмом году, когда Хаггарти формально числился сотрудником контрольной комиссии, он познакомился с Зайдлем в одном из баров Ганновера, завербовал его и переправил в Восточную Германию, в его родной Лейпциг. И с тех пор оставался его куратором. Причем личная дружба между Хаггарти и Зайдлем служила едва ли не главным стержнем деятельности берлинской резидентуры последние пятнадцать лет. К моменту своего ареста на прошлой неделе Зайдль являлся четвертым по важности занимаемого поста в Министерстве иностранных дел ГДР. Он был в свое время их послом в Гаване. И все же вы ничего о нем не слышали. Никто ни разу не упоминал при вас его фамилии. Ни Бен, ни кто-либо еще.

— Нет, — ответил я и как сумел дать понять, что мне уже надоел этот вопрос.

— У Хаггарти вошло в привычку раз в месяц отправляться в Восточный Берлин и получать от Зайдля подробную информацию. В машине, на явочной квартире, на скамейке в парке — где угодно, как у нас заведено. После возведения Стены пришлось на время прекратить свидания и потом с крайней осторожностью возобновить их. Трюк заключался в том, чтобы пересечь границу на машине с маркировкой альянса четырех держав-победительниц — к примеру, на обычном армейском джипе, — потом совершить подмену водителя, выскочив в условленном месте и пересев в другой автомобиль. Может показаться, что операция была достаточно рискованной, но на практике она осуществлялась вполне успешно. Если Хаггарти уезжал в отпуск или хворал, встречи отменялись. И вот пару месяцев назад в нашем головном офисе в Лондоне решили, что Хаггарти пора представить Зайдля своему преемнику. Хаггарти уже перешел черту пенсионного возраста, а Уиллис проторчал в Берлине так долго, что его там каждая собака знала. К тому же он владел слишком многими секретами, чтобы ему разрешили свободно разгуливать по другую сторону «железного занавеса». Вот почему Бен получил назначение в Берлин. Он стал там новичком. Совершенно незаметной фигурой, ничем не примечательной. Хаггарти лично проинструктировал его. Причем, насколько я понял, проинструктировал очень основательно и жестко, не щадя чувств Бена. Хаггарти всегда отличался профессиональной жесткостью, а руководство агентурной сетью из двенадцати человек — дело весьма сложное. Кто на кого работает и почему, кому известны личности других агентов, оборванные прежние связи, шифры, курьеры, кодовые имена, символы, умение вести сеансы радиосвязи, действующие и уже не используемые тайники, чернила для тайнописи, автомобили, денежные вознаграждения, дети, дни рождения членов семей, жены и любовницы. Слишком много, чтобы сразу все запомнить, не так ли?

— Знаю.

— Выходит, Бен все же рассказывал вам о своих сложностях?

Я и на этот раз не клюнул на заброшенный им крючок, преисполнившись решимости не попадаться ни на какие уловки.

— Мы проходили все это на учебных занятиях. Досконально, — ответил я.

— Верно, должны были проходить. Проблема же в том, что теория никогда полностью не соответствует реальности, вы согласны? Кто помимо вас был его лучшим другом?

— Сразу и не соображу. — Меня застал врасплох внезапно заданный новый вопрос. — Вероятно, Джереми.

— Какой Джереми?

— Галт. Он учился в нашей группе.

— А среди девушек?

— Но я же говорил. Он никого из них не выделял особо.

— Хаггарти хотел лично привезти Бена в Восточный Берлин и представить агенту, — возобновил рассказ Смайли. — Но Пятый этаж не мог этого допустить. Там уже поставили себе целью постепенно вывести агента из сферы влияния Хаггарти и не считали нужным посылать в тыл врага двух человек. Там и одного было, на их взгляд, вполне достаточно. А потому Хаггарти пришлось показать Бену все детали предстоявшей встречи по плану города, и Бен переправился в Восточный Берлин один. В среду он совершил пробную поездку, чтобы сориентироваться на местности. В четверг снова поехал туда, но уже на реальное задание. Границу он пересек вполне официально на «хумбере», принадлежавшем контрольной комиссии. Проехал через пропускной пункт «Чарли» и незаметно выбрался из машины в условленном месте. Человек, подменивший его, катался потом по городу три часа в полном соответствии с обычным планом. Бен успешно вернулся в доставивший его автомобиль в десять минут седьмого вечера и без десяти семь вновь оказался в Западном Берлине. Время его возвращения зафиксировано в регистрационной книге дежурных на КПП «Чарли». Потом попросил высадить его у дома, где снимал квартиру. Безукоризненно выполненное задание. Уиллис и Хаггарти ждали его в помещении резидентуры, но он лишь позвонил им из дома. Сказал, что встреча прошла успешно, но он не привез с собой ничего, кроме высокой температуры и какой-то кишечной инфекции. Не могли бы они отложить беседу до утра? К сожалению, они сочли это возможным. И с тех пор уже не виделись с ним и ничего о нем не слышали. Вопреки ссылкам на болезненное состояние, его голос по телефону звучал вполне жизнерадостно, но они списали это на нервное возбуждение. Кстати, при вас Бен болел когда-нибудь?

— Нет.

— Он лишь коротко рассказал, что их общий друг в отличной форме, превосходный человек и так далее. Конечно, нельзя было делать более детальный доклад по открытой телефонной линии. На его постели никто в ту ночь не спал, и он не прихватил с собой никакой дополнительной одежды. Нет даже прямых доказательств, что и позвонил он именно из своей квартиры. Ничто не указывает на возможность похищения, хотя и это нельзя полностью исключить. Если он собирался стать перебежчиком, то почему не задержался в Восточном Берлине? Его не могли перевербовать и сделать двойным агентом — в таком случае арест агентов стал бы большой ошибкой с их стороны. А похитить его оказалось бы гораздо проще, пока он еще находился по ту сторону Стены. Нет никаких указаний на то, что он вообще покинул Западный Берлин по одному из официально открытых маршрутов — ни поездом, ни на машине, ни самолетом. Хотя контроль там налажен слабо, а он, как вы сами сказали, прошел хорошую подготовку. Но мы пока считаем, что он все еще на территории Западного Берлина. Но в то же время нам пришло в голову, что он мог появиться у вас. Не надо делать такие удивленные глаза. Вы ведь его лучший друг, не так ли? Самый лучший. Ближе вас у него никого нет. Молодой Галт не идет с вами ни в какое сравнение. Так заявил нам он сам. «У Бена был только один настоящий друг — Нед, — сказал он. — И если бы Бену понадобилась помощь одного из нас, он обратился бы в первую очередь к Неду». И боюсь, улика подтверждает подобный вывод.

— Какая еще улика?

Никаких многозначительных пауз, ни малейшего изменения тональности голоса на более драматическую, никаких предостерегающих предисловий. Передо мной был все тот же милый старина Джордж Смайли, вечно словно извинявшийся за что-то.

— В его квартире было найдено адресованное вам письмо, — сказал он. — Оно даже не датировано. Просто лежало в одном из ящиков стола. Скорее каракули, чем четкий и разборчивый почерк. Вероятно, он был сильно пьян. И это любовное письмо, вот что самое интригующее.

Он протянул мне фотокопию для ознакомления, а сам принялся смешивать для нас еще виски.

Возможно, я делаю это, чтобы помочь себе вновь пережить испытанное тогда ощущение острого дискомфорта, но неизменно, восстанавливая в памяти подробности той сцены, я мысленно переключаюсь на точку зрения Смайли. Воображаю, каково было ему в подобной ситуации.

Представшую перед его глазами картину достаточно легко нарисовать во всех подробностях. Совсем еще молодой вчерашний курсант, старавшийся выглядеть старше своих лет и куривший трубку, бывший моряк, умевший в нужный момент кивать с важным видом мудреца, мальчишка, которому не терпелось повзрослеть, — и вот вам портрет Неда начала шестидесятых годов.

Гораздо сложнее оказалось то, что было скрыто в мыслях самого Смайли, но могло оказать существенное влияние на его восприятие моей личности. Хотя я тогда ничего об этом не знал, Цирк переживал трудные времена, и будущее организации оказалось под большим вопросом. Арест агентов Бена — настоящая трагедия — стал лишь последним звеном в цепи катастрофических событий, произошедших тогда в разных уголках планеты. Бесследно исчезли трое сотрудников станции прослушивания, принадлежавшей Цирку в северной части Японии. Нам порой за одну ночь ухитрялись перекрывать все пути к отступлению. Мы лишились разведывательных сетей в Венгрии, Чехословакии и Болгарии — причем в течение всего одного месяца. А в Вашингтоне американские кузены все громче выражали недовольство нашей ненадежностью как партнеров, что угрожало навсегда положить конец прежде плодотворному сотрудничеству с ними.

В такой атмосфере неизбежно чуть ли не ежедневно стали выдвигаться самые чудовищные версии. У людей быстро формируется мрачный и пессимистический образ мыслей. Уже ничто не воспринимается как досадная случайность или недоразумение. Везде мерещится злой умысел. Если Цирку удавалось добиться успеха, то только потому, что враги позволили нам временно восторжествовать в своих стратегических целях. Расцвело мнение, что если уж мы провинились однажды, то виноваты буквально во всем. С точки зрения американцев, в Цирк внедрился не один «крот», а целое семейство, все члены которого искусно способствовали продвижению друг друга по службе. А объединяла их всех не столько непреклонная вера в идеи Маркса (что подразумевалось само собой), но в гораздо большей степени ужасная склонность многих англичан к гомосексуализму.

Я читал письмо Бена. Двадцать строк. Без подписи. Нацарапанное на одной стороне белого листка стандартного бланка нашей организации, не помеченного никакими водяными знаками. Почерк Бена, но какой-то скособоченный. Ни одного слова не вычеркнуто. Да, он, по всей видимости, был-таки сильно пьян.

В письме, в котором Бен обращался ко мне «Нед, любимый!», он касался ладонями моего лица, тянулся губами к моим губам, целовал меня в веки и в шею, но, хвала Господу, на этом его плотские позывы завершались.

В послании почти не встречались прилагательные и определения. Оно выглядело совершенно безыскусным, но именно простота и смущала больше всего. Его нельзя было бы даже отнести к какому-то определенному периоду времени. Стиль не выглядел шутливым или архаичным, напоминал древнегреческий или принятый в двадцатых годах. Это был ничем не приукрашенный гомосексуальный зов, исполненный страсти ко мне, со стороны человека, которого я всегда знал лишь как своего напарника и надежного друга.

Но, читая, я не сомневался, что письмо написал именно Бен. В мучительном пароксизме признававшийся, что испытывал ко мне чувство, о котором я никогда не подозревал, но теперь в этих строках видел: мне придется признать горькую правду, прозреть истину. Вероятно, это само по себе делало меня виновным. Ведь я стал объектом пылкого сексуального вожделения, пусть никогда сознательно не пытался вызвать его, пусть никоим образом не питал к Бену ответной страсти. Письмо стало его извинением передо мной и на этом закончилось. Причем мне не показалось, что оно осталось незавершенным. Ему просто нечего было больше мне сказать.

— Ничего не знал об этом, — изумленно пробормотал я.

Письмо я вернул Смайли, а тот сунул его в карман, не сводя глаз с моего лица.

— Или не знали, что на самом деле знаете, — предположил он.

— Я действительно ничего не знал, — горячо возразил я. — Чего вы добиваетесь? Какого еще ответа от меня ждете?

Здесь вам важно понять особое положение Смайли в Цирке, учесть, до какой степени уважительно относились к самому его имени многие представители моего поколения и старшие коллеги тоже. Он ждал. Никогда в жизни не забыть мне его поразительной способности терпеливо ждать, словно излучая при этом некую сокрушительную мощь. Внезапно разразился ливень, звуки которого создавали эффект аплодисментов, какими всегда сопровождаются проливные дожди в узких улочках Лондона. И если бы Смайли заявил, что это он управляет стихией, я бы поверил, нисколько не удивившись его словам.

— В Англии ты в любом случае ни о ком ничего не знаешь до конца, — произнес я наконец достаточно злобно, стараясь взять себя в руки, хотя одному Богу известно, что я хотел выразить своей фразой. — Вот, например, Джек Артур не женат, верно? Ему некуда деться по вечерам. И он пьет со своими приятелями до самого закрытия паба. А потом продолжает пить дома. Но никто не подозревает его в отклонении от сексуальной нормы. Хотя, если завтра его застанут в постели с двумя поварами, мы дружно заявим, что давно обо всем догадывались. По крайней мере я. Это совершенно непредсказуемо.

Я продолжал свою спотыкавшуюся на каждом слове речь, сам осознавая, что все это глупо, пытаясь найти выход из положения, но не обнаруживая его. В данном случае высказывать протест вообще не следовало, но я все равно продолжал протестовать.

— И вообще, где было обнаружено это письмо? — потребовал я ответа в попытке перехватить инициативу.

— В ящике его письменного стола. Кажется, я упомянул об этом.

— В пустом ящике?

— А разве это имеет значение?

— Имеет, и еще какое! Если оно затерялось среди кипы других бумаг, это одно. Но если его специально положили на видное место, чтобы вам легче было его обнаружить, — то совершенно другое. Может, Бена принудили его написать?

— О, я уверен, письмо он написал вынужденно, — сказал Смайли. — Вопрос лишь в том, что именно его вынудило. Вы знали, насколько он одинок? Если в его жизни не существовало никого, кроме вас, то ответ представляется мне вполне очевидным.

— Тогда почему это упустили кадровики? — спросил я с прежней заносчивостью. — Господи, да всех нас подвергали долгой проверке, прежде чем принять в Цирк. Изучали со всех сторон. Разнюхивали каждую сплетню. Разговаривали с нашими друзьями, родственниками, учителями, университетскими преподавателями. Они знают о Бене гораздо больше, чем я.

— Давайте предположим, что в данном случае начальник отдела кадров допустил оплошность, не слишком добросовестно выполнив свою работу. Он все же обычный человек, мы все живем в Англии и потому представляем собой нечто вроде единого клана. Не лучше ли нам вернуться к тому Бену, который столь внезапно исчез? К Бену, написавшему вам письмо. У него действительно не было человека более близкого, чем вы. Ведь даже вы сами такого не знаете. Конечно, могло существовать множество людей, о которых вы ничего не знали, и потому здесь нет ни малейшей вашей вины. Но ведь никого не было. С этим вопросом мы разобрались, верно?

— Да!

— Очень хорошо. Тогда мы вполне можем теперь перейти к тому, что вы о нем знали. Не возражаете?

Исподволь ему удалось вернуть меня к реальности, спустить с небес на землю, и мы продолжали разговор до наступления серого рассвета нового дня. Дождь давно прошел, за окном шумели проснувшиеся скворцы, а мы все еще беседовали. Хотя если быть точным, то говорил я, а Смайли слушал меня, как умеет слушать только он — полузакрыв глаза и опустив голову. Мне казалось, я делюсь с ним всем, что мне известно. И он, вероятно, тоже так считал, хотя сомневаюсь, что оценивали мы рассказанное одинаково. Прежде всего он гораздо лучше меня разбирался в сути самообмана, который многим из нас не только облегчает жизнь, но даже помогает выживать. Зазвонил телефон. Он немного послушал, сказал: «Благодарю вас». И положил трубку.

— Бен все еще не обнаружен, и не появилось никаких новых следов для его поисков, — сообщил он. — Таким образом, вы остаетесь для нас единственным ключом к пониманию его мотивов.

Насколько я помню, записей сам Смайли не вел, а был ли где-то спрятан включенный магнитофон, мне неизвестно и по сей день. Сомневаюсь. Он терпеть не мог технических приспособлений, а его память служила надежнее, чем звукозаписывающие устройства.

Я говорил о Бене, но в такой же степени рассказывал о себе самом, чего Смайли и добивался: понять с моей помощью причины поступков Бена. Я заново описал ему тот род параллельных прямых, по которым развивалась наша жизнь в юности. Как я завидовал геройству его отца — завидовал еще и потому, что собственного отца не помнил совсем. Не утаил я и обоюдного волнения, охватившего нас с Беном, когда мы начали выяснять, насколько много у нас общего. Нет, повторил я снова, мне ничего не было известно о его женщинах, если не считать матери, которая к тому времени уже умерла. И здесь я не заблуждался, а действительно мог уверенно говорить об этом.

В детстве, доверил я Смайли свой маленький секрет, я иногда задумывался, а не существует ли где-то в мире второго меня, другой моей версии, некоего тайного брата-близнеца, у которого были те же игрушки, та же одежда и даже те же родители. Возможно, подобные мысли мне навеяла какая-то прочитанная книжка. Я ведь оставался еще ребенком. Но, как оказалось, то же самое происходило и с Беном. Я рассказывал обо всем этом Смайли, поскольку уже преисполнился решимости вести беседу с ним без околичностей, излагая мысли и воспоминания в том порядке, в котором они приходили ко мне, пусть что-то из сказанного могло даже усугубить мою вину в его глазах. Сознательно я ничего не пытался от него скрыть, хотя порой подозревал, что некоторые детали потенциально разрушительны для моей репутации. Непостижимым образом Смайли убедил меня, что откровенность — это мой долг по отношению к Бену. А если свести все к подсознанию... В таком случае картина складывалась, должно быть, совершенно иная. Кто мог знать, что продолжает таить в себе человек (даже от самого себя), когда его вынуждают говорить спасительную для него правду?

Я рассказал о нашей первой встрече с Беном на учебной базе Цирка в Ламбете, где собрали только что отобранную новую группу будущих курсантов. До той поры ни один из нас не был знаком ни с кем из прочих новобранцев. Мы едва ли успели еще толком узнать, что такое Цирк, если уж на то пошло, потому что до того дня его для нас воплощали лишь офицеры, завербовавшие нас, и специалисты из команды, занимавшейся окончательным отбором, проверкой и утверждением кандидатов. Многие имели самое смутное представление, куда их угораздило попасть. И вот наконец настал момент, когда мы были вправе ожидать объяснений, получили возможность познакомиться друг с другом, узнать род наших будущих занятий. С этой целью мы и собрались в приемной и были похожи, видимо, на героев романов об Иностранном легионе. Каждый лелеял какую-то тайную мечту, каждый имел свои и тоже тайные причины оказаться в этом месте, все захватили с собой вещевые мешки с одинаковым количеством рубашек и трусов, на которые с помощью индийских чернил нанесли свои личные номера, подчиняясь указаниям в инструкциях, отпечатанных на листах бумаги без всяких заголовков. Мне достался девятый номер. Бену — десятый. Когда я вошел в комнату, передо мной там уже оказались двое — Бен и коренастый маленький шотландец по имени Джимми. С Джимми я просто поздоровался кивком, а вот с Беном мы сразу признали друг друга — я имею в виду, узнали не по школе или университету, а именно признали, как люди не только одинакового телосложения, но и темперамента.

— Входит третий убийца, — сказал он, пожимая мне руку, хотя момент, чтобы цитировать авторскую ремарку из трагедии Шекспира, показался не самым подходящим. — Меня зовут Бен, а это Джимми. Как я понимаю, иметь фамилий нам больше не полагается. Джимми вот оставил свою в родном Абердине.

Я обменялся рукопожатиями с Беном и Джимми, после чего стал ждать, сидя на скамье рядом с Беном, кто войдет в дверь следующим.

— Ставлю пять к одному, у него будут усы, десять к одному на бороду, тридцать к одному, что он носит зеленые носки, — сказал Бен.

— И один к одному на плащ, — усмехнулся я.

Я рассказал Смайли о тренировочных заданиях, которые мы выполняли в незнакомых местах, где должны были придумать себе «легенду», встретиться со связником, а потом перенести испытание арестом и допросом. Я дал ему понять, насколько подобные эскапады укрепляли наше доверие друг к другу, как было, например, при первом совместном прыжке с парашютом или во время ночного похода по горам Шотландии, когда ориентироваться приходилось только по компасу, или при поиске тщательно замаскированных тайников в богом забытых городках Центральной Англии, или при высадке на пляж с подводной лодки.

Я напомнил ему, как наше руководство порой в завуалированной форме ссылалось на героического отца Бена, с гордостью подчеркивая то, что сын теперь проходит у них обучение. Я рассказал ему о наших развлечениях в выходные дни. Как однажды мы гостили в доме у моей матери в Глостершире, а в другой раз — у его отца в Шропшире. А поскольку наши родители вдовствовали, мы забавлялись, придумывая возможности свести их и поженить. Но в реальности шансы выглядели мизерными. Моя мать с ее упрямым англо-голландским характером жила в веселом и суетливом окружении сестер, племянников и племянниц, которые все сгодились бы в модели для портретов работы Брейгеля, а отец Бена превратился в ученого-отшельника с единственной еще оставшейся привязанностью, и ею была музыка Баха.

— Бен боготворит его, — заметил Смайли, вновь возвращаясь к уже пройденной теме нашей беседы.

— Да. Он и матушку свою обожал, но она умерла. А отец превратился для него в своего рода икону.

Помню, как настойчиво, стыдливо, но сознательно избегал тогда в своем рассказе слова «любовь», потому что его употребил Бен, описывая свои чувства ко мне.

Я рассказал о том, как Бен пил, хотя опять-таки подозревал, что Смайли все об этом известно. Бен обычно пил очень мало или вообще воздерживался от спиртного, но однажды наступал вечер — скажем, в четверг, когда уикенд был уже на носу, — и он принимался поглощать алкоголь ненасытно. Виски, водку, что угодно. За здоровье Бена, за здоровье Арно, а потом еще и еще. Затем заваливался спать, пьяный до умопомрачения, но совершенно безвредный, а утром выглядел таким бодрым, словно только что отработал две недели на свежем воздухе оздоровительной фермы.

— И рядом не было никого, кроме вас, — покачал головой Смайли. — Бедняга! Нелегкая задача — одному справляться с таким морем обаяния.

Я вспоминал, я путался и сбивался, но продолжал рассказ в том порядке, в каком прошлое воскресало у меня в памяти, вроде бы ничего не скрывая, но чувствовал: он по-прежнему ждет, чтобы я упомянул о чем-то, что удерживал пока в себе, надеялся вместе со мной разобраться, о чем именно. Осознавал ли я свою неполную откровенность? Могу теперь ответить так, как позже ответил себе: я и не подозревал, что знаю об этом. У меня ушло еще ровно двадцать четыре часа внутреннего самодопроса, чтобы извлечь секрет из темного угла, где он таился. В четыре часа утра Смайли велел мне отправиться домой и поспать. И мне не следовало далеко отходить от телефона, не уведомив главного кадровика, что у меня на уме.

— За вашей квартирой, конечно же, установят наблюдение, — предупредил он меня, пока я дожидался такси. — И, пожалуйста, не воспринимайте происходящее как нечто, направленное против вас лично. Если сами задумаете побег, у вас будет очень немного гаваней, где вы сможете безопасно бросить якорь в разгар такого шторма. А Бену ваша квартира может представляться чуть ли не единственной тихой заводью. При условии, что мы правы и у него больше никого нет, за исключением отца. Но ведь к нему он не отправится, верно? Устыдится самого себя. Ему понадобитесь вы. Вот почему ваша квартира под наблюдением. Это совершенно естественно.

— Понимаю, — произнес я спокойно, хотя меня вновь охватило отвращение.

— В конце концов, действительно нет ни одного ровесника, кто нравился бы ему больше вас.

— Да, мне все ясно, — повторил я.

— С другой стороны, он тоже не дурак и хорошо разбирается в нашем образе мыслей и действий. Едва ли он сам верит, что вы укроете его в неком тайнике своей квартиры, не сообщив об этом нам. Вы ведь нам сообщили бы обо всем, или я ошибаюсь?

— Да, я не смог бы не поставить вас в известность.

— И если еще не лишился здравомыслия, он тоже понимает это, что почти исключает его визит к вам. Но все же он может попытаться заскочить за советом или помощью. Или просто чтобы выпить. Это крайне маловероятно, но мы не должны пренебрегать такой возможностью. Вы все-таки лучший из его друзей, и никто здесь не может сравниться с вами. Верно?

Мне больше всего хотелось, чтобы он перестал общаться со мной подобным образом. До этого момента Смайли проявлял достаточно деликатности, чтобы не намекать на объяснение Бена в любви ко мне. Но внезапно оказалось, он готов посыпать свежей соли на рану.

— Само собой, он вполне мог написать не только вам, но и другим, — вслух размышлял Смайли. — Как мужчинам, так и женщинам. И тут нет ничего невероятного. Порой в жизни человека наступает момент такого отчаяния, что он готов признаваться в любви всем подряд. К этому порой прибегают умирающие или решившиеся на безумный поступок. Вот только разница в том, что такие письма он бы непременно отправил. Но мы не можем устроить опрос среди всех знакомых Бена, не присылал ли он им в последнее время исполненных страсти писем. Этого не следует делать хотя бы из соображений конспирации. А кроме того, с кого бы нам следовало начать? Вот вопрос вопросов. Вам было бы полезно попытаться поставить себя на место Бена в его нынешнем положении.

Намеренно ли он внедрил мне мысль о необходимости самокопания? Позже я убедился, что намеренно. Помню его встревоженный, но проницательный взгляд, когда он усаживал меня в такси. Помню, как оглянулся сам, прежде чем машина свернула за угол, и увидел его плотную фигуру, — он стоял посреди улицы и смотрел мне вслед так, словно хотел еще раз напомнить мне: «Вам полезно попытаться поставить себя на место Бена».

Я оказался в каком-то головокружительном водовороте. Мой день начался рано утром на Саут-Одли-стрит и продолжался до сих пор почти без сна через приключение с «обезьяной» Панды и письмо Бена. Кофе у Смайли и мое собственное ощущение, что я стал жертвой совершенно невероятных обстоятельств, довершили дело. Но, клянусь, имя Стефани все еще никак не всплывало в памяти — ни на поверхности, ни в потаенных глубинах. Стефани не существовало. Ни о ком и никогда прежде, могу утверждать уверенно, я не забывал столь основательно.

Когда я вернулся домой, периодические приступы тошноты, все еще вызывавшиеся нежданно обнаружившейся любовной страстью Бена ко мне, полностью сменились тревогой по поводу его безопасности. В гостиной я почти до комичности театральным взором окинул софу, на которой он так часто любил вытянуться после долгого дня тренировок в Ламбете. «Думаю, а не остаться ли мне здесь на ночь, если не возражаешь, старина? Все веселее, чем одному дома. Дома ночует только Арно. А Бен предпочитает отсыпаться в гостях». Зайдя в кухню, он приложил ладонь к старой железной плите, на которой я жарил ему яичницу для позднего ужина. «Боже милосердный, Нед! И это твоя плита? Похожа на старье, которым мы были вооружены в Крымской войне, поэтому и проиграли».

Выключив лампу у кровати, я еще долго слышал тогда его голос из-за заменявшей стену тонкой перегородки — он выдвигал одну безумную идею за другой. И припоминал словечки, которые мы употребляли, — понятный только нам двоим язык.

— Знаешь, как нам следует поступить с нашим братом Насером?

— Нет, Бен.

— Надо отдать ему Израиль. А знаешь, что нам делать с евреями?

— Нет, Бен.

— Отдать им Египет.

— Зачем же, Бен?

— Людей всегда удовлетворяет только то, что им не принадлежит. Знаешь историю о скорпионе и лягушке, переправлявшихся через Нил?

— Знаю, конечно. А теперь заткнись и спи.

Но он все равно принимался рассказывать мне историю, которую нам впервые поведали на занятиях в Саррате. Скорпион был проникшим в наш лагерь шпионом, и ему было необходимо связаться со своей командой, оставшейся на противоположном берегу. Но лягушка оказалась двойным агентом. Она сделала вид, что поверила в «легенду» скорпиона, а потом разоблачила его перед своим начальством.

А утром, когда я просыпался, Бена уже не было. Обычно он оставлял краткую записку. Вроде: «До встречи в Борстале! — Именем этой колонии для несовершеннолетних преступников он окрестил Саррат. — С любовью, твой Бен».

Разговаривали мы тогда о Стефани или нет? Нет, не разговаривали. О Стефани мы упоминали мельком и на ходу, а не лежа по разные стороны перегородки. Стефани была фантомом, мыслями о котором мы делились всегда в спешке, слишком приятной и таинственной загадкой, чтобы пытаться решить ее аналитическим путем. Возможно, именно поэтому я не подумал о ней. Как не вспомнил и потом. То есть не сразу. Совершенно бессознательно. Не было и позже исполненного драматизма момента, когда под воздействием внезапного озарения я выскочил из ванной с криком: «Стефани!» Такого просто не могло произойти по причинам, которые я и стараюсь объяснить вам столь невнятно. Ее образ плавал где-то на нейтральной территории между моей готовностью признать свою вину и чувством самосохранения, оставаясь мистическим созданием, существовавшим или не существовавшим в моей памяти в зависимости от желания. Как мне сейчас кажется, первый намек на воспоминание о ней появился в тот момент, когда я приводил в порядок разгромленный кадровиком стол. Наткнувшись на прошлогодний ежедневник, я принялся листать его, размышляя о том, что в нашей жизни происходит гораздо больше событий, чем мы способны запомнить. Дойдя до июня, я заметил, что дни двух недель перечеркнуты диагональными линиями, а внизу выведена цифра «восемь», что означало «Лагерь № 8, Северный Аргайл». Там мы проводили тренировки, обучаясь приемам ведения боевых действий. И тут я подумал (или скорее почувствовал) — да, конечно же, Стефани.

И от этой точки, все еще обходясь без внезапных озарений Архимеда, я начал возрождать в памяти нашу ночную поездку по холмам Шотландии: Бен сидел за рулем джипа «триумф» без крыши, а я расположился рядом, поддерживая легкий разговор, чтобы не дать водителю заснуть. Потому что мы оба, хотя и пребывали в прекрасном настроении, были совершенно измотаны после того, как провели целую неделю, притворившись, что находимся в горах Албании, где собираем партизанский отряд. Июньский теплый воздух обдувал наши лица.

Остальная часть воспоминаний заключалась по большей части в возвращении в Лондон на предоставленном Сарратом автобусе. Но у нас с Беном имелся тогда личный джип «триумф», принадлежавший Стефани. Потому что она была отличным товарищем, эта Стеф. Бескорыстная Стеф, всегда готовая помочь. Она сама пригнала машину из Обана в Глазго, чтобы Бен смог пользоваться ею неделю, а потом вернуть, когда мы вновь обратимся к обычным занятиям. И такое же воспоминание о Стефани возникло у меня сейчас. В точности как тогда в машине — она была лишь аморфной, приятной концепцией человека. Некой женщиной из жизни Бена.

— Итак, кто такая Стефани, или ответом мне снова станет твое красноречивое молчание? — спросил я, открыв бардачок в надежде обнаружить там какие-то ее следы.

Некоторое время он оглушительно громко молчал.

— Стефани — это луч света для безбожника и образец совершенства для глубоко верующих, — сказал он наконец с мрачной серьезностью. Но затем сменил тон на сугубо бытовой: — Стеф — член нашей семьи по линии гуннов.

Впрочем, к той же линии принадлежал он сам, о чем любил говорить, когда им овладевала тоска. Стеф ближе по родству к Арно, добавил он.

— Она хорошенькая? — спросил я.

— Не надо прибегать к таким вульгарным определениям.

— Красивая?

— Менее вульгарно, но все равно никуда не годится.

— Так какая же она?

— Она — само совершенство. От нее исходит сияние. Она безупречна во всем.

— Так, значит, все-таки красива?

— Нет, говорю же тебе, простофиля! Она утонченная. Прелестная. Несравненная. А уж о таком интеллекте наш главный кадровик мог бы только мечтать.

— Но если отбросить все это. Что она такое для тебя самого? Кроме того, что принадлежит к роду гуннов и владеет этой машиной.

— Она восемнадцатиюродная сестра моей матери, постоянно переезжающая с места на место. После войны она перебралась в Англию, жила с нами в Шропшире, и мы, можно сказать, воспитывались вместе.

— Так она одного с тобой возраста?

— Если бы вечность подвергалась измерению, я бы ответил «да».

— Стало быть, кто-то вроде сводной сестры, подружки детских игр, насколько я понял?

— Какое-то время так все и обстояло. Несколько лет. Мы от души бесились с ней вместе, ходили собирать грибы на рассвете, шалили и дурью маялись. Но потом меня отправили в школу-интернат, а она вернулась в Мюнхен, снова присоединившись к гуннам. Кончилась идиллия детства. Я остался с отцом в Англии.

Никогда прежде я не слышал, чтобы он так откровенно рассказывал о женщине, как и о себе самом.

— А сейчас?

Я опасался, что он снова замкнется в себе, но после паузы услышал:

— Сейчас все уже не так славно. Она окончила художественную школу, сошлась с каким-то полоумным живописцем, и они обосновались в доме, полученном ею в приданое, на одном из островов у побережья Западной Шотландии.

— Почему все не так славно? Этот художник не любит ее?

— Он уже никого не любит. Потому что застрелился. Причины остались неизвестны. Оставил лишь записку для местного совета, извиняясь, что развел грязь. Но ни словечка для Стеф. Они не были официально женаты, и это только все осложнило.

— А сейчас? — снова спросил я.

— Она еще живет там.

— На острове?

— Да.

— В том же старом доме?

— Да.

— Одна?

— Большую часть времени.

— Ты хочешь сказать, что иногда видишься с ней? Навещаешь ее?

— Да, я с ней вижусь. Это, похоже, и значит — навещаю. Да, я езжу к ней, навещаю.

— Это для тебя важно?

— Для меня предельно важно все, что связано со Стеф.

— А чем она занимается, когда тебя там нет?

— Тем же, чем и когда я там бываю, наверное. Пишет картины. Разговаривает с птичками. Читает. Играет на музыкальных инструментах. Снова читает. И снова играет. Пишет. Размышляет. Читает. Одалживает мне свою машину. Ты хочешь еще глубже сунуть нос в мою жизнь?

Ненадолго между нами установилось отчуждение, пока Бен не заговорил снова.

— А знаешь что, Нед? Женись на ней.

— На Стефани?

— На ком же еще, идиот! Это чертовски хорошая идея, если вдуматься. Я сам сведу вас, чтобы обсудить ее. Ты должен жениться на Стеф. Она должна выйти за тебя замуж, а я буду приезжать в гости к вам обоим, чтобы порыбачить там на озере.

И у меня вырвался тогда чудовищный вопрос. Меня оправдывает только полная невинности наивность тех лет моей молодости.

— Почему же ты сам не женишься на ней? — спросил я.

Только теперь, стоя в гостиной и наблюдая, как печать рассвета медленно проступает на стенах, я получил окончательный ответ. Глядя на разлинованные страницы ежедневника, раскрытые на прошлом июне, я с содроганием вспомнил его ужасное письмо ко мне.

Или мне все следовало понять уже тогда, в машине, прочувствовав ответ в молчании Бена, который вел джип сквозь шотландскую ночь? Разве не мог я сразу разобраться в причинах его молчания? Оно значило, что Бен никогда не женится. Ни одна женщина ему не подойдет. Видимо, подсознательно я это все-таки уловил.

И именно в полученном мной тогда шоке крылась причина, почему я так глубоко похоронил в памяти всякие воспоминания о Стефани. До такой степени глубоко, что даже Смайли, владевший всеми премудростями доступа к секретам человеческой памяти, не сумел эксгумировать их.

Посмотрел ли я на Бена, задав тот оказавшийся роковым вопрос? Приглядывался ли я к нему, когда он упорно уходил от прямого ответа? Уж не намеренно ли я тогда отвел глаза, чтобы не прочесть выражение его лица? К тому времени я уже привык наталкиваться на молчание Бена, а потому, видимо, прождав немного напрасно, решил наказать его, погрузившись в собственные мысли.

И уверен я был теперь только в том, что Бен так никогда и не ответил на мой вопрос и ни один из нас больше ни разу не упоминал Стефани.

Стефани была женщиной его мечты, думал я, продолжая просматривать ежедневник. Жившей на острове. Любившей его. Но предназначенной в жены мне.

Ее окружал ореол смерти, который Бен считал обязательной принадлежностью всякой героической личности.

Вечная Стефани, луч света для безбожников, сама излучавшая сияние, безупречная во всем немка Стефани, пример для него, как и прежде сводная сестра, — а быть может, до некоторой степени и замена матери, — приветственно машущая платком с башни своего замка, предоставляя убежище от его сурового отца.

«Вам было бы полезно попытаться поставить себя на место Бена в его нынешнем положении», — сказал Смайли.

Но даже сейчас, когда все открылось передо мной, как ежедневник, который я по-прежнему держал в руке, я не позволял себе делать выводы. Потому что их подлинная суть продолжала ускользать от меня. Зато в сознании начала оформляться идея. Постепенно она приобретала реальные очертания и превращалась в возможность. Но еще медленнее, что явно стало следствием физического и умственного перенапряжения, возможность трансформировалась в убеждение, в необходимость и в конце концов стала осознанной целью.

Утро проявило себя во всем блеске. Я пропылесосил полы в квартире. А затем взялся протирать и полировать мебель. Это помогало сдерживать гнев. Только став бесстрастным, начинаешь все осознавать правильно. Снова выдвинув ящики письменного стола, я достал из них оскверненные бумаги и сжег в печи все, что посчитал безвозвратно запятнанным прикосновениями Смайли и кадровика. В том числе письма от Мейбл и призывы моего бывшего университетского наставника постараться «найти какую-то более интересную работу», чем простые исследования для Министерства обороны.

В этих действиях было нечто бессознательное, потому что главным образом я был сосредоточен на поисках наиболее верного, морально оправданного и разумного продолжения, достойного выхода из затруднительного положения.

Бен — мой друг.

На Бена ведется масштабная охота.

Бен испытывает мучения, и бог весть что еще он переживает.

Стефани.

Я долго принимал ванну, а потом лежал на кровати и смотрел в трюмо, поскольку зеркала открывали отличный вид на улицу. Почти сразу мне бросилась в глаза пара, очень напоминавшая людей Монти, одетая в рабочие спецовки и трудолюбиво возившаяся рядом с будкой электрической подстанции. Смайли предупредил, чтобы я не воспринимал происходящее как направленное лично против меня. И то верно. Ведь всего лишь требовалось надеть наручники на Бена.

Десять часов все того же долгого утра, а я стою, намеренно держась в тени шторы у окна, выходящего на задний двор, и изучаю обстановку на этом неопрятном участке со старой деревянной кабинкой, крытой смазанным креозотом толем, которая когда-то служила жильцам дома туалетом, и обитыми досками воротцами, ведущими в унылый проулок. В проулке пусто. Даже Монти, в конце концов, не такой уж гений сыска.

Острова у западного побережья Шотландии, как сказал Бен. Вдовий дом на западных островах.

Да, но на котором из островов? И какую фамилию носит теперь Стефани? У меня зародилась только одна мысль, как это установить, основанная на ее происхождении из немецкой ветви семьи Бена, жившей в Мюнхене. Поскольку я знал, что германская родня

Бена причисляла себя к местной знати, она вполне могла носить нечто вроде титула.

И я позвонил в отдел кадров. Я мог с таким же успехом позвонить и Смайли, но мне казалось безопаснее лгать главному кадровику. Он узнал мой голос, прежде чем я успел представиться и перейти к сути дела.

— Вы хотите сообщить что-нибудь новое? — жестким тоном спросил кадровик.

— Боюсь, нет. Но мне необходимо отлучиться примерно на час. Я могу выйти из квартиры?

— Куда вы направляетесь?

— У меня несколько дел. В доме закончились продукты. А еще хочу купить что-нибудь почитать. Хотя, наверное, лучше будет заглянуть в библиотеку.

Главный кадровик славился умением вкладывать даже в свое молчание огромные дозы неодобрения. После продолжительной паузы он распорядился:

— Возвращайтесь ровно к одиннадцати. И позвоните мне немедленно, как только снова окажетесь дома.

Довольный своим пока хладнокровно разыгранным спектаклем, я, ни от кого не таясь, вышел через главную дверь, купил газету и свежего хлеба. Пользуясь отражениями в витринах магазинов, постоянно следил за тем, что творилось у меня в тылу. За мной никто не увязался — скоро я удостоверился в этом. Тогда я добрался до публичной библиотеки, где в отделе справочной литературы взял старый выпуск «Кто есть кто» и сильно потрепанный экземпляр «Готского альманаха» на немецком языке. Причем я даже не задумался о том, кто, черт побери, мог так потрепать «Готский альманах» в столь непритязательном районе, как Баттерси. Сначала я сверился с «Кто есть кто» и обнаружил там сведения об отце Бена, удостоенном рыцарского звания и груды медалей, а «в 1936 году женившемся на графине Ильзе Арно цу Лотринген, от которой имеет единственного сына Бенджамина Арно». Взявшись затем за альманах, я изучил семейство Арно Лотрингенов. Ему были уделены целые три страницы, но я очень быстро обнаружил ту самую кузину, дальнюю родственницу Бена, которую звали Стефани. Я нахально потребовал у библиотекаря выдать мне немедленно телефонный справочник островов Западной Шотландии. Такового у нее не оказалось, но она разрешила мне сделать запросы по телефону с собственного аппарата, что было очень кстати, поскольку я не сомневался: мой домашний телефон прослушивается. Без четверти одиннадцать я вернулся домой и доложил о своем возвращении главному кадровику тем же небрежным тоном, которого придерживался с самого начала.

— Куда вы ходили? — спросил он.

— Сначала к продавцу газет, потом в булочную.

— А как же библиотека?

— Библиотека? Ах да, там я тоже побывал.

— Интересно знать, что вы там взяли?

— Если честно, то ничего. Не знаю почему, но мне сейчас трудно сосредоточиться на серьезной литературе. Что мне делать дальше?

Ожидая его ответа, я размышлял, не был ли слишком многословен в разговоре с ним, решив в итоге: нет, не был.

— Вам придется подождать. Как и нам всем.

— Могу я приходить на работу в главный офис?

— Поскольку вам остается только ждать, не так важно, где именно. У себя или здесь.

— Я бы опять присоединился к команде Монти, если есть такая возможность.

Вероятно, срабатывало мое перевозбужденное воображение, но мысленно я видел Смайли, стоявшего рядом и подсказывавшего кадровику, что мне говорить.

— Оставайтесь пока на прежнем месте и ждите, — сказал он резко и положил трубку.

Я ждал, причем только богу известно, как выдерживал ожидание. Делал вид, что читаю. Потом преисполнился чувства собственного достоинства и написал выдержанное в самых помпезных выражениях письмо главному кадровику с прошением об отставке. Но почти сразу порвал письмо в мелкие клочья и сжег. Я смотрел телевизор, а вечером лежал в кровати и наблюдал в зеркалах смену соглядатаев Монти, думая о Стефани, потом о Бене и снова о Стефани, образ которой прочно утвердился в моих мыслях как вечно недоступной для меня, одетой во все белое, безупречной Стефани, защитницы Бена.

Позвольте напомнить, что я был тогда еще очень молод и имел в отношениях с женщинами значительно меньше опыта, чем вы могли подумать, если бы услышали мои рассуждения о них. Адам во мне оставался невинным ребенком, и его не следовало путать с внешне вполне уже мужественным воителем.

Я дождался десяти часов, а потом тихо спустился вниз с бутылочкой вина для мистера Симпсона и его жены, которую распил с ними, снова посмотрев телевизор. После чего отвел мистера Симпсона в сторону.

— Войдите в мое положение, — сказал я. — Сам понимаю, это нелепо, но меня с некоторых пор преследует одна очень ревнивая дамочка, и я хотел бы выйти из дома через заднюю дверь. Вы не могли бы выпустить меня из двери своей кухни?

Часом позже я уже ехал в спальном вагоне ночного экспресса до Глазго. Мне удалось в точности соблюсти все предосторожности против слежки, и я был на сто процентов уверен, что никто не сел мне на хвост. Ту же процедуру я повторил на центральном вокзале в Глазго. Занял место в буфете, заказал чай и внимательно выискивал в толпе возможных нежелательных спутников. Для пущей уверенности я сначала взял такси до Хеленсборо, располагавшегося на противоположном берегу Клайда, и лишь оттуда сел в автобус, отправлявшийся в Уэст-Лох-Тарберт. В то время паром на архипелаг Западных островов совершал рейсы только три раза в неделю, не считая очень короткого летнего сезона. Но мне продолжала сопутствовать удача: судно стояло у причала и отошло вскоре после того, как я оказался на борту, а потому уже после обеда мы миновали Джуру, сделали остановку в Порт-Аскейге и взяли затем курс в открытое море под темным северным небом. К тому времени на пароме осталось всего три пассажира. Пожилая супружеская пара и я, но когда я поднялся на верхнюю палубу, чтобы избавиться от навязчивых вопросов стариков, старший помощник капитана вдруг тоже начал меня расспрашивать. Приехал ли я в отпуск? Уж не доктор ли я, случайно? Женат ли я или как? Но я тем не менее чувствовал себя в родной стихии. Стоит мне оказаться в море, как все становится ясным, все делается возможным. Да, думал я, с нараставшим волнением глядя на поднимавшиеся из воды громады скал, радуясь пронзительным крикам чаек, да, именно здесь попытался бы укрыться от всех Бен! Именно в этих местах преследовавшие его вагнеровские демоны обретут наконец покой.

Вам нужно понять и постараться простить мне столь поверхностное увлечение всеми формами нордических абстракций, которому я тогда необычайно легко поддавался. Что управляло поступками Бена? — гадал я. Его влек к себе мифический остров — быть может, нечто из шотландского эпоса — с клубящимися облаками и бурным морем, а там — жрица одиноко стоявшего храма, хозяйка замка. Меня очень привлекала подобная мысль. Я вступил в романтический период жизни и предался Стефани всей душой, прежде чем встретился с ней.

Дом вдовы находился по другую сторону острова, сообщили мне в местном магазинчике. «Вам лучше попросить молодого Фергюса отвезти вас туда на джипе». «Молодому Фергюсу» оказалось на вид лет около семидесяти. Мы въехали в покосившиеся железные ворота. Я расплатился с водителем и нажал кнопку звонка. Дверь открылась. На меня смотрела красивая светловолосая женщина.

Она была высока и стройна. Если мы с ней принадлежали к одной возрастной группе (а именно так и обстояло дело), в ее внешности просматривалась властность, какой мне не удалось бы приобрести, проживи я вдвое дольше. Носила она, впрочем, не белое платье, а перепачканный красками темно-синий балахон. Она держала мастихин и, пока я говорил, тыльной стороной ладони убрала со лба выбившуюся прядь волос, а затем снова опустила руку и продолжала слушать, когда я уже закончил говорить, словно прокручивая в голове смысл моих слов, от которых теперь осталось лишь эхо. При этом она вглядывалась в произнесшего их то ли мужчину, то ли мальчика, стоявшего перед ней. Но самое странное из моих впечатлений в момент первой встречи заключалось в том, что мне труднее всего вам объяснить. Потому что облик Стефани оказался намного ближе к нарисованному моим воображением образу, чем представлялось реально возможным. Цвет лица, аура искренности и правдивости, внутренняя сила в сочетании с утонченной хрупкостью — все в точности отвечало моим представлениям и ожиданиям, причем до такой степени, что если бы я случайно встретился с ней в совершенно другом месте, то все равно узнал бы в ней Стефани.

— Меня зовут Нед, — сказал я, обращаясь напрямую к ее глазам. — Я друг Бена. И одновременно его коллега. Я приехал один. Никто больше не знает, что я здесь.

Я собирался продолжить, поскольку мысленно заготовил напыщенную речь, где присутствовала, например, такая фраза: «Пожалуйста, передайте ему: что бы он ни совершил, для меня это не имеет абсолютно никакого значения». Но прямота и открытость ее взгляда остановили меня.

— Почему вы считаете столь важным, знает кто-то о вашем прибытии сюда или нет? — спросила она.

Говорила она без акцента, но с немецкими каденциями, делая чуть заметные паузы перед каждым открытым гласным звуком.

— Он ни от кого не прячется. Кто еще может разыскивать его, за исключением вас? Зачем ему скрываться?

— Насколько я знаю, у него могли возникнуть в некотором роде неприятности, — сказал я, входя вслед за ней в дом.

Прихожая представляла собой студию и гостиную в одно и то же время. Большая часть мебели была накрыта чехлами. На столе я увидел следы трапезы: две кружки и две тарелки — обе использованные.

— Какие неприятности? — требовательно спросила она.

— Это связано с его работой в Берлине. Я думал, что он, вероятно, рассказал вам обо всем.

— Мне он ничего не рассказывал. Никогда не обсуждал со мной свою работу. Возможно, потому, что знает: она меня совершенно не интересует.

— А могу я в таком случае спросить, о чем он с вами беседует?

Она ненадолго задумалась.

— Нет. — Но затем чуть смягчила ответ: — Сейчас он вообще ни о чем со мной не разговаривает. Он, кажется, дал обет молчания монаха-трапписта. Это его дело. Иногда он наблюдает, как я пишу, иногда отправляется на рыбалку. Мы вместе едим и пьем немного вина. Но чаще всего он просто спит.

— Давно ли он здесь?

Она пожала плечами:

— Уже дня три, наверное. Где-то так.

— Он прибыл прямо из Берлина?

— Его доставил сюда паром. А поскольку мы почти не общаемся, это все, что мне известно.

— Он исчез, — сказал я. — Его теперь повсюду разыскивают. Они думали, что он мог приехать ко мне. Но я почти уверен, им ничего про вас не известно.

Она опять слушала меня в своей необычной манере. Сначала мои слова, а потом мое молчание. Причем не ощущала при этом ни малейшей неловкости. Так слушают порой домашние животные. Это свойство натуры, пережившей глубочайшие страдания, подумал я, вспомнив о самоубийстве ее возлюбленного. Ее теперь не могли затронуть мелкие огорчения.

— Они, — повторила Стефани с некоторым удивлением. — Кто такие «они»? И почему важно, знают ли именно обо мне?

— Бен выполнял секретное задание, — сказал я.

— Бен?!

— Как его отец, — пояснил я. — Он очень гордился, что пошел по стопам отца.

Вот теперь она выглядела испуганной и взволнованной.

— Но зачем? Для кого? Какое секретное задание? Ну и дурак же!

— Для британской разведывательной службы. Он работал в Берлине, формально приписанный к сотрудникам военного атташе, но его реальным делом была разведка.

— Бен? — Недоверие и отвращение отчетливо отразились у нее на лице. — Сколько же ему приходилось в таком случае лгать! И это Бену!

— Боюсь, что приходилось. В этом заключалась часть его служебного долга.

— Как ужасно!

Ее мольберт стоял задней стороной ко мне. Перейдя за него, она начала смешивать краски.

— Если бы я только смог поговорить с ним... — начал я, но она сделала вид, что слишком поглощена своим занятием, чтобы меня слышать.

Задняя часть дома выходила в парк, за которым тянулся ряд искривленных ветрами сосен. Дальше виднелось озеро, окруженное пологими лиловыми холмами. У дальнего берега я различил рыбака, стоявшего на полуразрушенных мостках. Он ловил рыбу, но не с помощью спиннинга, не забрасывая крючок далеко в воду. Я открыл французское окно и вышел в сад. Холодный ветер рябью пробегал по поверхности озера, когда я почти беззвучно ступил на помост. На Бене был твидовый пиджак, явно слишком большого для него размера. Я догадался, что прежде он принадлежал погибшему любовнику Стефани. И шляпа — зеленая фетровая шляпа, которая, как всякая шляпа на голове Бена, выглядела так, словно ее изготовили для него по специальному заказу. Он не обернулся, хотя ощутил мои приближавшиеся шаги. Я встал рядом с ним.

— Единственное, что ты здесь поймаешь, так это воспаление легких, упрямый немецкий осел, — сказал я.

Он отвернулся от меня, а потому я мог лишь стоять рядом, смотреть вместе с ним на воду и ощущать прикосновение его плеча, когда шаткие мостки неожиданно заставляли нас опираться друг на друга. У меня на глазах вода как будто стала плотнее, а небо над холмами окончательно посерело. Несколько раз я замечал, как красный поплавок на его леске погружался под воду. Но даже если рыба клевала, Бен не делал попытки подсечь ее или вытащить на мостки. В доме загорелся свет и четче обозначил в окне силуэт Стефани, стоявшей за мольбертом, временами нанося мазки, а потом поднося руку ко лбу. Воздух сделался заметно холоднее, наступала ночь, но Бен оставался на прежнем месте. Мы словно состязались с ним, как делали это в тренировочных соревнованиях на силу рук. Я давил, Бен сопротивлялся. И победить мог только один из нас. Если бы мне потребовалось провести там всю ночь и следующий день и я умирал бы от голода, то все равно не сдался бы до того момента, когда Бен откликнулся бы на мое присутствие.

На небе показалась ущербная луна и звезды. Ветер стих, и серебристый туман, стелившийся по самой земле, скрыл поросли вереска. Мы продолжали стоять там, дожидаясь, чтобы кто-то из нас сдался. Я уже почти задремал, когда услышал всплеск поплавка, извлеченного из воды, и увидел, как в лунном свете блеснула леска. Я не двигался и ничего не говорил. Дождался, пока он смотал леску и закрепил крючок. Позволил Бену повернуться ко мне, поскольку он не мог поступить иначе, если хотел пройти по мосткам мимо меня.

Мы оказались друг против друга при свете луны. Бен смотрел вниз, явно изучая положение моих ног, чтобы как-то обойти их. Потом его взгляд переместился на мое лицо, но в его собственных чертах ничто не изменилось. Они были и оставались словно застывшими. И если что-то читалось в его глазах, то только злость.

— Итак, — сказал он, — входит третий убийца.

Но ни он, ни я даже не улыбнулись.

Она, должно быть, почувствовала наше приближение и скрылась в другой части дома. Оттуда донеслись звуки музыки. Когда мы вошли, Бен направился к лестнице, но я ухватил его за руку.

— Ты должен мне все рассказать, — сказал я. — Ни перед кем другим ты никогда открыться не сможешь. Я нарушил все дисциплинарные инструкции, чтобы добраться сюда. Ты должен рассказать мне, что произошло с агентурной сетью.

За холлом располагалась еще одна удлиненной формы гостиная с закрытыми ставнями на окнах и зачехленной мебелью. Было холодно, Бен оставался в пиджаке, а я в плаще. Я хотел открыть ставни, чтобы впустить в окна хотя бы немного лунного света. Однако интуиция подсказала мне, что любое более яркое освещение лишь встревожит его еще больше. Музыка звучала теперь где-то совсем близко. Как мне показалось, Стефани слушала Грига. Но я не был в этом уверен. Бен заговорил без намека на сожаление или истерику. Я знал, что он делал признания самому себе день и ночь.

Он говорил глухим и скорбным тоном человека, который описывает несчастье, непостижимое для других, для тех, кто не был напрямую вовлечен в него, и слова почти заглушались музыкой. Он больше не видел для себя никаких перспектив. Овеянный славой герой не состоялся, потерпев поражение. Возможно, он уже сам немного устал от ощущения собственной вины и говорил лаконично. Я чувствовал: ему хочется избавиться от моего присутствия.

— Хаггарти — сволочь, — сказал он. — Первостатейная гадина. Он вор, пьяница и к тому же насильник. Единственным оправданием его работы в Берлине была сеть Зайдля. И вот головной офис начал предпринимать попытки передать Зайдля под контроль другим людям. Я стал первым из них. И Хаггарти решил наказать меня за то, что я отбирал у него агентуру.

Бен описал мне преднамеренные оскорбления, бессмысленные задания из ночи в ночь, исполненные враждебности рапорты о его работе, отправлявшиеся в клуб почитателей Хаггарти, существовавший в Цирке.

— Сначала он не хотел вообще ничего рассказывать о сети. Но головной офис надавил на него, и ему пришлось поделиться со мной всем. Историей пятнадцати лет работы с ними. Мельчайшими подробностями их биографий, причем даже тех агентов, которые погибли, выполняя наши задания. Он отправлял мне досье целыми кипами, причем с обилием пометок и перекрестных ссылок. Прочитай это, запомни то. Кто она такая? Кто он такой? Запомни адрес, фамилию, кодовые имена, секретные символы. Процедуры, предусмотренные для бегства. И их запасные варианты. Пароли и меры безопасности при связи по радио. А потом проверял меня. Привозил на явочную квартиру, усаживал за стол напротив себя и с пристрастием допрашивал. «Ты совершенно не подготовлен. Мы не можем послать тебя туда, пока ты не выучишь все досконально. Тебе лучше провести выходные на работе и продолжать зубрить. В понедельник я подвергну тебя еще одному тесту». В сети заключалась вся его жизнь. И он хотел, чтобы я проникся чувством полнейшей непригодности в качестве его замены. Но я-то знал, что это не так.

В результате головной офис не поддался на провокации Хаггарти, как выдержал их и Бен.

— Я стал готовиться к решающему экзамену, — объяснил он.

По мере приближения дня первой встречи с Зайдлем Бен разработал для себя целую систему знаков для облегчения запоминания фактов и набор сокращений, которые позволяли ему охватить все пятнадцать лет существования сети. Просиживая дни и ночи в помещении резидентуры, он создал сложные схемы сведения фактов в единое целое, цепочки для поддержания связей, придумав способы легко вспоминать кодовые имена, домашние адреса и места работы всех основных агентов, их помощников, курьеров и даже случайно вовлеченных в операции людей. Затем он перенес все данные на обычные почтовые открытки, заполняя их только с одной стороны. На противоположной он обозначал одной строчкой тему: «Тайники для передачи шифрограмм», «Размер вознаграждений», «Явочные квартиры». И каждую ночь, прежде чем вернуться к себе на квартиру или вытянуться на койке в медпункте, существовавшем при резидентуре, он сам с собой затевал игру. Сначала клал открытки надписью вниз, а потом сравнивал все, что вспомнил, с заметками.

— Конечно, поспать почти не удавалось, но для меня это не представляло проблемы, — рассказывал он. — Накануне самого важного дня я вообще глаз не сомкнул. Всю ночь провел, повторяя снова и снова все данные. А потом лег на диван и стал просто пялиться в потолок. Когда же я снова встал на ноги, то не мог вспомнить ровным счетом ничего. Мной овладел своего рода паралич. Я пришел в свой кабинет, сел за стол, обхватил голову руками и начал задавать самому себе вопросы. «Если агент под кодовым именем Маргарет-два считает, что за ней ведется наблюдение, к кому и каким образом ей следует обратиться? Как должен поступить затем ее связник, чтобы обеспечить прикрытие?» Но ответ упорно не приходил в голову.

Затем пришел Хаггарти и спросил меня о самочувствии. «Отличное», — ответил я. Надо отдать ему должное, он пожелал мне удачи и, думаю, был при этом вполне искренен. Я ожидал, что он опять задаст мне несколько каверзных вопросов, и собирался послать его к дьяволу. Но он просто сказал: «Komm gut heim»*. И потрепал меня по плечу. Я положил открытки в карман. Не

---

* Благополучного возвращения (*нем.*).

спрашивай зачем. Я очень боялся потерпеть неудачу. Не по этой ли причине мы часто совершаем бессмысленные поступки, верно? Я опасался провала, ненавидел Хаггарти, потому что он подверг меня настоящей пытке. У меня была еще тысяча причин взять открытки с собой, но ни одна из них не дает ничему исчерпывающего объяснения. Возможно, я избрал такой способ, чтобы покончить с собой. Мне эта мысль кажется правдоподобной и даже нравится. Я взял их и пересек границу. Мы воспользовались лимузином, специально переделанным для подобных целей. Я сидел сзади, а мой дублер прятался под сиденьем. Восточногерманские полицейские, разумеется, не имели права обыскивать нашу машину. И все же, когда автомобиль вписывается в очередной крутой поворот, а тебе надо занять место дублера, чертовски сложно. Тебе приходится практически выкатываться из машины. Зайдль подготовил для меня велосипед. Ему вообще нравились велосипеды. Охранник снабжал его именно велосипедом, когда он был военнопленным в Англии.

Хотя Смайли уже рассказал мне эту историю, я выслушал ее и от Бена.

— Открытки лежали в кармане пиджака, — продолжал он. — В глубоком внутреннем кармане. Но в тот день в Берлине стояла невыносимая, удушливая жара. И пока я ехал на велосипеде, как теперь припоминаю, я расстегнул пиджак. Даже сам не знаю. Иногда помню, как расстегивал пиджак, а порой мне кажется, что я этого не делал. Вот что способна вытворять память, когда ты утомлен до полусмерти. Она выдает сразу все возможные версии событий. На место встречи я прибыл раньше назначенного времени, проверил машины, припаркованные рядом, проделал всю до тошноты рутинную процедуру и вошел внутрь. К тому времени я уже все опять вспомнил, заученное вернулось ко мне. «Не зря я все-таки взял с собой открытки», — подумалось мне. Это помогло, и я больше в них не нуждался. Зайдль был в полном порядке, как и я сам. Мы покончили с делами, я получил от него информацию, дал новые инструкции, вручил определенную сумму вознаграждения — все как учили в Саррате. Потом докатил до точки, где меня должны были посадить в машину, благополучно нырнул в нее, но когда мы уже переезжали в Западный Берлин, до меня вдруг дошло, что открыток при мне больше нет. Я больше не ощущал их тяжести в кармане, или у меня возникло какое-то другое ощущение, не важно. Я запаниковал, но ведь я вечный паникер. Где-то в глубине моего существа всегда таится страх. Вот каков я на самом деле. Но только теперь это была совершенно безумная паника. Я попросил высадить меня у моей квартиры и позвонил Зайдлю по номеру, который надлежало использовать только в самых крайних случаях. Никто не ответил. Я испробовал запасной вариант. Тоже безуспешно. Затем связался с его любовницей — женщиной по имени Лотте. И там молчание. Тогда я взял такси до аэропорта Темпельхоф, тихо покинул страну и пробрался сюда.

Повисла долгая пауза, слышна была только музыка Стефани. Бен закончил рассказ. Но я не сразу понял, что больше ему нечего мне сообщить. Я ждал, глядя на него во все глаза, ожидая продолжения. Я-то предполагал, что его по меньшей мере похитила тайная полиция Восточной Германии — безжалостная и жестокая. Силком вытащили из машины, ударили по голове, усыпили хлороформом, а потом обыскали карманы. И лишь постепенно совершенно невероятная банальность происшествия, о котором он мне поведал, дошла до моего сознания. Оказывается, целую сеть шпионов можно потерять так же легко, как теряешь связку ключей, чековую книжку или носовой платок. Мне страстно хотелось вернуть ему хотя бы часть утраченного достоинства, но он сам сделал это совершенно невозможным.

— Когда ты в последний раз ощущал, что открытки все еще у тебя? — задал я не самый умный вопрос.

Складывалось впечатление, что я беседую со школьником, забывшим где-то свои учебники. Но Бену было все равно. Он окончательно лишился уверенности в себе и гордости.

— Открытки? — переспросил он. — Наверное, пока ехал на велосипеде. Или когда выкатывался из машины. У велосипеда еще была предохранительная цепь от угона на колесе. Мне пришлось наклониться, чтобы снять ее. Может, несчастье случилось тогда? Это как всякая потеря. Пока не найдешь, не узнаешь, где оставил вещь. Потом все кажется очевидным. Вот только на этот раз не будет никакого «потом».

— Тебе не показалось, что за тобой следили?

— Не знаю. Не могу сказать...

Мне хотелось спросить, когда он написал мне любовное послание, но язык не поворачивался. Кроме того, мне стало казаться, что я уже об этом догадывался. Он написал его, сильно напившись, в минуту отчаяния, пока Хаггарти особенно настойчиво изводил его придирками. На самом деле меня снедало мучительное желание услышать, что он вообще не писал мне ничего подобного. Мне нужно было повернуть время вспять, чтобы все было так, как всего неделю назад. Но простые вопросы так и остались незаданными, потому что простые ответы на них заранее представлялись очевидными. Наше детство безвозвратно кануло в прошлое.

Они, несомненно, окружили дом и уж точно не воспользовались дверным звонком. Монти наверняка стоял прямо под окном, когда я раздвинул ставни, чтобы впустить в гостиную лунный свет, потому что в нужный момент просто проник в комнату, чуть смущенный, но преисполненный решимости.

— До чего же славно ты все проделал, Нед, — сказал он мне в утешение. — Вот только посещение библиотеки выдало тебя с головой. Ты, кстати, очень понравился библиотекарше, прямо запал ей в душу. Думаю, она была бы готова приехать сюда с нами, если бы мы ей позволили.

Следом за ним появился Скордено, а потом в дверном проеме возник и Смайли, у которого был тот самый виноватый вид, который зачастую сопровождал его самые безжалостные действия. И я понял, не особенно, впрочем, удивившись, что выполнил все, чего он от меня и ожидал. Я поставил себя на место Бена и привел их прямиком к убежищу своего друга. Бен тоже не выглядел удивленным. Вероятно, он даже испытал чувство облегчения. Монти и Скордено встали по обе стороны от него, но Бен продолжал сидеть в покрытом чехлом кресле, запахнув твидовый пиджак, как халат. Скордено похлопал его по плечу, а затем они с Монти склонились и, подобно паре опытных грузчиков, знавших свое дело и умевших рассчитать момент, ловким движением плавно заставили его подняться. Я поспешил заверить Бена, что если и предал его, то не намеренно, но он покачал головой, давая мне понять, что это не имеет никакого значения. Смайли отступил в сторону, чтобы дать им пройти. Его близорукие глаза вопрошающе посмотрели на меня.

— Мы наняли отдельное судно для прибытия сюда и для возвращения, — сообщил он.

— Я не поплыву с вами, — бросил я.

После чего отвернулся, а когда бросил взгляд снова, его уже не было. До меня донесся шум мотора удалявшегося по проселку джипа. Я пошел на звуки музыки, пересек пустую прихожую и оказался в кабинете, забитом книгами и журналами. По полу были разбросаны листы, напоминавшие рукопись романа. Босая Стефани сидела на краешке глубокого кресла. Теперь на ней было домашнее платье, а светлые волосы с золотистым отливом свободно рассыпались по плечам. Когда я вошел, даже не подняла головы. Зато заговорила со мной так, словно знала меня всю жизнь, и я подумал, что в какой-то степени так и было, поскольку она видела во мне теперь самого близкого Бену человека. Музыку Стефани почти сразу выключила.

— Вы были его любовником? — спросила она.

— Нет. Но он хотел, чтобы был. Я только теперь это понял.

Она улыбнулась:

— А я хотела, чтобы он стал моим возлюбленным, но и это тоже невозможно, верно?

— Похоже на то.

— А другие женщины у вас были, Нед?

— Никогда.

— А у Бена?

— Не знаю. Предполагаю, он пытался заводить с ними связи, но ничего не получалось.

Она глубоко дышала, а по щекам и шее струились слезы. С трудом поднявшись на ноги с плотно закрытыми глазами, словно слепая, Стефани протянула руки, чтобы я обнял ее. Она всем телом прижалась ко мне и спрятала лицо на моем плече, содрогаясь от рыданий. Я попытался обвить ее руками, но она оттолкнула меня и подвела к дивану.

— Кто заставил его стать одним из вас? — спросила она.

— Никто. Это было его собственное сознательное решение. Он хотел быть похожим на отца.

— И вы считаете, у него оставался выбор?

— Да, как у каждого из нас.

— Стало быть, вы тоже доброволец?

— Да.

— А вы на кого стремились стать похожим?

— Ни на кого.

— Бен не был приспособлен для такой жизни. Эти люди совершили ошибку, не разобравшись в нем и поддавшись его обаянию. К тому же он умел убеждать.

— Знаю.

— А вы? Вам настолько необходимо, чтобы из вас сделали так называемого настоящего мужчину?

— Да, для меня это важно.

— Стать настоящим мужчиной?

— Работа. Мы похожи на мусорщиков или на санитаров в больницах. Кто-то должен заниматься и этим. Нельзя же постоянно делать вид, что вокруг нас нет грязи.

— О, еще как можно! — Она встряхнула мою руку и тесно переплела наши пальцы. — Мы делаем вид, что не замечаем очень многого, часто притворяемся. А что-то считаем совершенно не важным, не имеющим никакого значения. Только так нам и удается выжить. Мы никогда не победим лжецов, если тоже начнем лгать. Вы останетесь здесь на ночь?

— Мне нужно возвращаться. Я ведь не Бен. Я — это я. А для Бена я лишь друг.

— Позвольте сказать вам кое-что. Можно? Очень опасно играть с реальностью. Вы запомните мои слова?

У меня не запечатлелась в памяти сцена нашего прощания, а значит, оно получилось болезненным для нас обоих и моя память отторгла воспоминание. Знаю только, что должен был успеть на паром. Джипа уже не было, и пришлось идти пешком. Помню лишь солоноватый привкус ее слез и запах волос. Как стремительно шел сквозь снова разыгравшийся ветер под луной, то и дело скрывавшейся за облаками, и грохот прибоя, когда тропа подходила близко к прибрежным скалам. Помню мыс и маленький пароходик, отходивший от причала. На протяжении всего пути я стоял на верхней палубе со стороны носа, а ближе к прибытию ко мне присоединился Смайли. К тому времени он уже успел выслушать историю Бена и поднялся, чтобы хоть как-то утешить меня.

С Беном я больше не встречался. Когда мы причалили в шотландском порту, его уже увезли, не дав нам попрощаться. Я слышал потом, что его убрали из разведки, и решил написать об этом Стефани, чтобы заодно попытаться выяснить, где он теперь. Но мое письмо вернулось со штампом «Адресат выбыл».

Мне бы очень хотелось иметь возможность сказать вам, что не Бен послужил причиной ареста нашей агентурной сети, поскольку Билл Хэйдон выдал ее значительно раньше. Или более того: вся сеть изначально стала фальшивкой, созданной восточными немцами или русскими, чтобы отвлечь наше внимание и скармливать нам дезинформацию. Но, боюсь, такие версии не соответствуют действительности. В те дни доступ Хэйдона к сведениям о наших операциях в Берлине оставался ограничен строгим внутренним разделением Цирка на отделы, и ему ни разу не удалось побывать в Берлине. После ареста Хэйдона Смайли даже поинтересовался, не приложил ли он руку к тому провалу, но Билл откровенно посмеялся над его вопросом.

— Боже, я многие годы хотел подцепить ту сеть на крючок, но безуспешно, — ответил он. — А когда узнал о происшедшем, с трудом поборол искушение послать молодому Кавендишу букет цветов, но слишком хорошо знал, насколько это опасно.

И все же я, наверное, смог бы немного утешить Бена, встретив его сейчас. Я бы объяснил ему, что если бы берлинская агентура не была схвачена по его вине, то через пару лет до нее сумел бы добраться Хэйдон. Стефани я бы сказал, что она была по-своему права, но ведь и я тоже, хотя признался бы: ее слова моя память хранила еще долго, даже когда я давно перестал считать ее неисчерпаемым источником мудрости. Я в Стеф так до конца и не разобрался. Она все же оказалась в большей степени мистерией из жизни Бена, чем из моей собственной, но ее голос тем не менее стал первой песней сирены, зазвучавшей, чтобы предупредить о двойственном характере моей миссии. Иногда я задумывался о том, каким ей показался, как она восприняла меня, хотя прекрасно понимал: она видела во мне лишь еще одного неоперившегося птенца, маленького мальчика, второго Бена, неискушенного в жизни, стремившегося скрыть слабость под маской силы и искавшего убежище в своем узком и ограниченном мирке.

Не так давно я снова побывал в Берлине. Это произошло спустя несколько недель после падения Стены. У меня возникло там небольшое дело, и главный кадровик с удовольствием выписал мне командировку и оплатил расходы. Формально я никогда там долго не работал — так уж сложилась жизнь, — но часто посещал этот город. А для нас — старых рыцарей «холодной войны» — каждый приезд в Берлин равнозначен возвращению к самым ее истокам. И вот в дождливый денек я оказался перед мрачным обломком Стены, носившим громкое название «Мемориал неизвестным жертвам», оставленным в память о тех, кто погиб, пытаясь перебраться на другую сторону в шестидесятых годах, но не предвидел трагического исхода и не оставил для потомков своего имени. Я стоял посреди скромной группы из Восточной Германии, в основном женщин, и заметил, как пристально всматриваются они в надписи на крестах: неизвестный мужчина, застрелен такого-то числа 1965 года. Они искали следы близких, сопоставляя даты с тем немногим, что им было известно.

И меня посетила до тошноты неприятная мысль, что одна из них могла разыскивать кого-то из агентов Бена, попытавшегося в самый последний момент совершить прорыв к свободе. И эта догадка особенно поразила меня, когда я осознал, что отныне не мы — западные союзники, а сами восточные немцы будут отчаянно пытаться забыть о том, что Стена когда-то существовала.

Сейчас того мемориала больше нет. Вероятно, для него нашелся угол в каком-нибудь музее, хотя я в этом сомневаюсь. Стену почти полностью разобрали — отдельные куски даже ухитрились с выгодой продать, — и мемориал тоже растащили. Для меня это служит отличной иллюстрацией и комментарием к непостоянству того, что мы пытаемся выдавать за вечную память человечества.

Глава 4

Кто-то попросил Смайли вернуться к теме допросов. Ее затрагивали на протяжении того вечера часто, и, как я догадываюсь, делалось это намеренно, потому что аудитории хотелось услышать от него как можно больше занимательных историй. Дети всегда безжалостны.

— Разумеется, есть такой род искусства, как разоблачение лжеца. Конечно же, есть, — признал Смайли не слишком уверенным тоном и отпил глоток воды из стакана. — Но настоящее мастерство требуется, чтобы распознать правду, а это намного сложнее. При допросе никто не ведет себя нормально. Глупые люди изображают умников. Умные — простаков. Виновные выглядят ни в чем не повинными, как младенцы, а невиновные с виду могут казаться преступниками на все сто процентов. Но порой люди ничего из себя не строят и рассказывают правду, и именно этим наивным душам и достается больше всего неприятностей. В нашей довольно извращенной профессии никто не выглядит менее убедительным, чем честный человек, которому нечего скрывать.

— За исключением, вероятно, одной совершенно ни в чем не повинной женщины, — тихо вставил я.

Джордж напомнил мне о Белле и таком сложном персонаже, как капитан Брандт.

Он был крупным и сильным мужчиной с льняными волосами, напоминал на первый взгляд славянина или скандинава, с походкой списанного на берег моряка и зоркими глазами авантюриста. Впервые я встретился с ним в Цюрихе, где у него постоянно возникали проблемы с полицией. Начальник полицейского управления города позвонил мне однажды среди ночи и сказал:

— Герр консул, у нас здесь есть человек, который утверждает, что располагает ценной информацией для британцев. Но нам уже отдали приказ завтра утром выслать его из страны.

Я не стал спрашивать, через какую границу. У швейцарцев есть четыре возможности, но когда им нужно кого-то вышвырнуть за границу, особой разборчивости они не проявляют. Я доехал до районной тюрьмы, и нам устроили свидание в зарешеченной комнате для допросов. Передо мной предстал привычный к тюремным камерам гигант в свитере-водолазке, который называл себя «морским капитаном» Брандтом. Так, по всей видимости, он переводил с немецкого выражение Kapitän zur See.

— Далековато вы забрались от моря, — сказал я, пожимая его огромную мясистую руку.

Что касалось швейцарцев, то для них он являлся отпетым преступником. Он, например, выехал из отеля не расплатившись, что в Швейцарии рассматривается как тягчайший проступок, предусмотренный даже в отдельной статье их уголовного кодекса. Он всем создавал неудобства, вел себя беспокойно, не имел никаких средств, а его западногерманский паспорт не выдержал проверки на подлинность, хотя об этом швейцарцы предпочитали помалкивать, поскольку поддельный паспорт уменьшал их шансы спокойно передать его под юрисдикцию другого государства. Его подобрали на улице пьяным, дома у него не было, хотя он во всем обвинял какую-то девушку. В драке он сломал кому-то челюсть. А теперь настоял на встрече со мной с глазу на глаз.

— Вы британец? — спросил он по-английски, явно желая скрыть содержание нашей беседы от швейцарцев, хотя те владели английским гораздо лучше его.

— Да.

— Могу я увидеть доказательства, если вам нетрудно?

Я показал ему свое официальное удостоверение личности, где именовался вице-консулом по экономическим вопросам.

— Вы работаете на британскую разведку? — спросил он.

— Я работаю на британское правительство.

— Хорошо-хорошо, — сказал он и, словно им внезапно овладела смертельная усталость, уронил голову на руки.

При этом прядь длинных светлых волос упала ему на лоб, и он откинул ее назад. Его лицо было покрыто рубцами и шрамами, как у профессионального боксера.

— Вам доводилось сидеть в тюрьме? — спросил он, разглядывая исцарапанную поверхность белого стола между нами.

— Слава богу, пока нет.

— Господи, вот счастливчик! — воскликнул он, а потом на достаточно скверном английском поведал мне свою историю.

По национальности он был латышом, родившимся в Риге в семье, имевшей латышские и польские корни. Владел латышским, русским, польским и немецким языками. И считал своим призванием морскую стихию, что я почувствовал в нем сразу, потому что сам считал себя опытным моряком. Его отец и дед служили матросами, а он сам оттрубил шесть лет в советском военно-морском флоте, плавая в арктических широтах из Архангельска, а потом в Японском море, когда его перевели во Владивосток. Год назад он вернулся в Ригу, купил небольшую лодку и занялся перевозкой контрабанды вдоль балтийского побережья, переправляя дешевую русскую водку в Финляндию с помощью скандинавских рыбаков. Был пойман и посажен в тюрьму в окрестностях Ленинграда, бежал, пробрался в Польшу, где некоторое время жил в Кракове на нелегальном положении с польской студенткой. Я пересказываю вам его собственные слова, а потому переход польской границы выглядит таким же пустяковым делом, как для вас сесть в автобус или зайти в паб на кружку пива. Но даже при моем весьма поверхностном знании всех возникавших при этом сложностей я понимал, что ему удалось совершить почти невероятное. А тем более когда ему пришлось пересечь границу другого государства еще раз. Произошло это потому, что девушка бросила его, собираясь выйти замуж за швейцарского торгового агента. Тогда Брандт вернулся на побережье, нашел способ добраться до Мальме, затем до Гамбурга, где жил его троюродный брат, то есть совсем уж дальний родственник. Причем кузен не признал никакого родства с гостем и послал его куда подальше. Ему пришлось украсть паспорт кузена и направиться на юг, в Швейцарию, поскольку его переполняла решимость вернуть польскую возлюбленную. А когда муж отказался отпустить ее, тут-то Брандт и свернул ему челюсть, после чего очутился здесь, в швейцарской тюрьме.

Поскольку он по-прежнему говорил со мной только по-английски, я поинтересовался, где он сумел овладеть языком. Слушая курсы Би-би-си по радио, пока занимался контрабандой, объяснил он. И еще немного от той самой девушки, которая как раз избрала своей специальностью иностранные языки. Я по глупости принес ему пачку сигарет, и он принялся высаживать их одну за другой, быстро превратив небольшое помещение в подобие газовой камеры.

— Так какой же информацией для нас вы располагаете? — спросил я.

Будучи латышом, начал Брандт с преамбулы, он не чувствовал, что чем-то обязан Москве. Он вырос под гнетом русской тирании в Латвии, служил во флоте под командованием мерзких русских офицеров, всегда ощущал на себе презрение русских в целом, а потому не испытывал угрызений совести, предавая их. Русских он ненавидел. Я попросил его перечислить названия судов, на которых он плавал, что он сделал весьма охотно. Я расспросил его о том, какое оружие имели на борту те корабли, и он описал мне самые современные виды вооружений, какими они только могли располагать в те годы. Получив от меня листы бумаги и карандаш, он смог выполнить удивительно тщательные рисунки. Я спросил, что он знал об их системе сигналов. Оказалось, очень много. Он приобрел квалификацию сигнальщика и использовал новейшие приборы, пусть с тех пор и минуло больше года. Потом я спросил:

— Почему вы обратились именно к британцам?

Он ответил, что познакомился в Ленинграде «с двумя отличными парнями» — матросами с британского судна, посетившего город с визитом доброй воли. Я записал их имена, название корабля, вернулся к себе в офис и отправил срочную телеграмму в Лондон, поскольку в нашем распоряжении оставалось всего несколько часов до того, как швейцарцы готовы были вышвырнуть парня из своей страны. И уже следующим вечером «морской капитан» Брандт подвергся весьма жесткому допросу на явочной квартире в Суррее. Перед ним вырисовывалась перспектива обеспечить себе карьеру, хотя и достаточно опасную. Он знал каждую отмель, каждый самый маленький залив вдоль южного побережья Балтики. Располагал широким кругом приятелей среди простых рыбаков-латышей, дельцов черного рынка, воров и прочих представителей преступного мира. То есть он мог дать Лондону то, что мы вынуждены были искать после понесенных не так давно потерь, — шанс открыть новую линию секретной передачи материалов из северной части России через Польшу в Германию.

Здесь мне придется сделать отступление и рассказать вам о моем собственном положении в Цирке и попытках продолжать работать в нем.

После случая с Беном я оказался в весьма щекотливой ситуации и какое-то время мог лишь гадать, получу повышение или буду уволен. Лишь сейчас я понял, что, вероятно, нахожусь в гораздо большем долгу перед Смайли за его негласное вмешательство в мою судьбу, чем предполагал тогда. Если бы принимать решение мог один главный кадровик, едва ли я остался на службе дольше пяти минут. Я нарушил все правила содержания под домашним арестом, скрыл информацию о связи Бена со Стефани, и пусть я даже не подозревал об амурном послании Бена, оно все равно бросало тень на мою репутацию. Так что к черту такого сотрудника! — рассуждал бы начальник отдела кадров.

— Мы тут посовещались и подумали, что вам может понравиться ответственная должность в Британском совете, — сообщил мне кадровик с гаденькой улыбочкой во время встречи в его кабинете, когда мне не предложили даже чашки чая.

Но Смайли вовремя вступился за меня. Потому что Смайли, во-первых, умел разглядеть подлинные качества человека вопреки его импульсивности, а во-вторых, Смайли командовал чем-то вроде собственной, хотя и не слишком многочисленной, армией секретных агентов, разбросанных по странам Европы. А еще одной причиной моей реабилитации (хотя даже Смайли не знал в те дни всех деталей) стала деятельность предателя Билла Хэйдона, чья лондонская резидентура быстро становилась монополией, подминавшей под себя многие операции Цирка по всему миру. И пусть проницательный взгляд Смайли не сфокусировался пока на Билле, он уже убедился, что в недра Пятого этажа сумел проникнуть вражеский лазутчик, обычно именуемый кротом, а потому начал подбирать команду из офицеров, достаточно молодых и обладавших ограниченным доступом к секретным материалам, что не позволяло подозревать в чем-либо их самих. К счастью, подошла и моя кандидатура.

Но сначала несколько месяцев я пребывал в подвешенном состоянии — меня посадили в большой кабинет в задней части зда-

ния, где я давал оценку не слишком важным сведениям и писал
рапорты для мелких чиновников Уайтхолла. Не имея ни единого
друга, я тосковал в одиночестве и всерьез задумывался, уж не собирается ли главный кадровик окончательно сгноить меня на пу-
стяковой работе, когда, к моей величайшей радости, я был вызван
в его офис, где в присутствии Смайли получил назначение на второй по значимости пост в Цюрихе. Причем моим начальником
становился старый служака по фамилии Эддоуз, который сразу
объявил принцип, подготовленный им для меня: он бросит молодого сотрудника в воду, а тот пусть утонет либо выплывет.

Уже через месяц я обосновался в небольшой квартире в Альт-
штадте, работая круглые сутки восемь дней в неделю. На моем
счету скоро был советский военно-морской атташе в Женеве, лю-
бивший Ленина, но еще больше обожавший французских стюар-
десс, чешский торговец оружием из Лозанны, уязвимым местом
которого оказалась больная совесть: он переживал духовный кризис, понимая, что снабжает оружием и взрывчаткой террористи-
ческие организации. Я завербовал албанского миллионера с шале
в Санкт-Морице, оказавшегося готовым с риском для жизни вернуться на родину, чтобы сделать нашими агентами практически
всех своих бывших слуг, и очень нервного восточногерманского
физика, проходившего практику в Институте Макса Планка в Эссене, где он тайно обратился в католичество. Я организовал очень
красиво спланированную операцию по установке скрытых ми-
крофонов в здании польского посольства в Берне и прослушивание телефонных переговоров пары венгерских шпионов в Базеле.
К тому же я вообразил себя серьезно влюбленным в Мейбл, которую недавно перевели в отдел проверки, и это громко отпраздно-
вали в баре для младшего офицерского состава.

Я был счастлив, что оправдал доверие, оказанное мне Смайли,
поскольку благодаря моим усилиям в Швейцарии и его настойчи-
вой политике в головном офисе, где стали строго следить, чтобы
информация попадала только по назначению, мы сумели не просто собрать немалое количество ценных разведданных, но и передать их людям, действительно в этом нуждавшимся. Вы удиви-
тесь, если узнаете, как редко удавалось прежде работать именно по
такой жизненно важной для соблюдения секретности схеме.

Так мы сотрудничали два года, пока не открылась вакансия
в Гамбурге. Пост предназначался только для одного сотрудника,
подчинявшегося напрямую лондонской резидентуре, постепенно

ставшей подлинным центром проведения почти всех операций нашей службы. И совершенно неожиданно я получил от Смайли великодушное благословение выдвинуть свою кандидатуру, какие бы возражения ни вызывали у него самого неуклонно расширявшиеся полномочия Хэйдона. Я ловко сработал. Вел себя с главным кадровиком почтительно. Напомнил ему о своей службе в военно-морском флоте. Намекнул, не тратя лишних слов, что меня сковывают старомодные и излишне осторожные методы Смайли. И это сработало. Он сделал меня резидентом в Гамбурге под руководством Хэйдона, и ту же ночь после романтического ужина в «Бьянкиз» мы с Мейбл провели в одной постели, что стало первым опытом для нас обоих.

А мое ощущение собственной правоты только еще более усилилось, когда, просматривая список новых агентов, я с радостным удивлением обнаружил некоего Вольфа Дитриха, известного прежде как «морской капитан» Брандт, в роли одной из ведущих фигур среди своих подчиненных. Речь сейчас идет о конце шестидесятых годов. Оставалось еще три года до разоблачения Билла Хэйдона.

В Гамбурге всегда было приятно ощущать себя англичанином, но теперь город превратился еще и в идеальное место для шпионажа. После озерного спокойствия Цюриха Гамбург, казалось, бурлил энергией, которой наполнял его свежий морской воздух. Древние ганзейские связи с Польшей, северной Россией и другими прибалтийскими государствами во многом оставались еще живы. Процветала коммерция, активно работали банки. Разумеется, то же можно было отнести и к Цюриху, но здесь широкие возможности открывало еще и судоходство. Город кишел иммигрантами и всевозможными авантюристами. В Гамбурге ты мог позволить себе быть дерзким и нахальным, не опасаясь обвинений в вульгарности. Это общепризнанная столица немецкой проституции и прессы. А рядом простирались таинственные низины Шлезвиг-Гольштейна с их косыми ливнями, красными фермерскими домиками, зелеными полями и почти всегда окутанным облаками небом. Каждый из нас имеет свою цену. И по сей день мою душу можно купить за кувшин сваренного в Любеке пива, порцию соленой селедки и стаканчик шнапса после долгой прогулки среди мостов и дамб.

И во всем остальном работа приносила только удовольствие. Я был Недом — консульским представителем по вопросам судоходства. Базировался в скромной конторе в миленьком кирпичном коттедже с медной табличкой на двери — достаточно прилично для ответственного работника, но в то же время как бы совершенно отдельно от генерального консульства. Всю работу «под крышей» выполняли два клерка, присланных в командировку адмиралтейством и умевших молчать. У меня имелось радио и был шифровальщик из Цирка. Хотя мы с Мейбл не успели пока обручиться, наши отношения достигли той стадии, когда она неизменно оказывалась готова, стоило мне заглянуть в Лондон, предоставить свой дом как место для безопасной встречи и консультаций с самим Биллом или с одним из его заместителей.

Для свиданий с агентами я пользовался явочной квартирой в Веллингсбюттеле, окна которой выходили на кладбище, а располагалась она на втором этаже над цветочным магазином, его хозяева — пожилая немецкая супружеская пара — были нашими людьми еще со времен войны. Самую оживленную торговлю они вели по воскресеньям, а уже в понедельник к ним выстраивалась очередь из соседских детишек, желавших продать им обратно их же товар, реализованный накануне. Никогда мне не доводилось проводить операции в более безопасном месте. Катафалки, крытые фургоны и похоронные процессии тянулись по улице мимо нас на протяжении всего дня. Зато по ночам здесь было поистине тихо, как в могиле. Даже такой экзотический тип, как мой бывший «морской капитан», никому не бросался в глаза, если он надевал темный костюм и шляпу, заходил в арку магазина и, помахивая портфелем коммивояжера, поднимался по ступенькам к невинной с виду двери с лаконичной надписью Büro.

Для удобства я продолжу именовать его Брандтом. Он был из тех, кто мог менять имена и фамилии хоть сто раз, но настоящее всегда имел только одно.

Подлинной жемчужиной в моей короне стала тогда «Margerite» — или, как мы окрестили ее на английский лад, «Маргаритка». Пятидесятифутовая рыбацкая шхуна с наборной обшивкой, превращенная в прогулочную яхту с рубкой штурвального, с кают-компанией и четырьмя спальными местами в носовом кубрике. Чтобы удерживать от слишком сильной бортовой качки, судно оборудовали бизань-мачтой и парусом. Корпус покрасили в темно-зеленый цвет с чуть более светлым зеленым планширом, а крышу рубки сделали белой. Шхуну явно построили не для скоростного передвижения, а для тайных операций. При сумрачном освещении и небольшом волнении на море ее было трудно разглядеть с берега невооруженным глазом. При небольшой высоте мачты и надстройки она почти плоско лежала на воде и выглядела совершенно невинно на экранах радаров, если в штормовую погоду ее различали вообще. А Балтийское море коварно. Мелкое, не имеющее периодов приливов и отливов. Но даже при не слишком сильном ветре на нем поднимались крутые и грозные волны. При скорости десять узлов и работающем на полную мощность двигателе «Маргаритка» то погружалась носом в воду, то норовила опрокинуться, как свинья в грязь. Единственным скоростным придатком к ней был четырнадцатифутовый «Зодиак», выдаваемый за спасательную шлюпку и закрепленный на крыше рубки, но оборудованный подвесным мотором мощностью пятьдесят лошадиных сил. Именно он доставлял агентов на борт, а потом спешно возвращал на берег.

Если «Маргаритка» не выходила в море, то простаивала у причала в старинной рыбацкой деревушке Бланкенезе в устье Эльбы, всего в нескольких милях от Гамбурга. Она казалась там одной из многих подобных шхун, если не скромнее остальных, что было нам только на руку. При необходимости она могла быстро подняться из Бланкенезе вверх по течению реки до Кильского канала, а потом тихо тащиться на своих пяти узлах остававшиеся шестьдесят миль до открытого моря.

Судно было оборудовано навигационной системой «Декка», считывавшей информацию с береговой станции, но и в этом не было ничего необычного — такими приборами пользовались все. Ни внутри, ни снаружи не находилось ничего, что не соответствовало бы ее неброскому внешнему виду. Каждый из трех членов экипажа мог выполнять любую обязанность моряка. Никакого разделения на специальности, хотя у них имелись свои пристрастия. Когда же нам требовались услуги настоящего специалиста для навигации или ремонта, то всегда могли прийти на помощь корабли британского военно-морского флота.

Как видите, имея новую, полную энергии руководящую группу в лондонском головном офисе, широкий выбор возможностей, чтобы проявить свою изобретательность, и «Маргаритку» с экипажем в подчинении, я располагал всем, о чем только может мечтать резидент, влюбленный к тому же в солоноватый запах морской воды.

И разумеется, у меня под рукой всегда был Брандт.

Два года, проведенные Брандтом под флагом Цирка, изменили его так, что мне даже трудно сразу подобрать слова для описания этих изменений. Он не постарел, не закалился, не стал более жестким, но, по моим наблюдениям, приобрел крайне утомительные для меня постоянную тревогу и напряженность, которые мир секретных служб навязывает порой даже самым благодушным и легкомысленным из своих обитателей. Мы встретились после долгой разлуки на явочной квартире. Он вошел. Замер на пороге и пристально посмотрел на меня. После чего открыл рот и издал громкий ликующий крик, воплотивший всю радость узнавания. Он схватил меня за руку с чудовищной силой, грозя сломать или вывихнуть ее. Я смеялся почти до слез, когда он обнимал меня. Он отстранялся, чтобы бросить новый взгляд, и снова прижимал меня к своему черному плащу. Но столь бурная демонстрация радости при встрече, казавшаяся спонтанной, на самом деле выдавала его настороженность и чрезмерную бдительность. Мне ли было не распознать этого? Я неоднократно замечал схожие проявления и у других агентов.

— Черт бы их побрал, почему мне никто ничего не рассказывает заранее, герр консул? — восклицал он, продолжая обнимать меня. — В какую странную игру они там играют? Послушайте, мы ведь выполняем здесь дьявольски полезную работу, верно? У нас подобралась отличная группа, и мы всегда можем взять верх над треклятыми русскими, правильно я говорю? Разве они не знают об этом?

— Я тебя понял, — со смехом отвечал я. — Ты абсолютно прав.

Той же ночью он настоял, чтобы я пристроился среди смотанных веревок в задней части его грузового микроавтобуса, и на головокружительной скорости повез меня в отдаленный фермерский дом, приобретенный для него Лондоном. Ему не терпелось познакомить меня со своей командой, что представлялось необходимым и мне самому. Но еще больше я хотел взглянуть на его подружку Беллу, поскольку начальство в Лондоне несколько обеспокоило недавнее появление этой женщины в жизни Брандта. Ей было двадцать два года, и она жила с ним уже три месяца. Впрочем, Брандт в свои пятьдесят выглядел молодцом. Помню, происходило все в разгар лета, и в фургоне пахло фрезиями, потому что он успел купить на рынке букет для нее.

— Она лучшая из всех девушек на свете, — с гордостью сообщил он мне, когда мы входили в дом. — Отлично готовит, умело занимается любовью, изучает английский — лучшая, с какой стороны ни взгляни. Привет, Белла, я привез тебе нового дружка!

Художники и моряки обустраивают свои жилища в схожей манере, и дом Брандта не был исключением из правила. Скудно обставленный, но уютный, с кирпичными полами и низкими белыми потолками. Даже в темноте он, казалось, притягивал к себе некий источник внешнего света. Прямо с порога мы вошли в гостиную. В камине тлели остатки дров, а рядом с девушкой, которая лежала среди россыпи подушечек и читала, стояла корабельная лампа. Услышав, как мы открыли дверь, девушка взволнованно вскочила с дивана. Двадцать два года, подумал я. А скоро, видимо, исполнится восемнадцать. Она с энтузиазмом трясла мою руку. На ней была мужская рубашка и очень короткие шорты. Золотой амулет сверкал на шее, объявляя всем, что Брандт был ее властителем: женщина, помеченная знаком владельца. Приятное славянское лицо, неизменно радостное, с ясными большими глазами, высокими скулами и намеком на улыбку даже в тот момент, когда губы оставались сомкнутыми. Обнаженные длинные ноги покрывал загар того же золотистого оттенка, какой имели волосы. Узкая талия, вздернутые вверх груди, но достаточно полные бедра. Это было очень красивое, но очень юное тело, и, что бы ни вбил себе в голову Брандт, возраст девушки был предельно далек от его собственного и даже от моего.

Она поставила букет фрезий в вазу, а потом выложила на стол черный хлеб, маринованные овощи и добавила бутылку шнапса. Каждое ее движение выглядело беззаботно-соблазнительным. И она либо знала об этом, либо вообще не ощущала провокационный вызов в малейшем своем жесте. За стол она села рядом с Брандтом, улыбнулась мне, а потом забросила руку ему через плечо, отчего вырез на ее рубашке заметно расширился. Затем Белла взяла руку капитана и показала мне, как контрастировала она с ее собственной изящной и маленькой ручкой, пока Брандт неумолчно и ни на что не обращая внимания рассказывал о сети агентов, открытым текстом называя имена и места, где они жили. А Белла продолжала откровенно оценивать меня взглядом.

— Прежде всего, — сказал Брандт, — нам необходимо снабдить Алекса другим радио. Вы слышите меня, Нед? Ему постоянно приходится ремонтировать свой приемник, покупать новые запчасти, батареи. Его прибор уже никуда не годится. С таким оборудованием можно однажды крупно погореть.

Когда зазвонил телефон, он ответил командирским тоном:

— Я сейчас очень занят. Это понятно? Оставь пакет у Стефана, как я и сказал. Кстати, ты разговаривал с Леонидасом?

Комната постепенно заполнялась новыми людьми. Первым вошел порывистый, кривоногий мужчина с обвислыми усами. Он нежно, но без намека на похоть поцеловал Беллу в губы, хлопнул Брандта по руке и положил себе в тарелку еды.

— Это Казимирс, — объяснил Брандт, ткнув приятеля в бок большим пальцем. — Он, конечно, свинья, но я люблю его. Понимаете?

— Отлично понимаю, — чистосердечно ответил я.

Насколько я помнил, три года назад Казимирс бежал через финскую границу, убив при этом двух советских пограничников, а еще его отличала страсть ко всем видам моторов. Для него было настоящим счастьем измазать руки машинным маслом по локти. Кроме того, в нем все признавали первоклассного корабельного кока.

После Казимирса явились братья Дурба — Антонс и Альфредс, — кряжистые и нагловатые, как валлийцы, и такие же голубоглазые, как Брандт. Братья когда-то дали клятву своей матери, что никогда не станут выходить в море вместе, а потому делали это поочередно. «Маргаритке» вполне хватало экипажа из трех человек, а четвертое место нам нравилось приберегать для лишнего груза или нежданного пассажира. Вскоре все заговорили одновременно, засыпая меня вопросами, но не дожидаясь ответов, смеясь, произнося тосты, покуривая, вспоминая, строя секретные планы. Их последнее плавание получилось неудачным, очень плохим, сказал Казимирс. Это было три недели назад. «Маргаритка» угодила в дикий шторм у входа в Данцигский залив и лишилась мачты. А в районе побережья Латвии они к тому же не заметили в тумане ожидавшегося светового сигнала с берега, добавил Антонс Дурба. Пришлось выпустить ракету, и Бог не оставил их своей милостью, потому что на пляже их ожидала целая делегация сумасшедших латышей. Их встречали, как почетных гостей!

Дикий смех, тосты, а потом глубокое молчание, свойственное северным народам, когда все, кроме меня, предались одним и тем же печальным воспоминаниям.

— Помянем Вальдемарса, — произнес Казимирс, и мы выпили в память о Вальдемарсе — члене их группы, погибшем пять лет назад.

А когда все закончили, Белла неожиданно взяла свой стакан и выпила тоже, устроив как бы отдельную поминальную церемонию, но при этом глядя поверх ободка стакана прямо мне в глаза.

— За Вальдемарса, — тихо повторила она, и в ее печали было столько же притягательной силы, как и в улыбке.

Знала ли она Вальдемарса? Не был ли он прежде одним из ее возлюбленных? Или она просто пила в честь отважного соотечественника, отдавшего жизнь за правое дело?

Здесь, видимо, уместно рассказать вам немного о Вальдемарсе. Но не о том, мог ли он быть любовником Беллы, и даже не об обстоятельствах его смерти, поскольку их никто не знал. Нас лишь поставили в известность, что его сумели высадить на берег, но с тех пор его никто больше не видел. По одной из версий, он успел принять яд. Другая гласила, что он сам отдал своему телохранителю приказ застрелить его, если угодит в засаду. Однако телохранитель тоже бесследно исчез. И Вальдемарс стал не единственным, кто сгинул в тот период, который члены группы называли теперь «осенью предательства». В следующие несколько месяцев, когда подходили годовщины их смертей, мы поднимали поминальные чаши в честь еще четырех латвийских героев, исчезнувших непостижимым образом в то злосчастное время. Их доставили, как всем теперь стало ясно, не к партизанам в леса и не к связникам, дожидавшимся на берегу, а прямиком в лапы подчиненных шефа всех операций в Латвии, который базировался в Москве. И пока с крайней осторожностью мы в течение следующих пяти лет создавали новую сеть, шрамы от предательства продолжали мучить болью тех, кто тогда уцелел, о чем меня заранее побеспокоился предупредить Хэйдон.

— Мы имеем дело с кучкой беспечных недоумков, — сказал он со своим обычным пренебрежением к памяти погибших. — А если они не беспечны, то по меньшей мере двуличны. Не дай им обмануть себя напускной нордической флегмой и дружескими объятиями.

Я вспомнил его слова теперь, продолжая исподволь изучать Беллу. Иногда она слушала их разговоры, опустив подбородок на скрещенные кисти рук, могла положить голову на плечо Брандта, словно пытаясь угадать его мысли, пока он строил планы и продолжал пить. Однако ее большие и ясные глаза непрестанно обращались в мою сторону. Она тоже пыталась понять, кто же такой этот англичанин, присланный, чтобы отныне руководить ими. А по временам, подобно пригревшейся на одном месте кошке, она отстранялась от Брандта, чтобы заняться собой: иначе скрестить ноги, подтянуть немного вниз задравшиеся шорты, заплести прядь волос в своего рода косичку или вытащить из ложбинки между грудей золотой амулет и рассмотреть его. Я ожидал заметить, не промелькнет ли между ней и кем-то из членов команды заговорщицкой искорки, но вскоре мне стало очевидно, что девушка Брандта в этом смысле была совершенно чиста. Даже излучавший энергию Казимирс обращался к ней с очень серьезным выражением лица. Она достала еще одну бутылку, села рядом со мной, завладела моей рукой и заставила выложить открытую ладонь на поверхность стола, вглядываясь в нее и одновременно что-то говоря по-латышски Брандту, который почти тут же разразился оглушительным смехом, подхваченным его друзьями.

— Знаете, что она сказала?

— Боюсь, я ничего не понял.

— Она распознала по вашей руке, что из англичан выходят очень хорошие мужья. И если я умру, она станет вашей спутницей жизни.

Белла сразу же вернулась к нему, тоже со смехом, и упала в его объятия. После этого она уже не смотрела на меня. Могло показаться, что у нее отпала в этом всякая необходимость. Тогда я тоже перестал наблюдать за ней, а счел время самым благоприятным, чтобы вспомнить ее историю в том виде, в каком изложил Лондону «морской капитан» Брандт.

Она была дочерью фермера из деревни, располагавшейся возле Елгавы, которого тайная полиция застрелила, совершив внезапный налет на дом, где собрались на конспиративную встречу патриоты Латвии, рассказывал Брандт. Ее отец был основателем той подпольной группы. Полицейские хотели поставить к стенке и его дочь, но ей удалось бежать в лес, где она присоединилась к партизанскому отряду и группе беглых преступников. Там она пошла по рукам. Все лето ею поочередно пользовались, но, казалось, это нисколько не обозлило ее. Просто постепенно ей удалось узнать, каким образом добраться до побережья. Она проникла к берегу моря маршрутом, так и оставшимся неизвестным нам, сумела выйти на связь с Брандтом, который, даже не побеспокоившись предварительно уведомить Лондон, взял ее к себе жить. Она пришла в указанное место, где Брандт дожидался высадки нового радиста, прибывшего на смену прежнему — у того произошел нервный срыв. Радисты в любой развeдгруппе строят из себя звезд эстрады. С ними вечно что-то случается: либо нервишки подводят, либо пристает какая-то серьезная болячка, лишающая их возможности продолжать работу.

— Великолепные парни! — восторженно отозвался о своей команде Брандт, когда вез меня обратно в город. — Они вам понравились?

— Они замечательные, — ответил я вполне искренне, потому что, по-моему, нигде не встретишь людей лучше, чем те, кто, как и ты, влюблен в морскую стихию.

— Белла хотела бы начать работать с нами. Она отчаянно стремится разделаться с теми, кто убил ее отца. Я пока говорю — нет! Она слишком молода. И я действительно люблю ее.

Очень яркая в ту ночь луна освещала плоские луга по обе стороны от дороги, и я видел его грубоватое лицо в профиль, напряженное так, словно он готовился встретить надвигавшуюся штормовую волну.

— Но ведь ты знал его, — сказал я, неожиданно вспомнив еще одну известную мне подробность, прятавшуюся прежде в глубинах памяти. — Ее отца, Феликса. Он был твоим другом.

— Разумеется, я знал Феликса! И его тоже любил. Это был выдающийся человек! А подонки погубили его!

— Он умер мгновенно?

— Его буквально изрешетили пулями. Пустили в ход автоматы «АК-47». Застрелили всех. Семерых человек сразу. Все приняли одинаковую смерть.

— Кто-нибудь видел, как это произошло?

— Только один парень. Он стал свидетелем, а потом сумел сбежать оттуда.

— Что сталось с трупами?

— Их забрала тайная полиция. Они ведь тоже боятся, эти гады из полиции. Не хотят, чтобы об их «подвигах» узнали. Расстреливают партизан, забрасывают тела в кузов грузовика и увозят черт знает куда.

— Насколько близок ты был с ним? Я имею в виду, с ее отцом?

Рука Брандта описала широкую дугу: жест, полный неопределенности.

— С Феликсом? Как же! Феликс был мне другом. Оборонял Ленинград. Потом попал в немецкий плен. Сталин таких не жаловал. Когда они возвращались из Германии домой, он отправлял их в Сибирь, там не всегда расстреливали, но обязательно создавали неприятности. А какого дьявола тебя это заинтересовало?

Дело в том, что в Лондоне стала известна совсем иная версия этой истории, пусть обсуждали ее пока только шепотом. Слух гласил, что отец как раз и был стукачом. Его завербовали в сибирском лагере и отправили обратно в Латвию, чтобы он проникал в группы Сопротивления. Он организовал ту встречу, поставив в известность своих хозяев, а сам затем выбрался из дома через заднее окно в кухне, пока над остальными творили кровавую расправу. В награду его сделали председателем колхоза неподалеку от Киева, где он поселился под другой фамилией. Но кто-то все же опознал его и рассказал приятелю, тот передал рассказ дальше. Источник информации представлялся не слишком надежным, а проверка требовала продолжительного времени.

Но я был предупрежден. Мне следовало пристально наблюдать за Беллой и, возможно, опасаться ее.

Но я не только получил предупреждение. На мою голову свалились новые заботы. В следующие несколько недель я встречался с Беллой несколько раз, и после каждой встречи меня обязали писать отчет о моих впечатлениях, заполняя специальные бланки, присланные из Лондона. Резидентура настаивала, что это следовало делать после любого контакта с девушкой. Я снова встретился с Брандтом на явочной квартире, и он только усилил мою тревогу, привезя Беллу с собой. Она провела день в городе, объяснил он, и они вместе возвращались на ферму. Так почему бы и нет?

— Успокойтесь. Она ведь не знает английского языка, — напомнил он со смехом, заметив мою нервозность.

Я постарался завершить наши дела как можно скорее, пока она лежала на диване, улыбалась и слушала нас как будто одними глазами, но чаще обращала внимание на меня.

— Моя девочка прилежно учится, — гордо сказал Брандт, похлопав ее по попке, когда они собрались уезжать. — Однажды станет великим профессором. Nicht wahr, Bella? Du wirst ein ganz grosser Professor, du!

Еще неделей позже я провел негласную инспекцию «Маргаритки» у причала в Бланкенезе. И Белла снова была там в своих

459

коротеньких шортах, бегая по палубе босиком с радостным видом, словно мы собирались отправиться в круиз по Средиземному морю.

— Ради всего святого! Мы не можем допускать девушку на борт! В Лондоне с ума сойдут, если узнают, — сказал я Брандту тем же вечером. — Как и экипаж. Ты же знаешь, как суеверны моряки по поводу женщин на кораблях. Сам ведь тоже моряк.

Но он отмёл мои возражения. Мой предшественник ничего не имел против, заявил он, так с чего мне поднимать шум?

— Белла нравится парням, — упорствовал он. — Она их землячка, Нед, и всего лишь дитя. Бросьте! Им Белла заменяет семью.

Проверив старые досье, я обнаружил, что хотя бы отчасти он оказался прав. Мой предшественник — военно-морской офицер запаса — докладывал, что Белла «оказывала положительное влияние» на борту «Маргаритки», и считал её «почти талисманом для судна». В отчётах о последних заданиях, для выполнения которых шхуна выходила в море, я между строк прочитал, что Белла неизменно являлась в гавань, чтобы помахать рукой на прощание, и, несомненно, всегда приветствовала благополучное возвращение судна.

Разумеется, правила оперативной безопасности во многом относительны. Я с самого начала не строил иллюзий, что всё в организации Брандта окажется в строгом соответствии с тем, чему нас обучили в Саррате. Понимал я и то, что келейная атмосфера главного офиса содействовала восприятию нашей сложной системы кодовых имён, символов и сокращений как единственной возможной реальности. Но офисная рутина на Кембридж-серкус — это одно. А работа группы энергичных патриотов с Балтики, ежедневно рисковавших жизнью, — совсем другое.

Тем не менее постоянное присутствие не завербованной по всем правилам, не прошедшей никаких проверок девушки при разработке наших операций, её осведомлённость обо всех наших планах, присутствие при деловых беседах — такое даже для меня выходило за всякие мыслимые рамки. И всё это происходило лишь через пять лет после того, как группа пережила трагические последствия действий неизвестного предателя! Но чем сильнее становилась моя тревога, тем крепче, как казалось, выглядела привязанность к девушке самого Брандта. Причём он беззастенчиво демонстрировал это в моём присутствии, его ласки делались всё более несдержанными. «Типичная влюблённость стареющего мужчины в молодую девицу», — сдержанно информировал я Лондон. Можно было подумать, что мне в прошлом доводилось наблюдать десятки аналогичных жизненных ситуаций.

А тем временем «Маргаритку» готовили к новой миссии, о которой нас собирались проинформировать позже. Два или даже три раза в неделю мне приходилось теперь приезжать на ферму после наступления темноты, а потом часами просиживать за столом, изучая лоции, прогнозы погодных условий и сводки последних наблюдений за работой береговой охраны. Иногда вместе со мной собирался весь экипаж, а порой мы оставались втроем. Брандту было все равно. Он постоянно прижимал к себе Беллу, словно они переживали рассвет любовных отношений, гладил ее по волосам и шее, а однажды забылся настолько, что сунул руку ей под рубашку и взялся за обнаженную грудь, сопровождая это крепким поцелуем в губы. Но даже стремясь поспешно отвести глаза в сторону от этой сцены, я успел заметить, что взгляд Беллы все время был устремлен на меня. Она как будто хотела внушить мне: ей было бы куда приятнее, если бы на месте Брандта оказался я и принялся так же нежничать с ней.

«Откровенные объятия стали нормой», — сухо писал я в рапорте на бланке для лондонской резидентуры, оказавшись позднее той же ночью в своем кабинете. А в обычном донесении отмечал: «Маршрут, погодные условия и состояние моря представляются благоприятными. Ожидаем четких инструкций из головного офиса. Моральное состояние экипажа на самом высоком уровне».

Но вот мое собственное моральное состояние было далеким от идеального, поскольку проблемы возникали одна за другой.

Взять хотя бы весьма прискорбное дело, связанное с судьбой моего предшественника, капитан-лейтенанта Перри де Морнэя Липтона, кавалера ордена «За боевые заслуги», отставного офицера королевского военно-морского флота и в прежние времена одного из геройских внештатных агентов Джека Артура Ламли. Все десять лет до моего прибытия Липтон разыгрывал роль типичного для Гамбурга странного персонажа. Днем он вел себя как английский простачок с моноклем в глазу, слонялся по клубам для экспатриантов якобы для того, чтобы получить совет, куда ему лучше инвестировать сбережения. Но с наступлением ночи надевал шляпу сотрудника секретной службы и отправлялся на встречи с многочисленными шпионами, чтобы получить информацию и дать им инструкции. По крайней мере, так рассказывали о нем в центре.

Единственное, что с самого начала смутило меня и вызвало вопросы, было отсутствие положенной процедуры личной передачи дел между нами, но начальник отдела кадров объяснил это срочностью, с которой Липтона перевели в другое место. Позже им пришлось признать горькую правду. Липтон действительно отбыл в большой спешке, но не на смертельно опасное задание в медвежий угол России, а на юг Испании*, где вместе с бывшим кавалерийским капралом по имени Кеннет купил себе дом. При этом он прихватил средства Цирка на общую сумму двести тысяч фунтов — в основном в виде золотых слитков и швейцарских франков, которые якобы годами выплачивал в виде вознаграждения отважным агентам, никогда не существовавшим в природе.

Недоверие, порожденное этим печальным событием, бросило тень подозрения на все операции, к каким приложил руку Липтон, включая и деятельность Брандта. Уж не стал ли Брандт подражать Липтону фиктивной активностью, ведя роскошный образ жизни на выделяемые для него секретные фонды, скармливая Лондону в ответ сфабрикованные сведения? И не тем же ли самым занимались его хваленые соратники, получавшие весьма щедрое жалованье?

А тут еще Белла. Была ли она частью схемы обмана? И не она ли размягчила Брандту мозги, лишив собственной воли? Не строил ли Брандт себе уютное гнездышко в знойной Испании, где собирался провести остаток жизни в обществе возлюбленной?

Сразу несколько экспертов из Цирка побывали в этой связи в моей маленькой конторе заместителя консула по вопросам судоходства. Первым прибыл чудаковатый человек, назвавшийся капитаном Пламом. Скрючившись в моей тесной комнатенке для ведения секретных переговоров, мы с ним проверили всю документацию «Маргаритки» относительно расходов на топливо, количества пройденных миль, сравнивая данные с опасными маршрутами, которыми, как утверждал Брандт, он следовал с экипажем вдоль балтийского побережья. Разумеется, бортовой журнал был заполнен, мягко говоря, небрежно, что вообще свойственно всем бортовым журналам. Но мы детально вникали в каждую цифру, сопоставляя с привезенными Пламом записями перехваченных сигналов по радио, с данными радаров и плаву-

---

* Между Великобританией и Испанией не существует договора о взаимной выдаче преступников.

чих буев, отчетами о встречах с советскими патрульными пограничными катерами.

Неделей позже Плам вернулся в сопровождении отчаянного сквернослова из Манчестера, назвавшегося Роузом, служившего прежде полисменом в Малайе, но затем сумевшего завоевать в Цирке авторитет опытной ищейки. Роуз допрашивал меня так пристрастно, словно я сам был отъявленным мошенником. Но когда я уже готов был сорваться и наорать на него, обезоружил заявлением, что на основе имеющихся улик организацию Брандта нельзя подозревать в каких-либо предосудительных действиях.

Но ведь людям, подобным Роузу, отсутствие оснований для подозрений само по себе казалось странным и лишь порождало новые подозрения. К тому же все еще оставалась под вопросом реальная роль в предательстве, сыгранная Феликсом — отцом Беллы. Если отец был мерзавцем, то дочь должна знать об этом — такой логики придерживались наши чиновники. А если знала и помалкивала, то сама могла оказаться одного с ним поля ягодой. Как и Цирк, московский Центр имел обыкновение вербовать целые семьи. А потому связка «отец — дочь» отнюдь не выглядела неправдоподобной. Причем вскоре лондонская резидентура окончательно пришла к выводу, что именно Феликс был главным виновником трагических событий пятилетней давности.

Неотвратимо это привело к тому, что личность Беллы тоже предстала в еще более зловещем свете. Уже ходили разговоры о необходимости вызвать ее в Лондон для тщательного допроса, но тут сыграло роль мое мнение как офицера, курировавшего группу Брандта. Не стоит этого делать, настаивал я. Брандт такого отношения к своей возлюбленной не потерпит. Очень хорошо, последовал из Лондона ответ на мои возражения, изложенный в характерной для Хэйдона агрессивной манере, доставьте в Лондон их обоих и позвольте Брандту присутствовать при допросах девицы. На этот раз я до того разозлился, что сам отправился в Лондон, чтобы при личной встрече изложить Биллу свою точку зрения. Войдя в его кабинет, я застал Хэйдона на кушетке, поскольку он имел эксцентричную привычку никогда не работать, сидя за письменным столом. Палочка благовоний, установленная в пустой бутылке из-под имбирного пива, курилась дымком.

— Быть может, наш друг Брандт не так уж и обидчив, как тебе кажется, уважаемый Нед, — сказал он, глядя на меня поверх очков с полукруглыми линзами. — Быть может, это ты у нас слишком колючий?

— Но он совершенно без ума от нее, — возразил я.

— А ты сам?

— Если ты начнешь в чем-либо обвинять девушку в его присутствии, он может слететь с катушек. Он и живет только ради нее. Мы рискуем, что он пошлет нас к дьяволу и распустит свою сеть. А я сомневаюсь в нашей способности найти ему замену.

Хэйдон поразмыслил над моими словами.

— Гарибальди с Балтики. Что ж, интересно. Впрочем, Гарибальди не был идеален, верно? — Он ждал моего ответа, но я предпочел отнестись к его вопросу как к чисто риторическому.

— Эти клоуны, с которыми она якшалась в лесу... — наконец снова заговорил он. — Она много о них рассказывает?

— Она вообще ничего не рассказывает. Говорит только Брандт, но не она.

— Но о чем-то она говорит?

— Почти ни о чем. Если ей нужно сказать нечто важное, она прибегает к латышскому языку, а Брандт переводит ее слова или нет по своему усмотрению. А она по большей части улыбается и смотрит.

— На тебя?

— На него.

— Но она весьма хороша собой, насколько мне известно.

— Да, она привлекательна, как мне кажется. Несомненно.

Хэйдон снова взял паузу на раздумья.

— Послушать тебя, так она идеал молодой женщины, — наконец произнес он. — Улыбается и смотрит, хранит молчание, трахается — чего еще можно требовать? — Он снова пристально вгляделся в меня поверх очков. — Ты хочешь сказать, она не говорит даже по-немецки? Это вряд ли, правда? Будучи уроженкой тех мест. Не строй из себя дурачка, пожалуйста.

— По-немецки она говорит с большой неохотой, только если у нее не остается выбора. Говорить на латышском языке для нее — нечто вроде проявления патриотизма. Немецкий же ей чужд.

— Соблазнительные сиськи?

— Недурные.

— Не мог бы ты сблизиться с ней чуть сильнее? Не раскачивая любовную лодку, само собой. Получить ответы на некоторые вопросы было бы для нас весьма полезно. Ничего особо примечательного. Просто надо выяснить, та ли она, за кого себя выдает. Или наш друг Брандт пригрел у себя на груди змею. Подброшенную ему московским Центром, разумеется. Попытайся хоть что-то у нее выведать. Он ведь не мог быть ее настоящим отцом. Надеюсь, ты уже сам это понял. Просто физически не мог.

— О ком ты толкуешь? — На мгновение я так растерялся, что даже подумал, речь идет о Брандте.

— О ее батюшке — Феликсе. О том, кого расстреляли или не расстреляли — здесь пока нет ясности. О том фермере. Согласно ее досье, она родилась я январе сорок пятого года, не так ли?

— Так.

— Отсюда вывод: зачата примерно в апреле сорок четвертого. А в это время, если верить нашему другу Брандту, ее предполагаемый отец томился в лагере для военнопленных в Германии. Причем нам не следует проявлять пуританский и ханжеский подход. Мало ли жен опрокидывались на спину с другими, пока их мужья пропадали за колючей проволокой? Но даже столь мелкие детали важны, если предстоит принимать решение относительно целой сети агентов, которых, возможно, используют против нас.

Как же счастлив я был оказаться той ночью в объятиях Мейбл, хотя мы еще не стали такими искусными в любовных делах, какими отчаянно стремились стать. Но я, конечно, ничего не рассказывал ей о своих делах и даже не упомянул о Белле. Как сотрудница отдела проверки кадров, Мейбл была посвящена во многие повседневные дела Цирка, но я все же совершил бы ошибку, заставив ее взять на себя еще и бремя моих проблем. Впрочем, будь мы уже женаты... Тогда я мог бы изменить свое мнение. Но до тех пор Белла оставалась для Мейбл секретом.

Так уж все сложилось. Вернувшись в свою холостяцкую квартиру в Гамбурге, я постоянно думал о Белле и мало о чем еще. Окружавшая ее двойная тайна — просто как красивой женщины и как потенциальной предательницы — превращала ее для меня в источник многих опасностей. Мне невольно приходилось рассматривать ее теперь не как случайную фигуру в нашей организации, а как чуть ли ни вершительницу ее судьбы. Ее честность стала равносильна нашей общей. Если Белла чиста, то чистой можно было считать и нашу сеть. Но если она работала на врагов, если была внедрена к нам обманом, чтобы ослабить, направить по ложному пути и в итоге предать, то замаранной оказывалась репутация всех, кто общался с ней, догадка Хэйдона подтверждалась: сеть стала орудием в руках противника.

Я закрывал глаза и снова ощущал на себе взгляд Беллы, такой ясный и притягательный. Вновь ощущал нежность ее губ, которую чувствовал, когда мы формально обменивались поцелуями при встречах, — причем мне почти всегда мерещилось, что поцелуй длился на мгновение дольше, чем требовало обычное приветствие. Я рисовал в воображении ее податливое тело в различных позах, возвращаясь к образу так же часто, как и к мысли о возможности предательства с ее стороны. Я вспомнил предложение Хэйдона «сблизиться с ней чуть сильнее» и тут неожиданно обнаружил, что уже не в состоянии четко отделить чувство долга от собственных желаний.

Неоднократно подвергая мысленной ревизии историю ее побега, я задавался множеством вопросов по поводу каждого эпизода. Она бежала еще до расстрела или во время него? И как ей это удалось? Может, у нее был возлюбленный из числа полицейских, вовремя предупредивший ее? И вообще — имел ли место сам по себе расстрел? Почему она так мало оплакивала смерть отца, предаваясь любовным утехам с Брандтом? Даже ее довольство жизнью, как казалось, становилось уликой против нее. Затем я воображал ее в лесу, окруженной головорезами и беглыми преступниками. Пользовался ли ею каждый из них сколько хотел или она сама меняла одного на другого? Она являлась мне во снах обнаженной, посреди леса, и я — тоже нагой — лежал с ней рядом. Просыпаясь, охваченный стыдом за себя, я сразу же звонил Мейбл.

Понимал ли я сам свои чувства? Разбирался ли в них? Сильно сомневаюсь. Я слишком мало знал о женщинах вообще, а еще меньше — о таких красивых. Причем странным образом мне и в голову не приходило, что если я установлю виновность Беллы, то путы сексуального влечения к ней сразу же ослабнут. Исполненный решимости идти прямым и честным путем, я лишь боролся с собой и ежедневно писал письма Мейбл. Но в то же время я уже задумал использовать предстоявшую «Маргаритке» миссию как прекрасную возможность устроить для Беллы основательный допрос, причем отнюдь не с дружеских позиций. Погода ухудшалась, что вполне устраивало экипаж «Маргаритки». Наступила осень, ночи стали длиннее. А темноту «Маргаритка» тоже любила.

«Экипажу подготовиться в отплытию в понедельник», — поступило первое уведомление из лондонской резидентуры. Второе сообщение, полученное нами только в пятницу вечером, указывало пункт назначения — Нарвский залив в северной Эстонии, находившийся менее чем в ста милях к западу от Ленинграда. Никогда прежде не ходила «Маргаритка» так далеко вдоль русского побережья. Лишь изредка ее использовали для заходов в воды Латвии, чтобы оказать поддержку местным патриотическим группам.

— Я бы дорого дал, чтобы отправиться с вами, — сказал я Брандту.

— Ты представляешь для нас слишком большую угрозу, Нед, — ответил он, дружески похлопав меня по плечу. — Будешь страдать четыре дня от морской болезни, валяться в койке или путаться у всех под ногами. И за каким чертом нам это нужно?

Мы оба знали: мое участие в походе невозможно. Самое большое, что дозволялось мне особым приказом сверху, это провести на борту ночь, пока шхуна огибала шведский остров Борнхольм, но даже такое «плавание» я переносил хуже, чем визит к дантисту.

В субботу вечером мы все собрались на ферме. Казимирс и Антонс Дурба приехали вместе на микроавтобусе. Сегодня Антонсу выпала очередь отправиться в море. При столь ограниченной численности экипажа каждый обязан был знать и уметь все, незаменимым не было места в разведгруппе. Никто больше не пил ни капли спиртного. С этого момента на шхуне вводился сухой закон. Казимирс привез омаров, которых с особым старанием приготовил в своем знаменитом соусе, а Белла играла роль его помощницы, судовой стюардессы, украшая собой комнату. Когда с трапезой было покончено, она убрала со стола посуду и при свете подвешенной сверху лампы расстелила на нем лоции.

Брандт сказал, что им потребуется на все шесть дней. Но эта оценка выглядела излишне оптимистической. От Кильского канала «Маргаритке» предстояло выйти в открытое море, обойдя Борнхольм со шведской стороны. По достижении Готланда — другого шведского острова — шхуне предстоял заход в городок Сундре на его южной оконечности для пополнения запасов топлива и провизии. Во время заправки к ним подойдут двое мужчин, один из которых спросит, нет ли у них селедки. Отзыв был таким: «Только в консервных банках. Сельдь не ловится в этих водах уже много лет». Очень часто подобные обмены паролями казались чистейшей глупостью, вот и сейчас Антонс и Казимирс зашлись в приступе нервного смеха. Вернувшаяся из кухни Белла тоже стала хихикать.

Один из мужчин попросит взять его на борт, продолжал я. Это специалист — я умышленно не назвал его диверсантом, поскольку у членов экипажа были двойственные чувства по поводу экспертов такого рода. На время путешествия он для них станет просто Володей. При нем будет кожаный чемодан, а в кармане плаща должны лежать две пуговицы — коричневая и белая, — как еще одно подтверждение, что он свой. Если же он не отзовется на имя, не принесет с собой чемодана или пуговиц, им следовало оставить его на берегу, но и пальцем не тронуть, а самим сразу же возвращаться в Киль. Имелся заранее условленный радиосигнал на такой случай. Если же все пройдет хорошо, от них не ждали больше никаких сигналов. На минуту в комнате воцарилось молчание, и я слышал, как Белла прошлепала босыми ступнями по кирпичному полу, принеся еще немного дров для камина.

От Готланда им надлежало взять курс на северо-восток через международные воды, объяснял я, и пересечь главный фарватер Финского залива, чтобы оказаться в районе острова Гогланд, где следовало дождаться сумерек, а затем направиться на юг, в Нарвский залив, точно рассчитав время прибытия к берегу и оказавшись там к полуночи.

Я принес с собой крупномасштабные лоции залива и фотографии песчаного побережья, разложил на столе, и мужчины собрались рядом со мной, чтобы взглянуть на них. Внезапно что-то привлекло мой взгляд, и я увидел, как Белла, свернувшись на диване в углу, взволнованно смотрит на мое лицо, подсвеченное огнем камина.

Я показал им точку на пляже, куда следовало отправить «Зодиак», а потом место в глубине материка, откуда им начнут подавать сигналы. Для операции по высадке экипаж воспользуется ультрафиолетовыми очками, а принимающая эстонская группа — ультрафиолетовой лампой. Невооруженному глазу ничего не будет заметно. После прибытия на берег пассажира с чемоданом катер должен ждать не более двух минут на случай непредвиденных обстоятельств, а потом на полной скорости вернуться к «Маргаритке». Управлять катером будет только один человек, чтобы в нем оставалось место для второго, если вдруг возникнет необходимость кого-то забрать с собой. Я назвал пароли, которыми следовало обменяться с принимающей стороной, и теперь это ни у кого не вызвало смеха. Мы вместе изучили глубины и угол наклона дна в месте высадки. Ночь ожидалась безлунной. А кроме того, прогнозировались скверные погодные условия, что всех вполне устраивало. Белла принесла нам чай, небрежно касаясь каждого из нас, когда устанавливала поднос. Она словно намеренно привносила долю соблазна в нашу работу. Оказавшись рядом с Брандтом, склонившимся над лоцией, она с очень серьезным видом принялась гладить его по широкой спине обеими руками, что выглядело попыткой передать ему часть молодой силы.

Я вернулся к себе в квартиру в пять утра, но не собирался ложиться спать. После обеда вместе с Брандтом и Беллой я на микроавтобусе добрался в Бланкенезе. Антонс и Казимирс провели на шхуне весь день. Они заранее облачились для плавания в непромокаемые брюки и матросские шапочки с помпонами. На палубе ярко выделялись оранжевые спасательные жилеты. Пожимая руки всем поочередно, я одновременно выдал каждому прочные и стойкие к морской воде капсулы, содержавшие смертоносные дозы чистого цианистого калия. Среди окружавшей нас серости моросил мелкий дождик, и в небольшой гавани никого больше не было видно. Брандт направился к трапу, но когда Белла попыталась последовать за ним, он остановил ее.

— Дальше тебе нельзя, — сказал он. — Ты остаешься с Недом.

На ней была его старая пуховая куртка и шерстяная шапка-ушанка, которую, как я догадывался, Белла носила с тех пор, как он спас ее. Они долго обнимались и целовались, пока он решительно не оттолкнул ее и не взошел на борт, оставив рядом со мной. Антонс спустился в моторный отсек, а потом мы услышали, как сначала закашлялся, а потом равномерно загудел двигатель. Брандт и Казимирс отдали швартовы. На нас никто из них больше не смотрел. «Маргаритка» отошла от причала и неспешно вышла на середину реки. Трое мужчин стояли на палубе, повернувшись к нам спиной. Донесся звук гудка шхуны, а мы наблюдали за ней, хотя она вскоре скрылась в серой пелене тумана.

Как брошенные дети, мы с Беллой, взявшись за руки, вернулись к рампе, где Брандт припарковал фургон. Мы молчали. Нам нечего было пока сказать друг другу. Я оглянулся в надежде еще раз увидеть корму «Маргаритки», но туман полностью поглотил судно. Затем я посмотрел на Беллу и заметил, что ее глаза сияли странным светом, а дыхание стало учащенным.

— С ним все будет хорошо, — успокаивающе сказал я, отпустив ее руку, когда открывал дверцу машины. — Они очень опытные моряки. А Брандт — просто выдающаяся личность.

Даже по-немецки мои слова звучали довольно нелепо.

Она села в фургон рядом со мной и взяла мою ладонь. Ее пальцы ощущались кожей как некие отдельные живые существа. Постарайся сблизиться с ней, продолжал настаивать Хэйдон. И в последнем донесении я заверил его, что непременно попытаюсь.

Сначала мы ехали молча, уподобляясь друзьям, которых одновременно и сближают и отдаляют друг от друга общие переживания. Я вел микроавтобус осторожно, все еще ощущая напряжение во всем теле, но по-прежнему держал ее руку в своей, ободряя и успокаивая, а когда приходилось вращать руль обеими руками, как я заметил, она оставляла ладонь рядом со мной, ожидая, чтобы я снова взял ее. И внезапно я понял, что не знаю, куда отвезти Беллу, а это представлялось важным. До странности важным, до абсурда. Я подумал об одном из элегантных ресторанов в подвальчиках с уютными нишами, где я встречался со своими агентами из числа банковских служащих. Пожилые обходительные официанты придали бы ей необходимую уверенность в будущем, в которой она сейчас нуждалась. Но понял, что старая куртка Брандта, джинсы и резиновые сапожки не годились для подобных заведений. Я и сам не был одет соответствующим образом. Так куда направиться? Уже наступил вечер. Сквозь туман по обе стороны дороги в домах горел свет.

— Ты голодна? — спросил я.

Она отняла у меня руку и положила себе на бедро.

— Хочешь, я найду место, где мы сможем поесть? — задал я вопрос иначе.

Она молча пожала плечами.

— Отвезти тебя обратно на ферму?

— А зачем?

— Просто я задумался о том, как ты собираешься провести следующие несколько дней, вот и все. Чем ты занималась, когда они уходили на задание в прошлый раз?

— Отдыхала от него, — ответила она со смехом, какого я совершенно от нее не ожидал.

— Скажи, как ты предпочтешь дожидаться его? — спросил я слегка начальственным тоном. — Хочешь побыть одна? Или встретиться с другими эмигрантками, чтобы поболтать и посплетничать? Что для тебя лучше?

— Это не имеет значения, — ответила она, отодвигаясь от меня немного дальше.

— И все равно, скажи. Помоги мне.

— Буду ходить в кино. Разглядывать витрины магазинов. Листать журналы. Слушать музыку. Попытаюсь взяться за учебу. И доведу себя до смертельной скуки.

Я остановил выбор на явочной квартире. Там в холодильнике есть запас продуктов, подумал я. Накормлю ее, дам основательно выпить и заставлю разговориться. А потом либо сам отвезу на ферму, либо вызову такси.

Когда мы въехали в город, я оставил машину в двух кварталах от явочной квартиры, а потом, снова взяв за руку, повел Беллу вдоль деревьев на тротуаре. Я бы держался точно так же с любой женщиной на темной улице, но отчего-то возникало тревожное ощущение от прикосновения к ее руке, скрытой в рукаве куртки Брандта. Город все еще оставался мне почти незнаком. В освещенных окнах люди разговаривали и смеялись, а нас как бы и не существовало вовсе. Она вцепилась в мою руку и порывисто прижала к груди, хотя, если быть точным, то под самую грудь, и я мог чувствовать ее форму даже под плотным слоем одежды. Вспомнились старые шутки, повторявшиеся некоторыми офицерами в барах Цирка, они утверждали, будто самую ценную информацию добывали именно в постелях у женщин. Пришел на память и вопрос Хэйдона, хороши ли у нее сиськи. Мне стало стыдно, и я отдернул руку.

Со стороны кладбища в квартиру вела дверь черного хода. Я отпер ее, пропустил Беллу вперед, и в этот момент она обернулась и поцеловала меня в глаза — сначала в один, потом во второй, сжав лицо ладонями. Я обнял ее за талию. Она казалась легкой до невесомости. И ей сейчас было очень хорошо. На лице сияла улыбка, заметная даже в тусклом желтом свете кладбищенских фонарей.

— Все умерли, — возбужденно прошептала она. — Только мы остались в живых.

Я первым поднялся по лестнице. На полпути задержался и обернулся, чтобы посмотреть, следует ли она за мной. Я боялся, что она может передумать. И если честно, то меня всерьез пугала возникавшая перспектива. Не из-за моей неопытности в постели (благодаря Мейбл я уже кое-что умел), а потому что знал — мне предстоит иметь дело с женщиной из той категории, с какой жизнь никогда не сводила меня прежде. Она стояла у меня за спиной, держа резиновые сапоги в руках и все еще улыбаясь.

Я открыл перед ней дверь. Она снова поцеловала меня, весело смеясь, когда я взял ее на руки и перенес через порог, словно это был день нашей свадьбы. Мне почему-то не к месту вспомнился русский обычай никогда не пожимать друг другу руки через порог, и, возможно, у латышей существовала такая же традиция, а ее поцелуи могли оказаться лишь подобием обряда изгнания из меня дьявола. Я хотел спросить ее об этом, но, как оказалось, от волнения почти лишился голоса. Закрыв дверь, я пересек комнату, чтобы включить обогреватель — электрическую батарею с вентилятором, которая сначала стала гнать в холодную комнату плотный поток теплого воздуха, а потом вдруг резко умерила его, уподобившись псу, который проснулся, порезвился, а потом снова впал в спячку.

Из кухни я принес бутылку вина. Когда же вернулся в гостиную, Беллы там не оказалось, зато полоска света появилась под дверью ванной. Я тщательно накрыл на стол, разложив вилки, ножи, ложки, поставив посередине тарелку с сыром и холодным мясом, протер бокалы и приготовил салфетки, сделав все, что пришло мне в голову, поскольку формальности гостеприимства позволяли отвлечься от обуревавших меня мыслей, несколько отстраниться, стараясь пока не обдумывать происходившего.

Дверь ванной открылась, и показалась она, набросив на себя куртку Брандта вроде домашнего халата. Если судить по обнаженным ногам, больше на ней ничего не было. Она расчесала волосы. На наших явочных квартирах мы всегда держим расчески и щетки для дорогих гостей.

Помню, о чем подумал в ту секунду. Если она была врагом, как подозревал Хэйдон, с ее стороны становилось поистине ужасным символичным жестом надеть одежду человека, которого она предавала. Не менее ужасный поступок совершал и я сам, соглашаясь стать ее избранником, в то время как мои агенты направлялись на опасное задание, готовые принять несущие немедленную смерть капсулы, хранившиеся у них в карманах. Но на самом деле чувства вины я не испытывал. Упоминаю об этом, чтобы вы поняли, какие замысловатые зигзаги совершали мои мысли, как метались в разных направлениях в отчаянных попытках умерить вожделение.

Я поцеловал ее, сдернул куртку и, признаюсь, никогда — ни до, ни после этого момента — не видел ничего более красивого.

А истина заключалась в том, что в то время и в том возрасте я еще не обрел способности не ставить знака равенства между правдой и красотой. Не воспринимать внешнюю прелесть как воплощение правдивости во всем. Они слились для меня в единое целое, и все, что я мог чувствовать, — это бесконечное восхищение. Если я когда-либо и подозревал Беллу в чем-то, то один вид ее обнаженного тела убедил меня в ее полнейшей невиновности.

От этой точки лучше было бы, чтобы образы, возникающие в моей памяти, продолжили рассказ за меня. Даже сегодня я рассматриваю этих двоих как совершенно посторонних людей, а не как ее и меня самого.

Нагая Белла лежит на боку в полусвете, очень похожем на отсвет из камина, как тогда, когда я впервые увидел ее на ферме. Я принес из спальни одеяло.

— До чего же ты красив, — шепчет она.

А мне и в голову не проходило, что я способен вызвать в ней ответное восхищение.

Белла, стоящая у окна, где смутный кладбищенский свет лепит из ее тела бесподобных пропорций статую, золотит мелкие волоски на руках и четко обрисовывает формы высоких грудей.

Белла, покрывающая поцелуями лицо Неда, сотней маленьких поцелуев, которые вдохновляют его, наполняют жизненными силами. Белла, смеющаяся от осознания своей и нашей общей безграничной красоты. Белла, привносящая смех в любовь, чего я никогда не испытывал раньше, радуясь до тех пор, пока каждая частичка наших тел не становилась поводом для отдельного праздника, чтобы быть исцелованной, обласканной и восхваленной.

Белла, отворачивающаяся от Неда, но лишь предлагая себя немного иначе, принимая его одним движением, не прекращая что-то все время шептать. Но затем шепот обрывается. Она начинает свое восхождение, выгибаясь аркой, пока не достигает предела. И внезапно разражается громким криком, адресованным и мне, и, как кажется, всем погибшим, провозглашая, что она — самое живое из всех существ на свете.

А затем Нед и Белла наконец затихают. Они встают у окна и смотрят вниз на погост.

— Да, у меня есть Мейбл, — говорю я, — но мне, наверное, слишком рано думать о женитьбе.

— Думать об этом всегда слишком рано, — отзывается она, и мы снова начинаем заниматься любовью.

Белла в ванне, и я сам лежу с противоположной стороны, упершись спиной в краны, пока она лениво ласкает меня под водой и рассказывает о своем детстве.

Белла растягивается поверх одеяла, привлекая мою голову к своей промежности.

Белла наверху. Она скачет на мне.

Белла сидит на коленях над моим лицом, открывая мне свой потаенный сад прямо в глаза, и переносит меня в места, каких я и вообразить не мог, даже когда лежал на узкой мальчишеской кроватке, мечтая о том, что когда-то наступит вот такой момент, и стараясь, ничего еще не зная, представить сладостность путешествия в неизведанное.

А в паузах вы видим разморенного Неда в дреме. Его голова покоится между грудей Беллы. Рядом на столе ждет так и не тронутая еда. Столь тщательно приготовленная мной в попытке самозащиты трапеза на двоих. С совершенно пустым и прозрачным после секса сознанием я еще делаю жалкие попытки задавать вопросы, чтобы удовлетворить любопытство Хэйдона и свое собственное.

Я отвез ее домой и добрался до своей квартиры около семи часов утра. Уже вторые сутки пошли, как я толком не спал, но как раз спать мне совершенно не хотелось. А потому я сел за стол и написал донесение о встрече, причем мое перо буквально летало по бумаге, поскольку я все еще не до конца вернулся из рая. Никаких сообщений с борта «Маргаритки» не поступало, но я и не ожидал ничего. Только с наступлением вечера от них пришел короткий промежуточный рапорт. Они миновали Киль и направлялись в Кильский канал. Только часа через два шхуна должна была выйти в открытое море. Тем же вечером мне предстояла встреча с прикормленным немецким журналистом, а утром совещание по консульским вопросам. Я в завуалированной форме сообщил Белле новости по телефону и пообещал приехать как можно раньше, поскольку ей не терпелось увидеть меня на ферме. Когда Брандт вернется, объяснила она, ей хотелось бы иметь возможность оглядывать каждый уголок их жилища, где мы обязательно займемся с ней сексом, и думать только обо мне. Полагаю, это лишь послужит для вас подтверждением мощи иллюзий, порождаемых любовью, что мне не виделось в ее грезах ничего подлого или хотя бы странного. Мы создали мирок для нас двоих, и она желала оставаться в нем даже в то время, когда меня не будет рядом. Вот и все. Она оставалась девушкой Брандта. А от меня не ожидала ничего, кроме физической близости и любви.

Стоило мне приехать, как мы тут же уединились в длинной гостиной, где на этот раз накрыла на стол она. Мы уселись за еду совершенно голые, потому что ей так хотелось. Ей нравилось видеть мою наготу среди до боли знакомых предметов мебели. А потом мы занялись любовью в их постели. Вероятно, я должен был испытывать хотя бы легкий стыд, но ощущал лишь повышенное возбуждение, ведь был допущен в самое сокровенное для этой пары местечко.

— Вот его расчески и щетки для волос, — показывала она. — Вот его одежда. Кстати, ты и лежишь на его стороне кровати.

Однажды я пойму, что все это для нее значит, почему так важно, подумал я. А затем возникла гораздо более мрачная мысль: а что, если я стал для нее продолжением удовольствия, которое она получает от любого предательства?

Следующим вечером я наметил визит к старому поляку в Любек, который наладил секретную переписку со своим двоюродным племянником в Варшаве. Парнишка учился на шифровальщика, чтобы работать затем в польской дипломатической службе, и хотел стать нашим агентом в обмен на последующий переезд в Австралию. Лондонская резидентура рассматривала возможность прямого контакта с ним. Вернувшись в Гамбург, я наконец-то заснул мертвым сном. На следующее утро, пока я все еще писал отчет, сигнал, пришедший через Лондон, дал мне знать, что «Маргаритка» успешно дозаправилась в Сундре и держала курс на Финский залив с пассажиром по имени Володя на борту. Я позвонил Белле, рассказал, что все хорошо, а она попросила:

— Пожалуйста, приезжай ко мне.

Утро я провел в полицейском участке на Репербане, выручая двух английских торговых моряков, учинивших пьяный дебош в борделе, а после обеда участвовал в кошмарном чаепитии, устроенном женами консульских работников для сбора пожертвований в фонд помощи политическим заключенным. Оставалось лишь пожалеть, что моряки не разгромили и этот бордель. На ферму я приехал к восьми, и мы сразу отправились в постель. В два часа ночи зазвонил телефон, и Белла сняла трубку. Это был мой личный шифровальщик, звонивший из офиса. Прибыла депеша: расшиф-

ровать лично и срочно. Мое присутствие требовалось немедленно.
Я мчался быстрее ветра и добрался до конторы за сорок минут.
Усаживаясь за книжки с кодами, я вдруг ощутил запах Беллы, исходивший от моих лица и рук.

Сообщение было передано кодом Хэйдона, лично резиденту
в Гамбурге. Группа высадки с «Маргаритки» попала под массированный огонь с заранее подготовленных позиций, говорилось
в послании. О судьбе катера ничего не было известно, как и о пассажирах. Зловещее предзнаменование для Антонса Дурбы, его
спутника и, вероятно, для тех, кто должен был встречать их на
берегу. Судьба эстонских патриотов оставалась неясной. С борта
«Маргаритки» отчетливо различили ультрафиолетовые сигналы
с пляжа, но только одну полную их серию, а потому предполагалось, что эстонскую группу схватили, как только они передали, что
высадка возможна. Знакомая история, напоминавшая то, что происходило пять лет назад. Резервный передатчик в Таллине тоже не
отзывался.

Я не должен был ни с кем делиться этой информаций, вернувшись в Лондон первым же утренним рейсом. Место в самолете
уже было забронировано. Тоби Эстерхази встретит меня в Хитроу.
Я набросал черновик ответа и передал своему сотруднику, который без лишних слов взялся за шифровку. Он знает, подумал я.
Как он может не знать? Он же звонил мне на ферму и разговаривал
с Беллой. Остальное прочитал на моем лице и, насколько я понимал, запах тоже почувствовал.

На этот раз благовония в кабинете Хэйдона не курились, а он,
против обыкновения, сидел за рабочим столом. Рой Бланд, глава
восточноевропейского отдела, располагался с ним по одну сторону, Тоби Эстерхази — по другую. Должность Тоби с трудом
поддавалась определению. Он и сам предпочитал не вносить полной ясности в данный вопрос, надеясь, что это прибавит ему веса
в глазах окружающих и будет способствовать дальнейшей карьере.
На деле же он был мальчиком на побегушках при Хэйдоне, что
позже сыграло для него негативную роль. И, к своему удивлению,
я увидел Джорджа Смайли, тоскливо притулившегося поодаль на
краю любимой кушетки Хэйдона, хотя вся символичность занятой
им тогда позиции дошла до меня только три года спустя.

— Это дело внедренного к нам агента, — начал Хэйдон без предисловий. — Задание было обречено на провал с самого начала.

И если Дурба не покоится на морском дне, то его уже заставили рассказать все, что ему известно. Володя знает очень мало, но как раз в этом и заключается сложность его положения, ведь ему никто не поверит, а нужно будет как-то объяснить наличие у него целого мешка взрывчатки. Быть может, он успел принять таблетку, но я сомневаюсь — он ведь обычный наемник, простофиля, а не настоящий профессионал.

— Где Брандт? — спросил я.

— Сидит под яркой лампой в комнате для допросов Саррата и ревет, как буйвол. Кто-то допустил очень большую оплошность. И мы сейчас как раз выясняем у Брандта, не он ли сам допустил ее. А если нет, то кто еще. Это почти точная копия провалов, происходивших несколько лет назад. Каждого члена экипажа «Маргаритки» подвергнут отдельному допросу.

— А где сама шхуна?

— В Хельсинки. Мы поместили на борт людей из военно-морского флота, и у них приказ доставить ее в Лондон уже сегодня вечером. Финнам не очень нравится предоставлять убежище в своей гавани тем, кто дразнит большого русского медведя. И будет чудом, если эта история не просочится в прессу.

— Понимаю, — отозвался я с глуповатым видом.

— Хорошо. Потому что я сам ничего не понимаю. Что нам делать? Расскажите мне. В вашем распоряжении тридцать агентов в Прибалтике, которые ждут ваших приказов. Что вы им скажете? Или промолчите? Извинитесь? Или будете вести себя как ни в чем не бывало? Любые предложения с благодарностью принимаются.

— Братья Дурба ничего не знали об эстонской сети, — начал я. — Антонс не мог выдать того, о чем ему не было известно.

— Тогда кто же предал самого Антонса? Скажите, сделайте одолжение. Кто передал информацию о высадке, конкретном пляже, его координатах, времени операции? Мы думали, Брандт обвинит во всем Беллу — местную шлюху. Но этот болван стал валить вину на нас самих.

Он был в ярости, и весь его гнев обрушился на меня. Я и представить не мог, что вечная летаргия Хэйдона может оборачиваться приступами неистовой злобы. Но при этом говорил он не слишком громко, обычным тоном представителя высшего класса, произнося слова немного в нос. Ему удавалось сохранять несколько отстраненный и даже небрежный вид. Даже обуреваемый страстями, он выглядел хладнокровным и невозмутимым, что производило еще более устрашающее впечатление.

— Так что же вы нам скажете? — повторил он вопрос.

— О чем?

— Да о ней, конечно же, мой милый. О мисс Латвия с ее прелестными пухлыми губками. — Он держал донесение, написанное мной после первой ночи, проведенной с Беллой. — Боже правый! Я просил составить аналитическую записку. А вы написали о ней почти поэму.

— Думаю, она невиновна, — сказал я. — Мне она показалась простой деревенской девушкой. Такова моя оценка. Полагаю, Брандт разделяет мое мнение. Она ответила на мои вопросы, подробно и правдоподобно рассказала о своем прошлом.

Хэйдон снова излучал сплошное обаяние. Ему подобные переходы удавались с поразительной легкостью. Он привлекал тебя к себе, а потом вдруг неожиданно отталкивал. Заставлял плясать под свою дудку, вызывая самые противоречивые чувства. И ему это нисколько не трудно было делать, поскольку собственные эмоции никогда не захватывали его.

— Большинство вражеских агентов заранее готовят правдоподобные «легенды», — возразил он, листая мое донесение. — По крайней мере, хорошо подготовленные шпионы. Не так ли, Тоби? — обратился он к своему любимчику Эстерхази.

— Совершенно верно, Билл. Ты абсолютно прав. На все сто, я бы сказал, — поддакнул Эстерхази.

Всем были розданы копии моего документа. Пока они изучали их, обращая особое внимание на подчеркнутые Хэйдоном абзацы, в комнате царило молчание. Рой Бланд поднял голову и пристально всмотрелся в меня. Бланд в свое время читал нам лекции в Саррате. Он родился на севере Англии. Бывший ученый, проведший многие годы за «железным занавесом», пользуясь своим академическим прикрытием. У него был заметный провинциальный акцент и монотонный голос.

— Белла признала, что отец на самом деле не являлся ее биологическим родителем, верно, Нед? Ее мать изнасиловали немцы, и та забеременела. То есть по крови она наполовину немка. Я правильно излагаю, Нед?

— Да, это так, Рой. Если верить ее словам.

— А потом, когда отец, как она стала его называть, то есть когда Феликс вернулся из плена и узнал о случившемся, он удочерил ребенка. Беллу. Очень благородно с его стороны. Она сама обо всем рассказала, не пытаясь ничего скрыть, верно, Нед?

— Да, Рой, верно.

— Тогда какого ж дьявола она не рассказала Брандту ту же трогательную историю, которую поведала тебе?

Я и сам задал ей такой же вопрос, а потому мог объяснить сразу:

— Когда Брандт пообещал переправить ее на Запад, она испугалась, что он передумает, если узнает, что она не родная дочь его бывшего лучшего друга. Они ведь тогда еще не стали любовниками. А он ей предлагал, по сути, не только защиту, но и спасение жизни. Белле было страшно. И она приняла его предложение. После долгой жизни в лесу она впервые оказалась на Западе. Ее так называемый отец погиб, и она нуждалась в ком-то, кто заменил бы его.

— То есть в Брандте? — переспросил Бланд не без доли лукавства.

— Да. В ком же еще?

— А тебе не кажется странным, Нед, что Брандту так или иначе не стала известна правда о ней? — спросил он с ноткой триумфа. — Если Брандт действительно был настолько близким приятелем Феликса, как он заявляет, то непременно узнал бы от него такие важные подробности. Подумай сам, Нед. Здесь что-то не стыкуется.

В этот момент вмешался Смайли, как мне показалось, чтобы прийти мне на помощь:

— Брандт, весьма вероятно, знает обо всем, Рой. Но разве бы ты сам рассказал дочери своего лучшего друга, что она незаконнорожденное дитя какого-то немецкого солдата, если бы не был уверен, что ей известно об этом? Уверен, не рассказал бы. Сам я приложил бы максимум усилий, чтобы уберечь ее от таких новостей. Особенно если приемный отец погиб, а я к тому же влюбился в его дочь.

— К черту любовь! О какой любви речь? — воскликнул Хэйдон, переворачивая очередную страницу моего донесения. — Брандт — неотесанная деревенщина, похотливый козел. Поясните лучше, кто такой Тадео, о котором она так много рассказала. Что это за тип? «Тадео видел, как трупы забросили в кузов грузовика. По словам Тадео, тело моего отца погрузили последним. Большинству стреляли прямо в лица, но отцу пули попали в грудь и в живот. Автоматная очередь почти перерезала его пополам». Что меня поражает? Как эта нежная фиалка спокойно делится кровавыми подробностями, если они придают ее истории правдоподобие. Странно.

— Тадео был ее первым возлюбленным, — сказал я.

— А ты уж не ревнуешь ли? — спросил Хэйдон, вызвав смех своих сатрапов, сидевших по обе стороны от него.

Не смеялись лишь я и Смайли.

— Тадео учился с ней в одной школе, — продолжил я. — Ему поручили охранять дом, когда там происходила секретная встреча, но он пренебрег своими обязанностями и занялся с Беллой любовью на соседнем поле. Вот как ей удалось спастись. Тадео велел ей бежать оттуда со всех ног и посоветовал, к кому обратиться, когда доберется до партизан. Затем он спрятался в соседнем доме и наблюдал за происходившим, чтобы потом догнать ее. Об этом сказано в моем рапорте.

Тоби Эстерхази не удержался, чтобы не вставить собственной насмешливой реплики на обычной смеси австро-венгерско-английского языка:

— И сам Тадео, конечно же, очень своевременно погиб, верно, Нед? Я бы сказал, что быть свидетелем истории, рассказанной Беллой, весьма рискованно, как считаешь?

— Его застрелил пограничник, — ответил я. — Причем Тадео даже не пытался пересекать границу. Его отправили на разведку. Но это верно: у нее самой возникло чувство, что погибают все, с кем она сближается, — добавил я, невольно вспомнив случай с Беном.

— Вот в этом она, вероятно, права, — заметил Хэйдон.

Совершенно против моих ожиданий Рой Бланд попытался встать на мою защиту, поскольку усиливалось ощущение, будто они все стремятся загнать меня в угол.

— Имейте в виду, что Тадео мог искренне заблуждаться относительно смерти Феликса. Может, полиция лишь имитировала его расстрел. Ведь в кузове грузовика он оказался последним. Там все было залито кровью, как на скотобойне. Им не пришлось бы даже поливать его томатным соусом, верно? Кровь и так перепачкала тело.

Но Смайли сразу нашел возражения против аргументов Бланда, и я даже начал опасаться, что лишился его поддержки, так пылко настаивал он на своей версии.

— А настолько ли важна для нас фигура отца, Билл? — спросил он. — Феликс мог быть худшим иудой всех времен и народов, но при этом иметь чистую и ни в чем не повинную приемную дочь.

— Мне тоже так кажется, — добавил я. — Она любила отца и с удовольствием вспоминает о нем. Считает его достойным человеком и чтит его память. До сих пор скорбит о его гибели.

Я вспомнил, как Белла смотрела из окна на кладбищенский двор. Вспомнил, как всякий раз выражала желание поднять тост за дарованную нам жизнь. И отказывался даже предполагать, что она все время притворялась.

— Ладно, оставим это, — нетерпеливо бросил Хэйдон и кинул мне через стол большую фотографию. — Мы пусть и с трудом, но поверим вам. А теперь скажите, что вы думаете по поводу вот такой группы?

Снимок был сильно увеличен и потому не резок. Я понял, что это переснятая фотография. В левом верхнем углу стоял красный штамп с единственным словом: «Нечистые». В лондонской резидентуре таким образом помечали материалы, полученные из самого засекреченного источника. Слухи об этом уже дошли до меня. Предупреждение Тоби Эстерхази послужило лишь подтверждением сплетен:

— Вы никогда не видели эту фотографию, Нед, — произнес он через плечо Хэйдона с той фальшивой заботой в голосе, которую обычно приберегают для совсем уж неопытных сотрудников. — И не видели слова «Нечистые». Когда вы покинете эту комнату, то напрочь обо всем забудете.

Это был групповой снимок молодых людей — мужчин и женщин, выстроившихся у здания, похожего на казарму или корпус университетского общежития. Их было человек шестьдесят, одетых в гражданское. Мужчины в костюмах с галстуками, женщины в просторных белых блузках и длинных юбках. Группа мужчин постарше и довольно зловещего вида дама расположились чуть в стороне от них. Общее настроение фотографии, как и одежда, и стена здания, производило мрачноватое впечатление.

— Второй ряд хора, третья фигура справа, — подсказал Хэйдон, подавая мне увеличительное стекло. — Недурные сиськи, как нам их и описали.

Несомненно, это была Белла. Тремя или четырьмя годами моложе, верно, с волосами, зачесанными назад и собранными, по всей видимости, в пучок. Но трудно было бы не узнать широко посаженных ясных глаз Беллы, ее неизменной обаятельной улыбки и высоких скул, которые мне так понравилось целовать.

— Белла ни разу не нашептала тебе на ушко, что проходила обучение на курсах иностранных языков в Киеве? — спросил меня Хэйдон.

— Нет.

— Она вообще рассказывала о том, какое образование получила, если не считать уроков, преподанных ей Тадео среди душистого сена?

— Нет.

— Ну разумеется. Курсы в Киеве — это же не настоящая школа. И рассказывать потому особенно не о чем. Если только не признаться при допросе. Теоретически там расположено учебное заведение для будущих переводчиков, но вот только боюсь, что на самом деле оно является одним из многочисленных вспомогательных подразделений московского Центра. Центр им владеет, присылает своих преподавателей, а потом отбирает лучших выпускников. Неудачники идут служить в Министерство иностранных дел. Как у нас.

— Брандт это видел? — спросил я.

Его небрежный тон мгновенно улетучился.

— Шутите? Брандт заинтересованное лицо и важный свидетель. Причем его рассматривают как враждебного нам агента. И остальных тоже.

— Я могу встретиться с Брандтом?

— Не рекомендовал бы.

— Это означает «нет»?

— Вы все правильно поняли.

— Были ли материалы из разведки «Нечистые» также и источником информации, направленной против отца Беллы?

— А вот это уже не вашего ума дело, — резко ответил Хэйдон, но я успел уловить удивление в глазах Тоби и понял, что попал в точку.

— У московского Центра такая традиция — делать групповые снимки своих потенциально самых лучших агентов? — спросил я, ободренный взглядом, брошенным на меня Смайли, в котором снова читалась поддержка.

— Но мы ведь делаем такие фото в Саррате, — возразил мне Хэйдон. — Почему же лишать такой возможности московский Центр?

Я чувствовал, как капли пота побежали по спине, и знал, что в любой момент меня может выдать неуверенный голос. Тем не менее отважно продолжил:

— Удалось ли идентифицировать на этой фотографии кого-то еще?

— Вообще-то да.

— Кого именно?

— Не имеет значения в данный момент.

— Какие языки она изучала?

Хэйдону я уже явно успел надоесть своими вопросами. Он закатил глаза вверх, словно моля небо о даровании ему бесконечного терпения.

— Они все изучают там английский, мой дорогой, если именно это интересует вас в первую очередь, — медленно, растягивая слова, ответил он, а потом опустил подбородок на скрещенные ладони и бросил на Смайли выразительный взгляд.

Мне не дано читать чужие мысли, и я не смог бы понять, что означал обмен взглядами между этими двумя людьми, как не ведал, о чем они успели поговорить прежде. Но даже сейчас, когда я могу о многом судить в ретроспективе, помню ощущение, что попал на поле боя между двумя враждовавшими сторонами. Даже на таком отдалении от руководства я невольно ловил слухи о происходивших в Центре внутренних распрях. О том, как великий Икс проходил мимо не менее великого Игрека по коридору и даже не здоровался с ним. Как Эй отказывался в баре садиться за один стол с Б. О том, что лондонская резидентура Хэйдона постепенно становилась государством в государстве, подминая под себя региональные отделы, забирая в свое подчинение особые подразделения, включая наружное наблюдение, службу прослушки, и так вплоть до столь незначительных фигур, как наши почтовики, то есть люди, которые сидели в насыщенных влагой комнатах и с помощью пара от чайников, постоянно нагревавшихся на плите, аккуратно вскрывали чужие письма. Мелькали даже намеки на то, что подлинная «битва титанов» происходила между Биллом Хэйдоном и нынешним Шефом Цирка, а Смайли — постоянный сотрапезник и собутыльник Шефа, естественно, был на его стороне против Хэйдона.

Хотя одновременно ходили разговоры, что дни Смайли в Цирке сочтены, приговор вынесен. Если выразить это в тактичной форме, ему готовили чисто номинальную, академическую должность, чтобы он мог больше времени уделять семье.

Взгляд Хэйдона на Смайли казался небрежным и мимолетным, но в глазах блеснул лед, когда он готовился к ответному взгляду Смайли. Остальные тоже ждали. Но Смайли посрамил всех. Он продолжал смотреть в другую сторону, словно не ощутив вызова со стороны Хэйдона. Впрочем, ситуация могла показаться и неловкой: это выглядело так, словно один офицер пренебрег обязанностью ответить на приветственный жест другого. Смайли продолжал сидеть на краю кушетки, опустив глаза в пол, и, как представлялось, внимательно изучал персидский молитвенный коврик, служивший еще одной эксцентричной деталью обстановки офиса Хэйдона. И он разглядывал его так, словно не заметил стрелы, пущенной в него хозяином кабинета, хотя все — не исключая меня — понимали, что он ее прекрасно заметил. Смайли тем не менее надул щеки, от чего его лицо приняло неодобрительное выражение. Потом встал, причем медленно, без налета патетики, до которой никогда не опускался, и собрал свои бумаги.

— Что ж, думаю, мы разобрали главное в этом деле, согласен, Билл? — спросил он. — Шеф будет ожидать посвященных в суть вопроса офицеров у себя через час. Время всех устраивает? Тогда, пожалуйста, без опозданий. Мы попытаемся выработать общую позицию. Нед, у нас с вами осталось одно невыясненное обстоятельство относительно вашей работы в Цюрихе. Найдите, если нетрудно, возможность заглянуть ко мне, когда Билл вас отпустит.

Через двадцать минут я уже сидел в кабинете Смайли.

— Вы верите в подлинность той фотографии? — спросил он, даже не вспоминая о Цюрихе.

— Вероятно, придется поверить.

— Думаете, непременно придется? Фотографию легко сфабриковать. Существует такая штука, как дезинформация. И московский Центр время от времени прибегает к ней. Насколько мне известно, там никогда не останавливались перед любой низостью, чтобы дискредитировать совершенно невинных людей. У них этим занимается огромный отдел, который не выполняет больше никаких других функций. Численность его личного состава, по некоторым оценкам, достигает пятисот человек.

— Для чего им подставлять Беллу? Почему не Брандта или любого другого члена его команды?

— Какие распоряжения дал вам Билл?

— Никаких. Он лишь сказал, что я получу дальнейшие инструкции, когда придет время.

— Но вы так и не ответили на его главный вопрос. Вы считаете, нам следует законсервировать эту сеть?

— Мне трудно об этом судить. Я ведь в каком-то смысле лишь выполняю роль связного. А управляют сетью непосредственно из лондонской резидентуры.

— И тем не менее.

— Мы не в состоянии обеспечить эвакуацию тридцати агентов сразу. Между ними неизбежно начнется соперничество. Мы развяжем целую войну. Если же мы попросту обрежем линии снабжения и перекроем пути отхода, то бросим этих людей на произвол судьбы. И уже ничем не сможем им помочь.

— Значит, так или иначе с ними будет покончено. — Он скорее констатировал факт, чем задавал вопрос. У него на столе звонил телефон, но он не снимал трубку. И продолжал смотреть на меня с добродушной озабоченностью. — Но если кто-то погибнет, вы ни в коем случае не должны ни в чем себя винить, Нед. Никто не может требовать, чтобы вы справились с московским Центром в одиночку. Виновен будет наш Пятый этаж, часть вины падет на меня. Но только не на вас.

Он кивком указал мне на дверь. Как только я закрыл ее за собой, телефон на его столе перестал трезвонить.

Тем же вечером я вернулся в Гамбург. Беллу обрадовал мой звонок из аэропорта, но радость сменилась огорчением, когда я сказал, что не смогу так скоро встретиться с ней, как ей бы того хотелось.

— А где Брандт? — спросила она.

Понятие безопасности телефонных разговоров было ей неведомо. Я ответил, что с Брандтом все в порядке, лучше просто быть не может. Меня снедало чувство вины, когда я говорил с ней, поскольку сам знал так много, а она совсем мало. Мне следовало вести себя с ней естественно, по указанию Хэйдона: «Что бы ты ни делал прежде, продолжай в том же духе или даже лучше. Я не хочу, чтобы у нее зародились даже малейшие подозрения».

Я должен был заверить ее в любви Брандта, на чем тот явно настаивал. Как и требовал в своем заточении встречи со мной. Я надеялся на это, ведь по-прежнему доверял ему и считал, что в ответе за него.

Я прилагал усилия, чтобы не чувствовать себя несчастным в то время, когда судьбы стольких окружавших меня людей складывались гораздо трагичнее, но это оказалось нелегко. Всего несколько дней назад Брандт и его экипаж были предметом моих неустанных забот. Я стал для них авторитетом, их командиром. И вот теперь один из них погиб (если только его участь не оказалась хуже смерти), а остальных у меня отняли. Сеть, пусть официально ею руководили из Лондона, стала для меня заменой приемной семьи. Ныне она представлялась мне группой призраков, с которой я потерял контакт, а она дрейфовала где-то между жизнью и смертью.

Хуже всего оказалось смятение. Я прокручивал в голове десятки противоречивших друг другу версий, поочередно останавливаясь на каждой и считая именно ее истинной. Только что я убеждал себя в невиновности Беллы, в чем уверял и Хэйдона. А уже через минуту начинал гадать, каким образом она поддерживала связь со своими хозяевами. И ответ напрашивался сам собой. Ей это было бы совсем не сложно. Она ходила по магазинам, в кино, посещала школу. При этом она могла встречаться со связными или пользоваться тайниками без всяких помех.

Но, придя к такому далекоидущему выводу, я сразу же вставал на ее защиту. Белла не была настолько дурным человеком. Фотография наверняка поддельная, а из истории с ее отцом ничего конкретного относительно ее самой не следовало. Такого же мнения придерживался Смайли. Существовали сотни причин провала задания, чтобы Белла не имела к предательству никакого отношения. Секретность операции обеспечивалась надежно, но не до такой степени, как мне хотелось бы. Мой предшественник оказался насквозь коррумпированной личностью. Он вполне мог не только выдумывать несуществовавших агентов, но и продавать за наличные реальных. Но даже если он не виноват, все равно вполне основательным выглядело предположение Брандта, что утечка произошла с нашей, а не с его стороны.

Не хочу, чтобы у вас создалось впечатление, будто бы, лежа в своей холодной постели той ночью, молодой Нед в одиночку распутывал клубок предательств, разоблачая вражеских агентов, что позже потребовало от Джорджа Смайли стольких усилий. Источник мог оказаться подставным или информацию подлинного источника проигнорировали. Даже самый опытный офицер разведки способен был принять неверное решение — все это не обязательно подразумевало участие предателя, проникшего на

Пятый этаж. Для меня не составляло труда это понять. Все-таки я уже кое-что соображал в своем деле и не принадлежал к расплодившимся в Цирке угрюмым сторонникам теории заговора.

И тем не менее сомнения у меня возникали, как задумался бы на моем месте любой из нас, когда его лояльность подвергалась столь суровым испытаниям. Используя аналитические способности, я мысленно попытался сопоставить все слухи, доходившие до меня из Цирка. Истории о необъяснимых провалах и многочисленных скандалах, о нараставшем недовольстве нашей деятельностью со стороны тех, кого мы называли американскими кузенами. О бессмысленных реорганизациях, напрасных конфликтах руководителей, которые сегодня причисляли себя к кругу незаменимых, а уже завтра вынужденно подавали прошения об отставке. Жуткие рассказы о некомпетентности, воспринимавшейся как предательство, или не менее тревожные свидетельства предательства, от которых отмахивались, списывая на некомпетентность.

Если возмужание вообще возможно, то можно сказать, что той ночью я совершил гигантский прыжок к зрелости. Я понял: Цирк лишь еще одна британская организация, где дела велись сугубо по-своему, но все усугублялось тем, что в Цирке играли в свои игры за стенами надежно защищенных от посторонних глаз и ушей кабинетов, причем на кону стояли жизни людей, которыми крутили с невероятным легкомыслием. И я остался доволен сделанным выводом. Он возвращал мне ответственность за мои дальнейшие действия, которые я на время готов был охотно сделать прерогативой коллег. Вся моя прежняя карьера представлялась борьбой между покорным подчинением и желанием оставаться самостоятельной личностью, причем покорность чужой воле неизменно одерживала верх. Но той ночью я пересек некую важную черту. Мной было принято решение, что отныне я стану больше доверять собственной интуиции и порывам, не сдерживаемый путами, от которых никак не мог избавиться прежде.

Мы встретились на явочной квартире. Это было, пожалуй, наиболее подходящее место для свидания на нейтральной территории. Белла по-прежнему ничего не знала о разразившейся катастрофе. Я сообщил ей только, что Брандта срочно вызвали в Англию. Мы сразу же занялись любовью — слепо и жадно, — а потому мне пришлось немного подождать, чтобы голова прояснилась и сексуальная лихорадка отступила, прежде чем перейти к допросу.

Начал я крайне осторожно. Просто гладил ее волосы, забрасывал пряди назад, а потом обеими руками связал их в узел на затылке.

— Так ты выглядишь очень строгой, — сказал я, целуя ее, но удерживая волосы в пучке. — Ты когда-нибудь носила такую прическу? — И я снова поцеловал ее.

— Только когда была еще совсем девчонкой.

— Когда это было? — спросил я, практически не отрываясь от ее губ. — Ты имеешь в виду, еще до Тадео? Когда?

— До тех пор, пока не оказалась в лесу. А там мне их укоротили. Одна женщина сделала это обычным ножом.

— У тебя есть фотографии с волосами, убранными так?

— В лесу никто не делал фотографий.

— Я спрашиваю о более раннем времени. Когда ты была похожа на суровую даму.

Она села в постели.

— А почему тебя это интересует?

— Просто ответь на мой вопрос.

Она смотрела на меня почти бесцветными глазами.

— Нас снимали в школе.

— Группами? Целыми классами? Что это были за фотографии?

— Но зачем тебе это знать?

— Просто расскажи, Белла. Мне хочется узнать о тебе все.

— Нас снимали классом и по отдельности тоже. Для документов.

— Каких документов?

— Для удостоверений личности, а потом для паспортов.

Она имела в виду не те паспорта, что приняты у нас. Это был внутренний паспорт для свободного передвижения в пределах Советского Союза. Там человек даже через дорогу без паспорта не мог перейти.

— То есть снимок лица? И без всяких улыбок?

— Да.

— А что ты сделала со своим старым паспортом, Белла?

Она не помнила.

— А что ты надевала для съемки? Какую одежду? — Я поцеловал ее грудь. — Что на тебе было тогда поверх вот этого?

— Блузка и галстук. О какой чепухе ты меня расспрашиваешь. Для чего?

— Белла, послушай меня внимательно. Есть хотя бы кто-то, о ком ты помнишь — среди соседей, одноклассников, друзей, родственников, — у кого могла сохраниться твоя старая фотография с зачесанными волосами? Кто-то, кому ты могла бы написать, с кем можно связаться?

Она ненадолго задумалась, удивленно глядя на меня, и сердито ответила:

— У меня есть тетушка.

— Как ее зовут?

Она назвала фамилию.

— Где она живет?

— В Риге, — ответила Белла. — С дядей Янеком.

Я тут же нашел конверт, усадил ее, все еще совершенно нагую, за стол и заставил написать адрес. Затем положил перед ней чистый лист бумаги и продиктовал письмо, которое она писала и одновременно переводила для меня.

— Белла... — Я заставил ее подняться на ноги и нежно поцеловал. — Расскажи мне еще кое о чем, Белла. Ты когда-нибудь посещала другую школу, если не считать той, что была в твоем родном городе?

Она помотала головой.

— Никаких летних школ? Или курсов? Например, для изучения иностранных языков?

— Нет.

— Ты учила в школе английский?

— Нет, конечно. Если бы учила, то умела бы говорить. Да что с тобой, Нед? Почему ты вдруг задаешь мне эти нелепые вопросы?

— «Маргаритка» попала в беду, — сказал я, все еще стоя с ней лицом к лицу. — Там была перестрелка. Брандта пули не задели, но другим досталось. Это все, что мне разрешили тебе сообщить. Завтра мы полетим в Лондон вместе. Ты и я. Нам зададут несколько вопросов, чтобы выяснить, что пошло не так.

Она закрыла глаза и задрожала всем телом, приоткрыв рот в немом крике.

— Я верю тебе, — сказал я, — и хочу помочь. И Брандту тоже. Это правда.

Постепенно Белла успокоилась и положила голову мне на грудь, не переставая рыдать. Она снова превратилась в ребенка.

Вероятно, она оставалась им всегда. И вполне возможно, помогая мне повзрослеть, она лишь увеличила отчуждение между нами. Я привез для нее британский паспорт. Своего национального документа у Беллы не было. Ночь она провела со мной, вцепившись в меня, действительно как тонущее дитя. Мы оба не сомкнули глаз.

В самолете она держалась за мою руку, но на самом деле нас уже разделяли целые континенты. А затем она заговорила голосом, какого я никогда прежде не слышал. Жестким, взрослым, исполненным печали и разочарования, напомнившим мне Стефани, когда на острове она пророчески предостерегала меня.

— Es ist ein reiner Unsinn, — сказала она. — Все это чистый вздор.

— О чем ты?

Она отняла руку жестом, в котором я увидел не злость, а безмерное отчаяние.

— Вы заставляете их рисковать, а потом смотрите, что будет дальше. Если их не убивают, они становятся героями. Если гибнут — считаются мучениками. Причем вы не приобретаете при этом ничего особенно ценного, но все равно толкаете моих братьев на самоубийство. Чего вы добиваетесь? Хотите, чтобы мы подняли восстание и расправились с русскими угнетателями? А вы придете нам на помощь, если мы попытаемся? Не думаю. Мне кажется, вы занимаетесь этим, потому что вам больше нечего делать. Если хочешь знать мое мнение, нам от вас никакой пользы.

Я так и не смог забыть тех слов, потому что в них прозвучал и отказ от моей любви. До сих пор я думаю о Белле почти каждое утро, слушая выпуск новостей по радио, прежде чем отправиться выгуливать собаку. И не могу сам найти ответа на вопрос, что же именно мы тогда сулили тем отважным жителям Прибалтики и не это ли обещание с такой небрежностью сейчас не выполняем.

В тот раз встречать нас в аэропорт приехал Питер Гиллам. Это стало для меня большим облегчением, потому что его привлекательная внешность и легкая манера общения, как мне показалось, придали Белле уверенности. В качестве спутницы он захватил с собой Нэнси из отдела наружного наблюдения, и та проявила по такому случаю свои лучшие материнские качества. Следуя по обе стороны от Беллы, они провели ее через зону паспортного контроля к серому микроавтобусу, принадлежавшему инквизиторам из Саррата. Я сразу же пожалел, что никто не догадался прислать машину не столь угрожающего вида, потому что, едва заметив фургон, Белла остановилась и посмотрела на меня с упреком, но Нэнси тут же крепко взяла ее за руку и заставила сесть в салон.

Я получил еще один урок: в бурной и полной событий жизни оперативного сотрудника не всегда находилось время и место для нежных и элегантных церемоний прощания.

Могу рассказать вам теперь, что я делал дальше и о чем слышал позже. Я отправился в офис к Смайли и провел почти весь день, стараясь поймать его между многочисленными совещаниями и встречами. Официальный протокол Цирка предписывал мне сразу же пойти к Хэйдону, но я уже выполнил его поручение, задав Белле необходимые вопросы, а в лице Смайли ожидал найти более сочувственно настроенного собеседника. Он выслушал меня, потом взял письмо Беллы и внимательно изучил его.

— Если мы отправим письмо из Москвы и дадим им безопасный адрес в Финляндии для ответа, может сработать, — настойчиво убеждал его я.

Но, как это часто происходило при общении со Смайли, у меня сложилось впечатление, что он мыслил гораздо глубже, поскольку был посвящен в секреты, к которым у меня доступа не было. Он бросил письмо в ящик стола и задвинул его.

— Хочу верить, что в этом не будет необходимости, — сказал он. — По крайней мере, давайте надеяться на иной исход.

Я спросил, как собираются поступить с Беллой.

— Полагаю, так же, как и с Брандтом, — ответил он, отвлекаясь ненадолго от размышлений, полностью поглощавших его, чтобы одарить меня грустной улыбкой. — Ее заставят вспомнить каждую малейшую подробность своей прежней жизни. Постараются подловить на чем-нибудь. Измотают. Но не станут применять физического воздействия. Никаких пыток. Ей ничего не расскажут об имеющемся на нее компромате, надеясь просто разрушить ее «легенду». Насколько мне известно, большинство тех мужчин, с кем она пряталась в лесу, в последнее время погибли. Естественно, это тоже станет аргументом не в ее пользу.

— А что потом?

— Что ж, думаю, все еще в наших силах предотвратить худшее, пусть в эти дни мы можем очень немногое, — ответил он, возвращаясь к просмотру бумаг. — Настало время вашего визита к Биллу, не так ли? Он, должно быть, уже извелся, гадая, что вас так задержало.

И мне запомнилось выражение его лица, когда он прощался со мной, отражавшего боль, раздражение и злость.

Отправил ли Смайли письмо предложенным мной способом? И пришла ли с ответом фотография? И был ли это тот самый снимок, который мастера фальсификаций из московского Центра искусно вмонтировали в групповое фото? Хотелось бы, чтобы все оказалось так легко и просто, но в реальной жизни просто ничего не получается. Хотя мне нравится думать, что мои усилия помочь Белле не пропали даром и повлияли в дальнейшем на решение освободить ее и позволить обосноваться в Канаде. А это произошло через несколько месяцев при обстоятельствах, оставшихся для меня загадочными.

Дело в том, что Брандт отказался принять ее к себе, не говоря уж о том, чтобы присоединиться к ней самому. Неужели Белла рассказала ему о наших с ней отношениях? Или это сделал кто-то другой? Мне такой поворот кажется маловероятным, если только сам Хэйдон не приложил к этому свою шаловливую руку. Билл ненавидел всех женщин и подавляющее большинство мужчин, и ему доставляло искреннее наслаждение вмешиваться в чужие отношения, выворачивая прежние привязанности наизнанку.

С Брандта тоже сняли все обвинения и, несмотря на препоны со стороны обитателей Пятого этажа, даже выдали денежное вознаграждение, чтобы он смог начать жизнь с чистого листа. Для него это означало возможность купить себе новую шхуну и отправиться в Вест-Индию, где он вернулся к прежнему промыслу контрабандиста, хотя на этот раз излюбленным товаром для доставки стало огнестрельное оружие, переправлявшееся им на Кубу.

А как же предательство? Сеть во главе с Брандтом стала работать слишком успешно, чтобы Хэйдону это нравилось, рассказал мне много позже Смайли. И потому Билл сам раскрыл ее, как выдал он и предшественников Брандта, попытавшись взвалить вину на Беллу. Он предложил Москве сфабриковать против нее улики, которые затем выдал за информацию, якобы полученную от никогда не существовавшего агента по кличке Мерлин — поставщика материалов под грифом «Нечистые». К тому моменту Смайли уже почти вышел на след «крота» и озвучил свои подозрения на самом высоком уровне, но, как часто бывает, за правоту его наградили ссылкой. Потребовалось еще два года, чтобы он вернулся и очистил наконец наши авгиевы конюшни.

И все продолжалось по-прежнему до той поры, когда даже у нас началась серьезная внутренняя перестройка. Зимой 1989 года Тоби Эстерхази — непотопляемый Тоби — во главе делегации, состоявшей из офицеров Цирка среднего звена, посетил московский Центр в качестве первого шага в том процессе, который наше славное Министерство иностранных дел назвало «нормализацией отношений между двумя спецслужбами».

Группу Тоби тепло приветствовали на площади Дзержинского и многое показали, хотя, как нетрудно догадаться, едва ли допустили в пыточные камеры Лубянки или позволили подняться на крышу, откуда некоторые неловкие заключенные падали, теряя равновесие, и разбивались насмерть. Тоби и его команду вкусно кормили и поили. Как выразились бы американцы, им устроили настоящее русское шоу, незабываемые развлечения, какие выпадает познать раз в жизни. Тони накупил в качестве сувениров меховые шапки с потешными кокардами и сфотографировался на площади Дзержинского. В самый последний день визита в качестве особого жеста доброй воли их провели на балкон над огромным залом коммуникаций, куда стекались и подвергались первичной обработке донесения со всего света. И именно в тот момент, как рассказывал Тоби, когда они уже вышли с балкона, он и Питер Гиллам одновременно заметили высокого, светловолосого, плотно сбитого человека, стоявшего вполоборота к ним в дальнем конце коридора. Он явно только что побывал в мужском туалете, поскольку на второй двери напротив отчетливо виднелся знак в виде дамского силуэта.

Мужчина был уже в годах, но вышел в коридор тяжелой и энергичной поступью молодого быка. Он замер и достаточно долго смотрел на них в упор, словно не мог решить, подойти и поприветствовать или же удалиться. Но затем опустил голову, вроде бы даже улыбнулся и пропал в глубине другого коридора. Впрочем, им хватило нескольких мгновений, чтобы обратить внимание на его морскую походку враскачку и на мощные плечи борца.

Ничто не исчезает бесследно в мире секретных служб, как, если разобраться, и вообще в мире. Если Тоби и Питер были правы (а многие в Цирке посчитали, что слишком обильные возлияния с гостеприимными русскими замутили им взгляды), то у Хэйдона имелись еще более веские основания указывать пальцем на Беллу как на предателя, чтобы отвести подозрения от Брандта.

Был ли Брандт вражеским агентом с самого начала? Если так, то я невольно способствовал его вербовке, а значит, и гибели наших людей. Эта мысль ужасает меня, посещая порой в холодные серые предрассветные часы, когда я лежу в постели рядом с Мейбл.

А Белла? Я и поныне воспринимаю ее как свою последнюю любовь, как возможность коренным образом изменить жизнь, сделать ее более счастливой, которую я упустил. Если Стефани открыла передо мной потайную дверь, пробудив затаившиеся внутри моего существа сомнения, то Белла указала на новый мир, исполненный возможностей для того, кто не упустит шанса ими воспользоваться. И воспоминания об этих двух женщинах для меня как восстановительное лекарство для человека, медленно оправляющегося от болезни. Что же касается Мейбл, то она стала в моем восприятии воплощением домашнего очага, к которому так тянет вернувшегося с передовой солдата. Память о Белле свежа во мне, словно только вчера мы провели с ней первую ночь на явочной квартире с видом на кладбище, хотя в моих снах она всегда уходит от меня, и даже ее удаляющийся силуэт воспринимается горьким упреком.

Глава 5

— Как вы считаете, в недрах нашей организации и сейчас может таиться новый Хэйдон? — спросил курсант по фамилии Мэггз, вызвав возмущенные возгласы сидевших рядом с ним товарищей. — Какова его мотивация, мистер Смайли? Кто ему теперь платит? Какие цели он ставит перед собой?

По поводу Мэггза у меня возникли сомнения почти сразу, как только он присоединился к нам. Ему предстояло в дальнейшем работать под журналистским прикрытием, но уже сейчас он редко демонстрировал качества, необходимые для успешной карьеры. Зато Смайли его вопрос ничуть не смутил.

— Прежде всего, оглядываясь назад, я понимаю, что мы очень многим обязаны Хэйдону, — спокойно и рассудительно заговорил он. — Хэйдон всадил Цирку в задницу иглу с такой силой, что это помогло наконец встряхнуться нашей впавшей в спячку Службе. Крайне своевременная и необходимая инъекция. — Он даже слегка нахмурился, словно смутившись собственных выражений. — Что же до новых предателей, то я уверен: наш нынешний руководитель сумеет вовремя обрезать все вызывающие беспокойство ветви. Хотя под горячую руку могу попасть в первую очередь я сам. Представьте, с годами я обнаружил, что становлюсь в своих политических взглядах все более радикальным.

Но уж, поверьте, в те годы мы не считали, что чем-то обязанны Хэйдону.

Время разделилось на периоды до Краха, после Краха и непосредственно на день Падения Хэйдона, причем, как ни странно, в Цирке вы бы не нашли ни одного сотрудника, кто не смог бы сказать, где он был и что делал, когда услышал шокирующую новость. Ветераны до сих пор делятся друг с другом впечатлениями о тишине, воцарившейся в коридорах, побледневших лицах и стихших разговорах в столовой, о телефонных звонках, на которые так никто и не ответил.

Но самой крупной потерей стала утрата взаимного доверия. Лишь постепенно, как контуженные после вражеской бомбардировки, мы по одному стали выбираться из-под развалин своих домов, чтобы восстановить главную цитадель. Все понимали необходимость радикальных реформ, а потому Цирку пришлось отказаться от своего ставшего историческим названия, как и от старинного здания времен Диккенса на Кембридж-серкус с его лабиринтом коридоров и витыми лестницами. Вместо него для нас возвели монстра из стекла и бетона неподалеку от вокзала Виктория, где окна постоянно раскалываются при штормовых ветрах, а коридоры пропахли тухлой капустой из кладовки при столовой и жидкостью для чистки пишущих машинок. Только англичане способны так наказать себя, переехав в столь ужасные застенки. Буквально за одну ночь мы стали официально именоваться Службой, хотя слово «Цирк» еще долго не желало уходить в прошлое. Мы употребляли его в разговорах, как до сих пор часто говорим о шиллингах, хотя страна давно перешла на десятичную систему в денежном обращении.

А доверие оказалось подорвано, поскольку Хэйдон считался одним из столпов Цирка. Он не был неотесанным новичком с пистолетом в кармане. Он являлся тем, кто с усмешкой порой называл себя представителем клерикального и шпионского истеблишмента одновременно. Его дядья заседали в различных комитетах консервативной партии. Он владел слегка запущенным поместьем в Норфолке, где арендовавшие у него участки земли фермеры именовали его «мистер Уильям». Он был нитью в тщательно сплетенной паутине английского правящего класса, к которому причисляли себя и мы. В эту же паутину он и ухитрился поймать нас.

Что касается меня — и это отличает меня от остальных, — то я услышал новость об аресте Хэйдона на двадцать четыре часа позже прочих сотрудников Цирка, поскольку сидел тогда в средневековой камере без окон в самом конце бесконечной анфилады помещений Ватикана. Дело в том, что мне поручили руководить особой группой прослушки, работавшей в сотрудничестве с монахом, обладавшим на удивление глубоко посаженными глазами, приданным нам собственной секретной службой Ватикана. Причем с самого начала стало ясно, что он скорее сам перебежит к русским, чем станет сотрудничать со светскими коллегами, которых, будь его воля, он и на милю не подпустил бы к Ватикану. Нашим заданием была установка скрытого микрофона в кабинете для аудиенций продажного католического епископа, занявшегося сделками с оружием и наркотиками в одной из наших бывших колоний. Впрочем, зачем лукавить? Речь идет о Мальте.

Вместе с Монти и его ребятами, присланными в Рим по такому случаю, мы крадучись пробрались под сводами подвалов, поднялись по лестнице и оказались в назначенном месте. Там нам предстояло просверлить маленькую дырочку в слое цементного раствора, скреплявшего трехфутовой толщины каменные блоки. Причем было заранее согласовано, что отверстие будет иметь не более двух сантиметров в диаметре. Этого вполне достаточно, чтобы просунутое в него подобие удлиненной соломинки для коктейля передало звук из нужного помещения на наш микрофон, тоже миниатюрный и способный помещаться между массивной каменной кладкой папского дворца. Сегодня мы смогли бы воспользоваться гораздо более современным оборудованием, но семидесятые годы стали лишь окончанием эпохи паровозов, и приходилось применять такие вот зонды. Кроме того, будь мы даже экипированы по последнему слову техники, все равно не желали бы демонстрировать ее новейшие достижения официальному представителю Ватикана, а тем более монаху в черной сутане, выглядевшему как средневековый инквизитор.

И мы сверлили. Точнее, сверлил Монти под наблюдением монаха. Остальные помогали. То есть поливали водой раскалявшееся докрасна сверло, как и свои обильно потевшие руки и лица. Причем к сверлу был прикреплен особым клеем датчик, и каждые несколько минут мы сверялись с его показаниями, чтобы сверло по ошибке не проникло слишком далеко в глубь кабинета святого отца. Потому что необходимо было довести отверстие на расстояние сантиметра до поверхности внутренней стены, не делая его сквозным, и слушать, используя как мембрану обои или слой штукатурки.

Совершенно неожиданно нам пришлось завершить работу. Мы проникли, но, похоже, не совсем туда, куда нужно. К наконечнику сверла прицепился шелковый лоскут экзотической раскраски. Мы завороженно молчали. Неужели мы угодили в какую-то мебель? Или в занавеску? Или даже в постель? Или прямо в шов сутаны ни о чем не подозревавшего прелата? Неужели в кабинете для аудиенций сделали перестановку с тех пор, как нам удалось сфотографировать интерьер?

В этот момент общей растерянности нашего монаха осенило и он вспомнил, разговаривая испуганным шепотом, что наш милый епископ коллекционировал бесценные произведения ткацкого искусства, и мы распознали происхождение лоскутка, попавшего к нам в руки. Это была не часть обивки софы или драпировки, а обрывок гобелена. Извинившись, монах поспешил скрыться.

А теперь перенесемся в старинный городок Райе в графстве Кент, где две сестры, обе звавшиеся мисс Куэйл, владели мастерской по реставрации гобеленов, и по счастливому стечению обстоятельств (или лучше назвать это прихотливыми законами социальных связей в английском обществе?) их брат Генри являлся отставным офицером нашей Службы. Генри срочно разыскали, сестер вытащили из теплых постелей, и реактивный самолет Королевских военно-воздушных сил доставил их на римский военный аэродром, откуда автомобиль домчал до того места, где находились мы. Потом Монти уже вполне хладнокровно вернулся к фасаду здания и поджег дымовую шашку, нагнавшую на всех страха и заставившую половину Ватикана совершенно опустеть, что дало нашей новой вспомогательной команде необходимые четыре часа. И после полудня того же дня гобелен тщательно залатали, а мы установили микрофон куда хотели.

Сцена снова меняется, и мы присутствуем при торжественном ужине, устроенном для нас гостеприимными хозяевами из Ватикана. У дверей угрожающе выстроились швейцарские гвардейцы. Монти, заткнув за ворот салфетку, сидит между чопорными мисс Куйэл и, собирая куском хлеба с тарелки остатки соуса от каннеллони, занимает дам рассказами об успехах своей дочери в школе верховой езды.

— Вы, конечно же, не знаете об этом, Роузи, да и откуда вам знать, что моя Бекки — лучшая в своей возрастной категории во всем Южном Кройдоне...

А потом Монти замолкает на полуслове, не в силах больше вымолвить ни слова. Он читает только что переданную ему мной записку, которую я получил из рук в руки от курьера нашей римской резидентуры: «Билл Хэйдон, начальник отдела тайных операций Цирка, признался в том, что он агент московского Центра».

И порой мне даже кажется, что это стало величайшим из всех преступных деяний Билла: он разрушил царившую за нашим столом радостную и легкую атмосферу.

Я вернулся в Лондон, и мне сообщили, что скажут, когда им будет что сказать. Через несколько дней главный кадровик уведомил: я попал в категорию «ограниченно годных». На жаргоне Цирка это означало: «следует назначать только в дружественные нам страны». Звучало это примерно так же, как приговор врача, что остаток жизни мне предстояло провести в инвалидной коляске. Я не совершил никаких ошибок, не покрыл свое имя позором — скорее наоборот. Но в нашей профессии главным всегда считалось сохранение «легенды прикрытия», а моя оказалась скомпрометирована.

Я привел в порядок свой стол и до конца дня устроил себе выходной, отправившись за город, но саму поездку не запомнил, хотя у меня есть привычный маршрут для прогулок в долинах Суссекса по схожим со спиной кита меловым холмам, где скалы достигают высоты пятисот футов.

Прошел еще месяц, прежде чем я услышал вынесенный мне приговор.

— Боюсь, вам снова придется работать с эмигрантами, — сообщил кадровик. — И опять в Германии. Но жалованье и представительские у вас будут вполне приличные. Даже горными лыжами сможете заниматься, если отправитесь куда-нибудь повыше.

Глава 6

Приближалась полночь, но доброе расположение духа Смайли только улучшалось с каждой новой историей, нарушавшей принятые каноны Цирка. Он похож на веселого Санта-Клауса, подумал я, который вместе с подарками раздает листовки самого крамольного содержания.

— Порой я думаю, что самой вульгарной стороной «холодной войны» для нас стало умение самим же сводить к нулю результаты собственной пропаганды, — сказал он с самой добродушной улыбкой. — Не хочу впадать в дидактику, и, разумеется, мы делали это на протяжении всей своей истории. Но в эпоху «холодной войны» наши враги лгали, чтобы скрыть ущербность своей системы. Мы же лгали, чтобы скрыть свои достоинства. Даже от самих себя. Мы скрывали то, что и превращало нас в борцов за правое дело. Наше уважение к человеку как личности, наше принятие различных точек зрения и столкновений между ними, нашу веру, что управлять справедливо можно только с согласия управляемых, нашу способность принимать во внимание мнение других людей. Причем наиболее ярко это проявлялось в тех странах, которые мы эксплуатировали более других, чтобы добиться собственных целей. Ради своей показной идеологической прямолинейности мы приносили в жертву нашу веру в великого бога Разнообразия. Мы защищали сильных против слабых и охотно прибегали к искусству публичной лжи. Создавали себе противников из достойных уважения реформатов и дружили с самыми отвратительными потенциальными тиранами. И почти никто из нас не задавался вопросом: долго ли мы сможем защищать наше общество подобными методами, оставаясь обществом, достойным защиты? — Он снова бросил взгляд на меня. — А потому неудивительно — не правда ли, Нед? — что мы открывали объятия любому мошеннику и шарлатану, если он вел свой грязный бизнес на антикоммунистических основах. И поэтому сами вербовали в свои ряды злодеев. Нед все знает об этом. Спросите у Неда.

Но тут Смайли, к всеобщему облегчению, разразился смехом. После секундного замешательства я тоже захохотал и заверил своих курсантов, что как-нибудь в самом деле расскажу им об этом.

Возможно, вы успели к самому разгару шоу, как сказали бы в Штатах. Вероятно, вам удалось стать частью благодарной аудитории во время одного из многочисленных представлений, которые без устали устраивали на американском Среднем Западе, заставляя вас есть резиновую курицу по сто долларов порция во время этих лекций. Причем курица раскупалась превосходно, чуть ли не по предварительной записи. Мы называли это «Шоу Теодора — Лаци». Теодором звали профессора.

Не исключено, что вы вместе со всеми аплодировали стоя, когда два наших героя скромно занимали места в центре сцены. Профессор — высокий и представительный в одном из своих дорогих новых костюмов, приобретенных специально для турне. Лаци — его молчаливый спутник, маленький и коренастый, чьи глубоко посаженные глазки буквально светились от веры в священные идеалы свободы. Овации устраивали до того, как они начинали говорить, и после окончания лекции. И никто не жалел ладоней, аплодируя «двум великим американским венграм, в одиночку пробившим для себя дыру в "железном занавесе"», — это я цитирую газету «Талса геральд».

И столь же возможно, что ваша типично американская дочурка надевала на себя вошедшее в моду венгерское национальное крестьянское платье и по особому поводу вплетала в волосы цветы — такое тоже происходило сплошь и рядом. Вероятно, вы отправляли денежные дотации для их «Лиги свободы» на простой номер почтового ящика где-то в Уилмингтоне. Или же вы просто читали о наших героях в номере журнала «Ридерс дайджест», сидя в приемной зубного врача?

Но, может, вы, подобно Питеру Гилламу, который тогда базировался в Вашингтоне, удостоились чести получить персональное приглашение на грандиозную премьеру их шоу, совместно организованную нашими американскими кузенами, вашингтонским управлением полиции и ФБР, проводившуюся в таком святилище правого свободомыслия, как аскетический с виду отель «Хэй-Адамс», расположенный на обширной площади напротив Белого дома? В таком случае вас явно принимали за серьезную и влиятельную политическую фигуру. Вы, стало быть, принадлежали к числу знаменитых журналистов или лоббистов, чтобы быть допущенным в зал для секретных совещаний, где каждое негромко произнесенное слово приобретало силу изречения со скрижали Завета, а мужчины со спрятанным под пиджаками оружием оберегали вашу безопасность и обеспечивали комфорт. Никто ведь не мог знать, когда Кремль решится нанести ответный удар. Такое уж тогда было время.

Или же вам довелось прочитать их книгу, которую американские кузены навязали послушным издателям с Мэдисон-авеню и выпустили под фанфары. Она даже получила приличные оценки критиков, прежде чем занять одно из последних мест в списке научно-популярных бестселлеров, где продержалась в течение впечатляющего периода — целых две недели. Надеюсь, вы ее прочитали, потому что, хотя она появилась под именами двух авторов, на самом деле целую главу написал я сам, причем кузены предпочли заменить предложенное мной название главы. В книге оно выглядит так: «Кремлевский убийца». Каким было мое, я расскажу вам чуть позже.

Как обычно, наш главный кадровик допустил ошибку. Потому что для любого, кто успел пожить в Гамбурге, Мюнхен — это вообще не Германия. Совершенно другая страна. Я никогда не видел ничего общего между этими двумя городами, но вот в том, что касалось шпионажа, Мюнхен, как и Гамбург, мог по праву считаться одной из его европейских столиц. Даже Берлин скромно уступал первенство, если говорить о количестве и отчетливом присутствии «бойцов невидимого фронта». Самой крупной и одиозной из шпионских организаций была Федеральная разведывательная служба Германии (БНД) — ведомство, известное по названию здания — Пуллах, — в котором размещалась его штаб-квартира и где уже вскоре после 1945 года американцы слишком, пожалуй, поспешно собрали отвратительную компанию из старых нацистских офицеров во главе с бывшим генералом из военной разведки Гитлера. Одной из их главных задач стал поиск таких же старых нацистов, нашедших приют в Восточной Германии, чтобы подкупом, шантажом или сентиментальными призывами напомнить о былом боевом товариществе и переманить их на Запад. И, казалось, американцам даже в голову не приходило, что восточные немцы могли заниматься точно такой же деятельностью с диаметрально противоположными целями, причем активнее и с гораздо большим успехом.

Таким образом, немецкие шпионы засели в Пуллахе, а американские торчали вместе с ними, подзуживая их, потом чего-то пугались, но снова начинали подзуживать. А там, где засели американцы, засели и все остальные. Когда же время от времени возникал очередной жуткий скандал, то один, то другой из этого сборища клоунов в буквальном смысле забывал, на кого он работает.

Тогда он либо начинал в слезах публично каяться, признаваясь в прегрешениях, либо убивал любовницу или любовника, либо пускал себе пулю в лоб, либо в пьяном виде оказывался по другую сторону «железного занавеса» и клялся в верности тем, к кому еще недавно был нисколько не лоялен. Никогда в жизни не оказывался я прежде в подобном шпионском борделе.

Ниже рангом сотрудников Пуллаха стояли специалисты по расшифровке кодов и мастера жанра обеспечения безопасности. Еще ниже котировались работники радио «Свобода», радио «Свободная Европа» и прочих радио типа «Свободу всем и каждому», что было неизбежно, поскольку в основном там подвизались точно такие же люди, заговорщики из числа эмигрантов, считавшие, что им в жизни сильно не повезло, но не осмеливавшиеся говорить об этом вслух. И эти группы изгнанников приятно проводили время в ласкавших душу спорах, кто возглавит королевский дом, когда в их бывшей стране восстановят монархию. Кого наградят орденом Святого Петра и Дикобраза? Кто унаследует летнюю резиденцию великого герцога, когда коммунистических петухов изгонят из занятого ими курятника? Или кому достанется тонна золота, якобы затопленного на дне Хрен-Знает-Какого-Там озера, хотя упомянутое озеро узурпировавшие власть большевики осушили еще тридцать лет назад, построив на нем огромную гидроэлектростанцию, вскоре оставшуюся без воды.

Но, словно всех этих странных персонажей было мало, в Мюнхене окопались еще всевозможные сторонники Великой Германии, для которых даже границы 1939 года представлялись узкими в целях достижения истинных потребностей немцев. Изгнанники из Восточной Пруссии, Саксонии, Померании, Силезии, Прибалтики и Судетов дружно протестовали против жестокой несправедливости, а потому их представители неизменно возвращались из Бонна с толстыми пачками денег, призванных утешить их в неизбывном горе. Бывали ночи, когда я топал домой к Мейбл по провонявшим пивом улицам и мне мерещилось, что я слышу, как они хором распевают гимны, маршируя вслед за призраком Гитлера.

И неужели, спросите вы, это все еще продолжается, когда я пишу эти строки? Увы, боюсь, да. И эти люди уже не выглядят настолько безумными, как в те дни, когда моей работой было крутиться среди них. Смайли как-то процитировал мне афоризм Хораса Уолпола, с творчеством которого я сам был знаком слабо:

«Этот мир представляется комичным для тех, кто умеет мыслить, и трагическим для тех, кто умеет чувствовать». Так вот — в роли комедиантов в Мюнхене выступали сами баварцы. А трагедией стало прошлое города.

Двадцать лет спустя в моей памяти остались лишь фрагментарные воспоминания о политических предшественниках профессора. В то время, как мне казалось, я и его хорошо понимал. И, видимо, действительно сочувствовал, потому что все вечера в его обществе охотно выслушивал лекции по истории Венгрии между двумя мировыми войнами. Уверен, мы их тоже включили в книгу. По крайней мере, отдельной главой. Жаль, не могу проверить, поскольку у меня не осталось ни единого экземпляра.

Проблема заключалась в том, что он чувствовал себя гораздо счастливее, вспоминая прошлое Венгрии, нежели рассуждая о Венгрии нынешней. Вероятно, сама по себе жизнь постоянного приспособленца научила его разумно ограничивать свои политические тревоги безопасными историческими вопросами. Помню, там были какие-то легитимисты, поддерживавшие короля Карла, неожиданно вернувшегося в Венгрию в 1921 году, что вызвало резко негативную реакцию союзников, тут же сумевших тихо убрать его со сцены. Едва ли профессору исполнилось хотя бы пять лет, когда произошли эти полные драматизма события, но он рассказывал о них со слезами в своих просвещенных глазах, и многое в его взглядах выдавало в нем сторонника возвращения к монархической форме правления. А стоило ему упомянуть о Трианонском мирном договоре, как изящная рука, державшая бокал с вином, начинала дрожать, настолько сильный гнев охватывал его.

— Это был Diktat, герр Нед, — заявлял он мне с упреком, выраженным в вежливой фразе. — Воля, навязанная нам вами, победителями. Вы отобрали у нас две трети территории, принадлежавшей нашей короне. Вы раздарили наши земли Чехословакии, Румынии, Югославии. И каким только подонкам вы не раздали их, герр Нед! А ведь мы, венгры, — нация высочайшей культуры! Почему вы так поступили с нами? За что?

И мне оставалось лишь извиняться за плохое поведение своей родины, как и за всю Лигу Наций, уничтожившую венгерскую экономику в 1931 году. Каким образом Лиге удались предпринять эти неосторожные действия, я так до конца и не понял, но это было как-то связано с рынком пшеницы и с крайне строгой позицией Лиги, направленной на снижение цен и дефляцию.

Однако стоило нам затронуть темы совсем недавнего прошлого, как профессор делался до странности сдержанным в своих взглядах.

— Это для нас еще одна катастрофа, — только и говорил он. — А виноваты во всем Трианонский договор и евреи.

Лучи закатного солнца, лившиеся из сада через окно, падали на безукоризненную прическу Теодора. Это был человек-лев, поверьте мне, с широким лбом Сократа. Он был похож на великого дирижера, истинного гения со скульптурной лепки руками и с ниспадавшими на плечи седыми локонами. Весь его облик дышал глубиной интеллекта. Никто с подобной величавой внешностью не мог оказаться пустым человеком, пусть его ученые глаза казались чуть маловатыми для глазниц и слишком часто начинали бегать, как у посетителя ресторана, который постоянно высматривает на соседних столах более дорогие и вкусные блюда, чем его собственное.

Нет, он, разумеется, был великим, достойнейшим из людей и уже пятнадцать лет состоял в наших платных агентах. Если человек обладает высоким ростом и солидным телосложением, он излучает властность. А если у него еще и золотой голос, то каждое его слово становится позолоченным. Если он похож на Шиллера, то и чувствовать обязан как Шиллер. Если его улыбка полна духовности, то разве не столь же духовен сам ее носитель? Таково уж общество, где доминирует внешнее, а не внутреннее.

Вот только теперь я до конца осознал, как развлекается Бог, подсовывая нам совершенно иную личность в ложной внешней оболочке. Одни почти сразу выдают свою истинную сущность и терпят неудачу. Другие со временем учатся соответствовать величию своей внешности. А некоторым не удается ни то ни другое, и им остается лишь носить на себе дарованное свыше великолепие, благодарно принимая совершенно не заслуженную дань уважения.

Оперативное досье профессора можно изложить весьма кратко. Более чем кратко, поскольку его история насквозь банальна. Он родился в Дебрецене у румынской границы, став единственным сыном терпимых ко всему родителей, происходивших из мелкой знати и спешивших убрать паруса семейного корабля при первых признаках встречного ветерка. Он унаследовал от них деньги и связи, что даже в те дни происходило в так называемых социалистических странах гораздо чаще, чем вы можете представить.

Он стал ученым, автором статей для научных журналов, баловался поэзией и отличался любвеобильностью, что привело к нескольким женитьбам. Пиджаки он носил внакидку, как пелерины, со свободно болтавшимися рукавами. И мог позволить себе кое-какие излишества благодаря привилегированному положению и надежно скрываемому богатству.

В Будапеште, где Теодор преподавал весьма поверхностный курс философии, он даже приобрел скромное число горячих поклонников среди студентов, которым слышался в его словах скрытый смысл, хотя он и не думал вкладывать его в свои лекции. Ему совершенно не нужна была слава оратора, а риторику он считал занятием, более достойным черни. Тем не менее он в чем-то пошел навстречу своей студенческой аудитории. Он замечал игру молодых страстей, а поскольку был от природы соглашателем, то придал этим страстям энергию своего голоса. Умеренную, но все же ощутимую энергию, за которую его и уважали, как и за утонченные манеры вкупе с внешностью человека, представлявшего старые времена, эпоху истинного общественного порядка. К тому моменту он уже достиг возраста, когда тебя греет восхищение юных созданий, а ему всегда было свойственно еще и тщеславие. И именно тщеславие помимо воли вовлекло его в волну поднимавшихся контрреволюционных настроений. А потому, когда советские танки перешли границу и окружили Будапешт страшной ночью 3 ноября 1956 года, у него не осталось иного выбора, кроме как бежать, спасая жизнь. И этот побег привел его прямиком в руки британской разведки.

Первое, что сделал профессор, оказавшись в Вене, это позвонил венгерскому приятелю в Оксфорд, требуя в привычно безапелляционной форме снабдить его деньгами, рекомендательными письмами и характеристикой как ученого. А приятель водил давнюю дружбу с Цирком, где тогда как раз начался новый сезон вербовки.

Несколько месяцев спустя профессор уже значился в нашей платежной ведомости. Не было периода поиска подхода, первоначальных сложностей в отношениях, как и никаких других фигур из обычного в таких случаях замысловатого танца. Было быстро сделано прямое предложение, столь же быстро принятое. В течение года, получив дополнительную щедрую поддержку от американцев, профессор Теодор осел в Мюнхене в комфортабельном доме у реки, обзавелся машиной и стал жить там со своей преданной, хотя и взбалмошной женой Хеленой, сбежавшей вместе с ним, о чем, как подозревали многие, он крайне сожалел. С тех пор на протяжении невероятно долгого времени профессор Теодор, как ни странно, превратился в наконечник нашего копья, нацеленного на Венгрию, и даже происки Хэйдона не помешали ему остаться на своем месте.

Прикрытием для него служила работа на радио «Свободная Европа», где его считали подлинным экспертом-патрицием по части венгерской истории и культуры — роль, подходившая ему идеально, как нужного размера перчатка. По сути, он никогда ничем больше не занимался. Чтобы немного подзаработать, он изредка читал лекции и давал частные уроки, причем, как я заметил, в ученицы предпочитал брать девушек. Секретные задания, за которые благодаря американцам он получал солидное вознаграждение, заключались в том, чтобы поддерживать и укреплять связи с друзьями и бывшими студентами, оставшимися на родине. Предполагалось, что он станет для них центром притяжения, духовной опорой, чтобы в дальнейшем под его руководством из них можно было создать сеть оперативных агентов, хотя, насколько мне известно, из этой затеи так ничего путного и не вышло. Словом, это была видимость реальной операции, которая гораздо лучше выглядела в описании на бумаге, нежели в действительности. И тем не менее все это продолжалось и продолжалось. Сначала пять лет, потом еще пять, а когда ко мне в руки попало личное досье великого человека, дело тянулось уже целых пятнадцать лет — невероятный, казалось бы, случай. Впрочем, некоторые операции именно так и развиваются, а застой им оказывается только на пользу. Они не стоят больших денег, не имеют четких задач, а потому не обязательно приводят к конкретному результату, что часто происходит и в политике. Зато никаких скандалов! И каждый год при проведении проверки их участникам предписывают действовать дальше в том же духе. С годами сама по себе продолжительность операций становится оправданием для их осуществления.

Но все же я не могу утверждать, что профессор за все это время ничего полезного не сделал и никому не помог. Сказать такое значило бы не только проявить несправедливость к нему, но и оскорбить Тоби Эстерхази, тоже венгра по происхождению, которого после Краха все же вернули в Цирк, сделав куратором профессора. Тоби тогда дорого заплатил за слепое доверие Хэйдону и получил назначение руководить венгерской секцией, никогда не считавшейся особенно важной среди отделов, занимавшихся странами за «железным занавесом». Понятно, что профессор почти сразу превратился в самую важную фигуру в игре, затеянной Тоби для собственной реабилитации.

— Теодор, скажу тебе без обиняков, Нед, это подлинная звезда в нашей системе, — уверял меня Тоби за прощальным ленчем перед моим отлетом из Лондона, за который он чуть было даже не заплатил. — Старая школа, полная секретность, много лет в седле, лоялен и предан, держится за нас крепче любой пиявки. Теодор для нас — это козырная карта, которую необходимо умело разыграть.

Но, конечно же, самым выдающимся достижением профессора стал тот факт, что ему удалось избежать карающего меча Хэйдона. Возможно, Теодору попросту сопутствовала удача, но если не быть к нему столь великодушным, то причина заключалась в другом: профессор никогда не поставлял такого количества важных разведданных, чтобы его личность заинтересовала предельно занятого предателя. А я не мог не заметить, принимая дела на новом месте (мой предшественник умер от инсульта во время отпуска на Ибице), что личное дело профессора состояло из нескольких пухлых папок, а вот сведения о добытой им информации умещались в совсем тонкое досье. Отчасти такое можно было объяснить тем, что его основной функцией считался подбор потенциально ценных кандидатур, а не прямое их использование, а также тем вообще крайне ограниченным количеством агентов, которых он поймал в нашу сеть за длительное время, и их чрезвычайно вялой и малопродуктивной работой.

— Венгрия, Нед, это вообще крайне сложное место для нашей деятельности, скажу тебе прямо, — отозвался Тоби, когда я в деликатных выражениях обрисовал ему ситуацию. — Проблема в том, что там все слишком открыто. А при такой открытости вместо ценных сведений ты добываешь чепуху, всем прекрасно известную. Если не удается добраться до чего-то действительно ценного, то твой улов составляет общедоступная информация, которая никому не нужна, верно? Но вот то, чем снабжает Теодор американцев, — это фантастика!

Я подумал, уж не здесь ли собака зарыта, и спросил:

— А чем же таким особенным он их снабжает? Кроме душевных излияний, попыток влиять на умы по радио да статей, которые никто не читает, чем еще?

Улыбка Тоби стала пренеприятно снисходительной:

— Извини, Нед, старина, но, боюсь, здесь применим закон: «Только для тех, кому необходимо знать». Ты же не имеешь допуска для ознакомления с этим.

Через несколько дней, как диктовал протокол, я нанес визит Расселу Шеритону на Гросвенор-сквер, чтобы официально попрощаться. Шеритон возглавлял резидентуру кузенов в Лондоне, но одновременно отвечал за операции американской разведки в Западной Европе. Выждав некоторое время, я обронил в разговоре имя Теодора.

— О, пусть тебе расскажут о нем в Мюнхене, Нед, — поспешно произнес Шеритон. — Ты же меня знаешь. Я никогда не вторгаюсь на территорию, за которую отвечают другие.

— Но как ты оцениваешь его работу на вас? Он хорош? Это все, что я хотел бы выяснить. Просто знаю по опыту, что многие агенты со временем исчерпывают потенциал. А здесь все-таки речь о пятнадцати годах.

— Что ж, сказать по правде, мы всегда считали, что он прекрасно работает как раз для вас, Нед. Послушать Тоби, так можно подумать, что Теодор в одиночку служит опорой всему свободному миру.

Нет, пришла мне вдруг интересная мысль: послушать Тоби, так можно подумать, что Теодор в одиночку служит опорой только самому Тоби. Но я еще не успел окончательно стать циником. В шпионаже, как зачастую и в обыденной жизни, всегда легче проявить негативный, а не позитивный подход. Сказать «нет» вместо «да». А потому я прибыл в Мюнхен, готовый верить, что Теодор действительно звезда разведки, как его описывал Тоби. Мне требовалось только получить хоть какое-то тому подтверждение.

И я его получил. Поначалу показалось, что в самом деле получил. Он был великолепен. А мне-то уже мнилось, что семейная жизнь с Мейбл окончательно лишила меня способности проявлять искренний энтузиазм к чему-либо. Вообще-то, так и было, но лишь до того вечера, когда Теодор открыл передо мной дверь своего дома. У меня сразу создалось впечатление, что я оказался в одном из прекрасно сохранившихся реликтовых святилищ истории Центральной Европы, и мной овладело единственное желание — усесться у ног хозяина, как делали его преданные ученики, и жадно припасть к этому неисчерпаемому источнику мудрости.

Вот для чего и существуют такие службы, как наша! — решил я. Ради такого человека стоит сократить многие другие статьи расходов Цирка! Какой уровень культуры! — думал я. Какая широта взглядов! Вот что значит долголетний опыт разведчика!

Он принял меня радушно, но с некоторой сдержанностью, диктовавшейся, вероятно, разницей в возрасте и в заслугах. Мне был предложен бокал превосходного токая, что сопровождалось целой лекцией о происхождении вина. Пришлось признать, что я мало знаком с традициями венгерского виноделия, но полон стремления глубже изучить этот предмет. Затем он завел речь о музыке, в которой, к сожалению, я тоже полный профан. Он взял для меня несколько нот на своей бесценной скрипке, той самой, которую успел захватить с собой при бегстве из Венгрии, причем скрипку сделал не Страдивари, а гораздо более искусный мастер, чье имя я сразу забыл. Я подумал, как же везет тому, кто курирует агента, спасающего при бегстве в первую очередь свою скрипку. Он заговорил о театре. Венгерская труппа как раз давала гастроли в Мюнхене. «Отелло» в их постановке — это нечто экстраординарное! И хотя нам с Мейбл только предстояло побывать на спектакле, мнение профессора заранее сделало его для меня полным очарования. Теодор был облачен в то, что немцы называют Hausjacke*, черные брюки и начищенные до блеска ботинки. Мы поговорили о Боге и о мире, съели лучший гуляш, какой мне когда-либо прежде доводилось отведать. Причем подала его к столу предельно смущенная Хелена, которая почему-то шепотом извинилась и покинула нас. Это была рослая женщина, когда-то, вероятно, очень красивая, но теперь она пренебрегала своей внешностью и не пыталась этого скрыть. Трапезу мы закончили, выпив по рюмке абрикосовой палинки.

— Герр Нед, если мне будет позволено обращаться к вам по имени, — сказал профессор, — есть одно дело, которое отягощает мой ум, а потому, с вашего разрешения, я бы затронул эту тему в самом начале наших с вами профессиональных отношений.

— Разумеется, — великодушно согласился я.

— К сожалению, ваш недавний предшественник... Очень хороший человек и... — он прервался, поскольку явно не желал дурно отзываться о недавно умершем, — как и вы, весьма культурный...

---

* Домашняя куртка *(нем.).*

— Переходите непосредственно к сути, — предложил я.

— Это касается моего британского паспорта.

— Я не знал, что он у вас есть! — удивленно воскликнул я.

— В том-то и загвоздка. Его у меня нет. Понимаю, что существуют определенные проблемы. Как бывает всегда при столкновении с бюрократией. Бюрократия — одно из наибольших зол, порожденных человеческой цивилизацией, герр Нед. Она возбуждает в нас самые низменные чувства и подавляет наши лучшие порывы. Вот и получается, что ссыльный венгр, живущий в Мюнхене и работающий на американскую организацию, почему-то не имеет права получить британское подданство. Быть может, таков нормальный порядок вещей, и я принимаю это во внимание. Тем не менее после стольких лет сотрудничества с вашим ведомством, мне кажется, я заслужил британский паспорт. Всяческие временные разрешения на посещение Англии никак не могут служить полноценной альтернативой.

— Но, насколько я знаю, американцы выдали вам свой паспорт! Разве это не было одним из ваших условий с самого начала? Американцы взяли на себя всю полноту ответственности за ваше подданство и место жительства. Наверняка это предусматривало и получение вами их паспорта. Не могло не предусматривать!

Меня в самом деле расстроило, что человек, посвятивший нам такую большую часть своей жизни, не мог рассчитывать на столь ничтожное признание своих заслуг. Но у профессора уже выработался гораздо более философский поход к проблеме.

— Американцы, герр Нед, сравнительно молодая нация, и у них психология наемников. После того как с максимальной пользой для себя воспользовались мной, они уже не считают меня человеком с большой перспективой на будущее. Американцы вполне готовы отправить меня на свалку истории, на склад никому не нужных вещей.

— Но разве они не давали вам обещания... Не сулили в случае успешной работы обеспечить вам гражданство? Уверен, такое обещание было ими дано.

В ответ он сделал жест, которого мне не забыть никогда. Он приподнял руки с поверхности стола, словно поднимал невероятной тяжести камень. Донес их почти до уровня плеч, позволив затем с огромной силой вновь обрушиться на столешницу, по-прежнему как бы сжимая воображаемый камень. И еще запомнились его глаза: полные напряжения от только что предпринятого усилия, с безмолвным обвинением смотревшие на меня. Вот что такое все ваши посулы. Так читался смысл взгляда. И ваших, и американцев — все едино.

— Просто достаньте необходимый мне паспорт, герр Нед.

Как всегда верный своему слову оперативник, неизменно озабоченный в первую очередь благополучием агентов, я активно взялся за решение проблемы. Зная замашки, свойственные Тоби, я решил с самого начала придерживаться официального тона: не принимать никаких половинчатых обещаний, никаких пылких изъявлений в его личном расположении ко мне. Я информировал Тоби о просьбе Теодора и попросил совета. В конце концов, он был моим куратором в Лондоне, посредником и помощником. Если правда, что американцы умывали руки, отказываясь предоставить профессору свое гражданство, вопрос так иначе следовало решать в Лондоне или в Вашингтоне, но не в Мюнхене. И если, по причинам мне неизвестным, он должен был получить именно британский паспорт, это тоже требовало энергичного вмешательства обитателей Пятого этажа. Канули в прошлое те деньки, когда Министерство внутренних дел без разбора раздавало британское подданство любому Тому, Дику или Теодору из числа бывших агентов Цирка. Этому, конечно же, в первую очередь способствовал Крах Хэйдона.

Свой запрос я не стал посылать телеграфом, а отправил с курьером, что в глазах работников Цирка всегда придавало любому документу повышенную важность. Написанное мной письмо было выдержано в напористых тонах, а пару недель спустя я дополнил его еще одним напоминанием. Но когда профессор принимался расспрашивать о прогрессе в своем деле, я отвечал расплывчато, ничего не обещая. Работа над вашим вопросом идет своим чередом, заверял я. В Лондоне не выносят, когда их начинают подхлестывать. Но все же я начал гадать, почему Тоби так тянет с ответом.

А тем временем, встречаясь с Теодором, я всячески стремился уточнить, в чем именно заключались его заслуги перед нами, чтобы превратить его в «настоящую звезду» малочисленной и хлипкой команды Тоби. Причем мое расследование далеко не облегчал колючий характер самого профессора. Поначалу я считал, что он не желает полностью раскрывать карты до положительного решения проблемы с паспортом, и лишь постепенно понял: это была его обычная манера поведения, если речь заходила о секретных аспектах нашей деятельности.

Одно из его повседневных занятий заключалось в содержании однокомнатной студенческой квартирки в Швабском районе, которую он использовал как явочный адрес для получения корреспонденции от некоторых своих агентов в Венгрии. Я убедил его взять меня туда с собой. Он отпер дверь, открыл ее, и на коврике в прихожей обнаружилось не менее десятка конвертов — все с венгерскими марками.

— Боже милостивый, когда же вы в последний раз заглядывали сюда, профессор? — спросил я, наблюдая, как он бережно собирает их с пола.

Он пожал плечами, и это движение показалось мне до крайности неуклюжим.

— Сколько писем вы обычно получаете в неделю, профессор?

Забрав у него конверты, я бегло просмотрел штемпели на марках. Самое давнее письмо было отправлено тремя неделями ранее, самое последнее — неделю назад. Мы перешли к крошечному письменному столу, покрытому толстым слоем пыли. С глубоким вздохом профессор пристроился в кресле, после чего выдвинул ящик, достав из потайного отделения пару пузырьков с химикатами и кисть для живописи. Взяв первый конверт, он с удрученным видом рассмотрел его, а потом вскрыл с помощью перочинного ножа.

— От кого оно? — спросил я с более настойчивым любопытством, чем, вероятно, профессор считал уместным.

— От Пали, — ответил он угрюмо.

— Пали из Министерства сельского хозяйства?

— Пали из Дебрецена. Он только что посетил Румынию.

— С какой целью? Случайно, не для участия в конференции по химическому оружию? Вот это могло бы представлять для нас сенсационную ценность!

— Сейчас проверим. Действительно, какая-то научная конференция. Но его специальность — кибернетика. Впрочем, он не является выдающейся фигурой в этой области.

Я наблюдал, как он обмакнул кончик кисти в первый пузырек и стал обрабатывать жидкостью обратную сторону написанного от руки послания. Затем прополоскал кисточку в воде и применил второй химикат. И, как мне показалось, демонстративно показывал мне, на какой тяжкий физический труд ему приходилось тратить драгоценное время. Он повторил те же операции со всеми письмами с некоторыми вариациями. Иногда он распластывал конверт и обрабатывал его внутреннюю поверхность. В другой раз проводил линии между видимыми строчками письма. Затем теми же ленивыми и замедленными движениями он переместился за пишущую машинку «Ремингтон» и с усталым видом взялся переводить проявившийся скрытый текст. Ожидалась нехватка минерального сырья и электроэнергии для развития новых отраслей промышленности. Сообщалось о квоте на добычу бокситов в шахтах гор Баконь. О низком проценте содержания железа в руде, добываемой в районе Мишкольца. О неутешительных прогнозах относительно урожая кукурузы и сахарной свеклы в каком-то другом районе. О слухах относительно подготовки пятилетнего плана реконструкции сети государственных железных дорог. О выступлениях против партийного руководства в Шопроне...

Я представил, как будут зевать аналитики с Третьего этажа, знакомясь с этой напыщенной чепухой. Припомнилась, конечно, и похвальба Тоби, что Теодор поставлял только самую ценную информацию. И если это была она, то что же представляли собой второсортные сведения? Терпение, сказал я себе. Великие агенты требовали особого отношения и ценили чувство юмора.

На следующий день я получил ответ на свои письма относительно паспорта. Проблема, объяснял Тоби, заключалась в многочисленных переменах, происшедших за последние годы в венгерском отделе у кузенов. Предпринимались определенные шаги (само по себе употребление страдательного залога наводило на подозрения), чтобы установить, какие обещания были в свое время даны американцами или нами самими. Мне пока рекомендовалось по мере сил избегать обсуждения данного вопроса с Теодором, словно инициатива исходила от меня лично, а не от профессора.

Все так и оставалось в подвешенном состоянии, когда недели три спустя я обедал с Милтоном Вагнером в «Космо». Вагнер был ветераном разведки и занимал место, аналогичное моему, с американской стороны. И вот подошел срок окончания его карьеры как шефа отдела восточных операций кузенов и их резидента в Мюнхене. «Космо» представлял собой типичный ресторан, из тех, что американцы ухитряются отыскать повсюду. Там подавали запеченную до хруста картошку «в мундирах» с чесночным соусом и клубные сандвичи, нанизанные на штуковины вроде пластмассовых шпилек для волос.

— Какие отношения сложились у вас с нашим прославленным ученым другом? — спросил он со звучным акцентом уроженца южных штатов, когда мы обсудили все остальные дела.

— Превосходные, — ответил я.

— У нас есть люди, которые считают, что Теодор устроил себе здесь на долгие годы отличную и весьма доходную синекуру, — небрежно заметил Вагнер.

Я предпочел промолчать.

— Парни в Штатах провели ретроспективную оценку его работы. И выводы скверные, Нед. Весьма скверные выводы. Взять передачу «Привет, Венгрия!», которую он ведет на радио. Он лишь повторяет то, что уже многократно говорилось прежде. Как-то раз в его текстах обнаружили целые абзацы, дословно взятые из статьи, опубликованной в «Дер монат» еще в сорок восьмом году. Подлинный автор вспомнил свои фразы, едва услышав их, и страшно разозлился. — Вагнер обильно полил свой сандвич кетчупом. — Думаю, недалек тот день, когда мы окончательно и бесповоротно избавимся от услуг Теодора.

— Вероятно, он просто попал в черную полосу, — предположил я.

— Хороша черная полоса, Нед! Черная полоса, растянувшаяся на пятнадцать лет!

— Он догадывается, что вы подвергаете его работу проверке?

— Шутите? Он же служит на радио «Свободная Европа». Вращается среди других венгров. До него доходят все слухи.

Я был не в силах дольше сдерживать возмущение и тревогу:

— Но почему никто не предупредил об этом Лондон? Почему вы сами этого не сделали?

— Насколько мне известно, Нед, мы предупреждали Лондон, но нас не пожелали выслушать. Впрочем, у вас тогда настали сложные времена. Нам ли не понимать, как все было запутано?

И только тогда чудовищный смысл его слов начал доходить до меня. Если профессор мошенничал с радиопередачами, то не проделывал ли он те же махинации и со всем остальным?

— Можно задать вам довольно глупый на первый взгляд вопрос, Милтон?

— Разумеется, Нед.

— Теодор когда-либо добывал для вас по-настоящему ценную информацию? Я имею в виду, за все эти годы секретной работы.

Вы получили от него хоть что-то действительно важное? Чрезвычайно важное?

Вагнер задумался, явно желая быть объективным в отношении профессора.

— Не могу сказать, что получили нечто подобное, Нед. Мы рассматривали возможность использовать его как связника с одной нашей действительно крупной рыбой, но нам не понравилось отношение профессора к делу и его манера поведения.

— Мне просто трудно в это поверить. Неужели так и есть?

— Думаете, я бы стал вас обманывать, Нед?

Вот вам и фантастическая работа профессора на американцев! — подумал я. Долгие годы безупречной службы, конкретных результатов которой никто не мог припомнить.

Я незамедлительно сигнализировал обо всем Тоби. Причем потратил немало времени, составляя различные варианты текста, поскольку ясно излагать мысли мешала овладевшая мной ярость. Теперь стало абсолютно ясно, почему американцы отказывались выдать профессору паспорт и ему пришлось обратиться к нам. Я объяснил себе его ощущение близкого конца синекуры, его апатию и ленивую медлительность: он в любой момент ожидал завершение «карьеры». Пересказав содержание беседы с Вагнером, я задал вопрос, знает ли обо всем этом наше руководство. Если нет, то на американцев ложилась вина в том, что они нарушили взаимный договор об обмене данными. Но если кузены все же предупредили нас, то почему об этом предупреждении не был поставлен в известность я.

На следующее утро я получил изворотливый ответ от Тоби. Причем тон телеграммы был почти величественным. Я заподозрил, что кто-то помог ему написать ее, поскольку отсутствовали типичные для венгра ошибки. Кузены, признавал он, передали в Лондон «предельно расплывчатое» предупреждение, где говорилось, что профессору может в будущем грозить «дисциплинарное расследование относительно содержания его передач по радио». Головной офис — я догадывался, что так он именовал лишь самого себя, — выработал «общее мнение» о независимости отношений профессора с американцами от его работы на нас. Головной офис также придерживался точки зрения (никто не мог ее придерживаться, кроме самого Тоби), что огромный объем оперативной работы, обременяющей профессора, может служить оправданием для «мелких недостатков» в деятельности на радио, служившей для него прикрытием. Если для профессора потребуется подобрать другое прикрытие, головной офис своевременно предпримет «надлежащие шаги в этом направлении». Одним из вариантов было предоставление ему должности в научном журнале, где он давно публиковал статьи. Но это вопрос будущего. Профессор уже становился прежде жертвой наветов, напоминал мне Тоби, но сумел достойно выдержать испытания и избавиться от их последствий. Здесь возражать не приходилось. Одна из женщин-секретарей пожаловалась на домогательства с его стороны, а венгерская община в Германии вынужденно терпела его откровенно антисемитские взгляды.

Тоби советовал мне не горячиться, выждать некоторое время, чтобы привыкнуть к странностям агента, и (извечная максима в устах Тоби) вести себя как ни в чем не бывало. Так я вел себя ровно одну неделю и еще двенадцать часов. До тех пор, когда профессор позвонил мне в десять часов вечера, используя пароль для экстремальных ситуаций, и сдавленным, хотя и вполне командирским голосом потребовал немедленно приехать к нему домой, пройдя внутрь через дверь из сада.

Мне сразу пришло в голову, что он, вероятно, кого-то убил. Жену, например. Но, как выяснилось, я оказался весьма далек от понимания истинных причин вызова.

Профессор открыл заднюю дверь дома и сразу проворно захлопнул ее за мной. Все источники света внутри оказались приглушены. Где-то во мраке дедушкины каминные часы фирмы «Бидермейер» тикали, как огромная старая бомба. При входе в гостиную стояла Хелена, прижав пальцы к губам, чтобы подавить рвавшийся наружу крик. Со времени звонка Теодора прошло двадцать минут, но крик, как казалось, все еще приходилось сдерживать.

Два кресла стояли перед почти угасшим камином. Одно из них пустовало, и я понял, что прежде в нем сидел сам профессор. В другом, несколько в стороне от моего поля зрения, расположился неприметный полный мужчина лет сорока с густой шапкой мягких черных волос и с непрестанно мигавшими круглыми глазками, которые словно вопрошали: мы ведь все здесь друзья, не правда ли? Ему досталось кресло с широкими подлокотниками и высокой спинкой, и он вжался в самый угол с видом пассажира самолета, готовящегося к посадке. Его ботинки с округлыми мысками немного не доставали до пола, и до меня вдруг дошло, что обувь была восточноевропейского производства: крапчатая, из какого-то непонятного сорта кожи, с сильно стоптанными подошвами. Ворсистый коричневый костюм напоминал перешитый военный китель. Перед мужчиной стоял столик с горшком лиловых гиацинтов, а рядом с цветами были выложены предметы, в которых я узнал целый набор для бесшумного убийства. Две удавки длиной со струну от фортепьяно с деревянными ручками, отвертку, заточенную под стилет, револьвер тридцать восьмого калибра скрытого ношения с барабаном на пять зарядов и два вида пуль: шесть для стрельбы с пониженным уровнем шума и шесть рифленых, с какими-то белыми частичками, запекшимися в бороздках.

— Это цианистый калий, — пояснил профессор в ответ на мой изумленный взгляд. — Дьявольское изобретение. Пуле достаточно лишь царапнуть жертву, чтобы убить ее наповал.

Я невольно задумался, каким образом смертоносная пудра сможет уцелеть в раскаленном стволе револьвера при выстреле.

— Этого джентльмена зовут Ладислаус Кальдор, — продолжал профессор. — Венгерская тайная полиция подослала его, чтобы нас убить. Но он наш друг. Будьте любезны, присаживайтесь, герр Нед.

Ладислаус Кальдор церемонно поднялся из кресла и пожал мне руку, словно мы с ним только что заключили выгодную коммерческую сделку.

— Сэр! — воскликнул он с довольным видом по-английски. — Лаци. Прошу прощения, сэр. Не пугайтесь ничего. Просто все друзья зовут меня Лаци, герр доктор. Вы тоже мой друг. Пожалуйста, садитесь. Да.

Помню, как превосходно аромат гиацинтов сочетался с его улыбкой. И лишь постепенно до меня дошло, что я действительно не испытываю никакого испуга. Есть люди, которые словно излучают постоянную угрозу, а некоторые надевают на себя маски опасных людей в минуты гнева или страха за свою жизнь. Но Лаци, стоило мне довериться своей интуиции, излучал только отчаянное желание тебе угодить. Впрочем, это, вероятно, все, что необходимо настоящему профессиональному убийце.

Садиться я не стал. В мозгу у меня звучал целый хор противоречивших друг другу мыслей и ощущений, но вот усталость не входила в их число. Я раздумывал, в частности, о пустых кофейных чашках. О пустых тарелках с крошками от торта. Кому вздумается пить кофе и есть торт, когда его жизнь под угрозой? Лаци снова уселся, улыбаясь, как цирковой клоун. Профессор и его жена всматривались в мое лицо из противоположных углов комнаты. Они поссорились, подумал я. Именно размолвка развела их так далеко друг от друга. Револьвер американский, пришла другая мысль. Но нет запасного снаряженного барабана, какой непременно имел бы при себе профессиональный киллер. Восточноевропейские ботинки с подошвами, оставлявшими отчетливые следы на любом ковре или даже на лакированном паркете. Нелепые пули с цианидом, который непременно выгорел бы без остатка при выстреле.

— И давно он здесь? — спросил я профессора.

Тот пожал плечами. Я терпеть не мог этих его пожатий.

— Где-то с час. Или чуть меньше.

— Гораздо больше часа, — возразила Хелена.

Ее возмущенный взгляд был устремлен на меня. До этого вечера она вообще намеренно игнорировала мое существование, проскальзывая мимо привидением, а если хотела выразить приветливость или неодобрение, то улыбалась или хмурилась, опустив голову.

— Он позвонил в дверной звонок ровно без четверти девять. Я как раз слушала радио. В тот момент начиналась новая передача.

Я окинул Лаци взглядом.

— Вы говорите по-немецки?

— Jawohl, Herr Doktor!*

Потом вопрос к Хелене:

— Какую радиостанцию вы слушали?

— Всемирную службу Би-би-си, — ответила она.

Я подошел к приемнику и включил его. Кто-то неопределенного пола оксфордской академической скороговоркой блеял нечто о Китсе. Спасибо, Би-би-си. Я выключил радио.

— Раздался звонок. Кто пошел открывать? — спросил я.

— Я сам, — ответил профессор.

— Да, он сам, — подтвердила супруга.

— Умоляю, к чему это? — вставил реплику Лаци.

— И что потом?

— Он стоял на пороге в пальто, — сказал профессор.

— В плаще, — поправила жена.

---

* Да, господин доктор! (нем.)

— Он спросил, я ли профессор Теодор. Да, это я, был мой ответ. Потом он назвал свое имя и заявил: «Простите, профессор, я прибыл, чтобы убить вас с помощью либо удавки, либо пули с цианистым калием, но только я не хочу этого делать. Я ваш давний поклонник и, можно сказать, ученик. Хочу сдаться вам и остаться на Западе».

— Он говорил по-венгерски? — спросил я.

— Само собой.

— И вы пригласили его войти?

— Разумеется.

Но Хелена снова с ним не согласилась.

— Нет! Сначала Теодор позвал меня, — упрямо возразила она. Прежде я никогда не слышал, чтобы она перечила мужу. А этим вечером сделала это дважды всего за пару минут. — Он зовет меня и говорит: «Хелена, у нас в доме гость». «Хорошо», — отвечаю я. И только тогда он пригласил Лаци войти. Я взяла у него плащ и повесила в прихожей. Потом я приготовила кофе. Вот как все было на самом деле.

— И торт, — сказал я. — Вы испекли торт.

— Торт у меня уже был готов.

— Вам стало страшно? — спросил я, поскольку у меня самого ощущение страха, как и опасности, тоже никак не появлялось.

— Сначала мне стало тошно, я была шокирована, — ответила она. — А теперь мне страшно. Да. Мне очень страшно. Нам всем страшно.

— И вам? — обратился я к профессору.

Он снова пожал плечами, словно хотел показать, что я последний человек на этой земле, кому бы он доверил свои чувства.

— Почему бы вам с супругой не пройти пока в кабинет? — предложил я.

Он явно собрался возразить, но передумал. Держась за руки, но отстранившись друг от друга, супруги вышли из комнаты.

Я остался с Лаци наедине. Я стоял, он сидел. Мюнхен временами становится очень тихим городом. Но даже при полном покое его лицо заискивающе улыбалось мне. Маленькие глазки все так же часто моргали, но я ничего не мог прочитать в их выражении. Лаци кивком подбодрил меня, а его улыбка стала еще шире.

— К вашим услугам, пожалуйста, — сказал он и поудобнее устроился в кресле.

Я же сделал жест, понятный любому жителю Центральной Европы. Протянул руку вперед ладонью вверх и провел большим пальцем по кончику указательного. Все еще улыбаясь, он порылся во внутреннем кармане пиджака и подал мне свои бумаги. Они были выписаны на имя Эгона Браубаха из Пассау, родившегося в 1933 году, артиста по профессии. Никогда в жизни не видел я человека, менее похожего на артиста из Баварии. Кроме паспорта гражданина Западной Германии у него имелось водительское удостоверение и какая-то карточка социального страхования. Ни один из документов, на мой взгляд, не выглядел подлинным. Как и его ботинки не походили на настоящую обувь.

— Когда вы пересекли границу Германии?

— Сегодня после полудня, герр доктор. Точнее — около пяти часов вечера.

— С какой стороны?

— Из Вены. Да, Вена, — повторил он почти без передышки, словно собирался подарить мне весь тот город, а потом снова заерзал в кресле, чтобы усесться поудобнее. — Выехал оттуда первым же утренним поездом на Мюнхен, герр доктор.

— Во сколько отходил поезд?

— В восемь часов, сэр. Поезд был в восемь часов.

— А когда вы попали в Австрию?

— Вчера, герр доктор. Шел сильный дождь. Да.

— Какие документы вы предъявили на австрийской границе?

— Свой венгерский паспорт, ваше превосходительство. В Вене я получил немецкое удостоверение.

У него на верхней губе начали проступать капельки пота. По-немецки он говорил свободно, но с очевидным балканским акцентом. Он путешествовал поездом. Назвал маршрут: Будапешт, Гьор, Вена. В дорогу хозяева дали ему холодную курицу и бутылку вина. С прекрасными маринованными овощами, герр доктор, и с паприкой. Снова улыбка. Прибыв в Вену, он поселился в отеле «Альтес кайзеррейх» у железнодорожного вокзала, где для него заранее забронировали номер. «Скромная комната, скромный отель, ваше превосходительство, но так ведь и я человек скромный». Именно в гостинице поздно вечером его навестил венгерский джентльмен, с которым он не был знаком прежде.

— Но, как я подозреваю, он — дипломат, герр доктор. Выглядел таким же важным, как вы сами!

Этот джентльмен выдал ему новые документы и деньги, объяснил он, а потом и весь тот арсенал, что лежал сейчас на столике.

— Где вы поселились в Мюнхене?

— В очень простой гостинице на окраине города, герр доктор, — ответил он с извиняющейся улыбкой. — Это скорее обычный бордель. Да, публичный дом. Там постоянно видишь мужчин, которые приходят и вскоре уходят.

Он снабдил меня названием борделя, и мне даже показалось, что сейчас он порекомендует еще и девочку оттуда.

— Вам было приказано поселиться именно там?

— Да, в целях безопасности, герр доктор. То есть анонимности. Пожалуйста?

— У вас там остался багаж?

Он пожал плечами, как делают бедняки, совсем не так, как профессор, невыносимо раздражавший меня.

— Зубная щетка, — ответил он. — Немного одежды. И сумка, сэр. Все вещи очень скромные.

В Венгрии он был профессиональным журналистом, писавшим на темы сельского хозяйства, поведал он потом, но подрабатывал сотрудничеством с тайной полицией. Сначала как простой информатор, а затем стал получать гораздо больше денег в роли наемного убийцы. Он выполнил несколько заданий в Венгрии, но предпочел бы — пусть его превосходительство простит такие слова, — не упоминать об этом, чтобы его не подвергли наказанию на Западе. Хотя его заверили, что это невозможно. Профессор стал для него первым «зарубежным заказом», но сама мысль о необходимости убить такую личность оскорбляла его чувство приличия.

— Профессор — это большая величина, герр доктор! У него репутация! Он не какой-то там священник или еврей! Зачем же мне убивать такого человека? У меня тоже есть понятие о чести, знаете ли!

— Расскажите о полученном вами задании.

Оно выглядело не слишком сложным. Он должен был позвонить в дверь дома профессора, сказали ему, и он позвонил. Профессор наверняка находился бы дома, поскольку по средам всегда давал частные уроки до девяти вечера, сказали ему. Так и вышло. Профессора он застал дома. Ему следовало представиться другом Пали из Дебрецена, но он позволил себе вольность не делать этого. Проникнув в дом, он должен был убить герра профессора любым способом, который покажется предпочтительным. Но лучше всего с помощью гарроты, поскольку этот способ уж точно не создавал шума, хотя всегда возникала крайне прискорбная вероятность обезглавливания. Он должен был также убить и Хелену. Быть может, ее даже раньше. Это зависело от того, кто откроет дверь. Хозяева не высказывали никаких предпочтений относительно последовательности убийств. Вот почему он взял с собой вторую удавку. С этими гарротами, герр доктор, объяснил он для непонятливых, никогда нельзя быть уверенным, как скоро можно будет вновь пустить инструмент в ход после первого применения. Ему следовало затем позвонить по номеру телефона в Бонне, попросить подойти Петера и сообщить: «Сьюзи сегодня останется ночевать у друзей». Женское имя Сьюзи стало кодовым для профессора на время проведения операции. Это означало, что она завершилась успешно, хотя в нынешних обстоятельствах, герр доктор, назвать ее успешной было бы затруднительно. Хихиканье.

— С какого именно телефонного аппарата? — спросил я.

— Непосредственно с телефонного аппарата в доме профессора. Попросить Петера, как я и сказал. Это очень опасные люди, герр доктор. Они угрожали моей семье. И у меня, ясное дело, не оставалось выбора. У меня дочка. И мне были даны строгие инструкции: «Из дома профессора ты должен позвонить Петеру».

Это тоже меня удивило. Венгерская тайная полиция прекрасно знала, что профессор на протяжении пятнадцати лет является агентом западных разведок. Пользоваться его телефоном было в таком случае крайне неразумно.

— А что вы сделали бы в случае неудачи?

— Если задание не представлялось возможным выполнить — например, у профессора могли оказаться гости или по какой-то причине он отсутствовал, — мне нужно было позвонить с телефона-автомата и сказать, что Сьюзи направляется домой.

— С какого-то определенного автомата?

— Любой общественный телефон годился для этой цели, герр доктор. В случае невыполнимости поставленной задачи Петер мог дать мне новые указания или нет. Если нет, мне надлежало немедленно вернуться в Будапешт. Или же он мог отдать приказ: «Предпримите новую попытку завтра». Или даже так: «Попытайтесь через два дня». Вся ситуация целиком находилась под контролем Петера.

— По какому номеру в Бонне вы должны были звонить?

Он назвал его.

— Выворачивайте карманы.

Носовой платок цвета хаки, несколько скверно отпечатанных семейных снимков, включая фото юной девицы, по всей вероятности, его дочери, три восточноевропейских презерватива, вскрытая пачка русских сигарет, перочинный нож с разболтанным лезвием из железа (тоже явно восточноевропейского производства), огрызок простого карандаша, девятьсот шестьдесят марок ФРГ и кое-какая мелочь. Обратный купон железнодорожного билета второго класса по маршруту Вена — Мюнхен — Вена. Никогда прежде не видел я столь жалкого набора предметов в карманах шпиона, а тем более — убийцы. Неужели у венгерской разведки не было службы снабжения? Кто проверял его перед отправкой? О чем они только думали, черт возьми?

— А теперь ваш плащ, — сказал я и пронаблюдал, как он принес его из прихожей. Плащ был абсолютно новым. Карманы пусты. Сшит в Австрии, качество отменное. Такой должен был стоить немалых денег даже по западным меркам.

— Вы его купили в Вене?

— Jawohl, герр доктор. Там лило как из ведра, и мне понадобилась непромокаемая одежда.

— Когда?

— Не понял.

— На что?

— Не понял.

Зато я уже понял, насколько легко он начинал меня раздражать.

— Вы отправились первым же поездом сегодня утром, верно? Я знаю, он уходит из Вены до открытия магазинов, так? Вы же получили западные деньги только накануне ночью, когда вас посетил венгерский дипломат. Так объясните, когда вы успели купить плащ и на какие шиши. Или вы его просто украли?

Сначала он нахмурился, но потом снисходительно рассмеялся над моими дурными манерами, давая понять, что прощает меня. Затем показал мне открытые ладони жестом, исполненным великодушия.

— Я купил плащ вчера вечером, герр доктор! Как только прибыл на вокзал. На свою личную Valuten*, которую захватил с собой из Венгрии как раз для таких приобретений, естественно! Я не лжец! Умоляю вас!

---

* Иностранная валюта *(нем.)*.

— Вы сохранили чек из магазина?

Он покачал головой с глубокомысленным видом, явно собираясь просветить более молодого человека.

— Вы считаете, что нужно сохранять чеки, герр доктор? Я дам вам вот какой совет. Сохранять чеки и квитанции — значит нарываться на вопросы о происхождении денег. Счет — это как предатель и шпион в вашем кармане. Вы меня понимаете?

Слишком много оправданий, подумал я, не позволяя его ослепительной улыбке ввести меня в заблуждение. Слишком много ответов в одной фразе. Интуиция подсказывала никому не верить на слово, а уж тем более только что поведанной мне истории. Причем насторожил меня не столько сам по себе нелепый план убийства, не откровенно фальшивые документы, не содержимое карманов или жалкие ботинки. И даже не фундаментальная невероятность самой по себе миссии. Я повидал достаточно глупейших операций спецслужб стран — сателлитов СССР, чтобы считать все это слишком большим отклонением от нормы. На самом деле меня встревожила неестественность поведения двоих венгров в моем присутствии, ощущение, что существовала одна версия для меня и совсем другая для них самих. Меня пригласили сюда выполнить некую функцию, и коллективная воля старательно предписывала мне заткнуться и принять их выдумку за чистую монету.

Но в то же время я словно угодил в капкан. У меня не было ни времени, ни иного выбора, кроме как сделать вид, что я поверил в их сказки. Я оказался в положении врача, который подозревает больного в симуляции, но обязан тем не менее лечить его от недуга с описанными им симптомами. По всем правилам наших игр Лаци следовало воспринимать как отличный улов. Не каждый день наемный убийца из Венгрии добровольно перебегает на Запад, пусть он казался совершенно некомпетентным в своем деле. И если следовать тем же правилам, приходилось считать, что этот человек подвергался большой опасности, поскольку трудно представить, чтобы операция такого масштаба проводилась без негласной слежки за ее ходом.

Когда сомневаешься, учит нас теория, действуй по оперативной обстановке. Велось ли за домом наблюдение? Приходилось иметь в виду такую вероятность, хотя за этим домом трудно было бы следить незаметно, что и привлекло к нему внимание кураторов Теодора еще пятнадцать лет назад. Он стоял в конце укрытого зеленью тупика, а задней стороной выходил на реку, вдоль которой в сад вела прибрежная тропа. Но вот парадная дверь оказывалась на виду у любого, и входившего в нее Лаци вполне могли заметить.

Я поднялся наверх и из окна лестничной клетки осмотрел переулок и дорогу. Все соседние дома стояли погруженными в темноту. Мне не бросились в глаза ни припаркованные рядом автомобили, ни посторонние люди. Моя собственная машина стояла в соседнем переулке, выходившем прямо к реке. Я вернулся в гостиную. Телефон стоял на одной из книжных полок. Подав Лаци трубку, я проследил, как он набирал номер в Бонне. Его руки показались мне теперь похожими на женские, ладони слегка вспотели. Он покорно приблизил трубку вплотную ко мне и приблизился сам. От него пахло старым одеялом и русским табаком. В телефоне зазвучали гудки, а потом донесся очень раздраженный мужской голос. Говорил он по-немецки. Для человека, ожидавшего новостей об убийстве, ты неплохо разыграл полное равнодушие, подумалось мне.

У него был заметный акцент, похожий, видимо, на венгерский.
— Алло! Слушаю. Кто это?
Я кивком показал Лаци, что он может начинать.
— Добрый вечер, сэр. Я бы хотел поговорить с Петером.
— О чем же?
— Это мистер Петер? Дело сугубо личное.
— Чего вам надо?
— Так это Петер?
— Да, меня зовут Петер!
— Речь идет о Сьюзи, мистер Петер, — объяснил Лаци, лукаво подмигнув мне. — Сьюзи не придет домой сегодня вечером, мистер Петер. Боюсь, она останется ночевать у друзей. Впрочем, у хороших друзей. Они о ней позаботятся. Доброй ночи, мистер Петер.

Он хотел уже положить трубку, но я задержал его руку на достаточное время, чтобы расслышать рык, возмущенный или не понимающий рев на другом конце провода, прежде чем Лаци дал отбой.

Лаци улыбнулся мне, очень довольный собой.
— Он превосходно сыграл свою роль, герр доктор. Истинный профессионал, я бы сказал. Прекрасный актер, согласны?
— Вы узнали голос?
— Нет, герр доктор. Увы, этот голос мне незнаком.
Я резко распахнул дверь кабинета. Профессор сидел за письменным столом, положив перед собой сжатые кулаки. Хелена

расположилась на софе для отдыха ученого мужа. Меня терзало желание поделиться с профессором своими сомнениями. Я вошел в комнату, закрыв за собой дверь.

— Человек по фамилии Лаци так или иначе — преступник, — сказал я. — Он мошенник, обманывающий чужое доверие, либо действительно добровольно признавшийся во всем убийца, проникший в Германию по фальшивым документам, чтобы расправиться с вами и с вашей женой. В любом случае вы в полном праве сдать его полиции Западной Германии и избавиться от него навсегда. Вы хотели бы так поступить? Или предпочтете оставить решение за нами? Какой вариант вас больше устраивает?

К моему изумлению, впервые за весь тот вечер профессор выглядел искренне встревоженным. Вероятно, не был готов к тому, что его поставят перед подобным выбором. А может, до него дошло, что он находился на волосок от смерти. Как бы то ни было, но он придал моему вопросу гораздо большее значение, чем я сам. Хелена отвела глаза в сторону и тоже смотрела на супруга. Критически. Женщина, ожидавшая, чтобы ей заплатили.

— Делайте что вам положено, — пробормотал он.

— В таком случае я попрошу вас выполнять мои указания. Вас обоих.

— Мы настроены на сотрудничество. Да, мы будем помогать вам. Мы же помогали вам много лет. Слишком много.

Я бросил взгляд на Хелену.

— Пусть вся ответственность ляжет на моего мужа, — сказала она.

У меня не было времени на раздумья над смыслом этого велеречивого заявления.

— Тогда, пожалуйста, соберите вещи, которые могут понадобиться вам ночью, и ждите в полной готовности у двери в сад через пять минут, — сказал я, а потом вернулся в гостиную к Лаци.

Полагаю, он подслушивал у двери, поскольку поспешно отпрянул, стоило мне войти. Затем сложил руки под подбородком и просиял улыбкой, словно спрашивая, чем еще может доставить мне удовольствие.

— Вы когда-нибудь прежде встречались с профессором?

— Нет, сэр. Видел только фотографии. Но он все равно вызвал бы восхищение у любого. Подлинный аристократ.

— А с его женой?

— Ее я знал, сэр, но это вполне естественно.

— То есть?

— Она в свое время была актрисой, герр доктор. Одной из лучших в Будапеште.

— И вы видели ее на сцене?

Последовала пауза.

— Нет, сэр.

— Тогда где же вы ее видели?

Он старался прочитать мои мысли. У меня сложилось впечатление, что он гадает, сказала ли она мне нечто важное, а потому давал предельно краткие и осторожные ответы.

— Театральные афиши, ваше превосходительство. Когда она была молодой, ее лицо смотрело на тебя буквально повсюду. Все молодые люди влюблялись в нее. И я... Я не стал исключением.

— Где еще?

Он сообразил, что я ничего не знаю. А я сообразил, что он это понял.

— Весьма печально, сэр. Я говорю о женской внешности, герр доктор. Мужчина может сохранять привлекательность чуть ли не до восьмидесяти лет. Но женщина... — Он вздохнул.

Я позволил ему собрать и упаковать свой боевой арсенал, но потом забрал у него все. В револьвер я зарядил пули для бесшумной стрельбы, и пока я делал это, у меня возник еще один вопрос:

— При моем появлении здесь пули были извлечены из барабана и выложены на стол.

— Так точно, ваше превосходительство.

— Когда вы успели их вынуть? — спросил я.

— Прежде чем вошел в дом. Чтобы продемонстрировать свои самые мирные намерения. Естественно.

— Естественно.

Мы переместились в прихожую, а револьвер я заткнул себе за брючный ремень.

— Если вздумаете сбежать, я выстрелю вам в спину, — предупредил я и не без удовлетворения заметил, как в его маленьких глазках промелькнул испуг. По всей видимости, профессиональные убийцы не слишком хорошо переносили те средства, к которым прибегали сами.

Я сунул ему в руки плащ и оглядел комнату в поисках других возможно отставленных им здесь следов, но ничего не заметил. Отдав приказ хранить молчание, я вывел всех троих в сад, и по прибрежной тропе мы направились к моей машине. Знаменитая актриса, размышлял я, но об этом нет ни слова в ее досье. Профессора с женой я разместил на заднем сиденье, а Лаци занял место впереди возле меня. Минут пять мы просидели неподвижно, пока я пытался установить малейшие признаки слежки за нами. Ничего. К этому времени наступила полночь, и на небе в окружении звезд показался серп молодой луны. Я сделал круг по городу, поглядывая в зеркало заднего вида, а потом выехал на автобан и повел машину на юго-запад в сторону Штарнбергерзее, где у нас был явочный дом для бесед с новыми агентами и для допросов. Он стоял почти на самом берегу озера, а следили за ним два убийственных длинноволосых создания, прежде служивших в отделе дознания лондонской резидентуры. Их звали Джеффри и Арнольд. Причем Арнольд как раз торчал в дверном проеме, когда мы добрались до дома. Он угрожающе держал руку в кармане куртки. Другая была не менее грозно сжата в кулак и вытянута вдоль тела.

— Это всего лишь я, дурачок, — пришлось негромко сказать мне.

Джеффри затолкал профессора с женой в отведенную для них спальню, а Арнольд усадил Лаци в гостиной. Я же через сад добрался до лодочного сарая, откуда у меня наконец появилась возможность связаться с Тоби Эстерхази по защищенной телефонной линии. Он воспринял все на удивление хладнокровно. Складывалось впечатление, что он ждал моего звонка.

Тоби прибыл в Мюнхен первым же рейсом из Лондона на следующее утро. На нем было пальто из кожи молодых бобров и такая же кожаная шляпа, отчего он походил скорее на импресарио, нежели на опытного шпиона.

— Боже мой, Недди, дружище! — воскликнул он, обнимая меня, как вновь обретший сына отец после многолетней разлуки. — Послушай, ты выглядишь потрясающе! Поздравляю с успехом! Приятно видеть здоровый румянец на твоих щеках, какой появляется только от легкого возбуждения. Кстати, как поживает Мейбл? Семейную жизнь, знаешь ли, необходимо изредка поливать, как цветы.

Я вел машину медленно и говорил насколько мог размеренно и бесстрастно, делясь с ним результатами расследования, проведенного за долгую ночь. Мне хотелось, чтобы он узнал все, что стало известно мне, прежде чем мы доберемся до дома у озера.

Ни американцы, ни западные немцы понятия не имели о существовании некоего Лаци, сказал я. Судя по репликам Тоби, так же обстояло дело и в Лондоне.

— Лаци для нас — это абсолютно чистая страница, Нед. Совершенно чистая, — согласился со мной Тоби, с чрезвычайно довольным видом изучая мелькавшие мимо пейзажи.

— Нет, кроме того, никаких упоминаний о его оперативном псевдониме в Баварии, как и о прочих кодовых именах, которые, по словам Лаци, он использовал, выполняя «свой долг» в пределах Венгрии, — заметил я.

Тоби опустил стекло в своем окне, чтобы насладиться ароматом полей.

— Западногерманский паспорт Лаци — грубая подделка, — решительно продолжил я. — Такие делают с недавних пор малоискушенные мастера фальсификаций в Вене, продавая их затем по дешевке через свои частные каналы — своеобразный черный рынок.

Тоби это лишь слегка возмутило.

— Черт возьми, кто в наши дни покупает подобный хлам? — спросил он раздраженно, когда мы миновали загон, где паслись лошади паломино. — Настали времена, когда за хороший паспорт надо хорошо платить. А с этим дерьмом запросто можно угодить на полгода в кутузку.

И он с грустью покачал головой, как человек, к чьим предупреждениям никто не прислушивается, пока не оказывается слишком поздно.

Я продолжал сбивчивый рассказ. Телефон в Бонне принадлежал военному атташе венгерского посольства, сказал я, который в справочнике действительно значился как Петер. Его давно знали как штатного сотрудника разведки. И я позволил себе лишь чуть сдержанную иронию:

— Нечто новенькое для нас, не правда ли, Тоби? Шпион, который использует в качестве оперативной клички подлинное имя. Так с чего нам самим заморачиваться? Вот ты, например, Тоби. Но мы сохраним это в секрете и присвоим тебе псевдоним Тоби. Отлично!

Но Тоби оказался слишком преисполнен желанием насладиться днем в Баварии, чтобы его обеспокоил скрытый смысл моей фразы.

— Поверь мне, Недди. Военные — законченные идиоты. А венгерская военная разведка напоминает венгерскую военную музыку. Понимаешь, что я имею в виду? И то и другое исполняется через задницу.

Я тем не менее продолжал свое повествование. Контрразведка ФРГ постоянно вела прослушивание телефона венгерского атташе. Кассету с записью его разговора с Лаци уже отправили в мой офис. Насколько я понимаю, в ней нет ничего необычного, если не обращать внимание на тот факт, что Петера удивил звонок, которого он явно не ожидал. Прошлой ночью Петер никому не звонил и никто больше по телефону с ним не связывался. Не наблюдалось и никакой активности в обмене дипломатическими радиосигналами через установленную на крыше посольства Венгрии в Бонне антенну. А вот Петер направил письмо в протокольный отдел западногерманского МИДа, в котором жаловался на то, что его кто-то тревожит бессмысленными звонками на домашний телефон. Как я понимал, это не было частью плана заговора. Тоби не разделял моей уверенности.

— Может быть, так, Нед, а может — иначе, — сказал он, откидываясь на спинку сиденья и лениво потирая ладонью о ладонь. — Человек понял, что его скомпрометировали, так? И он достаточно умен, чтобы настрочить официальную жалобу и откреститься от звонка, заметая следы. Правдоподобно?

Я выдал ему остальное. Мне этого очень хотелось.

— Описанная Лаци внешность безымянного дипломата, который встречался с ним в Вене, очень напоминает описание некоего Лео Бакоша, торгового представителя в Австрии. Он, как и Петер, офицер венгерской разведки, о чем тоже давно известно. Кузен Вагнер достанет для нас фото, чтобы мы сегодня смогли показать его Лаци.

Упоминание о Бакоше вызвало на губах Тоби умиленную улыбку.

— Так они даже Лео ухитрились втянуть? Странно. Потому что Лео настолько тщеславен, что готов шпионить только за герцогинями. — Он недоверчиво, но искренне рассмеялся. — Представить себе Лео в паршивом отеле передающим удавки мерзкому наемному убийце? Не убеждай меня, что это правда, Нед. Я серьезно тебе говорю.

— Тебя убеждаю не я, а Лаци, — пришлось напомнить мне. — И последнее, — сказал я. — Джеффри был направлен мной в мюнхенский бордель, чтобы заплатить по счету Лаци и забрать его дорожную сумку. В багаже киллера интерес мог представлять разве что набор порнографических снимков.

— Результат повышенного напряжения, Нед, — невозмутимо объяснил суть вопроса Тоби. — В чужой стране с заданием убить незнакомого человека. У любого может возникнуть потребность в небольшой частной компании, если ты понимаешь, что я имею в виду.

В свою очередь сам Тоби не привез для меня ничего. Ни частного, ни официального. Я догадывался, что он всю ночь провисел на телефоне, и почти наверняка так и было. Вот только искал он вовсе не подтверждение моей версии.

— А не устроить ли нам сегодня вечеринку? — предложил он. — Гарри Палфри из юридического отдела как раз прибывает сюда вместе с парой ребят из Министерства иностранных дел. Он отличный малый, этот Гарри. Англичанин до мозга костей.

Я был возмущен и сбит с толку.

— Из какого департамента МИДа эти парни? — спросил я. — Кто такие? И при чем здесь Палфри?

Но, как любил выражаться сам Тоби, вопросы никогда не представляют опасности, пока не начинаешь отвечать на них. Мы прибыли в дом у озера и застали Арнольда за приготовлением яичницы с беконом. Профессор и Лаци сидели по одну сторону стола. Хелена — вегетарианка — расположилась напротив и грызла батончик с орехами, который достала из сумочки.

Арнольд был худощавым блондином. Длинные волосы он собрал в узел на затылке.

— Они тут устроили свару между собой, Нед, — доверительно сообщил он мне с откровенным неодобрением, пока Тоби обнимался с профессором. — Грызлись как две собаки — этот профессор и его миссис. Я так и не понял, кто начал ссору и по какому поводу, но не стал ни о чем их спрашивать.

— Лаци тоже участвовал в скандале?

— Он собирался влезть, Нед, но я посоветовал ему сидеть тихо. Не люблю, когда посторонние вмешиваются в семейные дела. Сам никогда не стал бы.

Оглядываясь назад, я вижу все наши беседы в тот день как подобие сложного менуэта, который мы начали танцевать в скромной кухне явочного дома, а закончили при дворе Всемогущего повелителя, а если точнее — в украшенном флагами конференц-зале американского генерального консульства, где с портретов на нас смотрели знакомые лица президента Никсона и вице-президента Агню. Они милостиво улыбались и вдохновляли на новые успехи.

Тоби, как скоро понял я, действительно не сидел ночью без дела, а составил собственную и обширную программу действий, которую сразу же начал поэтапно осуществлять с ловкостью циркового шпрехшталмейстера. В кухне он лично выслушал историю, заново рассказанную ему Лаци и профессором, пока Хелена продолжала грызть свои орехи. Мне никогда прежде не доводилось видеть Тоби, вновь перевоплотившимся в венгра, и я не мог не восхититься его столь естественной трансформацией. Буквально одной фразой он словно сбросил с себя сковывавший его чуждый корсет англосаксонской сдержанности и оказался своим среди своих. В глазах у него вспыхнул огонь. Он даже горделиво выпрямил спину, словно сидел в седле на параде конной гвардии.

— Нед, они говорят, что ты проявил себя самым достойным образом, — сказал он, подозвав меня к столу в самый разгар беседы. — За тобой как за каменной стеной, вот их слова. Думаю, они готовы выдвинуть твою кандидатуру на Нобелевскую премию!

— Передай им, пусть лучше похлопочут об «Оскаре». Его готов принять, — отозвался я с кислой улыбкой и отправился на прогулку вдоль берега озера, чтобы восстановить утраченное равновесие.

Вернувшись в дом, я застал Тоби и профессора в гостиной, где они вели оживленный разговор. Как мне показалось, уважение Тоби к профессору нисколько не поколебалось, а лишь укрепилось. Лаци помогал Арнольду в кухне мыть посуду, причем оба постоянно над чем-то посмеивались. Похоже, Лаци знал много скабрезных анекдотов. Хелены в тот момент нигде не было видно. Затем настала очередь Лаци уединиться с Тоби, пока профессор с женой помимо воли прогуливались у озера, на каждом шагу останавливаясь и осыпая друг друга упреками. Кончилось тем, что профессор резко развернулся и направился к дому.

Воспользовавшись случаем, я выскользнул из двери и присоединился к Хелене. Она обиженно поджала губы, а ее лицо покрывала болезненная бледность, но что стало тому причиной — страх, злость или усталость, — я знать не мог. Когда она попыталась заговорить, ей пришлось прерваться и начать заново, чтобы выдавить из себя слова.

— Он лжец! — сказала она. — Это все вранье! Ложь, ложь! Он лжец!

— О ком вы?

— Они оба лжецы. Лгут со дня своего появления на свет. И даже на смертном одре будут все так же лгать.

— В чем же заключается правда? — спросил я.

— Подождите, и узнаете правду!

— Чего же мне прикажете ждать?

— Я предупредила его. «Если ты пойдешь на такое, я обо всем расскажу англичанам». А потому нам нужно подождать. Если он решится, я вам все открою. Если откажется, пощажу его. Все-таки я ему жена.

И она вернулась в дом, эта исполненная достоинства женщина. Как только она вошла, на подъездной дорожке остановился черный лимузин и показался Гарри Палфри, юридический советник Цирка, сопровождаемый еще двумя представителями английского правящего класса. В более высоком я узнал Алана Барнаби, знаменитость из отдела МИДа, по недоразумению названного управлением информации и исследований, где на самом деле занимались контрпропагандой против коммунистов, не стесняясь прибегать к самым грубым приемам. Одной рукой Тоби тепло приветствовал его, а другой жестом пригласил меня в их компанию. Мы зашли в дом и расселись по местам.

Поначалу мне пришлось внутренне кипеть, но не подавать голоса. Главные игроки отправились на второй этаж. Говорил только Тоби, а остальные слушали его с тем особого рода напускным почтением, которое обычно приберегали для общения с нищими или чернокожими. Я даже почувствовал желание немного защитить его — защитить Тоби Эстерхази, да поможет мне бог! Человека, защищавшего всю жизнь только себя самого!

— В данном случае, Алан, если позволите мне некоторую свободу выражений, мы имеем дело с высококлассным источником информации, полностью, однако, исчерпавшим свои возможности, — объяснил Тоби. — Отличный агент, но его лучшие дни уже позади.

— Вы имеете в виду, конечно, профессора, — по-доброму подсказал Барнаби.

— Они уже сели ему на хвост. Им стала очевидна его огромная ценность для нас. Судя по некоторым намекам Лаци, можно заключить, что венгры собрали толстенное досье на профессора и все его операции. Я хочу сказать, разве стали бы они подсылать убийцу к человеку, совершенно нам бесполезному? Попытка покушения на убийство со стороны венгров — это для его цели как сертификат высокого качества продукта из журнала «Товары для дома», уж простите за такое сравнение.

— Мы не можем взять на себя ответственность за безопасность профессора на продолжительный период времени, — предупредил Палфри с улыбкой вечного неудачника. — Мы, разумеется, способны предоставить ему охрану, но ненадолго. Пожизненная защита не представляется возможной. Он должен быть информирован об этом. Вероятно, нам следует попросить его подписать кое-какие бумаги для внесения в данный вопрос полной ясности.

Второй представитель МИДа был круглолицым и лощеным. Поперек его жилетки тянулась цепочка, и у меня появилось детское желание дернуть за нее, чтобы проверить, не запищит ли он, как игрушечный.

— Что касается меня, — вмешался он шелковым голосом, — то, как мне кажется, мы все чересчур много болтаем. Если американцы согласны забрать у нас эту парочку — профессора и его жену, — то с глаз долой, из сердца вон. И тогда нам не о чем будет больше беспокоиться, верно? Нам же лучше не высовываться из окопа и держать порох сухим, правильно я говорю?

— И все же будет лучше, — возразил Палфри, — если он подпишет заявление об отказе от дальнейшего сотрудничества с нами, Норман. К тому же за последние несколько лет он работал не столько на нас, сколько на кузенов.

Тут даже вечно озабоченный самозащитой Тоби не смог сдержать понимающей улыбки.

— Все самые ценные агенты поступают так же, хочу напомнить тебе, Гарри. Рука руку моет даже на таком высоком уровне, как у профессора. Вопрос лишь в том, что мы теряем, не считая лишних проблем, если не можем и дальше задействовать его с пользой. Хотя здесь я не могу выступать в роли эксперта, — добавил он с любезной улыбкой, обращенной к Барнаби.

— А что с нашим наемным убийцей? — спросил тот, кого звали Норманом. — Он будет играть по правилам? Ведь чертовски опасно на его месте подставляться, как утка в пруду.

— Лаци готов проявить гибкость, — заверил Тоби. — Хотя он, во-первых, напуган, а во-вторых, горячий патриот.

Меня подмывало оспорить оба эти утверждения, но приступ тошноты не позволил вмешаться.

— Все эти так называемые аппаратчики испытывают шок, стоит им оказаться за пределами своей системы. Лаци справляется с ним совсем неплохо. Ему больно думать о судьбе своей семьи, но он примирится с ней. Если Теодор согласится, то и Лаци тоже. При наличии определенных гарантий, конечно же.

— Какого рода гарантий? — спросил круглолицый чиновник из МИДа так быстро, что даже Гарри Палфри не успел опередить его.

Но и Тоби не колебался с ответом ни секунды.

— Обычных и общепринятых в таких случаях гарантий. Проще говоря, ни Лаци, ни Теодор не желают быть выброшенными на свалку, когда все это закончится. Как и Хелена. Американские паспорта, круглая сумма в качестве гонорара в конце пути, защита и помощь. С моей точки зрения, требования справедливые.

— Все это попросту сплошное надувательство, — выдал я, почувствовав, что с меня достаточно.

Все смотрели на меня и дружно улыбались. Они бы улыбались, что бы я ни сказал. Такая уж подобралась компания. Признайся я в сотрудничестве с венгерской разведкой, они бы все равно улыбались. Заяви я, что представляю собой реинкарнацию младшего брата Адольфа Гитлера, они бы улыбались. Все, кроме Тоби, конечно, чье лицо приобрело безжизненное выражение человека, который понимает, что для него безопаснее всего сейчас ни на что не реагировать, прикинувшись, что он тут ни при чем.

— Какого дьявола вы это сказали, Нед? В чем причина? — спросил Барнаби крайне заинтересованным тоном.

— Лаци не прошел обучения приемам профессионального убийцы, — ответил я. — Я не знаю, кто он на самом деле, но только не убийца. Он пришел к профессору с незаряженным револьвером. Ни один профессиональный палач не поступил бы так, находясь в здравом уме. По легенде, он артист из Баварии, но носит венгерскую одежду, и половина содержимого его карманов тоже имеет венгерское происхождение. Я стоял рядом с ним, когда он звонил в Бонн. Действительно атташе носит имя Петер, но он значится как Петер в открытом списке иностранных дипломатов. И он совсем не ожидал подобного звонка ни в тот вечер, ни через месяц, ни через год. Лаци застал его врасплох. Достаточно прослушать запись разговора, сделанную немцами, чтобы это понять.

— А как же тот мужчина в Вене, Нед? — спросил Барнаби, решив проявить ко мне снисхождение. — Дипломат, передавший ему деньги и оружие? Что насчет него, а? А?

— Они никогда не встречались. Мы показали Лаци фото, и он, разумеется, пришел в восторг. «Да, это тот самый человек», — сказал он. Разумеется. Он наверняка видел его снимок прежде. Поинтересуйтесь у Хелены. Она все знает. Не хочет ни о чем говорить в данный момент, но если на нее надавить, я уверен, она все расскажет.

Тоби на мгновение ожил:

— Надавить? На Хелену, Нед? Но к давлению следует прибегать только в том случае, если ты уверен, что в ответ на тебя самого не надавят еще сильнее. Эта женщина беззаветно любит своего мужа. Она будет защищать его до последней капли крови.

— Профессор лишился доверия американцев, — продолжал я. — Они уже сворачивают ковровую дорожку, которую расстилали для него прежде. Он отчаялся. Если не он сам подстроил эту ложную попытку покушения на себя, то это сделал Лаци. Весь смысл аферы в том и состоит, чтобы профессор компенсировал свои потери и начал новую жизнь.

Они ждали от меня продолжения — все присутствовавшие. Казалось, они дожидались кульминации, финального аккорда. Наконец заговорил Тоби. Он первым пришел в себя.

— Скажи мне, Недди, когда ты в последний раз спал? — спросил он со снисходительной улыбкой. — Нам всем это интересно.

— А какое отношение это имеет к сути дела?

Тоби с напускным вниманием изучал циферблат своих часов.

— Полагаю, ты не спишь уже часов тридцать, Нед. Но за это время тебе пришлось принять ряд крайне важных решений, и правильных решений, должен отметить. Едва ли нам стоит винить тебя в том, как повлияло на твои реакции переутомление.

Меня словно не расслышали. Все вновь повернулись к Тоби.

— Что ж, думаю, нам теперь важно бросить взгляд на свою труппу. — Барнаби произнес эту фразу, когда я направился к двери. — Можем мы позвать актеров вниз, Тоби? Главный вопрос состоит в том, как они будут выглядеть, оказавшись в центре публичного внимания.

— Я считаю, что новостная составляющая этого дела только выиграет, если мы все сделаем побыстрее, — говорил Палфри, а я выходил в сад, где только и мог вернуть себе здравомыслие. — Куй железо, пока горячо. Согласны со мной?

— Согласны во всем, Гарри. На все сто процентов.

Присутствовать на первой репетиции я отказался. Сел на кухне и позволил Арнольду поухаживать за собой, притворившись, что с интересом слушаю рассказ о том, как его мамаша бросила мужчину, с которым прожила двадцать лет, и сошлась с другом своего далекого детства. Я видел, как Тоби поднялся наверх, чтобы вызвать основных персонажей, и смог лишь тихо зарычать, когда через несколько минут все трое спустились по лестнице. Лаци успел расчесать свои черные волосы на пробор, а профессор накинул пиджак, подавшись головой мудреца вперед в явном предвкушении, и его седая шевелюра красиво развевалась в движении.

Потом в кухню зашла Хелена. По щекам у нее струились слезы. Арнольду пришлось заключить ее в успокаивающие объятия и снабдить одеялом, поскольку весеннее утро выдалось холодным и ее била дрожь. Арнольд заварил для нее чай с настоем ромашки и сидел рядом, обхватив рукой, до тех пор, пока к нам не ворвался Тоби, чтобы объявить: через два часа нас всех ожидают в американском генеральном консульстве.

— Рассел Шеритон прилетает из Лондона, Пит де Мэй — из Бонна. Они полны энтузиазма, Нед. В абсолютном восторге. В Вашингтоне готовы подбрасывать вверх шляпы — точно тебе говорю.

Я не мог припомнить, имел ли Пит де Мэй более высокий ранг, чем Шеритон, но знал его как достаточно крупную фигуру.

— Нед, твой Теодор — просто фантастика, — шепнул мне Тоби.

— Ты так думаешь? В чем же это проявляется?

— Знаешь, как проходил разговор? Они сказали ему: «То, что вы собираетесь сделать, чертовски рискованно, профессор. Как думаете, вы справитесь с этим?» И что он ответил? «Господин посол, мы все готовы рисковать, если речь идет о защите интересов цивилизованного общества». Он спокоен, исполнен чувства собственного достоинства. И Лаци тоже. Нед, обещай мне поспать, когда все закончится, ладно? Я сам позвоню Мейбл.

Мы отправились в двух машинах. Тоби ехал с венграми, а я сам — с Палфри и мидовцами. Открывая для меня дверь, Палфри прикоснулся к моей руке и дал совет, который невозможно было игнорировать:

— Думаю, с этого момента мы все должны дружно тянуть канат в одну сторону, Нед. Усталость усталостью, но всякие упоминания о надувательстве совершенно неуместны. Вы слышите? Договорились?

В итоге нас набралось человек двадцать. Генеральный консул занял место председателя. Это был бледный уроженец Среднего Запада, бывший юрист, как и Палфри, постоянно и озабоченно твердивший о возможных, как он выражался, «последствиях». Милтон Вагнер сидел между Шеритоном и де Мэем. Мне сразу стало очевидно, что какие бы мысли ни вынашивали на самом деле Шеритон и Вагнер, они получили приказ держать скептицизм при себе. Впрочем, вполне вероятно, они тоже понимали: не самый плохой способ избавиться от бесполезных агентов — передать их в распоряжение информационных служб США, представленных квартетом обеспокоенных, но поневоле доверчивых сотрудников, чьих имен я так и не запомнил.

Пуллах был тоже поставлен в известность. Хотя немецкая разведка не принимала в операции прямого участия, она направила своего наблюдателя, чтобы у нас была уверенность: слухи о наших подопечных распространятся к вечеру даже в Потсдаме. Кроме того, они настаивали на обстоятельной жалобе в адрес Вены. Как выяснилось, Пуллах вел затяжную войну с австрийской полицией по поводу поддельных паспортов, подозревая, что именно власти негласно продают их венграм. В ходе встречи немало времени ушло на цитирование рапортов офицеров на местах по поводу двурушничества австрияков.

Троица главных действующих лиц, конечно, не принимала участия в дискуссии, ожидая в приемной. Чуть позже стали разносить сандвичи, и им тоже принесли большой поднос с едой. А в момент их появления в конференц-зале под занавес встречи несколько так ничего и не понявших участников совещания разразились аплодисментами, что стало первым случаем из многих с того времени, когда наши «герои» слышали овации после своих театральных представлений.

Сначала всеобщим вниманием ненадолго завладели слезы Хелены. Профессор выступил с краткой речью. Его напускное мужество произвело предсказуемый эффект. За ним последовал Лаци, и холодок пробежал по спинам многих присутствовавших, когда он объяснял, зачем ему понадобились сразу две удавки, которые осторожно выложили на стол в качестве вещественных доказательств. Но только когда заплаканная Хелена вновь вышла на авансцену, держа профессора за руку, я ощутил, как ком подкатил у меня к горлу, и осознал, что каждый в зале испытывает примерно такие же ощущения.

— Я целиком и полностью поддерживаю мужа, — вот и все, что сумела выдавить великая актриса.

Однако и этого оказалось достаточно, чтобы вся аудитория восторженно вскочила на ноги.

Лишь много позже тем вечером мне удалось поговорить с ней наедине. Мы все к тому моменту совершенно выбились из сил. Даже неутомимый Лаци выдавал признаки усталости. Капитаны и короли нас покинули, Тоби тоже отбыл. Я сидел с Арнольдом в гостиной явочного дома у озера. Американский микроавтобус с тонированными стеклами и двумя переодетыми в штатское морскими пехотинцами на борту давно стоял во дворе, но наши «звезды» уже овладевали искусством держать публику в нетерпеливом ожидании. Остаток дня заняли приготовления вечернего заявления для прессы и оформление договоров с обязательствами сторон, о которых говорил Палфри. Он заранее отпечатал их и привез с собой из Лондона.

Хелена вошла нерешительно, словно ожидала от меня пощечины, но вся моя злость уже куда-то улетучилась.

— Мы получим паспорта, — сказала она, присаживаясь. — Это новый для нас мир.

Арнольд тактично выскользнул из комнаты, закрыв за собой дверь.

— Кто такой Лаци? — спросил я.

— Приятель Теодора.

— Да, но кто еще?

— Актер. Плохой, никудышный актер из Дебрецена.

— Он когда-нибудь сотрудничал с тайной полицией?

Хелена жестом изобразила пренебрежение.

— Да, он имел с ними связи. Когда Теодору нужно было негласно связаться с властями, Лаци становился посредником.

— Вы имеете в виду, когда Теодору приходилось стучать на своих студентов?

— Именно.

— Лаци снабжал Теодора информацией после того, как вы перебрались в Мюнхен?

— Поначалу лишь изредка. Но все чаще по мере того, как иссякали другие источники. А потом уже в больших количествах. Теодор продавал ее вам и американцам. В противном случае мы бы остались совсем без средств к существованию.

— Лаци помогала собирать нужные сведения тайная полиция?

— Нет, все делалось частным образом. Ситуация в Венгрии постепенно меняется. Порой уже опасно связываться с властями.

Я отпер дверь и пронаблюдал, как она выходила из дома с горделиво поднятой головой.

Несколько недель спустя в Лондоне я дословно передал Тоби ее слова. Он не был нисколько удивлен, как ни в чем и не раскаивался.

— Женщины, Нед, прирожденные преступницы, скажу я тебе. Лучше просто съесть суп, чем бесконечно перемешивать его.

Прошли еще недели, и шоу Теодора — Лаци все еще имело громкий успех. Тоби тоже преуспевал. Какова была его роль в этой истории? О чем он узнал заранее и когда именно? Или ему было известно все? Не сам ли он сочинил театральную пьесу, чтобы выжать последние соки из своего якобы лучшего агента и навсегда от него избавиться? Я ведь с самого начала подозревал, что в представлении по меньшей мере три участника, а Хелена лишь актриса второго плана.

— Знаешь что, Недди? — заявил Тоби, дружески обнимая меня за плечи. — Если ты не умеешь ездить на двух лошадях одновременно, то тебе не место в Цирке.

Если вы читали книгу, то должны помнить персонажа, выведенного в ней под псевдонимом «полковник Уэзерби». Мастера маскировки, свободно владевшего семью европейскими языками. Тайного лидера многих групп Сопротивления в Восточной Европе. Героя, «переходившего с одной стороны "железного занавеса" на другую, словно он был соткан из тончайшей ткани». Так вот. Это был я. Нед. Мне не пришлось, слава богу, самому писать главу о себе. Ее состряпал какой-то продажный спортивный репортер из Балтимора, завербованный кузенами. Моему же перу принадлежал вступительный портрет великого человека, напечатанный под заголовком: «Подлинный профессор Теодор, каким я его знал». Накропать его меня вынудил Тоби и Пятый этаж. Я же придумал рабочее название для всей книги — «Профессиональные хитрости», но Пятый этаж забраковал его, посчитав слишком двусмысленным для правильного понимания. Зато я получил повышение по службе.

Но прежде я успел излить свое возмущение Джорджу Смайли, только что оставившему свой пост одного из начальников Цирка и готовившемуся в очередной, хотя и не в последний раз уйти в тень преподавательской и научной деятельности. Я как раз оказался вновь в Лондоне во время краткого перерыва в турне. И как-то в пятницу вечером мне удалось поймать его на Байуотер-стрит, когда он упаковывал вещи для поездки на выходные дни. Он выслушал меня, сначала чуть заметно усмехнулся, затем ухмыльнулся от души.

— О Тоби, — тихо пробормотал он с оттенком восхищения. — Но ведь они и в самом деле совершают убийства, не правда ли, Нед? — возразил он на мои аргументы, тщательно складывая твидовый пиджак. — Я имею в виду, конечно же, венгров. Даже по восточноевропейским стандартам, они из числа наиболее жестоких банд, какие только там существуют. Верно?

Да, согласился я, венгры действительно часто прибегали к убийствам и пыткам. Но это не перечеркивало того факта, что Лаци был подставным лицом, а Теодор — его сообщником по наглому обману. Что касается Тоби...

Но Смайли резко оборвал меня:

— Остановись, Нед. Ты, как мне кажется, излишне щепетилен. Каждая церковь нуждается в собственных святых. И церковь антикоммунизма не исключение. Святые же традиционно крайне сомнительны, если уж копнуть поглубже. Однако никто не сомневается в их необходимости, если они выполняют свою функцию. Как считаешь, эта рубашка сойдет или лучше заново ее погладить?

Мы сидели в его гостиной, попивая виски под шум вечеринки в одном из домов по Байуотер-стрит.

— Неужели призрак Стефани продолжает преследовать тебя даже на улицах Мюнхена, Нед? — вдруг спросил Смайли с искренней заботой, как только мне показалось, что он задремал в кресле.

К тому времени я давно перестал удивляться его способности вставать на мое место.

— Да, время от времени, — ответил я.

— Но не сама женщина во плоти. Вот что печально.

— Я попытался как-то позвонить одной из ее тетушек, — сказал я. — У меня тогда приключилась очередная глупая ссора с Мейбл и пришлось перебраться жить в отель. Было поздно. Насколько помню, я слегка перепил... — И тут мне показалось, что Смайли обо всем известно, а я излишне многословен. — По крайней мере, я думал, что разговаривал с тетей. Но это могла оказаться просто служанка. Впрочем, нет, это все-таки была ее тетя.

— Что она тебе сказала?

— Фройлен Стефани нет дома.

Последовало долгое молчание, только на сей раз я не впал в заблуждение и не посчитал Смайли спящим.

— Это был молодой голос? — задумчиво спросил он потом.

— Да, достаточно молодой.

— Значит, не исключено, что к телефону подошла сама Стефани.

— Не исключено.

Мы снова стали вслушиваться в голоса с улицы. Смеялась девушка. Мужчина сердился. Кто-то посигналил и почти сразу уехал. Звуки постепенно затихли. Стефани стала для меня эквивалентом Энн, размышлял я, возвращаясь на противоположный берег реки в Баттерси, где у меня была снята небольшая квартирка. Разница лишь в том, что я никак не мог набраться смелости, чтобы позволить ей разочаровать меня.

Глава 7

Смайли оборвал рассказ — историю о некоем дипломате из Центральной Америки, страстном любителе и коллекционере моделей британских железных дорог определенного периода. Цирк сумел купить его пожизненную верность с помощью действительно редкой копии маневрового паровоза фирмы «Хорнби», украденной группой Монти Эрбака из лондонского Музея игрушек. Все еще продолжали смеяться, но вдруг заметили внезапное погружение Смайли в задумчивость о былом, когда его взгляд с тревогой остановился на чем-то, находившемся где-то далеко отсюда.

— Мы очень редко непосредственно сталкиваемся с реальностью, с которой прежде лишь играли, — тихо продолжил он. — Пока этого не случается, мы остаемся зрителями. Агенты осуществляют за нас наши чаяния, а мы — оперативники и их кураторы — сидим в полной безопасности по другую сторону прозрачных зеркал, заставляя себя поверить, что увидеть — значит почувствовать. Но стоит наступить моменту истины (если это вообще когда-либо происходит с вами)... Стоит случиться прозрению, и мы становимся гораздо менее требовательными по отношению к другим.

Произнося эту тираду, он ни разу не посмотрел на меня. Как ни намеком не выдал, о ком конкретно думал. Но я знал не хуже, чем он сам. То есть мы оба знали, что речь шла, разумеется, о полковнике Ежи.

Я увидел его, но ничего не сказал Мейбл. Вероятно, от слишком большого удивления. А возможно, я так и не избавился от привычки к вечной скрытности, и потому даже сегодня моя первая реакция на неожиданное событие выливается в желание спрятать истинные чувства. Мы с Мейбл смотрели по телевизору девятичасовой выпуск новостей, ставший в эти дни для нас заменой похода в церковь к вечерне (только не спрашивайте почему!). И внезапно я увидел его. Полковника Ежи. Но вместо того, чтобы вскочить со стула и заорать: «Господи! Мейбл! Посмотри на этого мужчину в глубине экрана! Это же Ежи!» — что стало бы вполне нормальной и здоровой реакцией для обычного человека, я продолжал смотреть и невозмутимо потягивать виски с содовой. Но позже, оставшись в одиночестве, я тут же вставил чистую кассету в видеомагнитофон, чтобы обязательно записать повтор сюжета, когда его покажут в «Ночных новостях». И с тех пор — а произошло это уже шесть недель назад — я, должно быть, просмотрел запись более десятка раз, поскольку каждый раз обнаруживался новый нюанс, который хотелось смаковать.

Но мне лучше поставить эту часть повествования в самый конец, где ей и место. Разумно будет изложить вам ход событий в хронологическом порядке, поскольку в Мюнхене имел место не только фарс с профессором Теодором, а работа спецслужбиста после разоблачения измены Билла Хэйдона не сводилась к ожиданию, пока заживут нанесенные им раны.

Полковник Ежи был типичным поляком, а для меня до сих пор непостижимо, почему столь многие поляки питают слабость к англичанам. Мы не раз предавали их страну, и мне это представлялось настоящим позором для нас. Будь я сам из Польши, то, наверное, плевал бы даже на мимолетную тень любого британца. И не важно, пострадал я от нацистов или от русских. Мы ведь поочередно бросали поляков на произвол и тех и других. Кроме того, я уж точно не удержался бы от искушения подложить бомбу под так называемые «компетентные органы», официально считавшиеся одним из департаментов британского Министерства иностранных дел. О небо! Что за чудовищная фраза! Когда я пишу эти строки, поляки снова оказались зажаты между непредсказуемым русским медведем и несколько более предсказуемым ныне германским быком. Но в одном можете быть уверены. Если Польше когда-нибудь вновь понадобится добрый друг, чтобы выручить из беды, те же «компетентные органы» из британского МИДа отправят им полную сочувственных извинений телеграмму, объясняя, что им сейчас не позволяют вмешаться стоящие перед ними более насущные задачи.

Тем не менее мое ведомство может похвастаться совершенно непропорциональными вложенным усилиям успехами именно в Польше. И поистине обескураживающее количество поляков, мужчин и женщин, со свойственной этому народу безрассудной отвагой рисковали собственными жизнями и благополучием своих семей, чтобы шпионить на «благородных англичан».

А потому не приходится удивляться, что результатом дела Хэйдона стало особенно высокое число жертв среди наших агентов в Польше. Благодаря Хэйдону британцы добавили еще одно предательство к исторически длинному списку. Когда одна потеря следовала за другой с тошнотворной неизбежностью, атмосфера траура в нашей мюнхенской резидентуре становилась почти физически ощутимой. Осознание позорного провала было сравнимо только с чувством полнейшей беспомощности. Никто из нас не сомневался, как именно все произошло. До разоблачения Хэйдона польская контрразведка во главе с талантливым шефом оперативного отдела полковником Ежи не подавала ни малейшего вида, что пользуется услугами предателя в наших рядах. Они довольствовались возможностью с его помощью проникать в существовавшие сети агентов, чтобы задействовать каналы дезинформации или, когда им это удавалось, для обработки наших шпионов и перевербовки на свою сторону, искусно заставляя их работать теперь уже против нас.

Однако после падения Хэйдона полковник понял, что во всякой сдержанности отпала необходимость, и в течение буквально нескольких дней безжалостно искоренил нашу самую преданную агентуру, которую до того времени предпочитал не трогать.

«Жертвы Ежи» — так назвали мы список арестованных, пополнявшийся почти ежедневно. Отчаявшись, мы вынашивали личную ненависть к человеку, уничтожавшему наших агентов, казнившему их порой без официального следствия и суда, позволяя своим заплечных дел мастерам вдоволь поиздеваться над попавшимися людьми.

Вам может показаться странным, почему мы в Мюнхене так пристально следили за событиями в Польше. Но в том-то и суть, что несколько десятилетий все операции на польской территории планировались в Мюнхене и контролировались оттуда же. С помощью антенны, установленной на крыше здания в покрытом зеленью пригороде, где размещалось консульство, мы день и ночь принимали сигналы от своих агентов. Зачастую это был лишь короткий писк, втиснутый между словами передачи, которая на законных основаниях велась по радио. В ответ по заранее согласованному графику мы посылали им новые указания и успокаивающие сообщения. Из Мюнхена же отправлялись письма на польском языке с тайнописью между строк. А если одному из наших источников удавалось добиться разрешения на поездку за пределы страны, из Мюнхена немедленно вылетал человек, чтобы встретиться с агентом на нейтральной почве, получить у него информацию, устроить праздничный ужин, выслушать жалобы, унять тревоги.

И опять-таки из Мюнхена, если в том действительно возникала настоятельная необходимость, сотрудники резидентуры пересекали польскую границу. Всегда в одиночку и, как правило, под личиной бизнесменов, направлявшихся на ярмарку или на выставку. А потом где-нибудь на придорожной площадке для пикников или в кафе на окраинной улице наши эмиссары ненадолго встречались с самыми ценными агентами лицом к лицу, быстро завершали дела и отбывали назад, зная, что успели заправить лампу свежим маслом. Потому что никто, сам не побывавший в шкуре агента, даже представить не может, какой проверке отчаянным одиночеством подвергается его верность. Правильно рассчитанная по времени чашка самого жидкого кофе, которую можно разделить с опытным куратором, способна поднять моральный дух агента на многие месяцы.

Именно по такому случаю однажды зимним днем вскоре после того, как потекла вторая половина моего пребывания в Мюнхене (и ставшего для меня благословением отбытия профессора Теодора с его труппой в Америку), я оказался на борту лайнера польских авиалиний «ЛОТ», совершавшего рейс из Варшавы в Гданьск. В кармане у меня лежал паспорт гражданина Нидерландов на имя Франца Йоста из Неймегена, родившегося сорок лет назад. Согласно информации, указанной в заявлении на визу, целью моего вояжа была инспекция качества сборных фермерских построек для крупного западногерманского сельскохозяйственного концерна. Я ведь обладаю элементарными познаниями в области домостроения, которых вполне достаточно при обмене визитными карточками с чиновниками из Министерства сельского хозяйства.

Моя подлинная миссия была гораздо сложнее. Я разыскивал агента под кодовым именем Оскар, вернувшегося словно ниоткуда шесть месяцев спустя после того, как мы занесли его в список погибших. Совершенно неожиданно Оскар прислал нам письмо на старый явочный адрес, использовав прибор для тайнописи и детально отчитавшись в том, что он сделал или не смог сделать с того дня, когда узнал о первых арестах, и по день нынешний. Он сохранял хладнокровие. Даже остался на прежней работе. Анонимкой он подставил ни в чем не повинного аппаратчика из своего архивного управления, чтобы отвести подозрения от себя. Потом стал ждать, и через несколько недель тот аппаратчик бесследно исчез. Приободренный подобным оборотом событий, он выждал еще какое-то время. И до него дошел слух, что коллега во всем признался. Если учесть «ласковые» методы, применявшиеся подручными полковника Ежи, это едва ли было удивительно. Спустя еще несколько недель наш агент посчитал, что находится в безопасности. Теперь он выражал готовность возобновить работу, если до него сумеют довести новые распоряжения. Чтобы подтвердить серьезность своих намерений, он вклеил микроснимки на третью, пятую и седьмую точки письма, то есть воспользовался привычным способом передачи информации. При сильном увеличении эти точки содержали шестнадцать страниц совершенно секретных приказов, отданных польским Министерством обороны ведомству полковника Ежи. Аналитики Цирка пришли к заключению, что материалы «скорее всего подлинные и представляющие интерес», а такая фраза в их экспертной оценке была равнозначна восторженному признанию, что агенту по-прежнему стоило доверять.

Вы, вероятно, уже поняли, какое приятное волнение вызвало письмо от Оскара в резидентуре. Я и сам испытывал схожие чувства, пусть никогда не встречался с ним лично. «Оскар! — воскликали его сторонники. — Вот ведь хитрый старый лис! Живым и здоровым сумел выбраться из-под развалин сети! Пусть наш славный Оскар продолжает свое дело!» Он был нашим давним агентом под личиной простого клерка в польском адмиралтействе, базировавшемся в оборонном комплексе на берегу моря в Гданьске. Одним из лучших агентов, каким когда-либо располагала резидентура!

Только самые недоверчивые сотрудники Цирка и старики, готовившиеся к близкой отставке, посчитали письмо ловушкой. При сложившихся обстоятельствах согласиться с ними было бы легче всего. Сказать «нет» ничего не стоит, а вот «да» требует смелости и затрат нервной энергии. Тем не менее голоса людей с негативным подходом всегда звучат громче и отчетливее. А уж у нас после дела Хэйдона и подавно. Поэтому на некоторое время мы оказались в неопределенной ситуации, когда никто не отваживался принять решение. Пытаясь выиграть время, мы написали Оскару ответ с запросом дополнительной информации и прояснения некоторых деталей. Он направил нам злую депешу, требуя внести ясность: доверяют ему по-прежнему или нет. Причем теперь он настаивал на личной встрече с одним из кураторов. «Если встреча не состоится, больше вы ничего не получите», — твердо заявил он. И непременно на польской территории. Теперь или никогда.

Пока в нашем главном офисе продолжали пребывать в нерешительности, я обратился с горячей просьбой разрешить мне самому отправиться к Оскару. Недоверчивые из моей резидентуры сказали, что я, должно быть, умом тронулся. А сотрудники, верившие агенту, поддержали мое решение, считая его единственно правильным выходом из положения. Ни те ни другие не приводили действительно убедительных доводов, но меня снедало желание внести в вопрос полную ясность. Вероятно, здесь сыграла роль и моя личная жизнь. Мне хотелось поднять свою самооценку после того, как Мейбл стала в последнее время демонстрировать признаки стремления покончить с нашими взаимоотношениями, отчего я несколько упал в собственных глазах. Руководство согласилось с теми, кто говорил «нет». Тогда я напомнил им о своей прошлой службе в военно-морском флоте. Главный офис все еще колебался, но ответ оттуда теперь был такой: «Пока нет, но, возможно, в будущем». Я настаивал, приводя в качестве аргументов как знание нескольких языков, так и прочность своей голландской «легенды», которую коллеги из Нидерландов обеспечили в ответ на наши услуги в несколько иной сфере. Главный офис взвесил вероятный риск, проанализировал альтернативные варианты и, наконец, вынес вердикт: «Да, но только на два дня». По всей видимости, там пришли к заключению, что после Хэйдона я не мог выдать противнику уже никаких особенно важных секретов при любом исходе. Наспех собрав документы для прикрытия, я отправился в путь, прежде чем они могли успеть передумать. Температура опустилась до минус шести градусов, когда мой самолет приземлился в аэропорту Гданьска. Снежные сугробы лежали вдоль улиц, а снегопад продолжался, и его умиротворяющая картина внушила мне до некоторой степени излишнее ощущение безопасности. Но, уж поверьте, риска я всеми силами старался избегать. Мне необходимо было лишь разобраться с не самой сложной проблемой, и я уже давно избавился от прежней наивности.

Все гостиницы Гданьска были тогда одинаково ужасны, и моя не стала исключением. В холле воняло, как в плохо отмытом и дезинфицированном сортире, а процедура получения номера выглядела сложнее усыновления ребенка и длилась дольше. Моя комната оказалась уже занята какой-то женщиной, не говорившей ни на одном знакомом мне языке. К тому времени, когда удалось получить другой номер и найти горничную, чтобы избавиться от следов пребывания предыдущей гостьи, сгустились сумерки. Пора было дать Оскару знать, что я прибыл.

У каждого агента свои индивидуальные особенности. Летом, как говорилось в досье, Оскар любил рыбачить, и мой предшественник неизменно удачно проводил с ним беседы на берегу реки. Они даже поймали вместе пару крупных рыбин, которые, впрочем, не годились в пищу из-за отравленной химикатами воды. Но сейчас стояла морозная зима, на рыбалку отправлялись только несмышленые детишки и мазохисты. Зимой менялись и привычки Оскара. Чаще всего он предпочитал проводить свободное время за игрой на бильярде в клубе для мелких чиновников, располагавшемся в районе порта. А в клубе имелся телефон. Чтобы назначить встречу, моему предшественнику, владевшему польским языком в совершенстве, достаточно было позвонить туда и пуститься в легкую беседу с Оскаром, выдавая себя за Леха — старого приятеля по флотской службе. Затем Оскар говорил: «Хорошо, буду ждать тебя завтра в доме моей сестры. Пропустим пару стаканчиков». На самом деле это следовало понимать так: «Подбери меня в своей машине на углу такой-то улицы ровно через час».

Но мой польский оставлял желать много лучшего. И к тому же после предательства Хэйдона правила диктовали запрет вступать в контакт с любым агентом, используя прежние приемы и точки.

В своем письме Оскар перечислил номера телефонов трех кафе, как и время, когда он постарается оказаться в каждом из них. А три варианта он предпочел потому, что всегда существовала вероятность неисправности телефона в одном из заведений или занятости линии. Если телефонный метод не сработает, нам следовало сменить тактику и воспользоваться его автомобилем. Оскар назвал мне местоположение трамвайной остановки, где в назначенный час я должен был его ожидать. К этому он присовокупил регистрационный номер своего нового синего «трабанта».

Если вам покажется, что мне неизменно отводилась слишком пассивная роль, то это верно, поскольку непреложным законом подобных встреч всегда являлся приоретет агента. Только он мог избрать наиболее безопасный для себя путь, внешне естественно вписывавшийся в его образ жизни. Я сам выдвинул бы совершенно иные предложения, так как не мог понять, зачем перед встречей нужен телефонный разговор. Хотя Оскар, вероятно, знал, что делал. Он имел основания опасаться западни. И потому хотел для обретения уверенности сначала услышать мой голос, а уж потом продолжать.

Впрочем, могли существовать дополнительные обстоятельства, о которых мне только предстояло узнать. Что, если он приведет с собой товарища? Или потребует немедленной эвакуации из страны? Или вообще передумает продолжать сотрудничество? Потому что второе правило профессиональных рандеву столь же непреложно, как и первое: даже самые невероятные ситуации следует воспринимать как норму — гласит оно. Хороший оперативник обязан быть готов к тому, что вся телефонная система Гданьска откажет именно в тот момент, когда ему понадобится сделать важнейший звонок. Или к тому, что Оскар в то утро врежется в фонарный столб, или у него температура скакнет под сорок, или жена убедит его потребовать миллион долларов золотом за согласие возобновить отношения с нами, или у нее преждевременно родится младенец. Самое главное в нашем деле, как не уставал я твердить своим курсантам, пока они не начинали тихо ненавидеть меня, всегда принимать во внимание закон подлости. Иначе жди беды.

С мыслью об этом после часа бесплодных звонков во все три упомянутых кафе я в десять минут десятого тем же вечером встал на условленной трамвайной остановке, ожидая увидеть, как «трабант» Оскара медленно приблизится ко мне. Потому что, хотя снегопад уже прекратился, проезжая часть по-прежнему представляла собой две черные колеи в стороне от трамвайных путей, а потому немногочисленные автомобили передвигались с осторожностью чудом выживших солдат, возвращавшихся с линии фронта.

Существует старинный Данциг, свободный и величавый ганзейский порт, а есть нынешний Гданьск — польское промышленное захолустье. Трамвайная остановка располагалась, несомненно, в Гданьске. Я ждал в окружении угрюмых и темных жилых домов из железобетона, горбившихся под оранжевым отливом подсвеченного городскими фонарями неба. Куда бы я ни посмотрел, нигде, казалось, не было места, где люди могут любить друг друга или просто радоваться жизни. Ни кафе, ни кинотеатра, ни яркой, красивой неоновой вывески. Даже пара пьяниц, притулившихся в дверном проеме подъезда через дорогу, слишком напуганных, чтобы разговаривать. Любой взрыв смеха, веселый оклик или восхищенный возглас воспринимались бы как преступление против угрюмости этой тюрьмы без стен. Мимо проехала еще одна машина, но не синяя и не «трабант». Ее боковые стекла заиндевели, и даже вглядевшись внимательно, я так и не смог определить, скольких людей она перевозила. Затем автомобиль остановился. Но не на обочине, не у тротуара, не при повороте на стоянку, потому что его полностью блокировал высокий сугроб. Он просто встал на двух темных колеях. Мотор заглушили, габаритные огни выключили.

Пара влюбленных? — подумал я. В таком случае они совершенно забыли об опасности, ведь это все-таки была улица с двусторонним движением. Появилась другая машина, двигавшаяся в том же направлении. Ей тоже пришлось остановиться, но гораздо ближе к моей трамвайной остановке. Еще любовники? Или за рулем просто сидит разумный водитель, оставивший безопасную дистанцию до неподвижного автомобиля впереди? Но результат в любом случае оказался один — теперь по обе стороны от меня встало по машине, а я, продолжая ждать, вдруг заметил, что двое молчаливых пьянчуг покинули укрытие под козырьком подъезда и выглядели теперь совершенно трезвыми. Затем за спиной я расслышал шаги человека, мягкие, словно он шел по снегу в домашних тапочках, но уже очень близкие. Я понимал: мне не следует делать никаких резких движений и уж точно не пытаться умничать. У меня не оставалось свободного пути к отступлению, как не существовало возможности превентивного удара, который способен был спасти меня. Потому что я уже мысленно начал опасаться, что оказался в ситуации, когда либо все, либо ничего. И даже если все, то я ничего не мог поделать.

Слева от меня встал мужчина. Так близко, что легко мог бы прикоснуться ко мне. На нем было пальто на меху и кожаная шапка, а в руке он держал сложенный зонт, который запросто мог оказаться свинцовой трубкой, обернутой тканью и нейлоновым чехлом. Отлично! Видимо, как и я, он ждал трамвая. Второй мужчина возник справа от меня. От него пахло лошадью. Что ж, хорошо. Ему тоже нужен трамвай, пусть сюда он, вероятно, добрался верхом. Затем со мной заговорил мужчина — по-английски с траурным польским акцентом, — но его голос доносился не слева и не справа, а у меня из-за спины, откуда прежде слышались мягкие шаги.

— Боюсь, Оскар сегодня не придет, сэр. Он умер шесть месяцев назад.

Но я к тому моменту успел все осмыслить. У меня была целая вечность на размышления, если брать по нашим меркам. Я не знал никакого Оскара. Кто он, этот Оскар? Куда он должен прийти? Я же был голландцем, лишь немного владевшим английским языком и говорившим с заметным акцентом, как все мои дядюшки и тетушки в Неймегене. Я выдержал паузу, делая вид, что пытаюсь вникнуть в смысл его тирады, а потом повернулся очень медленно и без всяких признаков беспокойства.

— Думаю, вы принимать меня за кто-то другой, — ответил я протяжным и певучим тоном, усвоенным, когда я еще сидел у матери на коленях. — Меня зовут Франц Йост. Я из Голландии. И никого не жду, кроме как трамвай.

И только тогда мужчины, стоявшие по обе стороны, взялись за меня с хваткой профессионалов, прижав обе руки к телу и сбив с ног, чтобы потом дотащить до второго автомобиля. Но я все же успел рассмотреть и опознать коренастого мужчину, обратившегося ко мне, его влажную нижнюю челюсть и слезившиеся глаза ночного портье. Это был полковник Ежи собственной персоной, широко известный и прославленный СМИ главный защитник безопасности Польской Народной Республики. Его совершенно невыразительное лицо украшало первые полосы нескольких ведущих польских газет в то время, когда он так отважно брал под арест и подвергал пыткам наших агентов.

Есть жизненные итоги, к которым мы подсознательно готовим себя в зависимости от того, чем занимаемся. Гробовщик воображает собственные похороны, богач опасается потери состояния и нищеты, палач боится сам однажды угодить в тюрьму, развратника страшит импотенция. Мне рассказывали, что самый ужасный кошмар, какой может присниться актеру, это зал, который постепенно покидают зрители, пока он на сцене в мучительном бессилье пытается вспомнить забытые слова роли, и как это еще трактовать, если не в качестве раннего предвидения смерти? А для государственного служащего аналогом подобного кошмара становится момент, когда воздвигнутые вокруг него надежные стены из привилегий рушатся и он понимает, что подвергается опасности, словно самый обычный человек. Он как будто предстает голым перед взорами внешнего мира и, как неверный муж, пытается оправдаться за измены и ложь. И уж если начистоту, то большинство моих коллег-разведчиков принадлежат примерно к той же категории людей. Для них нет ничего страшнее, чем проснуться однажды утром и прочитать свои подлинные имена в крупных заголовках газет, услышать упоминание о себе по радио и телевидению, стать объектом шуток и насмешек или, что хуже всего, подвергнуться допросу со стороны представителей того самого общества, которое они, как считали сами, всеми силами защищали. Они бы восприняли публичное расследование у себя дома гораздо более болезненно, чем любое поражение, нанесенное противниками, или разоблачение перед всем мировым шпионским сообществом. Это равнозначно смерти.

Что касается меня, то наихудшим вариантом гибели, а значит, и самой суровой проверкой, к которой я начал готовиться, едва переступил порог потайной двери, мне виделось именно происходившее со мной сейчас. Узнать, какова истинная мера моего мужества, если меня вздернуть на дыбу. Дойти до предела физической и умственной выдержки, зная: в моих силах отсрочить смерть всего лишь словом. И потому внутри моего существа шла схватка между духом и телом, а реальную боль причиняли некие незримые наемники, воевавшие между собой у меня в голове.

Поэтому, когда я впервые ощутил совершенно невыносимую телесную боль, я приветствовал ее, как старую знакомую: «Рад встрече. Наконец-то вы пришли ко мне. Меня зовут Йост. А вас?»

Понимаете, не было никаких предварительных церемоний. Он не усадил меня за стол в соответствии с проверенными традициями и не сказал: «Либо ты заговоришь сразу, либо тебя будут сильно бить. Вот текст твоего признания. Подпиши его». Он не велел своим подручным запереть меня в камере и дать несколько дней повариться в собственном соку, чтобы я самостоятельно пришел к выводу: в признании как раз и заключается высшая форма смелости. Они попросту выволокли меня из машины и протащили в ворота обычного с виду частного дома, а затем во двор, где не было пока ни одного следа, кроме наших собственных, а потому им пришлось тянуть меня по толстому слою снега, и мои каблуки скользили по нему. Трудились сразу трое, поочередно нанося мне удары то по лицу, то в пах, то под дых, а потом снова по лицу, но уже локтем или коленом. Когда же я согнулся от боли, меня погнали, как оглушенную обухом свинью, по заснеженным камням, словно им не терпелось скорее оказаться под крышей, чтобы заняться мной по-настоящему.

И точно — стоило нам очутиться в помещении, в их действиях появилось нечто, напоминавшее систему, и складывалось впечатление, что элегантность старой, скудно обставленной комнаты внушила им уважение к порядку. Меня били теперь строго по очереди, как цивилизованные люди. Двое держали, а третий бил, и они соблюдали вполне демократичную ротацию, если не считать того, что на пятый и на пятнадцатый раз уступили черед самому полковнику Ежи. Он наносил мне удары с сочувственным видом, но такие сильные, что один раз я действительно умер ненадолго, а когда ожил, то оказался с ним наедине. Ежи сидел за складным легким столом, упершись в него локтями и зажав голову сбитыми в кровь руками, с очень грустным выражением лица, словно страдал мучительным похмельем. Он разочарованно просматривал запись моих ответов на вопросы, которые мне задавались в паузах между ударами, а потом впервые поднял глаза, чтобы с неодобрением изучить мою заметно изменившуюся в худшую сторону внешность. Потом горестно помотал головой, выражая этим свои не слишком сложные мысли: о том, насколько жизнь несправедлива к нему и он даже не знает теперь, как еще может помочь мне увидеть свет истины.

Тут до меня дошло, что времени прошло значительно больше, чем я мог себе представить. Вероятно, несколько часов.

Кроме того, с этого момента сцена стала напоминать ту, какую я всегда рисовал в воображении. Мой мучитель с комфортом расположился за столом, разглядывая меня с профессиональной озабоченностью, а я сам был растянут в позе орла у раскаленного отопительного радиатора в форме гармошки. Меня приковали за кисти рук к двум его концам так плотно, что углы радиатора впивались мне в спину обжигавшими зубьями. Мой нос и рот прежде кровоточили, как, по всей видимости, уши тоже, а передняя часть рубашки напоминала фартук мясника. Однако кровь уже запеклась и больше не струилась — еще один способ прикинуть, сколько прошло времени. Вот тебе задачка: как долго сворачивается человеческая кровь в большом и пустом доме на окраине Гданьска, если ты прикован к чему-то вроде печки и смотришь на щенячье лицо полковника Ежи?

Отчего-то мне было ужасно трудно ненавидеть его, а жжение в спине, которое постепенно усиливалось, с каждой секундой все больше притупляло ненависть. Он виделся мне единственным возможным спасителем. Теперь его взгляд не отрывался от меня. Даже когда он склонил голову к столу в какой-то своей молитве, а потом поднялся и закурил омерзительно пахнувшую польскую сигарету и стал прохаживаться по комнате, его тоскливые глаза были устремлены на меня, хотя по ним невозможно было определить, где сейчас витают его мысли. Но потом он вдруг повернулся ко мне своей широкой спиной. У меня появилась возможность увидеть его толстокожую лысую голову и веснушчатый загривок. Но за исключением этого момента его глаза продолжали уговаривать, призывали одуматься, проявить здравый смысл, а порой казалось, они молили облегчить его собственную муку, ни на секунду не оставляя меня. И какая-то часть моего сознания действительно хотела ему помочь, причем желание становилось тем острее, чем сильнее жгло сзади. Потом жжение перестало быть просто жжением, а тоже превратилось в боль. Чистейшую, неизбежную, абсолютную боль, нараставшую и не имевшую предела. И я готов был бы отдать почти все для улучшения его состояния — все, кроме самого себя. Кроме той сущности, что делала меня не похожим на него и была так важна для моего выживания.

— Как ваша фамилия? — спросил он меня на том же польском английском.

— Йост. — Ему пришлось склониться, чтобы расслышать меня. — Франц Йост.

— Вы из Мюнхена, — предположил он, используя мое плечо как опору, чтобы поднести ухо ближе к моим губам.

— Родился в Неймегене. Работаю на фермерскую фирму в Таунусе поблизости от Франкфурта.

— Вы забыли про свой голландский выговор. — Он слегка потряс меня за плечо, чтобы вывести из забытья.

— Вам просто не удается различить его. Вы же поляк. Мне нужна встреча с консулом Нидерландов.

— Вы имеете в виду, с британским консулом?

— Голландским. — Думаю, я еще несколько раз повторил слово «голландским» и продолжал упрямо твердить его, пока Ежи не окатил меня холодной водой, а потом влил немного в рот, чтобы дать прополоскать и сплюнуть. Я понял, что лишился зуба. Левого переднего в нижней челюсти. Или даже двух зубов. Определить сразу было затруднительно.

— Вы верите в Бога? — спросил он.

Когда он склонялся ко мне подобным образом, щеки у него отвисали, как у младенца, а губы складывались, словно для поцелуя. Это придавало ему сходство с озадаченным херувимом.

— Только не сейчас, — ответил я.

— Отчего же?

— Пригласите ко мне голландского консула. Вы по ошибке схватили не того человека.

Я заметил, насколько ему не понравилось это слышать. Он не привык, чтобы ему отдавали распоряжения или просто противоречили. Он провел тыльной стороной правой руки по губам, что делал, когда собирался ударить меня, и я приготовился принять его кулак. Но вместо этого он начал охлопывать свои карманы. Я решил, что ему понадобился какой-то пыточный инструмент.

— Нет, — сказал он со вздохом. — Вы ошибаетесь. Я взял как раз нужного мне человека.

Затем полковник Ежи опустился передо мной на колени, и мне показалось, что он готовится убить меня, поскольку я заметил: он был смертельно опасен именно в те моменты, когда выглядел особенно несчастным. Но на самом деле он открывал замки на моих наручниках. Покончив с этим, он подсунул руки мне под мышки и приподнял, а потом поволок (я бы даже сказал, помог мне добраться) до просторной ванной комнаты со старой, стоявшей посередине и наполненной теплой водой ванной.

— Раздевайтесь, — приказал он и грустно наблюдал, как я снимаю разорванную одежду, слишком измотанный даже для попытки угадать, что он со мной сделает, когда я окажусь в ванне: утопит, сварит заживо, заморозит или бросит в воду оголенный электрический провод.

У него был мой чемодан, вывезенный из гостиницы. Пока я лежал в ванне, он выбрал и достал из него чистую одежду, грудой сложив на стуле.

— Вы улетаете завтра во Франкфурт через Варшаву. Произошла ошибка, — сказал он. — Приносим извинения. Нам только придется отменить назначенные вами деловые встречи и объяснить, что вы случайно попали под машину, скрывшуюся с места происшествия.

— Простых извинений мне теперь недостаточно.

Ванна не оказала на мое самочувствие никакого благотворного влияния. Наоборот, мне показалось, что если я так пролежу немного дольше, то снова умру. И потому я пересел на корточки. Ежи протянул руку. Я вцепился в нее и встал, но меня сильно пошатывало. Ежи помог мне выбраться из ванны, подал полотенце и с мрачным видом наблюдал, как я вытираюсь, а потом натягиваю приготовленную им одежду.

Он вывел меня из дома через двор, в одной руке держа мой чемодан, а на другую приняв часть веса моего тела, поскольку ванна не облегчила боль, а лишь окончательно лишила сил. Я оглядывался, высматривая его подручных, но никого из них не видел.

— Холодный воздух будет вам полезен, — сказал он с уверенностью специалиста.

Он дотащил меня до припаркованной машины, и она ничуть не походила на те, которые использовались при моем аресте. На заднем сиденье валялось игрушечное рулевое колесо. Мы поехали по пустынным улицам. По временам я отключался словно в дреме. Так мы достигли двустворчатых белых железных ворот, охранявшихся милиционерами.

— Не смотрите на них, — распорядился Ежи, показывая им свои документы, и я снова задремал.

Мы вышли из машины и остановились на краю поросшей травой скалы. Сильный ветер с моря морозил нам лица. Мое ощущалось распухшим, а щеки увеличились, стали как два футбольных мяча. Рот съехал куда-то на левую щеку. Один глаз не открывался. Ночь была безлунная, и где-то за пеленой просоленного тумана гремел морской прибой. Свет попадал сюда только от оставшихся у нас за спинами огней города. Временами мимо проносились какие-то фосфоресцирующие искры, или клочья белой пены взлетали снизу из тьмы. «Здесь мне настало время умереть, — думал я, стоя рядом с ним. — Сначала он избивает меня, затем дает принять теплую ванну, а теперь застрелит и сбросит со скалы». Однако его руки безвольно висели вдоль тела и пистолета в них не было. А его взгляд, насколько я мог видеть, устремлен в беззвездное темное небо, а вовсе не на меня. Значит, стрелять должен кто-то другой, притаившийся в черноте. Оставайся во мне хотя бы малость прежней энергии, я бы мог первым убить Ежи. Но энергии не ощущалось, как и необходимости. Я подумал о Мейбл, но без предчувствия потери или обретения. Мне стало любопытно, как она сумеет прожить на пенсию за меня, кого найдет на замену. «Фройлен Стефани нет дома», — вспомнилось мне... Впрочем, вероятно, что к телефону подошла сама Стефани, как предположил Смайли... — Как много моих молитв осталось без ответа», — думал я. Но сколько, я так и не произнес, если быть честным. Я ощущал неодолимую сонливость.

Наконец Ежи заговорил, и его голос, как прежде, звучал странно подавленным.

— Я привел вас сюда, потому что не создан еще в мире микрофон для того, чтобы нас подслушать в таком месте. Мне хочется стать агентом и работать на вашу страну. Для этого необходим профессионал высокого класса в качестве посредника и куратора. Мой выбор пал на вас.

Я снова потерял ориентировку во времени и пространстве. Хотя скорее всего он тоже потерял ее, поскольку вынужден был повернуться спиной к морю и, одной рукой придерживая кожаную шляпу, чтобы ее не сорвало с головы ветром, грустно всмотрелся в отдаленные огни в глубине материка, хмурясь на что-то и порой смахивая с глаз выступавшие от морозного воздуха слезы огромными кулаками.

— Для чего кому-то может понадобиться шпионить для Голландии? — спросил я.

— Очень хорошо, будем считать, что я изъявил желание стать голландским агентом, — ответил он устало, даже не пытаясь оспаривать мой излишний уже педантизм. — В таком случае мне нужен высококлассный голландский профессионал, умеющий молчать. А поскольку мне хорошо известно, каких болванов вы — *голландцы* — использовали против нас прежде, я с полным правом могу проявить разборчивость. Вы выдержали проверку. Поздравляю. Я выбрал вас.

Мне показалось, что самым разумным будет оставить его слова без ответа. Наверное, я все еще не доверял ему.

— В двойном дне своего чемодана вы найдете большую пачку секретных польских документов, — продолжал он своим неизменно унылым тоном. — Разумеется, в аэропорту Гданьска у вас не возникнет никаких проблем с таможней. Я распорядился, чтобы ваш багаж не досматривали. По официальной версии, отныне вы — завербованный мною агент. А во Франкфурте вы уже окажетесь в привычной и безопасной обстановке. Я же стану работать только на вас и ни на кого другого. Наша следующая встреча состоится в Берлине пятого мая. Я там буду участвовать в майских торжествах, знаменующих славные победы, одержанные пролетариатом.

Он хотел снова прикурить сигарету, но ветер одну за другой гасил его спички. Поэтому он сдернул с головы шляпу и сумел закурить, воспользовавшись ею для прикрытия от порывов, склонив в глубь нее лицо так низко, словно пил воду из неизвестного источника.

— Ваших людей наверняка заинтересуют мотивы, которые мною движут, — продолжил он после первой глубокой затяжки. — Скажите им... — Внезапно растерявшись, он втянул голову в плечи и посмотрел на меня, явно ожидая совета, как ему лучше иметь дело с идиотами. — Скажите им, что мне все обрыдло. Скажите, что меня тошнит от собственной работы. Сообщите, что наша компартия — это сборище мошенников. Им все прекрасно известно, но вы все равно упомяните об этом. И еще. Я — католик. Или еврей. Или татарин. Словом, скажите им, черт побери, то, что они хотят услышать.

— Их может заинтересовать, почему ваш выбор пал именно на голландца, — сказал я, — а не на американца, француза или кого-то другого.

Он предвидел подобный вопрос и ответил, попыхивая в темноте сигаретой.

— У вас, голландцев, были великолепные агенты, — задумчиво произнес он. — С некоторыми из них мне пришлось познакомиться очень близко. Они превосходно работали, пока не появилась эта сволочь Хэйдон. — Его осенила мысль. — А еще расскажите им, что мой отец был пилотом во время «Битвы за Британию», — добавил он. — Его сбили над Кентом. Это им наверняка понравится. Вы хорошо знаете графство Кент?

— С какой стати голландцу хорошо знать Кент? — отреагировал я.

Если бы я проводил в Польше безмятежный уикенд, то мог бы поведать ему, что незадолго до нашей так называемой добровольной разлуки с Мейбл мы купили дом в Танбридж-Уэллсе. Но в данных обстоятельствах предпочел воздержаться и правильно сделал, потому что при проверке истории Ежи нашим главным офисом не обнаружилось никаких документальных подтверждений, что его отец пилотировал хотя бы бумажного воздушного змея. И когда несколько лет спустя я спросил об этом Ежи (а его преданность вечно вероломным британцам к тому времени уже не вызывала никаких сомнений), он лишь рассмеялся и признал, что его папаша был на самом деле старым дураком, обожавшим только водку под картошку.

Так почему же?

На целых пять лет затем общение с Ежи стало для меня «секретными университетами» шпионажа, но его презрительное отношение к мотивировке — и собственной в особенности — нисколько не изменилось. Сначала мы, идиоты, делаем все, что нам взбредет в голову, говорил он, и лишь потом начинаем лихорадочно подыскивать оправдания для своих поступков. Для него все люди были идиотами, что он не уставал мне повторять. А мы, шпионы, отличались высшей степенью идиотизма.

Поначалу я подозревал, что он стал работать на нас, поскольку хотел отомстить людям, стоявшим выше его на иерархической лестнице и грубо третировавшим его. Он ненавидел их всех, но себя — в первую очередь.

Затем я решил, что он начал шпионить по идеологическим причинам, а его напускной цинизм лишь прикрывал более утонченные понятия, усвоенные им с наступлением подлинной зрелости. Но все уловки, к которым я прибегал, чтобы пробить панцирь циника («Семья, Ежи. Твоя мама, Ежи. Признайся, ты гордишься тем, что стал дедом»), натыкались на новые слои цинизма, невидимые прежде. Он не чувствовал к семье никакой привязанности, ответил Ежи с холодом в голосе, и мне пришлось заключить: он и в самом деле не лукавил, когда говорил о своей ненависти ко всей человеческой расе, а его грубость, как и само по себе предательство, была лишь простым способом выразить и выплеснуть эту ненависть.

Западом, по его мнению, правили такие же идиоты, которые руководили всем в мире. Так в чем же разница? И когда я возразил, что его воззрения не соответствуют действительности, он с яростью фанатика принялся отстаивать свой нигилизм, и мне пришлось сдержаться, опасаясь вызвать взрыв гнева с его стороны.

Так почему же? Зачем рисковать жизнью, карьерой, благополучием пусть даже нелюбимой семьи, чтобы делать что-то для другой части мира, которую он тоже презирал?

Религия? Я спросил его и об этом, причем вложил в вопрос значение, какое, по моему мнению, он исподволь придавал католицизму. Христос страдал маниакально-депрессивным психозом — вот как Ежи откликнулся на мои слова. Христу хотелось совершить публичное самоубийство, и именно поэтому он продолжал провоцировать власти, пока они не сделали ему одолжение. «Все эти одержимые верой в Бога типы из одного теста слеплены, — заявил он презрительно. — Я их не раз пытал. Мне ли не знать?»

Как большинство циников, он одновременно придерживался пуританских взглядов, причем этот парадокс проявлялся в нем по-разному. Когда мы предложили ему денег, счет в швейцарском банке, то есть пошли привычным путем, он пришел в ярость и заявил, что его не надо принимать за какого-то «мелочного и продажного стукача». Позже я выбрал момент (по наущению из главного офиса) для заверений: если его начнут подозревать и возникнет опасность ареста, мы сделаем все возможное, чтобы переправить его на Запад и снабдить документами для новой жизни. В ответ он окатил меня поистине безгранично презрительной фразой: «Я — польский урод и предпочту, чтобы меня поставили к стенке такие же польские уроды, как я сам, не дожидаясь смерти предателя в одном из ваших капиталистических свинарников».

Если говорить о других жизненных благах, то мы не могли предложить ему ничего, чем он уже не располагал бы. О своей жене он отзывался как о брюзге, и возвращение домой после тяжелого рабочего дня неизменно воспринималось им с тоской. Любовница была молоденькой дурочкой, и уже после часа наедине с ней он предпочитал игру на бильярде ее нескончаемой болтовне.

Так почему же? Я продолжал задаваться этим вопросом и после того, как полностью исчерпал список известных нашему ведомству стандартных мотивировок.

А Ежи тем временем пополнял нашу сокровищницу информации. Он вывернул свою секретную службу перед нами наизнанку так же тщательно, как Хэйдон прежде поступил с нашей собственной. Как только он получал какие-то новые указания из Москвы, мы узнавали о них раньше, чем его подчиненные приступали к исполнению приказов. Ему удавалось делать фото со всего, что оказывалось в пределах досягаемости, причем он шел подчас на такой риск, что приходилось умолять его больше этого не делать. Он проявлял совершенную беспечность, заставляя меня задумываться, уж не стремится ли он к публичной казни, как отвергнутый им Иисус. Лишь его поразительная эффективность при исполнении своих прямых обязанностей, которую мы лицемерно предпочитали именовать «прикрытием», защищала его от любых подозрений на родине. Он балансировал на грани добра и зла, а его деятельность имела и свою темную сторону. Даже Бог не выручил бы тех западных шпионов, подлинных или мнимых, которые признавали свою вину, попав в лапы к Ежи.

Только однажды за все пять лет, пока я курировал его, он позволил себе намеком обмолвиться о загадке, решения которой я бесплодно искал. Ежи смертельно устал. В то время он принимал участие в конференции глав разведок стран Варшавского договора в Будапеште, одновременно отбиваясь от нападок на свою службу в Польше, где его подручных обвиняли в коррупции и чрезмерной жестокости. Мы встретились в Западном Берлине в пансионе на Курфюрстендамм, где обычно селились наши представители. Ежи выглядел как действительно усталый палач. Сидя на моей кровати, он жадно курил и отвечал на дополнительные вопросы, возникшие у меня в связи с последними материалами, переданными им. У него покраснели глаза. Когда мы закончили, он попросил стакан виски, потом второй.

— Если нет опасности, то нет и жизни, — сказал он, небрежно бросая на покрывало три кассеты с микропленками. — Без опасности ты мертвец. — Достав грязноватый коричневый носовой платок, он тщательно протер им обрюзгшее лицо. — Если нет опасности, лучше сидеть дома и нянчить ребенка.

Я предпочел думать, что он имеет в виду опасность в фигуральном смысле. На самом деле, решил я, он говорит о способности чувствовать вообще и о страхе, что с утратой этой способности он перестанет существовать как личность. Это, кстати, легко объясняло его стремление непременно возбудить чувства в других людях порой самыми грубыми методами. И на мгновение мне показалось, что я отчасти понял, почему он сидит в моей комнате, нарушая все писаные и неписаные правила. Он пытался поддерживать в себе живой дух как раз в тот период жизни, когда ему стала мерещиться близкая смерть этого духа.

Тем же вечером я ужинал со Стефани в американском ресторане, расположенном в десяти минутах ходьбы от пансиона, где встречался с Ежи. Мне не без труда удалось добыть номер ее телефона у сестры из Мюнхена. Стеф оставалась такой же статной и красивой, какой запомнилась мне, причем преисполнилась решимости убедить меня, что вполне счастлива. О, моя жизнь прекрасна, Нед, заявила она. Она сошлась с одним ужасно известным ученым, хотя не первой молодости. Но ведь и мы уже не молоды, верно? Зато он мудр и совершенно восхитителен. Она назвала имя. Мне оно ничего не говорило. Она сказала, что беременна от него. Однако внешне нельзя было ничего заметить.

— Ну а ты, Нед? Как все сложилось у тебя? — спросила она, словно мы были двумя генералами, докладывавшими друг другу об успехах каждый на своем фронте.

Я улыбнулся ей самой уверенной из моих улыбок, той, что помогала вселять надежду и спокойствие в агентов и коллег на протяжении многих лет после нашей последней с ней встречи.

— Как мне кажется, у меня тоже все совсем неплохо, спасибо, — сказал я, прибегнув к типично британской привычке выглядеть намеренно приуменьшающим свои достижения. — В конце концов, ты же не можешь ожидать, чтобы в одном человеке слились все необходимые тебе достоинства, верно? У меня с женой налажено взаимопонимание и партнерство, как я бы это охарактеризовал. Две устойчивые жизненные параллели.

— И ты все еще выполняешь ту же работу? — спросила она. — Работу Бена?

— Да.

Мы впервые упомянули в разговоре о Бене. Он поселился в Ирландии, сообщила она. Его кузен купил запущенное имение в графстве Корк. И Бен стал там своего рода управляющим на время отсутствия хозяина, разводя рыбу в речке, присматривая за фермой и занимаясь другими подобными делами.

Я поинтересовался, виделась ли она с ним хотя бы раз.

— Нет, — ответила Стеф. — Он сам этого не хочет.

Я предложил отвезти ее домой, но она предпочла такси. Нам пришлось дожидаться машины, стоя на улице, и ожидание показалось вечностью. Когда же я захлопнул за ней дверцу, ее голова резко склонилась вперед, словно она что-то уронила на пол автомобиля. Я уже издали помахал рукой ей вслед, но она не ответила на мой прощальный жест.

Девятичасовые новости показывали сюжет о митинге «Солидарности» в Гданьске, где польский кардинал призывал огромную толпу проявлять сдержанность. Потеряв интерес, Мейбл развернула номер «Дейли телеграф» и вернулась к разгадыванию кроссворда. Поначалу толпа слушала кардинала, продолжая шуметь. Но затем, проявив известное всем трепетное отношение поляков к церкви, люди примолкли. Закончив обращение к пастве, кардинал шагнул в гущу толпы, раздавая благословения и принимая знаки почтения. И когда к нему подводили поочередно одну знаменитость за другой, я вдруг разглядел Ежи, который, как провинившийся мальчишка, изгнанный с праздника, маячил на заднем плане. После отставки он сильно похудел, и я догадывался, что изменения в общественной жизни едва ли положительно повлияли на его положение. Пиджак сидел на нем будто с чужого плеча, его когда-то внушительные кулаки теперь едва виднелись из-под слишком длинных рукавов.

Внезапно кардинал тоже заметил его, как чуть раньше я сам. Священнослужитель застыл в явной нерешительности, словно хотел сначала сам разобраться в своих ощущениях. На какое-то мгновение он даже весь как-то подтянулся, почти готовый повиноваться, прижал локти к бокам и выпрямил спину, чтобы встать по стойке «смирно». Но затем его руки вновь распрямились и он отдал распоряжение одному из своих помощников, молодому падре, который не слишком рвался исполнять порученное ему задание. Кардинал повторил приказ, и помощник расчистил для него проход в толпе прямо к Ежи. Двое мужчин оказались лицом к лицу — глава тайной полиции и кардинал. Ежи поморщился, как от боли в желудке. Кардинал склонился вперед и что-то сказал ему на ухо. Неловким движением Ежи опустился на колени, чтобы получить кардинальское благословение.

И каждый раз, просматривая эти кадры на видео, я замечал, как Ежи закрывал глаза от снедавшей его боли и покаяния. Но в чем он раскаивался? В своей жестокости? В преданности неправому делу? Или же в том, что совершил предательство? Или он смежил веки просто в инстинктивной реакции любого палача, которому одна из жертв даровала свое прощение?

Я хожу на рыбалку. Погружаюсь в свои мелкие грезы. Моя любовь к пейзажам сельской Англии только усилилась, хотя это едва ли было возможно. Я вспоминаю о Стефани, о Белле и о других моих женщинах, близость с которыми так и не получила завершения. Я выступаю с нападками на члена парламента от местного округа по поводу загрязнения реки. Он называет себя консерватором, так какого же дьявола ничего не умеет сохранить? Я присоединяюсь к одной из умеренных и здравомыслящих групп защитников окружающей среды, собираю подписи под петициями. Но до этих петиций властям нет дела. А вот в гольф я не играю и никогда не стану. Хотя присоединяюсь к Мейбл по средам после обеда и совершаю нечто вроде прогулки, но только при условии, что играет она одна. Я подбадриваю ее после неудачных ударов. Пес веселит себя сам. Жизнь на пенсии дана, не только чтобы оплакивать потери или продолжать ломать себе голову над тем, как создать более совершенный мир.

Глава 8

Мои курсанты решили устроить Смайли проверку на прочность, как порой поступали со мной. Во время обычного и ничем не примечательного урока — например, сдвоенного занятия на тему использования в работе естественных укрытий — один из них неожиданно начинал подначивать меня. Обычно для этого требовалось всего лишь высказать странную идею, занять позицию анархиста, какую не потерпел бы ни один разумный человек. Затем к нему присоединялся второй мой подопечный, потом все остальные, и если бы меня не выручало чувство юмора (а оно может и подвести — я ведь простой смертный), они бы испытывали мое терпение до самого звонка, означавшего конец представления. А на следующий день вели себя как ни в чем не бывало: они усмиряли вселившихся в них каких-то демонов и желали вернуться к учебе. Ладно, проехали. На чем мы там остановились? Поначалу подобные выходки заставляли меня терзаться раздумьями, подозревать их в сговоре лично против меня, пытаться выделить зачинщиков. Но постепенно мне стал понятен их спонтанный протест против тех странных уз, которые эти молодые люди добровольно позволили на себя надеть.

Однако стоило им начать такую же игру со Смайли, нашим общим почетным гостем, осмелившись поставить под сомнение ценность его работы, смысл всей его жизни, мое терпение быстро лопнуло. Причем на этот раз в роли агрессора выступил не Мэггз, а тихоня Клэр, его подружка, с обожанием смотревшая на Смайли на протяжении всего ужина, сидя напротив него.

— Не надо, Нед, — осадил меня сам Смайли, как только я в гневе вскочил на ноги. — В словах Клэр присутствует рациональное зерно. В девяти случаях из десяти хороший журналист действительно владеет данными о некой ситуации наравне со спецслужбистами. И зачастую черпает информацию из тех же источников. Так почему же не упразднить секретные службы и не заменить их целиком и полностью обычными публикациями в прессе? Подобная точка зрения заслуживает детального разбора особенно сейчас, во времена наступивших в мире радикальных перемен. Мы можем затронуть эту тему, отчего нет?

Я с неохотой снова занял свое место, а Клэр, тесно прижавшись к Мэггзу, продолжала следить за своей жертвой ангельски чистым взором, пока ее сокурсники старались спрятать от нас усмешки.

Но там, где я бы нашел прибежище в чувстве юмора, Смайли предпочел ответить совершенно серьезно.

— Абсолютно справедливо утверждать, — согласился он, — что значительная часть нашей работы либо бесполезна, либо дублируется открытыми средствами информации. Разница и проблема заключаются лишь в том, что спецслужбы призваны не просвещать широкую публику, а обслуживать свои правительства.

И постепенно я почувствовал, как магия его обаяния подействовала на всех. Они придвинули стулья ближе к нему, образовав неправильный полукруг. Кое-кто из девушек не постеснялся удобно разлечься на полу.

— А правительства, как и мы все, доверяют только тому, за что заплатили, и с подозрением относятся к бесплатному сыру, — продолжал он, изящно переведя разговор в более глубокую сферу, нежели поставленный Клэр провокационный вопрос. — Шпионаж вечен, — заявил он затем с бесподобной невозмутимостью. — Хорошо бы правительства могли обходиться без него, но им это никогда еще не удавалось. Они его обожают. Если однажды наступит день, когда у нас в мире не останется ни единого врага, правительство непременно придумает его, а потому нам беспокоиться не о чем. И еще. Кто сказал, что мы работаем только против врагов? Сама история учит нас на наглядных примерах, что нынешний союзник — это, вполне возможно, завтрашний противник. Мода может диктовать нам лишь временный выбор приоритетов, но есть ведь еще предвидение будущей ситуации. А потому, пока мошенники могут становиться главами государств, мы продолжим шпионить. Пока самозванцы, лжецы и сумасшедшие правят бал в мире, мы продолжим за ними следить. Пока нации соперничают между собой, политики занимаются обманом, тираны начинают войны, потребительское общество нуждается в ресурсах, бездомные ищут, чью бы землю занять, голодные алчут пищи, а богатые стремятся приумножить свои состояния, избранная вами профессия никуда не денется, могу твердо вас в этом заверить.

Он исподволь повернул тему, направив ее острием в их собственное будущее, и воспользовался случаем, чтобы вновь предупредить об опасностях.

— Не существует на свете более странной и непредсказуемой карьеры, чем та, которой собираетесь посвятить себя вы, — произнес он, откровенно довольный сказанным. — Потому что вас можно будет использовать с наибольшей пользой, пока вы молоды и совсем неопытны. А к тому времени, когда вы постигнете все правила и неписаные законы в своем деле, вас уже невозможно будет никуда отправить, чтобы штамп профессиональной принадлежности почти реально не проступал у вас на лбу. Любой состоявшийся спортсмен начинает понимать, что лучшие его игры уже сыграны, когда находится, казалось бы, в самом расцвете сил. А спецагент в расцвете сил годится только для архивной полки. Вот почему у нас так неблагодарно поступают с людьми зрелых лет и начинают преждевременно подводить итоги их деятельности, причем часто в сугубо материальном плане: во что обошлась работа сотрудника и какие плоды принесла.

И хотя его глаза, почти спрятавшиеся под тяжелыми веками, казалось, были устремлены на бокал с бренди, от меня не ускользнул взгляд, искоса брошенный им в мою сторону.

— И вот вы достигаете того возраста, когда желаете получить ответы, — подвел черту Смайли. — Вам захочется увидеть пергаментный свиток, хранящийся в самой потайной комнате, где четко написано, кто управляет вашими жизнями и по какому праву. Проблема лишь в том, что к тому моменту вы лучше всех остальных будете понимать, что та потайная комната совершенно пуста. Нед, ты не пьешь. Предаешь свое любимое бренди. Наполните его бокал, пожалуйста.

Не слишком приятная для стороннего наблюдателя правда о следующем периоде моей жизни заключается в том, что я вспоминаю о нем как о неком поиске, цель которого была мне не совсем ясна. А целью, когда я обнаружил ее, оказался давно провалившийся и списанный со счетов агент по фамилии Хансен.

И хотя на самом деле я выполнял совершенно иные задачи и разыскивал во время путешествия на Восток совсем других людей, все это в ретроспективе выглядит лишь стадиями пути, приведшего меня к нему. Мне никак не выразить свою мысль иначе. Хансен в подвластных ему джунглях Камбоджи стал для меня кем-то вроде Куртца из «Сердца тьмы» Конрада. И любое происшествие, случавшееся со мной на трудной дороге, служило только подготовкой нашей встречи. Хансен был тем голосом, который я ожидал услышать. Хансен мог дать ответы на вопросы, хотя я даже не подозревал, что задавал их. Внешне я казался крепким, сдержанным, покуривавшим трубку солидным мужчиной, всегда готовым подставить широкое плечо, чтобы на него положили голову и излили печаль более слабые духом. Зато внутренне я был преисполнен непостижимым ощущением собственной бесполезности, пониманием, что вопреки всем усилиям так и не обрел себя в этой жизни. В постоянном стремлении бороться за свободу для других мне не удалось стать свободным самому. В минуты предельного отчаяния я видел себя смехотворным героем в стиле не столько Бакена, сколько Сервантеса.

Начав же иронически описывать случившееся со мной в жизни, включая обзор эпизодов, о которых уже успел вам рассказать, я дал этим главам абсурдно броские заголовки, лишь подчеркивавшие тщету приложенных усилий. Панда — я отстаиваю наши интересы на Ближнем Востоке! Бен — я помогаю разыскать беглого британского предателя! Белла — я иду на огромное самопожертвование! Теодор — я принимаю участие в величайшем надувательстве!

Ежи — я веду игру до победного конца! Хотя должен признать, что в случае с Ежи мной был достигнут реально позитивный результат, пусть все продлилось не слишком долго, как это обычно происходит в разведке, и совершенно не повлияло на те силы, которые ныне завладели властью в его стране.

Подобно Дон Кихоту, я поклялся положить жизнь на алтарь борьбы с окружавшим меня злом. Но в моменты духовного кризиса начинал задаваться вопросом, не добился ли я противоположной цели, лишь приумножая зло. Но я все еще ждал, чтобы мир предоставил мне шанс проявить себя, и винил его в непонимании, как наилучшим образом использовать мои способности.

Для правильного восприятия моих слов вы должны узнать, что произошло со мной после Мюнхена. Пусть Ежи и обошелся мне слишком дорого, но он повысил мой престиж и принес своеобразную славу. Вот почему на Пятом этаже решили придумать для меня особого рода должность постоянно перемещавшегося руководителя операций, которого отправляли в кратковременные командировки с целью «оценить перспективы и, где это осуществимо, использовать возможности, упущенные резидентурами на местах», как говорилось в полученных мной инструкциях, под которыми я поставил подпись и вернул авторам.

Оглядываясь назад, я осознаю, что непрерывные путешествия — неделя в Центральной Америке, следующая в Северной Ирландии, потом некоторое время в Африке, на Ближнем Востоке и снова в Африке — помогали унимать снедавшее меня беспокойство. Причем в отделе кадров, по всей видимости, прекрасно понимали это, поскольку им стало известно о заведенной мной с недавних пор совершенно бессмысленной любовной интрижке с девушкой по имени Моника, служившей у нас в отделе по связям с промышленностью. Я сам решил, что мне необходим такого рода роман. Заметив ее в столовой, я отвел ей роль героини. Вот так просто и банально. Как-то вечером шел сильный дождь, и она вновь попалась мне на глаза, когда стояла в ожидании автобуса на остановке. Банальная идея воплотилась в жизнь. Я довез Монику до квартиры, где она жила, уложил в ее же постель, а потом пригласил поужинать. За едой мы попытались определить, что именно с нами произошло, и пришли к удобному для обоих выводу: это любовь. Все продолжалось вполне благополучно несколько месяцев, пока не произошла отрезвившая меня трагедия. По счастью, в тот момент я случайно оказался в Лондоне, чтобы получить указания перед следующей миссией, и как раз тогда получил известие: здоровье моей матери серьезно пошатнулось. Можно считать истинным проявлением божественного дурного вкуса тот факт, что мне позвонили буквально в постель с Моникой. Но я, по крайней мере, смог присутствовать при дальнейших событиях, которые затянулись надолго, но оказались неожиданно величественными.

Впрочем, я все равно был к ним совершенно не готов. Я всегда принимал в виде непреложной истины мысль, что, как обычно, сумею преодолеть все препятствия и оказаться на месте в случае смерти матушки, чтобы одновременно обойти прочие сложности. Однако я крупно ошибся. Очень немногие планы, как однажды заметил Смайли, переживают столкновение с реальностью. Такая же судьба постигла и мой сговор с самим собой — превратить смерть мамы в повод для своевременного и необходимого избавления от боли. Я только совершенно не принял в расчет, какую боль придется перенести мне самому.

Я осиротел и испытал радость свободы одновременно. Опять-таки не могу описать своих ощущений иначе. Мой отец почил уже достаточно давно. И даже сама не понимая того, мама исполняла долг за обоих моих родителей. В ее смерти мне виделась утрата не только детства, но и большей части взрослой жизни. Наконец я оказался совершенно один перед сложностями существования, но, как выяснилось, многие из них уже стали для меня прошлым, оставались далеко позади, — я их отчасти выдумал, от некоторых легко отмахнулся, а в чем-то напортачил. Только тогда я получил полную волю в выборе, кого мне любить. Да, но кого же? Путь назад к Монике был отрезан, как ни уверял я себя в обратном, дожидаясь, что все пойдет своим чередом. Ни Моника, ни жена не удовлетворяли жажды любовной магии, ставшей теперь моей целью после всего пережитого. И когда я посмотрелся в зеркало окрашенного в розовые тона туалета похоронной конторы после ночного бдения у гроба, то с ужасом увидел отражение. На меня смотрело лицо шпиона, отчетливо помеченное печатью постоянных обманов.

Вам когда-нибудь встречались подобные лица? Или таким было ваше собственное? Именно такое лицо стало для меня настолько привычным, что я перестал замечать аномалию, и только шок от маминой смерти помог мне увидеть себя со стороны. Мы улыбаемся, но привычка сдерживать подлинные чувства превращает улыбки в фальшивые. Когда мы веселимся, напиваемся или даже занимаемся любовью, о чем мне известно в том числе и с чужих слов, сдержанность никуда не девается, гироскоп остается в вертикальном положении, а предостерегающий голос не устает напоминать о нашем призвании. И так до тех пор, пока наша погруженность в себя не делается настолько заметной, что сама по себе превращается в фактор риска разоблачения. Занятно, что происходит в наши дни, если я отправляюсь, к примеру, на вечеринку с коллегами или мы устраиваем в Саррате встречу старинных приятелей. Я могу оглядеть зал и заметить, насколько родимые пятна секретности проступают на каждом из нас. Я вижу лица как ярко освещенные, так и затемненные, но любое выдает скрытую от всех часть жизни своего обладателя. Я слышу вроде бы совершенно беззаботный смех, и мне не нужно даже высматривать его источник, чтобы понять: ничего беззаботного в смехе нет, все тревоги остались при этом человеке, внутренняя сдержанность не изменила ему. Пока я был моложе, считал это обязательной приметой британского правящего класса. «Они родились в оковах предрассудков, и им не оставили выбора», — рассуждал я, слыша их неубедительные любезности и наблюдая обмен якобы веселыми улыбками. Но поскольку сам я был британцем лишь наполовину, мне легко было считать себя исключенным из этого круга людей до того самого дня, когда в розовом туалете похоронных дел мастера я не заметил ту же тень, лежащую и на моем лице.

Кажется, с того же дня я старался видеть только горизонт. «Я начинаю так поздно! — думалось мне. — И из такой дали! Жизнь должна была стать сплошным поиском или вообще ничем!» Но именно опасение превратить ее в ничто толкало меня вперед. Таков и мой нынешний взгляд на положение вещей. А потому прошу, сумейте разглядеть это в сумбурных фрагментах воспоминаний, относящихся к сюрреалистическому периоду моего бытия. В глазах того человека, каким стал я, любая встреча становилась встречей с самим собой. Признание каждого незнакомца превращалось в мое собственное, а признание Хансена послужило подлинным обвинением и потому в конечном счете самым большим утешением. Я похоронил мать, попрощался с Моникой и Мейбл. Уже назавтра мне предстояло отправиться в Бейрут. Но даже вроде бы простой вылет в командировку сопровождался смутившим душу воспоминанием об эпизоде из прошлого.

Для того чтобы подготовиться надлежащим образом к выполнению задания, я оказался в одной комнате с умнейшим человеком, которого звали Джайлз Латимер. Он свил себе гнездо в отделе, известном как «департамент сумасшедшего муллы», где изучали сложно переплетенную и с виду не поддающуюся пониманию сеть групп исламских фундаменталистов, базировавшихся в Ливане. Излюбленное представление дилетантов в науке о терроризме, что эти организации являются частью некоего общего гигантского заговора, — полнейший нонсенс. Лучше бы так оно и было — тогда нам стало бы легче найти способ добраться до них! А в реальности они находятся в постоянном движении, группируясь и формируясь заново, сливаясь, как капли воды на мокрой от дождя стене. И как капли дождя, они столь же неуловимы.

Но Джайлз, известный арабист и не менее выдающийся игрок в бридж, подошел так близко к достижению недостижимого, насколько это вообще было возможно, а потому мне предстояло сесть у его ног, чтобы он натаскал меня перед моей новой миссией. Он был высок, угловат и волосат. Принадлежал к одному со мной поколению, но мальчишеская манера держаться придавала ему моложавый вид, как и красные от подобия румянца щеки, хотя краснота на самом деле стала следствием полопавшихся на лице тончайших кровеносных сосудов. Джайлз не уставал проявлять себя истинным джентльменом во всем, услужливо открывая перед тобой двери и вскакивая при появлении любой женщины. Весной я дважды видел его до костей промокшим в силу привычки одалживать свой зонт каждому, кто собирался выйти на улицу в дождь. Богатый, но бережливый, он, как ни взгляни, оставался хорошим человеком, живя со столь же хорошей женой, которая организовывала турниры по бриджу среди наших сотрудников и помнила по именам не только представителей младшего персонала, но даже членов их семей. Тем более странной выглядела ситуация с пропажей досье из его отдела.

Так уж должно было случиться, что первым с этим феноменом столкнулся именно я. Мне понадобилось отследить немецкую девушку, которую звали Бритта, совершившую одиссею по лагерям подготовки террористов в горах Шуфа, и я запросил папку, содержавшую важные перехваченные американцами сведения о ней. Данные добыли кузены, их засекретили и сделали доступными только по предварительной заявке и по расписке, но вот только после того, как я прошел через эту процедуру, оказалось, что никто не может найти досье. Номинально им распоряжался Джайлз, как, впрочем, и многими другими материалами, поскольку он оставался важной фигурой и его имя значилось на всех документах, имевших хождение в отделе.

Однако Джайлз ни о чем не знал. Он помнил, как читал досье, мог привести из него цитаты и считал, что передал его мне. Должно быть, досье направили на Пятый этаж, предположил он затем, или вернули в референтуру. Или куда-нибудь еще.

Так папка попала в разряд пропавших, а нам пришлось поставить в известность об этом ищеек из референтуры, и все опять вошло в привычную колею до тех пор, пока через пару дней не произошел аналогичный случай. Только на сей раз личному секретарю Джайлза пришлось лично заняться поисками после того, как референтура потребовала вернуть все три папки с материалами о таинственной группировке, именовавшейся «Братья Пророка» и предположительно обосновавшейся в Дамуре.

И снова Джайлз ни о чем понятия не имел. Он этих досье не видел и не прикасался к ним. Ищейки из референтуры показали ему подпись на листке получения. Он заявил, что подпись не его. А когда Джайлз что-либо отрицал, у вас не возникало желания с ним спорить. Как я и упомянул выше, он был человеком чистейшей прямоты.

К тому времени поиски велись уже нешуточные и инвентарные списки досье передавали слева направо и справа налево. Референтура доживала последние дни перед компьютеризацией и все еще была способна сама найти необходимое или удостовериться в его пропаже. В наши дни ее сотрудник лишь покачал бы озабоченно головой и вызвал специалиста из группы технической поддержки.

Референтура обнаружила, что тридцать две папки, расписанные Джайлзу, исчезли. Двадцать одна из них относилась к простой категории совершенно секретных, пять имели даже более высокую степень конфиденциальности, а еще шесть были помечены грифом «Особая», и это означало, как ни прискорбно, что никто из персон, чувствительных к еврейскому вопросу, не мог получить к ним доступа. Интерпретируйте как вам будет угодно, но от этого ограничения дурно попахивало, и лишь немногих из нас оно не смущало. Но ведь речь шла о Ближнем Востоке.

Об всей исключительной серьезности кризиса я впервые узнал от начальника отдела кадров. Случилось это в пятницу утром.

Главный кадровик всегда предпочитал взять паузу на уикенд, прежде чем пускать в ход свой топор.

— Джайлз был совершенно здоров в последнее время, Нед? —
спросил он меня интимным тоном, словно на правах старого друга.

— Абсолютно, — ответил я.

— Он ведь христианин, не так ли? То есть человек христианского склада. Набожный.

— Да, мне всегда так казалось.

— Я хочу сказать, что по-своему мы все такие же, но он принадлежит к числу истовых христиан, как тебе представляется, Нед?
Что думаешь об этом?

— Мы никогда с ним таких вопросов не обсуждали.

— А ты сам?

— Нет.

— К примеру, тебе не кажется, что он мог симпатизировать кому-то... Скажем так: кому-то из членов секты британских друзей
Израиля или какой-то другой? Есть вероятность? Имей в виду, мы
ничего не имеем против них. Каждый человек должен руковод-
ствоваться своими убеждениями, не устаю повторять я.

— Джайлз по-настоящему преданный христианин, но вполне
умеренный, как я считаю. Он в своей приходской церкви принадлежит к числу почетных членов паствы из мирян. Но в лучшем
случае выступает с речью перед Великим постом, и этим все ис-
черпывается.

— О том же говорится и здесь, — жалобно сказал кадровик, по-
стучав пальцем по закрытой папке. — Это в точности совпадает
с его портретом, Нед. Что же происходит? Моя работа не всегда так
легка, как может показаться со стороны, понимаешь ли. А порой
она весьма неприятна.

— Почему бы вам не поговорить с ним самим?

— Да-да, я знаю, что это моя обязанность. Только если ты не
побеседуешь с ним вместо меня. Ты же можешь пригласить его
куда-нибудь пообедать. За мой счет, разумеется. Прощупаешь его
основательно. Потом расскажешь о своих впечатлениях.

— Нет, — сразу отказался я.

Его тон старого товарища уступил место гораздо более жесткому:

— Я не ожидал от тебя такого ответа. Порой ты меня крайне
беспокоишь, Нед. Ты путаешься с женщинами напропалую
и слишком упрям, что не идет тебе на благо. Видимо, голландская

кровь влияет на твой характер. В таком случае хотя бы держи рот на замке. И это приказ.

Кончилось тем, что Джайлз сам пригласил меня с ним пообедать. Вероятно, главный кадровик разыграл свою партию по обе стороны доски, поведав Джайлзу ту же историю, но в ином порядке. Так или иначе, но в половине первого Джайлз внезапно вскочил на ноги и сказал:

— Пошло все к дьяволу, Нед. Сегодня пятница. Пойдемте, я угощу вас обедом. Сто лет не обедал в ресторанах.

Мы отправились в «Тревеллерз», заняли столик у окна и очень быстро разделались с бутылкой сансера. Потом Джайлз без особого повода пустился в рассказ о своей недавней поездке в Нью-Йорк для поддержания контактов с ФБР. Поначалу он говорил вполне нормально, но затем его голос сделался монотонным, а взгляд устремился на что-то видимое ему одному. Я посчитал это следствием выпитого вина. А ведь Джайлз не походил на пьяницу и не поглощал спиртное в больших количествах. Но в его словах, по мере того как он продолжал, слышались сила убежденности и почти визуальная образность выражений.

— Если разобраться, странный народ — американцы, Нед, а потому с ними приходится держать ухо востро. Сразу и не понимаешь, что они за тобой следят. В отеле, например. В отеле всегда удается обнаружить следы. Слишком много улыбок, пока ты заселяешься. Чрезмерный интерес к твоему багажу. Там наблюдают за тобой. В этом треклятом высотном парнике. Бассейн на самом верхнем этаже. Оттуда смотришь сверху вниз даже на вертолеты, пролетающие вдоль реки. «Добро пожаловать, мистер Ламберт. Хорошего вам дня, сэр». Я летал туда под фамилией Ламберт. Всегда использую ее в Штатах. Меня поселили на четырнадцатом этаже. Я по натуре человек методичный. Таким уж уродился. Использую колодки для обуви и все прочее. Ничего не могу с собой поделать. Отец был таким же. Ботинки здесь, рубашки там. Носки в отведенном месте. Костюмы развешаны в определенном порядке. Мы никогда не носим легких костюмов. Я имею в виду англичан. Верно? Ты думаешь, твой костюм легкий. Ты выбираешь себе такой. Твой портной утверждает, что он легкий. «Самый легкий в нашем ассортименте, сэр. Мы не шьем ничего легче». Уж, казалось бы, они могли бы чему-то научиться, учитывая, сколько заказов получают от американцев. Но нет. За ваше здоровье!

Он выпил, и я выпил вместе с ним. Потом налил ему минеральной воды. Он заметно вспотел.

— На следующий день я возвращаюсь в отель. Встречи проходили одна за другой. Мы изо всех сил старались понравиться друг другу. И они мне действительно нравятся. В общем-то, хорошие парни. Просто... Немного другие. Иной подход к работе. Носят пистолеты. Ждут немедленных результатов. Хотя никаких быстрых результатов быть не может, не правда ли? Нам всем прекрасно известно. Чем больше фанатиков ты убиваешь, тем больше их появляется. Вы это понимаете, а они — нет. Мой отец тоже был арабистом, хочу напомнить.

Я сказал, что не слышал об этом. Попросил:

— Расскажите о нем.

Мне хотелось отвлечь его внимание. Казалось гораздо разумнее заставить его говорить о своем отце, нежели выслушивать жалобы на отель.

— И вот я вхожу в фойе. Мне вручают ключ. «Эй, минуточку! — говорю я. — Это ключ не от номера на четырнадцатом этаже. Он от комнаты на двадцать первом. Вы ошиблись». Я, естественно, улыбаюсь. Любой может допустить ошибку. Но теперь я имею дело с женщиной. Очень сильной дамой, судя по всему. «Никакой ошибки, мистер Ламберт. Вы живете на двадцать первом этаже. Номер двадцать один ноль девять». «Нет, — отвечаю я, — мой номер четырнадцать ноль девять. Посмотрите сюда». И принимаюсь искать карточку гостя, полученную при заезде. Она смотрит, как я буквально выворачиваю карманы, но не могу ничего найти. «Послушайте, — говорю я. — Вам лучше будет поверить мне. У меня отличная память. Мой номер — четырнадцать ноль девять». Тогда она достает книгу регистрации постояльцев и показывает мне. Ламберт, двадцать один ноль девять. Я иду к лифту, открываю комнату, и все мои вещи там. Туфли здесь. Рубашки там. Носки в положенном месте. И костюмы висят в должном порядке. Все в точности так, как я устроил в другом номере. На четырнадцатом этаже. А знаете, что они сделали?

Пришлось признать свое полное неведение.

— Сфотографировали все. На полароид.

— Зачем им это понадобилось?

— Хотели меня прослушивать. В номере двадцать один ноль девять был установлен микрофон, а комната четырнадцать ноль девять оставалась чистой. Их такой вариант не устроил, вот они меня и переселили повыше. Принимали меня за арабского шпиона.

— С какой стати?

— Из-за моего отца. Он входил в окружение Лоуренса Аравийского. Им была известна такая деталь его биографии. Отсюда их решение. Оттого они и сфотографировали все в моем номере.

Я с трудом припоминаю дальнейшую часть нашего обеда. Не помню, что мы ели или пили, если пили вообще. В памяти остались похвалы Джайлза в адрес Мейбл как превосходной жены офицера спецслужбы, но вполне возможно, что это мое воображение. Единственное реальное воспоминание: мы вдвоем стоим в кабинете Джайлза по возвращении в офис, а главный кадровик маячит перед взломанной дверью его стального шкафа, где все тридцать два пропавших досье кое-как втиснуты на полки — все досье, которые Джайлз возненавидел, когда у него случился «нервный срыв двенадцатой степени», если прибегнуть к определению Смайли.

А что стало тому причиной? Как я узнал позже, у Джайлза появилась своя Моника. Он слетел с катушек, сгорая от страсти к двадцатилетней девчонке из своей деревни. Любовь к ней, чувство вины и отчаяния убедили Джайлза, что он не в состоянии больше нормально работать. Он продолжал машинально исполнять повседневные обязанности (что естественно для истинного солдата), но его мозг отказывался функционировать. Он отвлекся на посторонние мысли, что было совершенно не свойственно его натуре.

Что еще могло способствовать временному помутнению его рассудка? Об этом я предоставлю возможность размышлять вам самим и мозгоправам из нашей конторы, которые, как кажется, с каждым днем приобретают все больше влияния. Вероятно, сыграла роль пропасть между мечтами и окружающей нас реальностью. Огромный разрыв между тем, к чему стремился Джайлз в молодости и что обрел, когда перед ним уже замаячил призрак старости. Но труднее всего признать, насколько Джайлз перепугал меня. Я почувствовал, что он просто ушел далеко вперед по той же дорожке, на которую вступил я сам. Я осознал это по пути в аэропорт. Потом вернулся к той же идее в самолете, одновременно думая о своей матери. Пришлось выпить подряд несколько поданных стюардессой порций виски, чтобы заглушить и чувства и мысли.

Но я все еще ощущал это, развешивая свой скромный гардероб в номере 607 отеля «Коммодор» в Бейруте, когда телефон начал звонить в нескольких дюймах от моего уха. Когда я снимал трубку, мне пришла в голову совершенно неуместная фантазия, что сейчас я услышу голос Ахмеда из службы размещения и он сообщит мне о необходимости перебраться в другую комнату. На двадцать первом этаже. Но я ошибся. Этот звонок возвещал о начале сюрреалистического эпизода номер два.

Раздалась стрельба. Стреляли из автоматов на ходу. По всей вероятности, банда подростков на японском пикапе кружила по окрестностям с «АК-47». В Бейруте как раз наступил очередной сезон, когда можно сверять часы по времени первого вечернего сигнала тревоги. Однако меня стрельба никогда особенно не волновала. Здесь она была логичной, хотя и беспорядочной. Она могла быть направлена в тебя или совсем в другую сторону. Моей персональной фобией стали бомбы, заложенные в автомобилях. Когда не можешь знать, торопливо двигаясь пешком вдоль тротуара или застряв в еле ползущем транспортном потоке, обливаясь потом, не взлетит ли на воздух припаркованная рядом машина, превратив в руины целый квартал, а от тебя оставив такие мелкие ошметки, что даже мешок для трупа не понадобится и хоронить будет нечего. Что больше всего бросалось в глаза при взрыве автомобильной бомбы — если ты успевал потом хоть что-то увидеть, — так это обувь. Людей разрывало на части, но ботинки оставались целехонькими. А потому даже после того, как тела и их фрагменты уже увозили с места взрыва, всегда обнаруживалась пара-другая вполне еще пригодных для носки туфель, валявшихся среди осколков стекла, выбитых искусственных зубов и лоскутов чьего-то костюма. А пара очередей автомата стрельбы или одиночный взрыв заряда от гранатомета не вызывали у меня такого страха, какой наводили на некоторых других людей.

Я снял трубку и, услышав женский голос, стал соображать быстрее не только из-за осложнений в семейной жизни, но прежде всего потому, что моей задачей были поиски немки — той самой Бритты, бравшей уроки у террористов в горах Шуфа.

Но звонила не Бритта, не Моника и не Мейбл. Голос принадлежал американке из центральных штатов, причем звучал он испуганно. А я был Питером, запомните, Питером Картером из крупнейшей британской газеты, пусть ее местный корреспондент никогда прежде и не слышал о сотруднике с такой фамилией. Мне самому приходилось напоминать себе об этом, пока я слушал ее.

— Питер, ради всего святого, мне необходимо к тебе присоединиться, — выпалила она на одном дыхании. — Где тебя, черт возьми, носило, Питер?

Послышался грохот стрельбы из крупнокалиберного пулемета, быстро заглушенный мягким разрывом снаряда из гранатомета. Женщина продолжала еще более взволнованно:

— Господи, Питер, почему ты мне не звонишь? Ладно, я наговорила тебе кучу дерьмовой чепухи. Испортила написанный тобой материал. Прошу прощения. То есть я хочу спросить: кто мы с тобой? Детишки? Ты же знаешь, как мне все это ненавистно.

Снова беспорядочная пальба из винтовок. Иногда здешняя ребятня просто пытается продырявить небо забавы ради.

Ее голос стал заметно громче:

— Скажи мне хоть что-нибудь, Питер! Что-то смешное, ну пожалуйста! Происходят же хоть где-то в мире смешные вещи? Обязаны происходить! Ответь мне, пожалуйста, Питер! Ты не умер, случайно? Быть может, ты сейчас лежишь на полу с оторванной взрывом головой? Только подай голос и докажи, что это не так. Я не хочу погибнуть в одиночестве, Питер. Я же такая общительная. Обожаю компанию. И умру в окружении людей. Питер, отзовись, умоляю!

— В какой номер вы звоните? — спросил я.

Мертвая тишина. По-настоящему мертвая, какая сгущается в паузах между стрельбой.

— С кем я говорю? — требовательно поинтересовалась она.

— Я в самом деле Питер, но не думаю, что я тот Питер, который вам нужен. В какой номер вы позвонили?

— В этот самый номер.

— А именно?

— В комнату шестьсот семь.

— В таком случае он, должно быть, уже успел уехать отсюда. Я прибыл в Бейрут только сегодня после обеда. И мне дали эту комнату.

Взорвалась граната. Другая грохнула в ответ. Где-то на улице кварталах в трех отсюда кто-то отчаянно закричал. Но крик сразу же оборвался.

— Он мертв? — прошептала она.

Я не ответил.

— А может, здесь замешана женщина, — предположила она.

— Все может быть, — согласился я.

— Кто вы такой? Британец?

— Да. — И тоже Питер, подумал я непонятно почему.

— Чем вы занимаетесь?

— В смысле, чем зарабатываю на жизнь?

— Просто говорите со мной. Продолжайте говорить.

— Я журналист.

— Как и Питер?

— Я не знаю, какого рода он журналист.

— Он сильный и закаленный. Вы тоже из таких?

— Что-то меня пугает, а что-то — нет.

— Боитесь мышей?

— Мышей боюсь до ужаса.

— Вы хороший журналист?

— Настолько, насколько хороши новости — так, наверное. Я теперь пишу не так много, как прежде. Чаще исполняю обязанности редактора отдела.

— Женаты?

— А вы замужем?

— Да.

— За Питером?

— Нет, не за Питером.

— И давно вы с ним знакомы?

— С моим мужем?

— Нет, с Питером, — уточнил я.

Трудно было понять, почему меня больше заинтересовала ее измена, чем подробности семейной жизни.

— Здесь мы не ведем скрупулезный отсчет времени, — сказала она. — Год, два года — так не принято говорить. То есть в Бейруте. Вы тоже женаты, верно? Но не хотели признаваться, пока я не сделала это первой.

— Да, женат.

— Тогда расскажите мне о ней.

— О моей жене?

— Разумеется. Вы ее любите? Она высокого роста? Кожа нежная? Наверное, истинная британка. Стойкая. Все переносит с каменным лицом и недрогнувшей верхней губой. Так ведь говорится?

Я поделился с ней некоторыми невинными подробностями о подлинной Мейбл, кое-что присочинив, хотя был из-за этого себе противен.

— Мое мнение: едва ли кто-то может заниматься сексом с одним и тем же человеком после пятнадцати лет супружества, — заявила она.

Я рассмеялся, но не ответил.

— Вы ей верны, Питер?

— Абсолютно, — сказал я, немного подумав.

— Хорошо, давайте вернемся к работе. Зачем вы сюда прилетели? Со специальным заданием? Расскажите мне, что вам предстоит сделать.

Шпион, глубоко засевший во мне, мгновенно сформулировал встречный вопрос:

— Думаю, самое время рассказать, чем занимаетесь вы. Вы тоже журналистка?

Струя трассирующих пуль окатила небо. Затем стрельба продолжилась.

Ее голос зазвучал утомленно, словно она устала бояться.

— Да, я могу написать репортаж. Без проблем.

— Для кого?

— Для паршивого телеграфного агентства, для кого же еще? Пятьдесят центов за строчку, а потом какой-нибудь подонок украдет у меня написанное и заработает пару тысяч за вечер. Обычное дело.

— Как вас зовут? — спросил я.

— Не знаю. Может быть, Энни. Зовите меня Энни. Послушайте, а вы действительно хороший малый. Вы знаете об этом? Что нужно делать, если доберман обхватывает лапами вашу ногу?

— Лаять?

— Изображать оргазм. Мне страшно, Питер. Я, наверное, не ясно дала вам это понять. Мне нужно выпить.

— Где вы находитесь?

— Прямо здесь.

— Где здесь?

— Да в вашем отеле, господи! В «Коммодоре». Стою в вестибюле, вдыхаю запах чеснока от Ахмеда, а на меня пялится грек.

— Какой еще грек?

— Ставрос. Он торгует сильными наркотиками, но божится, что только безвредной травкой. Он, конечно, слизняк, но серьезно опасен.

Я вслушался, и впервые до меня донесся легкий гул голосов на заднем фоне. Стрельба уже прекратилась.

— Питер?

— Да?

— Выключи ты этот свет у себя, Питер.

Стало быть, она знала, что в номере существовал только один источник освещения — шаткая прикроватная лампа с запятнанным абажуром из пергамента. Она стояла на шкафчике между двумя диванами. Я выключил ее. Снова стали видны звезды.

— Отопри дверь и оставь приоткрытой. Ровно на дюйм. У тебя есть выпивка?

— Есть бутылка виски, — ответил я.

— А водка?

— Водки нет.

— Лед?

— Тоже нет.

— Я все принесу сама. Питер!

— Что?

— Ты хороший человек. Тебе прежде кто-нибудь говорил об этом?

— Да, но в последний раз очень давно.

— Будь начеку в этом месте, — сказала она и дала отбой.

Она так и не пришла.

Причины можете вообразить любые, как это делал я, долго сидя в темноте на диване, наблюдая за дверью, отмечая каждую утекавшую минуту жизни, пока ждал звуков ее шагов из коридора.

Через час я сам спустился вниз. Сел в баре и стал ловить все женские голоса с американским акцентом, какие только слышались. Ни один не был похож на ее голос. Я высматривал ту, кто назвалась Энни и была способна предложить себя мужчине, с которым лишь недолго пообщалась по телефону. Я подкупил Ахмеда, чтобы выяснить, кто пользовался установленным в фойе аппаратом в девять часов вечера, но по какой-то причине в его памяти не запечатлелась эмоциональная американка.

Я дошел до того, чтобы попытаться установить личность прежнего постояльца своего номера, на самом ли деле его тоже звали

Питером, но Ахмед стал загадочно уклончив. По его словам, он сам недавно вернулся из Триполи от старухи-матери, а регистрационной книги в гостинице не держали.

Быть может, тот самый Питер с опозданием вернулся и увел ее с собой? Или это сделал грек по имени Ставрос? Была ли она обычной шлюхой? Или в этой роли выступил я? И не Ахмед ли заменял ей сутенера? Не стал ли телефонный звонок обычным трюком, к которому она прибегала при появлении каждого нового жильца в отеле, чтобы подцепить его в первую ночь особенно гнетущего одиночества?

Или, как я предпочитал думать, она была просто напуганной женщиной, разминувшейся с любовником и желавшей прижаться к любому мужчине до того, как ночные кошмары этого города начнут сводить ее с ума?

Но в чем бы ни состояла разгадка ее тайны, я кое-что узнал благодаря ей о себе самом, пусть это не могло не тревожить. Мне стало ясно, какую угрозу представляло для меня одиночество, насколько я оказался уязвимым, как хотел любить и быть любимым и до какой степени непрочно во мне держалась добродетель, именовавшаяся в Цирке «заботой о личной безопасности», если ее подвергали испытанию соблазном все возраставшей жажды общения. Я подумал о Монике и о моих пустых призывах ниспослать мне любви к ней, которые так и не тронули тех богов, кому были адресованы. Я вспомнил о Джайлзе Латимере и его безнадежной страсти. И странным образом женщина, позвонившая мне и назвавшаяся Энни, казалось, принадлежала к той же группе возбужденных посланников из прошлого, начавших в один голос будоражить мне душу.

После безликой женщины явился безликий юноша. Случилось это следующим вечером.

Предельно усталый, я устроился в вестибюле отеля и в одиночестве пил виски. Я объезжал лагеря в районе Сидона, и руки до сих пор дрожали после еще одного дня, проведенного в Ливане. А сейчас наступил магический час сумерек, когда все представители человеческого животного царства Бейрута согласились отложить ненадолго распри и собрались у водопоя. Подобные сцены мне прежде доводилось наблюдать в джунглях. Возможно, вам тоже. По какой-то никому не слышной команде слоны, бородавочники, газели, львы и жирафы осторожно выходили из защищавшей их тьмы древесной чащи и беззвучно пристраивались у грязноватых луж. Примерно в то же время в фойе «Коммодора», возвращались журналисты после дня, проведенного в путешествиях по стране. Под вздохи и стоны раздвижных электрических дверей, всегда открывавшихся чуть медленнее, чем необходимо, ранний бейрутский вечер возвращал на ночевку пеструю толпу: телевизионную группу из Швеции, возглавляемую серолицым блондином в дизайнерских джинсах, репортера и фотографа американского еженедельника, корреспондентов телеграфных агентств, тоже неизменно державшихся парами, престарелого и загадочного с виду восточного немца с любовницей-японкой. Все они сознательно появлялись без шума и внешних эффектов, делали паузу в дверях и усаживались под тяжестью бремени пережитого за день.

Причем работа для многих еще далеко не завершилась. Потому что настоящим журналистам предстояло отослать кассеты с отснятой пленкой, написать материалы, а потом передать их по телексу или продиктовать по телефону. Кто-то пропал, и его теперь предстояло разыскать. Некий репортер поймал шальную пулю. Поставили ли об этом в известность его жену? И тем не менее, когда стеклянные двери закрывались у них за спинами, они могли считать еще один день жизни отвоеванным у врагов. Группа писак задраивала за собой люки, чтобы спокойно провести ночь.

Я же не просто наблюдал, а ждал встречи с человеком, знавшим другого человека, а тот мог, вероятно, быть знаком с женщиной, которую меня послали разыскать. Мой день до сих пор не принес никаких результатов, если не считать посещения еще одного сборища малоприятных людей.

В других углах вестибюля собирались группы особей другого рода, не столь броских, но зачастую более интересных для наблюдателя: коммивояжеры, торговцы оружием и наркотиками, дипломаты низших рангов в темных костюмах, чьим товаром было влияние и информация. Они перебирали четки, обшаривая помещение беспокойными взглядами. И конечно, здесь присутствовали агенты всех родов и видов, занимавшиеся своими делами в открытую. Потому что в Бейруте в их деятельность оказывался вовлечен почти каждый. Здесь не встретишь мужчины или женщины, у кого не было бы собственных источников секретной информации, пусть им мог быть все тот же Ахмед за своей стойкой, готовый за улыбку и несколько долларов поведать вам любые тайны вселенной.

Но человек, привлекший мое внимание, выглядел экзотично даже для пестрой толпы в «Коммодоре». Я не заметил, как он вошел. Возможно, проник внутрь за спинами очередной группы постояльцев. Я увидел его уже в вестибюле на темном фоне стеклянных дверей, одетого в полосатую футболку, с чистым белым шарфом, повязанным на голове, какие здесь часто носят медсестры. Не будь он высок, строен и плоскогруд, я бы сначала даже не сразу понял, женщина это, выдающая себя за мужчину, или мужчина, пытающийся скрыться под женским обликом.

Сотрудник службы безопасности отеля тоже заприметил его. Как и Ахмед за своей массивной стойкой. Два его «калашникова» стояли позади у стены прямо под доской с ячейками для хранения ключей от номеров, и от меня не укрылось, как Ахмед незаметно сделал полшага назад, чтобы легко дотянуться до одного из них. Одной ручной гранаты в такой час было бы достаточно, чтобы уничтожить добрую половину прибыльного нелегального бизнеса целого города.

Однако вновь прибывший шел либо не замечая, либо полностью игнорируя вызванное его появлением волнение. Он был строен, молод, подвижен и легок, но при этом несколько скован. Складывалось впечатление, что это человек без собственной воли и его толкает вперед неслышный голос куратора или манипулятора. Теперь мне удалось рассмотреть его. На лице густая черная щетина и усики, глаза прикрыты солнцезащитными очками. Вот почему он оказался столь темнолицым. И этот головной убор больничной нянюшки. Однако именно странный автоматизм его походки заставил меня насторожиться, и пришла мысль, какого еще религиозного фанатика могла принести сюда нелегкая.

Он добрался до центра вестибюля. Люди расступались перед ним. Одни смотрели на него, но сразу отводили взгляд, другие поворачивались спиной с демонстративным пренебрежением, словно знали его и не питали добрых чувств к этому человеку. И внезапно под ярким светом главной люстры он словно начал вздыматься вверх, подавшись закутанной головой вперед и почти не двигая руками, словно всходил на собственный эшафот по приказу свыше. Я уже узнал в нем американца. По чуть согнутым коленям, по свободно болтавшимся кистям рук и почти девичьим бедрам. Обычный американский подросток. Его очки оказались, по всей видимости, недостаточно темными, потому что в длинных пальцах он держал матерчатый козырек, тоже предназначенный для защиты глаз от яркого солнца. Такие козырьки часто носят азартные игроки на скачках, а в сороковых годах они были непременным атрибутом газетных редакторов в кинофильмах. Ростом он почти достигал шести футов. На ногах носил кроссовки, такие же девственно-белые, как и шарф, делавшие его шаги бесшумными.

Чокнутый на арабском фундаментализме? — задался вопросом я.

Или, наоборот, свихнувшийся сионист? Эти тоже встречались мне время от времени.

Просто обкуренный?

Выпускник школы, решивший побывать туристом на войне в поисках острых ощущений в городе обреченных?

Сменив направление, он подошел к стойке регистрации и заговорил с дамой из службы размещения, но встав вполоборота, чтобы видеть вестибюль, уже выискивая того, о ком справлялся. Именно тогда я заметил красные точки, покрывавшие его щеки и лоб, как приметы ветрянки, но только более яркие. Видимо, его жестоко пожрали клопы в какой-то вонючей ночлежке, решил я. Или продуло в старой машине без лобового стекла. Он направился в мою сторону. Все такой же напряженный, без какого-либо выражения на лице, как человек, привыкший к тому, чтобы его разглядывали. Козырек агрессивно болтался, свисая с пальцев. Он смотрел на меня невидящим взором. Я же сидел и продолжал пить. Женщина взяла его за руку. Она была в юбке и могла быть той, кто одолжил ему шарф. Оба встали передо мной. Точно передо мной и никем больше.

— Сэр? Это Сол, сэр, — сказала она (или Морт, или Сид, или кто угодно другой). — Он спрашивает, не журналист ли вы, сэр.

Я ответил:

— Да, журналист.

— Вы приехали из Лондона? Хотя вы и редактор, верно, сэр? Вы влиятельный человек, сэр?

— Сомневаюсь, что пользуюсь особым влиянием, — сказал я с приниженной улыбкой.

— И вы возвращаетесь в Лондон, сэр? Скоро?

В Бейруте сразу привыкаешь не обсуждать заранее своих возможных перемещений.

— Да, довольно скоро, — признал я, хотя правда состояла в том, что я планировал снова посетить юг страны на следующий день.

— Не мог бы Сол поговорить с вами немного, сэр? Просто поговорить. Солу крайне необходимо побеседовать с человеком, имеющим вес в крупной западной газете. Собравшиеся здесь журналисты, а он видел их всех, по его мнению, слишком измученные и много чего повидали. Солу нужен голос со стороны.

Я подвинулся, и она села рядом со мной, пока Сол очень медленно опускался на стул — скрытный, молчаливый, очень чистый юноша в футболке с длинными рукавами и то ли с шарфом, то ли с платком на голове. Наконец усевшись, он положил ладони на колени, держа козырек обеими руками. Затем он глубоко вздохнул и забормотал, обращаясь ко мне:

— Я тут кое-что написал, сэр. Мне бы хотелось, чтобы вы опубликовали это в своей газете. Пожалуйста.

Его голос, хотя и звучавший очень тихо, выдавал человека образованного и вежливого. Но в нем присутствовала та же безжизненность и экономность, как во всех его движениях, словно ему было больно произносить каждое слово. Даже под темными стеклами солнцезащитных очков я разглядел, что его левый глаз был меньше правого. И уже. Но не от отечности, не от синяка, оставленного ударом, а попросту и естественным образом меньше своего собрата, словно позаимствованный с другого лица. А пятна оказались не укусами, не прыщами и не порезами. Это были мелкие углубления, как оспины от пуль на стенах Бейрута, отвердевшие от жары и ветра. Они напоминали кратеры, поскольку кожа по краям приподнялась, но не сомкнулась.

Он приступил к своей истории, не дождавшись, чтобы я попросил об этом. Парень был добровольным помощником мирному населению, студентом третьего курса медицинского факультета университета Омахи. Он верил только в мир, сэр. Но попал под взрыв бомбы на Корнише, оказавшись в ресторане, которому достался один из самых сильных ударов. Его просто смело. Вы должны сами поехать туда и взглянуть. Заведение называлось «Ахбарз», сэр. Туда любили заглядывать многие американцы. Бомбу заложили в автомобиль, а такие бомбы — они хуже всего.

Я сказал, что мне это известно.

Почти все, кто находился в ресторане, погибли, за исключением его самого, сэр. Людей, сидевших ближе к внешней стене, просто разорвало на части, продолжал Сол, не подозревая, что озвучил худший из кошмаров, преследовавших меня. А он написал обо всем, чувствуя необходимость высказаться, сэр. У него получился некий призыв к миру, который необходимо опубликовать в моей газете. Быть может, это принесет хоть какую-то пользу. Сол считал, что лучше всего напечатать статью в воскресном выпуске или в понедельник. Гонорар готов пожертвовать благотворительной организации. По его прикидкам, ему должны были заплатить пару сотен долларов или даже больше. Он бы передал деньги в больницы Бейрута, все еще дававшие людям надежду на выживание.

— Нам отчаянно необходима передышка, сэр, — объяснил он безжизненным голосом, а женщина помогла ему вытащить из кармана свернутые в трубочку листы бумаги. — Пауза для переговоров. Приостановка боевых действий для поисков иного пути решения проблем.

Только в отеле «Коммодор» в Бейруте могло показаться вполне естественным, чтобы контуженный взрывом миротворец обращался за поддержкой своего заведомо обреченного начинания к журналисту, на самом деле им не являвшимся. Тем не менее я пообещал сделать все, что в моих силах. Закончив дело с мужчиной, которого дожидался (он, конечно же, ничего не знал, ничего не слышал и только предложил мне обратиться к полковнику Асме из Тира), я поднялся в свой номер и со стаканом виски под рукой начал читать писанину парня. Причем заранее решил: если есть малейший шанс опубликовать ее, то я выкручу руки одному из наших многочисленных «друзей» с Флит-стрит, когда вернусь в Лондон, и пробью публикацию.

Это был материал, исполненный трагизма, и скоро его стало невозможно читать — путаный, чересчур эмоциональный призыв к евреям, христианам и мусульманам одуматься, вспомнить о своих матерях и детях, чтобы всем вместе жить в любви и в мире. Там содержалось обращение к умеренным группировкам пойти на компромисс и приводились неточные примеры из истории. Предлагалось ввести новую религию, «какую собиралась дать нам Жанна д'Арк, но англичане не позволили и сожгли ее заживо, несмотря на ее жалобные крики и вопреки воле простых людей». Подобное новое религиозное движение, заверял автор, «объединит представителей семитских рас в духовное братство любви и терпимости». Но затем юноша окончательно запутался и потому принялся писать только заглавными буквами с подчеркиванием фраз и целыми рядами восклицательных знаков. К тому моменту, когда я добрался до конца, статья перестала быть тем, чем обещала стать вначале, а описывала, как «целая семья с детьми и стариками сидела у стены близко к эпицентру взрыва». Их всех разорвало на части. Причем описание повторялось снова и снова, поскольку бедняга Сол бесконечно заставлял себя возвращаться к ужасному воспоминанию.

И неожиданно я сам взялся писать вместо него. Обращаясь к ней. К той Энни. Сначала мысленно, потом на полях чужой рукописи, затем на чистых листах формата А4, лежавших у меня в портфеле. Каждый лист быстро заполнялся, и мне приходилось брать другой. Я потел. Пот лил с меня ручьем. Это была пока тихая ночь в Бейруте, но пропитанная влажной, удушливой жарой, скатывавшейся вниз по склонам гор, превращаясь над морем в зловещий серый смог, похожий на густой пороховой дым. Я писал и гадал, позвонит ли она снова. Я писал, как контуженный бомбой мальчишка, писал письмо девушке, которую совсем не знал. Я писал (как понял не без огорчения по пробуждении утром) претенциозную муру. Объяснялся в чудодейственной привязанности, громоздил сантименты на сантименты, вещал о замкнутом круге человеческого зла, о вечном стремлении людей найти причину, чтобы вершить дурные дела.

Передышка, как выразился паренек. Пауза для переговоров, приостановка боевых действий. Здесь я поправил его. Заодно объяснив и Энни суть его заблуждения. Мне пришлось объяснить им обоим, что паузы в истории конфликтов возникали не при необходимости переговоров, а от невыносимой больше чрезмерности происходившего. Паузы требовались, чтобы иначе поделить мир, чтобы убийцы и жертвы заново нашли друг друга, чтобы алчность и нищета перегруппировались. Я писал словно кровью сердца подростка, а когда настало утро и я увидел исписанные моим почерком листы, разбросанные на полу вокруг опустошенной бутылки виски, то не мог поверить, что это было делом рук человека, которого я должен хорошо знать.

И я поступил с написанным единственно возможным образом. Собрал листки и предал кремации в раковине умывальника, а потом собрал пепел и спустил в унитаз, в заполненную трупами канализацию Бейрута. Покончив с этим, я определил для себя меру наказания — вышел на набережную и побежал настолько быстро, насколько позволяли силы, спасаясь от того, что следовало за мной по пятам. Я бежал к Хансену, от себя самого, но по пути мне пришлось сделать еще одну остановку.

Моя немецкая девушка — Бритта — обнаружилась в Израиле посреди пустыни Негев в лагере, состоявшем из аскетических серых хижин, поблизости от деревни, называвшейся Ревивим. Хижины были окружены по периметру вспаханной контрольно-следовой полосой и двойным рядом ограды из колючей проволоки со сторожевыми башнями по углам, где сидели охранники. Если в той тюрьме и были другие заключенные из Европы, мне их не показали. Компаньонками Бритты оказались арабские девушки, в основном из нищих деревень с Западного берега или из сектора Газа, которых палестинские товарищи уговорили или силком заставили совершить акты насилия против ненавистных сионистских оккупантов. Как правило, они подкладывали взрывчатку на рыночных площадях или бросали бомбы в автобусы с гражданским населением.

Меня доставили туда из Беэр-Шевы на джипе, за рулем которого сидел мужественного вида молодой полковник разведки, чей отец, будучи еще совсем мальчишкой, прошел подготовку как «ночной охотник» у эксцентричного генерала Уингейта в период действия британского мандата. Отец полковника живо помнил Уингейта, сидевшего нагишом на корточках в своей палатке и чертившего на песке план предстоявшего сражения. Почти каждый израильский солдат знал его отца, а очень многие говорили об англичанах. После нашего владычества они считают нас теми, кем мы, по всей вероятности, и являемся: антисемитами, невежественными империалистами, лишь за немногими исключениями. Димона, где израильтяне хранят ядерный арсенал, находилась чуть дальше по той же дороге.

Ощущение нереальности происходившего не покидало меня. Напротив, оно только усилилось. Казалось, я утратил способность дистанцироваться от простых эмоций, крайне важную в нашей профессии. Мои чувства и чувства других людей стали значить для меня больше, чем объективные наблюдения. Находясь в Ливане, очень легко, если не быть все время настороже, впитать в себя иррациональную ненависть к Израилю. Я же заразился этой болезнью в тяжелой форме. Пробираясь сквозь грязные, вонючие лагеря беженцев, прячась в норах, укрытых мешками с песком, я убедил себя, что израильскую страсть к мщению не утолить, пока не закроются навсегда полные обвинения глазенки последнего из выживших палестинских детей.

Вероятно, мой молодой полковник уловил намек на это, поскольку, хотя официально я прилетел с Кипра, прошло всего несколько часов с тех пор, как покинул Бейрут, и следы пережитого там все еще вполне могли отчетливо читаться на моем лице.

— Вы встречались с Арафатом? — спросил он с мрачноватой улыбкой, когда мы мчались по прямому участку шоссе.

— Нет, не довелось.

— Отчего же? Он человек хороший.

Я пропустил эту реплику мимо ушей.

— Зачем вам понадобилось увидеться с Бриттой?

Я сообщил ему об этом. Не было никакого смысла скрывать правду. От Лондона и так потребовались немалые усилия, чтобы вообще добиться разрешения побеседовать с ней, а мои нынешние хозяева явно не собирались дать нам поговорить с глазу на глаз.

— Мы полагаем, у нее может возникнуть желание рассказать нам о своем прежнем возлюбленном, — сказал я.

— С какой стати ей откровенничать с вами?

— Он ее бросил. Она очень зла на него.

— А кто ее бывший дружок? — спросил он, словно ничего не зная.

— Ирландец. Носит звание адъютанта в Ирландской республиканской армии. Готовит террористов-подрывников, проводит разведку целей, снабжает оружием и материалами. Она жила с ним в глубоком подполье в Амстердаме и Париже.

— Как у Джорджа Оруэлла в «Фунтах лиха»?

— Да, как у Джорджа Оруэлла.

— И давно он ее оставил?

— Полгода назад.

— Может быть, ее злость уже унялась. Она вполне способна послать вас подальше. Потому что для такой девушки, как Бритта, шесть месяцев — невероятно долгий срок.

Я спросил, много ли она рассказывала о себе, находясь в плену. Вопрос был деликатный, потому что израильтяне пока скрывали, когда ее схватили и как им это вообще удалось. Смуглое лицо полковника выглядело необычайно широким. Он вырос в семье выходцев из России. На воротничке защитного цвета гимнастерки с коротким рукавом красовалась эмблема крылатого парашюта. Ему было двадцать восемь лет, сабра по происхождению, житель Тель-Авива, обрученный с сефардкой из Монако. Его отец, бывший «ночной охотник», ныне стал обычным дантистом. Все это он рассказал мне в первые же минуты нашего знакомства на своем гортанном английском, который выучил самостоятельно.

— Много ли она нам выдала? — перефразировал он меня с угрюмой улыбкой. — Бритта? Эта леди говорит не переставая с тех пор, как ее доставили в лагерь для пленных.

Немного знакомый с методами, применявшимися израильскими военными, я нисколько не удивился и даже чуть заметно содрогнулся, подумав о перспективе снова допрашивать молодую женщину, побывавшую у них в руках. Подобный опыт я приобрел как раз в Ирландии: мужчина, вроде бы застегнутый на все пуговицы, но с лицом мертвеца, признался мне в содеянном немедленно.

— Вы допрашивали ее лично? — спросил я, снова обратив внимание на его сильные смуглые руки и на решительно выставленный подбородок, вспомнив, вероятно, полковника Ежи.

Он покачал головой:

— Нет.

— Почему же?

Он, как показалось, хотел мне сказать нечто другое, но передумал.

— Для этого у нас есть специалисты, — объяснил он. — Парни из контрразведки Шин-бет. Умные, как сама Бритта. Они уделили ей много времени. Стали почти ее семьей.

Я был наслышан и о таких милых семейках, но воздержался от комментариев. Сионисты заманили ее в ловушку, нашептал мне в Тире информатор с налитыми кровью глазами. Она покинула тренировочный лагерь и отправилась в Афины с новым любовником по имени Саид и тремя друзьями Саида, выяснил я подробности. Отличные ребята. Все очень способные. План состоял в том, чтобы сбить самолет авиакомпании «Эль-Аль» при заходе на посадку в афинском аэропорту. Мальчики раздобыли ручную установку для пуска ракет класса «земля—воздух», а потом сняли дом в точности на посадочной глиссаде пассажирских лайнеров. Задача Бритты — совершенно невинной с виду европейской девушки — состояла в том, чтобы занять будку телефона-автомата в аэропорту и при помощи купленного за тридцать долларов приемника радиосигналов передавать своим расположившимся на крыше дома дружкам содержание переговоров в башне диспетчеров, как только самолет окажется в зоне их видимости. Все было продумано до мелочей, заверил мой тощий до костлявости информатор. Репетиции прошли безупречно. Но сама операция в последний момент почему-то сорвалась.

Слушая его, я мог легко вообразить недостающую часть истории, представив, как наша служба справилась бы с такой задачей, получи мы предварительное предупреждение: две штурмовые группы напали бы на крышу дома и одновременно окружили будку телефона-автомата. Избранный в качестве цели самолет, подмененный пустым лайнером, совершил бы благополучную посадку в Афинах. Потом тем же самолетом прикованных наручниками к креслам террористов доставили бы в Тель-Авив. Оставалось гадать лишь о том, как израильтяне с ней поступят. Предадут публичному суду или освободят в обмен на согласие с ними сотрудничать?

— Какова судьба парней, с которыми она отправилась в Афины? — спросил я полковника, игнорируя настоятельные рекомендации Лондона не особенно любопытствовать по этому поводу.

— Парней? Она ничего не знает ни о каких парнях. Афины? А что, где-то есть такой город? Она ни в чем не повинная немецкая туристка, проводившая отпуск в Эйлате. Мы похитили ее, накачали наркотиками, посадили за колючую проволоку, а теперь готовимся использовать в пропагандистских целях. Она требует от нас доказательств обратного, зная, что нам трудно что-либо подтвердить фактами. Есть еще вопросы? Так будьте любезны, задайте их самой Бритте.

Его мрачный настрой озадачил меня, и удивление только усугубилось, когда мы выходили из джипа. Он положил руку мне на плечо и своеобразно пожелал мне удачи.

— Она в вашем распоряжении, — сказал он. — Mazel tov*.

Я начал всерьез беспокоиться о том, что меня ожидает.

Маленькая, но крепко сбитая женщина в армейском мундире встретила нас в опрятном офисе. У тюремщиков никогда не бывает недостатка в уборщиках, подумал я. Она представилась как капитан Леви и оказалась, как ни странно, личной надзирательницей Бритты. Она говорила по-английски, как могла бы говорить учительница младших классов из провинциального городка в Штатах, но только медленнее и более тщательно подбирая слова. У нее были яркие, сияющие глаза и короткие седые волосы. Вела

---

* Удачи вам (*ивр.*).

она себя с добродушной отстраненностью. Жизнь в тюрьме посреди пустыни наложила пыльный оттенок на кожу ее лица, но по манере складывать пальцы рук вместе ты мог догадаться, что она вяжет для своих внуков и внучек.

— Бритта очень умна, — сказала она, словно извиняясь. — Умному мужчине очень трудно допрашивать не менее умную женщину. У вас есть дочь, сэр?

В мои намерения не входило пополнять их досье о себе, и потому я ответил отрицательно, что к тому же соответствовало действительности.

— Жаль. Но ничего страшного. Вы еще можете завести дочурку. Для такого мужчины, как вы, времени предостаточно. Вы говорите по-немецки?

— Да.

— Значит, вам повезло. Вы сможете общаться с ней на ее родном языке. Так вам, быть может, удастся узнать ее получше. Мы с Бриттой можем разговаривать только по-английски. Я говорю как мой покойный муж. Он был американцем. А Бритта говорит как ее покойный возлюбленный, который был ирландцем. Тель-Авив разрешил выделить вам на беседу с ней два часа. Будет достаточно двух часов? Если потребуется больше, мы пошлем запрос начальству. Возможно, они согласятся на продление. А может, даже двух часов окажется слишком много. Посмотрим.

— Вы очень добры, — сказал я.

— Уж не знаю, добра ли я. Хотя, вероятно, нам вообще не стоит быть такими добренькими. А мы проявляем доброту слишком часто. Вы сами убедитесь.

После чего она распорядилась подать кофе и привести Бритту, пока мы с полковником занимали места по одну сторону простого деревянного стола.

Но капитан Леви не садилась за стол. Как я догадался, она не должна была принимать непосредственного участия в беседе. Она пристроилась у двери на грубо сколоченном табурете, опустив взгляд и как будто готовясь к концерту. Даже когда в сопровождении двух молодых надзирательниц Бритта вошла в комнату, Леви подняла глаза ровно настолько, чтобы видеть ноги трех женщин, прошедших мимо нее к центру комнаты и там остановившихся. Одна из тюремщиц выдвинула для Бритты стул, другая сняла наручники.

Мне бы хотелось описать вам сцену в точности так, как я сам увидел ее со своего места: полковник сидел справа от меня, Бритта напротив нас через стол, а потому склоненная седая голова оказалась почти прямо у нее за спиной, но чуть левее. На лице капитана отобразилась задумчивость в сочетании с намеком на улыбку. На протяжении всей нашей встречи Леви оставалась в одной и той же позе, неподвижная, как восковая фигура. Ее легкая всезнающая улыбка ничуть не менялась и не пропадала. И все же в ее облике ощущалась предельная концентрация, некое усилие над собой, и я решил, что она пытается разобрать понятные фразы или слова, поскольку ей помогало знание как английского, так и идиша, а Бритта — девушка из Бремена — говорила на четком и властном немецком языке, чем только облегчала понимание.

Бритта, несомненно, представляла собой отменный образец своей породы. Волосы у нее были «под цвет белой булочки», как выражались в Германии, высокая, с покатыми широкими плечами и складным телосложением, с довольно-таки вызывающим выражением голубых глаз и волевым, привлекательно очерченным подбородком. Вероятно, одного возраста с Моникой, примерно такого же роста, и я невольно подумал, что и чувственность в ней могла быть развита в той же степени. Мое подозрение, что с ней здесь дурно обращались, исчезло, как только она вошла. Держалась она с грацией балерины, но в ней чувствовался интеллект и большее понимание жизненных реалий, чем у большинства танцовщиц. Она бы хорошо смотрелась в форме для игры в теннис или в национальном платье немок из альпийских регионов, и, как я догадывался, ей в свое время доводилось носить и то и другое. Даже тюремная роба была ей к лицу, поскольку она смастерила из какого-то подручного материала нарядный поясок, повязав его на талии, а волосы тщательно расчесала и собрала в пучок на макушке. Первым движением, когда с нее сняли оковы, она протянула мне руку и тут же изобразила книксен, как школьница, вложив в него иронию или подлинное уважение, — сразу трудно было понять. Она пожала мне руку с мальчишеской силой, но сделала рукопожатие немного затянутым. Косметикой она не пользовалась и не нуждалась в ней.

— Und mit wem hab' ich die Ehre? — спросила она либо из вежливости, либо из озорства. С кем имею честь общаться?

— Я официальный представитель Великобритании, — последовал мой ответ.

— Назовите свое имя, пожалуйста.

— Оно не имеет никакого значения.

— Зато вы сами имеете большое значение!

Заключенные, когда их после долгого перерыва выводят из камер, зачастую начинают разговор с внешне нелепых фраз, и потому я был к этому готов:

— Я работаю совместно с израильтянами над некоторыми аспектами вашего дела. Это все, что вам следует знать.

— Дела? Значит, я — дело? Как забавно. Мне-то казалось, что я всего лишь человеческое существо. Пожалуйста, садитесь, мистер Никто, — сказала она и уселась сама.

Мы снова сели в уже описанном мной порядке. Лицо капитана Леви находилось у нее за спиной, отчего выглядело немного размытым, как и его выражение. Впрочем, полковник при появлении Бритты не поднялся со стула, и даже теперь, когда она расположилась напротив него, не давал себе труда ее разглядывать. Он выглядел человеком, не ожидавшим ничего интересного. Поглядывал на часы из матового металла, производившие на его смуглой руке впечатление особой разновидности оружия. Кисти рук Бритты были белыми и гладкими, как у Моники, вот только наручники оставили на них красноватые следы.

Совершенно внезапно она принялась читать мне лекцию. Причем начала сразу, словно продолжала начатое ранее, в каком-то смысле так и было, потому что, как я скоро убедился, она подобным образом читала лекции всем. Или, точнее, тем, кого причисляла к буржуазии. Она заявила, что должна сделать заявление, которое мне надлежало передать моим «коллегам», как она их назвала, поскольку ощущала, что здешние власти не до конца разобрались в ее положении. Она была военнопленной, как любой израильский солдат, попавший в руки палестинцев, становился военнопленным, с которым надлежало обращаться в соответствии с Женевской конвенцией и предоставить определенные права, гарантированные ею же. В Израиле она оказалась как туристка, не совершала никаких преступлений против этого государства, а была арестована на основании раздутых и ложных обвинений, выдвинутых против нее другими странами, что стало преднамеренным актом провокации против всего мирового пролетариата.

Я издал короткий смешок, и Бритта осеклась. Смеха она ожидала меньше всего.

— Но послушайте, — возразил я, — вы либо военнопленная, либо ни в чем не повинная туристка. Невозможно быть тем и другим одновременно.

— Борьба как раз и ведется между виновными и невиновными, — без колебаний подхватила она и продолжила лекцию. Ее врагами были не только сионисты, заявила она, но и то, что она окрестила динамикой буржуазного господства, система подавления естественных человеческих инстинктов, поддержание деспотической власти, замаскированной под «демократию».

Я снова попытался перебить ее, но она уже говорила, словно не замечая моего присутствия. Цитировала Маркузе и Фрейда. Ссылалась на неизбежное восстание достигших половой зрелости сыновей против своих отцов, а потом отказ от революционных настроений, когда сыновья сами становятся отцами.

Я бросил взгляд на полковника, но тот, казалось, задремал.

Целью ее собственных «акций», сказала она, как и действий ее товарищей, было разорвать порочный круг репрессий во всех их формах. Прекратить порабощение труда во имя материализма, изменить репрессивный по сути принцип так называемого прогресса. Чтобы высвободить истинные общественные силы, как, например, эротическую энергию, направив ее на создание раскрепощенных форм культурного творчества.

— Ничто из сказанного вами не представляет для меня ни малейшего интереса, — вынужден был высказаться я громко и прямо. — Пожалуйста, остановитесь и выслушайте мои вопросы.

Акты, которые почему-то называют терроризмом, имели, таким образом, две очевидные задачи, продолжала она, словно я не вымолвил ни слова. Первая из них состояла в том, чтобы внести смятение в армии, сформированные буржуазными материалистами-заговорщиками. Вторая заключалась в использовании личного примера для воспитания и просвещении тягловой силы всей нашей планеты, которая успела забыть, как выглядит свет истины. Другими словами, внедрить фермент брожения и пробудить сознание в представителях наиболее угнетенных слоев населения.

Она особо желала бы подчеркнуть, что не является горячей сторонницей коммунистов, но все же предпочитает их учение идеологии капитализма, поскольку в коммунизме нашло воплощение мощное отрицание эгоистических идеалов, когда обладание собственностью способствует возведению тюремных стен для человечества.

Она отстаивала необходимость свободы сексуального самовыражения (для тех, кто в нем нуждался), умеренного употребления наркотиков как средства осознания сути своей подлинной личности, в противоположность личности, лишенной воли, кастрированной агрессивной толерантностью.

Я повернулся к полковнику. Как и у всего прочего, при проведении допросов надо придерживаться этикета.

— Мы должны и дальше выслушивать всю эту ерунду? Эта молодая леди — ваш заключенный, а не мой, — напомнил я ему, потому что едва ли имел право диктовать ей свои правила.

Полковник приподнял голову ровно настолько, чтобы бросить на нее равнодушный взгляд.

— Тебе не терпится начать все сначала, Бритта? — обратился он к ней. — Хочешь пару недель опять посидеть на воде и хлебе?

Его немецкий язык звучал так же странно, как и английский. Но он неожиданно стал выглядеть старше своих лет и мудрее.

— Мне еще есть что сказать, благодарю вас.

— Если хочешь задержаться здесь, тебе придется заткнуться и ответить на его вопросы, — отрезал полковник. — Выбор за тобой. Если хочешь уйти немедленно, мы не возражаем.

Он добавил что-то на иврите, адресуясь к капитану Леви, которая бесстрастно кивнула в ответ.

Араб-военнопленный принес поднос с кофе: четыре чашки и тарелку с покрытыми сахарной глазурью бисквитами. Робкими движениями он раздал чашки сначала нам троим, а потом и капитану Леви, поставив тарелку в центр стола. Нами ненадолго овладела полнейшая апатия. Бритта протянула длинную руку к бисквиту, лениво и неспешно, как у себя дома. Но тут полковник изо всей силы грохнул по столу кулаком и, опередив девушку, отодвинул тарелку на недосягаемое для нее расстояние.

— Хорошо, о чем вы желаете меня спросить? — обратилась Бритта ко мне. — Хотите, чтобы я настучала на ирландцев? Какие еще аспекты моего дела могли заинтересовать англичан? Я права, мистер Никто?

— Если вы поделитесь информацией об одном ирландце, этого будет достаточно, — сказал я. — Вы в течение года жили с мужчиной по имени Шеймус*.

---

* Ш е й м у с — ирландский вариант английского имени Джеймс.

Бритта казалась заинтересованной. Я дал ей ключ к пониманию ситуации. Она вгляделась в меня пристальнее и, как показалось, увидела в моем лице нечто узнаваемое.

— Жила с ним? Это большое преувеличение. Я с ним спала. Шеймус был мне нужен только для секса, — пояснила она с озорной улыбкой. — Для этого он стал удобным приспособлением, инструментом. Но хорошим инструментом, должна признать. А я служила тем же самым для него. Вам нравится заниматься сексом? Иногда к нам присоединялся еще один юноша, а порой это могла быть девушка. Мы пробовали различные комбинации. Ничего на самом деле важного, но нам было весело.

— Важного для чего? — спросил я.

— Для нашей работы.

— Какого рода работы?

— Я уже описала вам сущность нашей работы, мистер Никто. Поделилась с вами ее целями и задачами, как и нашей мотивацией. Гуманизм не следует считать чуждым насилию. За свободу нужно сражаться. Порой самые высокие духовные проблемы можно решить только насильственными методами. Вы знаете об этом? Секс ведь тоже иногда перерастает в насилие.

— В какие конкретно акты насилия был вовлечен Шеймус? — спросил я.

— Мы здесь ведем речь не о каких-то произвольных актах, а о праве людей оказывать сопротивление действиям сил угнетения. Вы принадлежите к подобным силам или же являетесь сторонником спонтанности, мистер Никто? Возможно, вам самому нужно освободиться и стать одним из нас.

— Он террорист-подрывник, — сказал я. — Устраивает взрывы, убивая ни в чем не повинных людей. Его последней целью стал паб на юге Англии. Он убил пожилую супружескую пару, бармена и пианиста, но даю вам слово, что тем самым не освободил от иллюзий ни одного заблудшего пролетария.

— Это вопрос или политическое заявление с вашей стороны, мистер Никто?

— Считайте приглашением честно рассказать мне о его действиях.

— Тот паб располагался возле британской военной базы, — ответила она. — Он стал частью инфраструктуры, создававшей комфортные условия для фашиствующих репрессивных сил.

И снова ее внешне игривый, но на деле совершенно холодный взгляд задержался на мне. Я успел упомянуть о ее приятной наружности? Хотя что может значить красивая внешность при подобных обстоятельствах? На ней была тюремная роба из ситца. Она добровольно совершила преступления, о которых ничуть не сожалела. Она вела себя настороженно и была очень напряжена. Я ощущал это, а она понимала, что я все ощущаю, и пропасть, существовавшая между нами, манила ее к себе.

— Мое ведомство рассматривает возможность предложить вам по освобождении определенную денежную сумму, которую, если для вас это предпочтительнее, можно выплатить уже сейчас тому, кого вы изберете в качестве доверенного лица, — сказал я. — В обмен мы хотим получить информацию, которая привела бы к поимке и осуждению вашего друга Шеймуса. Мое руководство интересуют преступления, совершенные им в прошлом, его дальнейшие планы, явочные адреса, контакты, привычки и слабости. — Она ждала, чтобы я продолжил, и потому, вероятно поступая не слишком умно, я так и сделал: — Шеймус отнюдь не герой. Он — грязная свинья. Но не в том смысле, какой вкладываете в этот эпитет вы сами. Настоящая свинья. С ним не обращались плохо в детстве и юности. Его родители — приличные люди, владеющие табачной лавкой в графстве Даун. Дед служил полицейским, и служил исправно. Шеймус разрывает людей на части остроты ощущений ради, потому что безумен. Он чувствует себя живым, только причиняя боль другим. А в другое время он — лишь избалованный маленький мальчик.

Но моя тирада не оставила даже царапины на льду ее взгляда.

— А вы тоже безумны, мистер Никто? Думаю, так и есть. Для вашей профессии это вполне заурядное явление. Вам просто необходимо присоединиться к нам, мистер Никто. Мы преподадим вам несколько уроков и обратим в свою веру. Тогда ваше безумие пройдет бесследно.

Поймите, произнося эти фразы, она не повышала голоса и не прибегала ни к каким внешним эффектам, оставаясь снисходительной и сдержанной, даже приветливой. Лукавство обманщицы залегало глубоко в ее существе и надежно маскировалось. Улыбка выглядела уместной и естественной и играла у нее на губах все время, пока она говорила. А сидевшая позади капитан Леви продолжала всматриваться куда-то в свои личные воспоминания, вероятно плохо вникая в суть беседы.

Полковник бросил на меня вопрошающий взгляд. Опасаясь, что голос может выдать мои эмоции, я лишь развел руками, жестом показывая: какой смысл продолжать? Полковник снова обратился к капитану Леви, и та с видом разочарованной хозяйки, приготовившей вкусные блюда, которые у нее на глазах нетронутыми уносили со стола, нажала кнопку вызова конвоя. Бритта поднялась со стула, разгладила робу на груди и на бедрах, а потом протянула руки, чтобы их снова сковали.

— Сколько мне собирались предложить, мистер Никто? — поинтересовалась она.

— Ни пенни, — огрызнулся я.

Она снова присела передо мной на прощание в реверансе и между двумя надзирательницами направилась к двери, причем движения ее бедер были отчетливо видны даже сквозь тюремную одежду, напомнив походку Моники в ночной рубашке. Я опасался, что она снова начнет говорить, но она молчала. Вероятно, понимала: победа в этот день осталась за ней и любое лишнее слово способно смазать достигнутый эффект. Полковник последовал за ней, а я остался наедине с капитаном Леви. Все тот же грустный намек на улыбку читался на ее лице.

— Ну вот, — сказала она. — Теперь вы хотя бы отчасти понимаете, что чувствуешь, когда слышишь песни в исполнении Бритты.

— Да, должно быть, так и есть.

— Подчас мы с ней чересчур много общаемся. Вам, возможно, стоило разговаривать с ней по-английски. Когда она говорит со мной по-английски, я еще могу хоть как-то ей сочувствовать. Она все-таки человек, женщина, сидит в тюрьме. Не ошибетесь, если предположите, что ей тут нелегко. При этом она храбрая, и, пока мы говорим по-английски, я не могу не отдать ей должного.

— А когда она переходит на немецкий?

— Какой смысл, зная, что я ничего не пойму?

— Но если бы она говорила по-немецки, а вы все понимали? Что тогда?

Ее улыбка стала немного виноватой.

— Тогда я, наверное, испытала бы настоящий страх, — ответила она медленно с еще более заметным американским акцентом. — Думаю, отдай она мне приказ по-немецки, я бы с трудом поборола искушение подчиниться. Только я не позволяю ей командовать. С какой стати? Я не даю ей ни на секунду взять надо мной верх. Говорю по-английски и всегда остаюсь хозяйкой положения, начальницей, боссом. Понимаете, я ведь два года провела в концентрационном лагере. В Бухенвальде... — Все еще продолжая улыбаться, она закончила по-немецки: — Man hört so scheussliche Echos in ihrer Stimme, wissen Sie. В ее голосе слышишь отголоски ужасного эха, поймите.

В дверях уже стоял полковник, дожидаясь меня. Когда мы спускались по лестнице, он снова положил руку мне на плечо. И на этот раз я понимал причину.

— Она ведет себя так же со всеми мужчинами? — спросил я.

— Капитан Леви?

— Нет, Бритта.

— Конечно. С вами она обошлась немного круче, вот и все. Скорее всего потому, что вы англичанин.

Верно, скорее всего поэтому, подумал я, но может, она разглядела во мне что-то еще. Уж не уловила ли она подаваемых мной подсознательно сигналов одиночества и доступности? Но что бы ни увидела во мне Бритта, она обнажила всю глубину смятения, владевшего мной до самого последнего времени. Ей удалось уловить во мне ощущение, что я всеми силами стараюсь удержать ускользающий от меня мир, мою чрезмерную открытость для каждого случайного довода или желания.

А призыв разыскать Хансена я услышал тем же вечером в разгар веселья на дипломатическом приеме, устроенном в Герцлие принимавшим меня представителем британского посольства.

Глава 9

Эрнест Перигрю изводил Смайли вопросами о колониализме. Рано или поздно Перигрю начинал разговор о колониализме со всяким, кто приезжал в Саррат, и его вопросы неизменно доходили до самых границ дозволенного, вызывая у многих острое раздражение. Это был проблемный мальчишка, сын британских миссионеров из Западной Африки, но один из тех, кого наша служба почти вынуждена была вербовать в свои ряды, поскольку он обладал редкими познаниями и лингвистическими способностями. По своему обыкновению, он сидел один в самом темном углу дальней части библиотеки, вытянув вперед тощее лицо и подняв вверх руку, словно готовый отбиваться от насмешек. Сначала вопросы выглядели вполне разумными, но постепенно превратились в гневные тирады, изобличавшие равнодушие британцев к странам, которые они в прошлом поработили.

— Что ж, думаю, я склонен скорее согласиться с вами, — вежливо отвечал Смайли к всеобщему удивлению, выслушав Перигрю до конца. — Печальная правда состоит в том, что «холодная война» породила в нас своего рода вторичный колониализм. С одной стороны, мы пожертвовали своей национальной идентичностью ради внешней политики американцев. Но с другой, тем самым приобрели право сформировать свой взгляд на себя как на бывшую колониальную державу. Хуже всего, конечно, что мы благословили американцев вести себя подобным образом. Не то чтобы они очень нуждались в нашем благословении, но, естественно, восприняли его с величайшим удовлетворением.

Хансен говорил примерно то же самое. И почти в таких же выражениях. Но там, где Смайли ни на секунду не утратил своей обычной вежливости, у Хансена глаза загорались красным пламенем ада, из которого он вернулся.

Из Израиля я отправился в Бангкок, потому что Смайли сообщил: Хансен совсем сошел с ума, а ведь он владел многими нашими секретами. Джордж прислал депешу с пометками «Расшифровать лично» и «Только для начальника резидентуры в Тель-Авиве». В то время Смайли возглавлял службу внутренней безопасности нашего ведомства в почетной должности заместителя Шефа. Когда бы до меня ни доходили известия о нем, он, казалось, метался из одной страны в другую, чтобы прекратить утечки информации или предотвратить очередной назревавший скандал. Я провел выходные дни в жуткой жаре, потея над кипой доставленных курьером досье, и еще час провисел на телефоне, успокаивая Мейбл, которая не сумела преодолеть последний барьер, отделявший ее от победы в ежегодной гонке за звание капитана нашей местной женской команды по гольфу, и подозревала, что стала жертвой интриг.

Даже не знаю, почему дамы столь несправедливы к Мейбл. Вероятно, их отпугивает ее излишняя прямота. Я старался, как только мог. Даже заявил, что за все время работы в своей Службе не сталкивался с такими откровенными проявлениями коварства, какие демонстрировали треклятые домохозяйки из Кента. Обещал ей потрясающий отпуск по возвращении в Англию. Теперь уже не помню, куда собирался ее отвезти, потому что отпуска у нас так и не получилось.

Как и я сам, Хансен был наполовину голландцем. Возможно, поэтому Смайли и остановил свой выбор на мне. Он родился в долгую ночь немецкой оккупации, а воспитывался в тени Дельфтского собора. Родители его матери, работавшей секретарем в местной конторе фирмы «Томас Кук», были англичанами, убеждавшими ее вернуться к ним в Лондон, когда разразилась война. Она отказалась и вышла замуж за священника из Дельфта, которого год спустя немцы поставили к стенке, а его беременной жене пришлось самой о себе заботиться. Неустрашимая женщина скоро нашла путь для побега в Англию и к концу войны уже возглавляла крупномасштабную агентурную сеть с собственными средствами связи, информаторами, явочными квартирами и обычными для таких сетей задачами. Работа моей матери на Цирк была во многом схожей.

О том, каким образом малолетний Хансен попал к иезуитам, в досье не содержалось никаких сведений. Вероятно, сначала в их веру обратилась его мать. Времена ведь все еще оставались беспросветно мрачными, и в случае крайней нужды она смогла бы переступить через свои протестантские убеждения, чтобы купить мальчику достойное образование. Отдав иезуитам его душу, она рассчитывала, что взамен они даруют ему мозги. Или же она рано почувствовала в сыне ту ртутную подвижность характера, которая позже управляла всей его жизнью, а потому решилась подчинить его более строгой дисциплине, чем могли обеспечить терпимые ко всему протестанты. Если так, то она поступила мудро. Хансен погрузился в новую веру, как погружался во все — с подлинной страстью. Сначала он учился у сестер, затем у братьев, у священнослужителей, у ученых-богословов. А в двадцать один год, обученный и преданный, но все еще считавшийся новообращенным, был отправлен преподавать в индонезийской семинарии, наставляя на путь истинный язычников с Суматры, Явы и островов Молукку.

К Востоку Хансен питал инстинктивную любовь, свойственную многим голландцам. Ибо подлинный голландец, подобно вошедшей в поговорки сосне из лирики Гейне, может стоять на берегу своей маленькой равнинной страны, но ощущать в холодном морском воздухе азиатские ароматы лимонной травы и готовящихся в горшках экзотических блюд. Хансен пришел, увидел и был побежден. Буддизм, ислам, верования и суеверия самых диких племен — он накинулся на все это с пылом, лишь сильнее разгоравшимся в нем по мере того, как он проникал все дальше в джунгли.

Языки давались ему легко и естественно. К родным голландскому и английскому он без особых усилий добавил французский и немецкий. А теперь овладел еще тамильским, кхмерским, тайским, санскритом, как и вполне сносным кантонским диалектом китайского языка, часто проходя сотни миль по гористой местности в поисках забытого народа или утраченного элемента ритуала. Он писал труды по филологии, брачным обрядам, трактаты о просвещении и об обезьянах. В дебрях джунглей он находил затерянные храмы, получая награды, которые орден запрещал ему принимать. После шести лет отважных путешествий и исследований он превратился не только в образцового ученого, какими издревле славились иезуиты, но и в настоящего священника.

Однако очень немногие тайны удается сохранять целых шесть лет. Постепенно истории о нем начали приобретать несколько нездоровый душок. Хансен погряз в плотских утехах. Приобрел порочные аппетиты. Не смотрите туда, но вот мимо нас проходит одна из девушек Хансена.

Сами по себе масштабы, как и продолжительность его деятельности, теперь свидетельствовали не в его пользу, и факт остается фактом: стоило начать расследование, как обнаружилось, что ни одна сторона его жизни не была полностью чиста, любое путешествие сопровождалось никому не известным обходным маневром. Женщина там, девица здесь, слухи о паре мальчиков... Впрочем, я достаточно насмотрелся на священников по всему миру, чтобы считать подобные грешки скорее нормой, чем серьезными проступками.

Тем не менее столь явная несдержанность в каждой деревеньке, на каждой грязной городской улице, поистине беспредельный разврат, творившийся, как теперь узнали иезуиты, прямо у них под носом более десяти лет, выходил за все рамки дозволенного. Причем проделывал он это с девушками, которые по западным меркам не были еще готовы даже к первому причастию, не говоря уж о брачном ложе (а многих из них церковь взяла под личную опеку). Внезапно и самым драматическим образом Хансен стал изгоем, непригодным более для церковных целей. Получив доказательства продолжительного и неизменно порочного образа жизни, его наставник оказался в большей степени опечален, чем разгневан. Он распорядился, чтобы Хансен вернулся в Рим, а прежде послал покаянное письмо главе ордена, или, как его точнее именовали, Общества Иисуса. Из Рима, с грустью сказал он Хансену, ему скорее всего предстояло отправиться в замок Лойолы в Испании, где квалифицированные иезуитские психотерапевты помогут ему справиться с прискорбными слабостями. А после Лойолы — что ж, начало новой жизни. Вероятно, еще десятилетие, но в другом полушарии планеты.

Вот только Хансен, как прежде и его мать, упрямо отказался покинуть места, ставшие для него родными.

В растерянности отец наставник отправил его в отдаленную миссию, возглавлявшуюся сторонником самых суровых традиций. Там Хансена подвергли мукам варварского домашнего ареста. За ним следили, как надзирают за умалишенными. Ему запретили покидать пределы дома, лишили книг, газет, компании и смеха. Люди воспринимают заключение по-разному, как различно реагируют на высоту, холод или смерть. Хансен отнесся к происходившему с ужасом и уже через три месяца не мог больше этого выносить. И однажды, когда охранники из числа братьев по ордену сопровождали его к мессе, он спустил одного с лестницы, обратив остальных в бегство. Затем снова направился в Джакарту, не имея ни денег, ни паспорта, и укрывался в знакомых ему борделях. Девушки охотно заботились о нем, а он взамен брал на себя функции сутенера и вышибалы. Он разносил по номерам пиво, мыл кружки, вышвыривал за дверь буянов, выслушивал исповеди, помогал чем мог, даже играл с детьми в комнатах на задворках. Я так и вижу его, зная, каков он сейчас, — наверняка выполняет все эти обязанности безропотно и спокойно. Ему едва тогда исполнилось тридцать лет, и желания в нем горели столь же жарко, как прежде. Пока не наступил день, когда, поддавшись одному из свойственных ему импульсов, Хансен побрился, надел чистую рубашку и явил себя перед лицом представителей консула Великобритании, признав, что душой всегда оставался британцем.

А консул отнюдь не был глух и слеп, давно работая на нашу Службу. Он равнодушно выслушал историю Хансена, задал несколько чисто формальных вопросов, но за маской апатии скрывалось стремление немедленно действовать. Годами подыскивал он человека столь одаренного, как Хансен. Причем его ничуть не смутили пороки Хансена. Напротив, они пришлись кстати. Он запросил из Лондона все имевшиеся там материалы. Одалживал Хансену понемногу денег, беря расписки в получении втрое бо́льших сумм, чтобы не быть заподозренным в излишнем энтузиазме. Когда же из Лондона пришла информация о славном прошлом матери Хансена как бывшего агента Службы, для консула это стало венцом его усилий.

Прошел лишь месяц, и Хансен не вполне сознательно (а это означало, что он знал, но знал далеко не все, хотя мог не догадываться вовсе) сделал первые шаги в работе на организацию, которую кто-то мог бы идентифицировать как британскую разведку. Еще через два месяца неутомимый, как всегда, он уже скитался по джунглям в южной части Явы под предлогом поиска древних свитков, а на самом деле докладывал консулу о численности подрывных коммунистических группировок, ставших для него новым аналогом Антихриста. В конце года он отправился в Лондон с новеньким британским паспортом на руках, который изначально и запрашивал. Правда, в нем он значился под чужой фамилией.

Я изучил засекреченные отчеты о пройденной им подготовке — обо всех шести месяцах. Клайв Беллами, долговязый и хитроумный выпускник Итона, возглавлял тогда Саррат. «Превосходные достижения в решении всех практических задач, — писал он в рапорте по окончании тренировок. — Обладает исключительной памятью, скоростью реакций, никогда не нуждается в посторонней помощи. Но ему требуется жесткая узда. Если бы я был капитаном корабля, на котором вспыхнул бунт, Хансен стал бы первым, кого я бы выпорол. Необходимо предоставить оперативный простор, но снабдить первоклассным куратором».

Затем я обратился к отчетам о проведенных им операциях. Там тоже никаких признаков безумия. Поскольку изначально Хансен был голландцем, в головном офисе решили оставить ему эту национальность, замаскировав английские корни. Хансен возмутился, но его принудили к согласию. Во времена, когда британцев за границей все, кроме них самих, воспринимали как тех же американцев, но не имевших влияния, наше начальство пошло бы на убийство, чтобы заполучить в свое распоряжение шведа, и на воровство ради западного немца. Даже канадцев, считавшихся народом не слишком серьезным, встречали с распростертыми объятиями. Вернувшись в Голландию, Хансен официально оформил разрыв с иезуитами и начал подыскивать новое прикрытие для работы на Востоке. В те дни множество академических институтов востоковедения были разбросаны по столицам государств Западной Европы. Хансен посетил почти все, добившись обещания на будущее в одном или предложения сотрудничества в другом. Французское агентство новостей из стран Востока наняло его внештатным корреспондентом. Лондонский еженедельник, имевший связи с Цирком, взял его на контракт при условии, что он не будет состоять на жалованье. Так постепенно его достаточно неопределенная «легенда» оказалась полностью сформирована, чтобы позволять ему отправиться куда угодно и задавать любые вопросы. Причем с финансовой стороны все тоже выглядело безупречно, поскольку никто из нанимателей толком не ведал, кто, сколько и за что ему платит. Он был готов приступать. Британские интересы в Юго-Восточной Азии значительно умерились с распадом империи, зато американцы увязли там по уши, официально воюя во Вьетнаме, неофициально в Камбодже, а совсем уж по секрету еще и в Лаосе. При столь нелестной для нас роли вечных пособников и второстепенных игроков мы с радостью предложили им воспользоваться многочисленными талантами Хансена.

Технологии спецслужб способны на многое. Они помогают сфотографировать поля с будущими урожаями, окопы, танки и ракетные пусковые установки, следы автомобильных шин и миграции северных оленей. Они зафиксируют момент, когда пилот русского истребителя преодолеет звуковой барьер на высоте сорока тысяч футов или подслушают, как отрыжка мучает во сне китайского генерала. Но они не в состоянии заменить человеческий интеллект и понимание ситуации. Они не доложат вам, что чувствует камбоджийский крестьянин, плоды труда которого дотла выжгли посланные доктором Киссинджером бомбардировщики без опознавательных знаков, чьих дочерей сделали проститутками, продав в городские публичные дома, а сыновей заставили бросить работу в поле и либо заманили деньгами в американскую марионеточную армию, либо, угрожая семье, в ряды «красных кхмеров». Технологии не прочтут по губам разговоры партизан в черных, похожих на пижамы мундирах, чье самое мощное оружие — извращенная марксистская догма в изложении кровожадного камбоджийского психопата, получившего образование в Сорбонне. Они не уловят запаха выхлопных газов армии, которая совершенно не механизирована. Как не расшифруют послания отрядов, не прибегающих к радиосвязи. Им не под силу рассчитать необходимые запасы продовольствия для людей, готовых кормиться жуками и древесной корой, как не определить моральный дух тех, кто лишился всего и теперь готов безоглядно сражаться за свое будущее до победного конца.

А Хансену все это было доступно. Хансен, приемный сын Азии, мог неделями передвигаться без нормальной пищи, затаиться в деревне и подслушивать перешептывания ее жителей, и Хансен улавливал усиливавшийся ветер сопротивления задолго до того, как от него начинали тревожно колыхаться звездно-полосатые флаги на крышах посольств в Пномпене и Сайгоне. И он мог сообщать в штаб бомбардировочной авиации — не только мог, но и делал, о чем потом горько сожалел, — в каких деревнях нашли приют отряды Вьетконга. К тому же он оказался изощренным ловцом человеческих душ. Умело вербовал помощников из представителей всех профессий, тщательно инструктируя их, обучая видеть, слышать, запоминать и докладывать ему. Он знал, о чем им можно рассказывать, а о чем нет, когда выплатить вознаграждение и когда воздержаться.

Сначала месяцы, потом годы Хансен действовал подобным образом на так называемых освобожденных территориях Северной Камбоджи, где номинально власть принадлежала «красным кхмерам», до того дня, когда он неожиданно исчез из деревни, надолго ставшей для него чем-то вроде дома. Исчез беззвучно, забрав с собой всех обитателей. Его вскоре списали в погибшие как еще одну жертву, бесследно пропавшую в джунглях.

И он числился мертвым до совсем недавнего времени, когда вдруг обнаружился живым и здоровым в одном из публичных домов Бангкока.

— Только не торопитесь, Нед, — увещевал меня Смайли, позвонив в Тель-Авив по телефону. — Если нужна пара дней, чтобы приспособиться к смене часовых поясов, я не возражаю.

В устах Смайли это заменяло фразу: «Доберись до него как можно быстрее и сообщи, что на мою голову не свалится еще один вселенских размеров скандал».

Главой резидентуры в Бангкоке был лысый, грубый, усатый маленький диктатор по фамилии Рамбелоу, к которому я никогда не питал теплых чувств. Наша Служба открывает не слишком интересные перспективы перед людьми пятидесятилетнего возраста. Большинство уже везде примелькались, их легенда оказалась раскрытой, а многие до такой степени устали и разочаровались, что им стало плевать даже на это. Кое-кто пристраивается в частные банки или крупные фирмы, но держатся там недолго. В образе их мышления произошли необратимые изменения, сделавшие их непригодными для нормальной жизни, не окруженной секретностью. И лишь считаным единицам, включая типов вроде Тоби Эстерхази или Рамбелоу, удается обманом держать Службу в заложниках, суля еще ей неоценимые услуги.

В чем состояли скрытые достоинства Рамбелоу, так и осталось для меня непостижимым, но я догадывался, что похвастаться ему особенно нечем, поскольку если он что-то и умел, так это использовать человеческую глупость и простоту. Ходили слухи, будто он так подчинил себе двух продажных генералов из Таиланда, что они соглашались сотрудничать только с ним и ни с кем другим. Еще одна сплетня гласила: он в свое время очень помог попавшему в беду члену королевской семьи, о чем не следовало распространяться. И теперь бароны с нашего Пятого этажа не желали слышать о нем ни единого дурного слова.

— Ради всего святого, не надо гладить против шерсти Рамбелоу, Нед, — предупредил меня Смайли. — Уверен, что он мерзавец первостатейный, но пока мы в нем нуждаемся.

Мы встретились в номере моего отеля. Для внешнего мира я был Марком Сеймуром, простым бухгалтером, а потому не испытывал желания светиться в посольстве или у него дома. Я только что выдержал двадцатичасовой перелет. Дело было ранним вечером. Рамбелоу говорил как букмекер из Итона. А если подумать, он и был похож на одного из них.

— Нам просто чертовски повезло. Мы вообще наткнулись на этого ублюдка совершенно случайно, — сказал он мне с насупленным видом. — Хотя, конечно, сыграл роль профессиональный инстинкт. Умение, как говорится, держать ухо востро. Если ты знаешь правила игры, если анализируешь другие подобные случаи, если не утрачиваешь чутья, то тебе не понравится история о том, как твоего агента, привязанного к палке, неделями таскали по джунглям, пока «красные кхмеры» беспрерывно пытали его, разумеется. А расклад такой. Ваш человек не подчиняется правилам честного ведения борьбы. — Он убеждал меня так, словно я утверждал обратное. Затем Рамбелоу достал из рукава пропахшего потом костюма носовой платок и поправил с его помощью свои нелепые усы. — Он явно лжет. Любой агент умолял бы пустить ему пулю в лоб после одной-единственной ночи в лапах красных партизан.

— Вы уверены, что именно так с ним все и произошло?

— Я ни в чем не уверен, благодарю покорно, старина. Это лишь пущенный им слух, не более того. Как я могу удостовериться в его правдивости, если сволочь не желает даже разговаривать с нами? Угрожает пустить в ход кулаки, если попытаемся снять показания! Насколько мне известно, «красные кхмеры» не знают о нем вообще ничего. Никогда не доверял голландцам вообще, а здесь — в особенности. Они решили, что эта треклятая страна принадлежит им. Хансен станет далеко не первым агентом, ушедшим в подполье, когда запахло жареным, а как только положение нормализовалось, возвратившимся, требуя почестей и пенсии как ни в чем не бывало. Но ему даже пальца не отрезали, по моей информации. Как не лишился он и других важных частей тела, если судить по тому месту, где он всплыл на поверхность. Его заприметил там Даффи Марчбэнкс. Помните Даффи? Отличный малый.

Да, я с тошнотворным чувством вспомнил Даффи. Вспомнил о нем, еще когда мне попалось его имя в досье. Это был колоритный мошенник, базировавшийся в Гонконге, он имел пристрастие к сомнительным сделкам от опиума до гильз из-под снарядов. Несколько лет, пока не поняли ошибку, мы даже финансировали его фирму.

— Но и Даффи просто совершенно случайно повезло. Он прилетел сюда с краткосрочным визитом. Всего на день. На один день и одну ночь, а потом назад к жене и бухгалтерским книгам. Один офшорный курортный концерн поручил ему купить сотню акров лучшей земли на побережье. Закончили с делами и отправились в ресторан, где и девочки есть, — Даффи в компании местных торговцев. Даффи тоже любит клубничку в умеренных количествах и всегда любил. Заведение называется «Море счастья». Злачное местечко в самом сердце квартала красных фонарей. Но высокого класса, какие здесь тоже попадаются, как мне докладывали. Приватные кабинеты, достойного качества пища, если вам вообще нравится хунаньская еда, никаких проблем, и девочки сами к тебе не лезут, если ты их не приглашаешь.

Вот именно, ресторан и бордель одновременно, объяснял он, намеками подчеркивая, что сам никогда в таких не бывал. Юные официантки, одетые и нагие, подсаживались к гостям и подавали им блюда с напитками, пока те продолжали обсуждать высокие деловые материи. Вдобавок при «Море счастья» работал салон массажа, дискотека, а на первом этаже устраивали театральные шоу.

— Даффи заключает сделку, передает подписанный им чек, чувствуя довольство жизнью. И потому решает позволить себе поразвлечься с одной из девиц. Договорились о цене и уединились

в частной комнате. Девушка заявляет, что ее мучает жажда. Как насчет бутылки шампанского, чтобы расшевелить ее? Естественно,
она со всего получает комиссионные, как и ее подружки. Но кого
это волнует? Даффи ощущает себя всемогущим и легко соглаша-
ется. Девушка нажимает на кнопку звонка, говорит что-то по системе внутренней связи, а в следующий момент Даффи уже видит,
как появляется чертовски внушительный европеец с подносом
и ведерком для льда. Даффи дает ему двадцать бат, тот благода-
рит по-английски: «Спасибо». Вежливо, но даже не улыбнувшись,
а потом удаляется. И это Хансен. Прямо из джунглей — собственной персоной!

— Как Даффи его узнал?

— Видел на фотографии, конечно же.

— Каким образом?

— Мы сами показывали Даффи этот снимок! Когда Хансен
пропал. Мы показали его всем, кого знали. Распространили чуть
ли не по всему Южному полушарию! Ничего не объясняли. Просто говорили: если заметите этого человека, орите во всю глотку.
Приказ руководства, а не моя идея, благодарю покорно. Я же с самого начала считал такой прием небезопасным.

Чтобы успокоиться, Рамбелоу налил нам еще по порции виски.

— Даффи сразу мчится к себе в отель и звонит мне домой. В три
часа утра. «Это тот самый ваш тип», — говорит он. «Какой тип?» —
переспрашиваю я. «Тип, чье фото вы присылали мне в Гонконг год
назад или даже раньше. Он прислуживает в борделе под названием
"Море счастья"». Ну, ты знаешь манеру Даффи. Развязный, иначе
не скажешь. На следующий день я отправляю туда Генри. И этот
идиот наломал дров. Вы, должно быть, слышали об этом, а? Типичная сцена для наших краев.

— Даффи разговаривал с Хансеном? Спрашивал, кто он такой?
Или о чем-то другом?

— Не вымолвил ни словечка. Смотрел словно сквозь него.
Даффи — опытный боец. Соль земли. И всегда им был.

— Где этот ваш Генри?

— Дежурит внизу в приемной.

— Вызовите его сюда.

Генри оказался китайцем, сыном гоминьдановского генерала,
осевшего в регионе Шан в Мьянме, и нашим главным агентом
в местной резидентуре, хотя, как я подозреваю, он давно подстра-

ховался, связавшись с тайской полицией и тихо зарабатывая на жизнь игрой с двух рук против центра.

Это был низкорослый, исполненный рвения парень с лоснившейся физиономией, слишком часто улыбавшийся. На шее он носил золотую цепочку, а при себе всегда имел изящную записную книжку в кожаном переплете и дорогую авторучку с золотым пером, вложенную между страницами. Прикрытием для него была работа переводчика. Мне никогда прежде не встречался переводчик с блокнотом фирмы «Гуччи», но это и отличало Генри от других.

— Расскажи Марку, какого отборного болвана ты изобразил в «Море счастья» в прошлый четверг вечером, — угрожающим тоном приказал Рамбелоу.

— Конечно, Майк.

— Марк, — поправил его я.

— Конечно, Марк.

— Ему было дано указание просто взглянуть. Вот и все, что следовало сделать. «Оглядись, принюхайся, а потом убирайся оттуда и позвони мне». Правильно, Генри? Нужно было только проверить факты, разведать, убедиться, что Хансен там, но не приближаться к нему, а доложить об увиденном. Скрытая, бесконтактная разведка обстановки. Разнюхай и отчитайся. А теперь расскажи Марку, что ты натворил.

Сначала, по словам Генри, он выпил в баре. Потом посмотрел шоу. Затем послал за Мамой Сан, которая прибежала, думая, что у него возникло какое-то особое желание. Мама Сан — китаянка из той же провинции, что и отец Генри, а потому между ними сразу установились доверительные отношения.

Он показал ей свою визитную карточку переводчика и заявил, что собирается написать статью о ее заведении: превосходная еда, романтичные девушки, высокие стандарты обслуживания и гигиены — особенно гигиены. Сказал, что получил заказ от немецкого журнала для любителей путешествий, где читателям рекомендовали только самое лучшее.

Мама Сан клюнула на эту наживку и предложила ему экскурсию по всему дому. Показала частные кабинеты для трапез, кухню, интимные спальни, туалеты. Представила его девочкам и предложила попользоваться одной из них за ее счет, от чего он благоразумно отказался. Потом познакомила с шеф-поваром, портье и вышибалами, но почему-то не с тем громадным лупоглазым мужчиной, которого Генри уже успел заметить трижды. Сначала тот выносил поднос с бокалами из частной обеденной комнаты в кухню, потом пересек коридор, толкая перед собой тележку с бутылками, а в последний раз промелькнул, выйдя из помещения со стальной дверью, за которой явно находился склад спиртного.

«Но кто такой этот фаранг*, который у вас занимается алкоголем? — с удивленным смехом спросил Маму Сан Генри. — Ему пришлось пойти в услужение, потому что он вам крупно задолжал?»

Мама Сан тоже рассмеялась. Все азиаты на инстинктивном уровне чувствовали свою общность, в противоположность западным фарангам.

«Этот фаранг живет с одной из наших камбоджийских девушек, — ответила она пренебрежительно, поскольку уроженцы Камбоджи в тайской зоологии считаются существами еще более низкого порядка, чем фаранги и вьетнамцы. — Он познакомился с ней здесь и влюбился, а потому захотел выкупить и сделать настоящей леди. Но она отказалась уходить от нас. И теперь он каждый день привозит ее на работу, дожидается, пока она закончит, чтобы снова отправиться с ней домой».

«А откуда он? Немец? Англичанин? Голландец?»

Мама Сан только пожала плечами в ответ. Ей-то какая разница? Но Генри мягко надавил на нее. Только представить себе европейца, привозящего свою женщину в бордель работать, чтобы она валялась в постели с другими мужчинами, пока он разносит напитки, а потом увозящего домой в собственную кровать! Должно быть, это какая-то необыкновенная девушка?

«У нас она проходит под девятнадцатым номером, — сказала Мама Сан. — Работает под именем Аманда. Не желаете провести с ней время?»

Однако Генри был слишком поглощен журналистским заданием, чтобы отвлекаться.

«Но как зовут этого фаранга? У него, должно быть, интересная жизненная история!» — воскликнул он с неподдельным любопытством.

«Его все кличут Хэм Син. С нами он говорит на тайском языке, а с девушками на кхмерском, но вам не стоит упоминать о нем в журнале, потому что он здесь нелегально».

---

* Так тайцы называют европейцев.

«Но я могу скрыть некоторые подробности. Все изобразить немного иначе. Девушка отвечает на его любовь взаимностью?»

«Она предпочитает быть здесь, в "Море счастья", со своими подружками», — ответила Мама Сан без обиняков.

Генри не удержался от искушения взглянуть на нее. Девушки, не занятые с клиентами, сидели на покрытых плюшем скамьях за стеклянной стеной. Причем, кроме номерков на шеях, на них ничего не было. Они болтали, чистили ноготки или без особого внимания смотрели плохо настроенный телевизор. Пока Генри наблюдал, номер девятнадцать поднялась, реагируя на вызов, взяла маленькую сумочку, завернулась в накидку и вышла из комнаты. Она была еще очень юной. Многие девушки врали о своем истинном возрасте, чтобы обойти официальные запреты, а уж нищие камбоджийки и подавно. Но той девушке, как прикинул Генри, на вид едва исполнилось пятнадцать лет.

Именно в этот момент излишнее рвение Генри и сбило его с верного пути. Он пошел вразнос. Попрощавшись с Мамой Сан, он переставил свою машину в закоулок напротив черного хода в здание, а потом стал ждать. Вскоре после часа ночи работники начали покидать дом, и Хансен в их числе. Почти вдвое выше всех остальных, он вел под руку номер девятнадцать. Выйдя на площадь, Хансен и его девушка начали осматриваться в поисках такси, и у Генри хватило безрассудства подъехать к ним и остановиться. Сутенеры и таксисты без лицензий собираются в такое время в больших количествах, чтобы заняться своими делами, а Генри в прошлом довелось быть и тем и другим, и потому, вероятно, такой шаг показался ему вполне естественным.

«Куда желаете поехать, сэр? — окликнул он Хансена по-английски. — Быть может, вас подвезти?»

Хансен назвал ему адрес в бедняцком пригороде в пяти милях к северу. Договорились о цене, Хансен с девушкой расположились на заднем сиденье, и машина тронулась.

И тут Генри окончательно ополоумел. Окрыленный успехами, он по причинам, которые так и не сумел позже вразумительно объяснить, решил, что лучше всего будет доставить объект слежки и его девушку прямиком в дом Рамбелоу, находившийся не на севере, а на западе. Разумеется, он не успел подготовить Рамбелоу к столь дерзкому маневру (и едва ли сам оказался к нему готов). Он не знал, у себя ли Рамбелоу и в каком состоянии его можно застать в половине второго ночи, чтобы он смог провести беседу со своим бывшим агентом, исчезнувшим с экранов радаров восемнадцать месяцев назад. Но не рассудок и разум управляли в тот момент поступками Генри. Он был лишь агентом, а в мире нет такого агента, кто хоть раз в жизни не совершал бы глупейших ошибок.

«Вы постоянно живете в Бангкоке?» — непринужденно спросил Генри у Хансена в надежде отвлечь его внимание от направления, в котором поехал.

Ответа не последовало.

«И давно вы здесь обосновались?»

Ответа не последовало.

«Вы выбрали хорошую девушку. Очень молодую. Очень красивую. У вас с ней постоянные отношения?»

Голова девушки лежала на плече Хансена. Как заметил Генри в зеркале заднего вида, она успела заснуть. И по неясной причине это наблюдение еще больше его взвинтило.

«Вам не нужен портной, сэр? Очень хороший. Работает всю ночь. Я могу доставить вас к нему. Он прекрасный портной».

И он резко свернул в первый же переулок, притворившись, что ищет дом мнимого портного, хотя на самом деле приближался к резиденции Рамбелоу.

«Почему вы едете на запад? — спросил Хансен, впервые заговорив с ним. — Нам не нужен такой маршрут. Мне не требуется портной. Вернитесь на основную дорогу».

Но Генри уже окончательно покинули способность мыслить здраво. Его внезапно испугали сами по себе внушительные габариты фигуры Хансена, как и его тактическое преимущество, — он мог напасть сзади. Что, если Хансен вооружен? Генри ударил по тормозам и остановил автомобиль.

«Мистер Хансен, сэр, я — ваш друг! — воскликнул он на тайском языке таким тоном, словно молил о пощаде. — И мистер Рамбелоу тоже ваш друг. Он очень гордится вами! Хочет передать вам большие деньги. Поедемте со мной, пожалуйста! У вас не возникнет никаких проблем. Мистер Рамбелоу будет счастлив встретиться с вами!»

Эти слова стали последними, которые Генри произнес в ту ночь, поскольку он и глазом моргнуть не успел, как Хансен толкнул спинку водительского сиденья с такой силой, что Генри головой едва не пробил лобовое стекло. Хансен сам вышел из машины и выволок из нее Генри прямо на мостовую. Потом заставил подняться на ноги и одним ударом послал его в полет через всю улицу, растревожив группу пристроившихся там ночевать нищих, начавших стонать и громко жаловаться, когда Хансен подошел к распростертому телу Генри и посмотрел на него сверху вниз.

«Передай Рамбелоу: если он ко мне сунется, я убью его», — произнес он на тайском.

А затем повел девушку назад по переулку в поисках настоящего такси, крепко прижимая ее к себе одной рукой, потому что она не полностью проснулась.

Дослушав историю в изложении двух собеседников, я внезапно почувствовал жуткую усталость.

Я выставил их из комнаты, попросив Рамбелоу позвонить мне утром. Сказал, что не приступлю ни к чему конкретному, пока не отосплюсь после смены часовых поясов. Но стоило мне улечься, как сонливость тут же пропала. Часом позже я оказался у дверей «Моря счастья», покупая входной билет за пятьдесят долларов. Затем снял у порога обувь, как предписывал обычай, а всего несколько мгновений спустя стоял в одних носках посреди залитого неоновым светом кабинета, глядя на безвольное, покрытое густым слоем косметики личико номера девятнадцать.

Она завернулась в дешевую шелковую накидку с изображениями тигров, но затем распахнула ее, представ передо мной почти совершенно обнаженной. Ее лицо было раскрашено в японском стиле, и обильный макияж скрывал истинный цвет кожи. Она улыбнулась мне и тихо протянула руку к моей промежности, но я сразу же заставил руку снова вытянуться вдоль тела. Казалось невероятным, что столь хрупкая девушка способна выполнять свою работу. Для азиатки ноги выглядели слишком длинными, а обнаженная кое-где кожа неестественно бледной. Девушка отбросила в сторону накидку, и не успел я остановить ее, как она растянулась на потертом диванчике, где приняла, как ей, видимо, представлялось, соблазнительную эротическую позу, лаская себя и издавая страстные вздохи. Потом легла на бок, выставив попку, а черные волосы перекинув на грудь, чтобы соски проглядывали сквозь них. Когда же я не сделал ни шага в ее сторону, она выгнулась, раздвинув бедра, называя меня милым и повторяя приглашающее «пожалуйста». Затем отвернулась от меня, дав возможность полюбоваться на нее сзади и по-прежнему держа ноги заманчиво раздвинутыми.

— Сядьте, — велел я, и она села, все еще ожидая, чтобы я приблизился.

— Прикройтесь накидкой, — продолжал я.

Она не сразу поняла, что от нее требуется, и пришлось помочь ей набросить шелковое покрывало. Генри написал для меня записку на кхмерском языке. «Мне необходимо поговорить с Хансеном, — было написано в ней. — У меня есть полномочия раздобыть таиландские паспорта для вас и членов вашей семьи». Я подал ей листок, наблюдая, как она его рассматривает. Умела ли она хотя бы читать? Так сразу и не поймешь. Протянул ей простой белый конверт, адресованный Хансену. Она взяла его и вскрыла. Письмо было отпечатано на машинке, и тональность его содержания никому не показалась бы мягкой. Но внутри лежали две тысячи батов.

«Как давний друг святого отца Вернона, — писал я, используя кодовое имя, знакомое ему, — я обязан уведомить Вас, что Вы нарушили условия договора с нашей компанией. Вы совершили нападение на гражданина Таиланда, а Ваша подружка является нелегальной иммигранткой из Камбоджи. У нас может не остаться иного выбора, кроме передачи данной информации местным властям. Моя машина припаркована у противоположной стороны улицы. Передайте приложенную сумму Маме Сан в качестве отступных за освобождение от работы нынешней ночью и присоединяйтесь ко мне через десять минут».

Она покинула комнату, взяв письмо с собой. До той поры я почти не замечал, какой шум доносился из коридора: грохот музыки, звуки смеха, стоны похоти, бурление воды в прогнивших трубах. Машину я не запер, и он сидел сзади, а девушка рядом с ним. У меня, в общем-то, не было сомнений, что он захватит ее с собой. Он выглядел крупным и сильным, к чему я был готов, но изможденным до предела. В полумраке темная борода, запавшие глаза и плоские руки, вцепившиеся в спинку пассажирского сиденья, делали его более похожим на одного из тех святых, кому он прежде поклонялся, чем на снимке из личного дела. Девушка сидела сгорбившись и прижавшись к нему, ища у него защиты. Мы не проехали и ста метров, как на нас водопадом обрушился тропический ливень. Я прижался к тротуару и остановился. Мы пытались хоть что-то разглядеть сквозь потоки, стекавшие по ветровому стеклу, но видели только, как те же потоки заполняли сливные канавки и образовывали лужи в выбоинах мостовой.

— Как вы попали в Таиланд? — пришлось выкрикнуть мне, используя голландский язык.

— Пришел пешком, — ответил Хансен по-английски.

— Откуда пришли? — снова громко спросил я, тоже перейдя на английский.

Название города прозвучало наподобие Орания-Пратет. Когда ливень прекратился, я вел машину в течение трех часов, пока девушка спала, а Хансен оберегал ее сон, настороженный, как кот, и молчаливый. Я выбрал отель на берегу моря, рекламу которого нашел в газете «Нейшн», издававшейся в Бангкоке. Мне нужно было вырвать Хансена из привычного окружения, поместив туда, где ситуация оказалась бы полностью под моим контролем. Получив ключ, я заплатил за ночь вперед. Хансен и девушка пошли за мной вниз по бетонной дорожке в сторону пляжа. Бунгало расположились полукругом окнами в сторону моря. Мое стояло самым последним в ряду. Я отпер дверь и вошел первым. За мной последовал Хансен, за ним — девушка. Я включил свет и кондиционер. Девушка мялась у двери, но Хансен сразу скинул обувь и занял позицию в центре комнаты, осматриваясь вокруг ввалившимися глазами.

— Садитесь, — пригласил я, открыл мини-бар и спросил: — Она хочет что-нибудь выпить?

— Дайте ей кока-колы, — ответил Хансен. — И добавьте льда. Лайм тут найдется?

— Нет.

Он смотрел, как я стою на коленях у низкого холодильника.

— Что насчет вас? — спросил я.

— Меня устроит простая вода.

Я провел поиск: стаканы, минеральная вода, лед. Пока я занимался этим, услышал, как Хансен сказал девушке что-то ласковое на кхмерском. Она пыталась возражать, но он перебил ее. Судя по звукам, он зашел в спальню и тут же вышел оттуда. Поднявшись на ноги, я увидел, что девушка свернулась на кушетке, стоявшей у стены, а Хансен склонился над ней, укутав одеялом и подоткнув под нее края. Покончив с этим, он выключил бра у нее над головой, прикоснулся кончиками пальцев к ее щеке и только потом подошел к французскому окну, чтобы взглянуть на море. Полная красная луна висела над самым горизонтом. Грозовые облака казались черными горами, протянувшимися поперек неба.

— Как вас зовут? — спросил он.

— Марк, — ответил я.

— Это ваше подлинное имя? Марк?

Самую надежную информацию друг о друге нам неизменно подсказывают инстинкты. И видя абрис фигуры Хансена в окне, когда он любовался морем, а лунный свет выхватывал из мрака черты его опустошенного лица, я уже понимал, что неудавшийся священник назначил меня своим исповедником.

— Зовите меня, как вам будет угодно, — предложил я.

Представьте себе звучный, но не совсем уверенный голос человека, говорившего по-английски. Богатый обертонами, он выдавал шок, словно его хозяин вовсе не собирался говорить того, что слышал сейчас сам. Небольшой акцент я определил как выговор голландца, долго прожившего на Востоке. В бунгало, построенном для прелюбодеяний, царит почти полная тьма. Подсвечен только крошечный бассейн снаружи и «сад» бетонных камней. Но позади простирается несравненное и тихое в этот час азиатское море с широкой лунной дорожкой и звездами, искрами отражающимися в воде, подобно маленьким солнцам. Пара рыбаков, стоя в лодках-сампанах, забрасывает в воду круглые сети, чтобы затем медленно вытягивать их.

На переднем плане следует поместить нескладную, рослую фигуру Хансена, который босиком бродит по комнате, то останавливаясь у французского окна, то опираясь на подлокотник кресла, прежде чем беззвучно скользнуть в другой угол. И все время этот голос: то яростный, то задумчивый, то потрясенный, а потом, как и тело, дающий себе отдых на несколько минут, собираясь с силами перед рассказом о следующем пережитом испытании.

Вытянувшись на кушетке, лежала девушка из Камбоджи, завернутая в одеяло, ее голова в азиатской манере покоилась на согнутой в локте руке. Но спала ли она? Понимала ли, о чем он говорит? И волновало ли ее это? Хансен о ней заботился. Не мог пройти мимо, чтобы не остановиться и не посмотреть на нее или поправить одеяло. А в какой-то момент он опустился рядом с ней на колени, долго и жадно всматривался в закрытые глаза, положив ладонь ей на лоб, словно хотел проверить температуру.

— Ей нужны лаймы, — пробормотал он. — Кока-кола ничего не даст. Лаймы.

Я уже распорядился послать за фруктами. Их доставил мальчик, дежуривший на стойке регистрации. У Хансена ушло некоторое время, чтобы выжать из плодов сок, а потом он приподнял ее и дал попить.

Его первые вопросы стали обычной плохо скрытой проверкой моего положения в нашей Службе. Он хотел знать, какой властью я обладал, какие инструкции получил от тех, кто послал меня.

— Мне не нужны благодарности за выполненную работу, — предупредил он. — Какие могут быть благодарности за разбомбленные деревни?

— Но вам может понадобиться помощь, — сказал я.

В ответ он сделал официальное заявление, что никогда больше и ни при каких обстоятельствах не станет работать на Службу. Я мог бы и сам выступить с таким же заявлением, но воздержался. Он думал, что работал на британцев, подчеркнул Хансен, а на самом деле работал на убийц. Он становился другим человеком, когда делал то, что ему поручали. И надеялся, что американские пилоты чувствовали то же самое.

Он расспрашивал о судьбе своих агентов — фермера такого-то, торговца рисом такого-то. Он интересовался, что произошло с оставленной им сетью, которую он с таким трудом создавал вплоть до того дня, когда «красные кхмеры» вышли из джунглей и атаковали города, чего ни мы, ни американцы вопреки всем предостережениям не ожидали, во что не верили. Зато Хансен верил. Хансен был в числе тех, кто посылал нам предупреждения. Хансен не уставал повторять, что бомбы Киссинджера станут со временем зубами дракона, пусть и помогал наводить их на цели.

— Вам можно верить? — спросил он после того, как я сообщил, что массовых арестов среди его информаторов не произошло. Если кого-то и задержали, то скорее случайно.

— Это правда, — сказал я, уловив сомнение в его голосе.

— Значит, я не предал их, — пробормотал Хансен с удивлением и радостью.

Некоторое время он сидел, зажав голову между ладонями, словно она могла расколоться.

— Если вас схватили «красные кхмеры», никто в любом случае не мог ожидать от вас молчания, — заметил я.

— Молчания! О мой бог! — Он чуть не рассмеялся. — Молчания!

Резко встав, снова подошел к окну.

При свете луны я разглядел капли пота, словно слезами покрывшие его крупное бородатое лицо. Я начал говорить что-то о том, как хотелось бы Службе достойно оправдать свои действия в его глазах, но во время моей речи он вытянул руки, как будто проверяя пределы ограничившего его пространства. Не обнаружив никаких препятствий, безвольно опустил их.

— Пусть Служба горит в адском пламени, — тихо промолвил он. — Пусть катится в ад весь треклятый Запад. Мы не имеем никакого права устраивать здесь свои войны, насильственно распространять свои религиозные воззрения. Мы все согрешили перед Азией: французы, британцы, голландцы, а теперь и американцы. Мы грешны перед детьми Эдема. Да помилует нас Бог!

Мой диктофон лежал на столе.

Мы находимся в Азии. В Азии Хансена. В Азии, против которой согрешили. Вслушайтесь в неумолчные и нестройные звуки, издаваемые насекомыми. Таиландцы и камбоджийцы заключали пари на крупные суммы, предполагая, сколько раз проквакает лягушка-бык. Комната погружена в сумерки, о времени забыто, как забыто и о самой комнате, а луна поднялась куда-то, где ее уже не видно. К нам вернулась война во Вьетнаме, и мы вновь попали вместе с Хансеном в джунгли Камбоджи, где нет почти никаких современных удобств, как нет вообще ничего современного, если не считать американских бомбардировщиков, совершающих круги в нескольких милях у нас над головами терпеливыми ястребами, дожидающимся, чтобы им сообщили, какую цель уничтожить следующей. Например, стадо быков, запах мочи которых секретные сенсоры приняли за выхлопные газы военной автоколонны. Например, детишек, чью громкую болтовню ошибочно посчитали приказами боевых командиров. Эти сенсоры американские коммандос разместили вдоль путей снабжения, указанных им Хансеном, но, к несчастью, сенсоры не столь чувствительны и понятливы, как сам Хансен.

Мы находимся в тех местах, которые американские пилоты называют «плохими районами», хотя в джунглях определение плохого и хорошего давно размыто и изменчиво. Мы в зоне, освобожденной «красными кхмерами», где находят укрытие отряды Вьетконга, которые планируют атаковать американцев с фланга, а не в лоб с северного направления. Но вопреки всем приметам войны, мы оказались среди людей, не имеющих единого коллективного восприятия своих врагов, в местах, не нанесенных ни на одну карту, кроме карт тех, кто непосредственно здесь сражается.

Когда слышишь рассказ Хансена, этот край по описанию настолько близок к раю, что уже не имеет значения, говорит он как священник, как грешник, как ученый или как агент.

Если проехать на джипе несколько миль вверх по проселочной дороге, то обнаружишь древний буддийский храм, который Хансен с помощью деревенских жителей расчистил от окружавшей его плотной растительности. И теперь храм служит основной причиной его пребывания здесь, когда он делает записи, отправляет сообщения по рации и принимает многочисленных визитеров, прибывающих обычно незадолго до наступления ночи и исчезающих с первыми проблесками рассвета. Кампонг, где он поселился, построен на сваях в центре поляны у широкой реки, протекающей среди ровных плодородных полей, которые уступами поднимаются к гуще тропического леса. Сюда часто опускается почти синий туман. Дом Хансена расположен высоко на склоне, чтобы улучшить прием и передачу радиосигналов и он имел возможность видеть всякого, кто входит в долину или покидает ее. В сезон дождей у него вошло в привычку оставлять джип в кампонге, а к дому добираться пешком. В сухую погоду он ездит в свой маленький лагерь, зачастую прихватывая с собой половину деревенских мальчишек. Их порой собирается добрая дюжина, чтобы дождаться возможности взобраться в заднюю часть машины и совершить пятиминутную поездку от деревни до его пристанища.

— Иногда среди них бывала и моя дочь, — сказал Хансен.

Ни Рамбелоу, ни досье не упоминали, что Хансен обзавелся дочерью. Если он утаил от нас ее существование, то серьезно нарушил дисциплину, хотя, видит небо, все правила Службы не имели ни для одного из нас к тому времени никакого значения. Тем не менее он прервал свое повествование и смотрел на меня из темноты, ожидая упреков. Но я предпочел хранить молчание, желая оставаться слушателем, в котором он так нуждался, причем, вероятно, уже не первый год.

— Еще будучи священнослужителем, я посещал храмы в Камбодже, — продолжал он. — И странствуя там, влюбился в одну деревенскую женщину, забеременевшую от меня. Для Камбоджи то были все еще наилучшие времена. Правил Сианук. Я оставался с любимой до самого рождения ребенка. Девочки. Я дал ей христианское имя Мария. Снабдил ее мать деньгами и вернулся в Джакарту, хотя скучал по дочке ужасно. Я продолжал посылать им деньги. Отправил изрядную сумму и старосте деревни, чтобы он о них заботился. Слал письма. Молился за дитя и ее мать, поклявшись, что однажды по-настоящему возьму их под свою опеку. Как только вернулся в Камбоджу, перевез женщину в свой дом, пусть за прошедшие годы она и утратила былую красоту. Моя дочь носила кхмерское имя, но с того дня, как вернулась ко мне, я стал звать ее Марией. Ей это нравилось. Она гордилась, что у нее такой отец.

Ему почему-то казалось очень важным объяснить мне, что Мария охотно приняла европейское имя. Ведь имя было не американским, настаивал он, а типично европейским.

— У меня были и другие женщины, помогавшие по хозяйству, но Мария оставалась единственной дочерью, и я любил ее. Она оказалась даже более красивой, чем я мог воображать. Но даже будь она уродлива и неуклюжа, я любил бы ее не меньше. — Его голос, по мере того как я слушал, приобрел внезапную силу, и в нем зазвучали предостерегающие нотки. — Ни одна другая женщина, мужчина или ребенок никогда не возбуждали во мне такой любви. Можно сказать, Мария стала единственным существом, которое я любил всей душой, если не считать моей матери.

Он пристально смотрел на меня из темноты, ожидая услышать сомнения в искренности его страсти. Но, поддавшись обаянию Хансена, я ни в чем не сомневался, забыв все о себе самом, даже о смерти собственной мамы. Он завладел мной, всецело занял мои мысли.

— Если вам однажды удастся принять невообразимую концепцию Бога, вы узнаете, что настоящая любовь не позволяет отвергать никого. Вероятно, это нечто, понятное до конца только грешнику. Ибо только грешник может постичь все величие божественного прощения.

Думаю, я тогда с умным видом кивал в ответ. Но вспомнил вдруг о полковнике Ежи. И было странно, зачем Хансену объяснять мне, что он попросту не мог отвергнуть свою дочь. Или почему его так волновали собственные грехи, когда он рассказывал о ней.

— В тот вечер я возвращался домой из храма, но деревенские ребятишки не дожидались поездки на джипе, хотя наступил сухой сезон. Это расстроило меня, поскольку днем мы обнаружили кое-что интересное и мне очень хотелось сообщить о находке Марии. Должно быть, в школе для них устроили какой-то праздник, подумал я, но не мог даже вообразить, в честь чего именно. Я доехал до вершины холма к своему лагерю и окликнул дочку по имени.

Но в доме никого не оказалось. И домик при воротах пустовал. Горшки, в которых женщины готовили еду, тоже стояли у свай пустыми. Я снова окликнул Марию, потом свою жену. Потом всех подряд. Никто не вышел на зов. Тогда я отправился обратно в кампонг. Зашел в дом одной из подружек Марии, потом в другой дом и в третий, постоянно окликая ее. Но даже свиньи и куры куда-то подевались. Я стал выискивать пятна крови, следы борьбы. Однако ничего не нашел. Зато заметил цепочку следов, уходившую в джунгли. Снова поехал к себе. Взял лопату и закопал передатчик в лесу между двумя высокими деревьями, росшими в линию, ориентированную на запад, рядом со старым муравейником, очертания которого немного напоминали фигуру человека. Я ненавидел свою работу на вас, всю мою ложь ради вас и американцев. И до сих пор ненавижу. Вернувшись в дом, я достал из тайников шифровальные блокноты и уничтожил вместе с прочими вещами. Причем сделал это с радостью, потому что тоже ненавидел. Обув походные башмаки, я уложил в рюкзак недельный запас продуктов. Из револьвера пустил три пули в двигатель джипа, чтобы им никто не смог больше воспользоваться, а потом пошел по следам в глубь джунглей. Сам по себе джип стал предметом моей ненависти, потому что его купили для меня вы.

Хансен отправился вдогонку за «красными кхмерами» в одиночку. Любой другой мужчина — даже если он не был западным шпионом — подумал бы дважды или трижды, прежде чем решиться на такое, пусть в заложницах оказались его жена и дочь. Но только не Хансен. Им овладела одна навязчивая мысль, а потому, абсолютист по натуре, он руководствовался лишь ею.

— Я не мог позволить себе лишиться милости Божией, — объяснил он.

И говорил мне это на тот случай, если я сам не понимал, что от выживания дочери зависело отныне бессмертие его души.

Я спросил, долго ли ему пришлось идти. Хансен не знал. Поначалу он передвигался только по ночам, а днем прятался в любом укрытии. Но свет дня неизменно терзал его и заставлял продолжать путь, презрев законы джунглей. Он шел, вспоминая каждый эпизод жизни Марии, начиная с той ночи, когда сам принял ее из материнской утробы, перерезал пуповину ритуальным бамбуковым ножом и распорядился, чтобы помогавшие ему женщины принесли воды. Он обмыл новорожденную, а в роли священника использовал ту же воду для крещения, дав ей имя Мария в честь собственной матери и матери Христа.

Он вспоминал ночи, когда она спала у него на руках или в стоявшей рядом переносной кроватке. Он видел ее припавшей к материнской груди при свете домашнего очага. Казнился за ужасные годы разлуки, проведенные им в Джакарте и на тренировочной базе в Англии. Он нещадно бранил себя за фальшь и лживость своей работы на нашу Службу, за то, что считал своей слабостью, толкнувшей его на предательство Азии, ведь это он наводил на цели американские бомбардировщики.

Утешение он находил только в воспоминаниях о тех часах, когда рассказывал ей сказки или пел перед сном английские или голландские колыбельные. Его заботила отныне только любовь к ней, его потребность в ней, как и ее потребность в нем самом.

И шел по следам, поскольку больше у него не оставалось никаких ориентиров. Он уже знал, что произошло. Подобное случалось в других кампонгах, хотя ни разу в том районе, где жил Хансен. Красные партизаны окружили деревню ночью и дождались рассвета, когда все взрослые мужчины и женщины отправились работать в поля. Сначала в плен попали они, а потом бойцы тихо проникли в деревню, схватив стариков и детей, после чего завладели и стадами. Так они не только снабжали себя продовольствием, но и пополняли свои ряды. «Красным кхмерам» приходилось торопиться, иначе они бы успели обыскать дома. Им необходимо было укрыться в джунглях до того, как их обнаружат. И вскоре при ярком свете полной луны Хансен заметил первые мрачные подтверждения своих догадок: обнаженные трупы старика, владевшего деревенской лавкой, и тело его жены с руками, связанными за спиной. Быть может, они оказались не в силах идти достаточно быстро? Или выглядели ни на что не годными? Или начали слишком громко возмущаться?

Хансен пошел быстрее. Ему оставалось лишь благодарить Бога, что Мария внешне ничем не отличалась от других азиаток. Во многих детях от смешанных браков европейская кровь отчетливо заметна любому уроженцу Азии, но Хансен, хотя и отличался высоким ростом и крупным телосложением, был смуглым и тонким в кости, а потому, обладая еще и восточным душевным складом, произвел на свет дочь — истинную азиатку.

Следующей ночью он наткнулся еще на одно тело, распростертое рядом с тропой, и с превеликим страхом приблизился к нему.

Это была Онг Саи, директор школы и вечная спорщица. Ее рот остался широко открытым. Застрелена при попытке протеста, констатировал Хансен и в еще большей тревоге устремился вперед. На поиски Марии, своей чистой любви, подлинной земной матери, в которую превратилась для него дочь, последней хранительницы его веры в Бога.

Ему только предстояло выяснить, за кем конкретно он вел погоню. За группой застенчивых юношей, которые по ночам стучали в дверь и просили дать немного риса для борцов за независимость? Или угрюмых и опытных бойцов с вечно сжатыми челюстями, считавших улыбку азиата символом капитуляции перед загнивающим Западом? А ведь были еще настоящие зомби, вспомнил он: банды головорезов из числа нищих и бездомных, объединившихся в силу необходимости и гораздо более жестоких, чем партизаны. Но к тому времени он уже успел уловить в поведении группы, которую преследовал, признаки какой-то военной дисциплины. Менее организованный отряд непременно задержался бы, чтобы разграбить деревню. Потом они устроили бы пир, чтобы отпраздновать удачный налет. Наутро после обнаружения трупа Онг Саи Хансен принял меры особой предосторожности, укрываясь и укладываясь спать.

— У меня возникло предчувствие, — пояснил он.

В джунглях, игнорируя предчувствия, ты подвергался большому риску. Он обмазался глиной и глубоко зарылся среди густых зарослей травы. Спал с револьвером в руке. Вечером его разбудил запах горящего дерева и резкие крики, а открыв глаза, он увидел сразу несколько стволов автоматов, направленных на него.

Он рассказывал о цепях. Бойцы из джунглей обычно передвигались налегке, а тут оказалось, что они сотни километров тащили на себе дюжину кандалов. Как такое было возможно? Он до сих пор поражался, не понимая причины. И все же кому-то приходилось нести их, кто-то расчистил в лесу поляну и врыл посреди нее столб. Потом нанизал на столб железные обручи и прикрепил к ним двенадцать цепей, чтобы двенадцать самых опасных пленников можно было держать прикованными к месту в дождь, в жару, при свете дня и ночью. Хансен детально описал цепи, но при этом перешел на французский. Как я догадался, ему стала необходима успокоительная нейтральность чужих слов.

— ...une tringle collective sur laquelle étaient enfilés des étriers...
nous étions fixés par un pied... j'avais été mis au bout de la chaîne parce
que ma cheville trop grosse ne passait pas...*

Я взглянул на девушку. Она лежала, если такое вообще было
возможно, еще более неподвижно, чем прежде. Походила на мерт-
вую или впавшую в глубокий транс. И я сообразил, что Хансен на
всякий случай уберегал ее от того, чего ей не следовало услышать
и узнать.

Днем, продолжил он рассказ по-прежнему по-французски, им
снимали цепи только с лодыжек, но и это позволяло вставать на колени и даже передвигаться ползком, хотя не слишком далеко, поскольку они все еще оставались прикованными к столбу и мешали
друг другу. А ночью, когда их ноги прикрепляли к столбу, приходилось лежать неподвижно, вытянувшись во весь рост. Количество цепей определяло число важных пленников, отбиравшихся из
так называемой деревенской буржуазии, сказал Хансен. Он узнал
двух старейшин из их общины и жилистую сорокалетнюю вдовицу
по имени Ра, за которой закрепилась репутация пророчицы. А еще
там были три брата Лю, торговцы рисом и известные скряги, причем один из них казался умершим, поскольку лежал свернувшись
недвижимо в своих оковах, как лишившийся иголок еж. Только
доносившиеся порой всхлипывания показывали, что он еще жив.

А Хансен с его извечным страхом попасть в узилище? Как реа-
гировал на цепи он сам?

— Je les ai portées pour Marie**, — ответил он на быстром, предостерегающем французском, к которому мне пришлось уважительно привыкать.

Пленники, не входившие в разряд особо важных, содержались
за частоколом, откуда иногда их по одному либо выводили, либо
выволакивали в подобие штаба, находившегося вне зоны видимости по другую сторону взгорка. Допросы продолжались спокойно
очень недолго. Потом на протяжении нескольких часов доносились отчаянные крики, прерывавшиеся рано или поздно одиноч-
ным выстрелом, чтобы над джунглями вновь повисла тяжелая
тишина. После допроса никто не возвращался. Дети, в число которых попала и Мария, получили свободу почти беспрепятственно

---

* ...на один столб были нанизаны стремена... их цепляли к нашим ногам,
а меня прикрепили последним, так как моя лодыжка не проходила... *(фр.)*.

** Я носил их ради Марии *(фр.)*.

слоняться вокруг при условии не приближаться к взрослым пленным и не пытаться рассмотреть место расположения штаба. Самые пронырливые успели еще во время похода завести знакомства среди молодых партизан и теперь крутились рядом с ними, стремясь исполнить любое поручение и, возможно, получить разрешение потрогать настоящее оружие.

Но Мария держалась в стороне от всех. Она уселась прямо в пыль по другую от шестов сторону поляны и неотрывно смотрела на отца от рассвета до наступления ночи. Даже когда ее мать вывели из-за частокола и крики звенели в ушах Хансена, доносясь с противоположной стороны холма, сменившись мольбами о пощаде и оборванные обычным пистолетным выстрелом, Мария не отвела взгляда от лица Хансена.

— Она понимала, что это значило? — спросил я по-французски.

— Весь лагерь понимал, — ответил он.

— Она любила маму?

Мне лишь померещилось в темноте или Хансен действительно закрыл глаза?

— Я был отцом Марии, — сказал он, — но не брал на себя ответственности за их взаимоотношения.

Непонятно почему, но я уже знал, что мать и дочь ненавидели друг друга. Должно быть, я почувствовал, насколько ревнивой и требовательной была любовь Хансена к Марии. Возведенная в абсолют, как все его прежние чувства, она не терпела соперников.

— Мне не разрешали разговаривать с ней, а ей со мной, — продолжил он. — Пленникам не дозволялось ни с кем вступать в контакты под страхом смерти.

Простого стона могло оказаться достаточно, что наглядно продемонстрировала судьба одного из несчастных братьев Лю, когда охранники заставили торговца замолчать навсегда, орудуя прикладами, а на следующее утро его сменил у столба более смирный и низведенный до низкопоклонства узник из-за частокола. Но для Марии и Хансена никаких слов не требовалось. Стоицизм, читавшийся Хансеном в выражении лица дочери, стал полным отражением его собственной внутренней решимости, копившейся, пока он бессильно лежал в оковах. При поддержке Марии он мог вынести все. Они станут спасением друг для друга. Ведь ее любовь к нему была столь же страстной и цельной, как и его любовь к ней.

В этом он не сомневался. Ненавидя положение заключенного, он все равно благодарил Бога, что отважился последовать за ней.

Прошел день, затем другой, но Хансен оставался прикованным к столбу, то сгорая под палящими лучами солнца, то дрожа от ночной прохлады, провоняв собственными испражнениями, он не сводил глаз с Марии и духом был с ней.

И все время он мысленно в мучениях обдумывал тактику поведения в сложившейся ситуации.

С самого начала ему стало ясно, что среди пленных его выделяли как особо выдающуюся фигуру. Впрочем, если бы они заранее планировали захватить европейца, то напали бы на деревню еще до того, как Хансен покинул свой дом, и непременно потом обыскали его жилище. Но он стал для них нежданным сокровищем, и теперь они дожидались распоряжений, как с ним поступить. Других по одному уводили от столба, и они исчезали навсегда. Всех, кроме последнего из братьев Лю и женщины — предсказательницы будущего. Она после нескольких дней шумных допросов была приведена обратно, превратившись в доверенное лицо партизан, осыпала ругательствами своих бывших товарищей по несчастью и всячески заискивала перед бойцами охраны.

Был создан специальный класс для пропаганды и промывания мозгов. Каждый вечер детей и избранных из числа взрослых пленников усаживали под сенью дерева в круг, чтобы с ними проводил нравоучительные беседы молодой комиссар с красной повязкой на лбу. Пока Хансен то получал солнечные ожоги, то замерзал, он мог ежедневно слушать, как высоким, срывавшимся до визга голосом комиссар проклинал ненавистный ему империализм. Поначалу ему не нравились эти лекции, поскольку Марии приходилось удаляться от него. Но затем он научился делать усилие и приподнимать голову достаточно высоко, чтобы видеть ее прямую фигуру, неподвижно сидевшую в дальней части круга, неотрывно глядя на него даже из противоположного угла поляны. «Я стану для тебя и матерью и отцом, заменю тебе друга, — говорил он ей. — Я стану твоей жизнью, даже если придется пожертвовать своей».

Но в минуты уныния он упрекал себя за ее броскую красоту, считая это наказанием, ниспосланным свыше за его случайный грех. Даже в свои двенадцать лет Мария выглядела самой красивой девушкой в лагере, и хотя секс для бойцов сделали табу как буржуазную угрозу, ослаблявшую революционную силу воли, Хансен невольно замечал тот эффект, который ее едва прикрытое одеждой тело производило на молодых солдат, когда она проходила мимо. Как вспыхивали их тоскливые глаза и жадно впивались в ее начавшие развиваться груди и бедра, покачивавшиеся под рваным платьем из хлопка. Поэтому они так мрачнели, если приходилось кричать на нее. Но хуже всего было то, как понимал он, что дочь осознавала их вожделение, а пробуждавшаяся в ней женственность отзывалась на него.

Затем наступило утро, когда повседневная рутина жалкого существования Хансена в плену необъяснимым образом изменилась в лучшую сторону, но его тревога только усилилась, потому что в роли благодетеля выступил молодой комиссар в красной повязке. Явившись в сопровождении двух молодых бойцов, он приказал Хансену встать. Пленник не смог сделать это самостоятельно, и тогда два солдата, подхватив его под руки, поставили на ноги и помогли добрести до места на берегу реки, где небольшой залив образовывал нечто вроде пруда.

— Помойтесь, — приказал комиссар.

В течение всего времени с тех пор, как его схватили, Хансен тщетно пытался добиться возможности привести себя в порядок. В первый же вечер он выкрикнул:

— Отведите меня к реке!

За что был нещадно избит.

На следующее утро он стал дергаться в оковах, рискуя снова быть избитым, громко вызывая командира или другого облеченного властью товарища, и все ради того, чтобы добиться права оставаться личностью, которую тюремщики могли уважать и, соответственно, пожелать сохранить ему жизнь.

Под наблюдением конвойных Хансен сумел достаточно хорошо отмыться, и хотя это превратилось в подлинную пытку, даже отскреб себя мелким речным песком, после чего его вернули к столбу. И оба раза он проходил всего в нескольких футах от своей ненаглядной Марии, сидевшей всегда в одном и том же месте. Его сердце взволнованно билось от ее близости и смелости, читавшейся в ее глазах, но он не мог избавиться от подозрения, что именно его дитя купило для него неслыханную милость, которой он только что насладился. Когда же комиссар с усмешкой поздоровался с ней, а она подняла голову и ответила ему смутной улыбкой, приступ жестокой ревности лишь усугубил страдания Хансена.

После омовений в реке ему принесли рис, и еды оказалось больше, чем он получил за все предыдущее время пребывания в плену. И теперь его не заставили есть из миски, как собаку, а освободили руки, и он ухитрился незаметно собрать немного риса в ладонь, чтобы сбросить в подол рубашки до того, как был снова прикован к столбу.

Весь день потом он думал только о припрятанной пригоршне риса, стараясь не сделать неосторожного движения и не лишиться ее. «Я отвоюю ее у них, — думал он. — Сумею развенчать привлекательность комиссара». С наступлением вечера, когда его снова повели к реке, ему удалось совершить то маленькое чудо, которое он и планировал. Он особенно сильно пошатнулся и сумел незаметно для охранников высыпать рис к ногам Марии. Возвращаясь, он испытал невыразимую радость, заметив, что пища уже исчезла.

Но в выражении ее лица ничего не читалось. Только глаза, смотревшие прямо и порой безжизненно, сказали ему о ее ответной и такой же бесконечной любви. «Я напрасно беспокоюсь, — думал он, пока на него надевали цепи. — Она учится всем трюкам пленницы. Но остается чиста и непременно выживет». В тот вечер он уже слушал пропагандистскую лекцию комиссара с возрожденной терпимостью. Подчини его себе, убеждал он Марию в телепатическом диалоге, который они поддерживали постоянно. Усыпи его бдительность, очаруй, околдуй, добейся его доверия, но только сама ничем для него не жертвуй. И Мария поняла все, потому что как только занятие закончилось, комиссар подозвал ее к себе и стал в чем-то упрекать, а она стояла перед ним покорно и молчаливо. Потом она опустила голову. Хансен видел, как она понуро отошла от комиссара.

И на следующий день, и всю неделю Хансен повторял уловку, убежденный, что ее никто не замечает, кроме самой Марии. Кучка риса, легко скатывавшаяся по животу, каждый раз, когда он специально делал неловкое движение, стала для него важным источником положительных эмоций. «Я почти что кормлю ее грудью. Я ее опекун, страж, защитник ее невинности. Я для нее священник, дарующий ей причастие Христово».

Рис стал предметом его основных забот. Он стремился придумать иные способы тайной передачи еды, каждый раз улучая момент, оказавшись рядом с ней, и либо бросая пригоршню за спину, либо позволяя ей упасть сквозь брючину.

— Я проявил несдержанность, — сказал он покаянным тоном.

И в наказание за несдержанность Бог отнял у него Марию. Однажды утром, когда его расковали и повели к реке, Марии не оказалось на месте, чтобы принять от него святое причастие. А во время вечерней лекции он заметил ее рядом с комиссаром, и, как ему показалось, ее голос звучал громче остальных, произносивших ответы на его вопросы, наполнившись незнакомой прежде уверенностью. С наступлением ночи он разглядел ее силуэт среди собравшихся у костра бойцов. Она выглядела равноправным членом их сообщества, деля с ними ужин как товарищ. На следующий день он вообще не увидел ее ни разу, как и днем позже.

— Мне хотелось умереть, — признался он.

А позже вечером, когда он в отчаянии ждал, недвижимо распростертый, чтобы охранник приковал к шесту ноги, к нему подошел молодой комиссар, и Мария в черной гимнастерке шагала рядом с ним.

— Значит, этот мужчина — твой отец? — спросил комиссар, приблизившись к Хансену.

Взгляд Марии ничего не выдал, но она явно напрягла память, чтобы дать правильный ответ.

— «Ангка»* — мой отец, — вымолвила она наконец. — «Ангка» стала отцом для всех угнетенных.

— «Ангка» — это партия, — объяснил Хансен, хотя я ни о чем не спрашивал. — На нее молились все «красные кхмеры». Для них в человеческой иерархии «Ангка» превратилась в подобие божества.

— Тогда кто же твоя мать? — задал ей вопрос комиссар.

— Моя мать «Ангка». У меня нет и не было другой матери.

— А кто же такой этот мужчина?

— Американский агент, — ответила Мария. — Он бросает бомбы на наши деревни. Убивает людей.

— Почему же он называет себя твоим отцом?

— Пытается обмануть нас и выдать себя за нашего товарища.

— Проверь оковы этого шпиона. Убедись в их прочности, — распорядился комиссар.

И Мария встала на колени у ног Хансена, причем в точности как он учил ее преклонять колени для молитвы. На мгновение ее

---

* «Ангка лоэу» — «Верховная организация», правящая партия в Камбодже (Кампучии), во главе которой стояли семейные кланы — Пол Пот, Иенг Сари, Кхиеу Сампхан, Сон Сен и их жены.

рука подобно исцеляющей длани Христа легла поверх его покрытых гнойными язвами лодыжек.

— Ты можешь просунуть пальцы между цепью и его ногой? — спросил комиссар.

Даже в паническом состоянии Хансен инстинктивно проделал то, что делал всегда, оказавшись в оковах. Он до предела напряг мышцы лодыжек, в надежде дать им больше свободы после того, как сможет расслабить. Потом почувствовал, как ее пальцы проверяют цепь.

— Я могу просунуть только мизинец, — ответила она, приподняв пальчик, но встав так, чтобы своим телом заслонить ноги Хансена от комиссара.

— Ты можешь просунуть его легко или только с трудом?

— Мне это удается с большим трудом, — солгала она.

Наблюдая, как они удалялись, Хансен подметил еще одну встревожившую его деталь. Вместе с черной гимнастеркой Мария приобрела и своеобразную мягкую поступь типичного партизана из джунглей. И все равно впервые со дня своего пленения Хансену удалось хорошо выспаться даже в цепях. Она присоединилась к ним, чтобы обмануть, уверил он себя. Бог поможет им. Скоро они совершат побег.

Для официального допроса прибыл на лодке специальный представитель, серьезный молодой человек с гладкими щечками, но с мрачным видом. Хансен мысленно присвоил ему прозвище: Студент. Группа встречающих во главе с комиссаром ожидала его на берегу, чтобы потом сопроводить за холм, в штаб. Хансен понял, что это специалист по допросам, поскольку он один не повернул головы и не взглянул на последнего оставшегося в живых пленника, гнившего во влажной жаре. Зато он сразу заметил Марию. Остановился перед ней, заставив задержаться и остальных. Он сначала замер, потом приблизил к ней вплотную лицо прилежного школяра, задав вопросы, которых Хансен не расслышал. И держался в той же позе, выслушивая ответы, напоминавшие звуки человеческой речи, усвоенные попугаем. «Моя дочь стала шлюхой в солдатском лагере», — с тоской подумал Хансен. Но стала ли? Ничто из того, что он слышал прежде о «красных кхмерах», не свидетельствовало о терпимости к проституткам, о готовности допустить их в свои ряды. Напротив, ему говорили совершенно противоположное. «Angka hait le sexuel»* — так однажды высказался при нем один французский антрополог.

В таком случае они обольстили ее своим пуританством, решил он. Связали с собой чувством, которое хуже и прочнее, чем узы разврата. И он лежал лицом в пыли, моля Бога дать ему возможность принять на себя все грехи невинной дочери.

Я не могу связно рассказать о допросах Хансена, поскольку он сам мало что запомнил. Мои собственные муки в руках полковника Ежи были детскими играми в сравнении с пережитым Хансеном. Хотя во многом его смутные воспоминания оставили у него схожие впечатления. Не стоит даже отдельно упоминать, что его пытали. С этой целью сколотили подобие деревянной решетки. Но в то же время ему хотели сохранить жизнь, потому что в перерывах между пытками давали поесть и даже, если память ему не изменяла, позволяли спускаться к берегу реки, но не исключено, что это было сделано однажды, чтобы привести его в сознание, которое он часто терял.

А еще его принуждали писать, потому что для такого образованного человека, каким оказался Студент, никакое признание не считалось действительным, если не зафиксировать его на бумаге. Но писать становилось все труднее и труднее, пока и это действие не превратилось в разновидность пытки, хотя его и отвязывали на время от решетки.

При проведении допросов Студент придерживался двух линий одновременно. Покончив с одной, переходил к другой.

Вы американский шпион, заявил он, и агент контрреволюционной марионетки — Лон Нола**, главного врага революции. Хансен это отрицал.

Но, кроме того, вы еще и римский католик, замаскированный под буддиста, человек с косными религиозными взглядами, пропагандист антипартийных суеверий, срывающий попытки просветить народ, криком внушал ему Студент.

Он вообще был скорее склонен сам выступать с политическими заявлениями, нежели задавать вопросы.

---

* «Ангка» ненавидит секс (*фр.*).

** Л о н Н о л — политический деятель крайне националистического и антикоммунистического толка. Основной противник «красных кхмеров» в Камбодже.

— А теперь перечислите нам, пожалуйста, все даты и места ваших конспиративных встреч с контрреволюционной марионеткой и американским шпионом Лон Нолом, назвав имена всех присутствовавших при этом американцев.

Хансен настаивал, что таких встреч у него никогда не было. Но его ответы Студента никак не устраивали. По мере того как боль становилась невыносимой, Хансен вспоминал имена из английских народных песенок, которые когда-то пела ему мать: Том Пирс... Билл Брюер... Йен Стюер... Питер Герни... Питер Дэви... Даниэл Уидден... Гарри Хок...

— В таком случае попрошу вас написать, кто главарь этой банды, — сказал Студент, переворачивая страницу в своем блокноте.

Глаза палача, как отмечал Хансен, часто почти совсем закрывались. Такую же деталь я подметил и в манерах Ежи.

— Кобблей, — прошептал Хансен, приподнимая голову над столом, за который его усадили. — Томас Кобблей, вывел потом на бумаге. Коротко — Том. Оперативный псевдоним Дядюшка*.

Даты были даже более важны. Хансена волновало, что он может потом забыть, какие называл, когда придумывал, и его обвинят во лжи. Поэтому он избрал день рождения Марии, день рождения матери и дату казни отца. Изменил только годы, чтобы они совпали со временем нахождения у власти Лон Нола. В качестве места конспиративных встреч он предпочел окруженный невысокой стеной сад при дворце Лон Нола в Пномпене, которым часто любовался по пути в любимую курильню.

Но его единственным реальным опасением, когда он делал эти вздорные признания, была вероятность ненароком выдать какую-то действительно важную информацию. К тому моменту для него стало очевидно, что Студенту ничего не известно о его подлинной деятельности по сбору разведданных, а все обвинения против него основывались на том факте, что он европеец, человек с Запада.

— А сейчас, пожалуйста, запишите имена всех агентов, кому вы платили последние пять лет. И укажите конкретные диверсионные акты, совершенные вами против нашего народа.

---

* Дядюшка Том Кобблей — персонаж старинной английской народной песни.

Ни разу за те дни и ночи, когда Хансен мысленно готовился к предстоявшему испытанию, он и вообразить не мог, что его подведет фантазия. Он указал имена святых великомучеников, чьи страдания вспоминал, чтобы без страха встретить такие же, фамилии ученых-востоковедов, уже благополучно скончавшихся, авторов научных трудов по филологии и лингвистике. Шпионы, заявил он. Все они — шпионы. И торопливо записал показания в блокноте, хотя рука конвульсивно дергалась от боли, продолжавшей преследовать его еще долго после того, как палачи отключали свою машину.

Уже придя в полное отчаяние, он составил список из фамилий всех офицеров, сопровождавших в пустыне Т.Э. Лоуренса, которые запомнил после прочтения «Семи столпов мудрости». Затем описал, как по личному приказу Лон Нола сколотил группу из буддистских священников, отравлявших крестьянские урожаи и скот. Студент вернул его на решетку и приказал усилить болевые ощущения.

Хансен описал подпольные занятия по изучению империализма, проводившиеся им с целью пропаганды буржуазных взглядов и семейных ценностей. Студент открыл глаза, выразил сожаление, но снова распорядился усилить эффективность пытки.

Он рассказал им почти все. Как зажигал сигнальные огни для наведения американских бомбардировщиков, а затем распространял слухи, что самолеты принадлежали Китаю. И уже готов был признаться, кто помогал ему указывать американским коммандос партизанские тропы снабжения, но, слава богу, вовремя лишился чувств.

Но и в это время образ Марии продолжал жить в его сердце, к ней обращал он свои крики от боли, ее незримые руки возвращали его к жизни, когда тело уже молило о скорейшей кончине, ее глаза смотрели на него с любовью и жалостью. Ради Марии он терпел страдания, ради нее поклялся выжить во что бы то ни стало. Пока он лежал, зависнув между жизнью и смертью, ему явилось видение: он распростерт на дне лодки Студента, а над ним сидит Мария в черной гимнастерке и гребет вверх по реке, направляясь прямо на небеса. Но он еще не умер. «Они меня не убили. Я признался во всем, и они не прикончили меня».

Хотя, разумеется, признался он далеко не во всем. Он не выдал своих помощников, как ни словом не упомянул про радиопередатчик. И когда его вернули на допрос утром следующего дня, снова привязав к пыточной решетке, он увидел Марию рядом со Студентом, и копию своих письменных показаний перед ней на столе. Ей коротко остригли волосы. Выражение лица оставалось непроницаемым.

— Вы ознакомились с показаниями данного шпиона? — обратился к ней Студент.

— Да, ознакомилась, — ответила она.

— Они точно описывают его образ жизни, каким вы могли его видеть, находясь в обществе этого человека?

— Нет.

— Почему? — спросил Студент, открывая свой блокнот.

— Они далеко не полные.

— Объясните, в чем состоит неполнота признаний, сделанных шпионом по фамилии Хансен.

— Шпион Хансен держал в своем доме радио, с помощью которого посылал сигналы бомбардировщикам империалистов. Кроме того, имена, названные им в показаниях, фиктивные. Они взяты из буржуазных английских песен. Он сам пел их мне, выдавая себя за моего отца. Кроме того, он по ночам принимал у нас дома империалистических солдат и сопровождал их в джунгли. Не указал он и того, что его мать была англичанкой.

Но Студент, казалось, оставался неудовлетворенным.

— О чем еще он не упомянул? — спросил он, разглаживая лист блокнота маленькой ладошкой.

— В период заключения здесь он многократно нарушал правила для пленных. Он скрывал пищу и пытался с ее помощью подкупить товарищей, вовлекая их в план побега.

Студент вздохнул и сделал еще одну запись.

— Что еще им не упомянуто? — терпеливо повторил он.

— Он неправильно носил цепь на ноге. Когда цепь надевали, он тайком напрягал мышцы, чтобы оставалось достаточно свободы движения для побега.

До этого момента Хансен еще мог убеждать себя, что Мария просто затеяла хитроумную игру. Но теперь все стало ясно: никакой игры — все оказалось реальностью.

— Он совратитель и сутенер! — завизжала она сквозь слезы. — Он развращал наших женщин, приглашая их к себе домой и давая им наркотики! Он притворился, что создал буржуазную семью, но затем заставил жену терпеть свои декадентские привычки! Он спал с девушками моего возраста! Он лгал, что стал отцом наших детей, и поэтому в их жилах не течет кровь кхмеров! Он читал буржуазную литературу, чтобы еще больше сбить нас с пути! Соблазнял нас поездками на своем джипе и распевал империалистические песни!

Хансен никогда прежде не слышал от нее крика или визга. Как, по всей видимости, и Студент, который выглядел даже смущенным. Но сдержать ее уже не могло ничто. Она упорствовала в отказе от него. Заявила, что он запрещал матери любить ее. Мария излучала такую ненависть к нему, которую невозможно имитировать, столь же абсолютную и безграничную, как его к ней любовь. Ее тело сотрясалось от неудержимой ненависти, и черты лица неузнаваемо исказились от этой ненависти и чувства вины. Она выбросила руку вперед и указала на него классическим жестом обвинительницы. Ее голос принадлежал кому-то, кого он до той поры не знал.

— Убейте его! — вопила она. — Убейте растлителя нашего народа! Убейте человека, замутившего в нас кхмерскую кровь! Убейте лжеца с Запада, утверждающего, что мы все отличаемся друг от друга! Отомстите за людей!

Студент закончил писать и распорядился, чтобы Марию увели.

— А я молился о прощении для нее, — сказал Хансен.

Я неожиданно понял, что в бунгало проник рассвет. Хансен стоял у окна, неотрывно глядя на затуманенную гладь моря. Девушка лежала на кушетке, где провела всю ночь. Ее глаза оставались закрытыми. Рядом стояла пустая жестянка из-под кока-колы. Голова все еще покоилась, на сгибе руки. Другая рука, свешенная вниз, выглядела хрупкой и старой. Речь Хансена стала резкой и лаконичной, и на мгновение я испугался, что утро навеяло ему решение отторгнуть меня. Но потом понял, что духовный конфликт возник у него не со мной, а с самим собой. Он вспомнил злобу, овладевшую им, когда связанного, но не закованного в цепи его отнесли за частокол, чтобы он мог поспать — если спать вообще возможно, когда твое тело буквально умирает от боли, а нос и уши забиты сгустками запекшейся крови. Злость была направлена против самого себя. Он не понимал, когда успел заложить в своего ребенка столько недобрых чувств к себе.

— Но я все еще был ее отцом, — сказал он по-французски. — Я винил не Марию, а себя. Если бы только я решился на побег раньше, не рассчитывая на ее помощь! Если бы сумел пробить себе дорогу к свободе, пока был еще силен, не впадая в пассивную зависимость от ребенка. Мне не следовало вообще работать на вас. Моя тайная деятельность подвергала ее опасности. Я проклинал вас всех. И до сих пор проклинаю.

Ответил ли я ему? Заговорил ли? Нет. Моей главной заботой стало не прерывать поток его слов.

— И она потянулась к ним, — продолжал он, словно находил для нее извинения, которых не могла найти она сама. — Они были ее народом, бойцами из джунглей с верой, во имя которой с готовностью шли на смерть. Так почему она должна была отказаться от них? А я стал последним препятствием для единения с соплеменниками, — объяснял он ее мотивы. — Я был человеком, вторгшимся со стороны. С чего же ей было верить, что я ее отец, если они утверждали другое?

Он вспомнил, как оставался за частоколом, когда однажды молодой комиссар обрядил ее в черные свадебные одежды. Вспомнил выражение отвращения у нее на лице, когда она смотрела на него сверху вниз, зловонного и избитого, как на нищего у своих ног, жалкого западного шпиона. А рядом с ней стоял красавец комиссар в красной повязке.

— Я теперь обручена с «Ангкой», — сообщила она Хансену. — «Ангка» дает ответы на все мои вопросы.

— А я остался в полном одиночестве, — сказал он.

Сумерки сгустились над частоколом, и он предположил, что если его собирались расстрелять, то должны были дождаться утра. Но больше всего страшила его мысль о том, что Марии придется прожить жизнь с воспоминанием о своем личном приказе умертвить собственного отца. Он представил ее в зрелые годы. Кто поможет ей? Кто исповедает? Кто дарует искупление и отпущение грехов? А потому перспектива смерти тревожила его все сильнее, ведь это означало и ее смерть тоже.

В какой-то момент он, должно быть, забылся в дреме, рассказывал Хансен, потому что с первыми лучами солнца очнулся и обнаружил миску с рисом на земляном полу частокола, прекрасно зная, что еще накануне ее там не было. Даже в агонии он уловил бы запах пищи. Не слепленный в комки, не прижатый к голому телу рис, а белая горка, которой могло хватить дней на пять. Он слишком устал и измучился, чтобы чему-то удивляться. Однако, перевернувшись на живот и принявшись за еду, обратил внимание на воцарившуюся повсюду тишину. К этому часу поляна должна была полниться звуками, голосами бойцов, пробудившихся с наступлением нового дня: криками, плеском воды со стороны реки, клацаньем металлической посуды и оружия, скандированием лозунгов под руководством комиссара. Он вслушивался, сделав паузу в еде, — даже птицы и обезьяны прекратили обычную возню, и никаких признаков присутствия поблизости людей не было слышно.

— Они ушли, — сказал Хансен откуда-то у меня из-за спины. — Ночью свернули лагерь и забрали Марию с собой.

Он съел еще немного риса и снова задремал. Почему они не убили его? Мария все-таки отговорила их. Мария купила ему жизнь. И Хансен принялся перетирать веревочные путы о брусья частокола. К наступлению ночи, покрытый гнойными язвами, на которые слетались мухи, он добрался до реки, где отмочил раны в воде. Потом вновь дополз до частокола, чтобы как следует поспать, а на следующее утро с остатками риса про запас тронулся в путь. Однако на сей раз, без пленных и скота, партизаны не оставили никаких следов.

Но он все равно отправился на поиски Марии.

Несколько месяцев — по прикидкам Хансена, пять или шесть — он двигался по джунглям от одной деревни к другой, нигде не задерживаясь, никому не доверяя. Подозреваю, что все это время он был слегка не в себе. Где только было возможно, пытался наводить справки об отряде, захватившем Марию, но он располагал слишком немногим, чтобы описать нечто конкретное, и скоро поиски сделалась бессистемными. Он слышал об отрядах, в которых сражались девушки. Ему даже рассказывали о целых подразделениях, состоявших исключительно из женщин, о девушках, целенаправленно посылавшихся в города, чтобы под видом проституток собирать информацию. Он воображал Марию в подобных ситуациях. Как-то ночью он прокрался в свой прежний дом, надеясь, что она нашла убежище там. Деревню сожгли дотла.

Я спросил, обнаружил ли кто-нибудь тайник с рацией.

— Я даже не проверял, — ответил он. — Мне было все равно. Я ненавидел вас всех.

В другую ночь он посетил тетушку Марии, жившую в отдаленном поселке, но та принялась швырять в него сковородками, обратив в бегство. И все же его решимость спасти дочь крепла день ото дня, потому что он знал: она очень нуждается в спасении от себя самой. На нее легло проклятие моего стремления к абсолюту, думал он. Она обладает бурным темпераментом и упряма, но ви-

伴новат в этом только он. Ведь он заключил ее в тюрьму собственных порывов. Только слепая отцовская любовь не позволяла ему прежде понять этого. Теперь же глаза у него открылись. Он видел, что в жестокости и бесчеловечности она находила способ проявить свою преданность. Она на практике осуществляла его ошибочные поиски себя, но без свойственной ему самому интеллектуальной и религиозной дисциплины. Она, как и он, лишь смутно осознавала, что с приобретением широты видения сумеет выполнить свое земное предназначение.

О походе к границе Таиланда Хансен мало что рассказал. Сначала направился на юго-запад в сторону Пайлина. Он слышал о существовании там крупного лагеря кхмеров-беженцев. В пути преодолевал горные хребты и малярийные болота. Прибыв на место, настойчиво осаждал просьбами центр поиска людей и прикрепил листок с описанием внешности дочери к доске объявлений лагеря. Как ему все это удалось без документов, денег и связей, не засвечивая пребывание в Таиланде, до сих пор остается для меня загадкой. Но ведь Хансен был хорошо обученным и опытным агентом, пусть и отрекся от нас. И его мало что могло остановить. Я спросил, почему он не обратился за помощью к Рамбелоу, но он лишь презрительно отмахнулся:

— Я больше не считал себя империалистическим агентом. И не верил ни во что, кроме своей дочери.

Однажды в конторе благотворительной организации он познакомился с американкой, которая, похоже, запомнила Марию.

— Ваша дочь ушла, — выразилась она осторожно.

Хансен надавил на нее. Женщина рассказала, что видела Марию в группе из шести девушек. Все были проститутками, но пользовались поддержкой бойцов сопротивления. Когда они не обслуживали клиентов, то держались особняком, и общаться с ними оказывалось затруднительно. Но однажды они переступили грань дозволенного. Американка слышала, что их арестовала полиция Таиланда, и больше она тех девушек уже не встречала.

Женщина явно чего-то недоговаривала, но Хансен не оставил ей выбора.

— Мы тревожились за нее, — призналась она. — Мария называла себя разными именами. Противоречиво рассказывала о том, как попала к нам. Врачи утверждали, что она безумна. Где-то на своем долгом пути ваша дочь потеряла понятие о том, кто она на самом деле.

Хансен явился в тайскую полицию и то ли угрозами, то ли почти невероятной силой убеждения сумел отследить Марию до их собственного приюта, где любили развлекаться с девушками офицеры. Странно, но у него даже не попросили предъявить удостоверение личности или что-то подобное. Для них он был широкоглазым фарангом, умевшим говорить на кхмерском и тайском языках. Мария пробыла у них три месяца, а потом исчезла, рассказали Хансену. Очень странная девица, отозвался о ней сержант.

— Что же в ней было странного? — спросил Хансен.

— Она говорила только по-английски, — ответил сержант.

Вместе с ней здесь находилась еще одна девушка, задержавшаяся дольше и вышедшая замуж за капрала. Хансен записал ее имя.

Он замолчал.

— И вы нашли дочь? — спросил я после продолжительной паузы.

Впрочем, ответ мне был известен заранее. Я получил его, едва он дошел до середины рассказа, хотя он пока не понял, что я уже все знаю. Он сидел возле девушки, бережно поглаживая ее по голове. Затем она медленно села и маленькими, старчески сморщенными ручками протерла глаза, притворившись, что спала. Но, как я предполагал, она слушала наш разговор всю ночь.

— Она теперь понимала только это, — пояснил Хансен по-английски, продолжая гладить ее по голове и имея в виду тот бордель, где обнаружил ее. — Ей уже не требовалась свобода выбора, верно, Мария? Она не нуждалась в словах и обещаниях. — Он прижал ее к себе. — У нее осталось одно желание: чтобы ею восхищались. Ее народ. Мы. Мы все должны обожать Марию. В этом она находит успокоение.

По-моему, он воспринял мое молчание как упрек, потому что заговорил громко:

— Она хочет стать совершенно безвредной. Разве плохо? Хочет, чтобы ее оставили в покое, — они все хотят того же. Ваши бомбардировщики, ваши шпионы, ваши громогласные речи не для нее. Она не дитя доктора Киссинджера. Она просит всего лишь дать ей вести незаметное существование там, где она сможет дарить удовольствие, не причиняя никому боли. И что же хуже? Ваш бордель или ее? Убирайтесь из Азии. Вам вообще не следовало здесь появляться, никому из вас. Мне стыдно, что я когда-то вам помогал. Оставьте нас в покое.

— Рамбелоу я расскажу совсем немногое из услышанного, — сказал я, поднимаясь, чтобы уходить.

— Расскажите все, что вам будет угодно.

От двери я бросил на них прощальный взгляд. Девушка смотрела на меня так, как, вероятно, смотрела на Хансена, закованного в цепи, — не моргая. Мне казалось, я понимаю, о чем она думала. Я заплатил за нее, но не попользовался. И теперь она гадала, не потребую ли я возместить расходы.

Рамбелоу отвез меня в аэропорт. Как и Хансен, я предпочел бы больше с ним не встречаться, но у нас остались вопросы, которые следовало обсудить.

— Сколько-сколько вы ему пообещали? — с ужасом воскликнул он.

— Я сказал ему, что он имеет право получить компенсацию для переселения на новое место и может рассчитывать на защиту с нашей стороны. Обещал, что пришлете ему чек на предъявителя. Сумма — пятьдесят тысяч долларов.

Рамбелоу просто зашелся от злости:

— Чтобы я вручил ему пятьдесят тысяч долларов? Но, милый мой, на такие деньги он станет пить не просыхая полгода, рассказывая свою историю всему Бангкоку. И что по поводу его камбоджийской шлюхи? Держу пари, она все слышала.

— О ней не беспокойтесь, — сказал я. — Мы обсудили условия строго между собой.

Новости произвели на Рамбелоу столь глубокое впечатление, что его гнев быстро улетучился полностью, и на протяжении остатка пути он хранил оскорбленное молчание.

В самолете я пил слишком много, а спал слишком мало. Очнувшись в какой-то момент от кошмарного сна, я с чувством вины допустил крамольную идею по поводу Рамбелоу и всего нашего Пятого этажа. Мне захотелось собрать их всех и отправить в поход, какой совершил по джунглям Хансен. Причем я не сделал исключения даже для Смайли. Я сожалел, что не в моих силах заставить их бросить все во имя безнадежной и безответной страсти только для того, чтобы увидеть, как ее объект превращается для них во врага, доказывая: за подлинную любовь невозможно получить иного вознаграждения, кроме самого по себе чувства любви. И оно ничему не учит, если не считать смирения и покорности судьбе.

И все же я и по сей день испытываю удовлетворение, когда вспоминаю о Хансене. Я нашел то, что искал давно, — человека, похожего на меня самого. Однако он в поисках смысла открыл для себя достойную цель, чтобы посвятить ей жизнь, заплатил огромную цену, но не считал это жертвой и продолжал расплачиваться. Мужчину, который не боялся унижений, не считался с собственной гордыней, не обращал на нас внимания, не придавая значения вообще ничьему мнению о себе. Он свел свою жизнь к тому единственному, что было для него важно, и стал свободным. Дремавший во мне бунтарь обрел своего героя. Таившийся в глубине моего существа любовник познал шкалу для измерения по ней ничтожества собственных тривиальных привязанностей.

Вот почему, когда через несколько лет меня назначили главой Русского дома, чтобы я мог потом беспомощно наблюдать, как мой самый ценный агент предавал родину во имя любви, мне никак не удавалось испытать гнев, которого ждало от меня начальство. И, как я теперь считаю, отдел кадров поступил отнюдь не глупо, додумавшись перевести меня с понижением в группу по проведению допросов.

Глава 10

Мэггз, вздорный будущий псевдожурналист, пытался поймать Смайли на признании аморальной сущности нашей работы. Он добивался от него согласия с тем постулатом, что все средства хороши, если удается не попасться. Как я подозревал, на самом деле ему хотелось услышать эту максиму применительно к жизни во всех прочих ее проявлениях. Мэггз производил впечатление человека не только безжалостного, но и никогда не умевшего вести себя должным образом. Поэтому он и нуждался в чем-то вроде лицензии, разрешавшей отбросить последние, еще сковывавшие его условности.

Но Смайли не желал доставить ему такого удовольствия. Сначала он начал как будто сердиться, что я мог только приветствовать. Но ему удалось сдержать эмоции. Он заговорил, но вдруг осекся и примолк, заставив меня задуматься, не пора ли завершать встречу. Затем, к моему облегчению, он вновь оживился, и я понял, что его заставило отвлечься какое-то воспоминание.

— Вам следует понять, — объяснил он, отвечая, как делал часто, на вопрос не буквально, а в обобщенном смысле, — насколько важно в свободном обществе, чтобы люди нашей профессии оставались всегда не только непримиримыми, но и неподкупными. Верно, нередко нам приходится в силу служебной необходимости хлебать из одной тарелки с дьяволом, причем далеко не всегда ложкой с длинной ручкой. И, как известно каждому, — лукавый взгляд, брошенный им на Мэггза, вызвал взрыв благодарного смеха, — дьявол может оказаться гораздо более интересным сотрапезником, нежели Бог. Я прав? Но все же одержимость добродетелью нас не покидает. Эгоистические интересы неизменно сильно ограничены. Как имеет пределы и беспринципность. — Он снова сделал паузу, погрузившись в свои мысли. — Все, что я собирался сказать, заключается в следующем: хотел бы надеяться, что если время от времени вас начнет одолевать соблазн проявить гуманность, вы не воспримете это как признак слабохарактерности, а внимательно прислушаетесь к позыву.

Запонки, тут же подумал я, словно осененный внезапным вдохновением. Джордж вспоминает о старике.

Долгое время я не мог разобраться, почему отголосок этой истории продолжал годами преследовать меня. И только затем до меня дошло, что все случилось как раз в тот период, когда мои отношения с сыном Адрианом достигли кризисной точки. Он вбил себе в голову не продолжать учебу в университете, а сразу найти хорошо оплачиваемую работу. Я же по ошибке принял его смятение за чистый материализм, а мечту о независимости за лень, после чего однажды вечером сорвался и оскорбил его, стыдясь потом за себя многие недели кряду. Именно в то время сугубо личных переживаний я и раскопал эту историю.

Затем я напомнил себе, что у Смайли детей не было, а потому двойственная роль, сыгранная им в деле, до известной степени объяснялась как раз этим. У меня мурашки пробежали по спине, стоило подумать, уж не заполняет ли он пустоту в жизни, переиначивая на свой лад отношения, которые у него так и не сложились.

Наконец я припомнил, как через несколько дней после обнаружения документов мне пришло анонимное письмо, обвинявшее беднягу Фрюина в шпионаже на Россию. Кроме того, существовало почти мистическое сходство между Фрюином и стариком, проявлявшееся в собачьей преданности и нехватке слов. Все это нельзя вырывать из контекста, надеюсь, вы меня поняли. Поскольку мне еще не приходилось сталкиваться ни с одним делом, которое не было бы связано с сотней других.

И последнее. Никуда не деться от факта, что Смайли снова оказался моим предшественником: стоило мне устроиться за непривычным письменным столом следователя в отделе допросов, как я начал повсюду замечать его следы. В нашем пропылившемся архиве, на начальных страницах регистрационной книги дежурных офицеров, в задумчивых улыбках наших секретарей из числа ветеранов, вспоминавших о нем с почти приторным и непритворным восхищением — отчасти как о боге, отчасти как о плюшевом медвежонке, а отчасти (хотя они неизменно быстро стремились затушевать это) как о смертельно опасной акуле. Они даже готовы были показать вам чашку и блюдце тончайшего фарфора из магазина Томаса Гуда на Саут-Одли-стрит — откуда же еще? Подарок Джорджу от Энн с любовью, поясняли они, который Джордж передарил отделу после своей реабилитации и возвращения на Пятый этаж. Но, разумеется, как из чаши Священного Грааля, из чайного прибора Смайли не дозволялось пить ни одному смертному.

Отдел допросов или дознания, если вы сами еще не поняли, для нашей Службы в некотором смысле эквивалент Сибири, и, как я с удовлетворением выяснил, Смайли отбывал там ссылку не один раз, а дважды. Сначала, когда имел наглость заявить Пятому этажу, что в его недра мог проникнуть вражеский «крот», и вновь — через несколько лет — опять же за свою прямоту. А отдел отличается не только монотонностью сибирской жизни, но и отдаленностью, поскольку расположен не в главном здании, а в анфиладе похожих на пещеры кабинетов на первом этаже груды камней под солидным фронтоном на Нортумберленд-авеню в северной части Уайтхолла.

И подобно многим странным архитектурным сооружениям, окружающим его, помещение отдела знавало поистине славные деньки. Его начали использовать во время Второй мировой войны, чтобы принимать чужаков, выслушивать их подозрения, унимать страхи или — если удавалось наткнуться на нечто важное — вводить в заблуждение или угрозами заставлять помалкивать.

Если вы считали, к примеру, что заметили, как ваш сосед поздно ночью сидел, склонившись над радиопередатчиком, или видели в его окне непонятные мигающие сигнальные огни, но были слишком застенчивы или недоверчивы для обращения в местный полицейский участок. Если таинственный иностранец приставал к вам с расспросами о вашей работе, а потом неожиданно вновь появлялся рядом с вами в пабе, куда вы часто заглядывали. Или ваш тайный любовник признавался вам (от отчаянного одиночества, бравады или желания показаться более интересной личностью), что является агентом германской секретной службы. Что ж, в таком случае после краткой переписки с мифическим помощником некоего заместителя министра с Уайтхолла, о котором никто никогда не слышал, вам, по всей вероятности, однажды вечером предлагали преодолеть страх перед бомбардировкой и сопровождали, уже напуганного, по кривым, уставленным вдоль стен мешками с песком коридорам. И вы оказывались в кабинете номер девятьсот девять, где майор Такой-то или капитан Какой-то Еще, оба фальшивые, как трехдолларовые банкноты, вежливо просили вас сделать заявление без всякого опасения быть наказанным за что-либо.

И время от времени, как свидетельствовала скрытая от всех история отдела и его архивные записи, всплывали действительно вещи весьма значительные, как всплывают до сих пор, хотя дела идут уже далеко не так активно, как прежде. Значительная часть работы отдела сводится теперь к таким банальностям, как мягкий отказ от нежелательных кандидатов в разведчики, разбор анонимок, подобных той, что была направлена против несчастного Фрюина, и даже помощь презираемой всеми контрразведке при проверке фактов и биографий подозреваемых. Словом, Сибирь в худшем виде, место, самое удаленное от реальной оперативной работы Русского дома, куда вы только могли попасть, чтобы не вылететь из Службы вообще.

Но в то же время, получив такое наказание, вы приобретали возможность научиться не только смирять свои амбиции. Плох тот офицер разведки, который потерял желание слушать. А Джордж Смайли, круглолицый, встревоженный рогоносец, непритязательный и неутомимый Джордж, вечно протиравший линзы очков галстуком, пыхтя и вздыхая из-за постоянно преследовавших его и вроде бы отвлекающих внимание проблем, был лучшим слушателем из всех нас.

Смайли умел слушать с полузакрытыми, сонными глазами. Он слушал чуть наклонившись, слушал в полной неподвижности, лишь чуть заметно понимающе улыбаясь. Он умел слушать, потому что за единственным исключением, которым была его жена Энн, он ничего не ожидал от других людей, никого не критиковал и прощал самые дурные поступки задолго до того, как вы в них признавались. И он слушал лучше любого микрофона, потому что его мозг мгновенно начинал активно работать, если звучало нечто действительно важное. Казалось, он умел даже предугадывать, чем завершится рассказ, пока собеседник только готовился приступить к признанию, еще сам не зная, куда заведут его собственные слова.

Так вышло, что именно Джорджу довелось выслушать мистера Артура Уилфреда Хоторна, проживавшего в Райслипе, в районе Ден, в доме двенадцать. И случилось это, можно сказать, за пол-жизни до того, как я оказался в том же кабинете номер девятьсот девять, сидя за столом и с любопытством перелистывая пожелтев-шие страницы досье, помеченного штампом «Подлежит уничто-жению», которое я ненароком обнаружил на полке в секретном хранилище отдела.

Честно говоря, я принялся за старое досье от нечего делать. По-жалуй, даже проявив легкомыслие, с каким начинаешь от скуки в клубе листать старый номер журнала «Татлер». Но внезапно понял, что лист за листом просматриваю записи, сделанные зна-комым, экономным почерком Смайли с его резко, по-немецки очерченными «т» и на греческий манер наклонными «е», подпи-санные ставшим легендарным символом. Когда его принуждали лично принимать участие в очередном представлении, а он стре-мился всячески скрыть свою роль в столь вульгарном занятии, то подписывался просто «ДО» — сокращенно «дежурный офицер». А поскольку всем была известна его ненависть к инициалам и к аб-бревиатурам, это только подчеркивало странность его склонной к одиночеству, чтобы не сказать отшельнической, натуры. Я не был бы столь взволнован, даже если бы обнаружил не открытую прежде рукопись Шекспира. Там было все: первое письмо Хо-торна, расшифровка допроса под магнитофонную запись, подпи-санная лично Смайли, и даже расписки Хоторна в получении им компенсации дорожных, карманных и прочих расходов.

Мою скуку как рукой сняло. Меня больше не повергала в де-прессию ссылка, как и тишина в огромном пустом доме, где я от-бывал свое заключение. Я ведь был теперь с Джорджем, дожида-ясь вместе с ним стука каблуков лояльного гражданина Артура Хоторна, когда его вели по коридору, чтобы он предстал перед Смайли.

«Уважаемый сэр!» — так начал он письмо, адресованное «Полномочному представителю Разведывательной службы Ми-нистерства обороны». И сразу же, поскольку мы британцы, на странице проступали приметы его принадлежности к определенному классу общества. Пусть это проявлялось в странной привязанности к впечатляющим на первый взгляд заглавным буквам, столь дорогим сердцу людей, не получивших должного образования. Я представил, сколько труда было вложено в сочинение послания, представил и словарь, наверняка лежавший под рукой у автора.

«Я обращаюсь к Вам, сэр, с просьбой устроить для меня Официальную Встречу с кем-либо из Ваших Штатных сотрудников относительно Персоны, выполнявшей Особые задания для Британской Разведки на самом Высоком уровне, чье имя так же важно для моей жены и для меня самого, как, вероятно, для Вас самих. А посему я не счел возможным упомянуть его в данном Письме».

И это все. Подписано: «Хоторн А.У., унтер-офицер второго ранга в отставке». То есть Артур Уилфред Хоторн, как установил Смайли, сверившись со списком избирателей его округа, после чего добавил результаты ознакомления с личным делом из архива Министерства обороны. Родился в 1915 году, тщательно записал Смайли на приложенном листке с биографической справкой о Хоторне. Призван на действительную военную службу в 1939 году. Служил в составе Восьмой армии от Египта до Италии. Бывший старший сержант Артур Уилфред Хоторн получил два ранения в боях, за что был отмечен медалью за отвагу и другими наградами. Демобилизовался без единого темного пятна в досье. «Наилучший представитель наилучших солдат в мире», — отмечал его командир в сплошь сверкавшей такими же гиперболами характеристике.

И я знал наверняка: Смайли — первостатейный профессионал — занял пост задолго до прибытия посетителя. Точно так же в прошлом месяце поступил и я, усевшись за тот же потертый желтый стол из сосны военных времен, опаленный до коричневого цвета вдоль внешней кромки (согласно легенде, стол был трофеем, добытым у гуннов), с тем же допотопным телефонным аппаратом, где на циферблате цифры еще соседствовали с буквами. За спиной у меня висела та же расцвеченная от руки фотография королевы, сидевшей в седле, когда ей исполнилось всего двадцать лет. Я так и вижу, как Джордж хмуро изучает показания своих часов, а потом с кислым видом оглядывает окружавший его беспорядок, поскольку с незапамятных дней шла нешуточная борьба за то, кто обязан проводить уборку помещения — мы или министерство.

Я вижу, как он достает из рукава носовой платок — старательным движением, потому что ни один самый простой жест не дается Джорджу без некоторого труда, — и протирает пыль с сиденья своего деревянного стула, а потом повторяет процедуру со стулом Хоторна по другую сторону стола. Затем, как несколько раз делал я, оказывает такую же услугу портрету королевы, поправляя рамку на стене и возвращая блеск глазам молодой идеалистки.

Мне представляется, что Джордж уже прикидывает, какие чувства может испытывать его будущий собеседник, как и положено хорошему офицеру разведки. В конце концов, бывший старший сержант, несомненно, любит порядок во всем, с чем сталкивается. Затем я вижу Хоторна, пунктуального до минуты, когда сотрудник охраны вводит его в кабинет. На нем лучший костюм, застегнутый наглухо, как солдатский мундир. Отполированные носы коричневых ботинок напоминают каштаны. Описание, данное Смайли на отдельном листке по итогам встречи, лаконично, но точно: рост пять футов и семь дюймов, коротко остриженные седые волосы, гладко выбрит, ухожен, выправка военная. Дополнительные отметки: легкая хромота на левую ногу, которую он пытается скрывать, армейского образца обувь.

— Хоторн, сэр, — выпалил он и стоял по стойке «смирно», пока Смайли не без труда удалось уговорить его сесть.

Смайли в те дни именовался майором Ноттингемом и располагал впечатляющим удостоверением с фотографией, чтобы это подтвердить. У меня в кармане, когда я читаю его отчет, лежит схожее удостоверение на имя полковника Неда Аскота. Не спрашивайте, почему именно Аскота. Могу лишь предполагать, что при выборе географического названия в качестве псевдонима я снова подсознательно копировал одну из привычек Смайли.

— Из какого вы полка, сэр, если мне будет дозволено поинтересоваться? — спросил Хоторн, расположившись на стуле.

— Боюсь, мы не приписаны ни к одной из боевых частей и числимся чиновниками министерства, — ответил Смайли единственно допустимым для нас образом.

Но, уверен, Смайли такой ответ дался с трудом, ведь и мне было тяжело добровольно исключать себя из числа настоящих офицеров.

В доказательство лояльности Хоторн принес с собой медали, завернутые в лоскут ткани для протирки оружия. Смайли терпеливо изучил каждую из них.

— Речь пойдет о нашем сыне, сэр, — начал старик. — Мне необходимо расспросить вас. Жена... Она больше ничего и слышать не желает. Считает всё его вздорными выдумками. Так и говорит. Но я заявил ей, что обязан обратиться к вам. Даже если вы откажетесь прояснить вопрос, сказал я, мне нельзя будет считать свой долг выполненным, пока я не сделаю обращения к вам по его поводу.

Смайли промолчал, но я не сомневаюсь, что даже в его молчании сквозила симпатия.

— Понимаете, майор, Кен — наш единственный сын, а потому желание родителей узнать правду вполне естественно, — продолжал Хоторн извиняющимся тоном.

И снова Смайли дал ему время собраться с мыслями. Я ведь не зря упомянул о его особой способности слушать. Смайли умудрялся получать ответы на вопросы, которых даже не задавал, просто спокойно выслушивая вас в своей обычной манере.

— Мы не просим раскрывать каких-либо секретов, майор. Не стремимся узнать то, чего нам знать не положено. Но здоровье миссис Хоторн сильно пошатнулось, сэр, и ей необходимо выяснить правду, пока жизнь не покинула ее. — Он сформулировал вопрос загодя и теперь прямо задал его: — Был ли наш мальчик или не был... Словом, вступил ли Кен на преступный путь, как нам представлялось, или только притворялся, выполняя задание в тылу врага? То есть в России?

И вот тут, можно сказать, я в кои-то веки оказался в более выгодном положении, чем Смайли, обладая большей информацией, хотя бы потому, что после пяти лет в Русском доме имел представление обо всех операциях, проводившихся нами в прошлом. Я почувствовал, как улыбка нарисовалась у меня на лице, а мой интерес к истории еще более возрос, если это было вообще возможно.

Но на лице Смайли наверняка не отобразилось ничего. Могу представить его черты, застывшие неподвижно, как у китайского мандарина. Возможно, он принялся вертеть в руках очки, которые, казалось, принадлежали человеку более крупному. Наконец он спросил Хоторна, причем совершенно серьезно, без намека на скептицизм, почему тот считает, что дело обстоит именно таким образом.

— Кен сам сказал мне об этом, вот почему, сэр.

Но от Смайли по-прежнему не последовало никакой реакции. Он лишь оставлял двери в фигуральном смысле широко открытыми.

— Понимаете, миссис Хоторн не посещала Кена в тюрьме. Только я. Каждый месяц. Он отбывал пять лет за нанесение тяжких телесных повреждений плюс еще три, поскольку считался рецидивистом. Но тогда он еще находился в тюрьме предварительного заключения. Мы сидели там в столовой, я и Кен. Сидели за одним столом. Вдруг Кен склоняет голову как можно ближе к моей и тихо говорит: «Не приезжай сюда больше, папа. Ты создаешь для меня сложности. Знай, что на самом деле я вовсе не сижу за решеткой. Я нахожусь в России. И им приходится всякий раз привозить меня обратно, чтобы показать тебе. Я работаю по ту сторону линии фронта. Только маме ничего не говори. Пиши — с этим нет проблем. Мне переправят письма. А я отвечу так же. Словно нахожусь здесь в заключении. Я притворяюсь заключенным, потому что нет надежнее прикрытия, чем тюрьма. А правда в том, что я служу нашей родине, как служил ей ты в рядах "крыс пустыни", позволив нашему поколению вообще появиться на свет». После этого я больше не обращался с просьбой о свиданиях с Кеном. Чувствовал необходимость подчиниться. Конечно, я писал ему. На адрес тюрьмы. Хоторну, номер такой-то. А месяца через три от него приходил ответ на тюремной бумаге, но каждый раз казалось, что ответы составлял кто-то другой. Иногда почерк был крупным и небрежным, словно он на что-то сердился, а порой — мелким и торопливым, как будто у него почти не оставалось времени на писанину. Пару раз в тексте даже попадались непонятные мне иностранные словечки. Хотя он их сразу вычеркивал. Ему вроде бы стало трудно даже писать на родном языке. Порой он вставлял для меня кое-какие намеки. Типа: «Здесь холодно, но я в безопасности». Или: «На прошлой неделе пришлось выполнить больше физических упражнений, чем полезно для здоровья». Я ничего не рассказывал его матери, раз уж он особо попросил об этом. А кроме того, она бы мне все равно не поверила. Когда я предложил ей прочитать его письма, она их отпихнула от себя — ей они причинили бы только лишнюю боль. Но когда Кен умер, мы оба пошли и увидели его тело, форменным образом изрезанное на куски в тюремном морге. Двадцать ножевых ранений, а виновных нет и в помине. Жена не плакала. Она вообще не плачет, но я видел, что по ней, так уж лучше бы искромсали ножом ее саму. И по пути домой в автобусе я не сдержался. «Наш Кен — герой», — сказал я ей. Мне хотелось расшевелить ее, потому что она словно одеревенела. Я взял ее за рукав и немного встряхнул, чтобы заставить слушать. «Он не был каким-то грязным зэком, — сказал я. — Только не наш Кен. Никогда не был. И убили его не другие заключенные. Его прикончили красные. Русские». И еще рассказал ей про запонки. «Кен все нафантазировал, — ответила она. — Он всегда был вруном. Не умел отличать правду от лжи, вот у него и возникли такие серьезные проблемы».

Следователи, ведущие допросы, как священники и врачи, имеют определенные преимущества, когда нужно скрыть свои истинные чувства. Они могут задать отвлекающий вопрос, что сделал бы я в такой ситуации. Но Смайли повел себя иначе.

— О каких запонках идет речь, старший сержант? — спросил он.

Я живо представляю, как при этом он прикрыл длинные веки, втянув голову в плечи, чтобы подготовиться выслушать продолжение истории.

— «Таким, как я, не вручают медалей, папа, — сказал мне Кен. — Медали небезопасны. О них публикуют уведомления в газетах. И тогда всем все станет известно. В противном случае меня бы наградили, как тебя. Или даже круче, если на то пошло. Крестом Виктории, например. Потому что нас действительно подвергают суровым испытаниям. Но если ты справился с заданием, то заслуживаешь наградные запонки, которые хранятся в особом сейфе. А потом раз в год устраивается большой ужин в некоем месте, расположение которого я не могу разглашать. Шампанское, дворецкие и все такое! Ты бы глазам не поверил. И все мы, парни, работающие в России, собираемся там. Надеваем смокинги и запонки. С виду похожие на простые, но особые. И для нас устраивают вечеринку с речами и рукопожатиями, как было, когда тебе вручали твои медали, но только в месте, о котором я не имею права распространяться. А когда все заканчивается, мы возвращаем запонки. Так положено в интересах безопасности. Поэтому, если я вдруг пропаду без вести или со мной случится что-то плохое, просто напиши в секретную службу и попроси у них русские запонки своего сына Кена. Там, конечно, могут заявить, что никогда обо мне не слышали. Могут спросить: какие еще запонки? Но они способны проявить сострадание к старику-отцу. И тебе их вручат.

Я знаю, такое бывало. Вот тогда ты будешь знать наверняка: все, что я вроде бы делал неверно, на самом деле было вернее некуда. Потому что я весь в отца. Плоть от плоти. А запонки докажут тебе это. Все. Больше я ничего не скажу. Уже и так рассказал больше, чем мог».

Смайли сначала попросил назвать полное имя сына. Потом дату рождения. Затем поинтересовался, какую школу он окончил, имел ли профессию. Получил наводившие грусть ответы. Я так и вижу, как он спокойно и деловито записывает: Кеннет Брэнам-Хоторн, сообщил ему старый солдат («Брэнам — девичья фамилия его матери, сэр. Он иногда пользовался ею, совершая свои так называемые преступления»). «Родился в Фолкстоне четырнадцатого июля сорок шестого года, сэр. Через двенадцать месяцев после моего возвращения с войны. Я не хотел заводить ребенка прежде, а жена очень стремилась к этому, сэр. Но я считал, что так будет неправильно. Мне нужно было растить сына в мирной обстановке, чтобы за ним могли присматривать оба родителя. И такой подход верен для любого ребенка, скажу я вам, майор. Даже для не совсем обычного, как наш».

Следующая проблема, вставшая перед Смайли, могла лишь на первый взгляд показаться легкой, при всем неправдоподобии истории Кеннета Хоторна. Ведь Смайли был не из тех, кто не оставлял ни шанса на обоснованные сомнения хорошему человеку. Как, впрочем, и плохому тоже. В Цирке тогда не существовало единой надежной базы данных, а та, что имелась, выглядела позорно и преднамеренно неполной, поскольку конкурировавшие между собой отделы ревностно оберегали свои источники информации, но при малейшей возможности охотно выкрадывали чужие данные.

Верно, рассказ старика был полным абсурдом. Для посвященных гротескно было бы даже представить ежегодную встречу для совместного ужина большой группы действующих тайных агентов, что стало бы грубейшим нарушением элементарного правила: «Только для тех, кому необходимо знать». Но помнил Смайли и о том, как часто еще более невероятные события происходили в совершенно неуправляемом мире. И он приложил огромные усилия, использовал все доступные ресурсы, чтобы удостовериться: Хоторн не значился ни в одной из наших книг. Ни как курьер, ни как посредник, ни как «охотник за скальпами», ни как сигнальщик. Словом, ни под одним из излюбленных кураторами затейливых наименований, которые они изобретали даже для самых незначительных своих подчиненных, чтобы поднять в глазах начальства и повысить их собственную роль.

А когда список временных и нерегулярно использовавшихся агентов был исчерпан, он вновь обратился к армейским разведывательным подразделениям, к службам безопасности и к королевским констеблям в Ольстере, то есть ко всем организациям, способным привлечь — пусть на гораздо более низком уровне, чем описывал сам парень, — склонного к насилию преступника, каким был Кен Хоторн.

Потому что по крайней мере одно выглядело очевидным: список преступлений, совершенных этим молодым человеком, являл собой настоящий кошмар. Трудно вообразить более мрачную хронику почти непрерывных и часто поистине зверских поступков. Смайли вновь и вновь пересматривал личное дело своего «героя» от детства к юности; учебу в школе для трудновоспитуемых подростков; тюремное заключение, и, казалось, не существовало ни одного правонарушения — от мелкого воровства до садистских избиений, — какого бы не совершил Кеннет Брэнам-Хоторн, родившийся в 1946 году в Фолкстоне.

И к концу недели напряженных трудов Смайли с неохотой вынужден был признаться себе в том, что в глубине души знал с самого начала. По непостижимой и печальной причине Кеннет Хоторн представлял собой тип неисправимого и окончательно сформировавшегося подонка. И смерть от рук других заключенных стала именно тем, чего он заслуживал. Его история жизни была написана и завершена, а все басни про геройскую службу в какой-то мифической британской разведывательной службе стали последней из настойчивых попыток примазаться к славе отца, если не украсть ее.

Наступила середина зимы. В самый паршивый серый вечер, когда с неба сыпал снег с дождем, старого солдата снова заставили приехать через весь Лондон в скудно обставленный кабинет для допросов в Уайтхолле. А Уайтхолл в те мрачные времена все еще оставался военной цитаделью, пусть пушки его гремели где-то очень далеко. Здесь царил военный аскетизм, бездушие и имперский дух. Голоса приглушались, на окнах продолжали держать средства затемнения. В коридорах изредка раздавались чьи-то торопливые шаги, сотрудники избегали встречаться друг с другом взглядами. А Смайли, напомню, тоже воевал, пусть и сидел тогда в глубоком немецком тылу. Мне до сих пор слышится потрескивание парафиновой печки, ровесницы лампы Аладдина, которой Цирк не без сопротивления разрешил дополнить чуть теплые радиаторы отопления в здании министерства. Этот звук напоминал работу на передатчике радиста с отмороженными руками.

Чтобы выслушать вердикт майора Ноттингема, Хоторн приехал не один. Старик солдат взял с собой жену, и я могу даже рассказать вам, как она выглядела, потому что Смайли описал ее в своем отчете, а мое воображение помогло дорисовать портрет.

Согнутая и измученная болезнью, она надела лучший воскресный наряд. Вместо броши приколола эмблему полка, в котором служил муж. Смайли предложил ей сесть, но она предпочла стоять, опершись на руку супруга. Смайли тоже стоял по другую сторону стола — того самого желтого стола с опаленной каймой, за которым я последние месяцы просидел в своей ссылке. Я вижу его замершим почти навытяжку, покатые плечи неестественно выпрямлены, пухлые пальцы полусогнуты у швов брюк в традиционной армейской манере.

Не обращая внимания на миссис Хоторн, он заговорил со старым солдатом как мужчина с мужчиной:

— Вы понимаете, старший сержант, что мне абсолютно нечего вам сказать?

— Да, сэр.

— Я никогда не слышал о вашем сыне, понимаете? Имя Кеннета Хоторна ничего не значит ни для меня, ни для хотя бы одного из моих коллег.

— Так точно, сэр. — Взгляд старика, как на параде, был устремлен куда-то чуть выше головы Смайли. Зато злобный взгляд его жены постоянно был устремлен на Смайли.

— Он никогда в жизни не работал ни на одно из британских государственных учреждений, как секретных, так и публично открытых. Всю жизнь он был самым обыкновенным преступником. И больше никем. Никем вообще.

— Да, сэр.

— И я вынужден решительно отрицать, что он когда-либо состоял на службе короне в роли тайного агента.

— Понимаю, сэр.

— Но кроме этого вы должны понимать и другое. Я не могу отвечать на ваши вопросы, вдаваться в объяснения, как и то, что вы никогда больше не увидитесь со мной и не будете допущены в это здание. Вам ясно?

— Так точно, сэр.

— Наконец, вам следует зарубить на носу, что вы не имеете права передавать содержание данного разговора ни одной живой душе, это тоже понятно? Как бы ни гордились вы своим сыном, нужно помнить: есть другие, еще оставшиеся в живых, кого необходимо обезопасить.

— Да, сэр. Я все понял, сэр.

Выдвинув ящик нашего с ним стола, Смайли достал маленькую красную коробочку с фирменным знаком «Картье» и передал старику.

— Вот это я случайно обнаружил в своем сейфе.

Старик сунул коробочку жене, даже не рассмотрев ее. На удивление сильными пальцами она открыла ее. Внутри лежала пара превосходных золотых запонок с изображением крошечных английских роз, неброско помещенных в уголках. Ручная работа гравера, чудо ювелирного искусства. Муж по-прежнему избегал разглядывать его. Вероятно, ему и не следовало этого делать. Вполне возможно, он сам себе не мог поверить. Закрыв коробочку, женщина щелкнула замком потертой сумочки и бросила в нее футляр. Затем снова щелкнула сумкой, закрыв ее так громко, словно опустила надгробную плиту над могилой сына. Я прослушал запись. Она, кстати, тоже уже была списана на уничтожение.

Старик больше ничего не сказал. Их обоих полностью поглотило чувство гордости, чтобы обращать внимание на Смайли, когда они выходили из кабинета.

А что же запонки? — спросите вы. Где их взял Смайли? Ответ на этот вопрос я получил не из пожелтевших страниц протоколов в кабинете номер девятьсот девять, а непосредственно от Энн Смайли, когда однажды вечером совершенно случайно мы оба гостили в великолепном замке в Корнуолле поблизости от Салташа. Энн прибыла туда в одиночестве с несколько пристыженным видом. Мейбл участвовала в турнире по гольфу. После связи Энн с Биллом Хэйдоном минуло немало времени, но для Смайли все еще оставалось невыносимым находиться где-либо в обществе супруги. После ужина гости разбились на отдельные группы, но

Энн держалась рядом со мной. Я предположил, что стал для нее временно заменой Джорджа. И спросил ее, движимый странным импульсом, не дарила ли она когда-нибудь Джорджу пару запонок. Энн всегда выглядела еще более красивой, чем обычно, оставаясь одна.

— Ах, вы о тех запонках! — сказала она, словно с трудом вспомнив, о чем речь. — Вы имеете в виду ту пару, которую он подарил какому-то старику?

Да. Энн преподнесла запонки Джорджу в подарок на их первую годовщину, объяснила она. Но после ее интрижки с Биллом он решил найти запонкам более подходящее применение.

Но все же почему Джордж принял такое решение? — размышлял я.

Поначалу ответ представлялся мне очевидным. Все-таки сказывалась свойственная Джорджу мягкотелость. Старый боец на фронтах «холодной войны» приоткрыл свое кровоточившее сердце.

Как делал это многократно, думал я.

Или для него подобный шаг стал актом мести Энн? Или шагом, направленным против другой своей безнадежной любви — против Цирка, и как раз в тот момент, когда Пятый этаж пытался избавиться от него?

Однако постепенно я склонился к иной версии, которой вполне могу поделиться с вами, поскольку одно мне совершенно ясно: сам Джордж никогда не расскажет правды.

Слушая старого солдата, Смайли уловил тот редкий момент, когда наша Служба могла принести вполне реальную пользу конкретным людям и дать возможность чете стариков пребывать в мире своих грез. И это был тот случай, когда Смайли мог рассмотреть итоги разведывательной операции и с абсолютной уверенностью утверждать, что она завершилась успешно.

Глава 11

— А бывают допросы, — сказал Смайли, не сводя глаз с пляшущих на дровах в камине языков пламени, — которые становятся вовсе не допросами, а своего рода общением страдающих душ, их единением.

Он, должно быть, ссылался в первую очередь на проводившиеся им беседы с виртуозом шпионажа из московского Центра, носившим кодовое имя «Карл», чей переход на нашу сторону сам Смайли и обеспечил. Но у меня сложилось впечатление, что речь шла о деле бедняги Фрюина, хотя, насколько мне было известно, он никогда даже не слышал о нем.

Письмо, разоблачавшее Фрюина как советского шпиона, легло на мой рабочий стол в понедельник вечером, отправленное в пятницу первым классом из района Лондона с почтовым кодом Ю31 (Юго-Запад-1), вскрытое референтурой в понедельник утром и помеченное помощником дежурного офицера «Для просмотра ГОДу». ГОД — под таким забавным сокращением значился глава отдела дознания, то есть я, и, по мнению многих, «Г» в аббревиатуре следовало заменить на «С» — ссыльному из отдела допросов. Уже пробило пять часов, когда зеленый фургон из головного офиса выгрузил скромную пачку корреспонденции у дома на Нортумберленд-авеню, а в отделе подобные поздние поступления привыкли откладывать для рассмотрения на следующее утро. Однако я стремился сломать традицию и, поскольку заняться мне было больше совершенно нечем, вскрыл конверт сразу же.

К письму оказались прикреплены две розовые клейкие бумажки с карандашным текстом. Записки из головного офиса неизменно носили характер инструкций, адресованных полному идиоту. На первой значилось: «ФРЮИН С., как предполагается, является ФРЮИНОМ Сирилом Артуром, клерком-шифровальщиком из Министерства иностранных дел». К чему присовокупили положительные результаты проверки Фрюина при приеме на службу и обозначенный белым номер личного дела — таким нелепым способом меня уведомляли об отсутствии каких-либо письменных материалов, компрометирующих его. На второй записке я прочитал: «МОДРЯН С., как предполагается, является МОДРЯНОМ Сергеем», после чего следовали дальнейшие ссылки, но меня они не интересовали. За пять лет, проведенных в Русском доме, Сергей Модрян стал для меня, как и для всех моих подчиненных, просто Сергеем: старина Сергей, хитроумный армянин, главный в безмерно раздутой московским Центром резидентуре при советском посольстве в Лондоне.

И если у меня еще оставалось смутное желание ознакомиться с письмом на следующее утро, упоминание о Сергее развеяло его окончательно. Письмо могло оказаться совершенно вздорным, но и играл я здесь на своем поле.

«В Министерство иностранных дел.
Директору департамента безопасности.
Даунинг-стрит, ЮЗ.

Уважаемый сэр!
Настоящим довожу до вашего сведения, что С. Фрюин, клерк-шифровальщик, имеющий постоянный доступ к материалам под грифами "Секретно" и "Совершенно секретно", на протяжении четырех последних лет поддерживал негласные контакты с С. Модряном, первым секретарем посольства СССР в Лондоне, о чем не упоминал в своих ежегодных проверочных анкетах. При этом им передавались секретные документы. Местонахождение мистера Модряна в настоящее время неизвестно в силу того факта, что его недавно отозвали в Советский Союз. Вышеупомянутый Фрюин по-прежнему проживает по адресу: Саттон, Бивор-стрит, усадьба "Каштаны", причем Модрян по меньшей мере однажды побывал там. С. Фрюин ведет сейчас крайне уединенный образ жизни.

Искренне ваш
А. Патриот»

Отпечатано на электрической пишущей машинке. Простой лист формата А4 без водяных знаков. С проставленной датой, излишне многословное, но грамотно составленное и аккуратно сложенное письмо. Нет только адреса отправителя. Так обычно и бывает.

Не имея никаких иных планов на вечер, я пропустил пару стаканчиков виски в пабе «Шерлок Холмс», а потом отправился в главный офис, где получил допуск в читальный зал референтуры и заказал несколько папок с досье. Назавтра в десять часов утра я занял место в приемной Берра, вынужденный сначала продиктовать по буквам свою фамилию его лощеному личному помощнику, который, казалось, никогда прежде обо мне не слышал. В очереди передо мной сидел Брок из нашей московской резидентуры. Мы с ним оживленно обсуждали новости крикета до того момента, когда его вызвали, умудрившись ни словом не обмолвиться о том, что он прежде работал у меня в Русском доме и принимал непосредственное участие в расследовании дела Блэйра. Пару минут спустя мимо попытался проскользнуть Питер Гиллам, державший кипу папок с таким видом, словно страдал мучительным похмельем. Его с недавних пор назначили главой секретариата Берра.

— Не будешь возражать, если опережу тебя в очереди, старина? За мной срочно послали. Чертов зануда, по-моему, хочет, чтобы я продолжал работать даже во сне. А какая у тебя проблема?

— Проказа, — ответил я.

Нет другого такого места, как наша Служба (исключая, вероятно, Москву), где тебя могли превратить в полное ничтожество за одну ночь. После переворота, последовавшего за предательством Барли Блэйра, даже предшественник Берра, ловкач Клайв, не сумел удержаться на скользкой палубе Пятого этажа. О нем мы слышали в последний раз, когда он уже отправился, чтобы занять полезный для здоровья пост резидента в Гайане. Только нашему трусливому и бесхребетному юридическому советнику Гарри Палфри удалось, как обычно, выйти сухим из воды, пережив перетряску кадров, и пока я входил в сверкающий начальственный офис Берра, Палфри тихо удалялся через другую дверь, но не слишком спешил, успев одарить меня многозначительной улыбкой. В последнее время для пущей солидности он отпустил усы.

— Нед! Поистине чудесно встретить тебя! Мы обязательно должны пообедать, как договорились, — выдохнул он восторженным шепотом и пропал в коридоре.

Как свидетельствовал его офис, Берр во всем держался самых современных тенденций. Откуда он взялся, оставалось для меня загадкой, потому что я уже не попадал в узкий круг посвященных. Кто-то сообщил мне, будто он прежде занимался рекламой, по другим сведениям, был выходцем из Сити, ходил еще и слух о его адвокатской карьере. А один остряк из числа обработчиков почты в отделе допросов высказал уверенность, что Берр ничем раньше не был занят вообще: он таким и родился, каким мы его увидели впервые, — пропитанным запахом власти и лосьона после бритья, в темно-синем дорогом костюме и в изготовленных на заказ черных ботинках с пряжками по бокам. Он отличался крупным телосложением, мягкой походкой и почти абсурдной молодостью. Пожимая его безвольную руку, вы тотчас же невольно ослабляли нажим, чтобы не оставить на ней вмятины. Перед ним на роскошном письменном столе лежало личное дело Фрюина с прикрепленным сверху меморандумом, который я написал поздно вечером накануне.

— Кто прислал письмо? — сухо спросил он с тягучим северным выговором, прежде чем я успел сесть.

— Не знаю. Но это весьма информированный человек. Тот, кто направил нам анонимку, хорошо выполнил свою домашнюю работу.

— Возможно, лучший друг самого Фрюина, — предположил Берр, словно считал, что лучшие друзья славятся подобными поступками.

— Он точно указал данные Модряна, знаком со служебным положением Фрюина и с формой его допуска, — заметил я. — Известна ему и общепринятая процедура проверки сотрудников.

— Но не шедевр, не произведение искусства, согласны? Автор не вхож в наши кабинеты. Скорее — коллега. Или даже его подружка. О чем вы хотели меня спросить?

Я оказался не готов к столь высокой скорострельности речи. После шести месяцев на «живодерне» у меня пропала привычка к спешке.

— Мне необходимо знать, хотите ли вы, чтобы я продолжил заниматься этим делом, — отреагировал я.

— А почему бы мне этого не хотеть?

— Обычно такие случаи выходят за пределы компетенции моего отдела. Фрюин действительно имел почти неограниченный доступ к секретным документам. Его группа отвечает за самый конфиденциальный обмен кодированными сигналами в Уайтхолле. И я подумал, что вы можете передать дело в службу внутренней безопасности.

— Зачем?

— Это их сфера интересов. Если здесь есть хотя бы зерно истины, то требуется прямое и масштабное расследование.

— Но это наша информация, обращение к нам, наше письмо, — возразил Берр с резкостью, которая согрела мою душу. — Пошлем их к дьяволу. Вот когда выясним, что конкретно попало нам руки, то и решим, куда обратиться. А эти церковные попрошайки, сидящие через парк от нас, только и думают, как состряпать дело для суда, а потом получать медали за особые заслуги. Я же занимаюсь сбором разведданных, имеющих рыночную ценность. Если Фрюин негодяй, мы, быть может, разрешим ему продолжать, но только уже нам на пользу. Через него и его друга Модряна есть шанс добраться до самой Москвы. Кто знает? Кто угодно, но только не клоуны из службы внутренней безопасности, это точно.

— Тогда вам должно представляться более предпочтительным передать дело Русскому дому, — продолжал упрямиться я.

— Для чего мне это?

Я заранее решил, что буду выглядеть в его глазах не особенно привлекательно, поскольку он еще не вышел из возраста, когда любую ошибку считают несмываемым до конца жизни пятном позора. Но он ошарашил меня, выясняя, почему не может положиться на такого человека, как я.

— Мой отдел не имеет полномочий на оперативную деятельность, — пояснил я. — Мы работаем как своего рода линия доверия, где выслушивают показания отчаявшихся и одиноких. По уставу нам не положено проводить расследования или обзаводиться собственной агентурой. Мы не располагаем разрешением следить за подозреваемыми с таким высоким уровнем доступа, какой имеет Фрюин.

— Но вы же можете прослушивать телефонные переговоры?

— Смогу, если вы добудете для меня ордер.

— Вы способны дать распоряжение группе наружного наблюдения, верно? Мне говорили, что вам уже случалось проделывать такое.

— Только по вашему личному приказу.

— Предположим, вы его получите, что потом?

— Ничего не смогу предпринять, пока приказ не будет оформлен в письменном виде.

— Еще как сможете. Вы ведь не простой чинуша. Вы — великий Нед. Вы нарушили столько же инструкций, сколько выполнили. Так и было. Я ознакомился с вашим послужным списком. Кроме того, вы знаете Модряна лично.

— Не слишком хорошо.

— Насколько хорошо?

— Однажды я с ним поужинал и один раз сыграл в сквош. Это едва ли можно назвать близким знакомством.

— Где вы играли в сквош?

— В Лэнсдауне.

— Как такое могло случиться?

— Модряна официально представили нам как работавшего в посольстве офицера безопасности, с которым мы имели возможность поддерживать контакты. Я пытался заключить с ним сделку по поводу Барли Блэйра. Обмен.

— Почему ничего не вышло?

— Барли больше не желал с нами сотрудничать. Он уже все для себя решил и заключил договор с Москвой. Ему нужна была только его девушка, а не мы.

— Как он играет?

— Ловко.

— Но вы его победили?

— Да.

Берр перебил поток вопросов, внимательно оглядев меня. Создавалось ощущение, что он осматривает меня, как врач новорожденного младенца.

— Но вы справитесь с этим делом, не так ли? Вы ведь не переживаете сейчас особого стресса? В свое время вы совершили немало полезного. И у вас есть сердце, чего я не могу сказать о многих разжиревших каплунах, работающих здесь.

— Почему я должен переживать стресс?

Никакого ответа. По крайней мере сразу. Казалось, он что-то пережевывает, скрыв жвачку за пухлыми губами.

— Да кто из нас теперь считает семейную жизнь особенно важной, в конце-то концов! — воскликнул он потом. Его провинциальный акцент стал еще заметнее. Казалось, он окончательно отбросил скрытность. — Если хотите жить со своей возлюбленной, так и живите — вот мой совет. Мы тщательно ее проверили. Никаких проблем с ней не возникнет. Она не террористка, не сочувствует втайне коммунистам, не наркоманка. Так чего вам беспокоиться? Это хорошая девушка, попавшаяся вам в самый подходящий период жизни. Вы настоящий счастливчик. Так хотите заняться этим делом или нет?

На какое-то мгновение у меня словно украли ответ. Ничего удивительного в том, что Берру известно о моей связи с Салли, не было. При нашей профессии ты сам сообщал о таких вещах, прежде чем о них информировал начальство кто-то другой, а потому я уже сделал предписанное правилами признание в отделе кадров. Нет, сейчас молчать меня заставила способность Берра к сближению, быстрота, с которой он ухитрился забраться мне в душу.

— Если вы прикроете меня и дадите необходимые ресурсы, разумеется, я за него возьмусь, — сказал я.

— Так возьмитесь. Держите меня в курсе, но без перебора. И не ходите вокруг да около, если что. Всегда сразу сообщайте мне плохие новости. Он ведь мужчина без особых примет, наш Сирил. Вы читали Роберта Музиля, надо полагать?

— Боюсь, не читал.

Берр как будто с трудом открыл обложку досье Фрюина. Я говорю «с трудом», поскольку складывалось впечатление, что его вялые руки вообще никогда ничего не делали. И он словно говорил: хорошо, а теперь разберемся, как открывается эта папка, затем возьмемся за странный предмет, именуемый карандашом.

— У него нет хобби, никаких известных нам интересов, кроме музыки. Нет ни жены, ни любовницы, ни родителей, ни материальных затруднений, ни даже извращенных сексуальных наклонностей. Бедняга. — Берр почти жаловался, прежде чем обратиться к другому разделу досье. Когда, черт возьми, он успел с ним ознакомиться? — задавался вопросом я. Вероятно, очень рано утром. — А каким образом человек с вашим опытом, чья работа состоит в том, чтобы быть в курсе всего на свете, может обходиться без мудрости Роберта Музиля, это то, о чем я еще непременно расспрошу вас в более спокойное время. — Он лизнул палец и перевернул страницу. — Он один из пяти.

— По-моему, он единственный ребенок в семье.

— Я говорю не о братьях или сестрах, чудак. О работе. В том жутком отделе пять офицеров-шифровальщиков, и он — один из них. Все они делают одно и то же, имеют одинаковые звания, трудятся в одни и те же часы, предаются одним и тем же грязным мыслишкам. — Он впервые посмотрел мне прямо в глаза. — Если он виновен, каковы его мотивы? Автор письма не упоминает об этом. Вот что занятно. Как правило, мотив указывают. Скука. Как вам для начала? Скука и алчность. Кажется, в наше время иных мотивов не осталось. Или желание с кем-то поквитаться. Это стремление вечно. — Он вновь сосредоточился на досье. — Причем Сирил — единственный из них, кто не женат, заметили? Он педик. Как и я. Да, я педик. И вы тоже. Мы все педики. Вопрос только в том, какая сторона вашей личности одерживает верх. Он совершенно лишен волосяного покрова, видели? — Я успел мельком взглянуть на фото Фрюина, когда он махнул им перед моим лицом и продолжил говорить. В нем вдруг проявилась даже несколько пугающая энергия. — Но разве это преступление? Лысина, как и холостяцкая жизнь? Мне ли не знать все о браке. Я был женат трижды и еще не покончил с этим. Все это отнюдь не предосудительно в обычных обстоятельствах. Автор письма хорошо знает, о чем нас уведомить. Вы ведь не считаете, что его мог написать сам Модрян, а?

— Зачем ему это могло понадобиться?

— Я лишь спрашиваю, Нед, и не надо умничать. Странные мысли — вот что помогает мне продвигаться вперед. Возможно, Модрян захотел все немного для нас запутать после отъезда в Москву. Он хитер в своих расчетах, как обезьяна, когда ему это требуется. Я и о нем много чего прочитал.

Когда? — снова задумался я. Откуда только, будь ты проклят, у тебя столько времени?

Затем еще минут двадцать он зигзагами двигался то туда, то обратно, проверяя на мне предполагаемые версии, наблюдая за моей реакцией. И когда я, утомленный до крайности, вышел в приемную, то снова столкнулся с Питером Гилламом.

— Кто такой, черт возьми, этот Леонард Берр? — спросил я его, все еще не до конца придя в себя.

Питер изумился, поняв, что я действительно ничего не знаю.

— Берр? Мой дорогой друг, Леонард долгие годы был кронпринцем для Смайли. Джордж в свое время спас его от участи, представлявшейся хуже смерти в День поминовения.

А что рассказать вам о Салли — моей возлюбленной? Она была свободна и потому особенно соблазняла глубоко засевшего во мне пленника. Моника делила со мной заключение, как бы сидя в одной камере. Ведь с Моникой у меня был служебный роман, а потому одни и те же условия и сближали, и отдаляли нас друг от друга. Но для Салли я оставался не очень молодым государственным служащим, забывшим, как радоваться жизни. Она была дизайнером, а одно время — танцовщицей. Страстной любительницей театра, которая считала все вне сферы ее интересов чем-то нереальным. Отличалась высоким ростом, светлым оттенком кожи и волос, как и умом, а потому порой напоминала мне Стефани.

— Желаете встретиться, шкипер? — орал в телефонную трубку Горст. — Нужна дополнительная информация о нашем Сириле? С превеликим удовольствием, сэр!

На следующий день мы встретились в комнате для совещаний Министерства иностранных дел. Я был капитаном Йорком, еще одним нагонявшим страх офицером службы проверки. Горст возглавлял шифровальный отдел, носивший неофициальное название «Танк», где трудился Фрюин. Горст же производил впечатление тайного развратника в костюме церковного сторожа; неторопливый, вечно ухмыляющийся человек с мощными локтями и крохотным, то и дело кривившимся ртом. Усевшись, он задрал полы пиджака так, словно стремился заголиться сзади. Затем высоко закинул полную ногу вверх, как девица из кордебалета, но лишь для того, чтобы выразительно опустить ее на бедро другой ноги.

— Святой Сирил, так мы величаем мистера Фрюина, — жизнерадостно объявил он. — Не пьет, не курит, не сквернословит и считается патентованным девственником. Вот вам и вся проверка. — Он достал сигарету из пачки, постучал кончиком по большому пальцу руки, а потом увлажнил непрестанно двигавшимися губами. — Его единственная слабость — музыка. Обожает оперу. Ходит в театр регулярно. Лично я никогда этого не любил. Не могу разобрать: то ли актер поет, то ли певец играет роль. — Он прикурил сигарету. Я улавливал исходивший от него запах выпитого за обедом пива. — И полные женщины не в моем вкусе, честно говоря. Особенно когда они еще и обращаются ко мне на повышенных тонах. — Откинув голову назад, он принялся пускать кольца табачного дыма, любуясь ими так, словно они стали эмблемой его власти.

— Могу я поинтересоваться, ладит ли Фрюин с коллегами? — спросил я, изображая истинного труженика и переворачивая страницу блокнота.

— С легкостью, ваша милость. Пр-р-ревосходно.

— А с архивистами, регистраторами, секретарями? Тоже никаких проблем?

— Нет. Ни на мизинец.

— Вы все сидите в одном помещении?

— Да, но в очень просторном, а я имею честь носить титул главы отдела. Очень высокий тит-ул*.

— До меня дошли слухи, что он — своего рода мизогинист**, — сказал я, вновь закидывая удочку.

Горст издал резкий смешок.

— Сирил? Мизогинист? Бросьте. Чушь. Он просто ненавидит девиц. Никогда не разговаривает с ними. Только «здрасте» и «до свидания». Под любым предлогом не приходит на рождественские вечеринки, лишь бы его не заставили целоваться с ними под оме-

---

* Т и т - у л — игра слов: персонаж пытается не слишком удачно шутить, используя просторечное английское tit в значении «женская грудь», «сиська».
** М и з о г и н и с т — женоненавистник.

лой, как велит традиция. — Он сменил положение ног, показывая, что решил сделать заявление. — Сирил Артур Фрюин, он же Святой Сирил, — в высшей степени надежный, неизменно добросовестный, совершенно лысый, невероятно занудный клерк старой закваски. Святой Сирил, хотя и педант до мозга костей, по моему мнению, уже достиг своей вершины как в профессиональном, так и в житейском смысле. Святой Сирил останется таким навсегда. Святой Сирил делает порученную ему работу на все сто процентов, но и только. Аминь.

— А что касается политики?

— Никакой политики в моем отделе, благодарю покорно.

— И он не ленив?

— Разве я не сказал только что обратное, сквайр?

— Верно, сказали. И я читал об этом в его личном деле. Если требуется выполнить дополнительную работу, Сирил всегда готов засучить рукава, пропустить обед, трудиться сверхурочно вечерами и все такое. И это по-прежнему так? Вы не заметили, чтобы у него поубавилось энтузиазма?

— Наш Сирил может работать в любое время, к огромной радости тех его коллег, кто обременен семьями. Кто стремится поскорее вернуться к жене или к другой важной в своей жизни привлекательной особе. Он же может начать с раннего утра, обойтись без ленча и вкалывать вечером. Если, конечно, этот вечер не спешит в оперу. Причем Сирил никогда не мелочится. В последнее время, надо признать, у него стало немного меньше желания приносить себя в жертву, но это, несомненно, лишь легкий сбой в работе четкого механизма. У нашего Сирила тоже бывает плохое настроение. А у кого нет? Верно, ваше превосходительство?

— Стало быть, с недавних пор он несколько расслабился. Я вас правильно понял?

— Но только не в работе. Такого просто быть не может. Сирил вкалывает, и так было всегда. Он просто не может отказать коллегам, которым более свойственны человеческие слабости. Но только теперь ровно в пять тридцать Святой Сирил тоже приводит в порядок свой стол и отправляется домой. И он уже, к примеру, не вызывается добровольно подменить вечернюю смену и торчать в одиночестве, в отрыве от внешнего мира до девяти, чтобы самому запереть отдел на замок, как поступал раньше.

— Вы не могли бы припомнить дату, когда у него изменились привычки? — спросил я с настолько скучающим видом, насколько мне удавалось притворство, снова открывая чистый лист в блокноте.

Удивительно, но Горст смог ответить на мой вопрос. Он поджал губы. Нахмурился. Вскинул почти девичьи брови, а подбородок прижал к не слишком свежему воротничку рубашки. Словом, показал процесс раздумий во всей красе. А потом вспомнил:

— В последний раз Сирил Фрюин подменил молодого Бертона вечером в День святого Иоанна, то есть в самый длинный день года. Понимаете, я ведь веду учет. Мера предосторожности. А кроме того, я обладаю превосходной памятью, пусть порой стараюсь не показывать этого.

Втайне я поразился, но не достоинствам Горста. Всего через три дня после того, как Модрян отбыл из Лондона в Москву, Сирил Фрюин перестал задерживаться на работе по вечерам — вот над чем я задумался. У меня еще оставались вопросы. Были в «Танке» электрические пишущие машинки? Имели ли к ним доступ шифровальщики? А сам Горст? Но я уже опасался вызвать с его стороны подозрения.

— Вы упомянули о его любви к опере, — сказал я. — Не могли бы подробнее рассказать об этом?

— Едва ли. Мне ничего больше не известно. Мы же не требуем от подчиненных подробных отчетов. Но в свои оперные дни он либо является на службу в отутюженном темном костюме, либо приносит его с собой в портпледе, и тогда в нем ощущается, я бы сказал, некое сдерживаемое возбуждение, какое бывает, когда что-то предвкушаешь. Только я никогда не обсуждаю с ним это.

— У него есть в театре постоянное место? Или он приобретает абонементы в ложу? Это просто для личного дела. Обычная деталь. Поскольку, как вы верно заметили, мы почти не располагаем сведениями о том, как он отдыхает, как проводит свободное время.

— Думаю, я уже дал вам понять, сквайр, что мы с оперой не созданы друг для друга. Запишите в деле просто, что он фанат оперы, и этим исчерпаете тему его свободного времени. Вот мой совет.

— Спасибо. Так и поступлю. — Я открыл новую страницу блокнота. — А были ли у него враги, о которых вам известно? — Мой карандаш завис над листком.

Горст стал заметно серьезнее. Пивные пары, видимо, слегка выветрились.

— Над Сирилом посмеиваются, признаюсь честно, капитан. Но он не принимает этого близко к сердцу. Потому нельзя сказать, чтобы кто-то его невзлюбил.

— Например, о нем никто не отзывается плохо?

— Не могу представить ни единой причины для плохого отзыва о Сириле Артуре Фрюине. Средний британский государственный служащий, как правило, человек замкнутый, но не злонамеренный. Сирил исполняет свой долг, как и все мы. У нас подобралась хорошая команда на борту. Не имел бы ничего против, если бы вы отметили и это в записях.

— Насколько мне известно, прошедшее Рождество он провел в Зальцбурге. Как и в предыдущие годы. Верно?

— Точно. Сирил всегда берет на Рождество отпуск. Едет в Зальцбург и слушает там музыку. И это, пожалуй, единственное время, когда он не пойдет на уступки никому в «Танке». Кое-кто из молодежи пытался жаловаться, но я запретил. «Сирил сторицей компенсирует вам свои отлучки другими способами, — сказал я им. — Сирил к тому же обладает некоторыми правами как опытный сотрудник. Если у него есть небольшая причуда и ему нравится ездить в Зальцбург ради музыки, так тому и быть».

— Уезжая, он оставляет адрес, по которому с ним можно связаться во время отпуска?

Этого Горст не знал, но по моей просьбе позвонил в отдел кадров министерства и все выяснил. Один и тот же отель четыре года подряд. И с Модряном он поддерживал связь тоже ровно четыре года, вспомнил я слова из письма. Четыре года в Зальцбурге, четыре года общения с Модряном при крайне уединенном образе жизни.

— У него есть лучший друг, если вы осведомлены об этом?

— У Сирила никогда в жизни не водилось друзей, шкипер, — ответил Горст с широким зевком. — По крайней мере никого, с кем он отправился бы в отпуск, это уж наверняка. Не лучше ли нам будет в следующий раз вместе пообедать? Говорят, у вас, парни, предусмотрены очень неплохие представительские расходы, чтобы иной раз себя побаловать.

— Он что-нибудь рассказывает о поездках в Зальцбург, когда возвращается? Весело ли ему было. Какую музыку слушал. Что-то в таком духе? — Благодаря влиянию Салли я, вероятно, имел теперь представление, как веселятся другие люди.

Снова ненадолго изобразив глубокую задумчивость, Горст помотал головой.

— Если Сирил и получал удовольствие, сквайр, то делал это в сугубо интимной атмосфере, — сказал он и в последний раз ухмыльнулся.

Такое веселье никак не соответствовало тому, что подразумевала моя Салли.

Из своего кабинета в отделе я заказал разговор по закрытой линии с Веной и побеседовал с Тоби Эстерхази, который, обладая редкостным талантом к выживанию, с недавних пор возглавил там нашу резидентуру.

— Мне нужно, чтобы ты перетряхнул для меня отель «Белая роза» в Зальцбурге, Тоби. Сирил Фрюин, подданный Великобритании. Останавливался там на каждое Рождество четыре последних года подряд. Мне нужно знать, когда он прибывал, долго ли жил, случалось ли ему оказываться в той же гостинице прежде, во что ему обходилось пребывание и чем он занимался. Заказы билетов на концерты, экскурсии, еду, женщин, мальчиков, праздничные мероприятия. Все, что удастся выяснить. Но работай осторожно, не привлекая внимания местных властей. Притворись частным детективом по делам о разводах или кем-то в том же роде.

Вполне предсказуемо Тоби пришел в негодование:

— Послушай меня, Нед. Это, вообще говоря, совершенно невозможно. Прежде всего, я ведь нахожусь в Вене, понимаешь? Зальцбург — это как другое полушарие. И у меня по горло работы. Вена жужжит, как улей. Мне нужны дополнительные сотрудники, Нед. Тебе необходимо информировать об этом Берра. До него, похоже, не доходит, под каким давлением мы здесь трудимся. Дайте мне еще двух ребят в помощь, и мы срочно сделаем все, о чем ни попросите. Без проблем. А пока — извини.

Он попросил на выполнение задания неделю. Я дал ему три дня. Он заявил, что приложит все усилия, и мне пришлось поверить. Он рассказал о слухах про наш с Мейбл разрыв. Я опроверг сплетню.

Сколько я их помню, сотрудники службы наружного наблюдения лучше всего себя чувствовали, засев в обреченных на снос домах, удобно расположенных на маршрутах автобусов и неподалеку от аэропортов. Вот и Монти для своей штаб-квартиры подобрал совершенно немыслимого вида палаццо в эдвардианском стиле, находившееся в районе Баронс-Корта. Из отделанного кафелем вестибюля грандиозная каменная лестница изгибом поднималась через пять убогих этажей к увенчанному витражом куполу, обильно пропускавшему солнечный свет. Пока я взбирался вверх, двери повсюду то и дело открывались и снова захлопывались, как во французском фарсе, и странная команда Монти, находившаяся в разной степени готовности к выходу в люди, металась между раздевалками, кафетерием и комнатой для инструктажа, старательно отводя глаза от незнакомца. Наконец я оказался в мансарде, служившей прежде студией живописца. Где-то дальше четыре женщины парами играли в пинг-понг. Чуть ближе, стоя под душем, двое мужчин распевали «Иерусалим» на слова Блейка.

Я давненько не встречался с Монти, но ни минувшие годы, ни повышение до главы отдела наружного наблюдения нисколько не состарили его. Прибавилось немного седины в волосах, чуть глубже запали щеки. Монти никогда не отличала склонность к разговорчивости, и потому какое-то время мы просто сидели вместе и попивали чай.

— Значит, хочешь услышать о Фрюине, — вымолвил он наконец.

— Да, о Фрюине, — подтвердил я.

Уподобляясь опытному снайперу, Монти умел перед выполнением поставленной задачи находить место, где мог спокойно сосредоточиться.

— Фрюин — непростая цель, Нед. Он не совсем нормален. Хотя, конечно, в наши дни мы сами не понимаем, что такое норма. По крайней мере, не совсем понимаем. А случай Сирила особенный. О нем только и известно, что слухи да пересуды, и все. Хотя уже опросили почтальона, разносчика молока, соседей. То есть все по старой схеме. Ты даже не представляешь, как охотно любой начинает трепать языком с мойщиком окон. Или с телевизионным техником, собравшимся подключить кабель к антенне, но перепутавшим дома. Хотя мы и занимались твоим Сирилом всего два дня.

С Монти, когда он пускался в подобные речи, следовало уметь слушать и не подгонять, терпеливо выжидая.

— И две ночи, конечно, — добавил он. — Ночи тоже идут в счет. Сирил почти не спит, это точно. Все время на ногах. Шатается по дому. Мы наблюдали через окно. Да и чашек из-под чая у него в раковине к утру скапливается большое количество. А еще музыка. Одна соседка собирается подать на него жалобу. Никогда и не думала жаловаться раньше, но сейчас, видимо, сделает это. «Не знаю, что на него нашло, — говорит, — но Гендель на завтрак это одно, а Гендель в три часа ночи — совсем другое». Она думает, у него наступил тот самый период. Считает, будто у мужчин он проявляется в том же возрасте, как и у женщин. Но нам с тобой об этом ничего не известно, верно?

Я усмехнулся, снова выигрывая время.

— Зато она хорошо все знает, — задумчиво сказал Монти. — Ее старик сбежал с приезжей учительницей из местной средней школы. И она не уверена, что он вернется. А сама чуть не изнасиловала нашего симпатичного паренька, когда тот заглянул к ней якобы для того, чтобы снять показания счетчика электроэнергии. Кстати, как там Мейбл? — неожиданно спросил он.

— Отлично, — ответил я.

— Сирил прежде обязательно прихватывал в поезд газету. «Дейли телеграф», упомяну на всякий случай. Сирилу не по душе лейбористы, понимаешь ли. Они для простонародья, вот его мнение. Но теперь он больше газету не покупает. Просто сидит. Сидит и смотрит перед собой. Больше ничего. Нашему сотруднику пришлось невзначай толкнуть его вчера, когда прибыли на вокзал Виктория. Он совершенно забылся, словно видел сон наяву. А по дороге домой вечером выстучал на портфеле целую оперу. Нэнси утверждает, что это был Вивальди. Наверное, она знает, о чем говорит. Помнишь Пола Скордено?

Помню, ответил я. Внезапные отклонения от темы стали частью натуры Монти. Как, например, внезапный вопрос о Мейбл.

— Наш Поли отбывает семь лет на Барбадосе, потому что побеспокоил какой-то банк. Что с ними происходит, Нед? Он ведь даже дисциплину не нарушал, пока служил в «наружке». Никогда не опаздывал, ни разу не завысил накладные расходы, прекрасная память, наметанный глаз, чуткий нюх. И ведь мы частенько изображали ограбления в свое время. В Лондоне, в ближних графствах, в Мидлендсе. Когда нужно было разобраться с борцами за гражданские права, сторонниками разоружения, коммунистами, подозрительными дипломатами — вламывались ко всем. И разве Пол хоть раз попался? Никогда. Но как только занялся этим делом самостоятельно, оставил повсюду свои пальчики от большого до мизинца, а потом еще похвастался в баре соседу. Такое впечатление, что они хотят, чтобы их поймали, вот как я считаю. Их, должно быть, одолевает жажда прославиться на весь свет после стольких лет полной безвестности.

Он отхлебнул чая.

— Помимо музыки, у Сирила есть еще одно увлечение. Радио. Он обожает свое радио. И это лишь приемник, заметь. По крайней мере, насколько нам известно. Но приемник у него что надо. Один из немецких дорогущих приборов с тонкой подстройкой и с огромными динамиками для прослушивания концертов. Причем купил он его не здесь. Когда радио сломалось, местная мастерская отправила его аж в Висбаден. Ремонт занял три месяца и стоил целое состояние. Автомобиля у него нет. И водить не умеет. По магазинам обычно ездит в субботу на автобусе. Типичный домосед, если не считать рождественских поездок в Австрию. Никаких домашних животных. Они бы ему только мешали. Развлечения? Не для него. Ни гостей, ни вечеринок. Почты не получает. Только счета, которые всегда оплачивает вовремя. Не голосует, не посещает церковь, не приобрел даже телевизора. Его уборщица говорит, он много читает. Все больше какие-то толстенные книги. Она приходит раз в неделю. Чаще всего когда его нет дома, и мы не решились подробнее расспросить ее. Толстенная книга для нее — это все, что толще бесплатного буклета с толкованием глав Библии. Телефонные счета у него всегда на скромные суммы. Вложил шесть тысяч в акции одного строительного общества и имеет счет в банке, с которым обращается осторожно. Там обычно лежит от шести сотен до полутора тысяч, исключая рождественский период, когда он снимает деньги на отпуск. Остается примерно сотни две.

Здесь Монти почувствовал, что нам снова необходимо уйти в сторону от главной темы, и мы завели речь о детях. Мой сын Адриан только что получил в Кембридже небольшую стипендию на изучение иностранных языков, рассказал я. На Монти это произвело огромное впечатление. Единственный сын Монти сам недавно сдал на отлично экзамен по юриспруденции. Мы сошлись во мнении, что только ради детей и стоит жить.

— Модрян, — напомнил я, когда с отвлекающей беседой было покончено. — Сергей Модрян.

— Этого джентльмена я помню очень хорошо, Нед. Как и все мы. Бывали времена, когда приходилось следить за ним круглосуточно. Но только не в рождественские каникулы. Он тогда отправлялся на праздники домой... Вот те на! Ты подумал о том же, о чем и я? Разве мы все уходим в отпуск на Рождество?

— Да, мне такая мысль тоже пришла в голову, — сказал я.

— А с Модряном мы даже перестали особо скрываться через какое-то время. Все равно без толку. О, он был скользким, как угорь! Порой просто хотелось подойти и набить ему морду, честное слово. Поли Скордено однажды так на него разозлился, что спустил ему шины на автомобиле у вокзала Виктория, пока он ходил проверять тайник. Я так и не доложил об этом начальству. Пожалел парня.

— Я не ошибусь, если предположу, что Модрян тоже относился к числу любителей оперы, Монти?

— О господи, Нед! — воскликнул он. — Конечно, ты прав! Еще как прав! У Сергея даже имелся абонемент в Ковент-Гарден. Разумеется, он обожал оперу, как и Сирил. Мы десятки раз следовали за ним туда и оттуда. Имей он хоть немного сострадания, вполне мог бы брать такси и ехать по выделенной полосе, но никогда ими не пользовался. Ему нравилось изматывать нас в общем транспортном потоке.

— Если бы мы узнали, какие спектакли он посещал и где сидел в зрительном зале, — вы же способны это установить? — то сопоставили бы его перемещения с действиями Фрюина.

Монти впал в театральное молчание. Он хмурился, потом начинал почесывать голову.

— А тебе не кажется, что все складывается для нас как-то слишком легко, Нед? — спросил он. — Я, например, начинаю испытывать подозрения, если каждая деталь так аккуратно вписывается в придуманную нами схему. А ты?

«Я не хочу стать для тебя частью твоей жизненной схемы, — заявила мне Салли накануне вечером. — Схему слишком просто сломать».

— Он поет, Нед, — пробормотала Мэри Лассаль, устанавливая принесенный мной букет белых тюльпанов в банку из-под маринованных овощей. — Он все время поет. Днем и ночью, ему не важно, в какое время. Думаю, он зарыл в землю свое истинное призвание.

Мэри была бледна, как ночная сиделка, и в такой же степени предана своему делу. Неземная добродетель сияла на ее не знавшем пудры лице и лучилась из ясных глаз. Седая прядь признаком раннего вдовства венчала короткую стрижку.

Ни одна из многих специальностей, которые обслуживают стоящий превыше всего мир разведки, не требует такого долготерпения, какое необходимо почти монашескому ордену женщин из службы прослушивания. Мужчины здесь непригодны. Только женщины способны с истинной страстью посвятить жизнь незримому участию в судьбах других людей. Приговоренные к заключению в подвалах без окон, окруженные пучками кабелей в серой изоляции и рядами магнитофонов, очень похожих на русские, они обитают в потустороннем мире, где звучат лишь призрачные голоса. Но они знают об их обладателях намного больше, чем о собственных родственниках и самых близких друзьях. При этом они никогда не видят свои цели, не встречаются, не спят с ними и даже не могут прикоснуться. И все равно вся сила их личной привязанности сфокусирована на этих объектах тайной любви. Через установленные микрофоны и по телефонным линиям они слышат, как эти люди увещевают друг друга, плачут, курят, едят, спорят и совокупляются. Слышат, как они готовят пищу, рыгают, храпят и беспокоятся. Они безмолвно, никому не жалуясь, терпят болтовню их детей и нянь, тестей и свекровей, вынужденно мирятся со вкусами при выборе телепередач. А в наши дни они даже сопровождают их в поездках на машинах, в походах по магазинам. Сидят с ними в кафе и в залах для игры в бинго. Они втайне разделяют с другими их жизни, являясь подлинными профессионалками в своем деле.

Передав мне пару запасных наушников, Мэри надела свои, а потом, сложив руки под подбородком, закрыла глаза для наилучшего восприятия. И я впервые услышал голос Сирила Фрюина, исполнявшего для самого себя арию из «Турандот», а Мэри Лассаль с закрытыми глазами улыбалась от удовольствия. Голос у него оказался густым и бархатистым, а для моего неискушенного уха представлялся столь же приятным, каким его явно воспринимала Мэри.

Но внезапно я резко выпрямился на стуле. Пение оборвалось. На заднем плане я расслышал сначала женский голос, а затем и мужской. Причем разговор велся по-русски.

— А это кто, черт возьми, такие, Мэри?

— Преподаватели, мой милый. Ольга и Борис с «Радио Москвы». Выходят в эфир пять раз в неделю ровно в шесть часов утра. Эта запись сделана вчера утром.

— Вы хотите сказать, что он самостоятельно изучает русский язык?

— По крайней мере, он слушает уроки, дорогой. А как много укладывается в его маленькой головке, можно только гадать. Каждое утро ровно в шесть Сирил поступает в распоряжение Ольги и Бориса. Сегодня они посещают Кремль. Вчера ходили за покупками в ГУМ.

Потом я слышал, как Фрюин бормочет нечто неразборчивое, принимая ванну, как зовет маму, ворочаясь во сне по ночам в постели. ФРЮИН Элла, вспомнил я. Ныне покойная. Мать ФРЮИНА Сирила Артура, см. выше. Я никак не мог понять, зачем референтура с таким упорством заводила персональные досье на уже умерших родственников людей, подозреваемых в шпионаже.

Я прослушал запись его ссоры с техническим отделом компании «Бритиш телеком», после того как его заставили ждать соединения с ними двадцать минут. Причем его голос стал резким и неожиданно очень напористым, подчеркивавшим вроде бы ключевые фразы.

— В таком случае в следующий раз, когда вы обнаружите сбой на моей телефонной линии, я буду весьма признателен, если вы сначала проинформируете об этом меня самого как абонента, который вам платит. Причем до того, как ваши мастера вломятся ко мне в дом, напугав домработницу, оставив обрывки проводов на ковре и следы ботинок на полу в кухне...

Я выслушал его телефонный разговор с оперным театром Ковент-Гарден, когда он сообщал, что в эту пятницу не сможет воспользоваться абонементом для покупки забронированного билета на спектакль. На сей раз в его тоне звучало лишь огорчение и сострадание к самому себе. Он объяснил, что заболел. Добрая леди на другом конце провода сочувственно заметила, как легко сейчас подхватить инфекцию.

Я подслушал его разговор с мясником перед нашей с ним личной встречей, которую отдел кадров Министерства иностранных дел назначил на следующее утро в его доме.

— Мистер Стил? Это мистер Сирил Фрюин. Здравствуйте. Я никак не смогу прийти к вам в субботу, поскольку в моем доме намечено проведение совещания. А потому я был бы благодарен, если бы вы оказали мне любезность и в пятницу вечером по пути домой доставили мне четыре хорошие бараньи отбивные на косточках. Вам это не причинит больших неудобств, мистер Стил? Кроме того, захватите баночку своего заранее приготовленного мятного соуса. Нет, смородиновая подливка у меня еще осталась, спасибо. И, разумеется, не забудьте приложить счет.

В моем обостренно чутком восприятии он разговаривал как человек, готовившийся бежать с корабля.

— Я бы прослушал разговор с техниками еще раз, Мэри, — сказал я.

И после того, как она дважды прокрутила для меня запись жесткой и педантичной жалобы Фрюина на «Бритиш телеком», я небрежно поцеловал ее в щеку и вышел на свежий воздух. «Приходи сегодня ко мне», — пригласила меня Салли, но у меня совершенно не было настроения провести вечер в изъявлениях любви к ней под звуки музыки, которую я уже тихо ненавидел.

Я вернулся к себе в отдел. Лаборатории нашей службы закончили изучение анонимного письма. Электрическая машинка фирмы «Маркус», модель такая-то, изготовлена, вероятно, в Бельгии. Новая или мало использовавшаяся. Это все, что они сумели заключить. Зато высказывали уверенность в своей способности идентифицировать любой другой документ, отпечатанный на той же машинке. Не мог бы я предоставить им таковой? Конец отчета. Стало ясно, что наши лаборанты еще только учились распознавать особые приметы нового поколения пишущих машинок.

Я позвонил Монти в его берлогу в Баронс-Корте. Жалоба Фрюина на телефонных техников все еще звучала у меня в голове: я отмечал сделанные им паузы, напоминавшие неуместные запятые, его способ употребления слова «весьма», его привычку делать ударение в странных местах, чтобы усилить мстительный эффект фраз.

— Твои сотрудники не заметили, случайно, в доме Сирила пишущей машинки, Монти, пока любезно ремонтировали его телефонную линию? — поинтересовался я.

— Нет. Пишущей машинки там не было. По крайней мере на виду, уточнил бы я на всякий случай.

— Они не могли проглядеть ее?

— Конечно, могли, Нед. Мы ведь провели операцию крайне осторожно. Не открывали ящиков или шкафов, не делали фотосъемки, как не особенно тревожили вопросами и его уборщицу, чтобы она потом не раскудахталась от испуга. Все проходило по правилу: «Заметь то, что попадется на глаза, выметайся побыстрее, не оставляй особых следов, иначе он почувствует запах жареного».

Я подумал, не позвонить ли Берру, но не стал. Верх одержало мое чувство собственника как офицера, ведущего расследование, и будь я проклят, но в мои планы не входило делить Фрюина с кем-либо, включая даже того, кто, собственно, и поручил мне его дело. Сотни запутанных нитей переплелись у меня в мозгу: Модрян, Горст, Борис и Ольга, Рождество в Зальцбурге, даже Салли. Под конец я решил написать Берру рапорт, достаточно подробно перечислив все, что обнаружил, и подтверждая готовность «провести первую разведку» в логове Фрюина завтра утром, когда явлюсь к нему под предлогом ежегодной проверки личных данных.

Что теперь? Поехать домой? Отправиться к Салли? «Домом» мне должна была сегодня послужить ненавистная квартирка в районе Сент-Джеймс, где, как предполагалось, мне давали возможность отдохнуть и привести мысли в порядок, хотя это последнее, чем может заниматься мужчина, сидя в одиночестве с бутылкой виски под репродукцией «Смеющегося кавалера», разрываясь между мечтой о свободе и непреодолимой привязанностью к тому, что его порабощало. Салли могла стать для меня жизненной альтернативой, мне сейчас не до прыжка через стену и кардинальной перемены в судьбе.

А потому я предпочел задержаться за рабочим столом, достал из сейфа виски и принялся вновь просматривать досье Модряна. В нем не обнаружилось ничего, не известного прежде, но мне хотелось мысленно выдвинуть его для себя на передний план. Сергей Модрян, прошедший огонь, воду и медные трубы профессионал из московского Центра. Обаятельный тип, умевший танцевать в такт, легко заводивший друзей, вечно улыбчивый армянин с отлично подвешенным языком. Мне он нравился. А я нравился ему. При нашей профессии, которая диктует четкие пределы допустимых симпатий, можно многое простить обладателю таких достоинств.

Зазвонил мой прямой городской телефон. На мгновение я подумал, что это Салли, поскольку вопреки инструкции дал ей номер. Но звонил Тоби, и в его голосе звучало довольство собой. Впрочем, когда оно не звучало? Фрюина он избегал называть по фамилии, как не упоминал и о Зальцбурге. Я догадался, что Тоби звонит из своей квартиры, причем инстинктивно понял: он лежит в постели, и не один.

— Нед! Твой приятель — большой шутник. Бронирует для себя одноместный номер на две недели, заселяется, оплачивает проживание вперед, вручает сотрудникам отеля рождественские сувениры, гладит по головкам детишек, старается угодить всем и каждому. А на следующее утро исчезает. И так все четыре года. Нед, ты меня слушаешь? Парень, кажется, не в своем уме. Никогда не звонит из номера. Успевает лишь один раз поесть и выпить пару стаканов яблочного сока. Потом без всяких объяснений заказывает такси на вокзал. «Сохраните комнату за мной, никому пока больше не сдавайте. Вероятно, я вернусь уже завтра, но возможно, мне потребуется несколько дней. Еще не знаю». Ровно через двенадцать дней появляется снова. Опять никаких объяснений. Щедро раздает чаевые, и все им довольны, как язычники своими божками. Там даже дали ему прозвище — Привидение. Нед, ты теперь просто обязан хорошо отозваться обо мне в разговоре с Берром. За тобой должок. Тоби трудится изо всех сил, не жалея себя, так ему и скажи. Старый и матерый волк, как ты, молодой босс, как Берр. Он прислушается к твоему мнению, и тебе это ничего не будет стоить. Мне здесь необходим еще сотрудник, а лучше двое. Внуши ему, Нед. Нед! Ты слышал мою просьбу? Ну, будь здоров!

Я уставился в стену. Ту самую, что пока не мог преодолеть. Потом посмотрел на досье Модряна, вспомнил сказанное Монти о слишком большой легкости. Внезапно меня охватило страстное желание быть с Салли и родилось смутное понимание, что, разгадав загадку Фрюина, я смогу превратить нынешний слабый порыв к свободе в гигантский прыжок. Но стоило протянуть руку к трубке, чтобы поговорить с ней, как телефон опять зазвонил.

— Все совпадает, — сказал Монти без особого возбуждения. Он успел проверить расписание посещений оперы Фрюином. — Сергей и Сирил всегда оказывались там одновременно. Когда идет один, отправляется и другой. Если один не является, не видно и второго. Быть может, поэтому он теперь вообще перестал посещать Ковент-Гарден. Понял?

— А места в зале? — спросил я.

— Рядышком, дорогуша. А чего ты ожидал? Один в первом ряду, другой — на галерке?

— Спасибо, Монти, — сказал я.

Нужно ли рассказывать, как я провел ту нескончаемую ночь? Вам никогда не случалось звонить собственному сыну, выслушивать его нытье и жалобы на жизнь, постоянно напоминая себе, что он все-таки ваш сын? Вы никогда не заводили откровенного разговора со все понимающей женой о недостатках своего характера, хотя нетвердо знали, в чем, черт побери, они заключаются? Ни разу не протягивали руки к своей подружке с восклицанием: «Я люблю тебя», но оставались потом лишь сбитым с толку зрителем, пока она бесстрастно получала удовольствие, чтобы потом покинуть ее и бродить по улицам Лондона, не узнавая их, словно заблудились в чужом городе? Никогда из всех остальных предрассветных звуков не выхватывали влажный клекот смеющейся над вами сороки и не слушали его бесконечно, лежа с открытыми глазами на отвратительной узкой кровати?

К дому Фрюина я прибыл в половине десятого, одевшись настолько невзрачно, насколько мог, а стало быть, выглядел по-настоящему серо, потому что не умею элегантно нарядиться, даже когда в настроении, хотя Салли высказывала самые необычные идеи, как поработать над моим стилем. Мы с Фрюином договорились на десять часов, но я решил, что нужно привнести в свой визит элемент неожиданности. Хотя истина, вероятно, заключалась в другом. Я к тому моменту уже до крайности нуждался в компании. Выше по улице был припаркован микроавтобус почтальона. Позади стоял грузовой фургон строительной фирмы с антенной, и я понял, что люди Монти уже на своих позициях.

Забыл, какой это был месяц, но помню, что осенний. Осень тогда наступила одновременно и в моей личной жизни, и на той прямой, ведшей в тупик улице с высокими кирпичными домами по обеим сторонам. Я все еще живо вижу почти белый диск солнца позади каштанов с подрезанными ветками, — тех самых деревьев, которые и дали наименование «усадьбе». До сих пор в ноздрях стоит запах костров и аромат осеннего воздуха, так и манивший меня бросить службу, покинуть Лондон, взять с собой Салли и перебраться в настоящую сельскую глушь, лучше которой нет ничего в мире. И помню шум, поднятый стайкой маленьких птах, когда они разом вспорхнули с телефонного провода Фрюина и отправились на поиски местечка поудобнее. А еще был кот в соседнем саду, вставший на задние лапы в тщетной попытке поймать порхавшую рядом бабочку.

Я открыл задвижку садовой калитки и захрустел по мелкому гравию дорожки к «Семи гномам», как именовался дом на две семьи с бутылочного цвета стеклами в окнах и с островерхой крышей крыльца. Протянул руку к звонку, но входная дверь внезапно резко распахнулась. Она была усилена поперечными перекладинами и украшена чисто декоративными головками крупных металлических болтов, ее словно распахнуло взрывной волной, почти втянув меня в темную, выложенную кафелем прихожую. Затем дверь замерла, и прямо за ней стоял Фрюин — лысый центурион, охранявший свое подвергшееся опасности жилище.

Он оказался почти на голову выше, чем я предполагал. Плотные плечи напряжены, чтобы отразить мое нападение, глаза смотрели в упор с испуганной враждебностью. Но даже в подобный момент первой встречи я ощутил в нем не силу противника, а лишь беззащитность, особенно трагичную, по контрасту с его крупным телосложением. Я вошел к нему в дом, зная, что попадаю в мир безумия. Знал об этом еще с ночи. В отчаянии мы непроизвольно уподобляемся умалишенным или становимся с ними родственными душами. Это мне стало известно гораздо раньше.

— Капитан Йорк? Что ж, хорошо. Добро пожаловать, сэр. Отдел кадров любезно предупредил меня о вашем посещении. Они не всегда это делают. Но на этот раз предупредили. Заходите, пожалуйста. Вы должны исполнять свой долг, капитан, как я исполняю свой.

Его длинные потные руки потянулись за моим плащом, но казались неспособными справиться с простым действием. И потому зависли у самого моего горла то ли в попытке удушить, то ли обнять, пока он продолжал говорить:

— Мы с вами на одной стороне, и мне не на что обижаться, уверяю вас. Лично мне ваша работа представляется схожей с трудом службы безопасности в аэропортах. Примерно те же принципы. Если не обыщут меня, то могут не обыскать и злоумышленника, верно? Вполне логичный подход к вопросу, как мне кажется.

Одному богу известно, с чем он собирался справиться, когда произносил подготовленные заранее фразы, но они, по крайней мере, вывели его из состояния паралича. Руки наконец ухватились за плащ и помогли снять его, а мне особо запомнилась почтительность его движений, словно он сдергивал покрывало с чего-то крайне интересного для нас обоих.

— Вы, должно быть, часто летаете самолетами, мистер Фрюин? — спросил я.

Он нашел для плаща вешалку, а потом прицепил ее к зловещего вида стойке, имитировавшей дерево. Я ждал ответа, но ничего не услышал. Я думал о его перелетах в Зальцбург, гадая, не о том ли задумался он сам и не шевельнулось ли в нем чувство вины от напряжения при моем прибытии. Он первым направился в гостиную, где я смог получше рассмотреть его, потому что он сразу занялся следующей положенной стадией гостеприимства: возился с кофеваркой, уже заполненной кофе, но пока не включенной. Желал ли капитан молока, сахара или того и другого? А какое молоко предпочитал капитан — теплое или холодное? И как насчет домашних бисквитов, капитан?

— Вы действительно сами испекли их? — спросил я, доставая один из банки.

— Любой идиот, умеющий читать, сможет их приготовить, — сказал Фрюин со странным оттенком превосходства в улыбке, и мне сразу стало понятно, за что его так невзлюбил Горст.

— Вот как? Но я, к примеру, умею читать, хотя совершенно не умею готовить, — отозвался я, горестно покачав головой.

— Как вас зовут, капитан?

— Нед, — ответил я.

— Это оттого, что вы, как я догадываюсь, женаты, Нед. Жена лишила вас умения обходиться своими силами. Мне часто приходилось с этим сталкиваться в жизни. Как только появляется жена, прощай независимость! А меня зовут Сирил.

И ты уклонился от ответа на мой вопрос по поводу воздушных путешествий, подумал я, отказываясь допускать его дальше на свою частную территорию.

— Если бы я правил этой страной, — говорил Фрюин через плечо, разливая по кружкам кофе, — для чего, как я с удовольствием отмечу, мне никогда не представится возможности, — его голос приобрел тот же дидактический барабанный тон, как при общении с телефонными техниками, — то ввел бы закон, обязательный для всех. Независимо от цвета кожи, пола или происхождения, мои подданные еще в школе начинали бы учиться готовить.

— Хорошая идея, — сказал я, берясь за свою кружку, — очень рациональная.

Затем я достал кусочек сахара из желтой керамической посудины, напоминавшей пчелиный улей, которую Сирил держал на мокрой ладони, подобно метательному снаряду. Он повернулся ко мне резко и быстро: голова, торс, плечи в одном движении. Его почти безбровые, ничем не прикрытые глаза смотрели на меня чуть сверху, излучая верность, преданность и полнейшую невинность.

— Играете в какие-нибудь игры, Нед? — спросил он тихо, склонив голову для большей доверительности.

— Немного балуюсь гольфом, Сирил, — солгал я. — А вы?

— А другие хобби, Нед?

— В отпуске мне порой нравится писать акварелью, — ответил я, снова одолжившись у Мейбл.

— И конечно, водите машину, верно, Нед? Люди вашего типа должны быть мастерами на все руки, правильно?

— У меня совсем старый «ровер».

— Какого года выпуска? Уж не настоящий ли антиквариат? Как говорится, даже на старой скрипке можно сыграть много разных мелодий.

Его энергия не только бурлила в нем самом, понял я, назвав ему первый пришедший в голову год. Она вливалась в каждый предмет, попадавшийся ему на глаза. В имитацию медных частей конской сбруи на стенах, блестевших после полировки, как кокарды на фуражках военных. В столь же тщательно обработанную каминную решетку, в деревянные полы, в безукоризненно чистую поверхность обеденного стола. Даже в то кресло, в котором я безропотно сидел, попивая кофе, с подлокотниками, прикрытыми льняными чехлами, до такой степени белыми и безупречно отглаженными, что становилось боязно положить на них руки. И я без его объяснений сообразил, что не домработница, а он сам заботился о таких вещах, становясь одновременно и слугой и диктатором в этом мирке безграничной, но впустую потраченной энергии.

— А где вы живете, Нед?

— Я? О, в основном в Лондоне.

— В какой его части, Нед? В каком районе? Наверняка в очень приличном, или вам приходится проявлять скрытность в интересах дела?

— Да, боюсь, нам не разрешено разглашать такую информацию.

— И родились тоже в Лондоне? Я — в Гастингсе.

— Скорее в пригороде, знаете ли. Вроде Пиннера.

— Вам следует и дальше проявлять сдержанность, Нед. Всегда. В сдержанности заключается чувство собственного достоинства. Никому не позволяйте лишать вас его. Профессиональная целостность — вот что означает сдержанность в вашем случае. Помните об этом. Это может оказаться очень полезно.

— Спасибо, — сказал я, выдавив фальшивый смех.

Он буквально впитывал меня взглядом, напоминая мою собаку Лиззи, когда она смотрит, ожидая команды, — не моргая, всем телом готовая двигаться.

— Не пора ли нам начать? — спросил он. — Хотите очертить определенные рамки? Поговорить по душам? Тогда, как только я стану чересчур официальным, перейду черту дозволенного, непременно скажите: «Сирил. Включился красный свет». И все — этого будет достаточно.

Я снова рассмеялся, покачав головой и желая показать, насколько он все усложняет.

— Это просто рутина, Сирил, — сказал я. — Бог мой, после стольких лет вы должны уже знать все вопросы наизусть. Не будете возражать, если я закурю?

После чего я старательно раскурил трубку, а спичку бросил в пепельницу, которую он тут же сунул мне под нос. Затем я еще раз осмотрел гостиную. Вдоль стен висели самодельные полки, заполненные книгами о том, как все делать своими руками. Многие названия звучали как нечто поистине глобально важное: «Сто величайших людей мира», «Все сокровища мировой литературы», «Эпохальные шедевры музыки всех времен» в трех томах. Рядом выстроились граммофонные пластинки в коробках. Только классика. А в углу стоял проигрыватель — великолепный, отделанный тиком, с таким количеством кнопок управления, что простак вроде меня ни за что не разобрался бы в их назначении.

— Подумайте, Нед, если вы увлекаетесь акварелью, то почему бы не заняться и музыкой? — спросил он, проследив за моим взглядом. — Нет ничего более успокоительного в мире, чем хорошая музыка в точном исполнении, если сделать верный выбор. Я мог бы вам с этим помочь, если пожелаете.

Я некоторое время попыхивал трубкой. Трубка — отличное средство сбить темп, когда вас кто-то начинает торопить.

— Вообще-то мне медведь наступил на ухо, Сирил. Несколько раз пробовал музицировать, но... Даже не знаю. Я быстро теряю терпение, разочаровываюсь...

Мое откровенно еретическое, по его мнению, высказывание (почерпнутое из бесконечных споров с Салли, если уж начистоту) Сирил просто не мог вынести. Он вскочил. Его лицо превратилось в маску ужаса и тревоги, когда он схватил банку с бисквитами и протянул мне, словно только дополнительная пища могла спасти меня.

— Но это же в корне неверно, Нед, если вы позволите мне такое выражение! Не бывает людей, совершенно лишенных музыкального слуха! Возьмите еще два бисквита. В кухне их полно.

— Я предпочту докурить трубку, если не возражаете.

— Медведь, наступивший кому-то на ухо, это лишь образное выражение. Скажу больше, оно только предлог, призванный скрыть, замаскировать от окружающих ваше чисто временное, внушенное самому себе психологическое отторжение, позволяющее вашему сознанию не давать вам доступа в определенные сферы деятельности! Вас сдерживает исключительно страх перед неизвестностью. Позвольте привести в качестве примера одних моих знакомых...

Он продолжал изливаться, а я не мешал ему, когда он то и дело вытягивал в мою сторону указательный палец, а другой рукой прижимал к сердцу банку. Я слушал его, наблюдал за ним, в нужные моменты выражал восхищение и согласие. Затем выудил из кармана блокнот и снял стягивавшее его резиновое кольцо, обозначая готовность начать беседу, но он ни на что не обращал внимания. Я представил, как Мэри Лассаль сидит в подвале и мечтательно улыбается, слушая лекцию в исполнении своего любимчика. А потом как ребята и девушки Монти в закамуфлированном грузовике клянут Сирила на чем свет стоит, зевают от скуки и ждут перемены в теме разговора. И, насколько я знал, Берр тоже попал в число заложников, вынужденных слушать бесконечный рассказ Фрюина о супружеской паре, жившей по соседству с ним в Сурбитоне, которую он с превеликим трудом приобщил к своим музыкальным пристрастиям.

— Вот и отлично. Значит, я смогу доложить руководству в ОП штаб-квартиры, что музыка по-прежнему остается вашей самой большой любовью, — предложил я с улыбкой, когда он закончил.

ОП, чтобы вам стало яснее, обозначает отдел проверки. Роль простой рабочей лошадки службы внутренней безопасности, доставшаяся мне в тот день, требовала возможности ссылаться на значительно более важных персон, нежели я сам. Затем, раскрыв на колене блокнот, я разгладил страницы и серым казенным карандашом вывел фамилию ФРЮИН на левом листке.

— Ах, если уж вы завели речь о любви, Нед, то можете сказать, что музыка была моей самой большой любовью. Да, именно так. Потому что музыка, если цитировать великого барда, есть пища любви. Однако я бы отметил, насколько все зависит от смысла, который вы вкладываете в слово «любовь», от вашего определения ее сущности. Что такое любовь? Вот в чем должен состоять ваш реальный вопрос, Нед. Дайте определение любви.

Совпадения, ниспосланные нам Богом, порой невыносимо вульгарны.

— Думаю, мое определение прозвучит слишком широко и нечетко, — сказал я, а мой карандаш замер. — Как определяете ее вы сами?

Он помотал головой и принялся энергично помешивать кофе, вцепившись в крошечную ложечку всеми пухлыми пальцами.

— Это будет внесено в отчет? — спросил он.

— Вероятно. Но не сдерживайте себя.

— Преданность. Вот мое определение любви. Слишком многие говорят о любви, словно она — некое подобие нирваны. Но они ошибаются. И так уж случилось, что я это понял. Любовь неотделима от жизни, но не выше ее. Любовь — составляющая часть жизни, и то, что вы от нее получаете, зависит от того, какими путями и как много вы прилагаете усилий, насколько верны ей. Господь преподал нам наглядный урок, хотя я, строго говоря, не сторонник веры. Я — рационалист. Любовь — это всегда жертва, любовь — тяжелый труд. А кроме того, любовь — это пот и слезы, в точности как великая музыка, чтобы быть подлинно великой. Но в качестве символа да, Нед. Я соглашусь с вами, что музыка — моя первая любовь, если вы внимательно следили за ходом моих рассуждений.

Я следил за его рассуждениями более чем внимательно. Я ведь устраивал такие же беседы с Салли, но все мои доводы отметались в сторону. Поэтому я понимал и то, что при нынешнем его настроении не могло быть места небрежно заданным вопросам, не говоря уж о небрежных ответах.

— Мне кажется, не стоит этого записывать, — сказал я. — Полагаю, лучше будет воспринимать ваши слова как то, что мы именуем скрытым внутренним фоном.

Чтобы наглядно продемонстрировать свои намерения, я лишь занес карандашом в блокнот пару слов. Но они стали не только памяткой для меня, но и сигналом для него, что теперь мы все-таки переходим к письменным показаниям.

— Хорошо. Давайте сначала проделаем основную работу, — сказал я. — Чтобы в ОП меня опять не обвинили в хождении вокруг да около. Итак. Стали ли вы, Сирил, членом коммунистической партии с тех пор, как в последний раз беседовали с нашим представителем, или удержались от подобного шага?

— Я этого не сделал.

— Не вступили или не удержались?

Он ухмыльнулся намного шире:

— Первое. Вы мне нравитесь, Нед. Умею ценить людей с чувством юмора. И неизменно ценил. Вот чего так не хватает на моем нынешнем месте работы. По части юмора я склонен считать «Танк» выжженной пустыней.

— Не присоединились ни к каким обществам дружбы или борцам за мир? — продолжал я, не опасаясь его разочаровать. — К организациям «попутчиков»? Не стали завсегдатаем какого-либо клуба гомосексуалистов или других, находящихся вне пределов общепринятых норм объединений? У вас не сформировалось в последнее время тайного пристрастия к юным мальчикам из церковных хоров, не достигшим совершеннолетия, я имею в виду?

— Одно «нет» на все вопросы сразу, — ответил Фрюин, теперь уже улыбаясь во весь рот.

— Не наделали долгов, принуждающих вас жить, превышая размер доходов? Не взялись содержать, к примеру, рыжеволосую красавицу, обеспечивая ей образ жизни, к какому она прежде не привыкла? Не приобрели «феррари», пусть даже в рассрочку?

— Мои потребности остаются такими же скромными, какими были всегда. По натуре я не материалист и не предаюсь излишествам, как вы могли уже заметить сами. Если быть до конца откровенным, то я питаю к материализму глубокое отвращение. Уж слишком много развелось в наши дни любителей материальных ценностей. Чересчур много.

— И на остальные вопросы ответ тоже отрицательный?

— Да, на все.

Теперь я писал почти безотрывно, делая вид, что ставлю пометки в воображаемом списке.

— Что ж, значит, вы не станете продавать секретную информацию за деньги, — бросил я ремарку, переворачивая страницу и проставляя еще пару галочек. — И вы не занялись изучением иностранного языка, не получив сначала письменного разрешения руководства своего отдела? — Мой карандаш снова ненадолго завис в воздухе. — Санскрита? Иврита? Урду? Сербохорватского? — перечислял я. — Русского?

Он вдруг замер в совершенной неподвижности, пристально глядя на меня, но я не подавал вида, что заметил это.

— Готтентотского? — продолжал я спокойно. — Эстонского?

— С каких пор это попало в список? — спросил Фрюин агрессивным тоном.

— Готтентотский язык?

Мне пришлось немного подождать.

— Вопрос о языках вообще. Знание иностранного языка не может считаться недостатком. Это достоинство, профессиональный плюс. Личное достижение для любого сотрудника! Разве так уж необходимо рассказывать обо всех своих достоинствах, чтобы пройти рядовую проверку?

Я откинул голову назад, имитируя раздумье.

— Приложение к процедуре проверки от пятого ноября тысяча девятьсот шестьдесят седьмого года, — произнес я затем, якобы вспомнив документ. — Мне трудно забыть эту дату. День, когда устраивают салют. Тогда был разослан специальный циркуляр во все отделы, включая и ваш, с распоряжением непременно получать письменное разрешение начальства перед тем, как поступать на курсы иностранных языков. Рекомендовано комитетом по юридическим вопросам, утверждено кабинетом министров.

Он повернулся ко мне спиной.

— Я считаю этот вопрос совершенно не относящимся к области юриспруденции, а потому категорически отказываюсь отвечать на него. Так и запишите.

Я выпустил облачко трубочного дыма.

— Я же просил, чтобы вы это записали!

— Не советую так поступать, Сирил. На вашем месте я бы не стал. Вами будут недовольны.

— Ну и пусть.

Я сделал очередную затяжку.

— Хорошо. В таком случае задам вам вопрос так, как сформулировали его для меня в штаб-квартире, идет? «Что за абсурдную игру затеял Сирил со своими приятелями Борисом и Ольгой? — так они выразились. — Спросите у него об этом, и посмотрим, как он выкрутится».

Все еще не поворачиваясь ко мне лицом, он принялся хмуро осматривать комнату, словно призывая окружавший его отполированный до блеска мирок в свидетели моей невероятной тупости, безмерного невежества. Я ждал, что далее последует взрыв эмоций.

Но он лишь посмотрел на меня с обидой и упреком. Мы же друзья, говорил его взгляд, а ты, оказывается, способен на подобное обращение со мной. И, как часто бывает в минуты стресса, когда мозг может одновременно вызвать в памяти множество образов, я вдруг увидел перед собой не Фрюина, а машинистку, которую когда-то допрашивал в нашем посольстве в Анкаре. Вспомнил момент, когда она внезапно закатала рукав свитера, вытянув руку, и показала мне свежие ожоги от сигарет на коже, которые нанесла себе сама в ночь накануне допроса. «Вам не кажется, что вы уже заставили меня достаточно сильно страдать?» — спросила она. Но только страдать ее заставил вовсе не я, а двадцатипятилетний польский дипломат, которому она выдала все известные ей секреты.

Я вынул трубку изо рта и ободряюще рассмеялся:

— Бросьте, Сирил! Разве Борис и Ольга не два персонажа курса русского языка, изучением которого вы занялись втайне от всех? Они вместе делают уборку в квартире, ездят погостить на дачу к тете Тане, все в таком духе. Вы слушаете стандартные уроки русского языка по «Радио Москвы». Пять дней в неделю в шесть часов утра ровно, так меня информировали. «Спросите, почему он учит русский язык втихаря». Вот я вас и спрашиваю. Только и всего.

— Им и не положено было знать, что я слушаю этот курс, — пробормотал он, все еще обдумывая возможный скрытый смысл вопроса. — Чертовы ищейки! Это мое личное дело. Лично мной избранное и приватно осуществленное. А они могут катиться к дьяволу. Да и вы тоже.

Я рассмеялся, хотя меня откровенно выгоняли.

— А вот это уже лишнее, Сирил. Правила вам известны не хуже, чем мне. И совсем не в вашем стиле игнорировать распоряжения и инструкции. Как и не в моем. Русский язык — это русский язык, и доложить куда следует необходимо. Осталось выполнить формальности в письменном виде. Это правило не мной придумано. Мне отдают приказы, как и всем нам.

Я снова был вынужден разговаривать с его спиной. Он нашел для себя укрытие в глубине эркера, глядя на прямоугольник земли в саду.

— Как их зовут? — спросил он жестко.

— Ольга и Борис, — терпеливо повторил я.

Это наконец вывело его из себя.

— Я спрашиваю о людях, отдающих вам приказы, идиот! Я собираюсь подать на них жалобу! Следят за своими, вот чем они занимаются. Будь я проклят, если такие грубые приемы еще допустимы в наши дни! Откровенно говоря, я и вас виню в том же. Так как их зовут?

Я не отвечал. Для меня было даже предпочтительнее, чтобы гнев постепенно накапливался в нем.

— Во-первых... — заявил он более громко, все еще рассматривая грязевую поляну, заменявшую ему сад. — Вы записываете? Во-первых, я не беру уроки языка в смысле, предусмотренном вашими правилами. Брать уроки — это ходить в школу или на занятия и сидеть там рядом с хнычущими машинистками, у которых дурно пахнет изо рта, подчиняться неотесанному преподавателю, склонному к грубым шуткам. Второе. Я тем не менее действительно слушаю радио, поскольку для меня одну из радостей жизни составляет ловить различные волны в поисках чего-то необычного и не всем известного. Запишите это, и я поставлю подпись. Закончили? Отлично. А теперь извольте оставить меня. Я уже сыт вами по горло, покорнейше благодарю. Ничего личного. Основная причина в них.

— Стало быть, именно таким образом вы случайно натолкнулись на передачу с Ольгой и Борисом, — услужливо подсказал я, продолжая писать. — Теперь понятно. Вы крутили ручку настройки и вдруг услышали их, Бориса и Ольгу. В этом действительно нет нарушения инструкций, Сирил. Продолжайте дальше, и вам, вероятно, даже станут начислять надбавку за знание иностранного языка, если сдадите экзамен. Это несколько лишних монет, но уж лучше пусть они лягут в наши карманы, чем останутся у них, как я всегда говорю. — Я все еще писал, но теперь медленнее, чтобы он слышал неприятное шуршание грифеля казенного карандаша. — Их всегда больше всего волнует, если им о чем-то не докладывают, — доверительно сообщил я ему, извиняясь за чудачества своих начальников. — «Если он не известил нас о Борисе с Ольгой, то что еще может скрывать?» Наверное, этих людей даже трудно винить. Их рабочие места тоже ненадежны, как и наши с вами.

Переверни еще страницу. Послюни кончик карандаша. Сделай новую запись. Я начал ощущать легкое возбуждение, знакомое охотникам. Любовь — это преданность, сказал он, любовь — часть жизни, усилие, жертва. Да, но любовь к кому? Я подвел карандашом жирную черту и перевернул страницу.

— Не могли бы мы теперь перейти к вашим контактам за «железным занавесом», Сирил? — спросил я как можно более усталым тоном. — Начальство такие вещи очень волнуют. Вот я и должен поинтересоваться, не появилось ли новых имен, чтобы добавить к списку, который вы составили в прошлые годы. Последним был... — Я вернулся к самому началу блокнота. — Боже, да прошла целая эра с тех пор. Последним стал джентльмен из Восточной Германии, член местного хорового общества, куда вы тоже вступили. Был ли с тех пор хоть кто-то еще, о ком вы могли бы упомянуть? Признаюсь, Сирил, теперь за вами будут следить особенно пристально, раз вы скрыли изучение языка.

Его разочарование во мне снова стало постепенно перерастать в озлобленность. Он опять принялся выделять голосом самые неуместные слова. Но теперь словно старался ударениями отхлестать меня.

— Вы найдете все мои контакты за «железным занавесом», как прошлые, так и нынешние, — любые — исправно занесенными в список, переданный затем руководству в соответствии с правилами. Если только вы потрудились получить эти данные в отделе кадров Министерства иностранных дел до того, как явились на беседу со мной. В противном случае не понимаю, зачем ко мне присылают такого профана...

Я решил оборвать его. Не стоило давать ему возможность низвести меня до уровня полного ничтожества. Незначительности, да. Но не ничтожества, потому что я все же являлся слугой действительно серьезных людей. Из недр блокнота я извлек отдельный листок.

— Полюбуйтесь, я прихватил с собой список. Вот они все. Ваши знакомые за «железным занавесом» на одной страничке. Их за долгое время и набралось-то всего пятеро. Почти за двадцать лет. И каждый, насколько я вижу, проверен в штаб-квартире. Так и должно быть, если, конечно, вы своевременно сообщаете о них. — Я вложил листок в блокнот. — Так не следует ли туда кого-нибудь добавить? Кого именно? Подумайте над ответом, Сирил. Не спешите. Наши люди знают поразительно много. Порой даже меня это шокирует. Поэтому не торопитесь. У вас есть время подумать.

И он воспользовался моим советом. Он подумал. Затем продолжил размышления. Наконец встал в позу жалости к самому себе.

— Я ведь не дипломат, Нед, — пожаловался он тихо. — Я не кручусь по вечерам на веселых приемах в Белгравии, Кенсингтоне, Сент-Джонс-Вудсе, где все в медалях и белых галстуках. Не отираюсь в обществе великих, верно? Я — простой клерк. И вовсе не того типа человек.

— О каком типе вы говорите, Сирил?

— О совершенно другом. Я из тех, кому нравится приятное общение. Мне скорее по душе друзья.

— Мне это известно, Сирил. Как и руководству.

Он снова нашел прибежище в гневе, чтобы спрятать поднимавшуюся в нем волну паники. Язык его жестов звучал поистине оглушительно, когда он сцепил крупные пальцы и приподнял локти.

— В этом списке нет никого, с кем бы мои пути пересекались после доклада начальству о первом контакте. Все имена в списке — это лишь люди, с которыми я однажды совершенно случайно знакомился, и такие встречи не имели в дальнейшем никакого продолжения или последствий.

— А как насчет новых встреч с тех пор? — терпеливо спросил я. — Вам не удастся отмахнуться от них, Сирил. Мне, например, не удается, так почему должно получиться у вас?

— Если бы был хоть кто-то, чтобы добавить в список, если бы я получил от кого-то обыкновенную открытку на Рождество, можете не сомневаться — я бы сразу же сообщил о нем. Все. На этом конец. Точка. Сделано. Переходите к следующему вопросу, пожалуйста.

Дипломат, записал я. О нем, отметил я. На Рождество. Зальцбург. Я выглядел теперь гораздо более старательным, пусть внешне во мне больше ничего не изменилось.

— Это не совсем тот ответ, какой им нужен, Сирил, — заметил я, делая записи в блокноте. — Простите за откровенность, но ваши слова очень напоминают увертки. Вы уклончивы, словно хотите соломки постелить. Им же требуется «да» или «нет», а «если да, то кто». Они хотят прямых ответов, и уловки их не удовлетворят. «Он темнил с занятиями языком, так, быть может, он темнит и по поводу связей за "железным занавесом"?» Вот как они мыслят, Сирил. Именно это скажут и мне. В результате я окажусь козлом отпущения и придется повторить процедуру, — предупредил я, все еще не переставая писать.

Я снова почувствовал, как ход моих размышлений превращается для него в мучительную пытку. Он принялся расхаживать по комнате, пощелкивая пальцами. Бормотал, угрожающе выставлял вперед нижнюю челюсть, рычал что-то по поводу новых имен. Однако я был слишком поглощен своим блокнотом, чтобы замечать такие мелочи. Я был стариной Недом. Мистером Плодом* для Берра, исполняющим долг перед руководством.

— В таком случае каково будет ваше мнение вот об этом, Сирил? — заговорил наконец я. Затем по блокноту вслух прочитал ему написанное только что: — «Я, Сирил Фрюин, торжественно клянусь, что не приобрел никаких знакомств, пусть даже мимолетных, с любыми гражданами СССР или прочих стран Восточного блока, исключая тех, о которых заявил в последние двенадцать месяцев для внесения в список». Сегодняшняя дата и ваша подпись, Сирил.

Затем я снова раскурил трубку, добившись хорошей тяги. Использованную спичку вложил обратно в коробок, а коробок спрятал в карман. Мой голос, а говорил я очень медленно, теперь стал совсем протяжным.

— В противном случае, Сирил, и я прошу воспринимать мои слова как совет, если в вашей жизни появился некто подобный, вам сейчас предоставляется шанс заявить об этом. И им тоже. Я же сохраню все сказанное вами в секрете, как и они, но в зависимости от того, что я им доложу. А мой доклад не всегда бывает полным, далеко не всегда, спешу вас заверить. В конце концов, никто не свят, а наше руководство может не одобрить даже знакомство со святым.

Преднамеренно или нет, но я задел его за живое. Он только и ждал предлога, а сейчас я дал ему такой предлог.

— Святой? Кто здесь заговорил о святых? Терпеть этого не могу! Мое прозвище — Святой Сирил. Вы знали? Конечно, знали и решили поддразнить меня!

Напряженный и грубый, атакующий меня словесно, прижатый к канатам Фрюин отбивался от всего, что ему угрожало.

— Если бы даже такой человек появился — хотя никого нет и в помине, — я бы не рассказал о нем вам или другим ищейкам из ОП. Я бы составил письменный рапорт, как предписывает инструкция, подав его в отдел кадров министер...

Я вторично позволил себе перебить его. Мне не хотелось, чтобы он начал диктовать ритм нашей беседы.

— Но ведь никого нет, верно? — спросил я с таким напором, какой только дозволяла моя внешне пассивная роль. — Никого не

---

* Мистер Плод — образец добросовестного полицейского, персонаж английского мультипликационного сериала для детей.

было, так? Вы не принимали участия ни в каких мероприятиях —
приемах, слетах, конференциях, — официальных или неофициальных, ни в Лондоне, ни за его пределами, ни даже за рубежом,
где мог чисто случайно оказаться гражданин страны, находящейся
за «железным занавесом»?

— Сколько еще раз мне нужно это отрицать?

— Нисколько, если ответ действительно отрицательный, —
отозвался я с улыбочкой, которая не могла ему понравиться.

— Мой ответ: нет. Нет, нет и нет. Повторить? Или вы все усвоили?

— Спасибо. Значит, я могу сделать пометку: никаких новых
контактов, правильно? А это включает действительно всех. В особенности русских. И вы поставите свою подпись?

— Да.

— Что будет означать «нет»? — уточнил я, сделав робкую попытку пошутить. — Простите, Сирил, но нам с вами необходимо
внести в вопрос полную ясность, иначе руководство обрушится на
нас всей своей тяжестью с большой высоты. Взгляните еще раз.
Я все написал за вас. Осталось лишь расписаться.

Я дал ему карандаш, и он расписался. Мне нужно было, чтобы
это стало для него привычным. Он вернул мне блокнот с траги-
ческой улыбкой. Он мне солгал и теперь нуждался в оправдании.
И я даровал ему его, хотя, боюсь, только затем, чтобы очень скоро
снова отнять. Сунув блокнот во внутренний карман пиджака,
я встал и широко потянулся, словно объявляя перерыв в беседе
и чувствуя, что самый сложный момент мы миновали. Потом
немного помассировал поясницу — вечный источник болей для
людей моего возраста.

— А что вы там копаете у себя на заднем дворе, Сирил? — спросил я. — Неужто решили соорудить бомбоубежище? Едва ли в этом
есть необходимость в наши дни, как я полагаю.

Глядя ему за спину, я заметил груду новеньких кирпичей, сва-
ленных в углу земляного прямоугольника и лишь слегка прикры-
тых сверху брезентом. Явно незаконченная траншея глубиной
около двух футов тянулась в ту сторону поперек двора.

— Я рою пруд, — ответил Фрюин, с благодарностью хватаясь за
предложенную мной новую тему. — Мне, видите ли, всегда нравилось жить у воды.

— Пруд с золотыми рыбками, Сирил?

— Пруд как украшение. — К нему разом вернулось хорошее настроение.

Он расслабился, заулыбался, и в его улыбке было столько безыскусной теплоты, что я невольно тоже улыбнулся.

— Расскажу вам о своем плане, Нед, — продолжал он, вставая совсем близко ко мне. — Я хочу устроить бассейн в трех уровнях, начиная примерно с четырех футов от поверхности земли, чтобы потом уступами по восемнадцать дюймов дойти до дна той траншеи. Затем каждый уровень я подсвечу снизу. С помощью электрического насоса буду постоянно закачивать воду. И тогда по вечерам уже не стану задергивать шторы, а получу возможность любоваться своим личным каскадом подсвеченных потоков, почти водопадов!

— И слушать музыку! — воскликнул я, как будто в полной мере разделял его энтузиазм. — Идея мне кажется превосходной, Сирил. Гениальной. Вы меня действительно сумели поразить. Правда. Мне бы хотелось, чтобы жена увидела нечто подобное. Кстати, как там поживает Зальцбург?

Он в буквальном смысле пошатнулся, подумал я, заметив, как его голова качнулась в сторону от меня. Я нанес удар, и он пошатнулся, а мне пришлось ждать, чтобы он оправился.

— Мне рассказывали, вы ездите в Зальцбург слушать музыку. Это настоящая мекка для музыкантов, судя по описанию. Зальцбург. Там дают оперные спектакли в Рождество или вы отправляетесь туда ради хоралов и гимнов?

Должно быть, перекрыли движение вдоль улицы, подумал я, вслушиваясь в невероятную тишину. И гадал, не о том ли задумался и Фрюин, продолжая смотреть на задний двор.

— Вам-то какая разница? — отозвался он. — Вы полный невежда в музыке. Сами сказали. Хотя при этом очень ловкая ищейка.

— Верди. Я знаю о Верди. И еще о Моцарте. Он же был из Австрии, не так ли? Я смотрел кино о нем. Держу пари, там на Рождество исполняют для вас Моцарта. Это обязательно. А кто еще в репертуаре?

Снова тишина. Я уселся и приготовился делать новые записи под его диктовку.

— Вы ездите туда один? — спросил я.

— Разумеется, один.

— Всегда?

— Конечно, всегда.

— И в последний раз тоже?

— Да!

— И живете там тоже один? — задал я следующий вопрос.

Он громко рассмеялся:

— Я? Живу один? Не остаюсь в одиночестве ни на минуту. Только не я. Когда я приезжаю, в комнате меня уже ждут танцующие девушки. Их меняют каждый день.

— Слушать музыку из вечера в вечер — вот что вам нравится, верно?

— Кто может знать, что мне нравится на самом деле?

— Четырнадцать вечеров подряд. Нет, наверное, двенадцать, если вычесть время, потраченное на дорогу.

— Быть может, двенадцать. Быть может, четырнадцать. Быть может, тринадцать. Какая разница? — Он еще ощущал последствия контузии и говорил так, словно находился где-то далеко от меня.

— Но именно за этим вы туда ездите. В Зальцбург. И за это платите. Да? Верно, Сирил? Подайте мне какой-нибудь знак, Сирил. У меня возникает ощущение, что я вас потерял. Именно с такой целью вы отправились туда в прошлое Рождество?

Он кивнул.

— Концерты каждый вечер? Оперы? Хоровое пение? — не отступал я.

— Да.

— Понимаете, проблема лишь в том, что, как утверждают руководители, вы провели там всего один вечер. Вы прибыли в первый день, поселились, а на следующее утро вас уже не было. Хотя вы полностью оплатили проживание за две недели, в отеле вас больше не видели, начиная со второго дня и до самого возвращения под конец отпуска. А потому с полным на то основанием руководство задает вопрос, куда, черт побери, вы скрылись. — Здесь я совершил свой пока самый смелый ход. — И с кем. Не завелся ли у вас кто-то на стороне? Как Борис и Ольга. Но во плоти.

Я перевернул пару страниц блокнота, и в полнейшей тишине их хруст уподобился грохоту падающих друг на друга кирпичей. Его страх передался и мне. Мы словно оказались с ним вдвоем перед лицом общего зла. Конечно, истина воспринималась нами по-разному, но представлялась одинаково ужасной, как человеку, пытавшемуся захлопнуть перед ней дверь, так и мне, старавшемуся впустить ее внутрь.

— Все, что нам сейчас нужно, это изложить суть на бумаге, Сирил, — сказал я. — Потом сможем забыть об этом. Нет ничего лучше, чем записать нечто, чтобы избавиться от него, как я всегда считал. Иметь друга не преступление, если только о нем написано все, что положено. Насколько я понимаю, он иностранец? Но я замечаю в вас признаки замешательства. Друг, вероятно, особенный человек, раз уж вы готовы забыть ради него любимую музыку.

— Его больше нет. Он перестал для меня существовать. Он уехал. Я стал для него только помехой.

— Но ведь он уехал не в Рождество, правда? Потому что тогда вы были вместе. Он австриец, Сирил?

Фрюин словно умер, хотя глаза оставались открытыми. Я нанес ему одним ударом больше, чем представлялось необходимым.

— Хорошо, тогда, предположим, он француз, — сказал я нарочито громко, стремясь вывести его из транса. — Так он французик, Сирил, ваш дружок? Это не вызовет особого неодобрения, хотя никто у нас французов не любит. Отвечайте же, Сирил. Может, речь идет о янки? Против янки они вообще возражать не станут! — Молчание. — Надеюсь, не ирландец? Ради вашего же блага надеюсь!

Мне даже пришлось рассмеяться, потому что никак не удавалось развеять его меланхолию. По-прежнему стоя у окна, он согнул большой палец и принялся тереть лоб, словно хотел проделать в нем дырку. Потом что-то прошептал.

— Я вас не расслышал, Сирил!

— Он выше этого.

— Выше национальности?

— И ее тоже.

— Вы хотите сказать, он дипломат?

— Он не приезжал ко мне в Зальцбург. Вы вообще умеете слушать, будьте вы трижды неладны? — Фрюин повернулся ко мне и заорал: — Вы весь какой-то дерганый и непоследовательный, не замечали за собой? Плевать на ответы! Но вы даже вопроса поставить правильно не в состоянии! Неудивительно, что в стране такой бардак! Куда девалась ваша смекалка? Покажите хотя бы немного понимания человеческой натуры для разнообразия.

Я снова поднялся. Очень медленно. Пусть наблюдает за мной. А я еще раз разомну спину. Потом я прошелся по комнате. При этом я покачивал головой, давая понять, что словами мне всего не выразить.

— Я лишь пытаюсь помочь вам, Сирил. Если бы вы отправились в Зальцбург и оставались там, это был бы один сценарий. Если же вы оттуда уехали куда-то еще — то совсем другой. Если ваш приятель итальянец, к примеру, и вы, притворившись, что находитесь в Зальцбурге, на самом деле оказались... Даже не знаю... В Риме, Милане или, скажем, в Венеции. Тогда вот вам третий вариант. Но только я не могу все сделать за вас. Это, во-первых, несправедливо, а во-вторых, босс будет мной крайне недоволен.

У него округлились глаза. Он перенес собственное безумие на меня, присвоив роль нормального человека себе. Я вновь набил трубку, уделив ей все свое внимание, но продолжая говорить:

— Вам очень трудно угодить, Сирил. — Я утрамбовал табак кончиком указательного пальца. — Если хотите знать, вы предельно капризны. «Не трогайте меня тут, уберите свою руку отсюда, можете сделать вот это, но только один раз». Так о чем вы разрешите мне вас спрашивать?

Я чиркнул спичкой и поднес ее к трубке, но успел заметить, как он прикрыл рукой глаза явно для того, чтобы мысленно на мгновение удалиться из комнаты. Я притворился, что ничего не видел.

— Ладно, забудем о Зальцбурге. Если Зальцбург для вас больная тема, оставим разговор о нем и вернемся к вашим контактам за «железным занавесом». Это вас устраивает? Согласны?

Его руки уже соскользнули с лица. Он ничего не сказал, но и прямого отказа не выразил. Я продолжил фразу. Ему откровенно хотелось, чтобы я не умолкал. Явственно ощущалось, как он воспринимает мои слова в виде надежного моста между реальным миром и тем внутренним адом, куда он сейчас попал. Для него было бы лучше всего, если бы я поддержал диалог за нас обоих. Я ощущал, что он вынуждает меня продолжить вместо него, а потому решил разыграть самую рискованную карту.

— Тогда давайте прекратим препирательства, Сирил, а потом просто добавим в список имя Сергея Модряна и на этом закруглимся, — предложил я небрежным тоном, делая все, чтобы моя реплика не прозвучала угрожающе. — Просто чтобы обезопасить себя, — добавил я бодро. — Что вы об этом думаете?

Его голова оставалась низко опущенной, и я не мог разглядеть выражения его лица. Все тем же жизнерадостным тоном я объяснил ему детали своего весьма полезного для него обращения к начальству.

— «Хорошо, — заявим мы им, — подавитесь своим треклятым мистером Модряном, но только больше нас не трогайте. Мы выходим из игры с чистой совестью. Получайте его и расходитесь по домам. А у Неда и Сирила другой работы выше крыши».

Он покачивался и улыбался, словно висельник. В глубочайшей тишине, воцарившейся повсюду, у меня возникла иллюзия, что мои слова эхом резонируют в крышах соседних домов. Но Фрюин, казалось, едва ли их расслышал.

— Им только-то и надо, чтобы вы признали свою связь с Модряном, Сирил, — продолжал втолковывать я. — Мне прямо сказали об этом. Если возьмете на себя Модряна, а я запишу ваши показания, чем как раз и занят, и вы мне разрешите закончить дело — а насколько я вижу, вы не собираетесь меня останавливать, — то никто не посмеет обвинить ни меня, ни вас в неискренности или в обмане. «Да, я приятель Сергея Модряна, но скрывал это от вас и крупно подвел всех», как вам такое начало? «Я бывал с ним вместе повсюду, куда отправлялся он, мы делали то, мы делали это, договорились сделать еще многое другое, и мы хорошо проводили время или же не очень. Но, если разобраться, зачем нам огласка, если мне по-прежнему запрещено вступать в контакты с таким в высшей степени цивилизованным русским?» Как вам такой текст? Не обращайте внимания на временны́е пробелы. Мы заполним и конкретизируем их позже. А затем, как мне видится ситуация, им останется убрать ваше личное дело с глаз долой еще на год, а мы сможем спокойно провести уикенд.

— Почему?

Я предпочел притвориться, что не понял вопроса.

— Почему мое досье уберут в архив? — спросил он, демонстрируя, что его подозрения только усилились. — Они все те же — не опустят рук и не скажут: «Действительно, зачем нам разбираться в этом?» Такого никогда не случалось. Пока они были тем, кто они есть. И ничуть не изменились. Это не какие-то другие люди. Такое превращение попросту невозможно.

— Прекратите, Сирил! — Он погрузился в свои мысли, и достучаться до него снова стало трудно. — Сирил!

— Что потом? Что случится? И не надо кричать.

— Почему в наши дни надо считать русских врагами? Руководство обеспокоилось бы значительно больше, окажись Сергей французом! Хотя я упомянул француза, лишь проверяя вас, о чем теперь сожалею. Извините. Но русские сегодня... Бога ради, мы с ними не просто дружественные нации, а уже заговорили о партнерстве! Вы же знаете наше начальство. Оно вечно отстает от веяний времени. Как тот же Горст. И наша задача — утвердить новую тенденцию. Вы слушаете меня, Сирил?

И именно в этот момент я подумал, что потерпел поражение в игре — лишился взаимодействия, его зависимости от меня, стремления доверять мне, к чему он вроде так стремился. Он прошел мимо меня, как лунатик. Снова встал у окна в эркере, откуда смотрел на место для водоема, размышляя о прочих пока не сбывшихся мечтах, которые, как он теперь осознавал, уже никогда не сбудутся.

А затем, к моему огромному облегчению, он начал говорить. Но не о том, что сделал. Не о том, с кем это делал. Он объяснял причины.

— Вы ведь наверняка даже не представляете, каково это быть целыми днями запертым в группе дебилов?

Я сначала решил, что таким он видит будущее, пока до меня не дошло: речь о «Танке».

— Бесконечно слушать их грязные шутки, задыхаться от дыма вонючих чинариков, от запаха пота. Это не для вас. Вы привилегированный чиновник, как ни пытаетесь прибедняться. И так день за днем. Только и слышишь, что о сиськах, трусиках, менструальных циклах жен, а потом еще и о маленьких шалостях на стороне. «Давай же, Святой, расскажи нам для разнообразия какой-нибудь сальный анекдот! Тебе есть о чем порассказать, готовы биться об заклад, Святой! Что тебя заводит? Девчонки из спортзала небось? Или грубый секс? О чем фантазирует наш Святой в субботу вечером, о каких мелких проказах?» — К нему вернулась прежняя энергия, а вместе с ней, к моему удивлению, совершенно неожиданный талант подражателя. Он вдруг стал жеманно улыбаться, изображая королеву мюзик-холла, и отвратительная легкая улыбка скривила его гладкое лицо без единой проросшей на нем щетинки. — «Слышал историю о бойскаутах и девочках-гидах, Святой? Как они развлекаются в палатках. А, вот и попался!» Вы же не знаете ничего подобного, верно? «Ты хоть иногда спускаешь, Святой? Дергаешь себя там, просто чтобы проверить, на месте ли он у тебя еще, верно? Хотя от этого можно ослепнуть, знаешь ли? Или член отвалится. У тебя, должно быть, он огромный, как у осла. Тянется вдоль ноги, а конец ты прячешь под резинку от носков»... Вам никогда не приходилось выносить такого, правда ведь? В офисе, в столовой, дни напролет? Нет, вы же джентльмен. Знаете, как они разыграли меня на первое апреля? Поступила якобы совершенно секретная входящая телеграмма из Парижа. Лично для Фрюина. Расшифровать самому. Вручную. Срочность: молния! Ха-ха! Уже уловили шутку? Я не сумел. И вот я удаляюсь в свою кабинку и берусь за книжки с шифрами. Как и положено. И расшифровываю, как положено. Вручную. Все опустили головы. Никто не хихикнул, чтобы не смазать эффекта. Когда я справился с первыми шестью группами, понял, что это снова сплошная грязь, мерзкая шутка из Франции. Горст организовал ее. Связался с парнями в парижском посольстве, чтобы те помогли разыграть меня. «Успокойся, Святой, где твое чувство юмора? Улыбнись нам. Это лишь шутка. Ты совсем шуток не понимаешь?» То же самое мне сказал главный кадровик, когда я ему пожаловался. Невинная забава, так они все говорили. Розыгрыши полезны для поддержания командного морального духа. Воспринимай как комплимент, втолковывали мне, прояви себя как истинный мужчина. Если бы не музыка, я бы давно покончил с собой. Да, я всерьез рассматривал такую возможность и честно признаюсь вам в этом. Остановило лишь то, что не смогу посмотреть им в глаза, когда они поймут, что натворили.

Предатель нуждается в двух вещах, сказал мне как-то Смайли во время разоблачения измены Хэйдона Цирку: ему нужно кого-то ненавидеть и кого-то любить. Фрюин пояснил, кого он ненавидел. А потом стал рассказывать о том, кого любил.

— Я словно побывал по всему миру той ночью — Пуэрто-Рико, Острова Зеленого Мыса, Йоханнесбург, — но ничто не возбудило во мне интереса. Я всегда больше любил дилетантов, начинающих. Они остроумны, что мне нравится, как вы уже могли понять. И я даже не заметил, как наступило утро. У меня ведь на окнах очень плотные шторы за триста фунтов, с толстой подкладкой. Для меня это насущная необходимость, как воздух после «Танка». Я говорю о тишине и спокойствии.

Теперь на его губах проступила иная улыбка. Улыбка маленького мальчика, у которого сегодня день рождения.

— «Доброе утро, Борис, милый друг мой, — говорит Ольга. — Как ты себя чувствуешь?» Потом она повторяет вопрос по-русски, а Борис отвечает, что настроение у него неважное. У него часто бывает дурное настроение. У Бориса. Он как бы подвержен известной славянской хандре. Но заметьте, Ольга неизменно заботится о нем. Она шутит, но не грубо или жестоко. Они порой даже ссорятся. Что вполне естественно, поскольку всегда вместе. Но уже к концу передачи непременно мирятся. Не злятся друг на друга изо дня в день. Если честно, то Ольга на такое и не способна. Потом оба смеются над чем-нибудь. Вот они какие. Положительные. Дружелюбные. Говорящие на чистом языке. И музыкальные, конечно же. Хотя русским вроде как положено быть музыкальными. Мне не особенно нравился Чайковский, пока я не услышал, как они обсуждают его творчество. А потом я сразу начал его понимать гораздо лучше. Борис вообще обладает весьма утонченным вкусом в выборе музыки. Ольга... Ей, пожалуй, слишком легко угодить. Хотя лишь актеры, как я догадываюсь, и просто играют роли по заученному тексту. Но об этом забываешь, слушая их и пытаясь выучить язык. Начинаешь в них верить.

А затем им нужно послать письменную домашнюю работу, объяснял он.

И в первый раз нет необходимости даже отправлять письмо в Москву. У них есть номер почтовой ячейки в Люксембурге.

Он замолчал, но в его молчании не сквозило угрозы. Тем не менее я начал опасаться, что он выйдет из подобия транса слишком быстро. Поэтому постарался удалиться из поля его зрения, встав в углу комнаты у него за спиной.

— А какой адрес дали им вы, Сирил?

— Этот самый, естественно. Какой адрес я еще мог им дать? Особняка в Шропишире? Виллы на Капри?

— И указали подлинное имя?

— Конечно же, нет. Хотя назвался все же Сирилом, это верно. Но ведь Сирилом может быть кто угодно.

— Хорошо, — заметил я одобрительно. — А фамилия?

— Немо, — с гордостью объявил он. — Мистер С. Немо. Немо на латыни значит «никто», если вам об этом неизвестно.

Итак, мистер С. Немо. Вероятно, нечто похожее на А. Патриот.

— Вы написали, чем занимаетесь? О своей профессии?

— Не о настоящей. Вы снова как-то поглупели.

— Так кем же вы себя сделали?

— Музыкантом.

— Они интересовались вашим возрастом?

— Разумеется. Им пришлось поинтересоваться. Им необходимо знать, имеете ли вы право получать призы, если победите в конкурсе. Они не могут посылать призы несовершеннолетним по понятным причинам. Это никому не дозволено законом.

— А как насчет семейного положения? Женаты вы или холосты. Такие сведения вы им тоже дали?

— Мне пришлось указать семейный статус, потому что некоторые призы предназначены только для супружеских пар! Они не могут вручить в таком случае выигрыш мужчине, оставив без награды жену. Получилось бы некрасиво.

— Какого рода домашнюю работу вы послали? К примеру, в самый первый раз. Помните?

Ему снова пришлось сделать скидку на мою тупость.

— Вы просто тугодум какой-то. Как считаете, что я мог им послать? Дурацкие логарифмы? Вы отправляете письмо, получаете бланки, заполняете их, чтобы официально зарегистрироваться, вам дают адрес в Люксембурге, снабжают учебником, и все — вы становитесь одним из них. А потом дома выполняете то, о чем вас просят Борис и Ольга в очередной передаче, понятно? «Выполните упражнение на странице девять. Ответьте на вопросы со страницы двенадцать». Вы что, даже в обычную школу не ходили?

— И вы, наверное, добились успехов. Руководство в штаб-квартире считает, что у вас энциклопедический склад ума. Так мне сказали. — До меня стало доходить, насколько он падок на лесть.

— Я стал не просто хорошим учеником, хотя благодарен начальству за такой отзыв. Если хотите знать, я вошел в число их лучших слушателей. Я даже получил особые заметки от некоторых преподавателей, выдержанные в самых восхищенных тонах, — добавил он с несколько смущенной усмешкой, какую изображал обычно, слыша похвалу. — Для меня стало истинным удовольствием и дополнительным стимулом, в чем тоже не побоюсь вам признаться, входить в «Танк» по утрам в понедельник с записками в кармане, о которых никто не знал. Я подумывал, не рассказать ли обо всем кому-то из вас. Но не стал. Предпочитал соблюдать приватность. Стремился сохранить новых друзей. Я бы никогда не позволил этим животным отпускать сальности по поводу Бориса и Ольги, благодарю покорно.

— И вы писали преподавателям ответы?

— Да, но только как Немо.

— Вы не пытались как-то еще их одурачить? — спросил я, пытаясь вообразить, какие сдерживающие мотивы, если они вообще существовали, мог он иметь, пускаясь в свой первый тайный роман. — Я имею в виду, если вам задавали прямой вопрос, вы всегда давали столь же прямой ответ. Никогда не лукавили?

— Я не лукавил! У меня не было для этого причин! Напротив, я всячески стремился проявлять вежливость, как и мои учителя. Некоторые из них были профессорами, даже академиками. Я испытывал к ним чувство благодарности и трудился прилежно. Это меньшее, чего они заслуживали, учитывая, что уроки давались бесплатно, а я учился на добровольной основе в интересах взаимопонимания между народами.

Охотник снова ожил во мне. Я принялся просчитывать возможные ходы тех, кто втянул его в игру. И прикидывал, как бы начал играть сам, если бы в Цирке кто-то придумал столь изящную операцию.

— Как я предполагаю, по мере вашего прогресса в изучении языка они перешли от простых упражнений из учебника к более сложным вещам. К написанию сочинений, эссе?

— Когда совет преподавателей в Москве решил, что я к этому готов, то да, мне предоставили больше свободы.

— Помните темы сочинений?

Он рассмеялся, глядя на меня свысока:

— Вы думаете, такое легко забыть? Я потратил на каждое пять ночей, обложившись словарями. Спал не более двух часов, если ухитрялся закончить чуть раньше. Встряхнитесь, Нед! Пора уже что-то понять.

Я тоже невесело рассмеялся, записывая его слова.

— «Моя жизнь» — такова была первая тема. Я описал им «Танк», но, конечно, не называя имен и не объясняя сути работы. Хотя некоторые элементы комментариев нравов имели место, не стану отрицать. Мне показалось, что совет преподавателей может узнать об этом, поскольку как раз наступил период моды на гласность и все стало несколько легче на благо человечеству.

— Какой оказалась следующая тема?

— «Мой дом». Я описал им свой план относительно водоема на заднем дворе. Он им понравился. Еще рассказал, как и что я готовлю. Один из преподавателей сам был поваром-любителем с большим стажем. После этого мне предложили написать эссе «Мое любимое занятие в свободное время», что могло привести лишь к повторению уже сказанного, но этого не случилось.

— Вы поведали им о своей любви к музыке, надо полагать?

— Ошибаетесь.

Его подробный ответ до сих пор так и звенит у меня в ушах: обвинением, призывом к состраданию со стороны такого же одинокого человека, слепой молитвой, поглощенной эфиром, которую произносил мужчина, подобно мне отчаянно жаждавший любви, пока не стало слишком поздно.

— Я написал сочинение «Хорошая компания». Вот как обстояло дело, если вам действительно интересно, — сказал он, и та же диковатая улыбка на мгновение вернулась на его лицо. — И тот факт, что я в то время не имел ничего и близко похожего на хорошую компанию, не помешал с необычайным удовольствием вспомнить несколько редких в моей судьбе случаев, когда мне все-таки доводилось в ней побывать.

Потом он начал заново, как будто забыв все, о чем говорил, используя слова, какие я сам мог бы сказать Салли:

— У меня возникло ощущение, словно я отказался от чего-то важного в своей жизни, а теперь очень хотел вернуть это себе.

— И они в такой же степени восхищались вашими более сложными работами, как и прежними? Вы сумели произвести на них впечатление? — спросил я, тщательно ведя записи.

Он опять ухмыльнулся:

— Да, но они отзывались о моих сочинениях довольно сдержанно, как я считаю. Вскользь. То там, то здесь. Не слишком стараясь меня хвалить.

— Почему вам так показалось?

— Потому что, в отличие от некоторых, у них хватало благородства и душевной щедрости очень высоко оценивать меня, когда я того действительно заслуживал. Вот почему.

А потом они продемонстрировали свое отношение к нему, пояснил Фрюин (причем мне не пришлось даже вытягивать из него продолжение истории), явив ему лично некоего Сергея Модряна, первого секретаря по вопросам культуры советского посольства в Лондоне, выступившего в качестве официального эмиссара «Радио Москвы» и присланного в ответ на молитвы Фрюина.

Как и все ангелы небесные, Модрян появился без предупреждения, возникнув на пороге дома Фрюина в серенький ноябрьский денек, пришедшийся на субботу, принеся с собой дары свыше: бутылку водки «Московская», баночку севрюжьей икры и скверно напечатанный фотоальбом, посвященный балету Большого театра. А еще отлично напечатанный документ: письмо с присвоением мистеру С. Немо звания почетного студента Московского государственного университета в знак признания его уникальных достижений в области изучения русского языка.

Но величайшим подарком стал сам Модрян, прекрасно умевший составлять ту самую хорошую компанию, о которой страстно мечтал Фрюин в своем получившем главный приз эссе, написанном по просьбе совета преподавателей.

Вот мы и прибыли в конечный пункт. Фрюин успокоился, Фрюин торжествовал, Фрюин — пусть лишь на какое-то время добился того, к чему стремился. Его голос освободился от сдерживавших оков. Его лицо озарилось улыбкой, так улыбается человек, познавший истинную любовь и томившийся желанием поделиться удачей. И если бы в мире существовал хоть кто-то, кому я смог бы улыбнуться так же, из меня получилось бы совсем другое существо.

— Это был Модрян, понимаете, Нед? Сергей Модрян! О, Нед, я хочу сказать, что речь идет о представителе высшей лиги. Достаточно было одного взгляда на него, и я это понял. Никто из вас ему и в подметки не годится, подумал я. С ним мне повезло так уж повезло. Мы, разумеется, обладали схожим чувством юмора, проявившимся с самого начала. Едким, как кислота. Никаких шор на глазах. И нас сближала общность интересов во всем, вплоть до композиторов. — Он попытался перейти на более сдержанный тон, но ничего не получилось. — Судя по моему опыту, такое крайне редко случается, чтобы два человека оказались настолько естественно сопоставимы в каждом аспекте, за исключением знания женщин, в которых, должен признать, Сергей разбирался значительно лучше меня. А отношение Сергея к женщинам... — Он приложил немалые усилия, чтобы высказать неодобрение. — Я так вам скажу: если бы кто-то другой вел себя подобным образом, мне было бы тяжело признать его поведение допустимым.

— Он пытался знакомить вас с женщинами, Сирил?

— Конечно же нет, покорнейше благодарю. Я бы просто запретил ему. И он сам рассматривал подобные знакомства как несовместимые с характером наших отношений.

— Даже во время ваших совместных путешествий в Россию? — отважился я на еще один рискованный вопрос.

— Нигде, говорю же вам. Более того, это бы все испортило, убило нашу с ним связь.

— Значит, все, что говорят о его пристрастии к слабому полу, — пустые слухи?

— Нет. Отнюдь нет. Сергей сам мне обо всем рассказывал. Сергей Модрян пользовался женщинами цинично и безжалостно. Его коллеги в частных беседах подтвердили: совершенно безжалостно.

У меня даже нашлось время, чтобы по достоинству оценить тонкость психологического подхода к делу Модряна. Или же знатоками психологии были его хозяева? Между Модряном — безжалостным бабником — и Фрюином, столь же безжалостным женоненавистником, образовалось вполне естественное взаимопонимание.

— Стало быть, вы встречались и с его коллегами тоже, — констатировал я. — В Москве, надо полагать. В рождественские праздники.

— Только с теми, кому он полностью доверял. Их уважение к нему поистине не знало границ. Или в Ленинграде. Я не капризничал, не имея на то никакого права. Меня принимали как почетного гостя. И потому я выполнял подготовленную для меня программу.

Я не отрывал взгляд от блокнота. Одному богу известно, что я там понаписал к тому моменту. Белиберду. Абракадабру. Позднее оказалось, что в некоторых абзацах не удается разобрать ни слова. Затем я заговорил самым нейтральным, совершенно монотонным голосом:

— И все это в награду за ваши незаурядные лингвистические способности, так, что ли, Сирил? Или вы уже успели к тому моменту оказать Модряну некоторые неформальные услуги? Например, снабжали его информацией или делали нечто в том же духе. Переводы и все такое. Я слышал, у них накопилось немало работы для таких, как вы. Конечно, этого делать не положено. Но разве можно винить людей, желающих содействовать дальнейшему развитию гласности, если уж наступила ее эра, не правда ли? Мы долго ждали чего-то подобного. Но поймите, я должен изложить все это подробно и обстоятельно, Сирил. Иначе меня ждет суровое наказание. С меня три шкуры сдерут.

Я глаз не осмеливался поднять. Просто писал и писал. Перевернул страницу и нацарапал: продолжай говорить, продолжай говорить, продолжай говорить. Но моя голова оставалась склоненной.

Потом услышал, как Сирил прошептал что-то. Он бормотал:

— Это не то. Я ничего такого не делал. Никогда, черт возьми, не делал. — А затем его жалобы стали громче. — Не смейте это так называть, хорошо? Никогда больше не повторяйте этого. Ни вы, ни начальство. «Снабжал его информацией». Что имеется в виду? Это неверное выражение. Я обращаюсь к вам, Нед!

Теперь я посмотрел на него, посасывая кончик трубки и улыбаясь.

— Неужели ко мне, Сирил? Хотя да, конечно. Извините. Если честно, то вы у меня уже шестой на этой неделе. Все взялись содействовать гласности в наши дни. Действительно модное поветрие. А я начинаю ощущать, как сильно постарел.

Он решил утешить меня. Сел, но не в кресло, а на подлокотник. Стал вести себя как добродушный и дружелюбный дядюшка, вроде директора начальной школы, где я учился.

— Вы ведь и сами далеко зашли в своем либерализме, верно, Нед? Само ваше лицо располагает к этому, пусть вы излишне покорны руководству.

— Вероятно, я по-своему человек свободомыслящий, это точно, — признался я. — Но мне необходимо думать и о грядущей пенсии.

— Разумеется, необходимо! Вы ведь тоже сторонник смешанного типа экономики, правда? Вам, как мне самому, в равной степени не по душе нищета одних и неудержимое личное обогащение других. Гуманизм превыше идеологии. Вы разделяете мое убеждение? Хотите остановить сошедший с рельсов локомотив капитализма, разрушающий на своем пути все? Конечно, так и есть! И осмелюсь предположить, что вас беспокоит состояние окружающей среды. Барсуки, киты, все эти шубы из натурального меха, электростанции. Вам видится благом необходимость делиться, если это не ущемляет ничьих интересов. Братья и сестры, марширующие вместе к общим целям. Культура и музыка для всех! Свобода передвижения и выбора друзей! Мир! Я прав?

— Звучит вполне рационально, — сказал я.

— Вы не настолько стары, чтобы повторять ошибки тридцатых годов, как и я. Я бы не потерпел ничего подобного даже в пожилом возрасте. Мы хорошие люди, и в этом вся наша суть. Разумные мужчины. И таким же был Сергей. Вы с Сергеем, а я могу читать это по вашему лицу, так что не пытайтесь ничего скрыть, вы с Сергеем — птицы одного полета. И потому не надо мазать меня черной краской, а себя белой, мы мыслим одинаково, вы, я и Сергей. Мы на одной стороне в борьбе со злом, бескультурьем, мерзостью. Мы — «непризнанная аристократия». Так называл нас Сергей. И он был прав. Вы тоже к ней принадлежите, вот что я пытаюсь вам объяснить. Подумайте сами. Кто, если не мы? Кто способен дать альтернативу тому, что мы видим каждый день вокруг себя: деградации, пустой растрате ресурсов, неуважению к личности? Кого же нам слушать по ночам на чердаках, вращая ручки радионастройки? Только не яппи, это уж точно. Только не пригревшихся в теплой грязи богатых свиней — им вообще нечего сказать. Только не тех, кто исповедует взгляд на жизнь как на возможность зарабатывать больше, тратить больше, якобы полнее реализуя себя. Они совершенно не помогают обществу. И уж конечно, не легион любителей больших сисек и женского нижнего белья. Но мы не поспешим обратиться в ислам, пока он способствует только вражде между народами, не брезгуя использованием отравляющих газов. Так я спрашиваю снова: какова альтернатива для человека, умеющего чувствовать, не потерявшего совесть, с тех пор как русские отказались от радикальных взглядов и надели покаянную власяницу? Кто еще остался? На кого устремить взор? Где путь, ведущий к спасению? В дружбе? Кто-то же должен заполнить образовавшуюся пустоту. Лично я не могу находиться в вечно подвешенном состоянии. Просто не могу. Особенно после знакомства с Сергеем, Нед. Я предпочту умереть. Сергей стал для меня самым важным человеком на свете. Давал пищу и для тела, и для ума, научил снова смеяться. Вот что сделал для меня Сергей. Он превратился в смысл моей жизни. Что произойдет дальше? Мне хочется это узнать. По-моему, кому-то пора поменять мозги, пока головы целы. У Сергея была собственная идеология. У вас я ее не вижу или просто не умею распознать. Улавливаю проблеск здесь, мимолетное желание там, а потом снова ни в чем не уверен. Не думаю, что вы обладаете нужными качествами.

— А вы меня испытайте, — предложил я.

— Не замечаю у вас необходимой остроты ума. Легкости танцора. Я сразу подумал об этом, стоило вам войти. Мысленно я сравнил вас с Сергеем, и, боюсь, сравнение оказалось не в вашу пользу. Сергей не шаркал, как смертельно усталый человек. Он взял меня штурмом. Звонит в дверь и входит так, словно купил мой дом, садится туда же, где сейчас сидите вы, но выглядит живым и бодрым. Хотя он никогда и нигде не засиживается надолго. Это не в его привычках. Он подчас пугающе непоседлив, даже в опере. А потом улыбается эдаким эльфом и поднимает рюмку водки. «Примите поздравления, мистер Немо, — говорит он. — Или лучше называть вас мистером Эс? Вы победили в конкурсе, а главным призом являюсь я сам».

Он провел тыльной стороной ладони по губам, и я понял, что так он пытается стереть с лица ухмылку.

— Да, он поистине летал очень высоко, мой Сергей.

Сирил рассмеялся, и я решил посмеяться вместе с ним. Модрян стал для него подменой ощущения свободы, думал я. Как для меня Салли.

— Сергей даже не снял плаща, — продолжал он. — Вышел сразу на подачу. «Итак, в первую очередь нам предстоит обсудить детали церемонии, — говорит он. — Никакой помпы, мистер Немо. Только пара моих друзей, а это, кстати, знакомые вам Борис и Ольга плюс пара значимых фигур из совета. В заключение небольшой прием с участием ваших многочисленных поклонников в Москве».

«У вас в посольстве? — спросил я. — Но я туда не пойду. В моей конторе меня просто убьют за это. Вы не знаете Горста».

«Нет-нет, мистер Немо, — говорит он. — Нет-нет, мистер Эс. Я веду речь вовсе не о посольстве. Кому интересно побывать в посольстве? Я имею в виду факультет иностранных языков Московского государственного университета, где состоится ваша торжественная инаугурация как почетного студента со всеми положенными привилегиями».

Поначалу я смертельно перепугался. У меня в буквальном смысле сердце остановилось. Я с болью это ощутил. Мне ведь ни разу в жизни не доводилось бывать дальше Дувра, не говоря уж о России, хотя я и служу в Министерстве иностранных дел.

«Мне отправиться в Москву? — переспросил я. — Вы, должно быть, из ума выжили. Я же шифровальщик, а не профсоюзный лидер, которому нужно подлечить язву. Мне нельзя ехать в Москву, даже если в конце пути меня ждет награда, Ольга и Борис, жаждущие пожать мне руку, звание почетного студента и все прочее. Вы, мне кажется, вообще не осознаете сложности моего положения. У меня очень ответственная профессия, — объяснил я. — Причем мешают не столько люди, сколько сам характер моей работы. Я имею постоянный и регулярный доступ к совершенно секретным материалам. Перед вами не обычный человек с улицы, которого можно посадить в самолет на Москву, чтобы никто об этом не узнал. Мне казалось, я кое-что прояснил по этому поводу в моих эссе. По крайней мере в некоторых».

«Так отправляйтесь в Зальцбург, — говорит он. — Кто станет возражать? Возьмите билет на самолет до Зальцбурга, скажите всем, что собираетесь наслаждаться там музыкой. Оттуда потихоньку переберетесь в Вену, а у меня уже будут заготовлены билеты. Да, мы полетим Аэрофлотом, но полет займет всего два часа. Никаких сложностей с паспортным контролем по прибытии. А церемония станет почти чисто семейной. Кто узнает?»

А затем он подает мне красивый документ в виде пергаментного свитка, будто бы старинного и даже с нарочно опаленными краями, а там — официальное приглашение, подписанное всеми членами совета преподавателей. По-английски с одной стороны, по-русски с другой. Я прочитал английский текст, врать не буду. Мне не хотелось просидеть час со словарем, вы меня понимаете? Я бы выглядел полнейшим идиотом. Лучший-то их ученик!

Он сделал паузу, слегка пристыженный, как мне почудилось.

— И я назвал ему свое полное имя, — продолжил он. — Наверное, не следовало этого делать, но мне надоело быть Немо. Хотелось стать самим собой.

А теперь представьте себя такими же потерянными, каким я вдруг оказался в обществе Сирила. До тех пор я следил за его рассказом, а там, где осмеливался, даже направлял в нужное мне русло. Но сейчас он внезапно вырвался на свободу, и мне с трудом удавалось угнаться за ним. Он был уже в России, а я еще нет. Меня он ни намеком не предупредил, что все-таки отправился туда. Он снова говорил об Ольге и Борисе, но не о звучании их голосов, а о том, как они выглядели. Борис дружески обнял его за плечи, а Ольга сдержанно, хотя и от всей души поцеловала. Он ненавидел поцелуи, Нед, но с русскими они выходили совсем иначе, чем с Горстом, и Сирил ничего не имел против. Ему следовало ожидать их, Нед, поскольку для русских поцелуи традиционно являлись проявлением дружеских чувств. Фрюин выглядел на двадцать лет моложе, рассказывая, как оказался в центре всеобщего внимания. Он как будто отпраздновал все свои пропущенные дни рождения сразу. Ольга и Борис во плоти, Нед. Никакого чванства. Такие же естественные и простые люди, как и во время уроков по радио.

— «Примите поздравления, Сирил, — сказала мне она, — по поводу ваших феноменальных успехов в изучении русского языка». Хотя общаться нам все же приходилось через переводчика, поскольку продвинулся я не так далеко, как хотел бы, в чем сразу ей признался. А потом Борис обнял меня. «Мы гордимся тем, что сумели вам помочь, Сирил, — сказал он. — А ведь многие ученики бросают занятия, но это не слишком сказывается на остальных».

Только к этому моменту передо мной наконец возникла картина, которую он рисовал широкими смелыми мазками. Его первое Рождество в России. А для Фрюина, несомненно, вообще первое счастливое Рождество, где бы то ни было. И Сергей Модрян в роли организатора всего действа, скромно стоящий в сторонке. Они в большом светлом зале где-то в Москве. Сияют люстры, произносятся речи, происходит взаимный обмен представлениями с пятьюдесятью тщательно отобранными актерами из московского Центра. Фрюин на седьмом небе, то есть именно в том раю, куда и стремился поместить его Модрян.

А потом столь же внезапно, как Фрюин обрушил на меня поток воспоминаний, все прекратилось. Свет померк у него в глазах, голова склонилась набок, и он хмуро сдвинул брови, словно пытался дать оценку собственному поведению.

С величайшей осторожностью я вернул его из прошлого в настоящее.

— Так где же он? — спросил я. — Тот свиток, который вам вручили. Здесь? Свиток, Сирил. С вашим избранием. Где он?

Он вытаращился на меня, постепенно пробуждаясь от грез.

— Мне пришлось вернуть его Сергею, — ответил он. — «Когда мы будем приезжать в Москву, — сказал он мне, — можете вывешивать его на стене в позолоченной рамке. Но не здесь. Я не хотел бы подвергать вас опасности». Он все продумал, мой Сергей, и был совершенно прав, если принять во внимание, как вы шныряете повсюду день и ночь, вынюхивая подробности обо мне для начальства.

На сей раз я не позволил возникнуть ни малейшей паузе, ничуть не изменил тона. Я снова опустил взгляд и сунул руку во внутренний карман. Он явно избрал меня в кандидаты на замену Сергею и откровенно обхаживал. Честно показывал свои трюки, призывая меня присоединяться к нему, встать на его сторону. Инстинкт подсказал, что в моих интересах заставить его потрудиться надо мной более основательно. Я еще раз сверился с записями в блокноте и задал вопрос так, словно меня интересовала лишь фамилия его дедушки по материнской линии.

— Так с какого точно времени вы начали выдавать Сергею все наши величайшие британские секреты? — спросил я. — Хорошо, выражусь иначе. То, что мы называем секретами. Ясно же: информация, считавшаяся тайной несколько лет назад, сегодня уже не столь ценна. Мы победили в «холодной войне» не потому, что строго соблюдали режим секретности, не так ли? Мы одержали победу благодаря своей открытости. И их гласности.

Я вскользь упомянул о секретах, и на сей раз, когда перешел Рубикон, он последовал за мной. Хотя при этом, по-моему, даже не заметил, как оказался на другом берегу.

— Абсолютно правильно. Именно так мы и выиграли. А Сергею поначалу вообще не требовались от меня секреты, если хотите знать. «Секреты, Сирил, не имеют для меня особого значения, — сказал он как-то. — Секреты, Сирил, в том быстро меняющемся мире, в котором мы живем (и я с удовлетворением констатирую это), подобны лекарству, доступному в любой аптеке, — сказал он. — Просто я хотел бы продолжать поддерживать наши отношения на неофициальной основе. Однако если мне действительно понадобится что-то из этой области, я непременно дам вам знать». А пока, заверил он меня, будет достаточно писать для него время от времени неформальные рапорты с оценками качества программ московского радио, чтобы его боссы оставались мной вполне довольны. Например, насколько хорош уровень приема сигнала. Казалось бы, они сами должны знать это, но, как выяснилось, не знали. С русскими никогда не поймешь, где можешь столкнуться с их удивительной подчас неосведомленностью, если уж начистоту. Я не критикую, а лишь отмечаю факт. И ему требовалось мое мнение о курсе языка, само собой. Достаточно ли доступно ведется обучение, есть ли у меня предложения для Ольги и Бориса, поскольку я оставался для них не просто рядовым слушателем.

— Тогда что послужило причиной перемен?

— Каких перемен? Не надо темнить, Нед. Будьте со мной откровенны. Я же не мистер Никто, понимаете? Я не мистер Немо. Я — Сирил.

— Что заставило Сергея отказаться от прежнего принципа и попросить у вас секретную информацию? — уточнил я.

— Его посольство. Твердолобые ретрограды старой закваски. Варвары. Это извечная проблема. Их не переделаешь. Они взяли над ним верх. Отказались признать исторические изменения, предпочитая оставаться полнейшими троглодитами в своих пещерах, продолжая ставшую уже анахронизмом «холодную войну».

Я сказал, что не совсем его понял. Подчеркнул сложность вопроса для моего разумения.

— Что ж, вы меня нисколько этим не удивили. Изложу иначе. Начнем с того, что в посольстве существует весьма значительная группировка, которой не по душе то повышенное внимание, которое стало уделяться культурным обменам. И разгорелась нешуточная борьба между двумя противоборствующими лагерями. Я мог быть лишь пассивным зрителем. «Голуби» выступали в защиту культуры, естественно, но активнее всего отстаивали гласность. Они рассматривали культуру как средство заполнения вакуума, образовавшегося после периода напряженности в двусторонних отношениях между нашими странами. Сергей все мне подробно разъяснил. Но вот «ястребы», к которым, увы, принадлежит и сам посол, пусть их осталось не так много, желали, чтобы Сергей больше внимания уделял старым методам работы. То есть занимался сбором разведывательных данных и продолжал в целом действовать в агрессивной манере, невзирая на перемены в климате международных отношений. И ретроградам в посольстве было наплевать на гуманистические воззрения Сергея. Они не желали принимать их в расчет. Впрочем, чего от них еще ждать, как, например, и от нашего Горста? Сергею пришлось пойти по крайне опасному пути, чтобы не раздражать ни одну из конфликтующих сторон, если уж называть вещи своими именами. Хотя и я поступал точно так же, выполняя свой долг. Мы занимались культурными вопросами, языком, живописью, музыкой, а затем уделяли некоторое время секретам, чтобы удовлетворить аппетиты «ястребов». Нам приходилось угождать всем, как вам в штаб-квартире или мне в «Танке».

Он на глазах затухал и уходил в тень. Я снова терял его. Пришлось пустить в ход кнут.

— И все-таки, когда же?

— Когда что?

— Не надо ловчить, Сирил, ладно? Мне нужно это записать. Давайте разберемся со временем. Когда вы начали снабжать Сергея Модряна информацией, какие конкретно данные передали ему, за что, а точнее, за сколько, когда это прекратилось и почему, если вполне могло продолжаться и дальше? Мне бы хотелось нормально провести уикенд, Сирил. Как и моей жене. Просто вытянуть ноги в кресле перед телевизором. Мне ведь не платят за сверхурочную работу, знаете ли. Я выполняю разовые поручения руководства, не более того. И один объект проверки ничем не отличается от другого, когда доходит до получения жалованья. Мы живем в эпоху сокращения расходов и экономической эффективности, если вы еще не заметили. Нас угрожают приватизировать, если мы начнем тратить слишком много.

Он меня не слышал. Не желал слышать. Он был в смятении, стремясь отвлечь от себя внимание, ища, где спрятаться. И мой гнев перестал быть напускным. Я начал ненавидеть Модряна. Меня бесило, что он обманывал наивную доверчивость людей, стремясь выжить. Меня тошнило от того, как мошенник Модрян сумел использовать одиночество Фрюина, превратив его в предателя. Меня пугало само по себе представление о любви как об антитезе долгу.

Я счел необходимым подняться, чувствуя, что злость мне сейчас только на пользу. Фрюин в беспокойстве пристроился на краю высокого резного стула в стиле Артура II с эмблемой королевского военно-морского флота на сиденье.

— Покажите мне свои игрушки, — приказал я ему.

— Какие игрушки? Я взрослый мужчина, как видите, а не ребенок. И это мой дом. Не надо мне указывать, что делать.

Я вспомнил, чем занимался Модрян, что применял при этом, каким оборудованием снабжал агентов. Припомнил собственный опыт в те дни, когда руководил такими же, как Фрюин, но против советских целей, пусть мои люди не были и вполовину столь же безумны, как он. Представил методы, которые пустил бы в ход, контролируя агента, имеющего столь высокий уровень допуска, как Фрюин, живший чужим разумом.

— Прежде всего я хочу увидеть ваш фотоаппарат, — упрямо отмахнулся от его возражений я. — Ваш высокоскоростной передатчик. Он ведь у вас есть, Сирил, не так ли? Ваш план сеансов связи. Одноразовые шифры. Кварцевые кристаллы. Тетради для тайнописи. Все устройства для сокрытия микропленок. Я все это хочу увидеть, Сирил, а потом положить к себе в портфель до понедельника. После чего желал бы вернуться домой и посмотреть матч «Арсенала» против «Юнайтед». Это, возможно, не в вашем вкусе, но таковы уж мои пристрастия. Поэтому не пора ли нам немного ускорить события и перестать разглагольствовать о чепухе?

Приступ безумия проходил, и я сумел это почувствовать. Сирил был совершенно опустошен, как и я сам. Он сидел, склонив голову, широко расставив колени, с тоской разглядывая руки. Ощущалось начало конца — момент, когда раскаяние утомляет и лишается эмоций.

— Сирил, я начинаю сердиться, — предупредил я.

А когда он не отозвался, подошел к телефону. К тому самому, который самозваные техники Монти сделали работающим постоянно. Я набрал номер Берра и услышал голос его пижона-секретаря, не знавшего моего имени.

— Дорогая? — произнес я в трубку. — Буду не раньше чем через час, если повезет. Попался тугодум. Да, хорошо, все понимаю. Извини. Да, но я уже извинился. Хорошо, конечно.

Потом дал отбой и бросил укоризненный взгляд на Фрюина. Он медленно поднялся на ноги и повел меня наверх. Чердак он превратил в дополнительную спальню под высокой крышей. Радиоприемник стоял на столе в углу. Немецкий, как верно определил Монти. Я включил его, пока хозяин наблюдал за мной, и мы услышали женский голос с сильным акцентом, возмущенно изобличавший преступников и мафиози, расплодившихся в Москве.

— Зачем они это делают? — набросился на меня Фрюин, словно я нес за все персональную ответственность. — Русские! Почему стремятся разрушить собственную страну? Раньше они так не поступали. Они ею гордились. Своими обширными полями кукурузы, бесклассовым обществом, шахматистами, космонавтами, балетом, спортсменами. Это был действительно рай, пока они не принялись уничтожать его. Они потеряли все хорошее в себе. Это позор, черт побери! Именно так я и сказал Сергею.

— Тогда зачем вы все еще слушаете их передачи? — спросил я. Он почти плакал, но я делал вид, что не замечаю этого.

— Я должен ждать сообщения, разве нет?

— Поясните смысл сказанного, Сирил!

— Ждать новых указаний. Узнать, что снова нужен им. «Вернись, Сирил. Мы всё тебе простили и любим тебя. Твой Сергей». Вот что я хотел бы услышать.

— Каково кодовое слово для этого?

— Белая краска.

— Подробнее.

— «Наша собака испачкалась белой краской, Ольга...» Или: «Нам надо покрасить книжные полки белой краской, Борис...» Или: «О господи, Ольга! Ты только взгляни на кошку. Кто-то нарочно измазал ей хвост белой краской. Ненавижу жестокость в обращении с животными». Так сказал бы Борис. Но почему они не говорят ничего подобного, пока я слушаю?

— Давайте продолжим обсуждать ваши методы, согласны? Хорошо, вы слышите кодовое сообщение. По радио. Ольга или Борис произносят слова «белая краска». Или оба сразу. Что вам надлежит сделать в таком случае?

— Посмотреть в расписание сеансов связи.

Я протянул руку, командно щелкнув пальцами, и велел:

— Побыстрее!

И он действительно заторопился. Нашел щетку для волос в деревянной оправе. Отделил резинку со щетиной от основания, запустил под нее пальцы и вытащил листок тонкой, легко воспламеняющейся бумаги с датами, временем и длиной волны, отпечатанными параллельными колонками. Потом передал бумажку мне в надежде, что полностью удовлетворил моё любопытство. Я забрал ее, ничем не выдав своих чувств, и сунул между страниц блокнота, одновременно бросив взгляд на часы.

— Спасибо, — коротко сказал я. — А теперь остальное, пожалуйста, Сирил. Мне нужны кодовые блокноты и передатчик. Только не говорите, что у вас их нет, я сейчас не в настроении выслушивать ложь.

Он возился с банкой талька, стараясь открыть ее со стороны дна и уже отчаянно пытаясь угодить мне. Вытряхивая белый порошок в раковину, он непрерывно говорил:

— Меня уважали, понимаете, Нед, а на мою долю уважение выпадало не часто. У меня три такие банки. Ольга и Борис говорили, которой воспользоваться. Как с белой краской, но только называли имена композиторов. Чайковский означал третий номер, Бетховен был вторым, Бах — первым. Они перечислялись в алфавитном порядке, чтобы облегчить мне запоминание. У вас случаются мимолетные знакомства, но вы, как правило, не заводите друзей, верно? Хотя лишь до тех пор, пока не встречаете Сергея или одного из его группы.

Наконец весь порошок высыпался, теперь у него на ладони лежали кварцевые кристаллы для передатчика с крошечными шифровальными блокнотами и с лупой в оправе, чтобы читать их при увеличении.

— У него было все нужное для меня. У Сергея. Я снабжал его необходимым ему. Он говорил мне о чем-то, и это становилось новой частью моей жизни. Если я впадал в депрессию, он помогал мне быстро оправиться. Он меня понимал. Умел заглянуть в душу. Мне это давало ощущение хоть какой-то известности, и оно мне нравилось. Теперь все ушло. Такое чувство, как будто это все тоже отбыло в Москву.

Его невнятная речь внушала мне тревогу, как и лихорадочное желание угодить мне. Будь я палачом, он бы охотно сам снял галстук.

— Ваш передатчик! — потребовал я. — На кой нужны кварцы и шифровальные блокноты, если не можешь ничего передавать!

С той же невыносимой поспешностью он склонился и отогнул край ворсистого ковра.

— У меня нет при себе ножа, Нед, — сказал он.

У меня ножа тоже не было, но я не решался оставить Сирила одного, не осмеливался ослабить приобретенную над ним власть. Я присел на корточки рядом с ним. Он занялся явно не прибитой к полу доской, пытаясь подцепить ее пухлыми пальцами. Сжав руку в кулак, я ударил по концу доски и с удовлетворением заметил, как задрался ее противоположный конец.

— Пожалуйста, действуйте дальше, — сказал я.

Это оказалось старье, как я мог бы догадаться. Нечто, совершенно им больше не нужное. Аппарат из нескольких серых коробок, портативный передатчик, придаток, присоединявшийся к приемнику. Но Сирил с гордым видом подал мне этот опутанный проводами прибор.

Ужасающее возбуждение отразилось в его глазах.

— Понимаете, Нед, я теперь превратился просто-напросто в какую-то дыру, — объяснил он. — Не хочу, чтобы мои слова прозвучали зловеще, но меня больше не существует. И этот дом теперь ничего для меня не значит. Я любил его когда-то. Он присматривал за мной, как я сам присматривал за ним. Один без другого мы ничего не значили — этот дом и я. Вам трудно уразуметь, осмелюсь предположить, что такое настоящий дом, если у вас есть жена. Она неизбежно встает между вами. Между вами и домом, хочу я сказать. Ваша жена. А у меня был он. Модрян. Я ведь по-настоящему любил его, Нед. Всерьез увлекся. «Ты слишком усердствуешь, Сирил, — бывало, говорил он мне. — Уймись немного. Отдохни. Уйди в отпуск. Ты уже начинаешь галлюцинировать». Но я не мог ничего с собой поделать. Сергей и был для меня отпуском, праздником.

— Фотоаппарат! — распорядился я.

Он не сразу уловил смысл команды. Слишком погружен был в мысли о Модряне. Он смотрел на меня, но видел только его.

— Не надо так со мной, — промямлил он непонимающе.

— Аппарат! — заорал я. — Ради всего святого, Сирил, неужели у вас вообще никогда не бывало выходных?

Он подошел к гардеробу. Лезвия меча Камелота были вырезаны крест-накрест на дубовых дверцах.

— Фотоаппарат! — выкрикнул я громче, заметив его нерешительность. — Как же вы могли незаметно передавать в оперном театре кассеты с пленкой своему лучшему другу, если не успевали к тому времени переснять секретные досье?

— Не надо так шуметь, Нед. Успокойтесь, пожалуйста. — И дав понять усмешкой свое превосходство, он запустил руку внутрь платяного шкафа, хотя глаза продолжали игриво смотреть на меня, словно говоря: «А теперь полюбуйтесь!» Он рылся в гардеробе, загадочно улыбаясь. Достал театральный бинокль и навел его на меня. Сначала нормальным образом, потом перевернул на удаление. Затем передал мне бинокль, приглашая проделать то же самое. Я взял его в руку и сразу ощутил неестественную тяжесть. Стал вращать колесико в центре, пока не раздался щелчок. Сирил одобрительно кивал, подбадривая меня словами:

— Да, Нед, именно так все и работает.

Он снял с полки книгу и открыл ее посередине. Иллюстрированный альбом «Выдающиеся мастера мирового балета». Моленькая девушка исполняла па-де-ша. Салли тоже в свое время посещала балетную школу. Сирил отстегнул ремешок бинокля, и я понял, что его короткий конец служил для замера расстояния съемки. Затем он навел бинокль на страницу книги, измерил дистанцию и провернул колесико до щелчка.

— Видели? — с гордостью спросил он. — Comprenez*, не так ли? Изготовлено по специальному заказу. Для особых целей. Для вечеров перед оперными спектаклями. Сергей сам разработал конструкцию. В России многое делается кое-как, но Сергею требовалось только самое лучшее. Я мог задерживаться в «Танке» чуть дольше. Фотографировал все, что мы получали за целую неделю, если было желание, а потом передавал ему пленку, когда мы сидели рядом в театре. Причем передавал обычно во время одной из лучших арий. Так мы с ним шутили.

_____

* Понимаете (*фр.*).

Он снова отдал мне бинокль, а сам принялся расхаживать по комнате, почесывая кончиками пальцев лысину, словно у него была пышная шевелюра. Потом протянул руки вперед жестом человека, проверяющего, не пошел ли дождь.

— Сергей сумел использовать меня наилучшим образом, Нед, но теперь он уехал. C'est la vie*, говорю себе я. Теперь дело за вами. У вас хватит смелости? Достаточно ума? Вот почему я и написал вам. Мне пришлось. Я совершенно опустошен. Я вас совсем не знал, но вы были мне необходимы. Остро необходим хороший человек, способный меня понять. Человек, которому я снова мог бы доверять. Вам выпал отличный шанс. Сумей прыгнуть выше головы и живи, говорю я, пока еще остается время. Ваша жена, судя по всему, грубовата. На вашем месте я бы посоветовал ей жить своей жизнью и не лезть в вашу. Мне, наверное, следовало дать объявление в газете. — Он пристально посмотрел на меня с поистине пугающей улыбкой. — «Одинокий мужчина, некурящий, любитель музыки с хорошим чувством юмора». Я порой просматриваю такие объявления, как почти каждый. Иногда испытываю искушение отозваться на одно из них. Вот только меня сдерживает страх, что я потом не сумею прекратить отношения, если окажусь неудовлетворен. И тогда я написал вам письмо, как вы уже поняли. В каком-то смысле это было как писать послание самому Богу. Но потом явились вы в своем поношенном плаще и принялись задавать мне вздорные вопросы, наверняка заготовленные для вас в штаб-квартире. Пора бы вам уже самому встать на ноги, Нед, как поступил я. Вы слишком робки, вот в чем ваша проблема. Я считаю, в этом отчасти виновата жена. Я слышал, как вы перед ней извинялись, и на меня это произвело дурное впечатление. Такие звезд с неба не хватают. Но все же я полагаю, что смогу сделать из вас нечто, а вы сделаете то же самое для меня. Например, поможете мне вырыть пруд. Я же приобщу вас к музыке. Это равноценный обмен, верно? Не бывает людей вообще невосприимчивых к музыке. И ведь я все сделал из-за Горста. — Его голос внезапно сорвался от страха. — Нед! Не трогайте это, будьте любезны! Уберите свои шаловливые ручонки от моей собственности, Нед. Немедленно!

Я как раз ощупывал его пишущую машинку фирмы «Маркус». Она стояла в том же гардеробе, где он хранил оперный бинокль,

---

* Такова жизнь (*фр.*).

накрытая несколькими рубашками. Подписался «А. Патриот», думал я. «А» значило «анонимный», то есть безымянный, думал я. Любой, кто мог полюбить его. Я уже сам догадался, и он мне все рассказал, но вид машинки тем не менее взволновал нас обоих — развязка приближалась.

— Так почему же вы порвали с Сергеем? — спросил я, водя пальцами по кнопкам.

Но на сей раз он не клюнул на мою попытку лести.

— Я с ним не порывал. Он сам сделал это. И ничто пока не закончено, если вы согласны его заменить. Спрячьте машинку. Прикройте так, как было раньше. Спасибо.

И я подчинился. Спрятал вещественное доказательство в виде пишущей машинки.

— Что он вам сказал? — спросил я беззаботно. — Как объяснил? Или прислал записку, а потом сбежал?

Я снова задумался о Салли.

— Он был немногословен. Не требуется объясняться с тем, кто застрял в Лондоне, если вы сами уже в Москве. Молчание говорит само за себя.

Он медленно подошел к своему радиоприемнику и сел перед ним. Я следовал за ним, готовый удержать при необходимости.

— Давайте включим его. Послушаем удовольствия ради. Я все еще могу получить сигнал: «Сирил, вернись к нам». Кто знает?

Я наблюдал, как он приладил к приемнику передатчик, потом открыл окно и выбросил наружу провод антенны, похожий на рыболовную леску со свинцовым грузилом, но без крючка. Затем на моих глазах изучил расписание сеансов связи, после чего набрал SOS, добавив свой позывной, на устройстве для записи и электронного сжатия кодированного текста. Подключил устройство к передатчику и в течение доли секуды отправил в эфир. Он проделал это несколько раз, прежде чем перейти на прием, но ничего не получил, как и не ожидал получить. Это была демонстрация для меня, что ему больше ничего никогда не пришлют.

— Он все же предупредил, что все кончено, — произнес Сирил, глядя на панель настройки. — Я его не виню. Он действительно предупредил.

— Что кончено? Шпионаж?

— О нет, не шпионаж. Это продолжится вечно, не так ли? На самом деле он имел в виду коммунизм. Сказал, что коммунизм в наши дни превратился в религию меньшинства, но мы еще не вполне это осознали. «Время повесить сапоги на гвоздь, Сирил. В Россию лучше не приезжать, если тебя разоблачат. В новой атмосфере ты только всем осложнишь жизнь. Нам, вероятно, даже придется вернуть тебя обратно в виде жеста доброй воли. Понимаешь, мы устарели — ты и я. Так решили в московском Центре. Москва теперь разговаривает только о твердой валюте. Им нужен каждый фунт, каждый доллар, какой удается заполучить. А нас положили на архивную полку. Мы для них теперь лишние, навязчивое дежавю, не говоря уж о том, что создаем неловкую ситуацию для ряда заинтересованных лиц. Москва больше не может себе позволить попасться на использовании в качестве агента шифровальщика из британского Министерства иностранных дел, имеющего доступ к совсекретным материалам, а потому там нас с тобой рассматривают скорее как нежелательных элементов, нежели как ценность, почему и отзывают меня домой. И мой тебе совет, Сирил: уйди в приятный, продолжительный отпуск, покажись врачу, наслаждайся солнцем и покоем, поскольку если строго между нами, то ты стал проявлять неосторожность и слишком рискуешь, судя по некоторым признакам. Нам бы хотелось рассчитаться с тобой по справедливости, но, честно говоря, с деньгами напряженно. Если тебя удовлетворит скромная пара тысяч, то их можно положить на счет в швейцарском банке, но более крупные суммы для нас временно недоступны». Причем мне показалось, что при последнем разговоре со мной он был не похож на себя прежнего, Нед, — продолжал Сирил растерянно. — Мы были с ним неразлучными друзьями, а теперь он знать меня не хочет. «Не воспринимай жизненные невзгоды столь тяжело, Сирил», — говорил он. Все твердил, что я под слишком большим напряжением, как будто в голове у меня поселились несколько разных людей. И наверное, он прав, как мне начинает казаться. Я прожил неправильно, вот и все. Но иногда это понимаешь, когда уже слишком поздно, верно? Ты считаешь себя одним персонажем, а оказываешься совсем иным, как в опере. Но надо переживать, повторяю я себе. Борись еще один день. Как писал еще Артур Клаф: «Не говори, что бился ты напрасно». Сыпь все оставшееся зерно на жернова мельницы. Вот так.

Он расправил рыхлые плечи и словно исполнился величия, рассматривая себя как личность, умеющую подняться над неприятностями.

— Ну, что теперь? — спросил он, когда мы вернулись в гостиную.

Мы закончили. Оставалось лишь получить несколько ответов и составить список выданной им противнику информации.

Да, мы закончили, но именно я сам, а не Фрюин, пытался отсрочить последний шаг. Сидя на валике дивана, он отвернулся от меня, широко улыбаясь и подставляя длинную шею под лезвие ножа. Но он ждал удара, который я отказывался наносить. Его круглая лысая голова откинулась назад, а он сам отклонился от меня, будто предлагая: «Сделай это сейчас, бей сюда». Но я не мог себя заставить. Даже не двинулся в его сторону. В руке я держал блокнот с написанным для него текстом, и ему достаточно было поставить подпись, чтобы уничтожить себя. Но я не шевелился. Я чувствовал, что вошел в его глупейшее положение. Хотя какое это было положение? Считалась ли любовь идеологией? Стала ли лояльность своего рода политической партией? Или в нашем стремлении разделить мир мы разделили его неверно, не сумели заметить, что реальное сражение развернулось между теми, кто все еще находился в поиске, и теми, кто в стремлении к победе довел себя до самого низкого и уязвимого состояния полнейшего равнодушия? Я был на грани уничтожения человека за его любовь. Я заставил его подняться по ступенькам эшафота, делая вид, что мы просто совершаем вместе воскресную прогулку.

— Сирил!

Мне пришлось окликнуть его по имени дважды.

— Да, в чем дело?

— На меня возложена обязанность получить подписанное вами признание.

— Можете сообщить в штаб-квартиру, что я лишь содействовал углублению взаимопонимания между двумя великими нациями, — сказал он, пытаясь мне помочь. У меня даже возникло ощущение его готовности сделать все за меня, будь у него такая возможность. — Сообщите, как я пытался положить конец бессмысленной и беспричинной вражде, какую наблюдал много лет в «Танке». Это должно их утешить.

— Думаю, от вас ожидают услышать нечто подобное, — сказал я. — Но только в данном деле присутствует нечто большее, чем вы воображаете.

— Кроме того, передайте, что я желал бы получить новое назначение. Мне очень хочется покинуть «Танк» и дотянуть до пен-

сии, не работая с секретными документами. Согласен на пони-
жение. Давно принял такое решение. У меня отложено немного
денег. Я не тщеславен. А смена работы лучше отпуска, поверьте
мне. Куда вы, Нед? Туалет в другой части дома.

Я направлялся к входной двери. Меня влекло к здравому смыслу
и к бегству отсюда. Казалось, весь мой мир ужался до размеров
этой жуткой комнаты.

— Возвращаюсь в офис, Сирил. На час или чуть больше. Я не
могу извлечь ваше признание, как фокусник из шляпы, понимаете? Оно должно быть правильно составлено на специальных бланках и все такое. Плевать на уикенд. Сказать по правде, никогда не
любил выходных. Они как дыры во вселенной, эти уикенды, если
хотите знать мое мнение, которое я стараюсь держать при себе. —
Почему я вдруг заговорил с его интонациями? — Не беспокойтесь,
Сирил. Я сам найду выход. А вам лучше отдохнуть.

Я стремился сбежать до их появления. Глядя за спину Фрюина,
я уже видел, как Монти и пара его ребят выбирались из грузового
фургона, а к дому подъехала черная полицейская машина, потому
что сама наша Служба, слава богу, не имела права производить
аресты.

Но Фрюин продолжил говорить, как умирающий вдруг вновь
произносит что-то, когда ты считаешь, что он уже покойник.

— Меня ни в коем случае нельзя оставлять одного, Нед. Ни за
что нельзя, поймите же! Я ничего не смогу объяснить незнакомцу,
как объяснил вам, Нед. Второй раз не получится. На такое никто
не способен.

Я услышал звуки тяжелых шагов по гравию, потом звонок
в дверь. Фрюин повернулся, и его взгляд встретился с моим.
Я видел, как до него начинает доходить истина, как он отметает
ее, все еще не веря, но понимание ситуации опять возвращается
к нему. Я так и не отводил от него глаз, пока открывал дверь.
Рядом с Монти стоял Палфри. За ними высились двое полицейских в мундирах и человек по фамилии Редман, более известный
под кличкой Бедлам, поскольку он представлял приписанную
к Службе группу мозгоправов.

— Блестящая работа, Нед, — пробормотал Палфри торпливым
шепотом, когда остальные устремились в дом. — Превосходная
операция. Ты получишь за нее медаль, уж я позабочусь об этом.

На Сирила надели наручники. Мне как-то и в голову не приходило, что это потребуется. Ему сковали руки за спиной, отчего

подбородок у него задрался. Я проводил его до микроавтобуса и помог сесть, но к тому моменту он уже обрел некий независимый источник чувства собственного достоинства, и его совсем не волновало, чья рука поддерживала под локоть.

— Не каждому под силу расколоть обученного Модряном шпиона между завтраком и обедом, — сказал Берр тоном полнейшего удовлетворения. Мы наслаждались тихим ужином в «Чиккониз», куда он настойчиво пригласил меня тем же вечером. — Наши дорогие друзья по ту сторону парка просто вне себя от ярости, раздражения, возмущения и зависти, что тоже совсем неплохо.

Но его слова доносились до меня из мира, который я решил на время покинуть.

— Он сам раскололся, — лишь заметил я.

Берр окинул меня острым взглядом:

— Ни за что с вами не соглашусь, Нед. Я еще не видел более тонко разыгранной партии. Вам пришлось стать шлюхой. Без этого было нельзя. Мы все шлюхи. Но только платим за себя сами. И скажу откровенно: с меня довольно вашей меланхолии. Сидите там у себя на Нортумберленд-авеню мрачный, как грозовая туча, застрявший между двумя женщинами. Если не можете принять решения, это тоже в некотором роде решение. Бросайте свой маленький роман на стороне и возвращайтесь к Мейбл, вот вам мой совет, хотя он вам ни к чему, как я погляжу. На прошлой неделе я тоже вернулся к жене. Вышло чертовски паршиво.

И вопреки своему настроению я вдруг понял, что смеюсь.

— А лично мое решение таково, — продолжал Берр, великодушно согласившись на предложение подать ему еще одну огромную порцию пасты. — Вы оставите свой угрюмый образ жизни, как оставите и отдел дознания, где, с моей точки зрения, вы предавались нарциссическому самосозерцанию слишком долго. Вам пора переселиться на Пятый этаж и заменить Питера Гиллама на посту главы моего секретариата. Это подойдет для вашего кальвинистского мировоззрения, а мне поможет избавиться от неописуемо ленивого подчиненного.

Я выполнил все, что он предложил. Абсолютно все. Не потому, что предложения исходили именно от него, а потому, что он уловил направление моих мыслей. Уже следующим вечером я поставил Салли в известность о своем решении, и горечь расставания сослужила мне по крайней мере в чем-то добрую службу — помогла отвлечься от воспоминаний о Фрюине. Еще несколько месяцев по ее просьбе я продолжал отправлять ей письма из Танбридж-Уэллса, но это стало так же трудно, как писать домой из школы-интерната. Салли оказалась последним из того, что Берр окрестил моими маленькими романами. Возможно, я вообразил, что если сложить их вместе, они заменят одну действительно большую любовь.

Глава 12

— Итак, все кончено, — сказал Смайли.

Неяркие отсветы угасавшего в камине пламени падали на обшитые деревянными панелями стены библиотеки, позолотив зиявшие пустотами полки с пыльными книгами о путешествиях и приключениях, старые, с потрескавшейся кожаной обивкой кресла, лукаво отретушированные фотографии навсегда исчезнувших батальонов офицеров в парадной форме и с прогулочными тросточками. С них смотрели такие же разные лица, как и наши собственные, обращенные к Смайли, занимавшему почетное место. Четыре поколения нашей службы, условно говоря, встретились в этой комнате, но тихий голос Смайли и пелена сигарного дыма, казалось, объединили нас в семью.

Я не помнил, чтобы приглашал Тоби присоединиться к нам, но обслуживавший персонал явно знал о его неизбежном появлении, а официанты из столовой высыпали навстречу, чтобы приветствовать его. В пиджаке с широкими муаровыми лацканами и жилеткой на типично балканских резных деревянных застежках, он всем своим видом напоминал отставного ротмистра.

Берр поспешил прибыть прямо из Хитроу и, демонстрируя уважение к Смайли, переоделся в смокинг прямо на заднем сиденье своего ведомого шофером «ровера». Он вошел практически незаметно бесшумной походкой танцора, которая почему-то легко дается мужчинам крупного телосложения. Монти Эрбак разглядел его первым и сразу уступил ему свое место. Берр совсем недавно стал первым, кто получил пост главного координатора, не достигнув тридцати пяти лет.

А возле Смайли сгрудился мой последний выпуск курсантов. Девушки, подобные цветам в вечерних платьях. Парни, исполненные рвения, с обветренными, но посвежевшими лицами после всех трудностей, перенесенных в Аргайле.

— Все кончено, — повторил Смайли.

Уж не внезапно ли воцарившаяся тишина насторожила нас? Или изменение тональности его голоса? Или почти жреческий жест, сделанный им, неожиданное напряжение, которое ощущалось наряду с благоговением или решимостью? Я не смог бы объяснить этого тогда, как не смогу и сейчас. Знаю только, что, хотя мне не удалось перехватить ни одного взгляда, я сразу уловил возникшее напряжение, словно Смайли призвал взяться за оружие. А ведь на самом деле он скорее предлагал сложить его, чем привести в боевую готовность.

— Все кончено, как покончено и со мной самим. Абсолютно покончено. Время дать сигнал и опустить занавес, скрыв вчерашнего рыцаря «холодной войны». И, пожалуйста, никогда больше не просите меня вернуться. Новые времена требуют новых людей. И худшее, что вы можете сделать, это пытаться подражать нам.

Думаю, он намеревался поставить здесь точку, но только с Джорджем даже не пробовали строить догадки. Насколько я знал, перед приездом сюда он заучил прощальную речь наизусть, проработал ее, отрепетировав каждое слово. Но теперь его действиями руководило общее молчание, как и необходимость соответствовать сути торжественной церемонии. Наша зависимость от него стала в тот момент настолько полной, что если бы он повернулся и вышел, не произнеся ни слова, разочарование сразу же обратило бы любовь к нему в горькую озлобленность.

— В центре моего внимания всегда оставался прежде всего человек, — заявил Смайли в типичной для него манере начинать с загадки, а потом выждать некоторое время, прежде чем прояснить смысл сказанного. — Я никогда ни во что не ставил любые идеологии, если только они не перерастали в безумные или совершенно зловещие. Никогда не считал институты власти оправдывавшими свое предназначение, а занятия политикой воспринимал не более чем предлог, чтобы ничего не чувствовать. Человек, а не безликие массы, вот кому мы призваны служить. Напомню, если вы не отметили сами, что именно человек положил конец «холодной войне». Не вооружения, не технологии, не армии или пропагандистские кампании. Это был просто человек. И даже не человек с Запада. Так случилось, что им оказался наш заклятый враг с Востока. Тот, кто вышел на улицы, презрев пули и дубинки, сказав: все, с меня хватит! Именно их король, а не наш набрался смелости взойти на высокую трибуну и заявить, что он голый. А идеологии потащились за такими, казалось бы, невероятными событиями с обреченностью приговоренных преступников, что случается с любыми изжившими себя идеологиями. Потому что своей души они не имеют. Они всего лишь или шлюхи, или ангелы, в зависимости от наших собственных устремлений. И только история сможет сказать нам правду о том, кто стал подлинным победителем. Если возникнет демократическая Россия, что ж, тогда Россия и окажется в выигрыше. А если Запад задохнется от миазмов своего материализма, значит, Запад еще остается вероятным проигравшим. История умеет хранить тайны дольше, чем большинство из нас. Но есть у нее секрет, который я раскрою вам. Иногда победителей не бывает вообще. Как порой не обязательно, чтобы кто-то оказался в проигрыше. Вы спрашивали меня, что мы должны думать о нынешней России.

Но разве мы действительно спрашивали его об этом? Как еще можно было объяснить внезапную смену направления беседы? Верно, мы бегло упоминали в разговоре о распаде советской империи, размышляли о неуклонном подъеме Японии и об исторических сдвигах в балансе экономических сил. А в послеобеденном обмене вопросами и ответами прозвучали мимолетные ссылки на мою работу в Русском доме наряду с упоминаниями о проблемах Ближнего Востока и о деятельности Смайли в комитете по правам на рыбную ловлю, о которой благодаря Тоби стало известно всем. Но не думаю, что я слышал прямой вопрос, избранный Смайли для ответа.

— Вас интересует, — продолжал он, — можем ли мы вообще доверять Медведю с Востока? Вас интригует, но в то же время и тревожит сама возможность разговаривать с русскими как с равными нам существами и находить с ними во многих областях общность взглядов. Я дам вам несколько ответов.

И первый их них — нет, мы никогда не сможем полностью доверять Медведю. По той простой причине, что Медведь сам себе не доверяет. Медведь чувствует себя под угрозой, Медведь испуган, Медведь распадается на части. Медведю отвратительно прошлое, его тошнит от настоящего, и он смертельно боится будущего. Так уже происходило не раз. Медведь обанкротился, он ленив, непостоянен, некомпетентен, коварен, опасно горд собой, еще более опасно вооружен до зубов, порой блестяще умен, а иногда поразительно невежествен. Без своих острых когтей он бы скоро превратился в еще одну погруженную в хаос часть «третьего мира». Но острых когтей он не лишился, нельзя забывать об этом.

И он не в состоянии вернуть своих солдат из зарубежных стран в одночасье по весьма веским причинам: ему негде их разместить, нечем их кормить, у него нет для них другой работы. Кроме того, он им тоже не доверяет. А поскольку наша Служба работает против тех, кому как нация не доверяем мы, то с нашей стороны стало бы пренебрежением своим долгом хотя бы на секунду расслабиться и перестать пристально следить за Медведем или его непослушными медвежатами. Вот вам первый ответ.

Второй же заключается в том, что да, мы можем полностью верить Медведю. Ибо никогда еще он не заслуживал доверия в такой большой степени. Медведь умоляет дать ему шанс стать одним из нас, разделить с нами свои проблемы, открыть у нас свои банковские счета, совершать покупки в магазинах на наших улицах, быть принятым как равный в нашем лесу, как и в своем. И его желание тем сильнее, чем значительнее ущерб его экономике, чем беззастенчивее разграбление его природных ресурсов, чем очевиднее невероятная бездарность его собственных управленцев. Медведь нуждается в нас так отчаянно, что мы можем поверить в эту его нужду. Медведю хочется отмотать назад ленту своей ужасающей истории и явиться из тьмы на свет после семидесяти или, если угодно, семисот лет мрака. А свет для него — это мы.

Проблема, однако, заключается в том, что мы, представители Запада, не в состоянии считать доверие Медведю для себя естественным, будь это Белый Медведь, Красный Медведь или симбиоз из двух разновидностей, на что он больше походит сейчас. Без нас Медведь обречен на муки, но среди нас немало людей, считающих: туда ему и дорога. Пусть так и будет. Как в сорок пятом году встречалось немало тех, кто утверждал, что после поражения в войне Германия должна остаться выжженной пустыней до конца истории человеческой цивилизации.

Смайли сделал паузу и, как показалось, прикидывал, достаточно ли ясно он уже выразил свои мысли. Он посмотрел на меня, но я отказался встречаться с ним взглядом. Полное напряженного ожидания молчание заставило его возобновить монолог:

— Медведь в будущем станет таким, каким мы сами сделаем его, а причин взяться за эту задачу можно назвать несколько. Во-первых, нам диктует такой подход обычный здравый смысл, общепринятые нормы поведения. Если уж вы помогли человеку сбежать из заключения, в которое он угодил по собственной глупости или в силу несправедливости, меньшее, что вы обязаны сделать потом, это дать ему миску супа и предоставить средства для адаптации в мире свободных людей. Вторая причина совершенно очевидна, и у меня едва хватает терпения вообще упоминать о ней. Россия, даже взятая отдельно, лишенная всех своих завоеваний и приобретений, урезанная территориально, все равно остается огромнейшей страной с многочисленным населением, являясь критически важной частью планеты. Так должны ли мы оставить Медведя гнить в одиночестве? Превратить русских в озлобленную, отсталую, но избыточно вооруженную нацию за пределами нашего лагеря? Или же сделать его своим партнером в мире, день ото дня меняющем очертания?

Он взял свой бокал и задумчиво всмотрелся в него, помешивая остатки бренди. И я почувствовал, что теперь ему гораздо сложнее просто встать и удалиться, чем ожидал он сам.

— Все это так, но тем не менее, — пробормотал он, как будто защищаясь от только что высказанных утверждений, — для достижения подобных целей нам придется не ограничиваться реконструкцией собственных умов и воззрений. Нам предстоит иметь дело со сверхмощным государством, которое мы возвели для себя как бастион против того, чего уже не существует. Нам в свое время пришлось отказаться от слишком многих свобод, чтобы остаться свободными. Теперь возникает необходимость вернуть их.

Он застенчиво улыбнулся, и я понял, что он намеренно разрушает чары, которыми сковывал нас всех.

— А потому пока вы будете преданно служить государству, то, вероятно, найдете возможность оказать мне небольшую личную услугу и станете время от времени проверять, крепки ли его основы. А то в последнее время многие раздулись от важности, а главного не замечают. Нед, я всем наскучил. Тебе пора отправить меня домой.

Он резко поднялся, словно стряхивая с себя нечто, грозившее удержать его на месте. Потом он в последний раз окинул взглядом комнату, но на этот раз смотрел не на курсантов, а на старые фотографии и трофеи, относившиеся к его прошлому, в явном стремлении запечатлеть их в памяти. Он покидал свой дом, передав законным наследникам. Затем с предельной озабоченностью взялся за лихорадочные поиски очков, пока не обнаружил, что они по-прежнему у него на носу. После чего расправил плечи и зашагал к двери, которую двое студентов бросились открывать перед ним.

— Что ж, хорошо. Доброй всем ночи. И спасибо. О, кстати, скажите им, чтобы не переставали следить за озоновым слоем, сделайте милость, Нед. В Сент-Агнесе сейчас невыносимо жарко для этого времени года.

И вышел, уже больше не оглянувшись.

Глава 13

Ритуалы при уходе в отставку с нашей Службы, вероятно, не менее грустны, чем проводы на пенсию представителей других профессий, хотя есть в них весьма примечательные и мучительные особенности. Проходят церемонии, предназначенные, чтобы их запомнить, — обеды со старыми приятелями и коллегами, приемы и вечеринки в офисах, обмен рукопожатиями с ветеранами из числа секретарей, в глазах у которых застыли слезы, визиты вежливости в дружественные ведомства. И есть церемонии для забвения, когда шаг за шагом ты отрезаешь себя от доступа к той особой информации, какую не получают обыкновенные люди. А для того, кто посвятил Службе всю жизнь, включая три года, проведенных в святая святых — личном секретариате Берра, — все это затягивается и повторяется неоднократно, пусть даже многие известные тебе секреты вышли на пенсию, значительно опередив тебя. Запертый в затхлом офисе нашего юриста Палфри, пусть зачастую в благословенном ожидании предстоявшего хорошего обеда, я одну за другой подписывал бумажки, отказываясь от своего прошлого. Послушно несколько раз повторил краткий текст торжественной клятвы, выслушивая неизменно неискренние предупреждения Палфри о неизбежности наказания в том случае, если соблазны тщеславия или обогащения подвигнут меня на нарушение правил.

Утверждать, что все эти церемонии не утомили меня под конец до предела, значит обманывать и себя и вас. Они часто заставляли меня желать, чтобы день моей экзекуции настал как можно скорее или, что было бы даже лучше, ее объявили уже состоявшейся. Поскольку с каждым днем я все острее ощущал себя человеком, утешаемым перед смертью, но вынужденным растрачивать последнюю энергию на успокоение тех, кому было суждено пережить меня.

Вот почему стал необъяснимо великим облегчением тот момент, когда я, снова сидя в надоевшей до омерзения берлоге Палфри за три дня до моего окончательного освобождения, получил распоряжение явиться пред светлые очи Берра.

— У меня есть для вас работа. И она вам очень не понравится, — заверил он меня, прежде чем положить телефонную трубку.

Он все еще продолжал кипеть от злости в момент моего появления в его безвкусном, но современно обставленном кабинете.

— Вы ознакомитесь с его досье, а потом отправитесь к нему в деревню, чтобы вправить мозги и урезонить. Вам не следует его оскорблять, но если при разговоре случайно свернете ему шею, я не стану вас слишком упрекать.

— О ком речь?

— Об одном из реликтовых останков деятельности Перси Аллелайна. Об одном из тех магнатов из Сити с накачанным пивом пузом, с которыми Перси обожал играть в гольф.

Я бросил взгляд на обложку верхней папки из кипы. «БРЭД-ШОУ, — прочитал я, — сэр Энтони Джойстон». И приписку мелкими буквами внизу: «Представляет ценность согласно регистру» — а это значило, что персонаж, описанный в досье, воспринимался как союзник и помощник нашей Службы.

— Вы должны втереться к нему в доверие, таков приказ. Сумейте пробудить в нем лучшие черты характера, — продолжал Берр, но все тем же едким тоном. — Затроньте струну в старом государственном служащем. Верните его на путь истинный.

— Кто считает меня способным на такое?

— Наше пресвятое Министерство иностранных дел, кто же еще?

— А почему бы им самим не втереться к нему в доверие? — спросил я, с любопытством просматривая краткое описание карьеры на первой странице. — Мне всегда казалось, что именно за это им и платят.

— Они пытались. Посылали к нему помощника министра. Но к сэру Энтони так просто не подъедешь. Кроме того, он слишком много знает. Может называть имена и указывать на людей пальцем. Сэр Энтони Брэдшоу, — объяснил Берр, и его голос с северным прононсом взлетел до предельно высоких нот негодования, — сэр Энтони Джойстон Брэдшоу, — поправился он, — принадлежит к числу тех природных мерзавцев, порожденных Англией, кто в процессе служения отечеству собрал больше данных о неблаговидных действиях правительства ее величества, чем оно получило от него относительно противников. И это дает ему возможность крепко держать чиновников за яйца. Ваша задача состоит в том, чтобы предельно осторожно и вежливо заставить его ослабить хватку. Ваше основное оружие для выполнения миссии видится мне в седых локонах и заметном добродушии, которое, как я заметил, вы не брезгуете пускать в ход, если того требует цель. Он ждет вас сегодня к пяти часам вечера, причем ценит пунктуальность. Китти уже подготовила для вас рабочий стол у нас в приемной.

Мне не потребовалось много времени, чтобы понять причину ярости Берра. В нашей профессии мало что так сильно раздражает, как необходимость избавляться от не слишком приличного наследия, оставленного предшественником. А сэр Энтони Джойстон Брэдшоу, своенравный делец и магнат из Сити, являлся именно таким наследием в наихудшем варианте. Аллелайн подружился с ним (в своем клубе, где же еще?). Аллелайн завербовал его. Аллелайн поддерживал его в целом ряде сделок самого сомнительного толка, не принесших выгоды никому, кроме самого сэра Энтони, хотя ходили упорные слухи, что Аллелайн сделал это далеко не бескорыстно, получив свою долю. Стоило только назреть очередному скандалу, и Аллелайн неизменно прикрывал сэра Энтони от ненастья под крепким зонтом Цирка. Но что было хуже всего, многие двери, открытые Аллелайном для Брэдшоу, оказались потом так и не закрытыми по простейшей причине: никому и в голову не пришло захлопнуть их. И через одну из них Брэдшоу сейчас свободно вошел, приведя в ужас и трепет не только Министерство иностранных дел, но и добрую половину Уайтхолла.

Я взял в библиотеке официально изданную карту региона, получил в гараже «форд-гранаду». И в половине третьего, держа значительную часть досье в голове, отправился в путь. Порой начинаешь забывать, как красива Англия. Я проехал через Ньюбери и поднялся по извилистой дороге на холм, поросший буками, длинные тени которых темными траншеями прорезали золотистые стерни. Аромат полей для крикета наполнил машину. Я преодолел гребень возвышенности, и передо мной открылись целые замки из белых облаков, ждавших у горизонта. Должно быть, мне вспомнилось детство, потому что мной внезапно овладело неудержимое стремление подняться прямо к ним. Такие сны часто посещали меня в детстве. Машина нырнула капотом вниз и побежала свободнее, а передо мной вдруг открылся вид на обширную долину с небольшими поселениями, церквями, просторными полями и лесом.

Я миновал паб, и вскоре передо мной возникли величавые позолоченные ворота, высившиеся между каменными опорами с вырезанными на них изображениями львов. Рядом стоял опрятный белый домик привратника со свежеобновленной кровлей. Крепкий молодой человек склонился к открытому окну моей машины и изучил меня глазами снайпера.

— У меня назначена встреча с сэром Энтони, — сказал я.

— Назовите свою фамилию, сэр.

— Карлайл, — ответил я, используя псевдоним в последний раз.

Паренек скрылся в домике, ворота открылись, а потом закрылись вновь, едва я успел проехать. Парк окружала высокая кирпичная стена, протянувшаяся, должно быть, мили на две. В густой тени каштанов лежали лани. Дорожка пошла вверх, и передо мной возник дом. Он тоже выглядел словно позолоченным, безукоризненно ухоженным и очень большим. Центральная часть была выдержана в стиле Вильгельма и Марии. Крылья относились к более позднему периоду, но не слишком позднему. Перед домом простиралось озеро, а позади него располагались огороды и парники. Старые конюшни перестроили под офисы с затейливыми лестницами снаружи и стеклянными внешними коридорами. В оранжерее садовник поливал цветы.

Дорожка обогнула озеро и привела меня к стоянке перед парадным входом. Две кобылы арабской породы и лама смотрели на незнакомца из-за ограды округлой формы загона. Молодой дворецкий в черных брюках и полотняном пиджаке спустился по ступеням.

— Не желаете ли, чтобы я припарковал вашу машину позади дома, мистер Карлайл, как только вас представят хозяину? — спросил он. — Сэр Энтони любит, чтобы пространство перед домом оставалось свободным, если это возможно, сэр.

Я отдал ключи и последовал за ним вверх по широким ступеням. Их оказалось ровно девять, хотя не представляю, зачем их сосчитал. Просто этому нас когда-то обучили в Саррате на занятиях по развитию внимания, а моя жизнь в последние недели превратилась не столько в цепочку новых событий, сколько в мозаику из происшествий прошлого и приобретенного за долгие годы опыта. Если бы меня вышел встречать Бен и приветственно пожал руку, я бы едва ли сильно удивился. Если бы Моника и Салли появились со своими обвинениями в мой адрес, у меня заранее были заготовлены для них ответы.

Я вошел в огромный холл. Великолепная двойная лестница поднималась к открытой площадке. Портреты благородных предков — все мужские — смотрели на меня, но почему-то не верилось, что это члены одной семьи, и было непонятно, как они прожили здесь долгие годы вообще без женщин. Я миновал бильярдную, отметив, что и стол и кии новенькие. Как мне стало ясно, я все видел и замечал так отчетливо, поскольку считал, что все это происходит со мной в последний раз. Я проследовал за дворецким через величественную гостиную, потом пересек помещение, отделанное под зеркальный зал, затем третью комнату, которая, как предполагалось, должна была выглядеть неформально уютной. Там стоял телевизор размерами с короб для мороженого, перевозившийся на трехколесном велосипеде и в дни моего детства непременно останавливавшийся у здания нашей начальной школы в такие же погожие дни, как сегодня. Наконец я прибыл к грандиозным с виду двустворчатым дверям и подождал, чтобы дворецкий постучал. Будь Брэдшоу арабом, он заставил бы меня стоять там часами, подумал я, вспомнив Бейрут.

Но после паузы я услышал ворчливый мужской голос:

— Войдите.

Дворецкий сделал шаг вперед и объявил:

— Сэр Энтони, к вам мистер Карлайл из Лондона.

Я не говорил ему, что приехал из Лондона.

Дворецкий отошел в сторону и дал мне возможность впервые бросить взгляд на хозяина дома, хотя потребовалось значительно больше времени, чтобы хозяин бросил первый взгляд на мистера Карлайла.

Он сидел за двенадцатифутовым письменным столом на изогнутых ножках с инкрустированной медью столешницей. Современные портреты избалованных детей, выполненные маслом, висели у него за спиной. Корреспонденция была сложена в лотки из кожи. Это был крупный, откормленный мужчина и явно большой труженик, потому что успел раздеться до рубашки — синей с белым воротничком повитухи, — а рукава закатал и закрепил красными резиновыми стяжками. А кроме того, он выглядел слишком занятым, чтобы замечать мое появление. Сначала он читал, используя ручку с золотым пером, чтобы помогать глазам и водить кончиком вдоль строчек. Затем вздохнул и начал той же ручкой писать. Потом погрузился в медитацию, все еще глядя вниз и сделав кончик золотого пера фокусом своего внимания на время глубокомысленных размышлений. Его золотые запонки размерами и толщиной превышали старые монеты в один пенни. Наконец он положил авторучку и с обиженным, даже обвиняющим выражением лица поднял голову и сначала заметил меня, а потом оценил в соответствии с собственными стандартами, которые мне только предстояло уяснить.

Но в тот же момент по удачной для меня прихоти природы низкий луч солнечного света упал через французское окно ему на лицо, и я тоже получил возможность оценить его внешность. Напускную печаль в глазах, под которыми набрякли мешки, словно богатство приносило ему лишь огорчения, небольшой рот с напряженными губами, кривившимися над двойным подбородком, властность, сформировавшуюся из совокупности слабостей, и непреодоленную мальчишескую подозрительность в отношении мира взрослых. В свои сорок пять лет этот страдавший избыточным весом ребенок до сих пор не примирился с жизнью, все еще возлагая вину на отсутствовавших родителей и находя в этом утешение.

Внезапно Брэдшоу встал и направился ко мне. Стремительно? Или крадучись? В наши дни мужчины-англичане, облеченные властью, выработали странную походку: комбинацию из нескольких манер передвигаться одновременно. Одна проявлялась как уверенность в себе, другая — как некая ленивая, но спортивная упругость шага. Но заключалась в этом и недвусмысленная угроза, и нетерпение, и внутренняя наглая спесь. Он уподобился крабу, расставившему клешни, чтобы не дать никому проскочить мимо, по-боксерски поджал плечи и придал коленям игривую прыгучесть. Еще не успев пожать ему руку, вы понимали, что он бесконечно далек от многих жизненных реалий, начиная с искусства и заканчивая общественным транспортом. Вас безмолвно предупреждали держать дистанцию, если вам не хватало для этого собственной сообразительности.

— Вы один из парней Перси, — сообщил он, опасаясь, что мне это может быть невдомек, одновременно проверяя размер моей руки и не скрывая неизбежного разочарования. — Так, так. Давненько не виделись. Думаю, лет десять. Или даже больше. Выпейте что-нибудь. Бокал шампанского. Выпейте что хотите. — Но затем последовал приказ: — Саммерс! Принесите нам бутылку шипучего, ведерко со льдом, два бокала, а потом убирайтесь. Да, и не забудьте орешки! — выкрикнул он вслед дворецкому. — Кешью, бразильских — хренову кучу орешков. Вы любите орехи? — спросил он меня с внезапной и обезоруживающей доверительностью.

— Люблю, — ответил я.

— Хорошо. Я тоже. Обожаю их. Вы явились, чтобы зачитать мне закон о нарушении общественного порядка. Верно? Валяйте. Я не стеклянный, не разобьюсь.

Он принялся открывать одно за другим французские окна, чтобы дать мне возможность полнее оценить его владения. Для подобного маневра он избрал иную походку, более похожую на марш с ритмичным размахиванием руками в такт не слышной никому военной музыке. Раскрыв проемы окон, он предоставил мне шанс рассмотреть его сзади. Затем встал, подняв руки и приложив их к оконным переплетам, как мученик, ожидавший получить в спину стрелу. Типичная прическа дельца из Сити, подумал тем временем я: густая у воротника, чуть взъерошенная над ушами. А за окном простиралась практически в бесконечность долина, окрашенная в золотистые, коричневые и зеленые тона. Нянюшка с маленьким ребенком прогуливалась среди оленей. На ней была коричневая шляпка с загнутыми вверх полями и такая же коричневая униформа, похожая на костюмчики девочек-гидов. Лужайка представляла собой готовое поле для игры в крокет.

— Мы лишь обращаемся к вам с просьбой, сэр Энтони, не более того, — сказал я. — Хотим, чтобы вы оказали нам еще одну услугу, как те, что вы оказывали Перси. В конце концов, это Перси добился для вас возведения в рыцарское достоинство, не так ли?

— Пошел к дьяволу ваш Перси. Впрочем, он уже умер, если не ошибаюсь. Никто мне ничего не дарит. Обо всем приходится заботиться самому. Что вам нужно? Не тяните, раскрывайте карты. Я уже выслушал одну проповедь. От толстяка Сейвори из МИДа. Помню, как порол его, когда он еще служил мне мальчиком на побегушках в школе. Как был слюнтяем, так и остался.

Руки оставались в прежнем положении, но спина напряглась. Мне следовало начинать разговор, но я чувствовал себя до странности неподготовленным к нему. За три дня до отставки во мне родилось ощущение, что я вообще понятия не имею о реальном мире. Саммерс принес шампанское, откупорил бутылку и наполнил два бокала, подав их нам на серебряном подносе. Брэдшоу тут же схватил бокал и вышел в сад. Я потащился за ним по засеянной газонной травой центральной аллее. По обе стороны высились азалии и рододендроны. В дальнем конце аллеи посреди отделанного камнем пруда били струи фонтана.

— Вы получили звание поместного лорда, когда купили эту усадьбу? — спросил я, рассчитывая, что пустая светская беседа поможет мне собраться с мыслями.

— Положим, так, и что с того? — резко ответил Брэдшоу, и я понял: ему не нравятся напоминания о покупке дома, который он предпочел бы унаследовать от знатных предков.

— Сэр Энтони, — обратился к нему я.

— Слушаю вас. В чем дело?

— Это касается вашей связи с бельгийской компанией «Астрастил».

— Никогда о ней не слышал.

— Но вы вступили с ними в определенные отношения, не так ли? — с улыбкой спросил я.

— Не имею с ними никаких отношений и прежде не имел. То же самое я сказал Сейвори.

— Но вы вложили в «Астрастил» деньги, сэр Энтони, — терпеливо возразил я.

— Чепуха. Несомненная путаница. Ошибка. Не тот человек, неверный адрес. Говорил же ему.

— Однако именно вам принадлежат сто процентов акций компании «Оллметал оф Бирмингем лимитед», сэр Энтони. А «Оллметал оф Бирмингем» владеет компанией «Юротек фандинг энд импортс лимитед» на Бермудах, верно? А базирующаяся на Бермудах «Юротек» является подлинной хозяйкой «Астрастил» в Бельгии, сэр Энтони. Таким образом, мы можем утверждать, что все-таки существует определенная связь между вами с одной стороны и компанией, находящейся в собственности принадлежащей вам фирмы, — с другой. — Я по-прежнему улыбался, пытался вразумить его, обращая все почти в шутку.

— Никаких вложений, никаких дивидендов, никакого влияния в «Астрастил». Высосано из пальца. Сказал об этом Сейвори, а теперь и вам повторю.

— Тем не менее, когда в прежние времена, ушедшие теперь в прошлое, но не такое уж далекое, когда Аллелайн попросил вас доставить определенные грузы в определенные страны, которые, строго говоря, не могли получать подобные грузы официальным путем, вы использовали «Астрастил», чтобы выполнить задачу. И «Астрастил» послушно сделала все, что вы ей поручили. Поскольку, если бы это оказалось им не под силу, Перси изначально не обратился бы к вам. Ваши услуги в таком случае ему не понадобились бы. — Улыбка маской застыла на моем лице. — Мы же не полицейские, сэр Энтони, и не налоговые инспекторы. Я просто указываю вам на определенные отношения, находящиеся, по вашему верному утверждению, вне ведения закона, поскольку они с самого начала были задуманы с активной помощью Перси как неподвластные правоохранительным органам.

Моя речь прозвучала невнятно для меня самого, совершенно расплывчато, и я даже решил было, что Брэдшоу она никоим образом не взволнует.

И в какой-то степени оказался прав, поскольку он лишь пожал плечами и спросил:

— А на что это теперь влияет? Что я могу изменить?

— Очень и очень многое, вообще-то. — Я почувствовал, как кровь приливает к лицу, но не мог ничего с этим поделать. — Мы просим вас отступить и остановиться. Вы получили вожделенное рыцарство, сколотили огромное состояние, и у вас есть долг перед родиной, как существовал он и двенадцать лет назад. А потому вам надлежит свернуть свою активность на Балканах, перестать заигрывать с сербами, прекратить операции в Центральной Африке, не снабжать их больше тоннами оружия по щелчку пальцев и не пытаться зарабатывать на войнах, которые могли вообще не разразиться, если бы вы и вам подобные держались от них подальше. Вы же британец. И денег у вас сейчас в карманах больше, чем почти любой из нас может увидеть в течение всей жизни. Остановитесь. Просто остановитесь. Это все, о чем мы вас просим. Времена изменились. Мы сами больше не участвуем в подобных играх.

На мгновение мне даже показалось, что я произвел на него впечатление, потому что он наконец удостоил меня тусклым взглядом и оглядел так, словно впервые задумался: может, этого типа все же стоит купить? Но интерес почти сразу снова угас, и он погрузился в унылое молчание.

— Сейчас к вам обращается ваша родная страна, Брэдшоу, — произнес я уже с подлинной злостью. — Ради всего святого, будьте человеком! Чего еще вам не хватает? Или вы окончательно лишились совести?

Я приведу вам ответ Брэдшоу в том виде, в каком расшифровал его с пленки, потому что по просьбе Берра сунул в карман пиджака диктофон, а четкие, резкие носовые звуки голоса Брэдшоу обеспечили превосходную запись. Я даже попробую передать вам его интонации настолько точно, насколько это вообще возможно на бумаге. Брэдшоу говорил по-английски так, будто он был для него вторым языком, хотя никаким другим он не владел. Он говорил, как пояснил мой сын Адриан, на жаргоне, характерном, как своеобразный кокни, для несдержанной болтовни жителей феше-небельной Белгравии, когда, например, «слона делают из мыши», а вовсе не из мухи, и смысл можно извлечь, только хорошенько разобравшись в использовании местоимений. Разумеется, здесь присутствует и свой словарь: ничто не поднимается, только возвышается, возможности не возникают, а распахиваются, как не происходит ни одного самого мелкого события, не именуемого сенсационным. Причем собеседники педантично придерживаются неправильных выражений, чтобы выделиться среди не допущенных в свой круг. Вот откуда перлы типа: «Как у тебе и у мене». Но я хотел бы верить, что даже без диктофона запомнил бы каждое слово, потому что его монолог прозвучал как боевой клич из мира, который я как раз собирался покинуть, предоставив ему возможность дальше существовать без меня.

— Прошу прощения, — начал он сразу со лжи. — Я правильно понял ваши речи как воззвание к моей совести? Отлично! А теперь я сам сделаю официальное заявление для занесения в протокол. Не возражаете? И заявление уже звучит. Пункт первый. Хотя у меня, вообще-то, только один пункт и есть. Мне глубоко на все наплевать. Признаюсь, в этом и состоит разница между мной и прочими людишками, обычной швалью. Если орды ниггеров — да, я употребил слово «ниггеры», потому что хочу называть их ниггерами... Если толпы этих самых ниггеров завтра поубивают друг друга с помощью моих игрушек, а я наварю на этом, то для меня не будет новости лучше. Потому что не продай я им нужный товар, нашелся бы другой делец, который снабдил бы их всем необходимым. Когда-то правительство понимало это. И если теперь там сидят слабаки, то и пошли они подальше. Пункт второй. Точнее, вопрос. Слышали, что творят в наши дни торговцы табаком? Сбывают дикарям высокотоксичный табак, уверяя, что он лечит любые простуды и от него у мужиков лучше стоит. Разве им не плевать на последствия? Так и вижу, как они страдают, сидя дома, от нервных срывов, потому что сеют рак легких среди отсталых народов. Черта с два! Просто прибегают к творческим методам маркетинга, и точка! А наркотики? Только не ширяйтесь сами, коли нет тяги. Воля ваша. Но вот если находится торговец, желающий сбыть товар, который делает бизнес с охотником зелье приобрести, мой вам совет — отойдите в сторонку, и пусть ударят по рукам. Да пребудет с ними удача! Ведь тех, кого не убьют наркотики, доконает отравленная атмосфера. Они все равно поджарятся при глобальном потеплении. Я — британец, говорите вы. Верно, и не скрываю, что горжусь этим. Как горжусь своей старой закалкой. Человек имперского мышления. Такое передается только по наследству. Когда кто-то встает у тебя на пути, уничтожай его. Или он уничтожит тебя. И дисциплина, между прочим, здесь тоже важна. Порядок. Прими на себя ответственность человека своего класса и образования и побей иностранца, чужака его же оружием. Я всегда считал, что вы, парни, тоже придерживаетесь таких взглядов. Но, очевидно, ошибался. Сбой во взаимопонимании. О чем только и следует заботиться, так это о качестве своей жизни. Этой жизни, единственной и неповторимой. О стандартах в конечном счете. Устаревшее слово? А мне плевать! У меня остались свои стандарты. Помпезные и напыщенные, думаете вы. Хорошо, пусть я помпезный. Пошли вы куда подальше со своим мнением. Я — фараон, так? И если несколько тысяч рабов должны умереть, чтобы я построил себе пирамиду, то это в порядке вещей. А если им каким-то образом удастся умертвить меня за эту проклятую пирамиду, что ж, тем лучше для них. Знаете, что я нашел у себя в подвале? Железные кольца. Ржавые металлические кольца, замурованные в стены подвала, когда дом только возводили. Догадываетесь, для чего? Для рабов. И это тоже в порядке вещей. Первый хозяин дома, человек, построивший его, оплативший постройку, посылавший архитектора в Италию, чтобы досконально овладеть мастерством, — этот человек владел рабами и устроил для них тюрьму в подвале. И неужели вы думаете, что рабов больше нигде нет? Считаете, капитализм не зависит от рабского труда? Тогда, боже милостивый, ну и контору же вы создали! Мне не нравится философствовать, но, боюсь, выслушивать нотации и проповеди гораздо хуже. Только не в моем доме, уж увольте! Раздражает до предела. И к тому же никакими причитаниями меня не проймешь. Я славлюсь упрямством и хладнокровием. Но и свои взгляды на мировой порядок у меня есть. Дай работу другим людям и забирай свою долю.

Я промолчал, что, как и все остальное, запечатлелось на пленке.

А что я мог сказать, оказавшись лицом к лицу с абсолютным воплощением порока? Всю жизнь я сражался со злом как с некой организованной силой. У нее имелось не только название, но чаще всего и национальная принадлежность. У нее была единая корпоративная цель, и она обрела единый корпоративный конец. Но зло, стоявшее сейчас передо мной, представляло собой вконец испорченное дитя, порожденное нашей собственной средой, отчего я тоже превратился в ребенка: безоружного, бессловесного мальчика, которого предали. На мгновение показалось, что я посвятил жизнь борьбе с ошибочно избранным противником. Потом дело представилось так, как будто Брэдшоу похитил лично у меня плоды моей победы. Мне припомнился афоризм Смайли о том, что хорошие люди потерпели поражение в «холодной войне», а плохие одержали в ней верх. И меня подмывало повторить эти слова Брэдшоу, придать им оскорбительный для него смысл, но это значило бы понапрасну сотрясать воздух. Еще я хотел сказать ему, что теперь, одолев коммунизм, мы собираемся вплотную заняться победой и над капитализмом тоже, но ведь на самом деле я так не считал. Зло заключалось не в системе, а в конкретном человеке. К тому же он уже интересовался, останусь ли я с ним поужинать. Пришлось просто вежливо отказаться и уехать.

В тот вечер ужин для меня устроил сам Берр, и не без удовлетворения подчеркну: мне это событие мало чем запомнилось. Двумя днями позже я сдал пропуск в штаб-квартиру Службы.

Вы видите свое лицо. Перед вами лицо человека, которого вы совсем не знаете. По нему нельзя сказать, как вы поступили со своей любовью, что обрели, к чему стремились. Вы хотите возразить: «Но ведь я отрубил голову дракону. После меня мир станет более безопасным». Вот только в наши дни даже такое высказывание невозможно. А может, вы никогда не имели права так говорить.

Мы неплохо живем с Мейбл. Никогда не обсуждаем того, что не в силах изменить. Не перечим друг другу и не ссоримся. Мы — цивилизованная пара. Приобрели коттедж на побережье. При нем разбит большой сад, к которому так и тянутся мои руки. Посадить несколько деревьев здесь, расчистить вид на море там. Есть небольшой яхт-клуб для детишек из бедных семей, где я активно работаю. Мы привозим их порой даже из Хакни, и они получают несказанное удовольствие. Уже раздаются предложения выдвинуть мою кандидатуру в местный совет. Мейбл посещает церковь. Время от времени я отправляюсь погостить в Голландию. У меня ведь там все еще остались родственники.

А иногда к нам даже заезжает Берр. Мне нравится это. Вполне ожидаемо он прекрасно ладит с Мейбл. Причем не пытается умничать и строить из себя важную птицу. Обсуждает с женой ее акварели, но не выносит суждений и приговоров. Мы открываем бутылочку доброго вина, жарим цыпленка. Он посвящает меня в последние новости, а потом отбывает в Лондон. О Смайли ничего не слышно, но так уж угодно ему самому. Он ненавидит ностальгию, даже если ею страдают другие, а не он сам.

На самом деле такой штуки, как настоящая отставка, для нас не существует. Просто порой ощущаешь, что знаешь слишком много, вот только уже ничего не можешь сделать, но это, уверен, следствие возраста. Я часто предаюсь размышлениям. Начал выступать с лекциями. Беседую с людьми, езжу на автобусах. Чувствую себя новичком в открытом мире, но постепенно учусь и привыкаю к нему.

Послесловие

В «Секретном паломнике» я преисполнился решимости окончательно распрощаться с «холодной войной», Джорджем Смайли и со всеми его людьми, как и с некоторыми деликатными, трудно поддающимися определению темами, назойливо преследовавшими меня на протяжении двух с половиной десятилетий писательской деятельности. Мне захотелось вдуматься, кем мы были и кем стали, бросив взгляд на очертания будущего двух сверхдержав в наши дни, когда они — с некоторой неохотой — перестали, пусть лишь на какое-то время, играть в русскую рулетку. Я дважды мысленно расставался с «холодной войной»: в романе «Люди Смайли», в котором навсегда закончилось для меня противостояние между Смайли и Карлой, и в «Идеальном шпионе», где отчаявшийся главный герой перестает понимать и даже не особенно беспокоится, принадлежит ли он в большей степени Востоку или Западу.

Но упомянутые деликатные и порой иллюзорные темы оставались для меня незаконченным делом. Некоторые удалось затронуть только в книгах, написанных позднее. Теперь, когда Западу удалось справиться с наиболее мерзкими проявлениями коммунизма, мне захотелось задаться вопросом: как он сумеет совладать с не менее отвратительными формами капитализма? В «Секретном паломнике» Смайли коротко затрагивает этот вопрос, но мне не удалось в полной мере обратиться к ответу на него, пока не были написаны «Сингл и Сингл» и «Преданный садовник». В значительной степени более банальная тема, неизменно интересовавшая меня, заключалась в роли элемента некомпетентности в мире шпионажа. На автора, пишущего о секретных агентах, ложится подобное бремя, поскольку рядовой читатель почему-то убежден, что шпионы неизменно умнее и лучше приспособлены к жизни, чем простые обыватели. Шпионы не теряют ключей от машин, не забывают комбинации кодовых замков сейфов и не могут так оплошать, чтобы назвать новую жену именем прежней. Что ж, наверное, так и есть или, по крайней мере, должно быть. Они же шпионы, прошедшие специальную подготовку и все такое, — люди, особо тщательно отобранные для своей профессии, не правда ли? И мы не устаем верить в это вопреки бесконечным историям о позорнейших провалах, которые рассказывают нам обозленные перебежчики на сторону противника вроде Шайлера или Томлинсона или попадающим на страницы прессы. Верим вопреки чемоданчику, набитому бесценными секретными материалами, потерянному на станции лондонской подземки, или жесткому компьютерному диску с полным списком негласных информаторов, купленному в магазине подержанной электроники.

Даже когда вертолет «чинук» терпит катастрофу по пути из Северной Ирландии и при этом гибнет целое созвездие элитных офицеров разведки, мы все еще остаемся нацией, упорно не желающей поинтересоваться, какой слепой идиот отправил этих людей одним рейсом. И это несмотря на тот факт, что вечно уклончивое в ответах на вопросы общественности Министерство обороны давно со всей очевидностью знает об опасностях подобных перелетов. Должна же существовать некая причина, говорим мы себе, в очередной раз сбиваясь на бездумную веру в нечто, близкое к оккультизму. Шпионы все делают иначе, чем мы. Они не настолько легкомысленны, как мы сами. Забывая знаменитое высказывание Артура Кестлера, но только о своих единоверцах-евреях: шпионы — такие же обычные люди, как все, но только чуть более обычные*.

Когда же я время от времени предпринимал попытки (как, например, в написанной в 1963 году «Войне в Зазеркалье») использовать провал разведки, а не успешно проведенную операцию в качестве сюжета произведения, мне не удавалось привлечь читателя на свою сторону. И отчасти я сам оказался тому виной, поскольку в вышедшем чуть ранее романе «Шпион, пришедший с холода»

---

* На самом деле Кестлер процитировал знаменитого еврейского ученого Хаима Вейцмана.

фабула целиком и полностью диктовалась шпионскими интригами и хитроумными планами. «Сначала вы говорите нам одно, а потом заявляете прямо противоположное», — с полным правом ворчали читатели, и мне пришлось заплатить дорогую цену, чтобы вернуть их доверие, хотя сам я никогда не отказывался от внутреннего убеждения, что именно некомпетентность, а не тщательно продуманные заговоры, правит бал в таинственном мире шпионажа.

В «Секретном паломнике» вы встречаете чересчур нервного молодого офицера британской разведки, который теряет написанную от руки подробнейшую информацию о сети агентов в Восточной Германии и тем самым губит не только себя, но и своих невезучих агентов. В книге рассказывается о патологически одиноком клерке-шифровальщике, попадающем под власть иллюзии, что он стал самым лучшим из англичан, изучающих русский язык, и практически добровольно отдающем себя в руки КГБ. Причем бедолагу-клерка нельзя отнести к числу жертв ошибок, совершенных кадровой службой. Его случай скорее демонстрирует подчас фатальную тривиальность мотивов человеческих поступков, тончайшую грань между безвредной эксцентричностью характера и опасным безумием. Пока еще крайне мало написано о феномене, когда внешне нормальные люди на деле оказываются совершенно неадекватными. Пройдут, вероятно, многие годы, пока кто-то наберется смелости и объяснит подлинные мотивы, которыми руководствовался недавно разоблаченный высокопоставленный сотрудник ФБР Хансен, когда на протяжении длительного времени с непостижимой верностью врагу предавал свою организацию, хотя налицо все приметы, что во внутреннем мире этого на первый взгляд вполне разумного человека царил подлинный хаос.

Но персонаж, которого я считаю самым интересным на страницах романа, это не одичавший шифровальщик и не молодой вчерашний курсант из берлинского эпизода. И даже не бывалый солдат, старший сержант Хоторн, поверивший, что его сын — закоренелый преступник — является агентом британских спецслужб под прикрытием, которому Смайли позволяет укрепиться в этой вере, передав пару очень дорогих золотых запонок как подтверждение отважного служения непутевого отпрыска на благо родины.

Это Хансен. Не вызывающий отвращение сотрудник ФБР Хансен из реальной жизни, о котором я упомянул выше, а мой Хансен — голландец и ученый-востоковед, глубокий знаток

Азии, Хансен — британский шпион и отрекшийся от сана священник-иезуит, о чьей судьбе рассказывается в девятой главе. Лишь очень немногие герои в моем творчестве списаны с людей, которых я знал, немногочисленны и те, в ком соединены характеры и портреты нескольких человек. Крайне мало у меня и эпизодов, имеющих реальную фактическую основу, хотя должен признать, что история с запонками Смайли связана с подобным случаем из практики сэра Мориса Олдфилда, когда-то возглавлявшего МИ-6.

Но вот мой Хансен представляет собой персонаж, действительно имеющий прототип в реальной жизни. Его зовут Франсуа Бизо. Это французский ученый, специалист по буддизму, с которым я впервые встретился в Камбодже, а затем в Таиланде, проводя предварительную работу перед написанием «Достопочтенного школяра». Он великодушно дал мне разрешение адаптировать историю его жизни для моих литературных фантазий. А сам Бизо, к моей величайшей радости, опубликовал в прошлом году собственный снискавший ему популярность рассказ о пережитых им событиях, которые я в значительной степени исказил. И книга Бизо, названная им «Le Portail» — «Врата», — получившая во Франции признание как подлинный шедевр, увенчанная несколькими французскими литературными премиями, вскоре будет издана на английском языке.

Здесь вы в полной мере сможете оценить невысокий моральный уровень нашего брата — создателя чисто художественных произведений. Поскольку, пользуясь не совсем достойными приемами и совершенно произвольной интерпретацией характера героя, я в своем повествовании о героизме Бизо сделал его личностью, какой он никогда не был и ни за что не захотел бы стать. Он не являлся прислужником западных интересов в Азии, не занимался шпионажем под маской ученого-буддиста, не принадлежал к так называемой фашистской клике, за что Пол Пот со своими заплечных дел мастерами хотели наказать его. Он оставался просто Бизо, не подчиняясь никому, и только поэтому вопреки жутчайшим обстоятельствам инквизиторы из числа «красных кхмеров» отпустили его на свободу. Лишь благодаря решительности и силе воли Бизо убедил палачей в своей невиновности.

При первой публикации «Секретного паломника» я посвятил книгу актеру Алеку Гиннессу в знак признательности за воплощение им в телевизионном сериале Би-би-си образа Джорджа

Смайли и в качестве символа наших дружеских отношений, продолжавшихся до недавно постигшей его смерти. Но Гиннесс, как я сам, всегда смиренно признавал существование пропасти между миром воображаемым и миром реальным. А потому я уверен, что он, несомненно, поднял бы вместе со мной бокал и произнес тост во славу Бизо — подлинного человека в окружении целого сонма придуманных мной личностей.

Джон Ле Карре
Корнуолл, март 2001 года

Содержание

МАЛЕНЬКИЙ ГОРОДОК В ГЕРМАНИИ

СЕКРЕТНЫЙ ПАЛОМНИК

Литературно-художественное издание

Ле Карре Джон

МАЛЕНЬКИЙ ГОРОДОК В ГЕРМАНИИ
СЕКРЕТНЫЙ ПАЛОМНИК

РОМАНЫ

Ответственный редактор *Л. Кузнецова*
Художественный редактор *Е. Фрей*
Технический редактор *О. Серкина*
Компьютерная верстка *Е. Коптевой*
Корректор *Н. Сгибнева*

ООО «Издательство АСТ»
129085, г. Москва, Звездный бульвар, д. 21, строение 3, комната 5
Наш электронный адрес: **www.ast.ru**
E-mail: neoclassic@ast.ru
ВКонтакте: vk.com/ast_neoclassic

«Баспа Аста» деген ООО
129085, г. Мәскеу, жұлдызды гүлзар, д. 21, 3 құрылым, 5 бөлме
Біздің электрондық мекенжайымыз: www.ast.ru
E-mail: neoclassic@ast.ru

Қазақстан Республикасында дистрибьютор
және өнім бойынша арыз-талаптарды қабылдаушының
өкілі «РДЦ-Алматы» ЖШС, Алматы қ., Домбровский көш., 3«а», литер Б, офис 1.
Тел.: 8(727) 2 51 59 89,90,91,92, факс: 8 (727) 251 58 12 вн. 107;
E-mail: RDC-Almaty@eksmo.kz
Өнімнің жарамдылық мерзімі шектелмеген.

Өндірген мемлекет: Ресей
Сертификация қарастырылмаған

Подписано в печать 08.02.2017. Формат 60×90 $^1/_{16}$.
Гарнитура «Ньютон». Печать офсетная. Усл. печ. л. 47,0.
Тираж 2000 экз. Заказ № А-368.

Отпечатано в полном соответствии с качеством
предоставленного электронного оригинал-макета
в типографии филиала АО «ТАТМЕДИА»
«ПИК «Идел-Пресс».
420066, г. Казань, ул. Декабристов, 2.
E-mail: idelpress@mail.ru

ISBN 978-5-17-098509-8

16+